微機電系統技術與應用(上)

Micro Electro Mechanical Systems
Technology & Application (I)

國家實驗研究院
儀器科技研究中心

序

微機電技術真正蓬勃發展是近十餘年來的事，但早在西元 1959 年，物理學家費曼就提出了如何對微小尺度的事物進行操控的問題。回顧科技的發展，將事物微小化最成功的實例是積體電路 (IC)，IC 技術的成功為微機電技術奠定了發展的基礎。但微機電技術不僅包含電子電路系統，還涉及了機械致動器、感測器與相關介面技術，是高度的系統整合技術，面對的問題較 IC 技術更為複雜。微機電技術使得許多傳統大型系統無法完成的工作得以實行，並使原本可以進行的工作在效率上大幅提升，為人類生活帶來深刻且全面的影響，也成為奈米科技發展的必經之路。

本中心多年來致力於儀器系統的整合，亦投入微機電與奈米相關技術的研發，在準分子雷射 LIGA 製程、電鑄壓模、微放電加工、微光學元件及奈米表面檢測等領域均有不錯的成果。茲因微機電技術的蓬勃發展及對未來科技深遠的影響，乃積極籌劃出版微機電相關技術理論與應用實務的書籍—「微機電系統技術與應用」。

全書內容共計十四章，從基礎微加工製程開始，詳述矽基與非矽基微加工製程技術，並探討微機電材料，介紹微結構與微感測器、微致動器等元件技術，進而說明系統的整合與介面、系統的封裝，以及相關檢測與模擬分析技術。最後則廣泛介紹微機電系統的應用，並以微機電系統的遠景及未來發展作為邁向奈米機電技術的跳板。

鑑於微機電技術涵括的領域甚廣，為求全書內容的完整，本書共邀集了近百位專家共同撰寫，完稿後的篇幅也較預期增加了一倍。在此謹對所有參與策劃、編審的委員及撰稿的專家學者特致謝忱，由於他們的鼎力協助，本書方能順利付梓。希冀藉由本書的出版，能促進國內微機電系統技術的精進，並更上層樓，邁入奈米科技的領域。

本書自籌編以來，即受到各界矚目與殷殷期盼。考量相關技術的發展日新月異，是以投入相當人力，使本書在一年半的時間順利出版。全書內容如有疏漏之處，祈請讀者先進不吝指正。

國研院儀器科技研究中心主任

陳建人 謹誌

諮詢委員

編審委員

作者

AUTHORS

丁志明　美國辛辛那提大學材料博士 \ 國立成功大學材料科學及工程學系教授
方維倫　美國卡內基麥倫大學機械工程博士 \ 國立清華大學動力機械工程學系副教授
白果能　美國密西根大學化學博士 \ 中央研究院生物醫學科學研究所副研究員
任春平　國立清華大學工程與系統科學博士 \ 國立成功大學工程科學系博士後研究員
江志豪　國立臺灣大學機械工程碩士
吳才偉　美國哈佛大學材料博士 \ 美國 IBM Almaden Research Center 研究員
吳文中　國立臺灣大學應用力學博士 \ 國立臺灣大學工程科學及海洋工程學系助理教授
吳光鐘　美國康乃爾大學理論及應用力學博士 \ 國立臺灣大學應用力學研究所教授
吳政忠　美國康乃爾大學理論及應用力學博士 \ 國立臺灣大學應用力學研究所教授
吳乾埼　國立臺灣大學機械工程博士 \ 工業技術研究院量測技術發展中心研究員
吳靖宙　國立成功大學醫學工程研究所博士班學生
吳錦源　國立臺灣大學應用力學博士 \ 勝威光電科技股份有限公司總經理
呂秀雄　美國密西根大學太空工程博士 \ 國立臺灣大學機械工程學系教授
呂學士　美國明尼蘇達大學電機工程博士 \ 國立臺灣大學電機工程學系教授
宋開泰　比利時荷語魯汶大學應用科學博士 \ 國立交通大學電機與控制工程學系教授
宋齊有　國立清華大學動力機械工程博士 \ 逢甲大學航空工程學系教授
李天錫　美國杜克大學材料科學工程博士 \ 美國 Dicom 公司研究員
李世光　美國康乃爾大學理論及應用力學博士 \ 國立臺灣大學應用力學研究所暨工程科學及海洋工程研究所教授
李兆祐　國立臺灣大學應用力學博士 \ 中山科學研究院副研究員
李志成　國立臺灣大學機械工程碩士 \ 工業技術研究院工業材料研究所副研究員
李宗昇　國立交通大學光電工程博士 \ 工業技術研究院電子工業研究所組長
李宜璉　國立臺灣大學應用力學碩士 \ 國立臺灣大學應用力學研究所研究助理
李國賓　美國加州大學洛杉磯分校機械及航空工程研究所博士 \ 國立成功大學工程科學系副教授
李舒昇　國立臺灣大學應用力學研究所博士班學生 \ 百奧科技股份有限公司專案經理
邢泰剛　美國馬里蘭大學機械工程博士 \ 工業技術研究院工業材料研究所研究員
周正中　美國馬里蘭大學化學工程博士 \ 中央研究院生物醫學科學研究所博士後研究員
周榮宗　國立臺灣大學應用力學碩士 \ 國立臺灣大學應用力學研究所研究助理
周曉宇　國立成功大學物理學士 \ 國科會精密儀器發展中心副研究員

林仁輝	美國哥倫比亞大學機械工程博士 \ 國立成功大學機械工程學系教授
林佑昇	國立臺灣大學電機工程博士 \ 國立暨南大學電機工程學系助理教授
林郁欣	國立交通大學機械工程碩士 \ 國科會精密儀器發展中心助理研究員
林哲平	國立臺灣科技大學機械工程研究所博士班學生 \ 南開技術學院機械工程學系講師
林哲歆	國立中央大學電機工程研究所博士班學生
林軒立	國立成功大學機械工程研究所博士班學生
林啟萬	美國 Case Western Reserve 大學生醫工程博士 \ 國立臺灣大學醫學工程研究所副教授
林暉雄	國立交通大學光電工程研究所博士班學生 \ 國科會精密儀器發展中心助理工程師
林裕城	美國伊利諾大學芝加哥分校電機及計算機科學系博士 \ 國立成功大學工程科學系副教授
林澤勝	美國西北大學材料科學工程博士 \ 工業技術研究院工業材料研究所主任
邱俊誠	美國科羅拉多大學航空太空博士 \ 國立交通大學電機與控制工程學系教授
姚志民	國立臺灣大學機械工程博士 \ 國家高速網路與計算中心副研究員
姚南光	國立臺灣大學電機工程博士 \ 工業技術研究院電子工業研究所生物晶片技術部經理
洪志旺	國立成功大學電機工程博士 \ 國立中央大學電機工程學系教授
胡一君	文化大學機械工程學士 \ 國科會精密儀器發展中心副研究員
徐文祥	美國加州大學柏克萊分校機械工程博士 \ 國立交通大學機械工程學系教授
徐永裕	淡江大學電子工程學士 \ 國科會精密儀器發展中心助理工程師
柴駿甫	國立臺灣大學應用力學博士 \ 國家地震工程研究中心副研究員
殷宏林	國立清華大學動力機械工程碩士 \ 國科會精密儀器發展中心助理研究員
康尚文	美國路易斯安那理工大學工學博士 \ 淡江大學機械與機電工程學系副教授
張谷昇	國立臺灣大學農業化學研究所博士班學生 \ 元培科學技術學院講師
張忠恕	美國清華大學材料科學工程碩士 \ 工業技術研究院電子工業研究所工程副理
張所鋐	美國辛辛那提大學機械工程博士 \ 國立臺灣大學機械工程學系教授
張培仁	美國康乃爾大理論及應用力學博士 \ 國立臺灣大學應用力學研究所教授
張憲彰	日本東北大學化學工程博士 \ 國立成功大學醫學工程研究所教授
莊漢聲	國立成功大學機械工程碩士 \ 工業技術研究院量測技術發展中心副工程師
許聿翔	國立臺灣大學應用力學碩士 \ 正波科技股份有限公司研究員
許哲豪	國立臺北科技大學自動化科技碩士
許博淵	國立成功大學材料博士 \ 國家同步輻射研究中心微結構小組小組長
郭佳儱	日本東京大學精密機械工程博士 \ 國立雲林科技大學機械工程學系副教授
陳仁浩	日本東京工業大學機械工程博士 \ 國立交通大學機械工程學系副教授
陳文中	國立臺灣大學機械工程博士 \ 國立海山高工機械科教師

陳育堂　淡江大學機械與機電工程研究所博士班學生＼德霖技術學院機械工程科講師
陳怡君　國立臺灣大學應用力學碩士＼美國亞歷桑那大學光學研究中心博士候選人
陳建安　國立清華大學動力機械工程博士＼晶宇生物科技實業股份有限公司研發經理
陳建源　日本東京大學工學博士＼國立臺灣大學農業化學系教授
陳國聲　美國麻省理工學院機械工程博士＼國立成功人學機械工程學系助理教授
陳逸文　國立臺灣大學機械工程學士＼國立臺灣大學應用力學研究所研究助理
陶有福　國立交通大學電機工程碩士＼工業技術研究院工業材料研究所副研究員
彭成鑑　美國賓州州立大學固態科學博士＼工業技術研究院工業材料研究所研究員
曾繁根　美國加州大學洛杉磯分校機械與航空工程博士＼國立清華大學工程與系統科學系副
　　　　教授
游智勝　國立清華大學工程與系統科學碩士＼國科會精密儀器發展中心助理研究員
黃奇聲　國立成功大學電機工程學士＼國科會精密儀器發展中心助理研究員
黃念祖　國立臺灣大學機械工程學士＼國立臺灣大學應用力學研究所研究助理
黃榮山　美國加州大學洛杉磯分校機械工程博士＼國立臺灣大學應用力學研究所助理教授
黃榮堂　美國加州大學洛杉磯分校機械控制博士＼國立臺北科技大學機電整合研究所副教授
楊正財　國立臺灣大學造船工程博士＼工業技術研究院量測技術發展中心工程師
楊啟榮　國立中山大學機械工程博士＼國立臺灣師範大學機電科技研究所助理教授
楊錫杭　美國路易斯安那理工大學工學博士＼國立中興大學精密工程研究所助理教授
楊龍杰　國立臺灣大學應用力學博士＼淡江大學機械與機電工程學系副教授
楊燿州　美國麻省理工學院電機工程暨資訊科學博士＼國立臺灣大學機械工程學系助理教授
葉哲良　美國康乃爾大學電機工程博士＼國立清華大學動力機械工程學系助理教授
葉榮輝　國立中央大學電機工程研究所博士班學生
廖宏榮　國立臺灣大學應用力學博士＼華錦光電科技股份有限公司總經理
熊治民　國立成功大學機械工程博士＼義守大學工業工程與管理系助理教授
劉永慧　國立臺灣大學應用力學博士＼工業技術研究院量測技術發展中心研究員
劉典瓛　國立臺灣大學應用力學碩士＼國立臺灣大學應用力學研究所研究助理
劉承賢　美國史丹福大學機械工程博士＼國立清華大學動力機械工程學系助理教授
蔡定平　美國辛辛那提大學物理博士＼國立臺灣大學物理學系教授
蔡欣昌　國立清華大學動力機械工程研究所博士班學生
鄭明正　國立清華大學電機工程博士＼美國喬治城大學博士後研究員
鄭英周　國立臺灣大學應用力學研究所博士班學生
蕭文欣　國立臺灣大學應用力學碩士＼正波科技股份有限公司專案經理
賴文斌　國立清華大學動力機械工程博士＼聲博科技股份有限公司協理
戴建雄　國立交通大學電機工程碩士＼工業技術研究院工業材料研究所副研究員

薛順成　國立臺灣大學應用力學博士＼星雲電腦股份有限公司專案經理
謝哲偉　國立清華大學動力機械工程博士＼國科會精密儀器發展中心副研究員
謝慶堂　國立成功大學材料及工程研究所博士班學生
鍾震桂　國立清華大學材料科學與工程博士＼國立成功大學機械工程學系助理教授
羅裕龍　美國馬里蘭大學機械工程博士＼國立成功大學機械工程學系教授
饒達仁　美國加州大學洛杉磯分校機械工程博士＼國立清華大學微機電系統工程研究所助理
　　　　教授

(按姓名筆劃序)

目錄

第一章　概論

1.1 緣起

微機電系統 (micro-electro-mechanical systems, MEMS) 在歐洲被稱為微系統科技 (micro system technology)。著名的費曼博士 (1965 年諾貝爾物理獎得主) 在 1959 年美國物理學年會上發表「There's Plenty of Room at the Bottom」的專題演講中，首先提到把機器微型化的概念，而「微機器 (micromachines)」此一名詞在 1978 年首次正式出現在國際學術研討會的名稱中；接著彼得森博士在 1982 年發表了著名的「以矽為機械材料 (silicon as a mechanical material)」研究報告；1989 年在美國猶他州鹽湖城的一場研討會 (Micro-Tele-Operated Robotics Workshop) 中，則具體提出「微機電系統」此一名稱。

這名稱也正顯現了當時此一新科技的特質：以原本用於微電子產業的半導體製程技術來製作微米 (百萬分之一公尺) 尺度的機械結構，並可整合多種微元件，包含積體電路，而成為一微型系統。演變至今，微機電系統的發展已逐漸從學術研究走進產業界，衍生出多項商品，潛力產品更是廣泛，所涵蓋的範疇包含光學、電子、電機、機械、通訊、材料、物理、化學及生化醫學等多種知識與技術，形成一個典型的跨領域型整合科技。

1.2 尺寸效應

當元件微小化時，其表現出來行為也常跟著改變，如輸出力及位移量的大小，但其整體表現卻不一定是隨著尺寸縮小而呈線性化減少，所以通常不能僅將巨觀世界的設計按比例縮小至微觀世界來應用。在自然界中，我們常可以發現不同大小的生物，其各器官的比例也不同。例如螞蟻可以舉起其十倍體重的物體，但它的腿與身體比起來就顯得很細；而人雖然腿與身體的粗細比例比螞蟻大得多，卻連舉起與自己相同重量的物體都很吃力。這就是尺寸造成的效應，因為體重與尺寸為三次方關係，而腿的截面積與尺寸為平方關係，所以腿單位截面積所承受的體重，與尺寸就成為線性關係，如公式 (1.1) 所列，也就是尺寸越小，腿的每單位面積所需負荷的體重就越小，因此螞蟻在體型比例上只需較細的腿，就可支撐數倍於其體重的負荷。

第一章作者為徐文祥先生。

$$\frac{\text{體重}\,(\propto L^3)}{\text{支撐面積}\,(\propto L^2)} \propto \text{長度}\,(L) \tag{1.1}$$

在設計微元件時，當然不能忽視尺寸效應，更希望透過尺寸分析而充分利用自然定律在微小化帶來的優點。表 1.1 列出一些基本物理量的公式與其尺寸效應。

要注意的是，有些自然定律在極小尺寸下，必須應用不同的數學模式，例如熱傳導係數 (thermal conductivity)。當材料是厚度小於一微米的薄膜時，其特性不再是常數，而有不同的數學模型來描述其隨厚度而變化的特性，這也是奈米科技所要探討的。因此在作尺寸分析時，選擇適當的數學模式或材料參數也是不可忽略的。

表 1.1 尺寸效應表。

物理量	公式	比例因子	說明
面積	$s = \alpha L^2$	L^2	α：常數
體積	$v = \alpha L^3$	L^3	
質量	$m = \rho v$	L^3	ρ：密度；v：體積
壓力所造成的淨力	$f_p = sp$	L^2	s：受壓力面積；p：壓力
重力所造成的淨力	$f_g = mg$	L^3	g：重力加速度
壓力所造成的應力	$\sigma_p = \dfrac{f_p}{s}$	1	
重力所造成的應力	$\sigma_g = \dfrac{f_g}{s}$	L	
庫倫靜電力	$f_q = \alpha \dfrac{q_1 q_2}{d^2}$	L^{-2}	q_1、q_2：粒子 **1**、**2** 的帶電荷量 d：兩粒子間的距離
平板間的靜電力	$f_e = \alpha \dfrac{s}{d} V^2$	L	d：兩板間距；V：電壓
線性彈簧常數	$k = 2U \dfrac{V}{\delta^2}$	L	U：單位體積應變能；δ：位移
自然頻率	$\omega = \sqrt{\dfrac{k}{m}}$	L^{-1}	
轉動慣量	$I = \alpha m r^2$	L^5	r：旋轉體的半徑
電阻	$R = \alpha \dfrac{L}{s}$	L^{-1}	
電阻功率消耗	$P = \dfrac{V^2}{R}$	L	
熱傳導	$h_c = \alpha s \dfrac{dT}{dx}$	L	s：面積；$\dfrac{dT}{dx}$：溫度梯度
熱對流	$h_r = \alpha s\, \Delta T$	L	ΔT：溫度差
熱輻射	$h_r = \alpha s (T_1^4 - T_2^4)$	L^2	T_1、T_2：物體 **1**、**2** 的溫度

1.3 發展趨勢

1.3.1 製程技術

雖然早在 1959 年費曼博士就提出微型機器的概念，但真正促使此一領域蓬勃發展的推手還是由於半導體製程技術的日趨成熟，使得製作微機電元件的可行性大大提升。所以標準半導體製程技術與微機電製程技術常密不可分，如薄膜沉積、微影與蝕刻技術，可是微機電系統的發展雖然是搭著半導體製程設備與技術的便車，但由於在性能及結構上的要求已不同於積體電路，所以也逐步發展出不同的製造技術。與標準的積體電路結構相比，微機電元件的結構特徵有：三維結構、高深寬比、可動結構及多元性材料。

(1) 三維結構

積體電路基本上是一個平面結構，但微機電元件的幾何形狀比較複雜，配合晶片接合技術，常有微柱、微孔、微腔室及微溝等立體結構，再搭配立體微接頭，可構成多變的三維結構。

(2) 高深寬比

為了增加強度或是感測及驅動量，微元件的厚度常要求較高，可能是數十到數百微米，甚至更厚，但微結構中的微孔或間距可能只要數微米，側壁垂直度要好，所以發展出厚膜光阻、深蝕刻、同步輻射 X 光光刻等技術。

(3) 可動結構

微機電元件常可見到立體或懸浮式的微結構，以容許微結構變形或運動，所以掏空微結構下層材料的犧牲層 (sacrificial layer) 技術、背面蝕刻 (back-side etching) 技術、連接懸浮結構而形成立體結構的微鉸鏈 (micro hinge) 技術，及避免懸浮結構與下層基底沾黏的技術，都是微機電製程中特有的技術。也由於微機電元件常有中空或懸浮式結構，微元件及微系統所需的封裝技術，也就常不同於電子元件已發展相當成熟的封裝技術，目前仍處於發展中的階段。

(4) 多元性材料

早年微機電元件的結構中多是用矽基材料，如單晶矽、複晶矽、氮化矽或二氧化矽等，再搭配一些金屬，如鋁，因為這些可用標準半導體製程製作，但隨著微機電元件的多樣化，也越來越常用到各式金屬及高分子材料，甚至用到所謂智慧型材料，如壓電、磁性材料及形狀記憶合金，這些就不是目前標準半導體製程所能提供的，所以非矽材料的微加工製程技術在微機電製程技術中也日漸重要，如微放電加工及深刻模造術中的精密電鑄及微成形技術。

對研究人員來說，在微機電系統中揮灑的空間更大，可以不必拘泥於標準的半導體製程，但從產業界的角度來說，也由於微機電製程的多樣化，不僅要考慮最小線寬與結構厚度，還要包含不同結構層數及不同材料，有時還要兼顧不同元件整合時的製程技術相容性問題，所以不但傳統的半導體製程工廠無法完全滿足微機電產品的需求，也使微製造技術的單一標準化十分困難。

在微機電產品商品化時，若從成本及技術成熟度考量，自然最好是利用現有的半導體製程技術，但從功能性考量，單單半導體製程技術無法滿足所求時，常需要為特定產品建立專用的生產線。另一方面，也有越來越多的微機電製程代工廠設立，嘗試建立其自有的標準製程，如 1980 年代由美國北卡微電子中心 (Microelectronics Center of North Carolina, MCNC) 所開發可製作三層複晶矽結構的 MUMPs (multi-user MEMS processes)，及美國 Sandia 國家實驗室 (Sandia National Laboratory) 所發展可作三層或五層複晶矽結構的 SUMMiT (Sandia Ultra-planar, Multi-level MEMS Technology) 製程，顯示標準化的量產技術仍是發展微機電系統時所要考慮的重要課題。

1.3.2 元件與應用

微機電元件可分為三大類：微結構、微感測器與微致動器。微結構是屬於靜態式作用，如微透鏡、微齒輪、微噴嘴與微流道；微感測器是用來量測物理量或化學量，如壓力計、陀螺儀、加速度計與氣體感測器；微致動器則可將輸入能源轉化為運動輸出，如微馬達、微幫浦及微光開關。若將一個或數個微機電元件與電路或訊號處理單元結合，則可形成一微系統。以汽車上的安全氣囊為例，當汽車受到嚴重撞擊時，車上的微加速度計會將所受撞擊轉換成訊號，經過適當處理，送至使空氣氣囊膨脹的致動機構，啟動氣囊以保護車上人員。

一般對微機電系統所期待的特性及優點可分為下列幾項：
(1) 微小化：省材料、省空間、低耗能、高性能、易攜帶。
(2) 多功能：整合不同微元件，由單功能成為多功能。
(3) 陣列化：相同元件可在小面積內大量複製排列，並能個別操作。
(4) 模組化：不同元件可整合在一小面積內。
(5) 量產化：低成本、可用後拋棄。

感測器與致動器是智慧型系統所必備的元件，如同微處理器一樣，在許多產品中都已存在，而微機電系統技術除了可帶來這些產品在功能上的提升外，更有機會創造新的用途。根據英國皇家科技協會 (Royal Institute of Technology) 的報告，目前採用微機電系統技術的產品主要是 (1) 磁性儲存設備的讀寫頭；(2) 噴墨印表機的噴墨頭；(3) 汽車內的各式感測器。未來主要產品則可能是 (1) 醫療技術、設備與用品；(2) 生化科技；(3) 無線通訊設備。表 1.2 則是美國肯那集團 (Cahners In-Stat Group) 對微機電技術產品市場變化的研究統計。

表 1.2 微機電技術應用產品市場變化表。

2000 年十大應用領域	市場佔有率	2005 年十大應用領域	市場佔有率
汽車	26%	光開關	24.4%
工業設備	14.7%	投影系統	14.6%
噴墨印表頭	9.5%	繼電器	14.0%
投影系統	8.2%	汽車	11.6%
血壓計	4.4%	工業設備	6.9%
消費電子	4.0%	噴墨印表頭	6.0%
生物晶片	1.6%	生物晶片	4.0%
光開關	0.8%	通訊用濾波器	2.9%
醫療設備	0.6%	血壓計	2.2%
醫學儀器	0.4%	通訊用雷射	1.7%

資料來源：Cahners In-Stat Group

　　雖然目前微機電元件或系統的成熟產品並不算多，各研究單位對未來的市場分析也不盡相同，但是可以確定的是微機電是個正在發展中的產業，許多可能的應用仍在探索中，一開始應用領域會不明確，但當微機電技術隨著時間逐漸演進，生產與研發微機電元件的成本更具競爭力時，將會有越來越多的微機電產品出現在市場上。

參考文獻

1. R. P. Feynman, *J. MEMS*, **1** (1), 60 (1992).
2. R. P. Feynman, *J. MEMS*, **2** (1), 4 (1993).
3. 張志誠, 微機電技術, 商周出版社 (2002).
4. K. E. Petersen, *Proc. of the IEEE*, **70** (5), 420 (1982).
5. M. J. Madou, *Fundamentals of Microfabrication: The Science of Miniaturization*, 2nd edition, CRC Press LLC (2002).
6. T. R. Hsu, *MEMS & Microsystems: Design and Manufacture*, McGraw-Hill (2002).

第二章 基礎微加工製程模組

2.1 熱製程及離子佈植

本節將討論與摻質引入、移動以及熱氧化層成長有關的製程。對大部分的半導體元件而言，摻質是必要的，因此摻質引入通常為製程中的前幾道製程。為了使元件能正常操作，摻雜區必須有正確的濃度及大小。因此本節首先將討論摻雜原子在擴散 (diffusion) 作用下之移動，接著將討論矽之熱氧化。早期的摻質引入技術是以氣態或液態之蒸氣作摻雜源，利用高溫烘烤將摻質引入晶片中。然而隨著元件尺寸的縮小，所發展的離子佈植 (ion implantation) 技術能夠愈來愈精準的控制植入於晶片中的摻雜位置及數量。但是標準的植入及高溫回火步驟並不適用於目前最先進的製程，因此有一些特殊的方法被發展來將擴散所造成之摻質的重新分布最小化，而其中最重要的是快速熱製程 (rapid thermal process, RTP)。

2.1.1 擴散

半導體元件良否端賴於在晶片上製造出控制良好的、區域化的摻雜區之能力。因此，首先摻質必須被引入晶片的某些區域，且這些摻質必須是活化的，才能貢獻出所需的載子。此外，亦必須是元件設計者想要的濃度。通常濃度分布圖的垂直軸為摻質濃度或載子濃度，水平軸則為引入晶片之深度。因為摻質濃度之變化通常大於好幾個數量級，所以濃度通常取對數座標。因為矽之密度為 5×10^{22} 原子／立方公分，所以主動元件區之典型的摻質濃度 (10^{17} 原子／立方公分) 極低，約只佔百萬分之幾。

摻質引入之後，會在晶片內重新分布，這也許是故意設計的，也可能是其他某一熱製程之寄生效應。但不管是那一種，均需控制及監視。晶片中摻質原子的移動主要是靠擴散，即濃度梯度附近材料的淨移動，此乃隨機熱運動的結果。

描述擴散的基本方程式為費克第一定律 (Fick's first law)：

$$J = -D\frac{\partial C(x,t)}{\partial x} \tag{2.1}$$

第二章作者為林佑昇先生。

其中 C 為摻質濃度，D 為擴散係數，J 為材料之淨通量，亦即每單位時間通過每單位面積的摻質數目，負號表示摻質之淨移動乃往濃度減少之方向。

　　雖然費克第一定律可精確地描述擴散製程，然而在此應用中，並無簡便量測摻質通量之方法。因此，描述相同的概念，但可較快速測量的費克定律第二表示式被發展出來。在說明此表示式時，最容易的方法是從一具均勻橫截面積 A 的長條狀材料開始，如圖 2.1 所示。考慮一長度 dx 的小體積，

$$\frac{J_2 - J_1}{dx} = \frac{\partial J}{\partial x} \tag{2.2}$$

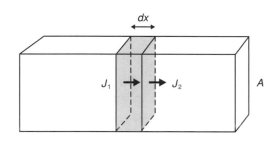

圖 2.1
在截面積 A 的長條中的微分體積單元，J_1 及 J_2 為進入及離開此體積單元的摻質通量。

其中 J_2 為離開該體積的摻質通量，J_1 為進入該體積的摻質通量。如果這兩個通量不相等，則該體積內擴散物種之濃度將改變。該體積內之摻質數目正好是濃度與微分體積單元 (Adx) 的乘積，因此連續方程式可表示為

$$Adx \frac{\partial C}{\partial t} = -A(J_2 - J_1) = -Adx \frac{\partial J}{\partial x} \tag{2.3}$$

$$或 \quad \frac{\partial C(x,t)}{\partial t} = -\frac{\partial J}{\partial x}$$

根據費克第一定律，此式可改寫為

$$\frac{\partial C(x,t)}{\partial t} = \frac{\partial}{\partial x}\left(D \frac{\partial C}{\partial x}\right) \tag{2.4}$$

式 (2.4) 為費克第二定律 (Fick's second law) 最常見的表示式。若假設擴散係數與位置無關，則式 (2.4) 可改寫成下面較簡單的型式：

$$\frac{\partial C(z,t)}{\partial t} = D \frac{\partial^2 C(z,t)}{\partial z^2} \tag{2.5}$$

其中位置變數已被更改為 z，以表示進入晶片之方向 (深度) 是主要的研究方向。最後，在等向性 (isotropic) 之環境下，費克第二定律的三維表示式為

$$\frac{\partial C}{\partial t} = D\nabla^2 C \tag{2.6}$$

接著就是解一個對位置為二階、對時間為一階之微分方程式，至少需要兩個獨立的邊界條件 (boundary condition)。

　　回到擴散係數為一常數之假設下，則費克第二定律為簡單的微分方程式，可在各種邊界條件下求其解。實際上令人感興趣之摻雜圖形均相當複雜，且擴散係數為常數之假設亦是相當有問題的，因此式 (2.5) 必須以數值方法求解，藉由兩組邊界條件可推導出精確解。這些解可用來作為我們對於擴散製程的基本認識，及作為實際分布圖的粗略近似。

　　費克定律第一型的解為在所有的時刻、表面之擴散源濃度保持為一常數下得到的，此稱為預置擴散 (predeposition diffusion)，邊界條件 (位置有兩個，時間有一個) 為

$$\begin{aligned}C(z,0) &= 0 \\ C(0,t) &= C_s \\ C(\infty,t) &= 0\end{aligned} \tag{2.7}$$

在此邊界條件下之解為

$$C(z,t) = C_s\mathrm{erfc}\left(\frac{z}{2\sqrt{Dt}}\right) , \ t > 0 \tag{2.8}$$

此式中，C_s 為固定之表面濃度，erfc 稱為補誤差函數 (complimentary error function)。常用範圍之補誤差函數的值在許多數學手冊中均有登錄，有興趣的讀者可自行參閱。在擴散問題的解之中，$\sqrt{Dt}$ 是一個常見的量，稱為特徵擴散長度 (characteristics diffusion length)。

　　預置擴散之摻雜量隨著擴散之時間而改變。為了得到摻雜量，可將擴散分布圖積分如下：

$$Q_T(t) = \int_0^\infty C(z,t)dz = \frac{2}{\sqrt{\pi}} C(0,t)\sqrt{Dt} \tag{2.9}$$

摻雜量以每單位面積之摻質數目為單位 (通常是每平方公分) 來測量。因為擴散分布圖之深度通常小於 1 μm (10^{-4} cm)，摻雜量 10^{15} cm^{-2}，意謂著體濃度大於 10^{19} cm^{-3}。因預置擴散之表面濃度是固定的，總摻雜量隨著時間之平方根而增加。

　　費克定律的第二種解稱為驅入擴散 (drive in diffusion)，亦即引入晶片中之初始的摻質量為 Q_T，在 Q_T 保持常數之邊界條件下擴散。若擴散長度遠大於初始分布圖形之寬度，初始之分布圖形可近似成 δ 函數 (delta function)。此時之邊界條件為

$$C(z,0) = 0, \quad z \neq 0 \tag{2.10}$$

$$\frac{dC(0,t)}{dz} = 0$$

$$C(\infty,t) = 0$$

$$\int_0^\infty C(z,t)dz = Q_T = 常數$$

費克第二定律在這些條件下之解，為中心在 $z = 0$ 之高斯分布 (Gaussian distribution)：

$$C(z,t) = \frac{Q_T}{\sqrt{\pi Dt}}\, e^{-z^2/4Dt}, \quad t > 0 \tag{2.11}$$

表面濃度 C_s 隨著時間減少之情形為

$$C_s = C(0,t) = \frac{Q_T}{\sqrt{\pi Dt}} \tag{2.12}$$

讀者可以很容易地驗證在 $z = 0$ 處，對於所有的 $t \neq 0$，dC/dz 等於零。圖 2.2 為以特徵擴散長度 $\sqrt{Dt}$ 為參數之 (a) 預置擴散及 (b) 驅入擴散的摻質濃度之分布圖。

　　一種傳統的作法是同時使用這兩種擴散，先預置擴散，再做驅入擴散。驅入擴散的邊界條件之一是除了表面外，任何地方之初始摻質濃度為零。事實上只要滿足下式

$$\sqrt{Dt_{預置}} \ll \sqrt{Dt_{驅入}} \tag{2.13}$$

則驅入擴散為良好的近似。

　　一旦擴散摻質之後，就希望能夠量測摻質濃度對深度及位置之函數。目前有許多技術可用來得到深度的擴散分布圖，但卻極難得到具有足夠解析度的側向分布圖。得到關於擴散分布圖資訊的最簡單技術為量測其片電阻 (sheet resistance)，再反推濃度分布。片電阻之值為

$$R_s = \left[q\int \mu(C)C_e(z)dz \right]^{-1} \tag{2.14}$$

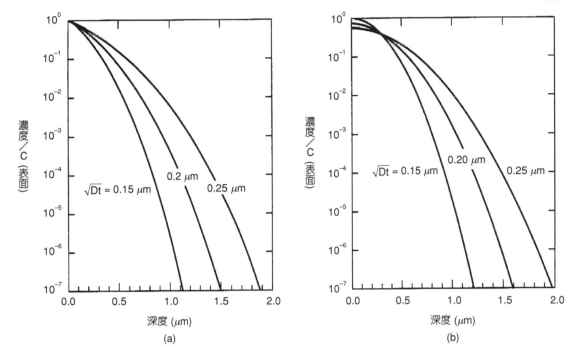

圖 2.2 在數種特徵擴散長度下，(a) 預置擴散及(b) 驅入擴散之濃度對深度的函數圖。

其中 $C_e(z)$ 為載子濃度，$\mu(C)$ 為與濃度有關之移動率，R_s 稱為片電阻，其單位為每平方面積之歐姆值 (ohms per square，$\Omega/\square$)。片電阻之量測既快且容易，可以提供工程師有用之資訊。特別當標準值或目標的片電阻值已知時，則更快且容易。

　　片電阻值可用許多種量測方式得到，最簡單的為圖 2.3(a) 中所使用的四點探針法。四點探針法可以在數種幾何結構下進行，最常用的結構是共線結構。在此情況中，電流在靠外部的兩根探針間流動，而量測內部兩根探針間的電壓。藉由量測電壓降與驅入電流之比值，即可求得片電阻值。此結果必須乘上一個與探針幾何有關的修正因子，以及探針間距對擴散厚度的比值[1]。對於共線探針，若探針之間距遠大於接面深度，此因子為 4.5325[2]。此法要有效地描述半導體中之擴散分布圖，必須注意到在量測層下方之基板必須是絕緣的，或者其電阻值遠較量測層來得高，否則量測層將與基板形成逆偏之二極體。在後者之情況中，如果針壓過大，則極淺之接面可能被穿透。再者，此片電阻之量測包含了接面附近之空乏區的效應。

　　第二種量測片電阻之技術為凡得瓦 (van der Pauw) 法[3]。同樣地，此法亦用到了四根探針，但卻是接觸在樣本的四個角落。在一對鄰近的接點之間驅入電流，而在另一對接點之間量測電壓，如圖 2.3(b) 所示。為了增加準確度，探針之接法旋轉 90° 並重複此量測 3 次。因此，平均之電阻值可由下式得到：

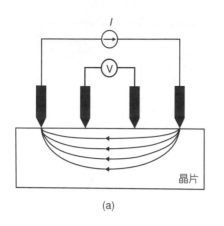
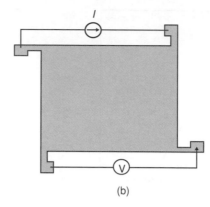

圖 2.3
決定一樣本之電阻係
數的 (a) 四點探針法及
(b) 凡得瓦 (van der Pauw)
法。

$$R = \frac{1}{4}\left[\frac{V_{12}}{I_{34}} + \frac{V_{23}}{I_{41}} + \frac{V_{34}}{I_{12}} + \frac{V_{41}}{I_{23}}\right] \tag{2.15}$$

且

$$R_s = \frac{\pi}{\ln(2)}F(Q)R \tag{2.16}$$

其中 $F(Q)$ 為一與探針之幾何結構有關的修正因子。對一正方形而言，$F(Q) = 1$。在本技術中，必須仔細且正確地量測幾何結構。假使樣本為一正方形，則接點必須做在樣本的邊緣[4]。這可由將晶片切成正方形及在其上製作歐姆接點 (ohmic contact) 來達成，然而更常用的方法是以微影 (lithography) 定義出一個凡得瓦結構，利用氧化層或接面隔離以限制擴散之幾何結構。

　　片載子濃度亦能與深度之量測組合，以提供擴散分布圖更完整的描述。這通常藉由將晶片切成斜角或者在晶片表面以機械方式研磨出一個已知直徑之凹槽來完成。之後將晶片浸入對晶片具選擇性之蝕刻溶液 (stain solution) 中，此溶液之蝕刻速率視載子之電性及濃度而定。以 1：3：10 的氫氟酸、硝酸及醋酸的混合液蝕刻 p 型矽，將使其變黑。用來選擇性蝕刻砷化鎵的一種混合液是 1：1：10 的氫氟酸、雙氧水及水。本例中，樣本必須暴露於強光中。選擇性蝕刻之後，以具校準過接目鏡之光學顯微鏡來量測被選擇性蝕刻之區域的寬度，可從已知的斜角或凹槽之幾何來決定接面之深度。對於接面深度小於 1 μm 之接面，因精確度及再現性之限制使得選擇性蝕刻法不適用，因此此法愈來愈少用了。

　　片電阻法受限於必須得到某些移動率的值，甚至是整體之載子濃度。圖 2.4 的霍爾效應可用來直接量測整體之載子濃度。在此量測中，擴散層中流動之電流會受到一垂直於電流流動方向的磁場作用。若假設擴散層中只存在電洞，則每一電洞所受到之羅倫茲力 (Lorentz force) 為

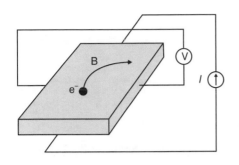

圖 2.4
利用霍爾效應可同時量測載子的極性、移動率及片濃度。

$$\mathbf{F} = q\mathbf{v} \times \mathbf{B} \tag{2.17}$$

在垂直於電流方向及磁場方向兩者之電場分量，所對應的電力大到等於羅倫茲力之前，亦即

$$\varepsilon_y = v_x B_z \tag{2.18}$$

電洞將因羅倫茲力而偏向。此電場之建立稱為霍爾效應 (Hall effect)，所產生之電壓稱為霍爾電壓：

$$V_h = v_x B_z w \tag{2.19}$$

其中 w 為擴散之寬度。電洞之漂移速度與電流之關係為

$$v_x = \frac{I_x}{q w x_j \overline{C_e}} \tag{2.20}$$

其中

$$\overline{C_e} = \frac{\int_0^{x_j} C_e dx}{x_j} \tag{2.21}$$

因此，整體之載子濃度為

$$\int_0^{x_j} C_e dx = x_j \overline{C_e} = \frac{I_x B_x}{q V_h} \tag{2.22}$$

若此四個接點亦用於凡得瓦量測，則此結果亦可用來求得樣本之平均霍爾移動率。因此平均之霍爾移動率為

$$\bar{\mu} = \frac{1}{qx_j\bar{C}_eR_s} \qquad (2.23)$$

　　一般對擴散分布圖的平均移動率之興趣不高，然而一個具均勻濃度之磊晶層的霍爾移動率通常為判斷其品質常用的一個指標。前面所提的技術均有一嚴重之限制，亦即僅提供關於分布圖整體之資訊。有幾種方法可用來量測載子濃度對深度之函數。第一種是利用二極體 (pn 接面或蕭特基) 或 MOS 電容器的電容—電壓 (C-V) 特性。雖然 MOS 技術廣泛地被使用，但製程上較困難，因為必須使矽／二氧化矽界面之界面態密度夠低，可靠度才沒有疑慮。這裡將只介紹二極體技術，但兩種技術極為類似。

　　假設此結構可用空乏區近似來描述，則對於單邊突變接面或蕭特基接點而言，空乏區之寬度為

$$W = \sqrt{\frac{2\varepsilon(V_{bi} + V)}{qN_{sub}}} \qquad (2.24)$$

其中 ε 為半導體之介電常數，V_{bi} 為二極體之內建電壓，N_{sub} 為基板之摻雜濃度，V 為外部供應電壓。因此二極體之電容值為

$$C = \frac{A\varepsilon}{W} = \sqrt{\frac{A^2q\varepsilon N_{sub}}{2(V + V_{bi})}} \qquad (2.25)$$

對電壓微分並解摻質濃度，可得

$$N_{sub}(z) = \frac{8(V + V_{bi})^3}{A^2q\varepsilon}\left[\frac{dC(z)}{dV}\right]^2 \qquad (2.26)$$

　　為了測得基板之摻雜濃度，必須量測空乏區之電容對供應電壓的函數，並求其第一階導函數。每一電壓資料點所對應的摻雜濃度，可由式 (2.26) 決定。對應於該點之深度可由式 (2.25) 求得。

　　C-V 法有幾個大的限制。第一為當矽中之摻質濃度大於 1×10^{18} cm^{-3} 時，則無法被測出。在此濃度下，半導體變成是簡併的 (degenerate)，其行為較像金屬而非半導體。第二為空乏區之邊緣並非突變的 (not abrupt)，而是延續幾個杜比長度 (Debye length, L_D) 而逐漸變化的情況：

$$L_D = \sqrt{\frac{\varepsilon kT}{q^2C_{sub}}} \qquad (2.27)$$

因此，突變之摻雜分布圖無法以其載子之分布圖作良好的描述。最後，C-V 技術所能提供的分布圖之深度，僅能對應於蕭特基二極體之崩潰電壓或 MOS 電容器之反轉電壓。目前有數種定量的二維摻雜分布圖之量測技術正在發展中，其中包括奈米散布電阻 (nanospreading resistance) 以及先進之對摻質極靈敏的蝕刻系統等。其中最被看好的或許是掃描式電容顯微 (SCM) 技術[5]。SCM 技術利用一原子力顯微鏡 (atomic force microscope, AFM)，以導電性的探針掃描樣本上方，通常是量測樣本之邊緣，其通常會被針尖所穿過。導電性的針尖可用於量測反轉時的電容值，此電容值可以很快速地被轉換成針尖下方的摻雜濃度。典型的電容值小於 1 pF (10^{-12} F)。雖然此系統之校準的難度甚高，但是得到定量上一致性的結果是有可能的。

2.1.2 熱氧化

矽積體電路及微機電技術蓬勃發展的原因之一為矽極易形成一極佳的氧化層：二氧化矽。此氧化層被廣泛的使用在如金氧半電晶體等主動元件的絕緣層，及隔離主動元件之間的場氧化層 (field oxide)。形成二氧化矽的方法有很多，本節將介紹熱氧化法 (thermal oxidation)。此種方法長出的氧化層，不管在本體或在與矽相接的界面，均具最少的缺陷。可惜的是，大部分其他的半導體製程均無法提供可用於元件製造之高品質的氧化層，使得氧化層主要只應用於矽製程。

在分子氧中，矽的氧化係根據式 (2.28) 中的反應：

$$\text{Si (固體)} + \text{O}_2 \text{ (氣體)} \rightarrow \text{SiO}_2 \qquad\qquad (2.28)$$

此製程稱為乾氧化 (dry oxidation)，因其使用分子氧而不是水蒸氣做為氧化劑。迪兒—葛洛夫的氧化模型 (the Deal-Grove model of oxidation) 可準確預估厚度大於 300 Å 之熱氧化的氧化層厚度[6]。成長氧化層不一定要高溫，室溫下矽在空氣中會氧化。然而一旦氧化層生成，矽原子必須穿過氧化層才能與晶片表面的氧分子反應，或者氧分子必須穿過氧化層到矽表面才能與矽起反應。驅動這種反應的製程為前一節所討論的擴散。矽在二氧化矽中的擴散係數比氧在二氧化矽中少了幾個數量級，因此最後化學反應發生在矽／二氧化矽界面。這有一極大的效果：熱氧化產生的界面不與大氣接觸，因此相對的摻質較少。式 (2.28) 中的化學反應所消耗之矽的量大約是最後氧化層厚度的 44%。

室溫下，矽或氧分子的動能均不足以穿透自然氧化層，因此氧化反應會中止且氧化層厚度不超過 25 Å。若要反應持續進行，矽晶片必須在飽含氧氣的環境下加熱[7]。假設目前飽含物為氧，考慮圖 2.5 中成長氧化層之圖，圖中的四個氧濃度分別為：C_g：遠離晶片的氣流中氧的濃度，C_s：晶圓表面的氣體中氧的濃度，C_o：晶片表面二氧化矽中氧的濃度，及 C_i：矽／二氧化矽界面氧的濃度。定義 J 為氧的通量，亦即單位時間內，單位面積所通過的

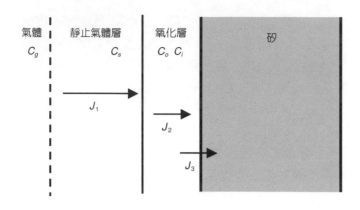

圖 2.5

氧化反應進行時，氧氣流動的示意圖。

氧分子數。現在我們可以定義三個重要的氧通量。第一個氧通量從氣體本體向成長的氧化層表面流動。若氧氣流欲通過晶片表面，表面將存在一邊界層。一階近似下，氧分子不可能藉由氣體流動通過本區，而是以費克第一定律所描述的方式擴散：

$$J_1 \approx D_{O2} \frac{C_g - C_s}{t_{s1}} \tag{2.29}$$

其中 D_{O2} 為氧在二氧化矽中的擴散係數，t_{s1} 為靜止層厚度，C_g 可用理想氣體定律計算如下：

$$C_g = \frac{n}{V} = \frac{P_g}{kT} \tag{2.30}$$

其中 k 為波茲曼常數，P_g 為氧在爐管中的分壓。此公式雖然有用，但是通量通常會被低估。一般會明確地將通過所謂之靜止層的流動考慮進來，而寫成下式：

$$J_1 = J_{gas} = h_g (C_g - C_s) \tag{2.31}$$

其中 h_g 稱為質量傳輸係數。

第二個氧通量為氧分子通過成長之氧化層薄膜的擴散。用來驅動擴散之濃度梯度的產生是由於飽含的氣體如同氧分子源，而反應表面如同吸槽。假設在成長的氧化層中沒有氧分子源或吸槽，且氧分子濃度之變化是線性的，則

$$J_2 \approx D_{O2} \frac{C_o - C_i}{t_{ox}} \tag{2.32}$$

其中 t_{ox} 為氧化層厚度。第三個氧通量為氧與矽反應以形成二氧化矽。此速率由化學反應力

學來決定。因為在反應表面有充足的矽，反應速率及通量正比於氧濃度：

$$J_3 \approx k_s C_i \tag{2.33}$$

其中比例常數 k_s 為式 (2.28) 中描述的整個反應的化學速率常數。平衡時這三個通量必然相等，亦即

$$J_1 = J_2 = J_3 \tag{2.34}$$

　　組合式 (2.31) 至 (2.33)，將留下兩個方程式及三個未知濃度：C_s、C_o 及 C_i，因此還需另一方程式才能求得成長速率。此方程式為亨利定律 (Henry's law)：固體表面吸附物質的濃度正比於該物質在該固體上方之氣體中的分壓：

$$C_o = HP_s = HkTC_s \tag{2.35}$$

其中 H 為亨利氣體常數，且依理想氣體定律 $P_s = kTC_s$。現在有三個方程式及三個未知數，經過一些代數運算，可得

$$C_i = \frac{HP_g}{1 + \dfrac{k_s}{h} + \dfrac{k_s t_{ox}}{D}} \tag{2.36}$$

其中，$h = h_g/HkT$。最後，成長速率可由表面通量除以每單位二氧化矽體積的氧分子數 N_1 得到。對於分子氧的氧化，N_1 為氧原子在二氧化矽中之濃度 (亦即 2.2×10^{22} cm^{-3}) 之一半。結果為

$$R = \frac{J}{N_1} = \frac{dt_{ox}}{dt} = \frac{Hk_s P_g}{N_1 \left[1 + \dfrac{k_s}{h} + \dfrac{k_s t_{ox}}{D} \right]} \tag{2.37}$$

假設時刻零時之氧化層厚度為 t_0。此微分方程式之解為如下的型式：

$$t_{ox}^2 + At_{ox} = B(t + \tau) \tag{2.38}$$

其中

$$A = 2D\left(\frac{1}{k_s} + \frac{1}{h_g}\right), \quad B = \frac{2DHP_g}{N_1}, \quad \tau = \frac{t_0^2 + At_0}{B} \tag{2.39}$$

對於許多製程條件而言，參數 A 及 B 是已知的。A 及 B 中更基本的參數如擴散係數等並不常被引用。此外，大部分的矽氧化是在大氣壓下進行的，因此 $k_s \ll h_g$，所以成長速率幾乎與氣相質量傳輸或反應器之幾何形狀無關。當氧分子來源是水 (H_2O) 而非氧 (O_2) 時，此時相同的方程式仍適用，只是擴散係數、質量傳輸特性、活性、氣體壓力及單位體積之分子數目不同。

因 A 及 B 均正比於擴散係數，因此兩參數將遵從亞倫尼斯 (Arrhenius) 函數。A 及 B 的活化能可由式 (2.39) 所示的擴散係數及反應速率之活化能計算而得。氧及水在緩衝的矽化物中的擴散係數之活化能與 B 之活化能間有合理且良好的一致性 (約 10% 的差異)。此外，因 B/A 的比會消掉擴散係數，其活化能主要應與 k_s 相關。如同預期的，B/A 的活化能與矽－矽之間的鍵結強度有合理的一致性。

最後，因 τ 常造成混淆，因此有必要指出其重要性。τ 是微分方程式在時刻零時根據邊界條件所產生的。當氧化層夠厚時，氧化速率隨著氧化層厚度而變。若氧化開始時的起始氧化層厚度為 t_0，那麼當計算所成長的氧化層厚度時，若僅僅加上 t_0 將是不正確的。正確的做法是利用起始厚度決定 τ 值，將 τ 加至 t 而得到全部的有效的氧化時間。亦即，若氧化製程從時刻 $-\tau$ 開始，那麼時刻 $t = 0$ 時的氧化層厚度為 t_0。

式 (2.38) 有兩種極端的情況。當氧化層極薄時，二次項可忽略，因此

$$t_{ox} \approx \frac{B}{A}(t + \tau) \tag{2.40}$$

另一方面，若氧化層夠厚，則線性項可忽略，因此

$$t_{ox}^2 \approx B(t + \tau) \tag{2.41}$$

因為這兩種極端的情況，B/A 稱為線性速率係數 (linear rate coefficient)，B 稱為拋物速率係數 (parabolic rate coefficient)。這兩個參數是描述氧化的基本參數。於純氧中氧化時，這些係數與溫度的關係總結於表 2.1 所列的典型製程條件中，此種製程稱為乾氧化 (dry oxidation)。

氧並非氧化製程中唯一可用的氧化物，另一常用的為氧及水的混合物，稱為濕氧化 (wet oxidation)，其氧化層成長速率遠快於乾氧化。成長速率較快的基本原因為水分子之擴散速率較氧分子大，且水分子之固體溶解率 (Henry's constant) 遠大於氧分子。缺點之一為濕氧化之氧化層較不緻密，因此濕氧化一般用來製作不會遭受大的電應力 (electrical stress)

表 2.1 矽的氧化係數。

溫度 (°C)	乾氧化			濕氧化 (640 Torr)	
	A (μm)	B (μm^2/h)	τ (h)	A (μm)	B (μm^2/h)
800	0.370	0.0011	9	—	—
920	0.235	0.0049	1.4	0.50	0.203
1000	0.165	0.0117	0.37	0.226	0.287
1100	0.090	0.027	0.076	0.11	0.510
1200	0.040	0.045	0.027	0.05	0.720

的厚氧化層。

　　熱氧化中另一種環繞的氣體組合為乾氧加上低濃度 (約百分之 1 到 3) 的鹵素，最常用的鹵素為氯[8]。使用這種混合物有幾種原因，大部分的重金屬原子會與氯反應而形成揮發性的 (氣態的) 金屬氯化物，一般相信，金屬污染物來自於受熱元素且被隔離在氧化反應爐管的周圍，這些摻質經由擴散通過鍋爐的牆而滲入成長中的氧化層。氯氣具有不斷清除周圍氣體中摻質的功用，實驗證實在一周圍含氯的環境中成長的氧化層不但摻質較少，且與下面的矽之間的界面較佳。在氧／氯混合氣體中的氧化速率高於在純氧中的氧化速率，若氧中含 3% 的氯化氫 (HCl)，則線性速率係數加倍[9]。

　　氧化層厚度為氧化製程的一個重要參數，因此有許多量測方法被發展出來。本節將描述數種估計氧化層厚度的方法，每一種均有其本質上的優點及缺點。大部分均對氧化層作了一些假設，因此只在某些條件下才適用。第一類的量測包含利用物理方式測量氧化層之厚度，因此必須於氧化層中形成一梯級 (step)，而這通常是採用一光罩製程加上蝕刻製程來達成。氫氟酸 (HF) 蝕刻氧化層的速率遠大於蝕刻矽的速率，因此若在晶片上產生一遮罩，再將晶片浸入氫氟酸中蝕刻，之後將遮罩去除，則將留下近乎等於氧化層厚度之梯級。此梯級若大於 1000 Å，則可用掃描式電子顯微鏡 (SEM) 量測，反之，則用穿透式電子顯微鏡 (TEM) 量測。較簡單的方法則是使用表面測厚儀，這些儀器利用探針接觸晶片表面，機械式地掃描晶片表面的形貌，探針的偏斜被量測、放大後，顯示為一位置的函數。製造商宣稱這些儀器的解析度可達 2 Å。此技術的好處是只需假設二氧化矽及矽之間具高的相對蝕刻速率。上述方法，因部分的氧化層必須被蝕刻掉，因此為破壞性的，通常需要一片專門為量測所用之晶片。

　　也有幾種光學技術可用來量測氧化層厚度。最簡單的方法為將沒有任何遮罩的晶片部分地浸入稀釋的氫氟酸中，直到晶片之浸入部分的氧化層完全被去除。在被蝕刻及未被蝕刻的氧化層交界附近可發現氧化層厚度的緩慢變化。若利用顯微鏡來觀測此邊緣，可看到從淡棕色開始的數種顏色 (表 2.2)。這些顏色是由於入射光及反射光之間的干涉所造成，根據氧化層由下一直到上的顏色變化即可估計出其厚度。另外也有所謂的橢圓偏光儀量測法及干涉量測法，有興趣之讀者可參閱一般討論半導體製程的書籍。

表 2.2 熱成長的二氧化矽 (折射率 1.48) 及氮化矽 (折射率 1.97) 的顏色表。

顏色	二氧化矽之厚度 (Å)	氮化矽之厚度 (Å)
銀色	< 270	< 200
棕色	< 530	< 400
黃─棕色	< 730	< 550
紅色	< 970	< 730
深藍色	< 1000	< 770
藍色	< 1200	< 930
淡藍色	< 1300	< 1000
極淡藍色	< 1500	< 1100
銀色	< 1600	< 1200
淡黃色	< 1700	< 1300
黃色	< 2000	< 1500
橘紅色	< 2400	< 1800
紅色	< 2500	< 1900
深紅色	< 2800	< 2100
藍色	< 3100	< 2300
藍綠色	< 3300	< 2500
淡綠色	< 3700	< 2800
橘黃色	< 4000	< 3000
紅色	< 4400	< 3300

2.1.3 離子佈植

2.1.1 節中描述了利用預置擴散引入摻質。在此製程中,摻質從晶片表面之無窮源 (infinite source) 擴散進入半導體中。表面濃度為固體溶解率所限制,而擴散分布圖之深度由擴散時間及摻質之擴散係數決定。理論上,如果晶片表面之摻雜的供應適度地受到限制,則一較輕度摻雜之分布圖可以達成。例如,在一鈍氣載子氣體中之極稀薄的摻質混合,能減少表面濃度。此製程被使用在早期之微電子技術中,然而其非常難控制,同時亦發現輕摻雜之分布圖通常是難度最高的。雙載子電晶體之基極及 MOSFET 之通道為兩個必須嚴格地控制摻雜的例子,因它們分別決定增益及起始電壓。

在離子佈植中,游離的摻質原子經由一靜電場加速而轟擊入晶片之表面。可以經由量測離子流,而嚴格地控制摻雜量,包括從極低植入之 10^{11} cm^{-2} 到如源／汲極接點、射極及集極之低電阻區的 10^{16} cm^{-2} 製程範圍內的摻雜量。某些特殊的應用需要摻雜量大於 10^{18} cm^{-2}。經由控制靜電場,摻雜離子之穿透深度亦能被控制。因此,於某些範圍內,離子佈植有能力在基板上產生期望之摻質分布圖。典型的離子能量範圍從 5 keV 至 200 keV。某些特殊之結構,例如倒退井 (retrograde well) 之深結構的形成,需高達數 MeV 的能量。

　　經過了 1960 年代許多的研究後，第一台商業化的離子佈植機於 1973 年問世。雖然剛
開始時接受度並不高，但很快地這種摻質引入的新方法就變得深受歡迎。到了 1980 年代，
大部分的製程已完全採用離子佈植了。雖然目前已廣泛地被採用，離子佈植仍有一些缺
點。入射離子會損毀半導體之晶格，此項損毀必須被修復，然而在某些情形下，完全地修
復是不可能的。極淺及極深之分布圖的產生相當困難或不可能。離子佈植機之產出受限於
高摻雜量之植入，特別當與同時可執行 200 片晶片之擴散製程相比時則更明顯。最後，離
子佈植設備非常昂貴，目前頂級的系統約 200 萬美元。

　　本節所描述之製程為在晶片上全面性且均勻地植入摻質。若要在晶片上選擇性地摻雜
某些區域，則必須有一植入遮罩。有許多標準的離子佈植之變化是將離子束聚焦在一個小
點上，利用此小點，提供區域化的製程能力，這些製程稱為離子束技術 (ion beam
technique)。這些離子可供直接利用，以提供元件之摻雜分布圖的側向變化。此方法因為太
慢且太貴，因此無法廣泛地用於製造中。然而，離子束可用來修補光罩之缺陷，以及選擇
性地移除某些層，有利於診斷工作之進行。

　　如圖 2.6，佈植系統可以區分成三部分：離子源、加速管及終站[10]。離子源從一包含所
需植入物之饋氣 (feed gas) 開始。在矽技術中常用的饋氣為 BF_3、AsH_3 及 PH_3；砷化鎵技術
中常用的饋氣則為 SiH_4 及 H_2。大部分設定為氣態源的佈植機，藉由打開適當的閥，可選擇
數種氣體中的任一種，氣體流量可用一可變的孔來控制。如果所需的植入物非氣態的型
式，則可加熱固態源，並以釋放出來的蒸氣作為氣態源。材料在烤爐中加熱，而其蒸氣會
流過燈絲。早期的氣態源設備，烤爐以一簡單的氣體饋線取代。在高壓時，電子流通常足
以維持一輝光放電。

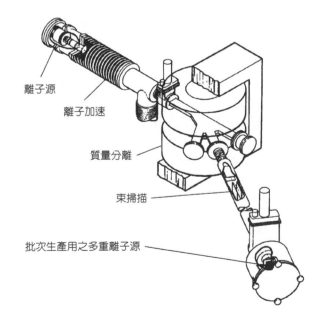

離子源

離子加速

質量分離

束掃描

批次生產用之多重離子源

圖 2.6
離子佈植機之示意圖。

　　氣體會流入弧光反應室中。此反應室有兩個功能：將饋入的氣體分解成各種的原子及分子，以及將這些原子及分子的一部分游離。在最簡單的此種系統中，饋入的氣體流經孔洞，進入低壓源反應室，在此反應室，氣體會流過熱燈絲及金屬平板之間。燈絲相對於平板是保持在較大的負電位。電子會加熱燈絲並朝平板方向加速，因此會與饋入之氣體分子碰撞，而轉移其一部分的能量。若轉移之能量夠大，則分子之分解可能發生。例如，BF_3 可能被分解成 B、B^+、BF_2、BF_2^+、F^+，以及許多其他的物種。亦可能產生負離子，但其量相對上較少。為了增進游離之效率，通常會在電子流之區域加入磁場。這會使得電子之路徑變為環狀，而大幅度地增加游離之機率。正離子被吸引至負電位較燈絲為高之源反應器的出口端，之後，正離子經由長縫而離開源反應器。最終的離子束通常是幾毫米乘一至二公分。源極此部分之氣壓通常在 10^{-5} 至 10^{-7} Torr 之間，因而可在燈絲及陽極之間產生穩定的弧光。最大的離子流通常是幾個毫安培。

　　目前此束尚由許多的物種所組成，大部分是游離的。下一個工作則是選擇所要的植入物種。在之前的例子中，也許我們只想從離子束中選擇 B^+，並希望阻止其他物種繼續在佈植機中往下進行。這通常以如圖 2.7 所示之質譜儀來達成，此束進入一維持在低壓的大反應室中，反應室中存在一與離子束之速度垂直的磁場。由簡單的靜電學知：

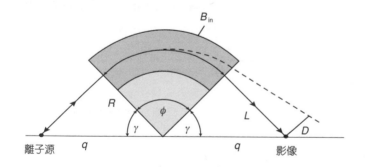

圖 2.7
顯示垂直磁場及離子軌跡之一離子佈植機的質量分離級。D 相當於質量為 $M + \delta M$ 的離子之位移。

$$\frac{Mv^2}{r} = qvB \tag{2.42}$$

其中 v 為離子速度之大小、q 為離子之電量、M 為離子質量、B 為磁場強度、r 為曲率半徑。若此離子遵守古典力學

$$v = \sqrt{\frac{2E}{M}} = \sqrt{\frac{2qV_{ext}}{M}} \tag{2.43}$$

其中 V_{ext} 為汲取電位。式 (2.43) 之推導忽略了離子因為與離子源中之電子碰撞而傳給該電子之能量。由於此效應所造成之離子能量的散布約 10 eV，而汲取電位之大小所對應的能量通常較此值大 3 個數量級，因此式 (2.43) 可作為真實能量之一良好的近似。

在質量分析反應室中可以做另一縫隙，使得僅有一種質量 (或精確地說，一種荷質比) 的離子具此精確而正確的曲率半徑可以離開離子源。此系統解析度之主要限制是來自離子本身小的發散，而發散主要是由於有限之縫隙尺寸及離子能量微小的變化。然而，此系統能夠快速地區分出硼的同位素 B_{11} 及 B_{10}。

將式 (2.42) 及 (2.43) 組合，可得

$$r = \frac{Mv}{qB} = \frac{1}{B}\sqrt{2\frac{M}{q}V_{ext}} \tag{2.44}$$

通常，各處之解析場均垂直於離子運動方向，且入口及出口是對稱的。現在假設磁場已被調整至可使得質量為 M 的離子其運動軌跡為半徑 R 之圓，若一質量為 $M + \delta M$ 的離子進入過濾器，離子束將位移一距離 $D^{[11]}$：

$$D = \frac{1}{2R}\frac{\delta M}{M}\left[1 - \cos\phi + \frac{L}{R}\sin\phi\right] \tag{2.45}$$

當 D 之值大於離子束之寬度加上出口縫隙之寬度的和時，稱兩質量為可解析的。最佳解析情況發生於當 R 大且 M 小時 (由於離子束之散射，只要 L 之值約大於 1 公尺，則 L 之效應可忽略，此簡單的分析將適用)。大部分用於 IC 製造之質量過濾器，其過濾器半徑不大於 1 公尺。

離子之加速可在質量分析之前或之後進行，加速可減少離子在到達晶片表面前失去其電荷的可能性，但需要較大的磁鐵。下面的討論均基於質譜分析乃在加速之前。反應管通常為數米長，且必須保持在相對高真空下 ($< 10^{-6}$ Torr)，為了避免加速期間的碰撞，這是必須的。首先，利用一組靜電透鏡將離子束聚焦成一點或一線，之後進入線性之靜電加速器，此加速器由一組與一電壓分壓器網路相連接的環所組成。調整供應之功率，可驅使分壓器網路調整離子之能量。

這裡所說的束，主要是由離子組成。某些中性原子或許會重複出現，通常這些中性原子由離子與熱電子組合而成：

$$B_{11}^{+} + e^{-} \rightarrow B_{11} \tag{2.46}$$

它們亦可能是離子束中的離子與其他離子碰撞而產生之電荷交換。因中性原子在靜電掃描機制中不會被偏移，所以是我們所不想要的。中性原子束將連續地植入晶片的中心附近，為了避免此問題，大部分的離子植入系統均有轉彎的配備。此束通過靜電偏移系統的平行板之間，中性原子因為不受偏移，所以不會跟著轉彎，而會撞上終止板。

散射現象可用來討論當來自離子佈植機的高能離子到達晶片表面時所發生的情況。接下來將定性地討論數種已被發展出來描述此過程的模型，且將指出在現代元件中離子佈植所遭遇的困難。當一高能離子進入一固體，將開始失去能量。如圖 2.8 所示，離子在半導體中所旅行之距離稱為其範圍 (range)。能量損耗與撞擊參數有關。因離子正進入一固體中，束中之離子的撞擊參數將在某一範圍中。因此，一個好的近似是將能量損耗機制特性視為是機率性的。一給定之離子通量將對應一分布範圍。對於一均勻的離子束，令人感興趣之量是平均深度而非總旅行距離，此量即投射範圍 (projected range, R_p)。靶材料之能量損耗為兩個機制之結果[12]。第一為離子—電子之交互作用，這與材料之價電子及核心電子均有關。因為晶體中極大部分的空間是由來自原子之電子雲所組成，因此將有許多此種交互作用發生。即使當電子不在離子之路徑上時，能量亦可能經由庫侖交互作用而轉移。在一典型的半導體之佈植中，將發生不計其數的此種交互作用。再者，離子與電子之質量比約為 10^5，因此，任何單一電子與離子之交互作用將不致於劇烈地改變入射離子之動量。

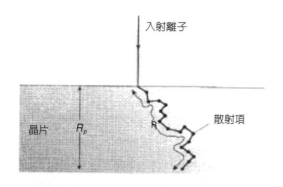

圖 2.8
離子在固體中的總旅行距離稱為範圍 R。此距離在深度軸上的投影稱為投射範圍 R_p。

對單晶材料進行離子佈植時，可能會產生另一問題。亦即，當離子之速度平行於主要的晶格指向時可能會發生通道化現象。如圖 2.9，在此情況下，由於原子核之阻滯不夠有效以及通道之電子密度低的緣故，某些離子耗損少許能量即能移動相當長的距離。離子一旦進入一通道，將會在該方向繼續前進，會產生許多斜向而近乎彈性的內部碰撞，直至靜止或偏離通道。晶體缺陷或摻質均可能造成後者之結果。如圖 2.9，通道化可用一臨界角 ψ 來特性化，ψ 即為離子行進方向與通道的夾角：

$$\psi = 9.73° \sqrt{\frac{Z_i Z_t}{E_0 d}}$$

(2.47)

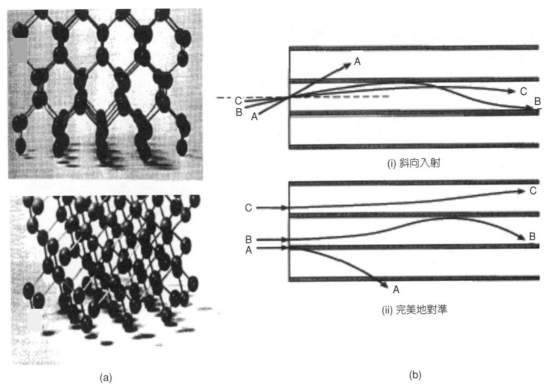

圖 2.9 (a) 沿著一主要的晶格方向〈110〉及沿著一隨意方向之鑽石結構圖。(b) 通道化之示意圖。

其中 E_0 為以 keV 為單位之入射能量，d 為沿著離子方向、以 Å 為單位之原子間距，Z_i 為離子的原子序，Z_t 為晶片材料的原子序。若離子之速度向量遠離某一主要晶格指向之角度遠大於 ψ，則發生通道化之機率將極低[13]。通道之方向並不需要非常接近初始之離子速度的方向。靶內的一散射項可能會改變入射離子之方向，使其沿著晶格指向，但這發生的機率不高，所以此效應不可能造成植入分布圖之峰值附近的形變。

　　通道化會使得植入分布圖產生一顯著的尾部。當對準通道植入輕原子至一重原子的矩陣時，因離子之原子半徑遠小於晶體晶格之間距，所以此效應特別顯著。為了避免植入分布圖之尾部的形成，大部分積體電路之植入是偏離通道方向的，典型之偏移角度為 7°。為了減少偶發而與晶格平面之指向平行的機率，亦常使用偏離角度 30°[14]。但仍然會有某些離子因散射而沿著晶格之軸向移動，使得通道效應 (channeling effect) 發生。另一最小化通道效應的方法為在植入之前毀損晶格。在摻雜植入之前可用高摻雜的矽、氟及氬對矽作預非結晶化處理。亦有文獻報導，在晶體表面覆蓋一薄的遮蔽氧化層，則離子植入時，離子之速度將被雜散化，因此當離子進入晶體時，通道化之效應可降低。然而，由於反彈或撞擊效應，這將有我們所不欲見到之植入氧的缺點。

　　當高能量的離子進入晶片時，能量轉移的一部分為其與晶格原子核之碰撞。在此過程中，許多原子從晶格位置中被打出來。某些被移動的基板原子具有足夠的能量，與其他的基板原子碰撞後可使其他基板原子產生位移。因此，植入過程將造成可觀之基板毀損，隨後之製程必須能將其修補回來。再者，若植入之物種欲作為摻雜之用，則其必須佔據晶格位置。將大部分的植入摻質移動至晶格位置之過程稱為摻質活化，晶片在植入之後通常會進行加熱 (回火)，以達到毀損修補及植入活化之目的。通常回火可同時完成這兩件事，因此這兩件事可同時處理。圖 2.10 顯示以 70 keV 的能量植入每平方公分 10^{15} 個硼原子後，於各種植入後回火溫度之下，矽基板內的摻質分布之改變情形。

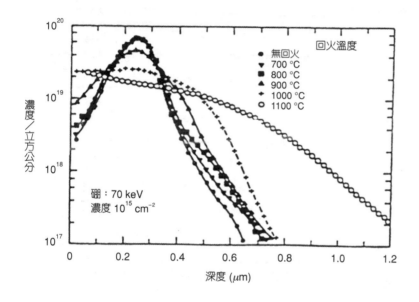

圖 2.10
摻質經植入後，於各種植入後回火溫度之下，矽基板內的摻質分布改變情形。

　　因為經由原子核能量轉換之每次碰撞的能量損失通常遠大於晶格中原子之束縛能，因此當其植入時，將造成晶體的毀損。當摻雜量超過某臨界量 Φ_{th} 時，稱其毀損是完全的。也就是說，經此植入之後，大範圍之規律性已不復存在，基板之表面已成為非結晶形的。此臨界摻雜量與植入能量、植入物種、靶材料及植入期間之基板溫度有關。在高溫時，基板會自行回火，因此臨界摻雜量將變得極大。輕離子因大部分的能量損失是電子造成的，因此其臨界摻雜量亦較重離子為大。

　　當一離子經過晶體時，直接交互作用或與彈回之靶原子的碰撞，會產生晶隙原子及空洞等點缺陷。植入過程所創造的缺陷稱為主要缺陷 (primary defects)。當一植入之晶片進行回火後，將產生二次缺陷。晶體中之點缺陷具有高能量，可經由復合或凝聚成較大的缺陷而使此能量減小。通常這些缺陷會形成小的點缺陷團，如雙空洞，或凝聚成差排環般的較高維缺陷。對於矽中植入硼的情況，似乎當植入所產生之矽的晶隙濃度不小於 2×10^{16} cm^{-2} 時，二次缺陷才會產生。質量與矽相差不多的離子，如磷或矽，具較大的臨界晶隙濃度，

通常約 5×10^{16} cm^{-2}。

　　曾有文獻指出，植入如硼般的輕原子會形成孤立的缺陷，而較重的離子會形成較大的缺陷。中等質量之離子所創造的晶隙原子，會被束縛在這些缺陷團中，很少可以自由地凝聚成較大的擴展缺陷。Schreutelkamp 等人曾證明除了以百萬電子伏特的能量植入外，原子序大於 69 的重離子不會形成二次缺陷。即使如此，重離子如砷，其臨界晶隙濃度大於 10^{17} cm^{-2}。因此，重離子傾向於在二次毀損產生之前非結晶化基板。

　　最小化二次缺陷之回火製程，其技術受到相當的矚目。在這些應用中，為了確保所有的摻質被活化及只剩少數殘餘的擴展缺陷，必須要使用高溫。對於固定的回火時間，等時回火曲線顯示歸一化至摻雜量的活化載子濃度對回火溫度之函數，典型的時間為 30 或 60 分鐘。除非另有敘述，否則回火過程均在氮的環境下進行。低溫時之載子濃度主要決取於點缺陷。當回火溫度增加時，由某些空洞捕捉附近的晶隙原子開始修復點缺陷，這將減少基板之淨捕捉濃度，增加自由載子之濃度。在 500 至 600 ℃ 之間，缺陷之擴散係數已大到可凝聚及形成擴展缺陷。在較高的硼含量時，因毀損較大，故此現象特別顯著。最後，在高溫時，這些擴展缺陷會因回火作用而消失，使得活化之載子濃度接近植入之摻雜量。這需要 850 ℃ 至超過 1000 ℃ 的溫度，且高摻雜量的植入需要較高的回火溫度。

　　不管是由於植入本身或者是由於預非結晶化步驟，使得基板變成非結晶化，晶體皆可利用固相磊晶 (solid phase epitaxy, SPE) 來修補。理論上，晶體之再生是利用其下方之未毀損的基板為模板。如此處理之後，大部分的摻質會以與被移位之基板材料近乎相同的立足點來併入再生之晶格中。在討論這些非結晶層之回火行為時，首先必須知道非結晶層並不會擴展至表面。很明顯地，表面附近之毀損程度遠小於深入基板處之毀損。藉由使用高能植入，使得埋入非晶矽層變為可能。缺陷在到達表面之前必須穿過晶體區，因此極有可能被消滅。再者，SPE 再生長的前端會從非結晶區的兩邊開始。這些前端相會的平面會包含缺陷，使得元件之性能變差。

　　一般而言，非結晶層的回火過程包含對此層進行 SPE 再生長。此再生長可在溫度低至 600 ℃ 之環境下進行，因為對〈100〉方向而言，矽於此溫度之再生長速度大於 300 Å/min，對於〈111〉方向，再生長速度則小約 10 倍 (對於高摻雜之植入，SPE 之速率與植入之物種有關)。因此，在 600 ℃ 下回火 30 分鐘可使材料再生長約一微米，此深度已遠大於任一合理之植入的非結晶深度。由於 SPE 的處理，摻質之活化在較低之溫度下發生。

　　非結晶層之 SPE 的再生長最令人擔心的是殘餘的缺陷。這些層不僅包括如差排環之簡單的一維缺陷，也包括了如雙晶及堆疊錯誤之二維及三維的缺陷。這些缺陷可能源自於稍微偏離其原來位置或者在 SPE 期間變成偏移的單晶材料之微島 (microisland)，這些島同時可作為再生之成核中心。當這些不同的成長前端相會時，缺陷將形成。為了減少缺陷之濃度至可接受的程度，通常需要 1000 ℃ 左右之高溫回火。然而，即使進行了這些高溫回火，也許仍不足以移除所有的毀損。為了避免高溫回火期間有太多的擴散，通常會先以低溫的 SPE 步驟來降低點缺陷之濃度。

2.1.4 快速熱製程

對於小元件而言，因擴散或熱氧化之高溫製程所造成摻質之重新分布通常是極不想要的，因此近幾年來有許多的研究是探討使擴散最小化之低溫製程。然而，某些製程如植入之回火，在低溫時是不太有效的，某些型式之植入毀損只有高溫回火才能修補。再者，某些摻質需要至少 1000 °C 的回火溫度才能完全活化。另一減少擴散之方法為降低回火之時間。標準的鍋爐回火不適合進行短時間回火，在此系統之晶片從邊緣向內傳熱，為了避免過剩之溫度梯度造成晶片彎曲，晶片必須極緩慢地加熱及冷卻[15]。因此，即使回火之時間可縮至極短，但是長的升溫時間仍能導致極大之擴散。同時，一次操作一片晶片而非大批晶片之製程目前愈來愈流行，這些單一晶片製程使得均勻度及再現性極佳，對於大尺寸之晶片更是明顯。快速熱製程 (rapid thermal process, RTP) 泛指利用減少反應之時間 (除了取代減少溫度外)，以發展最小化製程熱預算的單一晶片熱製程。

RTP 起初是發展來做植入回火之用，雖然此應用仍相當常見，但快速熱製程如今已廣泛地應用至氧化、化學氣相沉積 (chemical vapor deposition, CVD) 及磊晶成長。對所有的熱製程而言有一組共同的核心問題：均勻地加熱並冷卻晶片、製程期間能夠保持均勻的溫度，以及量測晶片之溫度。本節後面將描述這些問題的特性，以及快速熱系統所用來解決這些問題的方法。

以移除熱的型式來分類，快速之熱製程可廣泛地分為三類：絕熱 (adiabatic)、熱通量及等溫[16]。最早的 RTP 是利用絕熱之熱源，在此方式中，只要脈衝之長度相對於基板之熱時間常數夠短，則在寬束中之快速光脈衝僅會加熱晶片之表面 (約幾微米深)。絕熱系統通常以如準分子雷射 (excimer laser) 的寬束同步源提供能量。

雖然此種回火系統可提供最短之回火時間，但卻有幾個大缺點，包括溫度控制不佳、回火時間控制不佳、大的垂直溫度梯度及主要設備花費高。熱通量系統利用如電子束或聚焦雷射等強的點源來掃描晶片。與熱時間常數相比，掃描之時間必須夠短，否則將導致大的橫向熱梯度。雖然此種系統已用於研究中，但由於橫向之熱不均勻所引起的缺陷，通常大到使其不適用於 IC 製造。等溫加熱則是利用輻射之寬束對晶片加熱許多秒。這些系統在晶片之橫向及縱向上也許有最小之溫度梯度，其能量通常是來自於如一排鎢—鹵素燈之非同步源。於等溫系統中，晶片是放置於石英夾上，選擇石英是由於其化學穩定度佳及熱導係數低，此種配置有時稱為熱絕緣 (thermal isolation)。本節將專注於介紹等溫之 RTP 系統，因為幾乎目前所有的量產型系統均使用此種設計。

對於半導體製程而言，有四種熱轉換是較重要的，亦即傳導、對流、驅動流及輻射。熱傳導是熱經由固體或氣體而擴散。經過固體、不可動之氣體或液體的橫截面積 A 之熱流 $\dot{q}$ 可表示為

$$\dot{q}(T) = k_{th}(T)A\nabla T \tag{2.48}$$

其中 k_{th} 為材料之熱導係數。將式 (2.48) 的兩邊均除以面積，則可得熱轉換之費克第一定律。因為在快速熱製程中，大部分的光能為晶片上方前幾微米的厚度所吸收，因此晶片內之熱傳導對於最後之溫度分布扮演了重要的角色。然而，當考慮氣體中之熱傳導時，必須同時考慮能夠改變熱轉換速率之氣流。若此氣流之流動是由於外部供應之壓力梯度所引起，則稱其為驅動流，實際例子包括了氣體注入或抽出所引起的流動。封閉系統內之溫度梯度所對應的流動則稱為自然流 (natural flows)；受熱的壺內之水的流動即為自然流。有效之熱轉換可定義為

$$\dot{q} = h(T - T_\infty) \tag{2.49}$$

其中 T_∞ 為離晶片極遠處之氣體溫度，h 為與自然流及驅動流兩者均有關的有效熱轉換係數。對於大部分的幾何構形而言，h 為晶片中溫度及位置的函數。

　　氣流可傳送之功率是相當有限的，因此大部分之快速熱系統利用輻射熱轉換作為熱交換的主要方法。輻射熱轉換的一個基本參數是離開之輻射頻譜 (spectral radiant exitance) $M_\lambda(\lambda,T)$，其意義為發出輻射之物體，其每單位表面積、每單位輻射波長向完美之吸收環境 (黑盒子) 輻射出的功率。根據普朗克 (Plank) 輻射定律，離開之輻射頻譜可表示為

$$M_\lambda T = \varepsilon(\lambda) \frac{c_1}{\lambda^5 (e^{c_2/\lambda T} - 1)} \tag{2.50}$$

其中 $\varepsilon(\lambda)$ 為放射物體與波長有關之放射係數，c_1 及 c_2 為第一及第二輻射常數，其值分別為 $3.7142 \times 10^{-16} \text{ W} \cdot \text{m}^2$ 及 $1.4388 \times 10^{-2} \text{ m} \cdot \text{K}$。當 $\varepsilon = 1$ 時，我們稱放射源為黑體 (black body)。

　　將 $M_\lambda(\lambda,T)$ 對所有的波長 (0 到 ∞) 積分，且假設放射係數與波長無關，則結果為總放射量 $M(T)$，其形式為如下之史蒂芬—波茲曼方程式 (Stefan-Boltzmann equation)：

$$M(T) = \varepsilon\sigma T^4 \tag{2.51}$$

其中 σ 為史蒂芬—波茲曼常數：$5.6697 \times 10^{-8} \text{ W/m}^2 \cdot \text{K}^4$。比較式 (2.49) 及式 (2.51)。物體輻射出之功率量正比於溫度的四次方，而熱傳導所傳送之功率正比於物體及背景之間的溫度差，因此輻射為高溫時主要的熱轉移機制，而熱傳導則在低溫時較重要。因大部分之快速熱系統操作於高溫區，所以輻射交換為主要之交換機制。

　　將式 (2.50) 微分，且設其結果等於零，則可定義 λ_{max} 為最大放射功率時的波長：

$$\lambda_{max} = \frac{0.2898}{T} \qquad \text{(單位：cm)} \tag{2.52}$$

可以利用此關係式，將放射物體之顏色轉換成對應的溫度。因為直接測量溫度並不容易，所以許多燈以此種方式 (顏色) 定溫度。

　　如圖 2.11，考慮當類似反射鏡的第三個表面加入時發生之情況。首先可考慮三個成對的交互作用，但那只包括受熱之表面所輻射出的功率，特別是反射鏡可用水冷卻，使得表面之溫度保持於低溫。因反射鏡會增加晶片和燈之間的有效外觀因子，因此可能會傳送大量的功率。反射鏡同時亦使得晶片可對自己輻射。若將所有可能的輻射考慮進來，則成對法之複雜度將大增。另外一個方法是，可利用矩陣法同時處理所有的表面，包括反射[17]。

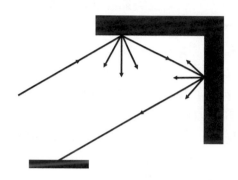

圖 2.11
僅包含單一反射時，三個表面之間可能的光學路徑。此圖假設反射是漫射的。

　　前面介紹過離子佈植，由於目前的離子佈植技術有能力製作出控制良好的摻質摻雜量，且其濃度事實上可超過該摻質之固體溶解度，使得此技術廣為全世界所接受。隨著元件尺寸的縮小，濃度梯度會增加，且最大允許之摻質的再分布會降低。這些晶片中的植入毀損仍然必須靠回火來移除，回火溫度視植入物種之能量及摻雜量而定，所需之溫度也許高達 1100 °C[18]。發展快速熱製程之基本理由為利用快速地進入及離開目標高溫區，可減少製程時間，且可使熱預算最小化。隨著溫度之增加，缺陷團回火所需之時間降低，因此有可能於 1000 °C 下只需回火數微秒[19]。

　　RTP 最吸引人的特性之一為晶片也許無法達到熱平衡，這意謂著電性上活躍的摻質之分布圖，其濃度實際上可能超過固體之溶解度。特別是砷，實驗發現，其僅需極短之回火時間，即可達到高度的活化[20]。如果回火數毫秒的話，砷可被活化至約 3×10^{21} cm^{-3}，此濃度約為其固體溶解度之 10 倍。砷原子沒有足夠的時間可形成團，並凝結成非活躍的缺陷。然而，如果此活化不太完全，剩餘之砷原子會貢獻一深能階。這些能階如果太靠近 p-n 接面，則會成為有效的產生／復合中心，而導致漏電流。

　　一般觀測到的結果是，對於植入之物質做低溫及降低溫度的回火，所產生之化學接面會比簡單之擴散理論所預測的還深[21]。曾有文獻報導，硼於矽中之擴散係數的增進，較簡單之擴散理論所預測的大 3 個數量級，此擴散係數增進的原因為殘留之植入毀損。一般相信，於離子佈植之後，晶片上會有高濃度的空洞及自我晶隙原子，此效應有時稱為暫態效應 (transient effects) 或暫態增強擴散 (transient enhanced diffusion)。已有實驗證實，對於低摻雜量的植入，其接面深度之增加正比於植入能量之平方根。爐管回火製程通常會在加熱至活化溫度之前，經由溫度介於 500 至 650 °C 之間的額外處理，以消滅剩餘的點缺陷。基於相同的理由，RTP 回火也許亦需包括一簡單的低溫步驟。矽中最常見之三種摻質，其暫態增強擴散的活化能示於表 2.3 中。雖然砷於擴散期間的暫態效應一開始仍有些爭論，但目前一般而言，均同意其具有暫態效應，只是遠較硼不顯著罷了。這些暫態效應會隨著某一與基板中缺陷湮滅之速率有關的特徵時間常數而衰退。

表 2.3 矽中之穩定態本質擴散及暫態擴散的活化能。所有的能量之單位為電子伏特 (eV)[22]。

	穩定態擴散之活化能	暫態擴散之活化能
硼	3.5	1.8
砷	3.4	1.8
磷	3.6	2.2

實驗證實，對於硼及 BF_2 而言，並非所有的摻質均可於 RTP 中活化。由於非晶型之程度增加，BF_2 之峰值濃度於低溫時活化得較完全。爐管回火總是能活化低濃度的植入尾部 (implant tails)，但是由於如固體溶解率等熱力學上的考量，濃度峰值附近的區域也許無法完全地被活化。然而，有文獻提及於 RTP 回火之後，低濃度的硼尾部也許無法被完全活化，使得最後之電接面比化學接面還淺[23]。圖 2.12 顯示硼及 BF_2 植入，經歷了 1000 °C、30 秒的回火之後，其化學分布圖 (實線) 及電性之主動分布圖 (實心黑點) 之間的差異。其中，濃度峰值及尾部均未完全被活化。這些非活化的摻質一般相信是由於形成了非活化之硼的晶隙原子對。圖 2.12 亦顯示硼之分布圖的尾部擴散比峰值區還要快。實驗發現，於峰值區植入會導致差排及其他的擴展缺陷。於 $X > R_P + 1.5\ \Delta R_P$ 或 $X < R_p - 0.4\ \Delta R_p$，點缺陷之密度高，因此會導致暫態之增強擴散。

砷化鎵的植入活化，通常會在活化前先沉積一覆蓋層，例如氮化矽 (Si_3N_4) 或氮氧化矽 (SiO_xN_y)，以防止砷從晶片中擴散出來[24]。氮化矽層可保護砷化鎵至約 900 °C，而二氧化矽層約於 850 °C 前有效。此覆蓋層常是以電漿輔助化學氣相沉積法來沉積。若植入物質為矽，晶片首先會在約 650 °C 回火 60 秒，以降低點缺陷密度。活化砷化鎵中的 n 型摻質矽需要 800 至 1000 °C 的高溫，因此覆蓋層可能會難以去除，且由於熱膨脹的不匹配，可能會導致晶片中原子層的滑動。亦有實驗證實砷化鎵之植入活化可利用一特殊設計的石墨接受器，於無覆蓋層的情況下進行。此晶片會被送入一個比典型之晶片厚度厚二至三倍的石墨腔內。實驗結果證實，與標準的有覆蓋層的 RTA (rapid thermal annealing) 相比，此種回火方式可得到較佳的表面品質及較少的粒子數。亦可於砷化鎵晶片上沉積另一砷化鎵層，再將其作 RTP 的回火。必須留意的是，於沉積砷化鎵層之前必須先確定晶片上方之表面氧化層

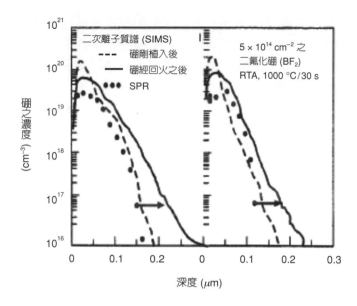

圖 2.12

於不完全的 RTP 活化之後，化學及活化的硼之分布圖。

已被移除。

深次微米元件所需之矽的氧化層極薄，成長這些氧化層的技術之一為降低氧化溫度以減緩氧化速率。此方法的缺點之一為隨著成長溫度的降低，固定電荷及界面態密度有增加的趨勢，因此可於適當的高溫下作短時間之氧化的快速熱氧化法 (rapid thermal oxidation, RTO) 似乎為一極具魅力的取代方法。此方法目前也的確已成為 RTP 的一應用領域。另一個方法為加入氬或其他的惰性氣體，稀釋氧氣，以降低氧化速率。雖然利用此方法可成長高品質的氧化層，但是基板中摻質之擴散仍然令人擔心。

實際上所有的 RTO 是在乾氧下進行的。早期的結果顯示氧化層的厚度隨著時間線性增加，於 1150 °C 之氧化速率約為 3 Å/s[25]。這些氧化層在電性上的崩潰特性相當好。快速熱氧化之均勻性會受晶片上溫度不均勻所產生的熱塑應力影響。由於晶片邊緣之應力最大，因此可導致晶片邊緣成長速率的增加。對於低溫及短時間之氧化，此效應最為顯著。

曾有許多的文獻發表過關於矽於 RTP 期間的氧化速率。基於以下的數種原因，使得 RTO 期間之氧化速率具有共識的模型難以發展出來。首先是 RTO 通常完全地發生於初始氧化區內。此外，文獻中所報導的實驗測得的氧化速率值變化極大，這可能是由於成長期間晶片之溫度量測困難所致。一般相信，許多早期的 RTO 文獻上所報導的資料，其溫度差異可高達 50 °C。此外，氧化速率會隨著光子曝光之能量增加而增加。此效應之量與光源有關，弧燈於紫外光 (UV) 部分具有一較密的頻譜，所以此效應較強。此增強是由於光使得氧分子 (O₂) 被游離而形成氧離子 (O⁻)，其於空間電荷場之影響下會漂移至矽界面，於 p^+ 型基板此效應最強，而於 n^+ 型基板此效應則降為零。

2.2 圖案轉移

前一節介紹了引入、活化與擴散摻質所需的製程，以及如何於矽晶片上成長氧化層。這些製程的限制之一是它們是做在整個晶片上。IC 製造之精髓為能夠將 IC 設計工程師設計的電路布局轉移至半導體晶片上的能力。本節將介紹此種與轉換有關的製程：微影及蝕刻。因為許多層的側向尺寸及其與其他結構間允許的最近距離決定了電路的速度，因此這兩種製程是極為重要的。由於圖案轉移 (pattern transfer) 之重要性，所以通常以技術的特徵尺寸 (線寬) 來稱呼該技術 (如 0.25 μm CMOS)。

大部分的微影成像以兩步驟的製程來完成。首先整個電路設計可被拆解成許多層，每一層均對應到最後完成之 IC 的某一薄膜位置。通常這些層是利用光罩製作出來的，因為光罩製作完成後，經由在其上方照光，可在晶片上形成圖案。此光線是落在一光敏材料上，之後則透過顯影以試著重建原來光罩上的影像。光罩的製作我們將不在此詳細討論，其製程極類似於晶片上的微影，光學微影 (optical lithography) 及電子束微影 (electron beam lithography, EBL) 均被使用在光罩的製作上。

隨著所需之特徵尺寸的持續縮小，使得光學微影成像變得愈來愈困難。這也導致了新的微影成像技術的發展，例如，準分子雷射步進機 (excimer laser stepper) 及相位對比光罩均使得光學微影技術能夠擴展至更小的特徵尺寸。其他方法則利用極短波長之非光學輻射以複製細線，電子束及終極紫外光微影 (extreme ultraviolet lithography) 為兩種最常見的新製程。隨著光學微影技術持續不斷的改進及延伸至更短的波長，使得非光學微影技術受到壓縮，而無法廣泛地應用。目前的「光學」(實際上是深紫外光) 微影技術已可解析小於 0.1 μm 的特徵尺寸。

利用曝光在感光材料上定義完圖形之後，接著是將感光材料作為複製下方薄膜影像的模子。通常是在覆蓋感光材料之前先在整個晶片上沉積薄膜，接著在感光材料定義完圖形之後，以感光材料作為蝕刻的遮罩，以去除不想要的材料。本節將介紹此種標準的蝕刻過程。

2.2.1 光學微影

圖 2.13 顯示的是大部分 IC 設計之流程圖。首先是確認晶片的功能，如果功能太複雜，則拆解成幾個子功能。這些子功能被布局在一平面圖上，且每一子功能於晶片上個自分配到一空間以供將來設計之用。在此方面，設計者必須能建構一晶片之高階模型以測試其功能，並評估其表現。之後，設計者從之前所設計的子電路 (稱為 cells) 中找出所需的子電路，聚集成所要的電路，於是完成了晶片的設計。這些子電路是根據一組設計或布局規則來布局的。圖 2.14 為某一技術一些設計規則的例子。這些規則為製造商與設計者之間的契約。對於每一層，布局規則定義了所允許的最小尺寸及間距、該層的尺寸與其他層之間的

最小重疊尺寸,以及與下方結構間的最小間距等。若設計者遵守設計規則,則製造商有責任確保晶片之功能與當初設計的相同。設計完成之後,會檢查是否符合設計規則,以確保晶片能順利製作出來。最後,可能會針對實際的布局作額外的模擬,若不符規格,則會修正設計直至符合規格。有些電腦自動設計 (computer-automated design, CAD) 軟體會自動地模擬分析一部分或先前所說的全部過程。於最先進的 CAD 系統中,IC 欲提供之功能的高階描述以及包含設計規則之檔案會提供給該系統,該程式會產生晶片之布局以及對電路表現之評估,之後,設計者只要監督該過程,於必要時手動調整,以改善電路之表現。

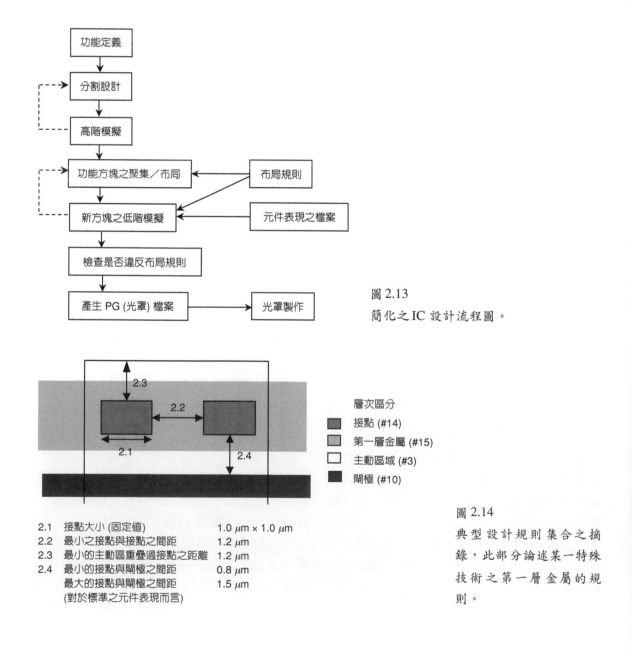

圖 2.13
簡化之 IC 設計流程圖。

圖 2.14
典型設計規則集合之摘錄,此部分論述某一特殊技術之第一層金屬的規則。

　　設計者及製造商之間的界面為光罩。每一光罩包含製程中一層的影像。依所用曝光機之不同，光罩之尺寸可以與最後完成之晶片相同 (1 ×)，或者為該尺寸之整數倍 (亦即可於曝光期間使其縮減，一般的縮減量為 5 倍 (5 ×) 和 10 倍 (10 ×))。量產用的光罩大部分是 150 mm × 150 mm，預期以後會增至 225 mm × 225 mm，以容納晶粒尺寸較大的微處理器。光罩係製作在各種形式的熔合氧化矽上。光罩最重要的特性包括於曝光波長處高度的透光性、小的熱膨脹係數，以及可降低光之散射的平坦與高度拋光的表面。該玻璃的一面是有圖案的不透光層，於大部分的光罩中，此不透光層的材料是採用鉻。光罩於定義完圖案之後，可經由與資料庫之間的比對作驗證。任何不想要的鉻，可以雷射剝除法去除。鉻中的任何小孔，均可以額外的沉積作修補。因為一片光罩可能會用於定義數萬片晶片，光罩上任何夠大的缺陷均會複製於每一晶片上，因此修補的工作是極具決定性的。

　　於主流的微電子製造中，微影是最複雜、昂貴及關鍵性的製程。(微影方面有一些不錯的參考文獻可供有興趣此領域的讀者參考。早期的經典之作包括了 Stevens[26]、Bowden[27] 及 Elliott[28] 等人的書。最近 Moreau[29] 的書是較綜合性的書之一。) 表 2.4 顯示了過去及未來數個世代積體電路 (IC) 在微影方面的需求[30]。微影之花費幾乎佔了 IC 總製造成本的三分之一，且其比例正增加中。典型的矽技術包含了 15 至 20 層不同的光罩，某些 BiCMOS 製程甚至需要高達 28 層光罩。雖然傳統的砷化鎵技術需要的光罩數目較少，但是其數目正在增加中。此外，技術表現通常以製造極細之線的能力作評斷，對於一微影過程之表現的估算是不易的。記憶體製造商也許需要針對某一晶片上的數十億個電晶體及超過數萬片晶片的某關鍵特徵尺寸作嚴格的管制。另一方面，當晶片上有 50% 的特徵尺寸落在某一可接受的範圍內時，元件的研究者就會覺得完全滿意了，因此當估算微影之表現時，必須用同一種標準。

　　圖 2.15 顯示以光學的方法對一晶片曝光之簡單系統的橫截面示意圖。上方的光源通過光罩後，影像會被投影至覆蓋著一層薄而稱為光阻 (photoresist) 之感光材料的晶片表面，因

表 2.4 預期的各個世代之技術對於微影之要求。

DRAM 大小	DRAM 之晶片大小 (mm²)	微處理器之晶片大小 (mm²)	最小之特徵尺寸 (μm)	重疊之精確度 (μm)	量產年度
256 Mbit	170－280	180－300	0.25	0.10	1997
1 Gbit	240－400	220－360	0.18	0.07	1999
4 Gbit	340－560	260－430	0.13	0.045	2003
16 Gbit	480－790	310－520	0.10	0.035	2006
64 Gbit	670－1120	370－620	0.07	0.025	2009
256 Gbit	950－1580	450－750	0.05	0.020	2012

註：根據國際半導體技術準則[31]

此光學微影成像可以區分成兩部分。第一部分是關於使光罩上之影像投射在晶片表面之曝光機台的設計及操作方面的問題，這主要和光學系統設計有關。第二部分為輻射穿過光罩為晶片上的光阻所吸收及其圖案之顯影有關的化學過程。這兩部分的區隔點為打在晶片表面的輻射圖案，亦稱為光罩之虛像影像。本章將回顧光學曝光的基本物理，所討論之機台均為光學的，使用之光源包括可見光、紫外光 (UV)、深紫外光 (DUV) 與終極紫外光 (EUV)。曝光機稱為 aligner 的原因是由於其具有兩種功能，亦即不僅能複製某一特別層的影像，且能將該層與前層之間作對準定位。

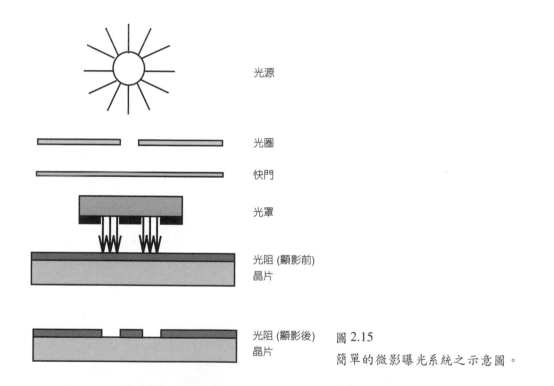

圖 2.15
簡單的微影曝光系統之示意圖。

　　曝光機之表現主要有三項指標 (表 2.5)。第一是解析度，亦即所能曝出來的最小特徵尺寸。雖然設備製造商有時候會設法證明，但是對某一特定的曝光機而言，解析度並非是一固定的數值。解析度與光阻重建投射影像 (aerial image) 圖案的能力有關。如之前所提及的，以特殊的光學機台及光阻系統也許可以製作出極小的特徵尺寸，但是由於尺寸的控制不佳，基於可靠度因素，無法採用。因此，解析度的圖引用的數據通常是所能解析之最小的特徵尺寸，且其值需保持在一定的變動值之內。典型的數值為線寬之三倍標準差 (3σ) 的分布，不超過 10% 的變化。衡量曝光機之表現的第二個方式為量測層與層之間重疊的偏移量 (registration)。再次地，偏移量好的量測結果本質上是統計分布的，如果偏移量之誤差值完全是隨機分布的，則平均之誤差值為零。以 3σ 之圖所量測之偏移量誤差分布的寬度為重疊之表現的良好指標，此數目與許多因素 (例如操作員之經驗以及晶片之狀態) 有關。自動

表 2.5 一些光阻參數對製程結果的影響。「XX」表示相關性強,而「－」
表示相關性不大。

	解析度	偏移量	晶片與晶片間的控制	批與批之間的控制	產出量
曝光系統	XX	XX	X	XX	XX
基板	X	X	XX	X	X
光罩	X	X	－	X	X
光阻	XX	X	XX	XX	XX
顯影液	X	－	XX	XX	X
潤濕藥劑	－	－	XX	X	－
製程	X	X	XX	XX	XX
操作員*	X	XX	XX	X	XX

註:操作員那一列記載的是手動之曝光機的情形。目前許多先進的曝光機均
使用自動對準及曝光系統,因此可大幅降低由於操作員技巧差異所造成
的影響。

對準系統被用於製造 IC,對於這些系統而言,對準的誤差與系統精確對準符號之位置的能力有強烈的相關性,而此能力又與所採用之對準符號的特性以及晶片表面的薄膜有關。研究單位通常採用較簡單的手動操作系統,因此曝光機之表現與操作員的技巧有關。衡量曝光機之表現的第三個主要方法為產量。電子束系統的解析度極好,且其偏移量相當小,但對於典型的包含 10^6 個電晶體的 IC 圖案,其產出可能小於每個小時 1 片,使得其無法應用於許多方面。

仔細地研討過這些方法之後,讀者必須牢記在心所希望的技術為何。對於大部分的 ULSI 技術而言,若微影機台要能充分的利用,則其 3σ 的偏移量必須在最小特徵尺寸的三分之一以內。產出量及製程的均勻度亦是相當重要的。其他的技術如砷化鎵金屬半導體場效電晶體 (MESFET),雖然對偏移量及產出量的要求較鬆,但也許需要極佳之解析度。即使是在同一種技術之內,不同的層次會有不同的要求,因此某些層可能會用某一種曝光機曝光,而其他層會用另一種曝光機曝光。不同的層次採用不同的製程稱之為調配及配合微影 (mix and match lithography)。

討論微影之光學時,必須要能夠區分那些問題所涉及的尺寸均比光的波長大,而那些問題是不符合此法則的。例如,討論光學系統時,光學、反射鏡及透鏡等之尺寸的數量級均為 1 公分或更大,因此在此種系統中,光可視為粒子,其在這些元件之間是以直線行進的。用於此種情況之分析法稱為光線追蹤法 (ray tracing)。另一方面,當光通過一光罩且光罩上特徵尺寸的大小接近光之波長時,則必須考慮繞射及干涉等特性,面對這些現象需要以電磁波的方式來描述光。對於投射影像,我們採用三種描述。第一種為電場 (V/cm),電場之平方為強度 (W/cm^2),將強度乘以曝光時間可得曝光量,其單位為 J/cm^2。

2.2.2 光阻

　　前一節中討論了曝光期間光照輻射於晶片表面所產生的圖案，亦即投射影像 (aerial image) 之產生。為了圖案之移轉，光照輻射必須打在光敏材料上，且必須改變該材料之特性，使得微影製程完成後，光罩上的圖案可複製在晶片表面上。用於微電子製造之光敏化合物稱為光阻 (photoresist，或簡稱 resist)。本節將討論光照輻射對光阻特性之影響，且將專注於最常使用於 IC 製造而以酚醛樹脂 (novolac epoxy resin) 為基礎之系統。

　　區分光阻最簡單的方法之一是根據其極性。光阻於曝光完成後會被浸入一顯影液中，正光阻之曝光區域與光反應後，於顯影過程中會較快溶解。理想上，未曝光之區域會保持不變。負光阻之光反應方式與正光阻相反，未曝光之區域會溶解於顯影液中，而曝光之區域會留下來。正光阻通常有較佳的解析度，因此於 IC 製造中較常使用。

　　用於 IC 製造之光阻通常包含三種成分：樹脂或基本材料、感光化合物 (photo active compund, PAC)，及可控制力學特性 (例如基本材料之黏性，使其保持於液態) 之溶劑。PAC 於正光阻中，曝光前係作為抑制劑，可減慢光阻置於顯影液中的溶解速率。曝完光之後，PAC 會產生化學變化，從抑制劑變為感光劑，使光阻於顯影液中的溶解速率增快。理想上，抑制劑可完全地預防光阻之溶解，而感光劑 (或增強劑) 可使得光阻溶解於顯影液中之速率變為無窮大。當然了，實際上這是做不到的。

　　對於光阻之表現，兩個最務實的指標為靈敏度及解析度。靈敏度係指要創造先前所描述之化學變化所需的光能 (通常以 mJ/cm^2 度量)。因為曝光強度固定時，若光阻愈靈敏，所需之曝光時間愈短，製程愈快速。解析度則指某一光阻所能複製出的最小特徵尺寸，如前一節中所描述的，這與曝光工具及光阻製程本身有極大的相關性。但是即使固定曝光機台，此指標仍有相當大的不確定性。

　　如同先前所曾提及的，解析度為評斷光阻表現的極佳方法，缺點為其與曝光機台的相依性太高。一個稱為對比 (γ) 的函數可更直接地用於描述一光阻。光阻之對比的測量，首先是於晶片上方旋塗一層光阻。假定使用之光阻為正光阻，量測完光阻之厚度後，於一段小的時間內對晶片作均勻的曝光，因此曝光量只是光強度 (單位 mW/cm^2) 乘以曝光時間。其次，將晶片浸入一顯影液中一段時間。最後從顯影液中取出晶片，沖洗乾淨並旋乾，再量測剩餘之光阻厚度。如果光的強度不夠大，僅有少部分之 PAC 會從抑制劑的角色變為催化劑的角色，因此光阻的厚度將與原來之值相去不遠。之後，是增大曝光量重複此實驗。如果將剩餘的光阻厚度歸一化，並將其對入射光量的對數作圖，則可得到如圖 2.16 中所示之對比曲線。此曲線可分成三個區域：幾乎所有的光阻留下來之低曝光量區、所有的光阻均被移除之高曝光量區，以及這兩個極端之間的過渡區。為了求得光阻之對比的數值，首先以一直線估算曲線之陡峭部分的斜率。此線從所有光阻可被移除之最低曝光能量開始延伸，此能量密度稱為 D_{100}。此線之縱軸值為 1 時所對應之曝光量，大約是開始驅動光化學所需之最低能量，此能量稱為 D_0。因此光阻之對比 (γ) 定義為

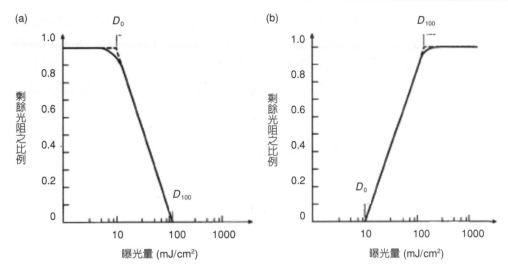

圖 2.16 理想之光阻對比曲線：(a) 正光阻，(b) 負光阻。

$$\gamma = \frac{1}{\log_{10}\dfrac{D_{100}}{D_0}} \tag{2.53}$$

亦即該線之斜率。對比可以視為光阻分辨光罩上透光區及暗區能力的指標。到目前為止，對比之重要性也許尚不明顯。考慮對一繞射光柵的曝光，線及間距之邊緣附近的輻射強度呈緩慢的變化。光阻之對比值愈高，則線的邊緣愈陡峭。典型之光阻的對比值為 2 至 3，這意謂著 D_{100} 比 D_0 大 $10^{1/3}$ 至 $10^{1/7}$ 倍。此外，對於某一種光阻而言，對比曲線並不是固定的。對比曲線與顯影過程、軟烤及曝光之後的烘烤過程、曝光輻射之波長、晶片之表面反射能力以及數種其他因子有關。微影工程師的職責之一就是調整光阻之製程，使得對比值最大化，而仍能保持一可接受的曝光速度。表 2.6 顯示數種光阻於各種波長下典型的對比值。

表 2.6 數種量產用之光阻於各種波長下之對比
　　　 值[32]。

λ (nm)	AZ-1350	AZ-1450	Hunt 204
248	0.7	0.7	0.85
313	3.4	3.4	1.9
365	3.6	3.6	2
436	3.6	3.6	2.1

註：AZ 開頭的光阻為 Shipley 的產品。

　　典型的光阻，其低曝光能量小於 50 mJ/cm^2。於這些能量下，光阻之分布圖主要與低曝光量及對比曲線暫態區有關。這些曝光會產生淺角之光阻分布圖，其與投射影像的品質較無關連。若曝光量大於約 150 mJ/cm^2，則曝光區通常遠大於 D_{100}，那麼，光阻之分布圖主要與光學影像及光阻中光的散射及吸收有關，且分布圖將相當陡峭。雖然通常較希望得到一較陡峭的影像，但隨之而來的是較長的曝光時間及較慢的產出速度。因為大部分的曝光是在中或高曝光區，因此接下來的討論將侷限在這些區域。

　　一旦光開始穿透光阻，其強度將隨著下式而減少

$$I = I_0 e^{-\alpha z} \tag{2.54}$$

其中 α 為光阻的光吸收係數，單位為長度分之一。一般而言，D_0 與光阻之厚度無關，D_{100} 反比於吸收量 A。A 可以表示如下式：

$$A \equiv \frac{\int_0^{T_R} \left[I_0 - I(z) \right] dz}{I_0 I_R} = 1 - \frac{1 - e^{-\alpha T_R}}{\alpha T_R} \tag{2.55}$$

其中 T_R 為光阻之厚度。因此，可證明下式：

$$\gamma = \frac{1}{\beta + \alpha T_R} \tag{2.56}$$

其中 β 為一無單位的常數。很明顯地，γ 之值隨著光阻厚度的減少而增加是合理的。然而如果光阻太薄，則當其經過起伏之處時，其階梯覆蓋的效果將不好。此外，亦無法以其作為蝕刻其下方層次之遮罩，因可能擋不住蝕刻。因此，於絕對的解析度與較實際的光阻參數之間必須有所妥協。

　　從對比曲線中可決定的另一個光阻的指標為臨界之調變轉移函數 (CMTF)，其大約是得到一個圖形所需之最小的光學調變轉移函數。臨界之調變轉移函數定義如下：

$$\text{CMTF}_{光阻} = \frac{D_{100} - D_0}{D_{100} + D_0} \tag{2.57}$$

若使用對比來表示，可得

$$\text{CMTF}_{光阻} = \frac{10^{1/\gamma} - 1}{10^{1/\gamma} + 1} \tag{2.58}$$

CMTF 的典型值約為 0.4。CMTF 之功能係為光阻之解析度提供一個簡單的檢驗。如果一個投射影像的 MTF 較 CMTF 小，則該影像將不會被解析；如果較大，則該影像有可能被解析。如同對比，CMTF 提供了我們一個關於解析度的數值。

　　微影製程之步驟列於圖 2.17 中。對於正光阻，為了使光阻之覆蓋平整且均勻，並考量光阻與晶片間之附著性，通常必須於光阻旋塗之前，對晶片作預處理。預處理的第一個步驟通常是脫水烘烤。此步驟之目的是要去除晶片表面上大部分的水氣，通常是於真空或乾氮的環境下，於 150－200 °C 之間進行。於此溫度下，晶片表面上大約會殘留一分子層的水。可以利用較高的溫度作脫水烘烤，以進一步去除所有吸附的水氣，但這些高溫烘烤較不常見。

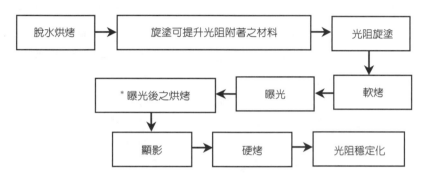

圖 2.17
光學微影步驟之典型的製程流程(* 代表選擇性之步驟)。

　　於晶片烘烤之後，通常會立刻旋塗一層六甲基雙氧矽甲烷 (hexamethyldisilazane, HMDS)，以提升光阻與晶片間的附著。HMDS 薄膜是利用蒸氣沉積的方式來達成，亦即將晶片懸浮於含高蒸氣壓之 HMDS 液體容器的上方，使得蒸氣可覆蓋在晶片的表面上。亦可直接在晶片上施加一定體積的液態 HMDS，旋轉晶片使得該液體散布成一極薄的均勻薄膜。不管是用那一種方法，即使 HMDS 是部分氫氧根化，單層的 HMDS 會快速地與晶片之表面鍵結，而分子的另外一邊則會快速地與光阻鍵結。

　　晶片於覆蓋一層 HMDS 之後，接著是覆蓋一層光阻。最常見之方法為旋轉覆蓋。首先將晶片放置在連接至一真空管線之平坦、中空圓盤狀的金屬製真空夾頭上方。夾頭的表面有一些小洞，當晶片置於其表面時，真空管線會吸住晶片使得晶片與夾頭之間作緊密的接觸。之後，在晶片表面施加一先前決定好的光阻量。對夾頭施加一轉力矩，以一可控制的速度快速地將其加速至最大的轉速，通常是 2000 至 6000 rpm。因為當光阻施加在晶片之後，其內的溶劑就開始蒸發，因此加速步驟對於得到良好之光阻均勻度有決定性的影響。晶片會以該速度旋轉一段固定的時間，之後再以某一可控制的方式減速至停止。此方法有一種變化，稱為動態施加光阻，是於低速旋轉晶片時施加部分或全部的光阻，使得在高速旋轉之前，光阻可散布於整個晶片上。

　　對於發展一良好的微影製程而言，光阻之厚度及其厚度之均勻度具有決定性的影響。

光阻之厚度與施加之光阻量之間並不具強烈的相關性。於旋轉之後，通常僅有少於 1% 的施加光阻會留在晶片上，其餘的均於旋轉期間被甩開了。為了避免光阻的再次沉積，光阻旋塗機的夾頭周圍有飛濺防護罩。光阻之厚度主要由黏度及旋轉速度所決定，較高的黏度及較慢的轉速所得之光阻會較厚。典型之製程係以 5000 rpm 的轉速旋轉 30 秒，以得到約 1.0 微米厚的光阻。此時，因為光阻中只殘留不到三分之一的溶劑，因此光阻具有相當大的黏度。

　　晶片於旋塗光阻之後，必須做軟烤或預烤。此步驟之功能為驅除光阻中大部分的溶劑，並建立曝光特性。光阻於顯影液中的溶解速率與最後光阻中所剩的溶劑濃度具強烈的相關性。一般而言，若軟烤之時間較短或溫度較低，則於顯影液中的溶解速率將增加，使得敏感度較高，但對比度較差。高溫軟烤實際上會開始驅動感光化合物 (photo active compound, PAC) 的光化學，使得未曝光區域之光阻溶解於顯影液中。實際上，軟烤過程是利用嘗試錯誤的方式使對比最佳化，而仍能保持一可接受之光學敏感度的方式所產生的。典型的軟烤溫度為 90－100 °C，時間則從熱面板的 30 秒到烤箱中的 30 分鐘左右。軟烤之後，殘留於光阻內之溶劑濃度通常約為原來濃度的 5%。

　　軟烤完之後，是對晶片進行曝光；曝光之後，則是對晶片進行顯影。幾乎所有的正光阻都使用如氫氧化鉀水溶液之類的鹼性顯影液。顯影期間，羧基酸會與顯影液起反應而形成胺類及金屬鹽，此過程會消耗氫氧化鉀。如果要保持一穩定的顯影過程，則必須注意不斷的補充顯影液。於簡單的浸泡顯影中，通常是於顯影了某一定數目的晶片後，換掉顯影槽中的顯影液。於顯影過程期間，顯影液會貫穿暴露於顯影液中的光阻表面而產生膠體。於以酚醛樹脂為基礎的膠體中，膠體的深度稱為貫穿深度，其值小至可以忽略。對於許多負光阻而言，這點並不成立，因為穿透區的膨脹會導致光阻特徵尺寸之失真。對於以酚醛樹脂為基礎的正光阻，Hanabata 等人首度提出所謂的石牆模型。於此模型中，羧基酸以極快的速率溶解於顯影液中，而增加顯影液與酚醛樹脂矩陣之間的有效面積。於未曝光之區域，矩陣與感光化合物 (PAC) 之間的含氮偶合反應會減緩溶解之速率，此種抑制與酚醛樹脂矩陣之化學結構有關。此溶解機制為獲致高對比之光阻的關鍵所在。

　　有數種系統可用於光阻之製程。大學實驗室中最簡單也最可能見到的是一對用於對整批晶片做硬烤及軟烤的對流式烤箱，以及單一晶片旋塗光阻機。通常光阻是利用注射器加至晶片上的。這種粗糙且較便宜的設備亦可製作出次微米的特徵長度，但是其均勻度及重複性與所期望的仍有一大段距離。另一個極端是工業界的製程設備通常採用的自動光阻製程系統，此系統有時稱為軌道 (tracks)。於這些系統中，晶片從一存放晶片的卡式晶片匣中移出，送至金屬板加熱器或紅外線燈管烤箱中作脫水烘烤。之後，將晶片送至施加站施加六甲基雙氧矽甲烷 (HMDS) 並作旋轉，接著施加光阻並旋轉。再來是將晶片移至第二個金屬板加熱器或紅外線燈管烤箱作軟烤。最後則將晶片送至第二個卡式晶片匣，等待曝光。利用金屬板加熱器加熱後，通常會將晶片置於冷金屬板上，以確保施加光阻期間溫度之可重複性，及避免接收晶片之卡式晶片匣對晶片造成污染。

2.2.3 非光學之微影技術

前兩節討論了被視為是將圖案投影在晶片表面之主要方法的光學微影，且指出了對於此製程而言，解析度之限制是一個嚴重的問題。光學微影已經從使用具高數值口徑之透鏡及深紫外光光源之步進機，進展至目前採用相位對比光罩的掃描式步進機或其他的光學鄰近式修正技術。光學微影的支持者相信此技術至少可以擴展至 0.1 微米，如果配合 157 奈米光源的適當光學材料可以成功地開發出來，或許可以擴展至 0.05 微米。然而，這些尺寸的光學微影預估將非常昂貴。即使是用於量產 2000 至 3000 片晶片的典型光罩組，如果所有的晶片均採用全光學鄰近修正，其花費可能會超過兩百萬美金。如果光學微影無法以符合成本的方式繼續往下擴展，或是希望特徵尺寸進一步縮減至 0.05 微米或更小，則必須發展新的微影技術。這些方法統稱為非光學之微影或下一代之微影 (next generation lithography, NGL)。目前已有許多的 NGLs 被發展出來，然而，要廣泛地應用於積體電路的製造上則均面臨到嚴重的困難。由於解析度之雷里極限 (Rayleigh limit of resolution) 反比於波長，因此非光學之微影的一般特色為使用波長極短之光源。本節中將介紹的兩種光源，X 光及電子束微影 (EBL) 成像，因波長太小，所以不再能以繞射定義微影之解析度。採用極短波長之高能量源的主要問題為遮罩。到目前為止，尚無任何一種材料製成之厚的遮罩可以容許大部分此種高能量穿過而仍能保持力學上的穩定。本節中將介紹四種目前發展中而能克服此問題的方法：無光罩之電子束直寫、用於鄰近式 X 光及投影式電子束微影之薄膜光罩，以及用於投影式 X 光顯影 (X-ray lithography) 之反射光罩。非光學之微影系統最可能採用的兩種曝光能源為短波長的光子 (X 光) 及高能電子 (電子束)。對於此兩種光源而言，發生於光阻內部及其下方之層次內的交互作用是有些類似的。在介紹製程本身之前，本節將回顧這些交互作用的物理。

用於微影之典型的 X 光源會放射出能量介於 0.1 到 10 keV 的光子。當這些光子入射至一固體，會產生許多可能的交互作用，其中兩種最可能的交互作用為光電效應及康普敦效應 (Compton effect)，如圖 2.18 所示，兩種過程均牽涉到光子與電子間之交互作用。若能量遠小於 10 keV，則光電效應將是最主要的交互作用[33]，且被逐出的電子將帶走幾乎所有入射光子之能量。此光電效應的捕捉橫截面積與靶材料之質量有關。於較高的能量下，康普敦效應將具主導角色。康普敦效應可視為一個一開始處於靜止狀態的電子，與一具能量 hc/λ 及動量 h/λ 的光子之間的碰撞過程。於此散射過程，入射光子之能量的一部分會轉移給電子。因為入射光子之能量通常比從固體中游離出電子所需之能量 (亦即功函數) 大 2 到 3 個數量級，所以靶中的電子可視為近乎自由的，且康普敦效應之橫截面積僅與電子之密度有關。於動量及能量均守恆下，可證明

$$\lambda_2 - \lambda_1 = \lambda_c (1 - \cos\theta) \tag{2.59}$$

其中 λ_c 為康普敦波長 (0.0243 Å)，θ 為入射光子動量與最後之光子動量間的角度。對於波長

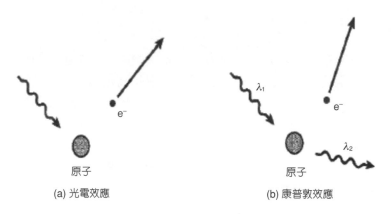

圖 2.18

高能量光子與物質之間的兩個主要的交互作用過程：(a) 光電效應，(b) 康普敦效應。

1 Å 的 X 光，於一次康普敦散射中僅會損失一小部分的能量，因此高能量的 X 光於許多的固體中會穿透相當的距離。

　　大部分的 X 光微影是在光電吸收為主的能量遠低於 10 keV ($\lambda \gg$ 1 Å) 的狀況下進行，入射之光子能量大部分將被撞擊游離所產生的二次電子所耗散。在該方面，一旦初始的光電子產生，X 光微影及電子束微影均利用光阻中類似的曝光機制。這兩個過程間的一項重要差異為 X 光微影期間光阻內所產生的二次電子約比電子束系統所產生的二次電子之能量小一個數量級，因此 X 光微影中能量散布的距離遠較電子束微影小。

　　由於捕捉橫截面之大小有限，因此入射之光子不會被光阻表面所吸收，而會穿透至某深度直到吸收發生。一個合理的近似是將光阻視為具單一捕捉橫截面積的非結晶固體。吸收係數 $\alpha(\lambda)$ 為波長之函數，可定義如下：

$$\alpha(\lambda) = \sigma(\lambda)\rho/m \tag{2.60}$$

其中 $\sigma(\lambda)$ 為靶材料分子之捕捉橫截面積，ρ 為靶材料之密度，m 為靶材料之分子質量，即 ρ/m 為靶材料之數目密度。於典型的曝光波長下，吸收係數為光子能量之函數，但是對於大部分光阻而言，其值之數量級為 1 μm^{-1}。如果 α 值太大，光阻曝光將會不均勻；如果 α 值太小，將對應低的曝光速率。對應於原子之核心能階的能量，吸收係數亦存在著不連續的情況。很清楚地，若投影式 X 光微影採用較低能量之光子 ($\lambda >$ 10 nm)，則其將對應一較大的 α 值。除非採用強力的漂白機制，否則光阻曝光將是一個嚴重的問題。X 光會與其下方之材料交互作用，因為入射能量有一部分會通過光阻而落在晶片上，所以對於所有的 NGLs，X 光微影所引起的毀損亦是一重要的考量。

　　電子束微影 (EBL) 系統可用於光罩之製作或直接在晶片上寫圖案。EBL 由於具有精確地定義出小特徵尺寸的能力，因此成為光罩製作可選擇的技術之一。本節將只簡單地討論「直寫 EBL」(direct write EBL)。大部分的直寫系統利用可相對於晶片移動之小的點狀電子束一次曝一個像素的圖案，亦有數種投影式及鄰近式電子束微影系統被開發出來[34]。然而由於電子之穿透長度不長，因此無法利用如石英之固體基板作為光罩，可採用極薄之薄膜光罩，或者具有電子束可從其間通過之保險開關的模板光罩。直寫 EBL 系統根據電子束之幾何是固定的或可變的，可分類為光柵掃描或向量掃描，每一種系統皆有其優點，而選擇那一種系統則是根據設計之寫入方式。

所有的電子束系統最好都具有高強度 (明亮度)、高均勻度、尺寸小的點、良好的穩定度及長生命期之電子源。明亮度之單位為每單位體積、每單位弧度下之安培數。藉由加熱陰極 (熱游離放射)、施加一大的電場 (場輔助放射)、以上兩者之組合 (熱場輔助放射) 或利用光 (光放射)，可將電子從陰極移除。圖 2.19 顯示可用於 EBL 之兩種簡單的電子槍之橫截面。最常見之源為由於其高明亮度所形成之熱游離源，因此燈絲材料應選擇可使得從陰極之蒸發最小化者，而儘可能地增長其生命期。電子槍的主要指標之一是放射電子流密度：

$$J_c = AT^2 e^{-E_w/kT} \tag{2.61}$$

其中 A 為材料之理查德森常數 (典型值為 $10 - 100$ A/cm²·K²)，E_w 為有效之金屬功函數。這些電子會被加速，而其中某些比例的電子會被收集起來，收集到的電子能量為明亮度 β。雖然放射之電流密度的增加通常會使 β 增加，如果 β 的增加會降低收集效率，則明亮度之百分比增量將不如電流密度的百分比增量大。

大部分的熱游離源不是使用鎢就是使用矽酸釷鎢或六硼化鑭 (LaB₆)。鎢燈絲可在高達 0.1 mTorr 的壓力下操作，但是其電流密度僅約 0.5 A/cm²，因此其明亮度小於 2×10^4 A/cm³·sr。矽酸釷鎢陰極於相同燈絲電流下之明亮度較低，因此需要較高的真空度 (0.01 mTorr)，但是其最大之電流密度可高達 3 A/cm²。六硼化鑭陰極是最普遍的，其電流密度可大於 20 A/cm²，明亮度可達 10^6 A/cm³·sr。然而六硼化鑭燈絲至少需要 10^{-6} Torr 的真空度，且必須作好防護，以預防真空度突然變差。

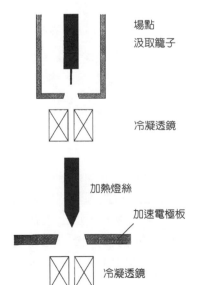

場點
汲取籠子

冷凝透鏡

加熱燈絲
加速電極板

冷凝透鏡

圖2.19
場放射及熱游離放射之電子槍的簡化橫截面圖。

　　與光學微影不同的是，EBL 的解析度遠高於主流的 IC 製造商於未來許多年內所希望製造之任一元件的幾何。早在 1970 年代中期，電子束微影技術即已具有直寫寬度小於 100 Å 的線及間距之能力。如圖 2.20，市面上買得到的電子束微影系統，目前具有解析度遠佳於 0.1 微米特徵大小之能力 (表 2.7)。這些系統的花費似乎較高，每組約美金五百萬元，然而市面上光學微影用的準分子 (excimer) 步進機系統，目前每組約美金二百萬元。表 2.7 中列出了量產型電子束系統之規格。

圖 2.20
JEOL-6000FS EBL 系統之照片。

表 2.7 針對 0.1 微米元件之量產而設計的 JEOL
　　　JBX-6000FS/SFE 直寫電子束微影系統之
　　　重要的設計參數。

參數項目	參數值
最大之電流密度	2.0 A/cm^2
電子束之直徑	0.005－0.2 μm
陰極型式	熱游離之場放射 (鋯／氧／鎢)
加速電壓	25／50 keV
寫入之精確度	0.06 μm (2σ)
最小線寬	0.02 μm

　　EBL 主要的疑慮為產出量。EBL 可視為一系列的製程，一次會轉移一個像素圖案的訊息至晶片上。另一方面，利用光罩曝光的方式，則是以大量的平行光同時對每一個像素曝光。雖然過去數年來已發展出高亮度源、向量掃描系統及低電感之偏折線圈，加上大孔徑透鏡以改善產出量，但是與光學之微影相比，此技術即使於最佳狀態仍較其慢一個數量級。作為元件量產用的典型系統，其在 20 分鐘內可完成一片包含一萬個 0.1 × 200 微米之

元件的晶片曝光。然而一個典型的 IC 晶片包含了數十億個電晶體，因此曝光時間將極長。由於產出量上的限制，對於主流的 IC 工業而言，只要另一個可行的替代技術存在，EBL 便不太可能被視為量產技術。

　　除了光罩製作外，EBL 尚有兩種主要的應用。具高亮度源的可變電子束系統可提供小特徵尺寸之原型或者小量的量產能力。因為不需光罩製作步驟，利用 EBL 可以很快地修正圖案，並產生一些測試晶粒，再加上其高解析度，使得 EBL 成為研究及先進之原型方面一個極具魅力的技術。此市場一些典型的應用，包括高速之砷化鎵積體電路的製造，例如單晶微波積體電路 (MMIC) 之元件，由於晶片尺寸小、元件數目少、晶片之體積小，以及需要深次微米之解析度，使得 EBL 成為一種理想的選擇。EBL 的另一個主要應用為元件之研究。同樣地，由於 EBL 極佳的解析度以及快速完成少量展示作品的能力，使得其極適合用於此工作。此外，與分離式電晶體研究的情況一樣，當產出量不再是嚴重的疑慮時，經由轉換掃描式電子顯微鏡，可以相對上較低的價格製作出高解析度的 EBL 系統。

　　第二種可以考慮的非光學微影為利用 X 光源作輻射。目前有三種光源可用於 X 光微影 (X-ray lithography, XRL)。為了增加強度 (及複雜度)，因此有電子衝擊、電漿及儲存環。理想之 X 光源應盡可能地小及明亮 (鄰近式 X 光投影)，或者於一大面積上是均勻的且強度愈大愈好 (投影式 X 光微影)。所有的 X 光源必須於真空環境下操作。然而與 EBL 不同的是，於 X 光微影中，大部分的晶片是在一大氣壓下曝光的，其可免於將晶片周遭抽至高真空的狀態，並提升系統的產出量。X 光源利用薄的鈹金屬窗以汲取 X 光。薄至 25 微米的薄膜，在小於 1 公分的直徑內能夠忍受一大氣壓的壓力差。直徑大至 6 公分的窗已開發成功，並用於大面積的曝光。鈹金屬窗會因為 X 光曝光而逐漸退化，因此必須週期性地替換。

　　最簡單的 X 光源為電子衝擊源，亦即利用高能量的電子束入射於金屬靶上。當高能量的電子撞擊在一靶上面時，主要的能量損失機制之一為核心層的電子激發，當這些被激發的電子掉回核心層時，便會放射出 X 光。這些 X 光會形成能量與靶材料有關的分離線頻譜。此外，由於荷電電子的減速，因此會放射出連續的制動輻射 (bremsstrahlung) 頻譜[35]。

　　電子衝擊源的主要限制之一為功率消耗。如果靶的溫度太高，則會開始蒸發。基於此因素，靶通常是採用耐高溫之金屬，如鎢及鉬。圖 2.21 中所示最簡單的一種 X 光源，與後面即將討論的電子束蒸發器有些類似。除此之外，會將爐床電荷以水冷卻，以防止靶的蒸發。為了容許較高之功率密度，以水冷卻之陽極必須要以 7000 至 8000 rpm 的轉速轉動，以耗散一較大面積上的熱。於這些系統中，可達到高達 20 kW 之電功率的散逸。另一個最常用的源是利用電漿。有兩種常見的電漿 X 光源，即雷射加熱及電子放電加熱電漿。而這兩者中，雷射加熱是較常見的。雖然曾有人利用準分子建構雷射之加熱系統，但大部分均採用脈衝釹玻璃板雷射 (YAG laser)。雷射能量會於 10 奈秒內產生，脈衝能量約 20 至 25 焦耳，波長 1.053 微米[36]。如圖 2.22 所示，此能量會在薄的金屬薄膜表面聚焦成為直徑 200 微米的點。每脈衝的功率密度 (數量級 10^{13} W/cm^2) 均足以使薄膜開始蒸發。此高度受熱的金屬蒸氣會輻射出波長介於 8 到 100 Å 的 X 光。以雷射加熱的電漿極適合用於微影，其為直徑極小之強源。曝光之能量可以利用一光二極體來量測，且可數位式地控制脈衝的數目以控制曝光量。金屬薄膜通常是覆蓋於一帶子上，使得雷射之脈衝產生後，可以儘快地對靶激發出 X 光。目前最佳的 YAG 雷射可產生 2 Hz 的脈衝，從雷射輸出轉換為 X 光能量的典型效率約為 10%，或大約每個脈衝 2 焦耳。

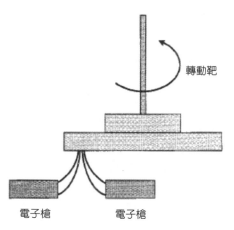

圖 2.21 利用聚焦於轉動鎢陽極之電子束
的簡單轉動式電子衝擊 X 光源。

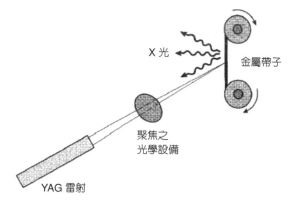

圖 2.22 利用聚焦之高強度脈衝雷射激發一金屬
薄膜之雷射電漿加熱式 X 光源，此高度
受熱的金屬原子會輻射出 X 光。

2.2.4 蝕刻

　　於一晶片表面定義好光阻的圖案後，下一個製程通常是利用蝕刻 (etching) 將圖案轉移至光阻下方之層。本節將從最簡單的濕化學蝕刻製程開始，意即將晶片浸入一溶液中，使溶液與晶片暴露出來的薄膜起反應而形成溶解性之副產品。通常光阻遮罩對於蝕刻溶液之侵襲具有高度的抵抗力。雖然濕化學蝕刻仍廣泛應用於一些較不重要的製程上，但是由於其難以控制、溶液中之微粒污染源易產生高密度的缺陷、無法應用於小的特徵尺寸，以及會產生大量的化學廢棄物，因此本節之後半段將討論乾式或電漿蝕刻製程。

　　在一開始討論蝕刻時即定義適當的指標是有用的，主要的一個指標是蝕刻速率，其單位為每單位時間之蝕刻深度。通常一個製造環境最好能有高的蝕刻速率，然而若蝕刻速率太高，可能會使製程變得難以控制。一般希望之蝕刻速率為每分鐘數百至數千埃，但一批晶片同時被蝕刻時，其蝕刻速率可能會較單一晶片之蝕刻製程為低。有些相關的指標是同等重要的，蝕刻速率均勻度之計算是根據蝕刻速率的百分比變化，常會引用一整片晶片甚至是晶片與晶片間之資料。選擇性 (selectivity) 則定義為不同材料之蝕刻速率的比，例如光阻或其下層相對於欲蝕刻之薄膜層的蝕刻速率。若我們說一特殊之製程對於多晶矽及氧化層具有選擇性 20 比 1，即意指多晶矽之蝕刻速率較氧化層快 20 倍。

　　底切 (undercut) 指的是光阻遮罩下方之側向蝕刻的程度，可以用兩種型式來表示。第一種為每邊之側向蝕刻距離。例如，一個特殊的蝕刻製程可能會使 1.0 μm 寬的光阻線對應之蝕刻後的圖案線寬為 0.8 μm，此時我們說蝕刻偏移為每邊 0.1 μm。如圖 2.23 所示，蝕刻側壁並非總是垂直的，因此側向蝕刻的量與量測之方法有關。對於此種線，大部分電學上的量測與其橫截面有關，因此由電學上之量測值可得到平均的側向蝕刻值。如果蝕刻製程會攻擊光阻圖案，則將會貢獻另一蝕刻偏移，某些製程其設計時的想法即是利用此觀念。然而，現在我們假設光阻遮罩於蝕刻期間不受影響。第二個描述底切的方法為引用蝕刻之非等向性 (anisotropy)。非等向性可表示如下：

$$A = 1 - \frac{R_L}{R_V} \tag{2.62}$$

其中 R_L 及 R_V 為側向及垂直方向之蝕刻速率。如果某一製程之側向蝕刻速率為零，則稱其為完美地非等向性 ($A = 1$)。另一方面，若 $A = 0$，則表示側向及垂直方向之蝕刻速率是相同的。

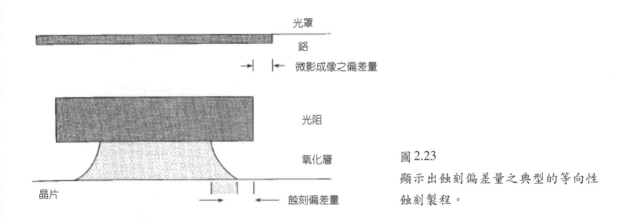

圖 2.23
顯示出蝕刻偏差量之典型的等向性蝕刻製程。

　　之前介紹的各種度量法均可定量地表示，但仍有其他一些度量法較難以量化。第一個是基板毀損。例如，已有文獻指出於某些電漿蝕刻之後，*p-n* 接面的表現會退化，退化的程度與蝕刻製程及接面之深度及型式均有關。最後一點則是蝕刻製程對於操作員及環境而言均需是安全的。特別是以氯為主的電漿，由於會產生危險的副產品，因此於排放至空氣中之前必須先將其中和。許多這一代的電漿蝕刻製程是以氟氯烷為主，目前已知會對環境產生不良的影響。因此，研究取代這些蝕刻的方法，一直是蝕刻製程的研究領域之一。

　　蝕刻可以利用物理破壞、化學攻擊或兩者之組合來完成。可以定義出一個描述蝕刻製程範圍之蝕刻機制的刻度軸。以離子束磨削 (ion beam milling) 為例，是於壓力極低之反應室內，利用高能量的惰性原子束，使得離子之平均自由路徑遠大於反應室之直徑，此為純物理性蝕刻之極限。這些製程之特點為高度的非等向性，但蝕刻之速率幾乎與基板的材料無關，因此離子束磨削之選擇性接近 1。濕蝕刻則處於無物理攻擊之範圍的另一個極端，此種製程的特點為非等向性低，但是可能具有高選擇性。

濕蝕刻為一種純化學的製程，可能具有下列的嚴重缺點：缺乏非等向性、製程之控制差以及過度的粒子污染。然而濕蝕刻可具有高度的選擇性，且通常不會損傷到基板，因此雖然此製程之使用度已大不如前，但目前仍廣泛地應用於較不關鍵的地方。讀者可以很容易地從其他文獻查到濕蝕刻方面完整的介紹[37]。

因為蝕刻溶液內通常存在活性物種，所以濕化學蝕刻由三種過程所組成：移動蝕刻物種至晶片之表面，與暴露出來的薄膜起化學反應而產生溶解性的副產物，以及將反應之產物由晶片表面移除。因為這三個步驟都必須進行，其中最慢的一個步驟稱為速率限制步驟 (rate limiting step)，會決定整個蝕刻的速率。因為通常希望可達到一個大的、均勻的及可良好控制的蝕刻速率，所以通常會以某種方式擾動濕蝕刻溶液，以幫助蝕刻物種移動至晶片表面，並將蝕刻產物移除。有些濕蝕刻製程是連續地噴酸以確保蝕刻物種之新鮮，但是此具有產生大量化學廢棄物之缺點。

對於大部分的濕蝕刻製程而言，被蝕刻掉的薄膜並不會直接溶解於蝕刻溶液中，通常必須將欲蝕刻之材料從固體改變成液體或氣體。如果蝕刻製程會產生氣體，該氣體會形成氣泡，妨礙新的蝕刻液移動至晶片表面。因為氣泡的產生是無法預測的，因此這是一個極嚴重的問題，此問題於圖案之邊緣最為顯著。於濕化學槽內進行攪拌除了可幫助新的蝕刻液移動至晶片表面外，亦可降低氣泡附著於晶片上之能力。然而，即使於氣泡不存在之情況下，由於不易移除所有的蝕刻產物之故，小的特徵尺寸之蝕刻速率可能會慢很多，此現象經證實是與陷阱體之微觀氣泡有關。濕蝕刻製程的另一個常見的問題為未偵測到的光阻殘留，這發生於顯影過程時，部分已曝光的光阻沒有完全移除之情況。常見之原因為不正確或不完全的曝光，以及圖案未經充分的顯影。由於光阻與下方層次之間具高選擇性，所以即使是極薄的光阻層殘留，亦足以完全阻擋濕蝕刻製程的進行。

過去幾年來，濕蝕刻製程有顯著的進步，使得其享有某種程度的再生。所發展的自動化濕蝕刻工作台，使得操作員可精準的控制蝕刻時間、蝕刻槽溫度、攪拌程度、槽內的化學組成以及噴灑蝕刻時噴霧的濃度。增加過濾的程序，即使是對於極具侵略性之化合物，亦有助於控制粒子沉積方面的疑慮。然而，雖然已經有了這些改善，對於大部分小於 2 微米之特徵尺寸而言，濕蝕刻仍不被視為是一種實用的方法。

最常見的蝕刻製程之一為利用稀釋的氫氟酸溶液 (HF) 蝕刻二氧化矽 (SiO_2)。常見之蝕刻液為 6：1、10：1 及 20：1，意即 6、10 或 20 份體積的水配上 1 份體積的氫氟酸。6：1 的氫氟酸溶液對於熱成長的二氧化矽之蝕刻速率約為 1200 Å/min，而沉積之氧化層的蝕刻速率則比熱成長之氧化層快許多。由沉積薄膜與熱成長之氧化層於氫氟酸中蝕刻速率的比值可推得氧化層之密度。因蝕刻速率會隨著摻質濃度的增加而增加，所以例如磷矽玻璃 (PSG) 及硼磷矽玻璃 (BPSG) 等其蝕刻速率會大於無摻雜之氧化層。氫氟酸對於氧化層及矽之間的選擇性相當高[38]，因為水會慢慢地氧化矽晶片的表面，而氫氟酸會蝕刻此氧化層，導致某些矽的損失。氫氟酸對於氧化層及矽之蝕刻選擇性通常大於 100：1，然而氧化層於氫氟酸溶液中的濕蝕刻是完全等向性的。

精確的反應機制是複雜的，且與離子之強度、溶液的 pH 值及蝕刻溶液有關。蝕刻二氧化矽之全反應為

$$SiO_2 + 6HF \rightarrow H_2 + SiF_6 + 2H_2O \tag{2.63}$$

因為此反應會消耗氫氟酸，所以反應速率會隨時間而變小。為了避免發生此種情況，通常會採用含有如氟化銨 (NH_4F) 之緩衝劑 (BHF) 的氫氟酸，經由下列的分解反應

$$NH_4F \rightleftharpoons NH_3 + HF \tag{2.64}$$

使得氫氟酸之濃度保持為一常數，其中氨 (NH_3) 為氣體。緩衝劑亦可控制蝕刻溶液之 pH 值，使得光阻所受之侵襲最小。

化學機械研磨 (chemical mechanical polishing, CMP) 為達到全晶片平坦化的一種方法。這些設備的銷售從 1990 年至 1994 年增加了三倍，而從 1994 年至 1997 年則增加了超過四倍。雖然 CMP 當初發展之目標是為了解決金屬連接線平坦化的問題，現在亦被應用於如元件隔離等前段製程。於最早期的此種製程中，最常見的是先於表面上鋪一層厚的介電層，通常是一層旋加層 (spin-on) 或 CVD 玻璃，之後將晶片置於包含膠狀之二氧化矽 (包含有研磨作用的二氧化矽粒子之懸浮體) 的鹼性泥漿以及如稀釋之氫氟酸的蝕刻液中做機械研磨。氫氧化鉀 (KOH) 及氨水 (NH_4OH) 為此懸浮體常見的矩陣溶液。通常會將 pH 值保持於 10 附近，使得二氧化矽微粒可以保持帶負電，以避免形成大的膠體網路。有時會採用一 pH 值緩衝劑，以確保製程之穩定度。文獻上報導的微粒大小係介於 0.03 至 0.14 微米之間，至於採用何種尺寸，則與所希望之移除速率有關。典型的粒子大小約 0.05 微米，其會凝聚而形成直徑約 0.25 微米的團。泥漿中的固體含量保持在 12−30%。

CMP 製程之目標是要達到一完全平坦、無刮傷及污染的表面。橫穿之機械毀損可以由以下的事實來防止，亦即泥漿中所採用之二氧化矽的微粒並不會比欲研磨之薄膜堅硬。CMP 晶片之表面角約 1°，而回流之玻璃 (reflow glass) 約 10°，由於形成了平滑的表面，CMP 晶片之金屬縱樑及開口等通常形成於晶片邊緣，而起伏較大處之缺陷會少很多。CMP 之後所能得到的平穩度，可以用赫茲穿透深度 (Hertzian penetration depth) 來近似：$R_s = (3/4)(\phi P/2K_p E)$，其中 ϕ 為研磨粒子之直徑，P 為研磨壓力，E 為被研磨之材料的楊氏係數，K_p 為與微粒之密度有關的一個常數。對於一緊密堆疊之材料，$K_p = 1$。於 $\phi = 100$ nm、$K_p = 0.5$、壓力 1.5 MPa 以及 R_s 約 0.3 nm 之條件下，以二氧化矽微粒研磨矽晶片，則此系統應可獲致一平滑的表面，但是實際上並非總是如此。

移除之速率為研磨墊的壓力以及研磨墊和晶片間相對速度 (由普勒斯頓方程式 (Preston's equation) 決定) 之乘積的函數，二氧化矽典型的移除速率為每分鐘數千埃。一般相信，移除的機制是由於形成了一表面含水的矽酸鹽層，其與研磨墊接觸之後會被磨除，此層之形成與深度會隨著壓力的增加而增加。表 2.8 中列出了一些典型的 CMP 製程參數。增加研磨墊的壓力會線性地增加移除的速率，但是通常會增加被研磨之特徵物的階梯高度比，以及增加殘留的氧化層毀損和表面層的金屬污染。

表 2.8 氧化層平坦化的典型 CMP 製程參數及結果。

參數	結果
熱氧化層之移除速率	$600-800$ Å/min
沉積之氧化層的移除速率	$1000-1500$ Å/min
研磨時間	~ 10 min
研磨墊上之壓力	6 psi
研磨墊之轉速	10 rpm
晶片之轉速	12 rpm

CMP 亦被推展至如銅及鎢等金屬之平坦化。通常會採用酸性的 (pH < 3) 泥漿進行金屬之平坦化，這些泥漿並不會形成膠狀的懸浮體，所以必須有一些攪拌的動作以保持均勻度。鎢的 CMP 最常採用之研磨劑為氧化鋁，因為與其他的研磨劑比起來，其硬度與鎢較接近。鎢的去除是利用連續之鎢表面的自我限制氧化，以及隨後的機械研磨。泥漿會形成一含水之鎢的氧化層，其會被直徑約 200 奈米的氧化鋁微粒選擇性地移除。實驗結果顯示，對於典型的 CVD 鎢，移除速率會隨著薄膜的變薄而增加，這與鎢粒大小的改變有關。通常鎢的 CMP 製程最佳化之方向為鎢對二氧化矽之蝕刻選擇比大的方向，一般而言，可達到約 30 的選擇比。

由於銅具低電阻值之特性，且於電漿中極難蝕刻銅，因此銅的化學機械研磨特別令人感興趣，也因此銅可以利用一種稱為刻花紋製程 (damascene processing) 之 CMP 技術來定義圖案。銅於一含水的 (包含直徑數百奈米之微粒) 溶液中被研磨，典型的泥漿包含氫氧化鋁、硝酸及過氧化氫。曾有文獻報導高達 1600 nm/min 的研磨速率。銅為一種軟金屬 (soft metal)，此點與鎢不同。力學效應對於研磨過程有較大的影響，實驗發現研磨速率正比於外加壓力以及相對之線性速度。此外，研磨墊之條件以及壓力施加之機制對於銅的 CMP 特別重要。

因為 CMP 製程通常不會有任何製程終止的指示物，所以必須發展具有極高選擇比的製程，或者努力於極具重複性的移除速率。研磨墊之條件為移除速率的主要決定者，因為墊的多孔性決定泥漿到達晶片表面之速率。製程進行了數次之後，研磨墊表面會傾向於變光滑,因此會使研磨速率變慢。此問題的解決方法通常與研磨墊的條件有關,以得到一致的粗糙度。然而這必須與缺陷密度妥協,因為如果處理研磨墊後立刻進行研磨,則 CMP 之後的晶片通常會顯示粒子數的大量增加。

與濕蝕刻相比,於電漿環境中的蝕刻有幾項重要的優點。電漿比簡單的浸泡濕蝕刻更容易開始及結束,此外,電漿蝕刻製程對於晶片上小的溫度變化較不敏感,這兩個因素使得電漿蝕刻之重複性比濕蝕刻大得多。電漿蝕刻可以調整至具高度的非等向性,這對於小的特徵尺寸而言特別重要。電漿環境之微粒數亦可能較液體環境少很多。最後,電漿製程所產生之化學廢棄物較濕蝕刻少。

目前已存在許多具各種不同物理及化學性攻擊的乾蝕刻製程,表 2.9 列出了一些最常見的蝕刻化學品。很清楚地,完整地介紹這個主題是相當複雜及冗長的,接下來將只介紹這些製程一些代表性的例子。

表 2.9 典型的蝕刻化學品[39]。

被蝕刻物質	蝕刻化學品
矽	CF_4/O_2, CF_2Cl_2, CF_3Cl, $SF_6/O_2/Cl_2$, $Cl_2/H_2/C_2F_6/CCl_4$, C_2ClF_5/O_2, Br_2, SiF_4/O_2, NF_3, ClF_3, CCl_4, CCl_3F_5, C_2ClF_5/SF_6, C_2F_6/CF_3Cl, CF_3Cl/Br_2
二氧化矽	CF_4/H_2, C_2F_6, C_3F_8, CHF_3/O_2
氮化矽	$CF_4/O_2/H_2$, C_2F_6, C_3F_8, CHF_3
有機物	O_2, CF_4/O_2, SF_6/O_2
鋁	BCl_3, BCl_3/Cl_2, $CCl_4/Cl_2/BCl_3$, $SiCl_4/Cl_2$
金屬矽化物	CF_4/O_2, NF_3, SF_6/Cl_2, CF_4/Cl_2
耐高溫材料	CF_4/O_2, NF_3/H_2, SF_6/O_2
砷化鎵	BCl_3/Ar, $Cl_2/O_2/H_2$, $CCl_2F_2/O_2/Ar/He$, H_2, CH_4/H_2, $CClH_3/H_2$
磷化銦	CH_4/H_2, C_2H_6/H_2, Cl_2/Ar
金	$C_2Cl_2F_4$, Cl_2, $CClF_3$

電漿蝕刻製程之進行,必包含下述六個步驟。首先,供應至反應室中的氣體必須被電漿破壞成化學上的活性物種,這些物種必須擴散至晶片的表面並被吸附。一旦這些物種存在於晶片的表面上,則可能會在晶片表面上移動 (表面擴散) 直到與暴露出來的薄膜起反應。反應後的產物必須要解除吸附並從晶片表面擴散離開,再以氣體流運離蝕刻反應室。與濕蝕刻過程相似,蝕刻速率由這些步驟中最慢的一個來決定。

IC 製程中最早的電漿蝕刻設備出現於 1970 年代初期,當時是以高壓力、低功率的電漿為主,所以電漿中物種的平均自由路徑遠小於反應室之尺寸。此一製程中的電漿是用來啟動及終止化學反應或蝕刻,而這是利用鈍氣作先驅所產生的活性物來達成的。因為電漿中離子的能量相當低,因此蝕刻過程主要與電漿化學相關。

　　電漿化學相當的複雜，從一個標準系統開始來了解輝光放電之化學是有用的，四氟化碳 (CF₄) 所產生的電漿蝕刻化學是最被廣泛討論的。假設於一反應室內建立一四氟化碳氣體流，且壓力保持於 500 mTorr (高壓電漿)，具光阻遮罩的矽晶片與電漿相接觸，此製程之目的是蝕刻矽基板，這並非意味著高壓下僅有四氟化碳或含氟電漿，高壓電漿亦可採用氬或其他物種，只是氟較常用而已。基於相同的理由，含氟物種有時候亦用於低壓反應離子蝕刻。

　　與高壓電漿蝕刻相比，離子轟擊為蝕刻製程範圍的另一個極端情況。因為純離子轟擊或離子束蝕刻採用氬氣等，所以未牽涉到與蝕刻物種之化學反應。這是一個全然的力學製程，與噴沙相類似，有時稱為微機械加工 (micromachining)。此種蝕刻製程之物理與濺鍍是完全類似的。與高壓電漿相比，離子轟擊有兩個重要的優點：方向性及適用性。侵蝕之方向性是由於束中的離子是以一強的垂直電場來加速，且反應室之壓力極低，原子之碰撞極不可能，因此當這些離子撞擊在晶片表面時，其速度幾乎是完全垂直的。對於許多材料而言，因為與化學無關，所以非等向性之蝕刻是有可能的。離子轟擊的第二個好處為可用於形成許多材料之圖案，包括化合物及合金，甚至是無適當揮發性的蝕刻產物。各種靶材間蝕刻速率的變化不會大於三倍，因此離子轟擊常用於定義釔鋇銅氧 (YBaCuO)、砷化銦鋁鎵及其他三元與四元系統。

　　離子轟擊可定義廣泛之材料圖案的能力，亦是其最嚴重的缺點之一。除非於製程中加入另一個化學成分，否則此製程對於光阻及其下方之薄膜的選擇比一般而言將接近 1：1。離子轟擊的另一個缺點為產量低。大部分的離子源之直徑不會大於 200 mm，因此對於大面積的矽晶片而言，離子轟擊是一次一晶片的製程。若再加上低蝕刻速率以及高真空之需求，則對於以矽為基礎之技術的量產而言，離子轟擊是不實際的。然而對於 III-V 族技術而言，由於晶片尺寸較小以及每批貨的晶片數較少，使得離子轟擊的可行性大增。

　　因為對於具有比離子轟擊所能達到的選擇性高很多之非等向性蝕刻的強烈需求，所以導致反應離子蝕刻 (reactive ion etching, RIE) 之發展。因為離子並非此製程中的主要蝕刻物種，所以 RIE 這名字有點不妥。雖然較常以 RIE (唸作 R I E 或 rye) 稱呼，但是有時候會使用離子輔助蝕刻 (ion-assisted etching) 這個較適當的名稱。

　　常用的 RIE 系統與高壓電漿蝕刻機台不同，晶片是位於產生動力的電極上。於平行板反應器中，中性電極被設計成與反應器之內壁相連接，以增大其有效面積，於此六面形反應室 (hexode)，中性電極即為反應器之內壁。此種配置之作用是要增加電漿與產生動力之電極間的電位差，因而增加離子撞擊之能量。為了使此種平行板配置有效果，電漿必須與反應器之內壁相接觸。當壓力增大時 (大於 1 Torr)，電漿會收縮，因此與內壁之間失去接觸。然而 RIE 是於低壓電漿之環境中進行的，電漿中的平均自由路徑至少是毫米級的。於此種境界，電漿與內壁間可保持良好的碰觸，使得電漿與產生動力之電極間出現大的電位差。

　　以氯為基礎的電漿常用於非等向性地蝕刻矽、砷化鎵及以鋁為基礎之金屬。含氯的先驅動，如 CCl₄、BCl₃ 及 Cl₂ 等，雖然具有腐蝕性，但卻具高蒸氣壓，且與可類比的溴化物或碘化物相比，先驅物及蝕刻產物兩者均較容易處理。於 RIE 情況下亦可採用含氟的電漿。

於氯的 RIE 中發展對矽之非等向性蝕刻的基本瞭解，相對上是較容易的。於無離子撞擊之 Cl 及 Cl_2 的環境下，未摻雜之矽的蝕刻非常慢。然而，無離子撞擊之含 Cl 的環境對於高摻雜的 n 型矽或多晶矽之自發性蝕刻速率相當高，但是於含 Cl_2 的環境則不然。摻質增強的效果可高達 25 倍，其與薄膜中的載子濃度相關，而與摻質本身之化學關係不大。此非常顯著之摻雜效應暗示著氯蝕刻製程涉及來自基板的電子轉移。所發展之模型係假設於一含氯的電漿中，氯原子是以化學方式吸附於矽表面上，不會打斷其下方之矽—矽鍵結，而硬脂性的阻礙物會阻礙更多氯原子之吸收。然而，一旦表面的氯變成帶負電，則可與基板間作離子性之鍵結。這會釋放出額外之化學性吸附的位置，且大大地增進氯原子穿透表面產生揮發性之氯矽化物的機率。

反應離子蝕刻的限制之一為蝕刻後於基板上所留下的殘留毀損。RIE 中典型的離子流量為能量 300 至 700 eV 之 10^{15} ion/cm^2，而基板毀損及化學污染兩者均為嚴重的問題。於聚合作用蝕刻中，後者是特別需要擔心的，目前已知其會留下殘留物的薄膜。而氣相粒子之沉積亦是一個嚴重的問題。此外，由於電極、反應室及設備與電漿之相互接觸所造成的濺鍍，使得蝕刻之後，我們常常可於晶片表面發現包括鐵、鎳、鈉、鉻、鉀及鋅等金屬摻質。被發展來去除這些摻質的技術包括氧電漿處理加上濕式酸槽潔淨，以及氫電漿處理，這些蝕刻後處理之缺點為製程的複雜度提高。

RIE 的第二類問題為物理毀損及摻質之驅入。經過一含碳之 RIE 的典型蝕刻之後，晶片表面 30 Å 內為高度損毀且具有廣泛的矽－碳鍵濃度，而大的毀損可深達 300 Å 厚。於一含氫的環境下所作的 RIE 製程，亦有可用電學方式觀測到深達 400 Å 的矽—氫缺陷，且其相當難以去除。實際上，氫可以穿透矽表面至數微米深，使基板中的摻質非活性化。去除此種毀損需要進行初始潔淨加上溫度大於 800 °C 之退火。設計不具含氫物種的 RIE 製程亦是可能的。

最先被採用的高密度電漿系統是作蝕刻用的。高密度源利用交叉的電場及磁場，使得自由電子於電漿中的行進距離可以大幅增加，因此與操作於相同壓力下簡單的二極體電漿比較，分解及游離的速率會增加。高密度之離子及自由基 (radical) 可用於增加蝕刻速率，或者，其可以與其他的優點之間作妥協。例如於極低的壓力下，可以得到可接受之離子及自由基的密度，這使得包含晶片的電極與離子密度之間的偏壓可以退耦。於高密度電漿 (high density plasma, HDP) 蝕刻系統中，通常是將供給功率之電極附著於第二個 RF 源以達到此目的。由於低壓時系統中的平均自由路徑長，10－30 伏特之基板偏壓通常足以產生非等向性的蝕刻，此低的能量意味著靈敏度大以及殘留毀損低。這對於下列之製程極為有用：往下蝕刻至極薄的層 (如 CMOS 之閘極蝕刻)、往下蝕刻接點至極薄的接面，以及往下蝕刻至主動層 (如雙多晶矽雙載子製程之多晶矽蝕刻)。此外，於較低之壓力下蝕刻，可以確保較垂直的離子入射，因此對於高深寬比之特徵尺寸而言，蝕刻速率之降低較少。此效應有時候稱為微負載 (microloading)。HDP 源可以提供高濃度的低能離子，以確保一可接受

的蝕刻速率。HDP 蝕刻的一個缺點為高離子流會使得懸浮之結構 (例如 MOS 之閘極) 過度
地荷電，由於殘留之蝕刻毀損，這將導致閘極絕緣層上有過多的漏電流。

2.3 薄膜

前兩節中討論了關於氧化層之成長、擴散摻質，以及利用微影及蝕刻轉移圖案之製
程，這些都是製造積體電路的主要製程。本節將討論可用來沉積薄膜的製程。因為晶片表
面上方所有的層次都是利用沉積的方式疊加上去的，因此沉積是相當重要的製程。一般而
言，沉積金屬之技術是物理性的，亦即未牽涉到任何化學反應，而沉積半導體及絕緣層之
製程通常涉及到化學反應。然而此種區分法目前正逐漸改變之中，金屬的化學沉積為目前
正在發展中的領域之一。

本節將從主要應用於製造 III-V 族之蒸鍍的物理製程開始，蒸鍍之薄膜無法覆蓋晶片表
面上突然的階梯變化以及其他嚴重的表面高低差變化。因為許多 III-V 族技術是利用剝離
(lift-off) 的方式定義圖案，因此蒸鍍極適用於此種製程。此外，本文將介紹第二種物理沉積
製程：濺鍍。濺鍍目前已廣泛地應用於矽技術中，利用濺鍍方式可以沉積許多種的合金及
化合物，且其對於表面的高低變化具有不錯的覆蓋能力。化學氣相沉積之表面高低變化的
覆蓋能力較佳，且其對於基板之毀損亦較小。由於每一製程之化學機制均是獨特的，本文
將介紹數種代表性材料的沉積。

本文亦將介紹發展於具原子層級厚度之控制能力的磊晶層成長。這些製程主要應用於
III-V 族技術，其中之一的分子束磊晶基本上是簡單蒸鍍的一種延伸，而 MOCVD 則為利用
有機金屬源之較低成長溫度的一種化學氣相沉積的延伸。

2.3.1 物理沉積：蒸鍍及濺鍍

所有早期半導體技術的金屬層均是利用蒸鍍的方式沉積。雖然目前蒸鍍仍廣泛應用於
研究及 III-V 族技術，但是基於以下兩個理由，於大部分的矽技術中，蒸鍍已為濺鍍所取
代。首先是表面輪廓覆蓋，亦稱為階梯覆蓋 (step coverage) 之能力。隨著積體電路橫向尺寸
的縮小，許多層次的厚度仍舊保持不變，因此金屬必須覆蓋之輪廓變得較為嚴苛。蒸鍍的
薄膜對於這些結構的覆蓋能力極差，通常於垂直壁上是不連續的，利用蒸鍍的方式亦難以
產生控制良好的合金。因為許多現代的矽技術是利用合金以形成可靠度佳的接點及／或金
屬線，所以於量產的矽技術環境中，是不太可能利用蒸鍍技術的。有些 III-V 族技術則是利
用蒸鍍之階梯覆蓋不佳的特點，亦即將薄膜沉積於定義好的光阻層上方，而非沉積並蝕刻
金屬層。薄膜傾向於在光阻層的邊緣處斷裂，所以隨著之後光阻溶解於顯影液中，光阻上
方的薄膜層可以輕易地離開晶片。這些技術利用的是不同金屬的薄膜層，而非試著去形成
合金。此種金屬層的堆疊不容易蝕刻，但是此問題可以用剝離的方式解決。

　　圖 2.24 為一簡單的蒸鍍機。晶片是載入一個通常利用擴散幫浦或低溫幫浦抽氣的高真空反應室中，擴散幫浦系統通常有一可防止幫浦油之蒸氣回流至反應室中的冷捕捉機。欲沉積之材料則載入稱為坩堝 (crucible) 的加熱容器中，利用一嵌入式的阻抗加熱器及一外部的電源供應器，可以很容易地對其加熱。坩堝內的材料受熱之後，會以蒸氣的型式揮發。由於反應室內之壓力遠低於 1 mTorr，反應室內之蒸氣原子會以直線方式行進，直至撞擊於晶片之表面疊積為一薄膜。蒸鍍系統可包含多達四個坩堝，使得在不必破真空之情況下，即可沉積多層膜，且於坩堝上方的架構中可容納高達 24 片懸空的晶片。此外，亦可同時操作數個坩堝，以形成所要之合金。於坩堝上方可採用機械式的開關葉片，以輔助突然地開啟及終止沉積製程。

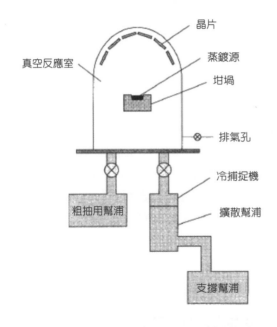

圖 2.24
顯示包含蒸鍍源之坩堝及晶片位置的簡單擴散幫浦蒸鍍機。

　　如之前所提及，蒸鍍的主要限制之一為階梯覆蓋的能力。圖 2.25 為一蒸鍍於一個階梯上之薄膜的幾何示意圖，於此例中，此階梯為蝕穿絕緣層並停在基板上之一個接點的橫截面圖。於約 1 微米距離之尺度內，入射材料束可視為是非散射性的。假設入射原子於晶片表面是靜止的，則輪廓將投射出定義良好的陰影區，使得薄膜通常會於接點的某一端呈現不連續。隨著沉積過程之進行，絕緣層頂部所成長的薄膜會使得階梯變得更高。因為金屬層為此製程的最後幾個步驟，除非採用某些平坦化的技術，否則所疊積的表面輪廓可能相當差。藉由將晶片的指向作最佳化，可以達成一些有限的改善[40]。

　　改善階梯覆蓋一個常用的方法為轉動位於蒸鍍束內的晶片，因此，用於支撐住蒸鍍機內晶片的半球形裝置設計成可於蒸鍍機內之頂部移動晶片。雖然側壁的沉積速率仍少於平

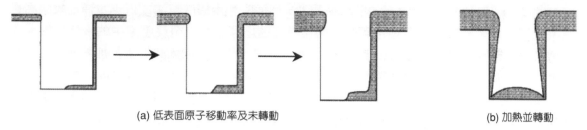

(a) 低表面原子移動率及未轉動　　　　　　　　　　　　　　(b) 加熱並轉動

圖 2.25 (a) 表面原子移動率低 (意即低的基板溫度) 及未轉動之情形下一個深寬比 1.0 的洞其蒸鍍外
層隨時間變化的情況，(b) 於轉動及加熱之基板上最後的沉積薄膜輪廓。

坦表面之速率，但卻是軸向均勻的。接點之深寬比 (aspect ratio) 定義為

$$AR = \frac{階梯高度}{接點直徑} \tag{2.65}$$

標準的蒸鍍無法於深寬比大於 1.0 的特徵結構上形成連續的薄膜，而對於深寬比介於 0.5 至
1.0 的結構則有不連續的風險。

改善階梯覆蓋的第二種方法為加熱晶片。許多的蒸鍍機利用行星狀放置晶片的裝置
(planetaries) 其後方一組紅外光燈或低強度的耐高溫金屬線圈以達成此目的。到達晶片的原
子於化學性地鍵結並成為成長之薄膜的一部分之前會先擴散過晶片的表面，當陰影情況導
致濃度梯度產生時，其隨機運動會導致材料的淨移動，使其進入低速率沉積區。可以定義
一個遵從亞倫尼斯 (Arrenhius) 函數的表面擴散係數：

$$D_s = D_0 e^{E_a/kT} \tag{2.66}$$

因表面活化能遠較體擴散係數之活化能小，所以於攝氏幾百度時可發生大的擴散現象。如
果合併之前的平均時間為 τ，則特徵之表面擴散長度為

$$L_s = \sqrt{D_s \tau} \tag{2.67}$$

由於 D_s 與溫度呈指數相關，於室溫之上加熱晶片會使得 L_s 之值大增，L_s 遠大於晶片上令人
感興趣之特徵尺寸是相當合理的。目前已有許多的團隊證實了可利用此技術填補高深寬比
的結構[41]。將加熱基板技術應用至合金的沉積時，組成原子之表面擴散係數可能相當不
同，這會是一項隱憂，因此接點底部之薄膜組成與結構頂部之薄膜組成可能不同。基板溫
度增加的第二個隱憂為薄膜表面形態會受到影響，通常是導致顆粒較大。於沉積之後，利
用離子束使得沉積重新分布可避免此問題。離子撞擊於蒸鍍薄膜之表面並轉移能量予它。

薄膜內之原子可以利用擴散或者濺鍍的方式重新分布，然而只有極少數的蒸鍍機配置有此項功能。因此，一般而言，蒸鍍並不具有獨立控制表面形態及階梯覆蓋的能力。

　　目前有三類的坩堝加熱系統：阻抗式的、電感式的及電子束系統，其中阻抗式的加熱系統是最簡單的。利用一個具備功率傳輸的高真空反應室，即可建構一個簡單而僅具有一小線圈及一簡單可變變壓器的蒸鍍機。此系統中的蒸鍍材料為一個置於受熱裝置上小的棒狀固體，如圖 2.26(a) 所示，可調整輸入功率以防止蒸鍍材料熔化及漏至線圈上。圖 2.26(b) 為較實際的配置，其中欲蒸鍍之材料包含於一利用電阻式加熱系統的坩堝中。

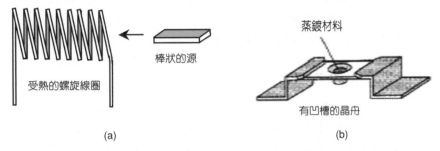

圖 2.26 電阻式的蒸鍍機加熱源。(a) 包含加熱蒸鍍材料本身及利用耐高溫之金屬加熱器線圈及棒狀之蒸鍍材料的簡單加熱源；(b) 於阻抗性介質中包括具有凹槽之晶舟的較標準熱源。

　　因為燈絲線圈必定至少與欲蒸鍍之材料一樣熱，所以阻抗式加熱坩堝的問題之一為來自線圈的蒸鍍及氣體外流 (outgassing)。如果欲蒸鍍如鋁等材料，僅需一般的功率輸入，即可得到適量的蒸氣壓力。另一方面，通常沒有適當的阻抗式加熱裝置可用於沉積耐高溫金屬，一個可達到至少一般蒸鍍材料溫度的方法是採用電感式加熱坩堝。如圖 2.27 所示，固體之蒸鍍材料通常置於氮化硼做成的坩堝內，坩堝周圍纏繞某種金屬材料製成之線圈，其在線圈上加上 RF 功率。RF 功率會感應漩渦狀的電流於蒸鍍材料上，使其變熱。可以用水冷的方式使線圈溫度保持於 100 °C 以下，以有效地消除任何來自線圈材料之損耗。

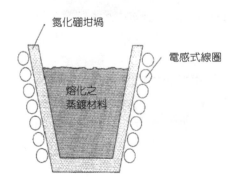

圖 2.27
用來產生適度蒸鍍材料溫度的電感式加熱坩堝實例。

　　雖然可以利用電感式的加熱方式使坩堝的溫度上升至足以蒸鍍耐高溫材料，但是來自於坩堝本身之蒸鍍所造成的污染仍然是一個嚴重的問題。此效應可以藉由僅加熱蒸鍍材料及冷卻坩堝而避免，達成此目的常用的方法為利用電子束 (e-beam) 蒸鍍。於大部分的電子束蒸鍍機中，坩堝下方的電子槍會噴射出高濃度且高能量的電子束。燈絲材料通常為鎢，其擺放的位置是著眼於使晶片表面之燈絲材料的沉積最小化。一強磁場可使電子束彎曲270°，使其入射於蒸鍍材料之表面。此電子束可以被偏折至蒸鍍材料處，使其表面大部分被熔化。之後，蒸鍍材料較熱的部分會被其較冷的部分有效地自我抑制。

　　由於電子束蒸鍍機具有容易沉積相當大範圍材料的能力，所以常應用於砷化鎵技術。當採用熱游離放射電子槍時，熱電子燈絲仍是反應室內的一種污染源，當於極高的真空度下操作這些系統時，必須特別注意電子槍之設計[42]。對於以矽為基礎之技術而言，有個更嚴重的問題為輻射毀損。此輻射是由於被蒸鍍的材料中，高度被激發的電子衰減回至核心能階所產生的。因為 X 光會毀損基板及介電質，所以除非之後的熱回火步驟足以去除掉毀損，否則電子束蒸鍍機無法應用於 MOS 或者其他對於此種毀損敏感的技術。因為電晶體通常會與 MOS 結構做隔離，所以即使是矽雙載子技術，對於此種毀損仍是敏感的。

　　即使一次只能蒸鍍一種材料，通常於蒸鍍機中有多重源是較方便的。此種配置允許不同材料的沉積，而不需要打開高真空反應室。對於電阻式的蒸鍍機而言，可利用高電流的切換盒，而每一樣本坩堝具有其自己的加熱線圈。電子束蒸鍍機之電子束可利用靜電位或者磁場的改變使其容易於小的蒸鍍材料間移位，所以特別適合於此種應用。另外一種方式是將不同的荷電材料置放於輪形裝置上，以機械的方式將想要蒸鍍的材料轉動至電子束照射之位置。

　　通常會想要使用合金及化合物作為沉積材料。圖 2.28 顯示三種利用蒸鍍沉積合金薄膜可能的方法。利用一妥適準備的化合物靶材，僅僅蒸鍍具有極相似之蒸氣壓的材料是可能的，例如鋁及銅[43]。於某些應用中，例如砷化鎵歐姆接點之形成，因組成物種之蒸氣壓是合理地相近，所以合金組成之變化程度是可接受的。然而，如果我們將所希望之組成的鎢

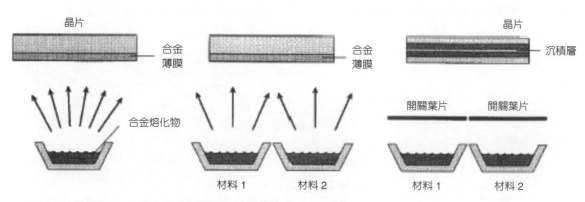

圖 2.28 蒸鍍多層膜的方法。(a) 單一源之蒸鍍，(b) 多種源同時蒸鍍，(c) 多種源循序蒸鍍。

化鈦 (TiW) 固體樣本置於坩堝中並蒸鍍它，則主要蒸鍍出來的材料也許不是鎢化鈦，而是其他某種鈦及鎢的組成。例如，於坩堝溫度 2500 °C 時，鈦的蒸氣壓約 1 Torr，而鎢的蒸氣壓僅 3×10^{-8} Torr。一開始出來的蒸氣幾乎是純鈦，而當蒸鍍造成剩餘且熔化之蒸鍍材料的組成改變時，蒸鍍薄膜之組成將緩慢變動。

　　對於微電子製造中之金屬薄膜的沉積而言，濺鍍為取代蒸鍍之主要方法。濺鍍發現於 1852 年，而於 1920 年代由雷蒙 (Langmuir) 發展為一薄膜之沉積技術。濺鍍之階梯覆蓋的效果較蒸鍍為佳，引起之輻射毀損遠較電子束蒸鍍為少，且製造化合物材料合金層之能力遠較蒸鍍優越。基於這些優點，使得濺鍍成為大部分以矽為基礎之金屬沉積技術的選擇。

　　如圖 2.29 所示的簡單濺鍍系統，其與一真空反應室內具有一平行板電漿反應器的簡單反應離子蝕刻系統極為相似。然而於濺鍍的應用中，電漿反應室必須配置成有高密度的離子撞擊於包含欲蒸鍍之材料的靶上。濺鍍時，靶材料，而不是晶片，必須置放於具最大離子通量的電極上。為了盡可能地多收集這些被逐出的原子，於一典型的濺鍍系統中，陽極與陰極是緊密相鄰的，通常相距小於 10 公分。通常利用惰性氣體供應此反應室所需之氣體壓力，且反應室內之氣體壓力保持約 0.1 Torr，使得對應之平均自由路徑數量級為數百微米。

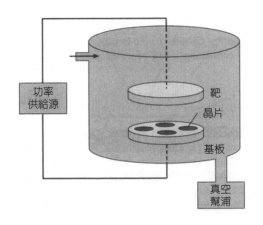

圖 2.29
一個簡單的平行板濺鍍系統之反應室。

　　基於此製程之物理特性，濺鍍可用於沉積相當寬廣範圍的材料。於單一元素之金屬的情況中，通常使用簡單的直流濺鍍。當沉積如二氧化矽之絕緣材料時，則必須利用射頻電漿 (RF plasma)。如表 2.10 所示，如果靶材料為一合金或化合物時，則沉積之材料的化學計量與靶材料之間可能有些微的不同。然而文獻中報導，濺鍍良率較低之材料會疊積於靶之表面，直到沉積薄膜之組成與靶材之本體近似時為止。(而這僅適用於靶之溫度保持得夠低，足以防止固態擴散之發生。) 這使得濺鍍不僅是在元素材料上具有強烈的吸引力，於一極廣的材料範圍內亦是如此。

表 2.10 由複合之靶材料中濺鍍出來之鋁合金薄膜的組成。

鋁合金材料	靶	薄膜
矽	0.5%－1.0%	0.86%
矽	2%	2.8%
銅	3.9%－5.0%	3.81%
(鋁＋矽) 矽	2%	2%±0.1%
(鋁＋銅＋矽) 矽	4%	3.4%

　　由於電子之移動率高於離子，所以 RF 電漿中所有暴露出來的表面，相對於電漿是呈現負電位。在典型的電漿系統中，大部分的電壓降落在靶電極，但是基板電極上的偏壓亦會導致晶片上離子的撞擊，此種撞擊會將材料從晶片表面除去，經由調整電極相對於電漿之直流偏壓可以控制此效應。此於微電子中有兩種主要的應用：濺鍍潔淨及偏壓濺鍍。低溫磊晶成長之薄膜沉積前，所有晶片表面污染物之去除曾經被廣泛地研究過，該主題將於後文中討論。本節將專注於潔淨之純物理方式的介紹：基板之濺鍍蝕刻。濺鍍沉積製程的典型應用實例為與高度摻雜之矽形成歐姆接點之金屬的沉積，這些接點被定義出來後是蝕穿一厚的二氧化矽絕緣層。將晶片載入濺鍍系統前，會立即將晶片浸入氫氟酸與水之混合溶液中 (1：100)，以去除於接點蝕刻後任何重新成長於矽上方之氧化層。這些晶片以去離子水清洗乾淨後，接著是旋乾，再直接載入真空系統中進行沉積。然而如此短暫地暴露於水洗及空氣中，會促使矽上方再成長一層薄且不規則的自然氧化層。為了得到可靠的低電阻接點，通常希望於金屬沉積前去除此極薄之氧化層。

　　將電的連接反向，則可從基板而非從靶上濺射出物質來。這通常是於沉積之前的一小段時間前進行，以從晶片表面去除自然氧化層以及任何殘留的污染物。然而濺鍍蝕刻存在嚴重的問題。從基板電極或是晶片之氧化層覆蓋的區域濺射出來的材料可能會沉積於表面上，而導致較多的污染。如果污染物中包含會引起接面漏電流之重金屬摻質，則可能會產生嚴重的後果。例如從濃密的幫浦油蒸氣中產生的有機污染物，可能會聚合物化，使得其極難去除。

　　濺射蝕刻矽層所產生之毀損可深入矽晶片 40 至 110 Å。視偏壓之條件而定，矽表面可包含高達 20 個原子百分比的氫。晶片表面材料的移除亦可能不均勻，導致尖銳的圓錐及蝕刻凹槽的產生。然而對一個典型的濺鍍蝕刻而言，所希望之蝕刻深度小於 100 Å，此值通常小於接面深度的 20%。然而濺鍍之預潔淨步驟的發展，對於每一種濺鍍系統，必須量測濺鍍潔淨步驟對於接點電阻、接點可靠度及接面漏電流之效應，以實驗的方式最佳化。

　　對於簡單的磁電管系統，如果基板及沉積之薄膜均為導電性的材料，則可能調整基板相對於電漿之偏壓。若於基板上施加一負偏壓，則基板之離子撞擊將增加。經由控制此偏壓，則可獨立於成長薄膜之濺鍍蝕刻的速率，改變沉積的速率。如圖 2.30 所示，因為於低壓時被濺射蝕刻的薄膜可能會再沉積於晶片上，所以可能達到改善階梯覆蓋的效果。

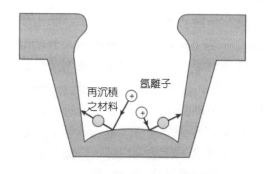

圖 2.30

於偏壓濺鍍中,入射於晶片表面之離子會使得沉積的薄膜重新分布,以改善階梯覆蓋。

Vossen 曾證明此技術實際上於一接點的側壁上可產生比表面更高之沉積速率,然而高的濺射蝕刻速率可能會導致下方基板之毀損,以及沉積層之刻面的產生。於較低的偏壓電壓下,入射離子之能量亦可能藉由增加被吸附原子之移動率而使階梯覆蓋的效果變佳。

　　於開始沉積之前,通常須將靶清潔乾淨。在打開開關葉片之前會點燃電漿作預濺鍍,所以靶上方的材料會沉積於開關葉片之背部而非基板之上方。預濺鍍一個常見的應用為去除金屬靶上方形成之自然氧化層,針對此種應用,可以利用改變輝光放電電流,以決定氧化層去除的程度。表面之氧化層通常具有高的二次電子放射率,所以當靶被潔淨之後,放電電流將趨於一穩定值。這些活性物種的預濺鍍亦會清除來自反應室的殘留活性氣體,如氧、水及氮,這是由於氣相反應以及於開關葉片之背表面覆蓋一層高度活性的薄膜所致。

　　以矽為基礎之積體電路的應用上,純鋁已經被鋁矽合金所取代,原因為可增加於淺接面上所形成之歐姆接點的可靠度。典型的矽濃度為 0.5 至 2.0 個原子百分比,而加入 0.5 至 1.0 個原子百分比的銅亦可降低金屬薄膜形成小丘的機會,且可大大地提升由這些薄膜所形成的線於通過大電流時不會有電遷移造成的衰變或應力所產生之空洞。

　　為了得到大的濺鍍沉積速率,大部分的鋁是利用平面式直流磁電管系統來沉積。因為這些薄膜均為合金,所以控制薄膜之化學計量成為最重要的課題。如同之前所討論的,沉積薄膜之組成通常與靶之本體的組成相近。於普通的基板溫度下,沉積薄膜之再蒸鍍可以忽略,所以薄膜的精確組成由電漿中之組成的傳輸特性來決定。例如於低的反應室壓力下,來自一鋁銅靶的濺鍍所生成之薄膜,其內的銅濃度將稍微高於靶中之銅濃度。銅的組成高與氬氣可熱化極輕之鋁原子的能力有關,而與氬氣和較重之銅原子的碰撞較無關。此種結果稱之為選擇性熱化 (selective thermalization),對於如鋁銅或鎢化鈦等其中一個原子之質量遠大於另一個原子之質量的濺鍍材料而言最為顯著。

　　得到較佳化學計量控制的一個方法為擁有多重靶。靠著調整每一個靶的功率,即可改變沉積層的組成。第二種控制組成的方法不需要第二個功率供應源,而是利用具有不同濃度區的合成靶。最簡單的情況為,某一種材料之碎片可以利用黏著的方式使其附著於另一種材料上,薄膜之組成可以由暴露出來之區域的比值決定。例如,建構一個包含兩種材料且呈圓柱形對稱的靶是可能的。改善電漿之電性,即可控制沉積層的組成,然而在大部分量產用的濺鍍系統中,靶的組成僅是依據某一特殊製程所需的薄膜組成而決定。

　　薄膜之電阻率為與反應室中主壓力及氣體組成相關的函數。鋁與氧、氮及水之間會快速地起反應，當氮氣的分壓大於 10^{-6} Torr 時，電阻率會快速上升。如果主要的氮氣源抽得不完全，則大部分的氮氣將於沉積期間被吸收。於此種情況下，可利用預濺鍍來潔淨反應室。較嚴重的情況是小的真空漏流，其可於沉積過程中貢獻氮氣。為了降低薄膜的阻抗率，許多進行鋁沉積之量產用系統的設計採用一負載鎖定 (load lock)，以避免主反應室排氣至空氣中的必要性。可將晶片於大於 400 °C 的溫度下烘烤或曝深紫外光，以於負載鎖定室中去除大部分的吸附物種，之後再將晶片送入高真空反應室中。通常可利用一種稱為梅思納捕捉機 (Meissner trap) 的低溫機台，使殘留之氣體凝結，以降低抽真空的時間。

2.3.2 化學氣相沉積

　　前一節討論了以物理為基礎的方法進行薄膜之沉積，包括了蒸鍍及濺鍍。稱之為物理製程的原因是由於其中不涉及化學反應，而是利用加熱 (蒸鍍) 或是高能量離子撞擊 (濺鍍) 之方式產生欲沉積之材料的蒸氣。雖然矽 IC 大部分的金屬薄膜是利用這些方式沉積，但是階梯覆蓋仍為這些方式的主要問題，對於高深寬比之深次微米技術的極小接點而言，這是特別值得注意的地方。此外，這些技術不太適合於絕緣層或半導體層之沉積。本節將討論以化學反應為基礎的薄膜沉積方法，這些方法通常利用氣態化合物供應所需的化學品。根據定義，最後的產物其化學鍵結狀態與先驅氣體不同。

　　對於許多材料而言，化學氣相沉積 (chemical vapor deposition, CVD) 已經成為極常使用且極受歡迎的沉積方式，熱 CVD 亦已成為 IC 製造中大部分磊晶成長之基礎。對於簡單的熱 CVD 製程的一些修正，提供了另類的能源，如電漿或光學激發等，可用來驅動化學反應，使得沉積製程可以在低溫下進行。關於 IC 製造之 CVD 製程廣泛的回顧，讀者可參考 Sherman 的著作[44]。很不幸地，CVD 製程無法以簡單的解析式子來解釋，反應室內之氣體流量及化學反應兩者均與反應室及製程有關，所以需要詳細的數值分析。本節將從一個簡單的 CVD 系統開始介紹，以討論為了瞭解反應室內之化學反應及流動所必須解的方程式。本節其餘的部分將討論各種沉積系統，以及用於沉積令人感興趣之材料的特定氣體之化學。

　　為探討 CVD 製程，首先考慮圖 2.31 中所示的簡單反應器，反應器包含一個橫截面為矩形的爐管，爐管壁溫度保持於 T_w。爐管中央加熱的支撐座上可放置一晶片，支撐座之溫度保持於 T_s，於大部分的情況下，$T_s \gg T_w$。為了討論一個簡單但是具有代表性的製程，我們將利用矽甲烷氣體 (SiH_4) 的分解以形成多晶矽。假設氣體從爐管的左方流向右方，因為矽甲烷接近熱支撐座時會開始分解，所以矽甲烷的濃度及沉積速率會沿著爐管之長度而降低。為了提升沉積之均勻度，可將矽甲烷混合於一惰性媒介氣體中。矽甲烷常用的稀釋劑為氫分子 (H_2)，假設反應室內之氣體組成為氫中含有 1% 的矽甲烷。稀釋劑不僅常應用於實際的系統中，其亦有避免化學反應進一步複雜化的功能，因為於典型的沉積條件下，只有

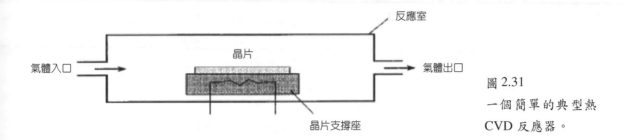

圖 2.31
一個簡單的典型熱 CVD 反應器。

極少數的氫氣能夠被分解。最後假設氣體進入爐管時之溫度與管壁的溫度相同,反應之產物以及任何未反應之矽甲烷會從爐管的右側流出去。反應室內之壓力變化將足夠慢,使得其內之壓力可以視為是均勻的。

所發生之全反應為

$$\text{SiH}_4 \text{ (氣態)} \rightarrow \text{Si (固態)} + 2\text{H}_2 \text{ (氣態)} \tag{2.68}$$

全反應的詳細過程則複雜許多。**CVD** 的特徵之一為從氣體源中釋放固體原子或一團原子之反應的位置,如果反應是自發性地發生於晶片上方之氣體,則稱為同質性的製程 (homogeneous process)。此種製程若是會產生固體,則通常是不希望見到的。以矽甲烷之沉積為例,過多的同質性反應將導致大的氣態矽微粒逐漸疊積於晶片上,最後之結果為沉積層的表面形態不佳,以及特性不一致。於實際系統中,此種沉積層之組成的控制不良,且可能有來自於反應室中之殘留氣體極多的污染物,因此本節將專注於異質性之製程,亦即以此種方式操作之製程,僅偏愛於表面形成固體。但即使是以此種方式執行之製程,同質反應仍然是重要的。例如於矽甲烷的沉積中,同質性的產出 silylene (SiH$_2$) 是一個決定性的製程,因為一般相信吸附於晶片表面並產生出固體矽的為 silylene,而非矽甲烷本身。此過程的特徵是同質反應會產生氣態而非固態之產物。本節一開始將專注於最簡單的一種異質反應,其是在冷牆之反應室內進行 (如圖 2.31 中所示之情況),且所有的沉積反應發生於晶片之表面。

一般而言,於化學氣相沉積製程期間所發生的步驟包括:(1) 先驅物 (precursors) 由反應室之入口傳送至晶片附近,(2) 這些氣體反應而形成一些子分子,(3) 這些反應物傳送至晶片之表面,(4) 表面反應以釋放矽,(5) 解除氣態副產物的吸附,(6) 將副產物傳送離開晶片之表面,(7) 將副產物帶離反應器。即使此討論只侷限於熱 CVD 此一極簡單之沉積系統,欲了解其中的每一個步驟,仍是極難克服的工作。為了將問題簡化,可將問題分成兩部分。首先將專注於發生於反應器內的化學反應,包括氣相以及於晶片之表面,接下來則將討論反應器內之氣體流動。選擇研究僅包含一低反應氣體濃度 (氫中含 1% 的矽甲烷) 之系統將使得此種區隔變得相當實際。於此種小且活性的分量中,氣體的熱及力學特性相對上不會被任一化學反應所影響。

　　低壓 CVD (low pressure CVD, LPCVD) 之反應器可以區分成熱牆及冷牆系統。熱牆系統具有均勻的溫度分布以及使對流效應降低之優點，而冷牆系統則能夠降低內壁上之沉積。這些沉積物可能導致沉積物的空乏及微粒之形成，而微粒可能會從器壁上剝落，落至晶片上。牆上的沉積物亦會導致記憶效應：先前沉積於牆上的材料會沉積於晶片上。基於此原因，熱牆反應器必須專用於某一特殊薄膜之成長。

　　實際上，所有的多晶矽以及許多種介電層的沉積是利用水平流動式之熱牆系統。其晶片緊密堆疊置放，而非利用一傾斜的晶片座，極像一熱氧化系統中之晶片。為了使此一系統達到合理的沉積均勻度，必須將製程設計成保持反應為沉積之動力學所嚴格控制。利用低氣壓 (0.1 至 1.0 Torr) 取代稀釋氣體，可降低氣相之成核率。此製程通常稱為 LPCVD。

　　水平式 LPCVD 系統與鍋爐類似，一個系統通常含有四根爐管，氣體是利用爐管背部之質量流控制器來控制及傳送至爐管的前端。氣體注入之方式視所執行之製程而定，氣體不是經由爐管前方之環注入，就是垂直於爐管，行經鍋爐之長度，並均勻地通過負載而注入。為了降低沉積於器壁上之微粒的衝擊，大部分的量產系統具有軟著陸懸臂負載器，以使載入／載出過程期間之微粒形成及剝落降至最少。晶片載入後，利用 O 型環密封的門來封閉鍋爐。再來是以惰性氣體，例如氮氣，充滿整個爐管，之後將爐管抽至中度真空。若鍋爐尚未升溫至沉積溫度，則先升溫，待到達沉積溫度並穩定後，則打開沉積用之氣體。沉積進行了一預定的時間後，再次地將爐管充滿氮氣，讓壓力升高至常壓後，將晶片載出。

　　最近 LPCVD 領域的一項革新是採用垂直式的反應室。與垂直的氧化／擴散爐管類似，這些系統與標準的爐管相比較具有一些優點。因為所有的晶片均為重力所束縛住，所以反應器內晶片與晶片間的距離較為均勻；此外，晶片上的對流效應亦較均勻地分布。由於以上這些優點，垂直式的 LPCVD 系統對於未摻雜的多晶矽以及氮化矽之沉積，其均勻度總是能優於 2%。垂直的 CVD 系統因為晶片相對於垂直方向不需要傾斜，使得機器手臂之操作較簡易，所以較容易整合並用於自動化生產。垂直式 LPCVD 系統最重要的優點或許是微粒數目下降，然而這些系統的成本則顯然高於傳統的 LPCVD 系統。

　　另一種廣泛應用於矽 IC 製造的熱牆 LPCVD 系統為熱牆交叉流動反應器。於此反應器內，晶片垂直地放置於緊密相鄰的晶片匣中。此種配置是為了使新鮮的氣體能夠流過每一晶片，這可降低微粒的形成並改善均勻度，然而此種系統需要大量的石英製品才得以維持。

　　大部分的 LPCVD 多晶矽為利用溫度介於 575 °C 到 650 °C 之鍋爐中的矽甲烷來達成。多晶矽沉積之活化能約為 1.7 eV。一般相信，沉積速率由矽表面之氫氣的解吸附來決定。典型的多晶矽沉積速率為 100 至 1000 Å/min，所以常見之沉積時間為數十分鐘。當氣體注入至爐管前端時，鍋爐也許可以設定成從前端至背部具有一小的溫度梯度 (25 °C)，這使得爐管背部較高的反應率可補償矽甲烷的空乏。溫度暴升會使得爐管背部之晶片的多晶矽顆粒較前端大，而發生不欲見的效應。然而於高溫回火後，薄膜的晶體結構則變得無法區分。通常於一批 100 片大直徑的晶片中，可得晶片之均勻度在 5% 以內。

沉積層的表面形態為沉積條件之一敏銳的函數。當沉積在低於 600 °C 的溫度下進行時，沉積層通常是非結晶矽的；但是當沉積之速率夠低時，則可能是多晶矽。當於低溫環境下進行回火時，這些層可能會結晶成多晶層。

LPCVD 多晶矽可以利用植入、固體或三氯氧磷 (POCl₃) 擴散，或者於製程進行中以加入氫化砷 (AsH₃) 或氫化磷 (PH₃) 的方式使其成為 n^+ 摻雜。以此種方式摻雜之多晶矽層摻質濃度可達到接近 10^{21} cm⁻³。成長中摻雜以及擴散方式摻雜之多晶矽層阻抗通常可小於 1 mΩ·cm。成長中摻雜的主要困難點為氫化磷 (PH₃) 的加入會使得沉積之均勻度變差，特別是晶片邊緣的位置。最近於模型方面的研究中，暗示這可能是由於 silylene 之濃度增加的結果。包含所有載入晶片之溫度變化的效應亦是相當重要的，特別是當考慮最上面與最下面幾片晶片的時候。

除了微粒的控制外，傳統 LPCVD 鍋爐的主要限制之一為不易將其整合成自動化、群組化的機台環境。最常見的例子為多晶矽。通常希望於單一的機台群組中可以成長氧化層、沉積多晶矽及摻雜多晶矽，此種系統可利用由中央機械手臂控制之一些簡單的單一晶片反應器來達成。以應用材料公司的 Precision 5000® 為例，晶片至多可以往返於五個反應室之間。晶片進入一負載鎖定的區域後，會被傳送至快速熱反應室中進行氧化。氧化之後，將晶片傳送至兩個多晶矽沉積的反應室之一。沉積之後，則將晶片送至另一個快速熱反應器，利用三氯氧磷 (POCl₃) 源作磷的擴散。

用於 LPCVD 反應器之氧化層的熱牆沉積，其各種化學物質包括矽甲烷及氧、二氯矽甲烷 (SiCl₂H₂ 或 DCS) 與亞硝酸氧 (N₂O)，以及 TEOS (tetraethylorthosilicate) 之分解。矽甲烷及氧之製程可以在低於 500 °C 之基板溫度下進行，這意謂著其通常可用於在一鋁層上方沉積氧化層。在這些溫度下沉積之薄膜，被發現含有大量的氫氧化矽 (SiOH)、氫化矽 (SiH) 及水。至於對應的常壓化學氣相沉積 (atmospheric pressure CVD, APCVD) 製程，主要之限制為微粒的產生以及低沉積速率。此外，由於基板溫度低，這些薄膜之階梯覆蓋的能力通常是無法令人接受的。

DCS 以及亞硝酸氧化物製程必須於約 900 °C 下進行，其均勻度以及階梯覆蓋之能力均極佳，且其蝕刻速率與熱二氧化矽相近。雖然這些薄膜實際上並不包含氫，但是卻包含了可量測到的含氯量，這可能會導致其下方的多晶矽層被蝕刻。DCS 與硝酸氧化物沉積製程之間存在著強烈之非線性的壓力相關性。整個爐管內存在沉積之不均勻度是正常的，可以採用特殊的注入器及溫度梯度以提供較均勻的沉積。

常見的 LPCVD 之氧化層製程為 TEOS 之熱分解。典型之沉積溫度夠低，通常為 650 至 750 °C，所以基板內之摻質的重新分布並不構成問題，但是此溫度對於成長鋁層上方之氧化層而言，仍然太高。曾有文獻報導，可以利用其他的有機金屬，例如 diacteoxyditertiarybutoxysilane，作低溫沉積，因為其會在低於 450 °C 的溫度下分解，並具有極佳之階梯覆蓋的能力，但目前尚未廣泛使用。

未摻雜之 LPCVD 氧化層內的沉積應力約為 1×10^{9} 至 3×10^{9} dyne/cm^{2}，低溫沉積時的沉積層是伸展性的，而高溫下的沉積層則是壓縮性的。熱二氧化矽的折射率為 1.46，而沉積之氧化層的折射率一般而言則較高。通常會發現折射率較高的沉積氧化層具有較低的質量密度，且於緩衝之氫氟酸 (buffered HF) 中的蝕刻速率較高。與 APCVD 一樣，可以於 TEOS LPCVD 製程或矽甲烷及氧 (SiH$_4$ 及 O$_2$) 之製程中，加入氫氣稀釋之磷化氫或磷化氫和雙甲硼烷的混合物，以製造出摻雜之氧化層。加入磷化氫通常會使得沉積速率增加，但是會降低沉積的均勻度，而加入雙甲硼烷以形成硼磷矽玻璃 (BPSG)，通常會使得沉積速率增加，但對於均勻度則只有些微的影響。

雖然氮化矽可以利用矽甲烷及一種含氮的先驅物來沉積，但是 LPCVD 最常採用的方法為利用 DCS 及氨 (NH$_3$) 的混合物來沉積。典型的沉積溫度為 700 至 900 °C。此製程之活化能為 1.8 eV，沉積速率會隨著 DCS 之流量而增加。由於 DCS 之空乏效應，此種製程通常需要一驟升的升溫曲線。

檢查薄膜之組成的兩種常用技術為利用橢圓偏光儀量測折射率，以及量測薄膜於緩衝之氫氟酸中的蝕刻速率。折射率通常介於 1.8 和 2.2 之間，而 2.0 則為理想值。高折射率表示該薄膜是富含矽 (silicon-rich film) 的；低折射率則表示有氧的存在，通常是由於漏真空、含有污染氣體或者抽真空不完全所造成。若薄膜中含有太多的氧，則通常可由此薄膜於 49% 之氫氟酸中的蝕刻速率大於 1 nm/min 而得到驗證。氮化矽 (Si$_3$N$_4$) 中其他常見的摻質包括氫以及大約 0.4% 的氧。LPCVD 氮化矽薄膜通常含有高伸展應力 (10^{10} dyne/cm^{2})，於成長環境中增加 DCS 之濃度可降低此應力，但是將導致薄膜具有相當多過剩的矽。由於存在高濃度含矽的物種 (主要是二氯化矽 (SiCl$_2$))，所以於氮化矽 (Si$_3$N$_4$) 的 LPCVD 成長期間，極可能會有氣相成核的發生，而導致氣體中含有高濃度的微粒。

在許多的應用中，必須於極低的基板溫度下沉積薄膜，於鋁的上方沉積二氧化矽以及於砷化鎵上方沉積氮化矽之覆蓋層是兩個常見的應用。為了補償這些較低的基板溫度，必須對氣態的及／或被吸附之分子施加另一能源。雖然實驗上已說明可用光學增強式沉積，但是在實際的量產應用中，只見到一些有限的應用，其中 RF 電漿為驅動 CVD 反應的主要非熱能源。電漿輔助化學氣相沉積 (plasma-enhanced CVD, PECVD) 系統具有不需要使基板處於高溫，而是利用表面之離子撞擊提供被吸附之物種能量，使得其可進一步沿著表面擴散之額外的優點，因此這種製程在填充小的特徵尺寸上具有極佳之表現。本節將討論利用電漿以增加 CVD 製程之沉積速率。因為最感興趣之主題為絕緣層的沉積，所以僅需考慮 RF 放電。

有三種基本的 PECVD 系統。雖然 PECVD 之氧化層可以於 13.56 MHz 下沉積，但是於每一系統中，所選擇之頻率通常小於 1 MHz。第一個 PECVD 系統為冷牆平行板反應器。氣體不是從邊緣即是經由上電極之淋沖頭注入，之後經由中間的一個埠排出；另一種情況是氣體由中央注入，從邊緣排出。隨著晶片直徑的增加，這些系統的低產出量以及邊緣的均勻度等問題,使得其被排除於矽 IC 的製造中。然而,由於此種反應器適用於小晶片直徑以及每批晶片數不多的情況,所以此種反應器較適用於砷化鎵技術。

對於大直徑之矽 IC 晶片的製造而言,傳統的 PECVD 目前最常用的技術為平行板熱牆系統。與 LPCVD 爐管之外觀相似,晶片是垂直地置放在極性交替變化之傳導性的石墨電極上。雖然與一相當的 LPCVD 製程相較,其基板溫度可能遠低於 LPCVD 製程,但是其基板溫度之控制與任一爐管相較並無不同。雖然此種反應器之產出量優於平行板電漿反應器,但是卻遠低於標準的 LPCVD 系統。

熱牆整批式 PECVD 系統與其對應之加熱式 CVD 系統一樣遭受到氣體空乏/均勻度以及微粒方面的問題,因此目前冷牆式 PECVD 系統再次受到重視。為了增加產出量,可以於單一的真空系統中進行一系列的沉積步驟,或者可利用機械手臂操控反應器,使得數個單一晶片之反應室可同時運作。曾有一製造商循序地進行五個步驟的沉積,這不僅可改善產出量,亦可使均勻度接近 1%。

最近出現了高密度電漿 (HDP),使得在低的基板溫度下可沉積高品質的薄膜層。這些反應器利用傳統的或電子迴旋共振 (electron cyclotron resonance, ECR) 式電漿,使得一種或更多種的先驅物得以分解或裂解。ECR 的一種應用為實際上不需對基板作離子轟擊即能分解氮氣 (N_2),而形成可快速與矽甲烷反應成 Si_xN_y 的氮原子。矽甲烷可以從電漿外部引入。由於這些原子物種具有高度的活性,因此不需要高的基板溫度即能驅動反應並得到密度高的薄膜。曾有文獻指出,於溫度低達 120 °C 時可得到良好的二氧化矽薄膜。

HDP 電漿的低壓力 (約 0.01 Torr) 會導致平均自由路徑變長,因而使得階梯覆蓋的效果不佳。然而,如果將系統設計成可以有大量的離子轟擊於表面,則沉積之物種將連續地被濺射,使得高深寬比之結構可被良好的填充。HDP 沉積系統的主要限制之一為電漿中所產生的高濃度微粒數,而最近正利用微粒捕捉器 (particle trap) 及/或有微粒吸收能力之反應室表面來解決此問題。為了提升 ECR 之低沉積速率,量產系統可以於同一真空反應室內製造大量平行的遙控式電漿注入器,然而經由適當的設計,HDP CVD 系統可以對低溫下之沉積提供極佳的高品質薄膜。

PECVD 成長之氮化矽應用於砷化鎵的植入已有多年歷史。於矽技術中,此製程亦作為製程最後幾個步驟中的保護層或刮傷保護層。此製程是利用稀釋的混合氣體,例如氫或氦、矽甲烷,及氨 (NH_3) 或氮分子 (N_2) 兩者擇一,於 300 至 400 °C 的溫度下進行。熱牆及冷牆反應器皆曾應用過。

圖 2.32 為利用 (a) PECVD、(b) 熱且低於大氣壓力之 CVD 及 (c) HDP CVD 所沉積之二氧化矽 (SiO_2) 的橫截面輪廓圖,從此圖中可看出薄膜覆蓋之程度。PECVD 薄膜的條塊狀麵包輪廓可以由改變基板之溫度、功率及壓力來調整。HDP 之輪廓是同步沉積及蝕刻的結果,且可獲致極佳的填充特性。如果蝕刻之速率太快,角落處的結構會被移除或削除 (removed or clipped)。通常此種蝕刻是由於反應室內氬氣的轟擊所造成。

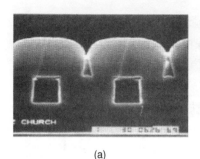 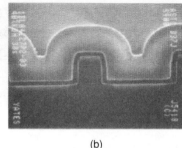 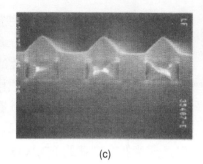

(a)   (b)   (c)

圖 2.32 利用 (a) PECVD、(b) 熱 CVD 及 (c) HDP CVD 所沉積之二氧化矽 (SiO_2) 的橫截面輪廓圖。

沉積介電層的主要應用之一為形成 IC 之金屬連接層間的絕緣層。特別當使用鋁作為金屬材料時，PECVD 提供了所需之低溫成長製程。在此應用中，PECVD 氮化矽層的一個問題是氮化矽 (Si_3N_4) 介電常數值相對上較大，因此當作為兩個金屬層之間的介電層時，將使得節點的電容值變大，使電路的速度變慢。使了使電路之表現提升，可以用 PECVD 氧化層取代氮化矽層。PECVD 二氧化矽層製程可以利用矽甲烷以及氧化劑來進行。可以採用氧，但是矽甲烷與氧之間的反應並不需要電漿來驅動，因此於氣體入口之噴口處以及晶片上方之氣體將有相當多均質的成核化發生，使得晶片表面上具高微粒數，且表面形態不良。亦可以採用二氧化碳，而亞硝酸氧化物 (N_2O) 為避免碳併入之最佳氧化劑。亦有文獻報導，加入氮作為稀釋劑，可改善薄膜的沉積均勻度及再現性。

前面描述了 CVD 之特性：極佳的階梯覆蓋能力以及在低的基板溫度下沉積。階梯覆蓋方面最嚴重的問題之一係於金屬通過接點時產生。特別是對於深次微米元件，除非採用極高的沉積溫度，否則濺鍍沉積的薄膜對於愈來愈高之高深寬比的特徵接點將不再可達到令人滿意的程度。此外為了確保金屬於接點上的覆蓋能力，於蝕刻製程期間必須小心地將側壁蝕刻成傾斜，使接點的底部面積小於頂部的面積。如圖 2.33 所示，為了配合此接點之變寬，典型的金屬線必須有罩子 (cap)，這些罩子會大大地降低線的密度。最後的表面形態為許多逐漸變窄的接點，所以不允許重合的接點或「插塞」結構。另一方面，如果金屬 CVD 得以應用，則可採用垂直接點結構，將其接點填滿並降低其表面起伏。此時不需再利用罩子結構，且階梯覆蓋的問題緩和許多，因此金屬 CVD 是目前高度努力發展中的製程。在各種已嘗試過的金屬中，鎢是最成功的一種[45]。

大部分早期在鎢 CVD 方面的研究是於標準的水平式 LPCVD 爐管中進行[46]。研究發現，鎢並不會附著於爐管壁上，所以其產生之微粒是一個嚴重的問題。然而尚存在另一個問題，鎢的薄膜會有效地遮蔽用於加熱晶片之線圈產生的紅外線輻射 (IR radiation)，此效應會導致均勻度及再現性不佳。由於以上這些問題之故，目前大部分的鎢 CVD 是於冷牆反應器內進行的。由於先驅物具有高度的活性，所以保持反應室內牆的溫度約低於 150 °C，對於製程之成功具有決定性的意義。鎢的來源包括 WCl_6[47]、$W(CO)_6$[48] 以及 WF_6。這些來源之

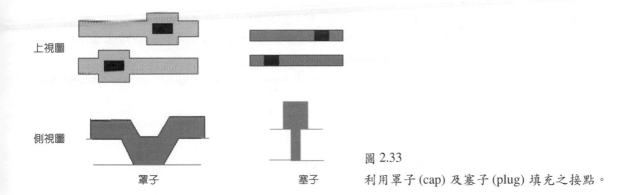

上視圖

側視圖

罩子   塞子

圖 2.33

利用罩子 (cap) 及塞子 (plug) 填充之接點。

中，只有 WF$_6$ 在室溫下為液體，其沸點為 25 °C，其他則為高蒸氣壓之固體。因此大部分 CVD 成長的鎢是利用氫氣 (H$_2$) 為載送氣體，並以 WF$_6$ 來進行製程的，其沉積溫度通常小於 400 °C。

最簡單的一種鎢沉積製程為全面性的 CVD 鎢製程。因為全面性的 CVD 鎢薄膜於氧化層上的附著不良，所以必須先沉積一層薄的附著層。最常用的一種薄膜為濺鍍的或 CVD 成長的氮化鈦 (CVD TiN)，其通常作為鋁之金屬連接線下方的障壁金屬層。然而研究結果顯示，除非於成長之起始相期間即採用矽甲烷，否則鎢於氮化鈦上之沉積實際上有一段起始時間，在該期間內，不會有任何薄膜成長。實驗發現，當以矽甲烷稀釋六氟化鎢 (WF$_6$) 時，若此氣體之混合物富含六氟化鎢 (rich in WF$_6$)，會沉積出純鎢；若此氣體之混合物富含矽甲烷 (rich in SiH$_4$)，則會沉積出鎢的矽化物。雖然典型的沉積速率相當低，鎢 CVD 的最佳階梯覆蓋是利用六氟化鎢及氫分子 (H$_2$) 得到的[49]。因為 CVD 鎢薄膜的主要應用之一即為填充高深寬比之接點，所以這是一個主要的問題。如果薄膜之階梯覆蓋不佳，則當接點的頂端封住時，接點中心將會留下一個空洞。

參考文獻

1. L. B. Valdes, *Proc. IRE*, **42**, 420 (1954).

2. D. K. Schroder, *Semiconductor Meterial and Device Characterization*, New York: Wiley-Interscience (1990).

3. L. J. Van der Pauw, *Phillips Res. Rep.*, **13**, 1 (1958).

4. D. S. Perloff, *J. Electrochem. Soc.*, **123**, 1745 (1976).

5. A. Diebold, M. R. Kump, J. J. Kopanski, and D. G. Seiler, *J. Vacuum Sci. Technol. B.*, **14**, 196 (1996).

6. B. E. Deal and A. S. Grove, *J. Appl. Phys.*, **36**, 3770 (1965).

7. M. M. Aptyalia, in *Properties of Elemental and Compound Semiconductors*, H. Gates, ed., New York: Interscience, 163 (1960).

8. R. S. Ronen and P. H. Robinson, *J. Electrochem. Soc.*, **119**, 747 (1972).

9. D. W. Hess and B. E. Deal, *J. Electrochem. Soc.*, **124**, 735 (1977).

10. J. W. Mayer, L. Erickson, and J. A. Davies, *Ion Implantation in Semiconductors, Silicon and Germanium*, New York: Academic Press (1970).

11. G. Dearnaley, J. H. Freeman, R. S. Nelson, and J. Stephen, *Ion Implantation*, Amsterdam: New Holland (1973).

12. J. F. Gibbons, *Proc. IEEE*, **56**, 295 (1968).

13. D. S. Gemmell, *Rev. Mod. Phys.*, **46**, 129 (1974).

14. N. L. Turner, *Solid State Technol.*, 163, Feb. (1985).

15. S. M. Hu, *J. Appl. Phys.*, **40**, 4413 (1969).

16. C. Hill, in *Laser and Electron Beam Solid Interactions and Materials Processing*, J. F. Gibbsons, L. D. Hess, and T. W. Sigmon, eds., North Holland: Elsevier (1981).

17. K. Knutson, S. A. Campbell, and F. Dunn, *IEEE. Trans. Semicon Man.*, **7**, 68 (1994).

18. K. S. Jones and G. A. Rozgonyi, in *Rapid Thermal Processing Science and Technology*, R. B. Fair, ed., Boston: Academic Press (1993).

19. V. E. Borisenko and P. J. Hesketh, *Rapid Thermal Processing of Semiconductors*, New York: Plenum (1997).

20. A. Leitoila, J. F. Gibbons, T. J. McGee, J. Peng, and J. D. Hong, *Appl. Phys. Lett.*, **35**, 532 (1979).

21. J. R. Marchiando, P. Roitman, and J. Albers, *IEEE Trans. on Electron. Dev.*, **TED-32**, 2322 (1985).

22. R. B. Fair, in *Rapid Thermal Processing Science and Technology*, R. B. Fair, ed., Boston: Academic Press (1993).

23. H. Kinoshita, T. H. Huang, and D. L. Kwong, *Mat. Res. Soc. Symp. Proc.*, **303**, 259 (1993).

24. R. B. Fair, *IEEE Trans. on Electron. Dev.*, **TED-35**, 285 (1988).

25. J. Nulman, J. P. Krusius, and A. Gat, *IEEE Electron Dev. Lett.*, **EDL-6**, 205 (1985).

26. G. Stevens, *Microphotography*, New York: Wiley (1967).

27. M. Bowden, L. Thompson, and C. Wilsons, eds., *Introduction to Microlithography*, American Chemical Soc. (1983).

28. D. Elliott, *Integrated Circuit Fabrication Technology*, New York: McGraw-Hill (1982).

29. W. M. Moreau, *Semiconductor Lithography, Principles, Practices, and Materials*, New York: Plenum (1988).

30. P. Burggraaf, *Semicond. Int.*, **15** (3), 52 (1992).

31. The National Technology Roadmap for Semiconductors 1997 Edition, Semiconductor Inductry Association, San Jose (1997).

32. D. Leers, *Solid State Technol.*, 91, March (1981).

33. F. B. McLean, H. E. Boesch Jr., and T. R. Oldham, in *Ionizing Radiation Effects in MOS Devices and Circuits*, T. P. Ma and P. V. Dessendorfer, eds., New York: Wiley-Interscience (1989).

34. P. Nehmiz, W. Zapka, U. Behringer, M. Kallmeyer, and H. Bohlen, *J. Vac. Sci., Technol. B*, **3**, 136 (1985).

35. S. E. Bernacki and H. I. Smith, *IEEE Trans. Electron. Dev.*, **22**, 421 (1975).

36. J. A. Abate, *Proc. SPIE*, **1223**, 37 (1990).

37. W. A. Kern and C. A. Deckert, in *Thin Film Processing*, J. L. Vossen, ed., New York: Academic (1978).

38. S. M. Hu and D. R. Kerf, *J. Electrochem. Soc.*, **114**, 414 (1967).

39. T. J. Cotler and M. Elta, *IEEE Circuits, Dev. Mag.*, 38, July (1990).

40. I. A. Blech, B. D. Fraser, and S. E. Haszko, *J. Vac. Sci. Technol.*, **15**, 13 (1978).

41. Y. Homma and S. Tsunekawa, *J. Electrochem. Soc.*, **132**, 1466 (1985).

42. J. Bloch, M. Heiblum, and J. J. O'Sullivan, *IBM Tech. Disc. Bull.*, **27**, 6789 (1985).

43. L. C. Hecht, *J. Vac. Sci. Technol.*, **14**, 648, Jan/Feb (1977).

44. A. Sherman, *Chemical Vapor Deposition for Microelectronics: Principles, Technology, and Applications*, Noyes, Park Ridge, NJ (1987).

45. John E. J. Schmitz, *Chemical Vapor Deposition of Tungsten and Tungsten Silicides for VLSI/ULSI Applications*, Noyes, Park Ridge, NJ (1992).

46. E. K. Broadbent and C. L. Ramiller, *J. Electrochem. Soc.*, **131**, 1427 (1984).

47. C. M. Melliar-Smith, A. C. Adams, R. -K. Kaiser, and R. A. Kushner, *J. Electrochem. Soc.*, **121**, 298 (1974).

48. L. Kaplan and F. d'Heurle, *J. Electrochem. Soc.*, **117**, 693 (1970).

49. J. E. J. Schmitz, R. C. Ellwanger, and A. J. M. van Dijk, *Tungsten Workshop III*, 55 (1988).

第三章　矽微加工製程技術

3.1 微機電技術發展歷程與簡介

微機電系統 (micro-electro-mechanical systems, MEMS) 為一多元整合技術，其基礎及應用涵蓋工程、科學和生物醫學等領域。此技術於 1960 年代開始萌芽，於 1990 年代初期廣受歐、美、日等先進國家之關注，除政府部門投入大量研究經費外，產業界亦爭相加入競逐[1]；根據歐洲 NEXUS 之估計，微機電市場規模於 2000 年達美金 142 億元，2004 年將達美金 304 億元，年複合成長率達 21%[2]。

傳統的微機電技術多半仰賴工程師純熟的製程經驗和技術，在矽晶圓 (silicon wafer) 或矽晶片 (chip) 上利用沉積、曝光、顯影、蝕刻等方式依序將所需之微機械結構定義出來，而早期運用之微結構形成機制多半在於利用矽晶片材質的非等向性晶格方向和各不同材質間的蝕刻選擇比來達成微元件裝置。如 1980 年代美國加州大學柏克萊分校戴聿昌博士等人便是利用傳統積體電路製程技術的製作，製造出全世界第一個最小的靜電式馬達 (如圖 3.1 所示)，也因而奠定了往後矽基 (silicon based) 微機電系統技術的研究基石，並且開啟了通往微小世界的另一扇門。今日微機電系統伴隨著漸受重視的光通訊、無線通訊及生醫流體技術而獲致蓬勃發展，故可推斷未來微型化、積體化以及系統化單晶片技術 (system on a chip, SoC)，將是資訊、通訊和消費性電子產業的主流趨勢之一。微機電技術則可提供適時的技術橋樑和嶄新的設計概念。

一般而言，微機電製造技術基本上大致可分為三類：(1) 體型微加工 (bulk micromachining)，(2) 面型微加工 (surface micromachining) 及 (3) 微光刻電鑄模造技術 (LIGA)、微放電加工 (micro electrostatic discharge machining, μ-EDM) 與準分子雷射 (excimer laser) 等方法，各簡介說明如下。

(1) 體型微加工

對基材進行等向及非等向乾／濕蝕刻，且基材材質主要是單晶矽及 Pyrex 玻璃，部分會用到石英或鋯鈦酸鉛 (PbZrTiO$_3$, PZT)。主要優點是單晶矽之機械特性非常穩定，且強度頗佳，於長期振動下不易有弛張 (relaxation) 的現象，所以導航用之微機電感測器會採用單晶

第 3.1 節作者為鄭英周先生及張培仁先生。

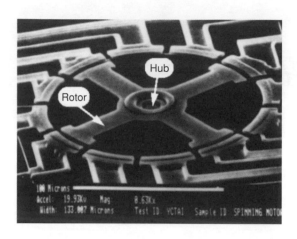

圖 3.1
全世界第一個最小的靜電式馬達。

矽 (或石英) 來製作。此外，需要高深寬比結構之應用，如光纖聯接器，或需要平坦面之應用，如光學振鏡 (vibrating mirror) 等也多採用體型微加工技術。

(2) 面型微加工

　　利用薄膜之成長與蝕刻來建構所需要之結構，如 Cronos 所發展之 MUMPs (multi-user MEMS processes) 製程即屬此類。薄膜材質主要是多晶矽、氧化矽、氮化矽及各種金屬，例如鋁、金、銅等，近幾年也有用到鑽石、碳化矽、PZT 等薄膜。其主要優點是結構設計較具彈性，製程設備與傳統積體電路製程較接近；缺點是在長期振動下易有弛張現象以及殘餘應力會造成結構翹曲等問題，除了美國 Sandia 國家實驗室 (Sandia National Laboratory, SNL) 利用多層化學機械研磨 (chemical mechanical polishing, CMP) 製程以降低此效應之外，一般技術均較不容易得到平整之結構，如圖 3.2 所示[3]。

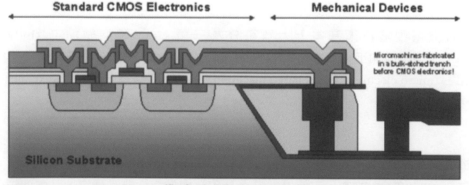

圖 3.2
美國 Sandia 國家實驗室 (SNL) 積體微機電製程示意圖。

(3) LIGA、微放電加工及準分子雷射等方法

　　微光刻電鑄模造技術 (德文：Lithographie, Galvanoformumg, Abformung, LIGA；英文：lithography, electroforming, molding) 是利用 X 光進行厚膜光阻之曝光，並利用電鑄如鎳、鎳鈷及鎳鎢等金屬製作母模，之後用熱壓或旋鍍翻成子模，再利用子模製作最終金屬或陶瓷元件，德國 IMM 公司即是使用 LIGA 製程[4]。LIGA 之優點是可以得到 1 mm 以上高深寬比結構，缺點是必須利用同步輻射源進行曝光，所以應用並不普遍，且在 1 mm 厚度以下有逐漸被 UV-LIGA 取代之趨勢。

　　微放電加工是利用放電及化學蝕刻進行基材加工；準分子雷射 (excimer laser) 則是利用雷射之局部高能量密度把基材移除。兩者之優點均是不用光罩，如果配合精密定位控制能製作三維結構；缺點是兩者均為序列製程 (serial process)，大量製造時速度非常慢。

　　除了上述三類基本製程技術外，亦有三項新進技術值得特別加以介紹：(1) 絕緣層上矽晶 (silicon-on-insulator, SOI)，(2) 聚合物，(3) 與積體電路相容製造技術。

(1) 絕緣層上矽晶

　　絕緣層上矽晶 (SOI) 的材料應用是藉由犧牲層 (sacrificial layer) 二氧化矽的存在，利用下層單晶矽當基板，上層二至數十微米之單晶矽製作結構層，配合 ICP 之深蝕刻技術可以得到高深寬比之單晶矽結構。其優點是同時具有體型微加工單晶矽之優良機械性質與接近面型微加工之設計彈性。缺點是 SOI 晶片比普通矽晶片貴 10 倍以上，所以利用 SOI 技術製作微機電元件之文獻相當多，但是廠商使用較少[5]。一般亦可依晶圓製造方式分為 BESOI (backside-etch silicon-on-insulator) 以及 SIMOX SOI (separation by implantation of oxide SOI) 等。

(2) 聚合物

　　在生物晶片之應用上，一般而言所需結構尺寸較大而且所需之解析度較低，為了降低晶片成本及達到生物相容性，聚合物如 parylene、聚甲基丙烯酸酯 (PMMA) 及 PDMS 等應用日廣。

(3) 與積體電路相容製造技術

　　此即為第 3.4 節所欲介紹之製程方式。前述五種製程方法均無法將微機電元件與積體電路同時整合在同一晶片上 (monolithic integration)，必須採用打線 (wire bonding) 或覆晶接合 (flip chip) 方式將兩者封裝在一起，目前許多已商品化之微機電元件皆採用此方法。但有許多高性能元件由於需要：① 降低雜訊，如 Analog Devices 之加速度計及 MEMSCAP 之微波被動元件；② 降低外連線接點數，如德州儀器公司 (Texas Instruments) 之 DMD (digital micromirror device)、室溫紅外線攝像儀及 600 dpi 以上之噴墨頭等，均必須將微機電元件與積體電路整合在同一晶片上。也就是說，CMOS-MEMS 是利用與 CMOS 積體電路相容之微機電製程技術進行兩者之整合。

3.2 體型微加工技術

3.2.1 簡介

　　近年來微感測器與微致動器技術之精進，絕大部分是仰賴微加工製程技術 (micromachining technology) 之蓬勃發展所致。微加工技術能夠使微小尺寸之機械結構，通常指微米 (μm) 至釐米 (cm) 等級之間，被精確加工並大量製造。一般來說，微加工製程技術可大約分為體型微加工 (bulk micromachining) 及面型微加工 (surface micromachining) 兩種。體型微加工之製造方式乃利用各種不同之蝕刻方法，於塊材上去除材料以製成微結構。以蝕刻方式來說，可約略分為等向性之蝕刻 (isotropic etching) 或非等向性之蝕刻 (anisotropic etching)；而以蝕刻之狀態來分，亦有濕蝕刻 (wet etching) 及乾蝕刻 (dry etching) 兩種。而面型微加工之製造方法則使用多層之薄膜沉積於底材上，經過微影與蝕刻製程分別定義每一層之結構形狀，然後將暫時作為結構層支撐之犧牲層 (sacrificial layer) 以蝕刻方式移除後，即可達到結構釋放 (release) 的目的，形成可自由運作之機械結構。

　　因此體型微加工與面型微加工所能形成之結構有以下之主要差別。(1) 前者可形成較大、較厚之質塊或結構，後者因為受限於薄膜之製程，所能形成之結構厚度及質塊大小較為有限。(2) 前者多以蝕刻時間定義結構之尺寸，且往往因蝕刻選擇比及晶格對準等因素，結構精度上誤差較大；後者以沉積薄膜與微影方式製造，精度控制較前者良好。(3) 與積體電路 (integrated circuit, IC) 積體化而言，前者使用之蝕刻液與蝕刻用遮罩層以及蝕刻完後之結構，與積體電路之相容性問題較多；反之後者多使用與積體電路相容之材料製程，如多晶矽、氧化矽及鋁等，製程上較為相容。(4) 前者所使用之製程設備及過程較後者便宜。因此考慮成本、製程相容度、結構精度與功能性之後，此兩種加工方法往往混用以達成設計之目標，因此必須參考實際應用之需求而定，兩者並無良窳之分。本節將專注於體型微加工製程技術部分，而面型微加工製程技術將於 3.3 節介紹。

　　在濕式體型微加工中，等向性蝕刻方式多使用酸性之溶液將材料蝕刻，因蝕刻液之蝕刻速度不因所蝕刻材料之晶格方向而不同，因此所造成之結構多為半球形或半圓柱體形；而非等向性蝕刻方式則多使用鹼性溶液，其蝕刻所得之形狀與單晶基材之晶格方向相關。除濕式體型微加工外，於近幾年中，使用矽反應離子深蝕刻方式 (deep silicon reactive ion etching) 之乾蝕刻法，亦為製造高深寬比微結構之另一種選擇。至於要如何選擇蝕刻方式，端賴微結構之型態、精度以及前後製程之相容性而定。

　　在體型微加工之材料選擇上，可用於微加工之底材種類相當的多，包含矽、鍺、砷化鎵、磷化銦等半導體材料，二氧化矽、石英、氧化鋁等非金屬材料，以及鋁及銅等金屬材料等。但能用於非等向性蝕刻者，惟具有單晶之結構方可，例如單晶矽、石英以及砷化鎵等。但在如此眾多之材料中，單晶矽為使用最頻繁亦為最重要之體型微加工材料。除其機械特性上之優點外 (將於下一節介紹)，其在半導體積體電路製程中之重要地位、價格便宜，且蝕刻特性已被較清楚掌握等因素，使其成為微系統加工中最重要之材料。因此本節

第 3.2 節作者為曾繁根先生。

將著重說明矽體型微加工之製程及技術。

使用矽體型微加工技術所能製造之結構包含噴孔 (nozzle)[6]、空室 (cavity)[7]、V 形槽、毛細管[8]、光纖接頭等靜態結構[9]；薄膜[10]、懸臂樑[11]、橋樑[12]、振盪器[13] 等動力結構；以及微馬達、微齒輪、針接點 (pin joint)、彈簧、滑塊[14-18] 等可運動結構。這些結構所製成之微感測及致動元件，包含壓力計[19]、加速規[20]、高精度噴孔[21]、熱偵測器[27]、積體化之光柵及光偵檢器[23]、積體化之輻射偵檢計[24]、主被動元件積體化之積體電路[25]、微電子偵檢之探針[26]、側向移動之致動器[27]、微生化反應器[28]、混合器[29]、分離篩檢裝置[30]，以及細胞之培養皿等[31]。藉由體型微加工技術之幫助，這些裝置不但可以微小化，擁有精密之結構，並可以與積體電路整合成為智慧型的系統。因此體型微加工的應用，可謂非常廣泛。

3.2.2 使用矽為機械材料之特性

在微系統領域中，單晶矽為用於微機械結構最多的一種材料。因此除了其為人所熟知的電子特性之外，對其機械特性亦必須要充分了解，以利微結構設計及製造。單晶矽所展現之結構類似鑽石結構，每一原子向外以共價鍵鍵結其他四個原子，如圖 3.3 所示之交聯面心立方結構 (interlocking face-centered cubic)，每一立方體內擁有八個原子[32]。因此以不同方向去檢視此一結構，會獲得不同之晶格面及晶格特性。此等特性，將於非等向性蝕刻技術中詳細討論。

雖然矽晶圓容易因邊緣之缺陷而沿某些晶格面破裂，但總體來說，單晶矽為機械強度相當良好之一種材料。表 3.1[13] 表列了八種常用之機械材料與單晶矽之機械特性。從表中可以比較以下幾種重要之機械特性，包含密度 (density)、楊氏係數 (Young's modulus)、降伏強度 (yield strength)、硬度 (Knoop hardness)、熱膨脹係數 (thermal expansion coefficient) 以及熱導率 (thermal conductivity) 等。在表中可以很清楚的看出，單晶矽有與鋼 (steel) 相仿之楊氏係數、高兩倍之降伏強度，但其密度卻只有鋼的三分之一，接近鋁的密度。由此可以得

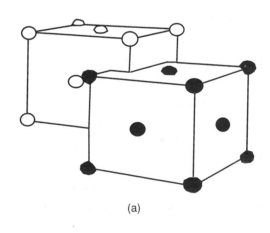

(a)

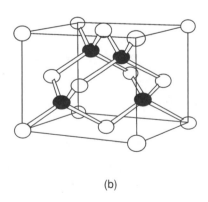

(b)

圖 3.3
(a) 鑽石晶格結構可由兩相互穿透之面心立方體所構成，(b) 矽與鄰近之四個矽原子形成共價鍵。

表 3.1 單晶矽與其他機械材料間之機械特性比較[13]。

	密度 (g/cm³)	楊氏係數 (10^{12} dyne/cm²)	降伏強度 (10^{10} dyne/cm²)	硬度 (kg/mm²)	熱導率 (W/cm°C)	熱膨脹係數 (10^{-6} °C)
鑽石	3.5	10.35	53	7000	20	1.0
氧化矽	2.5	0.73	8.4	820	0.014	0.55
氮化矽	3.1	3.85	14	3486	0.19	0.8
矽	2.3	1.9	7.0	850	1.57	2.33
鋼	7.9	2.1	4.2	1500	0.97	12
不鏽鋼	7.9	2.0	2.1	660	0.329	17.3
鎢	19.3	4.1	4.0	485	1.78	4.5
鋁	2.7	0.7	0.17	130	2.36	25

知，比起鋼來，單晶矽為較輕且強度不差之材料。唯一與鋼之特性較不相同的地方，單晶矽僅能容忍彈性變形，無法像鋼一樣，在材料斷裂前有塑性變形之空間。但也因為如此，單晶矽並沒有因塑性變形所帶來之機械遲滯 (mechanical hysteresis) 效應，這點相當有利其使用於動態之微結構。除此之外，單晶矽的硬度接近石英，比鎢、不鏽鋼和鋁等金屬之硬度高出許多；且其熱膨脹係數較鋼低四分之三，熱導率性能卻比鋼優異一倍。由以上之比較可知，單晶矽以其機械特性之表現來看，實在不輸機械裝置中常用之材料，如鋼及鋁等。雖有如此優良性能，但其脆性材料之特性亦不可完全忽略。在微系統工程中，常用於解決此等問題的方法包含儘量減少尖銳形狀之設計及製程，以避免應力集中現象而減低其抵抗應力之能力；或使用其他性質更強之材料 (如氮化矽) 成為包覆層，以增加對應力的抵抗；或儘量減低其與其他接合底材之間的內應力等。在適當的處置之下，脆性問題往往可以避免。

除了這些常用的機械特性之外，單晶矽還擁有一項其他金屬材料望塵莫及的特性，就是其擁有相當好的壓阻特性 (piezoresistive effect)[33]，其壓阻之量規因子 (gauge factor) 為一般金屬的數十至數百倍，因此可製造相當靈敏之壓阻式感測器，此類感測器亦為微機電系統常使用之主要感測方式之一。透過積體化之製程，此類壓阻感測器極容易與積體電路製程整合，而成為低價、高靈敏度的偵測系統。

由此可知，使用單晶矽作為微結構之材料，有相當多之優越特性。因此以下幾小節將介紹如何使用濕蝕刻方式來體型微加工單晶矽基材，使其成為有用之微結構。

3.2.3 矽等向性濕式蝕刻

所謂等向性蝕刻是指在所有不同之晶格方向，皆有相同之蝕刻速率。當單晶矽接受等向性蝕刻時，所蝕刻的部位多半形成圓弧化之形狀。等向性蝕刻可用於形成半球形、半圓柱形或圓化之形狀，而此一蝕刻等向特性可應用於圓化非等向性蝕刻所形成之尖銳角落，以避免應力集中現象，移除其他蝕刻後之粗糙表面，或蝕刻單晶、多晶或非晶矽之薄膜以形成結構等。

在單晶矽的等向性蝕刻中，通常使用的蝕刻液為酸性溶液，其中以氫氟酸／硝酸／醋酸 $(HF/HNO_3/CH_3COOH)$ 所配成之 HNA 溶液最為普遍[34-37]。水或醋酸在此溶液中可作為稀釋溶劑，但因醋酸可以防止硝酸之分解，因而保持硝酸之氧化能力，所以較水為佳。

HNA 系統蝕刻矽的過程，可由下列簡單的化學反應模型解釋。在此系統中，硝酸扮演氧化劑之角色，引發矽中之電洞 (h^+) 注入矽之價軌區 (valance band)，造成矽之氧化。被氧化之矽接著與氫氧根離子 (OH^-) 反應形成二氧化矽，緊接著被氫氟酸溶解形成水溶性之 H_2SiF_6。

硝酸所引發之電洞注入反應如下：

$$HNO_3 + H_2O + HNO_2 \rightarrow 2HNO_2 + 2OH^- + 2h^+ \tag{3.1}$$

矽與氫氧根離子 (OH^-) 之反應如下：

$$Si^{4+} + 4OH^- \rightarrow SiO_2 + H_2 \tag{3.2}$$

氫氟酸與二氧化矽之反應為：

$$6HF + SiO_2 \rightarrow H_2SiF_6 + 2H_2O \tag{3.3}$$

其總反應為：

$$Si + HNO_3 + 6HF \rightarrow H_2SiF_6 + HNO_2 + H_2O + H_2 \tag{3.4}$$

HNA 系統早在 1960 年代已有相當完整的研究。圖 3.4 所列之等蝕刻率圖 (iso-etch)[36] 說明以不同蝕刻配方所造成蝕刻速率變化。此系統所使用之氫氟酸濃度為 49.2 wt%，硝酸濃度為 69.5 wt%。圖中虛線部分為使用水為稀釋溶劑，而實線部分則代表醋酸。此蝕刻系統有以下之特性：

(1) 在高濃度氫氟酸及低濃度硝酸之蝕刻系統中 (圖中靠上邊處)，等蝕刻率曲線大約平行於等硝酸濃度線，因此硝酸之量決定蝕刻速度。在此區域中，因二氧化矽一旦產生便快速的被氫氟酸移走，因此矽表面之其他因素，如矽之摻雜物質濃度、缺陷、其他雜質等，極容易影響硝酸之氧化速度，因而造成不穩定之蝕刻表面，因此所造成之蝕刻表面較為粗糙，此外溫度對此一區域的影響也較大。

(2) 相反的，高濃度硝酸及低濃度氫氟酸之蝕刻系統中 (圖中靠右下邊處)，等蝕刻率曲線大

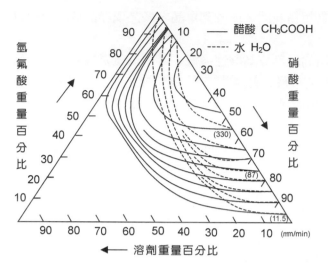

圖 3.4

HNA 蝕刻系統之等蝕刻率圖[34]。

約平行於等氫氟酸濃度線，因此氫氟酸之量決定蝕刻速度。因為二氧化矽於此區域中保持一定之厚度，此區域之蝕刻完全為等向性，且有拋光之功效，因此所產生之蝕刻表面為光滑面，且溫度之影響較小。

(3) 在高蝕刻速率區 (圖中靠右斜線中上處)，兩種酸扮演相同重要之角色。而增加醋酸之量，對於蝕刻速率之改變，較增加水量不明顯。因為醋酸有穩定硝酸氧化能力之效果，因此增加醋酸量對於硝酸氧化能力之改變較小。

　　使用等向性蝕刻所產生之結果如圖 3.5 所示。蝕刻液由蝕刻遮罩之下方不但往下蝕刻，並且還往側向蝕刻，不但造成圓滑之蝕刻前緣，更造成底切現象 (undercut)。此種底切現象使蝕刻圖形隨蝕刻時間增加而變大，因此不容易精確定義蝕刻圖形。這是想要使用等向性蝕刻製作精確結構所必須注意的。

　　此外，因 HNA 系統之氧化及蝕刻能力相當強，作為遮罩之材料往往不易抵擋此蝕刻液之蝕刻，因而造成遮罩於蝕刻過程中損壞之問題。因此遮罩材料之選擇，便成為極重要之步驟。一般的光阻 (photoresist) 並無法於此一氧化力強的環境中存留許久，因此不適合作為遮罩材料。可短時間 (數分鐘內) 阻擋蝕刻的材料，包含熱成長之氧化矽層 (thermal SiO_2)，蝕刻速度約為 0.1 μm/min；化學氣相沉積之氧化矽層 (CVD SiO_2)，蝕刻速度約為 0.5 μm/min；以及無摻雜之多晶矽 (polysilicon)，蝕刻速度約為 0.7－40 μm/min[38]。若需要較長時間之蝕刻，可選擇低壓化學氣相沉積之氮化矽層 (LPCVD Si_3N_4)，蝕刻速度約為 0.1 nm/min；或金／鉻之薄膜等遮罩層[38]。

3.2.4 矽非等向性濕式蝕刻

　　單晶矽非等向性蝕刻之特性，與其晶格結構及晶格面有關。在深入探討各種不同晶圓

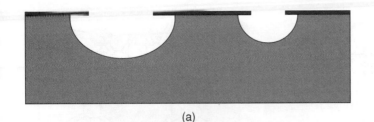

(a)

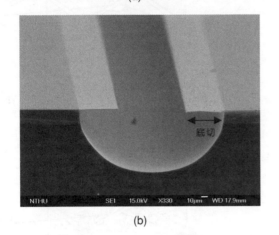

(b)

圖 3.5
等向性蝕刻所造成之圓柱狀蝕刻凹槽：(a) 等向性蝕刻示意圖；(b) 蝕刻所得結構電子顯微鏡圖。注意在遮罩層下方蝕刻所造成之底切現象。

所蝕刻出之形狀前，首先必須了解單晶矽之各晶格面結構及特性。矽在沒有結晶之情況下，如圖 3.6(a) 所示，為非晶格結構 (amorphous)，其原子間之排列為散亂型態，無任何整齊之結構。當其結構為多晶 (polycrystalline) 時，如圖 3.6(b) 所示，有許多微小之單晶以不同之方向緊鄰於基材內，且單晶與單晶間形成許多晶格界面。而單晶矽之結構，如圖 3.6(c) 所示，有相當完整之晶格結構，所有的原子依一定之次序整齊排列於晶格結構中。

　　單晶矽之晶格結構，如圖 3.7 所示之交聯面心立方結構。交聯之方式為每一立方體中皆有四個原子由其他立方體之原子所提供。每一單位立方體可以用一個直交線性座標系統 (rectilinear coordinate system) 來描述晶格方向及晶格面。每一晶格方向使用三個座標量表示，稱為米勒指標 (Miller index)。這些指標之量為晶格長度之整數倍。相同的，每一晶格面可使用同樣的指標系統以表示晶格面之法線方向。在非等向性蝕刻時，了解晶格面方向相當重要，因為於不同之晶格面所得之蝕刻速率並不相同。在矽單晶中，最常被提及的有三個面，包含 (100)、(110) 以及 (111)。(100) 面如圖 3.7(a) 所示，其法線向量平行於 x 軸，於單位晶格中有五個原子，包含四個於角落以及一個於面中心之原子。這些原子與同一平面其他晶格之原子可形成斜 45° 方向縱橫交錯之規則棋盤結構，如圖 3.8(a) 所示。(110) 面如圖 3.7(b) 所示，其 (110) 法線方向與 (100) 方向差 45° 角，與平面相交原子共有八個，而由右前方向左後方觀察，可見規則之非對稱六角形結構。而 (111) 之晶格面如圖 3.7(c) 所示，與三個軸分別相交，且焦點與原點之距離相同，由右上方往左下方觀察，為規則之正六角形結構，亦為六方最密堆積，如圖 3.8(b) 所示。

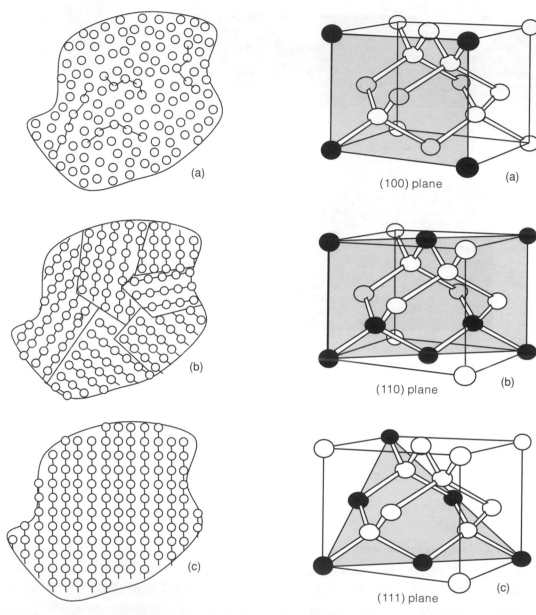

圖 3.6 固體依照原子排列規則之一般分類：(a)
　　　 非晶格；(b) 多晶；(c) 單晶。

圖 3.7 三個重要的矽晶格面：(100)、
　　　 (110)、(111) 平面，分別與圖中
　　　 黑色原子相交。

　　在許多鹼性蝕刻液蝕刻單晶矽中，可以發現單晶矽之 (111) 面通常為蝕刻最緩慢之面，
且甚至可達到其他晶格面蝕刻速度之千分之一。是何等原因造成此一結果，目前尚無定
論，但有以下不同之推論及假說。(1) (111) 面為原子密度最大之面 (所指為單位面積之原子

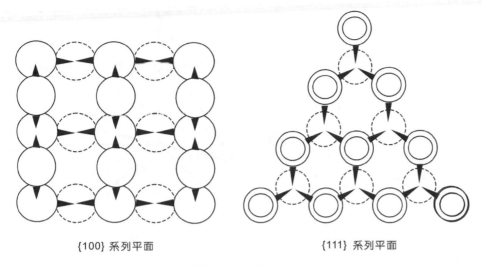

{100} 系列平面　　　　　　　　　　{111} 系列平面

圖 3.8 矽單晶結構之 {100} 及 {111} 系列平面。

數)。(2) (111) 面較其他晶格面易於生成氧化矽,形成保護膜。(3) 在 (111) 面上,每一原子背後有三個共價鍵與基材相連,如需將此原子移走,所需之能量將比移走其他晶格面之原子 (如 (100) 面僅有兩個背後原子鍵結) 要高許多。雖然如此,這些因素中,每單一因素所造成這些晶格面性質的差異,最多不到兩倍,但何以蝕刻速度甚至可以差到數十至數百倍,為這些理論所無法完全解釋的。因此造成此等現象之原因,可能為以上所有因素之組合。

　　以下將分別介紹於不同方向之晶圓上,以非等向性蝕刻所能形成之各種不同的微結構。

(1) 〈100〉矽晶圓

　　在 (100) 矽晶圓上,[100] 所指之方向為晶圓正面之法線方向。而矽晶圓大平邊之垂直方向為 [110] 方向,如圖 3.9 所示。在此讀者所要注意的是,使用小括弧表示之平面為特定之平面,而相同系列之平面 (如 (100)、(010)、(001)、(1̄00)、(01̄0)、(001̄)) 則使用大括弧 {100} 統一表示。特定平面之法線方向,則使用中括弧表示。例如 (100) 平面之法線方向為 [100],而與此類似系列之方向,包含 [100]、[010]、[001]、[1̄00]、[01̄0] 以及 [001̄] 等六個方向,可使用 〈100〉 方向統稱。相同的,{110} 系列面共有十二組特定面,而 {111} 系列面共有八組特定面,請讀者留意。因為 {111} 面為非等向性蝕刻中最緩慢的面,因此蝕刻終止時所看到的面,往往是此系列之面。為能讓讀者充分了解非等向性蝕刻與此系列面之關係,因此特將 {111} 系列八個面所形成之正八面體依照 〈100〉 晶圓之晶格方向繪製於晶圓之上。在此八面體之正中心點為原點,由原點向八面體六個尖角所連線方向為 〈100〉 系列方向;由原點向八個面作垂直線所得之方向為 〈111〉 系列方向;相同的,由原點向十二個邊中點連線之方向為 〈110〉 系列方向。因此圖 3.9 中之八面體的一邊恰好與 〈100〉 晶圓大平邊平

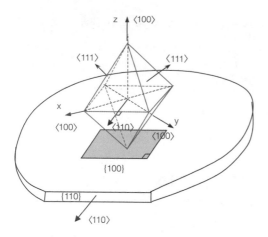

圖 3.9 ⟨100⟩ 矽晶圓之晶圓平面及大平邊與
　　　矽晶格各平面間之關係。

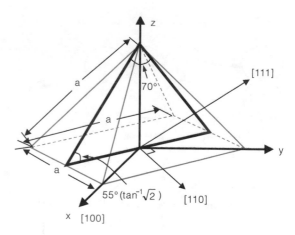

圖 3.10 不同矽晶格面間之幾何及角度關係。

行，因其垂直方向同為 ⟨110⟩ 方向；而八面體之一尖角恰與 ⟨100⟩ 晶圓之平面垂直，同為 ⟨100⟩ 方向。

　　此一八面體各面間之角度關係，可由圖 3.10 之半八面體經幾何之計算而得知：頂角為 70 度，任一斜面與底平面之夾角約為 55 度。這些角度相當重要，因為爾後之蝕刻所得形狀，與這些角度及八面體方向有關。因此如果我們於 ⟨100⟩ 矽晶圓上打開一方形之蝕刻窗戶，且讓此窗戶之邊與 {110} 邊 (亦為晶圓之大平邊) 平行，如圖 3.11(a) 所示，所蝕刻出之形狀為一倒金字塔形，正如圖 3.9 所示之正八面體的下半部形狀。如果所開之窗戶較大，在蝕刻沒有完成前就停止的話，倒金字塔之頂端並無法完全形成，仍留下 {100} 平面，如圖 3.11(b) 所示。若繼續蝕刻且時間夠長，此一形狀仍可被完全蝕刻，最後停在 {111} 面所形成之倒金字塔形狀上。一旦所有之面形成 {111} 面所組成之結構，因其蝕刻速度甚低，因此在蝕刻液中仍可長時間保留相同之形狀。如果所開之蝕刻窗戶為長方形而非正方形，如圖 3.11(c) 所示，所形成之結構仍為四個 {111} 面所構成，但不同的是，底部之結構為倒金字塔形狀往長邊方向延伸所形成之 V 字形槽。

　　以上所舉之例其蝕刻窗形狀皆為凹角 (小於 180 度之角)，如果蝕刻中遇到凸角時，蝕刻又會如何進行？可以用圖 3.12 作一說明。圖 3.12 中之蝕刻形狀包含兩個凸角，當蝕刻進行時，原本以為會如圖 3.12(a) 所示，蝕刻會停留於六個 {111} 面上。但相反的，其兩個凸角處並無法阻擋蝕刻之進行，因而造成凸角攻擊 (corner attack) 之底切現象 (undercut)，如圖 3.12(b) 所示。此一凸角會一直被蝕刻，一直等到退到凹角所形成之 {111} 面為止，如圖 3.12(c) 所示。凸角攻擊的結果雖不能形成所要之山丘狀結構，但妥善利用底切之效果，卻可以因下方材料之掏空而形成遮罩材料的懸浮結構，如圖 3.12(c) 所示之懸臂樑。因此如果所開之蝕刻窗戶為其他任意形狀，圖 3.12(d) 所示，最後之蝕刻結果會停留於包圍此一形狀之最小 V 形槽。

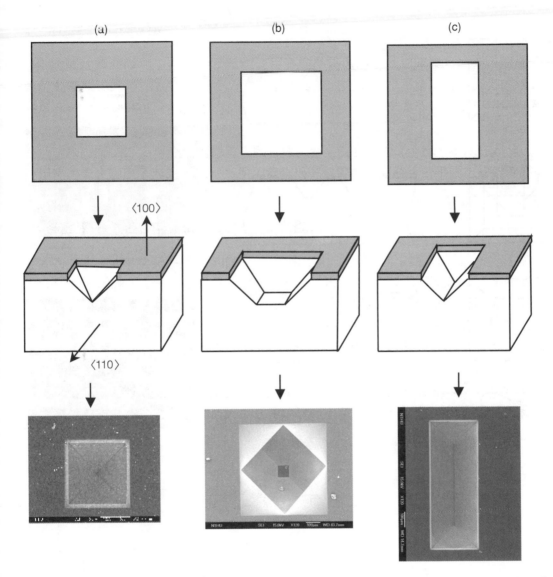

圖 3.11 〈100〉矽晶圓上不同尺寸之長方形蝕刻窗在體型微加工後所形成之形狀，注意所有的斜面皆由 {111} 面所形成。

　　為能解決凸角攻擊問題以製造凸起之結構，角落補償之技術因而被發展且廣泛使用。其詳細之方法將於角落補償技術一節敘述。

(2) 〈110〉矽晶圓

　　{111} 面所形成之正八面體，在 〈110〉晶圓上之相對位置如圖 3.13 所示。在 〈110〉晶圓上，〈110〉所指之方向為晶圓平面之法向量，正如八面體中心點連於一邊中心之方向。而〈110〉晶圓大平邊所指之方向為 〈111〉之方向，正如八面體一面之法線方向。此八面體投影

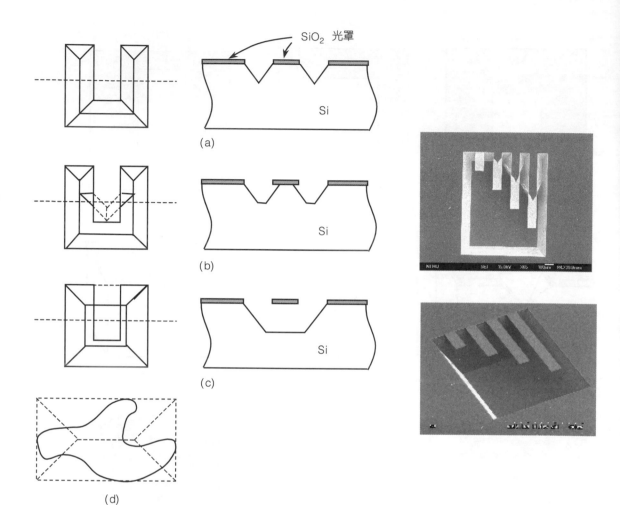

圖 3.12 懸臂樑結構可由凸角攻擊之底切作用形成。

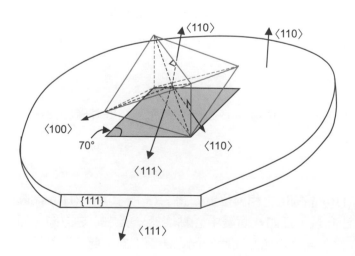

圖 3.13

〈110〉矽晶圓之晶圓平面及大平邊與矽晶格各平面間之關係。

於晶圓面所得之形狀為頂角 70.52 度互補角 109.48 度之平行四邊形。因 {111} 面為蝕刻所停留之面，因此在 ⟨110⟩ 晶圓上蝕刻所得之最後形狀將與所示之八面體位置相關。

　　如果仔細的觀察此八面體，將會發現其中有四個 {111} 面垂直於晶圓表面。因此如果於 ⟨110⟩ 晶圓表面打開一平行於此四面中任兩平行面之長窗，如圖 3.14 中 A-A′ 與 B-B′ 截面所示，所形成之蝕刻凹槽將垂直於晶圓表面，正如八面體所預測一般。如果此一長窗夠長，所形成之垂直通道甚至可以貫穿晶圓。這是一種可以用來製造高密度印表機頭流體通道之關鍵技術。當所開之蝕刻窗非平行於前述之任兩平行面，而是與平行四邊形大頂角連線平行時，所得之蝕刻形狀將停留在極淺之 V 形槽上，並無法形成垂直微通道，如圖 3.14 C-C′ 截面所示。因此將蝕刻長窗對準正確晶格方向是極重要的，否則無法形成正確之微結構。對於任意形狀之蝕刻窗開於 ⟨110⟩ 晶圓上時，所形成之結構如圖 3.15 所示，將被一從上方看似六角形之結構所包圍，類似 ⟨100⟩ 晶圓蝕刻時可見之倒金字塔形狀。此一類似六角形之結構經仔細查看，實為圖 3.13 之八面體除去上部及部分下部所形成的結構。由 A-A′ 截面可得矽晶面與平面夾角為 35 度，而由 B-B′ 截面可得垂直之矽截面。

(3) ⟨111⟩ 矽晶圓

　　對於 ⟨111⟩ 矽晶圓而言，八面體之位置變換如圖 3.16 所示。垂直晶圓平面之方向為 ⟨111⟩ 之方向。在 ⟨111⟩ 晶圓上沿平行 ⟨122⟩ 方向開一圓形之蝕刻窗，所得之蝕刻形狀為一八面體型，其側邊六個面中，有三個面朝上，其餘三個面朝下。因為最上之面及最下之面皆為 {111} 面，因此其間距離將不易因蝕刻時間而變化。

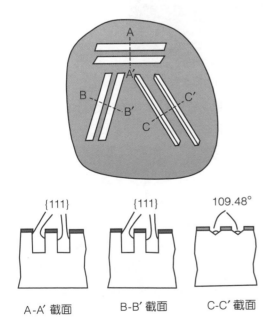

圖 3.14
⟨110⟩ 矽晶圓上所蝕刻出之垂直壁長通道。注意遮罩所需對準之方向。

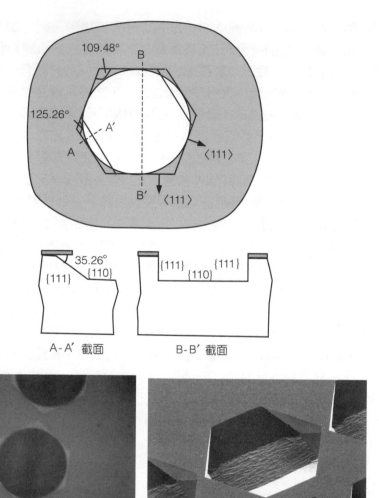

〈110〉矽晶圓非等向蝕刻結構上視圖　　　　〈110〉矽晶圓非等向蝕刻結構電子顯微鏡圖

圖 3.15　圓形之蝕刻窗於〈110〉晶圓上非等向性蝕刻所得之結構。由上視圖可得包圍此蝕刻窗之六
　　　　角形，其中有四個面為 {111} 面，垂直於 {110} 晶圓平面。

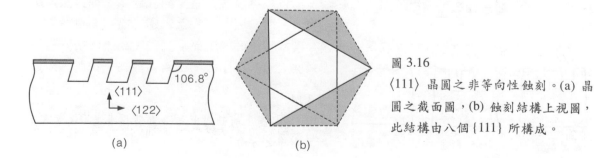

(a)　　　　　　　　　　　　　　　(b)

圖 3.16
〈111〉晶圓之非等向性蝕刻。(a) 晶
圓之截面圖，(b) 蝕刻結構上視圖，
此結構由八個 {111} 所構成。

3.2.4.1 蝕刻液之選擇

常用之體型微加工蝕刻液包含 EDP (ethylenediamine-pyrocatechol-water)、KOH (potassium hydroxide)，以及 TMAH (tetramethylammonium hydroxide)，以下將分別介紹。

(1) EDP

EDP 蝕刻液由三種成分組成，包含 ethylenediamine、pyrocatechol 以及水，其中水成分的多寡決定蝕刻速率。最高蝕刻率出現於水與 ethylenediamine 之莫耳數比為 2 時，蝕刻速率與矽之導電率大小無關。最早是由 Finne 及 Klein 改良 hydrazine-pyrocatechol 溶液而成[39]。

Pyrocatechol 於此溶液中之角色亦被廣泛的研究過，當其添加量由最高之 3.7 莫耳分率降至 0 時，蝕刻速率可由 35 μm/h 降至 18 μm/h，因此 pyrocatechol 於此蝕刻系統中並非必要之成分，其角色可能因控制氫氧根離子 (OH⁻) 之多寡而影響蝕刻速率。

Finne 及 Klein 亦提出 EDP 蝕刻之化學機制[39]。在此機制中，要注意的是水為必要之成分，此系統一旦缺乏水之成分，將完全無蝕刻之效果。

$$2NH_2(CH_2)_2NH_2 + Si + 3C_6H_4(OH)_2 \qquad (3.5)$$
$$\rightarrow 2NH_2(CH_2)_2NH_3^+ + [Si(C_6H_4O_2)_3]^{-2} + 2H_2$$

EDP 因具有毒性，因此至今已較少使用，許多其他研究可參考相關文獻[9,39,40]。

(2) KOH

KOH 水溶液系統為最常用之非等向性蝕刻液之一。在接近飽和之水溶液中 (與水 1：1 混合重量比)，以 80 °C 蝕刻單晶矽時，可獲得均勻且明亮之表面。當蝕刻溫度高於 80 °C 時，非均勻度開始增加。加入異丙醇 (isopropyl alcohol, IPA) 之 KOH 水溶液亦為常用之蝕刻液，在 J. B. Price 的論文中有詳細之討論[41]。一般工業製造上所常使用之蝕刻液比例為 40% 之 KOH，加上足夠之異丙醇至飽和溶液。無論是否有異丙醇加入，KOH 之蝕刻速率與蝕刻溫度及濃度有相當大之關係。在 KOH 水溶液中，最大之蝕刻速率發生在 10－15 wt%，如於 IPA 之飽和溶液中則為 30 wt%。KOH 所造成之晶格面選擇比較 EDP (約 20－30 間) 大許多。例如 50 wt% 之 KOH 水溶液在 85 °C 的蝕刻條件下可造成 (100) 面與 (111) 面之蝕刻速度比為 200：1[42]，甚至可更大。但因 KOH 對鋁之強烈侵蝕性以及對氧化矽之高蝕刻率，因此不容易相容於積體電路製程。

(3) TMAH

相較於前兩種蝕刻液，雖然 TMAH 的蝕刻速率及晶格面選擇比較低，但對於積體電路卻有較好之相容性，因此也成為非等向性蝕刻中常用之蝕刻液。因 TMAH 之沸點為 130 °C，因此於常用之蝕刻溫度 (70－90 °C) 下，其組成及蝕刻速度較為穩定。在 10% 的水溶液中，(100)/(111) 面之蝕刻速率比可達 12.5。最快之蝕刻速度出現於 90 °C 的 20 wt% 水溶液時，可達 0.68 μm/min。濃度較低的 TMAH 溶液 (< 15 wt%) 容易於蝕刻表面出現凸丘 (hill-lock) 的現象，但此現象在使用 20 wt% 以上之溶液時可獲改善。雖然 TMAH 對氧化矽或氮化矽之蝕刻速率較低，但高 pH 值之 TMAH 水溶液仍會對鋁造成蝕刻作用。因此如要使用 TMAH 並與積體電路製程相容，利用加入氧化矽或溶解一定量之矽於溶液中以降低 pH 值，為保護積體電路上鋁線之常用蝕刻方法。

3.2.4.2 遮罩材料之選擇

非等向性蝕刻液往往有相當良好之材料選擇性，也就是可以使用不同之材料作為蝕刻遮罩。氧化矽 (silicon dioxide)、氮化矽 (silicon nitride)、鉻 (chromium)、金 (gold) 等為常用之蝕刻遮罩材料。EDP 不蝕刻金、鉻、銀或鉭 (tantalum) 等材料，且對於氧化矽及氮化矽等材料蝕刻速率甚低，因此以上材料皆適合成為 EDP 之蝕刻遮罩。但要注意的是，EDP 會蝕刻鋁 (aluminum)，因此與積體電路相結合之微結構製造並不適合使用 EDP。對於 KOH 而言，幾乎很少材料可以成為其蝕刻遮罩，其對氧化矽之蝕刻速率亦相當快，所以低壓沉積之氮化矽 (LPCVD Si$_3$N$_4$) 或低應力氮化矽 (low stress silicon nitride) 為少數可以作為蝕刻遮罩之材料。TMAH 對於氧化矽及氮化矽有相當高之選擇比，而且如果使用適當之配方，還可以對鋁有不錯之選擇比。且因其不含金屬離子，因此相容於積體電路製程。CsOH 對於 (110) 之矽平面與氧化矽間有超過五千以上之選擇比，且對於鉭有相當低的蝕刻率，因此氧化矽及鉭為 CsOH 良好之蝕刻遮罩。正確選擇蝕刻遮罩為完成良好之體型微加工結構非常關鍵之因素，因此不可不慎。

3.2.5 角落補償技術

在非等向性蝕刻中，凸角之結構往往遭到蝕刻液之底切而破壞，因此如何保護凸角以造成突起之完整結構，為許多角落補償技術所要研究的。角落補償技術 (corner compensation technology)[38] 之原理為延伸角落之結構成為犧牲結構，延遲對角落之蝕刻動作，以達保護角落結構之目的。以 KOH 為例，在 40 wt% 水溶液之情況下，對 (110) 面之蝕刻速度較 (100) 面為快。因此當所設計之角落補償圖形與 (110) 面平行時，底切所造成之面為 (100) 面，如圖 3.17(a) 所示。當蝕刻進行至接近原圖形之角落時，會將角落部分沿 45° 方向截角，如圖所示。因此若要造成完整之尖角，角落補償之長方圖形必須向 (100) 方向延伸，如圖 3.17(b) 所示。如此經過蝕刻過程才能獲得對稱之蝕刻前緣 (沿 45° 方向)，最終保持完整之尖角結構。蝕刻所形成之高台 (mesa) 結構如圖 3.17(c) 所示。

但對部分 EDP 蝕刻液而言，與 KOH 不同的是，(100) 面之蝕刻速度較 (110) 面為快 (對某些特別成分而言)。因此圖 3.17 角落補償部分對其來說，所會形成之蝕刻面為 (110) 面，因此所需之補償結構為圖 3.18 所示，在角落部分有平行 (110) 方向之小正方形結構。經由正確之角落補償圖形，不論是 KOH 或是 EDP 皆可獲得完整矽高台結構。

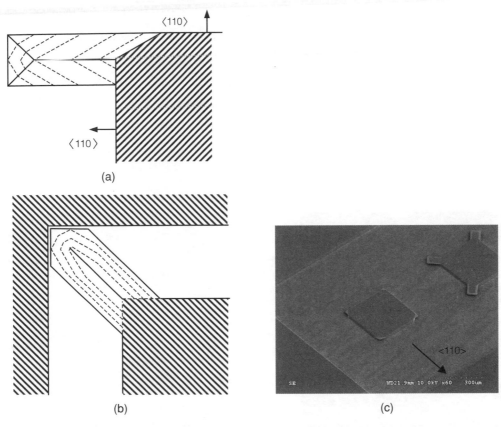

圖 3.17 KOH 非等向蝕刻角落補償方式。(a) 沿 〈110〉 方向角落補償結構，(b) 沿 〈100〉 方向角落補償結構，(c) 角落補償之蝕刻結果。

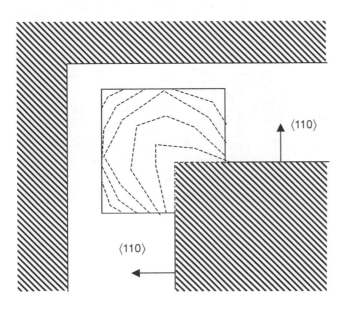

圖 3.18
EDP 非等向蝕刻所使用之角落補償結構：四邊沿 〈110〉 方向之正方形角落補償結構。

　　至於角落補償圖形之長度及寬度，必須大於所需蝕刻深度之兩倍以上，否則在到達蝕刻深度之前，尖角部分已被底切而截角。為使晶圓空間能充分運用，角落補償圖形可使用橫向摺疊或延伸方式設計，以減少對面積之佔用。

　　對於平行於 ⟨100⟩ 方向之長方形結構，KOH 蝕刻所造成之側面為 ⟨100⟩ 系列之垂直面，因其餘 ⟨100⟩ 方向之蝕刻速度較 ⟨110⟩ 方向為慢，如圖 3.19(a)、(b) 所示。相對的，EDP 蝕刻所得之側面與底面之夾角為 135°，因其對 ⟨110⟩ 面蝕刻較 ⟨100⟩ 面慢，如圖 3.19(c)、(d) 所示。此兩種蝕刻方式，可分別製造垂直底面以及夾角為 45° 之鏡面，為微光學系統所使用。

圖 3.19 KOH 及 EDP 非等向蝕刻於沿 ⟨100⟩ 方向之長方形結構側邊所造成不同之底邊夾角。(a)
　　　KOH 蝕刻之結構全貌；(b) 一側邊之放大，側邊與底邊夾角 90°；(c) EDP 蝕刻之結構全
　　　貌；(d) 一側邊之放大，側邊與底邊夾角為 135°。

3.2.6 蝕刻終止技術

在濕式體型微加工中，除了可以使用不同晶格方向之蝕刻速度差異外，使用時間來定義蝕刻深度或範圍亦為常使用之方法，但所能造成之精度並不佳，且控制方式較麻煩。幸好單晶矽之蝕刻速度除靠晶格方向決定外，其所摻雜之外來原子亦為重要控制參數之一。如能巧妙的同時控制晶格之蝕刻方向及摻雜濃度，許多微結構，如薄膜、薄板之厚度將可較精確的控制。以下將介紹兩種與摻雜相關之蝕刻終止技術 (etch-stop technology)[43]：一為使用高濃度之硼原子摻雜，另一為使用電化學方式選擇蝕刻終止於不同之摻雜層界面。

(1) 高硼原子濃度 (High Boron Concentration)

在文獻 44 中曾發現，矽的蝕刻速度與所摻雜之硼原子濃度有相當密切之關係，如圖 3.20 所示。當硼原子的濃度高到接近 2.5×10^{19} cm^{-3} 時，蝕刻速度隨硼原子濃度增加而快速下降，且下降幅度約與濃度四次方成反比[39]。此一與濃度相關之蝕刻控制可非常有效的運用於蝕刻終止之控制。例如如圖 3.21 所示，當使用 IC 製程中常用之 p^+ 作為蝕刻終止之界線時，因其硼離子濃度高於 10^{20} cm^{-3} 以上，所以在 EDP 中之蝕刻速度由圖 3.20 可知，較低摻雜濃度之單晶矽慢 100 倍以上。因此當蝕刻液碰到此層時，蝕刻速度趨緩而如暫停之狀態，因此可利用摻雜之深度精確控制薄膜厚度。但薄膜因摻雜相當多之外來原子，其所造成之殘餘壓應力往往於薄膜釋放時造成薄膜隆起現象，為製造微結構時所要注意的。

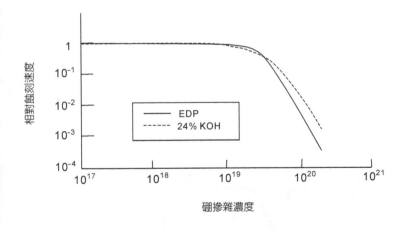

圖 3.20
KOH 及 EDP 於矽晶圓上之蝕刻速度對所摻雜硼原子濃度的關係[44]。

(2) 電化學輔助之蝕刻終止 (Electrochemically Controlled Etch Stop)

在某些微裝置之製造上，例如壓阻式之感測器，是無法在高摻雜濃度之單晶矽上製造的，因此前面所述之蝕刻終止技術並不適用。取而代之的便為電化學輔助之蝕刻終止方式。這種方式所需之摻雜濃度較前者低許多 (約於 10^5 cm^{-3})，但必須要有 pn 接面形成二極體才可使用，早期有相當多之相關研究[6,9,10,12]。其原理如圖 3.22 所示。pn 交接面之形成方式，可在 p 型之矽晶圓上用磊晶方法成長一層 n 型之矽單晶，然後將此晶圓與一不與蝕刻液反應之金屬相接。晶圓之 n 型矽單晶層則透過此電極連接至正極，因此 p 型單晶矽層所在之區域便成為負極，造成這個大型的二極體承受逆向偏壓，而 pn 接面之間產生一約 0.7 V 以上之壓降。當 p 側之負電位低於 Flade 電位時，蝕刻便有效的開始。蝕刻一直進行到 p 側被蝕刻完畢而蝕刻液接觸 n 側時，此時因 pn 接面被破壞，表面之電位升高至正電位，亦為氧化電位，因此表面開始形成氧化層而停止蝕刻。因此結構之厚度可依 n 層之厚度決定，並不需要高濃度之摻雜。所使用之蝕刻液可為 KOH、EDP 或 TMAH。

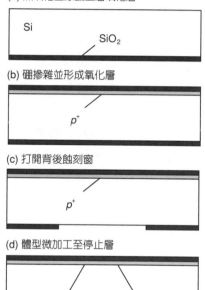

(a) 熱氧化並除去上層氧化層

(b) 硼摻雜並形成氧化層

(c) 打開背後蝕刻窗

(d) 體型微加工至停止層

圖 3.21
使用高濃度之 p^+ 層形成非等向性蝕刻終止層。

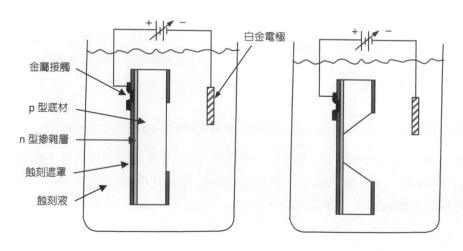

白金電極
金屬接觸
p 型底材
n 型摻雜層
蝕刻遮罩
蝕刻液

圖 3.22
電化學蝕刻終止技術
原理示意圖。

3.2.7 體型微加工範例

使用濕式體型微加工技術，在常用的 〈100〉 矽晶圓上，可形成之微結構如圖 3.23 所示，其中包含空室、長溝、薄膜、噴嘴、懸臂樑、橋、高台等各式可能之結構。所應用之範圍極廣，包含壓力計、加速度計、陀螺儀、觸覺感測器、麥克風等微感測器；噴墨頭、微幫浦、微閥等致動器；以及微流通道、微井、微混合器、微分離器等微流體裝置，因此為一價廉且實用價值相當高之微加工技術。

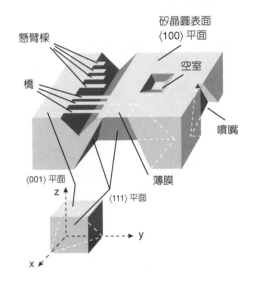

圖 3.23
〈100〉 矽晶圓於非等向性濕蝕刻中，所能形成之各種微結構示意圖。

3.3 面型微加工技術

微機電系統工程 (micro-electro-mechanical systems, MEMS) 的製造技術，一般而言，簡稱為微加工技術，可分為體型微加工技術 (bulk micromachining) 及面型微加工技術 (surface micromachining)。這兩類微製造技術之最大差異在於面型微加工技術是在晶圓上製造微加工結構，其技術的概念源自於成熟的積體電路製程，利用鍍膜、黃光、蝕刻等半導體加工技術產生結構層 (structural layer) 及犧牲層 (sacrificial layer)，再利用蝕刻技術將犧牲層去除，即可將結構自由化，至此面型微加工結構完成。

3.3.1 歷史

以矽晶圓為基材的微加工技術最早可回溯至西元 1960 年代，當時發展已近十年的積體電路製造技術為微機電加工技術奠定基礎，在製造技術上利用濕蝕刻為主的技術來去除不要的材料。在 1960 至 1970 年代間，以矽晶圓為基材的微加工技術，在蝕刻技術上，都集

第 3.3 節作者為葉哲良先生。

中在非等向性之單晶矽濕蝕刻，後來這個技術被應用於一些結構簡潔的微感測器，例如壓力感測器。薄膜的機械性質因早期積體電路系統不考慮任何負重承載而一直被忽略，直到 1980 年代，隨著積體電路的快速發展和微機電系統的到來，薄膜沉積技術跟著提升，對薄膜的微觀機械特性也有更多瞭解，面型微加工技術因此有著更佳的發展基礎。

　　面型微加工技術主要是以犧牲層選擇式蝕刻的方式來建構懸浮式 (suspended) 的薄膜機械結構。這一個概念在 1967 年由美國西屋公司研究實驗室的 Nathanson 等人所提出，他們利用金屬膜構成的懸臂樑來做為場效電晶體的共振閘 (resonant gate)。這種利用犧牲層來構成薄膜微結構的方法，就是後來大家所熟知的面型微加工技術的起源之一。於 1970 年代，Newcomb 和他在史丹福大學的研究團隊展示他們所開發用以製造微型馬達的磁驅動微型馬達製程。於 1980 年代的後期，美國加州大學柏克萊分校的研究人員首度利用以二氧化矽為犧牲層的多晶矽表面微加工技術，製作了微機械靜電式馬達，雖說該微機械靜電式馬達到了十餘年後今天仍未被廣泛應用，但已為微機電系統工程領域開啟了一扇大門。不同於共振閘電晶體的金屬微機電結構，多晶矽的面型微加工技術很快地被認定為較有希望應用到工業界產品開發的技術。

　　在近二十年來，積體電路工業進步十分快速，並且為面型微加工技術提供了成熟的產業結構。矽基材微機電系統的研究團體也在 1980 年代末期，於美國、日本與歐洲開始舉辦國際所認可的研討會，並將研討會內容擴展到其他基材的微機電系統。接續而來的矽基材微機電系統的商業化，例如壓力感測器，證實了感測器的市場需求能夠利用微機械的結構來填補。到了 1990 年代初期，隨著歐美政府投注大量的研究經費，進一步促成微機電系統工程相關技術的創新與微機電應用市場的開拓，並且促進面型微機電系統應用的多元化與系統整合。回顧歷史的軌跡，面型微機電系統的多元化應用，包括慣性感測裝置、微流系統、光學驅動器、化學感測裝置、射頻元件及生物醫學裝置等；系統整合是利用面型微加工技術與積體電路製程的整合，將感測器、致動器與控制電路等單晶片化。在 1990 年代初期，面型微加工技術已經演變為以加速度感測器為產品的商業化技術。

3.3.2 製程

　　面型微加工技術大體上是模仿積體電路的平面製造技術 (planar process)，而發展的微機電製造技術，主要的變化在於將犧牲層材料這個概念移植入積體電路的製程，是一種批量製造的技術，在次微米或微米的尺度裡，所製造的元件其可靠度與精確度都可達到或接近積體電路的水準。其製作流程如同積體電路，最大的差異在於薄膜特性的需求，兩種製造技術對機械材料與電性特徵的項目及條件要求大不相同。有些狀況下，必須使用針對微機電產品製作所開發的專用機台設備，因為積體電路沒有使用該種製作設備或製程要求不同，例如同樣是用於製作高深寬比結構的矽材料深蝕刻技術，在積體電路裡，其蝕刻深度僅需數百奈米到數微米，微機電元件的要求通常為數微米到數百微米。此外，微結構體的

釋放 (released) 與自由化 (freed) 也是積體電路所沒有的製程，但對微機電產品而言是絕對必要的，因此對不同犧牲層材料的使用與其移除方式，已發展出適當的解決之道，相關的量產機台設備亦已被大量使用，在良率、產能與成本的部分，仍處於創新、發展與改進的過程。(註：犧牲層材料意即在製作過程中，暫時存在的材料，該材料移除後，微結構體便獲得自由移動的空間。犧牲層材料將於後面的章節中說明)。

面型微加工技術利用一層層材料的建構與堆疊，來完成兩度半空間、具固定厚度的結構，達成近似三維空間的結構。面型微加工技術僅能堆疊一層一層的二維而非真實的三維結構。在設計上，微機電設計人員如同積體電路的設計人員，可將每層結構中要選擇移除的部分製作於相對應光罩上，設計人員利用設計軟體將微結構體的幾何空間轉換成一層層的平面圖案，再藉由雷射光或電子束等方法將平面圖案製作在光罩上，由此便可將一層層的平面圖案輸出成相對應且順序正確的光罩組。製造工程師利用光罩來定義每層薄膜材料的幾何形狀，將光罩的圖案顯影在塗佈於薄膜上的光阻，利用圖形顯影後的光阻為後續製程的幾何圖形定義材料，可利用化學反應或物理方法來移除暴露的材料，或將摻雜物 (dopant) 滲入材料中，藉此改變材料的性質，亦可藉由除去光阻來移除鍍於光阻表面上不要的薄膜。

在製作上，如圖 3.24 所示，首先使用沉積、濺鍍等技術將薄膜材料生成於晶圓表面，再利用顯影技術將結構體的平面圖案經由光罩顯影在感光膜上，接著將不要的材料藉由蝕刻等化學反應移除，如此即完成一層材料的建構。重複相同製作程序，便可依據設計圖案建構一層層的薄膜，並將之堆疊在一起。關於鍍膜、顯影、蝕刻等技術的相關知識，請參閱半導體製造技術的書籍。在微機械結構製作完成後，微結構體的釋放與自由空間的取得係藉由將犧牲層分解與移除來達成，如圖 3.25 所示。在犧牲層移除後，可選擇將單分子膜鍍於微結構體的表面，降低微結構體的表面能，減少使用中結構黏滯發生的機率。

在面型微加工技術的應用上，有時必須要將二點五度空間的微結構加以組裝成為近似三度立體空間的微結構，特別是光學微機電系統，有時會有這方面的需求，用以將部分結構體抬高，取得更大的旋轉、移動空間，或是將鏡面豎直於晶片上，用以建構單晶片式的微光學系統。例如：利用鉸鏈 (hinge) 所提供的旋轉自由度，藉由外在力量，可將微鏡面組裝為翻轉至離開晶面表面的位置，或可利用鉸鏈將驅動器輸出的水平移動轉換成旋轉模式。微結構的組裝是在移除薄膜結構材料的底部犧牲層後，利用外在力量 (或說外在能量) 將面型微加工技術所製作的平面式微結構翻轉出晶片表面，建構為三度空間的微結構。微組裝常用的驅動力包含下列幾種：雙層材料間的熱應變 (如黃金與多晶矽)、材料的熱形變 (如錫球或多分子材料)、外加電磁場 (如靜電場或靜磁場)、系統晶片上的驅動器 (如熱驅動器或靜電式驅動器) 等。一般而言，微組裝適用於不需要高精度之自由度的系統。在高精密度的系統中，若微組裝是必要的，設計人員通常會將驅動器的運動自由度作為微組裝所使用之自由度的系統。如此組裝的誤差便可藉由驅動器來彌補；另一方法是調整系統上與微機構搭配元件的位置及角度來補償微機構精度上的誤差。

(a) 鍍膜

(b) 顯影

(c) 蝕刻

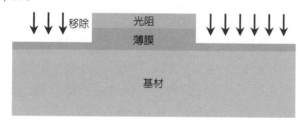

圖 3.24
薄膜材料的平面定義與建構。

(a)

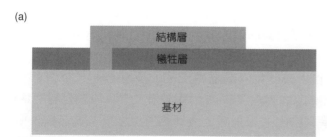

(b)

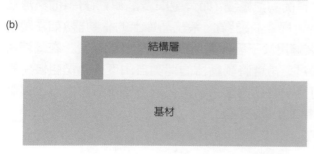

圖 3.25
微結構體的釋放，(a) 犧牲層移除前，(b)
犧牲層移除後。

　　面型微加工技術基本上可以結構層材料來作區分，一般可分為矽與矽之化合物 (氮、氧、碳等)、金屬薄膜、介電材料等，大多為積體電路使用的半導體材料。在製程上，結構層材料一定要與犧牲層材料在物性、極化性上有良好的搭配，詳見 3.3.3 節「微機電材料」。另外，亦將在後續的 3.3.4 節「面型微加工製程實例」中，藉由德州儀器 (Texas Instruments, Inc.) 的鋁面型微加工技術與美國加州大學柏克萊分校 (University of California, Berkeley) 發展的多晶矽的面型微加工技術，來闡述上述製程中的面型微加工技術，這是兩個利用面型微加工技術製造微機電產品相當成功的實例。

　　此外，在面型微加工技術的基礎上，已發展出延伸性的製程與整合型製程，這部分牽連甚廣，在此僅將作重點描述，若讀者有需要，請參閱相關論文及專利。在延伸性製程上，例如 HEXSIL 製程是在多晶矽面型微加工技術上所發展的一種具有模具概念及高深寬比結構的技術，其主要目的是想利用低壓化學氣相沉積法 (LPCVD) 的良好覆蓋性 (conformity) 來製作高深寬比的微結構，這是面型微加工技術所無法製作的，通常要靠有深蝕刻能力的體型微加工技術來完成。HEXSIL 製程首先在矽晶圓上，利用高深寬比的乾蝕刻技術製作微結構的模具，將低壓化學氣相沉積法的二氧化矽生成於深蝕刻溝槽 (deep trench) 的表面，再沿著二氧化矽的表面沉積多晶矽結構層，並將晶圓上的深溝槽填滿，然後在多晶矽結構層製作出設計的形狀，最後移除犧牲層二氧化矽，讓多晶矽微結構脫離模具晶圓，成為個別的元件，移除底部犧牲層後的晶圓模具能夠再次使用。

　　面型微加工技術與其他類製程的整合亦已發展出相當多種，像是將面型微加工技術整合入積體電路製程中，將既有積體電路製程修改成具有微機電製作能力、或與體型微加工製程整合等。採用微機電與微電子的全面整合或是採用雙晶片的方式，這兩者的優缺點長久以來一直被討論著。其中損益比較包括藉著減小雜散電容所帶來的元件性能提升，將面臨到尖端且複雜的技術，另一方面，雙晶片的成本仍偏高。這些基本的問題可歸納成兩點：訊雜比的要求與製造的成本。專家面臨微機電整合最主要的抉擇是，應該以何種順序與方法來整合微電子與微機電製程的步驟。有三個觀點將會被說明，包括：(1) 積體電路完成後的 CMOS 後製程、(2) CMOS／微結構交錯的製程、(3) CMOS 前製程。這些都是單一化的製程架構。

　　發展與積體電路整合的面型微加工製程技術的研究單位與公司為數不少，例如德州儀器的數位微鏡面元件 (digital micromirror device, DMD) 是將鋁的面型微加工技術製作於積體電路之上、Analog Devices 公司的加速度計 (accelerometer) 是將多晶矽的面型微加工技術整合在積體電路的製程步驟中間、英飛揚 (Infineon) 的壓力感測器 (pressure sensor) 將其現有的雙載子互補式金氧半導體製程 (BiCMOS) 技術作些許的修改、加州大學柏克萊分校曾經將積體電路製程中所使用的鋁導線改為鎢導線，以利將高溫的多晶矽面型微加工技術製作於積體電路之上。上述例子說明了面型微加工技術與積體電路的整合技術，可能只有跨國大企業才有足夠的財力去開發相關的技術。

3.3.3 微機電材料

　　一般而言，微機電系統的面型微加工技術所使用的材料依用途可分為五種，分別為結構層 (structural layer)、犧牲層 (sacrificial layer)、絕緣層 (isolation layer)、導電層 (conductive layer) 與應用層 (application layer)。

　　結構層主要是用於支援系統的機械結構設計，包括靜動態系統響應、機械強度、機械結構可靠度等，除此之外，結構層有時亦提供電子訊號傳遞所需的通路。

　　犧牲層，顧名思義，乃是在結構體製造完成後被移除的材料，待犧牲層材料清除後，結構體便能在空間中自由移動。

　　導電層在材質選擇上一般有金屬層與導體層兩種可用，主要是用於傳遞電子訊號。依據所需的頻寬 (bandwidth)，設計者可使用不同的材料，通常會將結構層與導電層結合而使用同一種材料，以簡化製程，例如：金 (金屬) 用於射頻交換器、矽 (半導體) 用於光學掃描用驅動器、矽表面鍍鋁減低電阻值等。

　　絕緣層的用途是將不同電子訊號所行經的通路加以隔離，如同用於積體電路中一般，將不同導電層分隔，或將不同用途的電訊通路 (如驅動電子訊號、感應電子訊號、電子接地) 加以隔絕。

　　應用層乃是依據個別產品的需求而增加的材料，例如：金 (gold) 常被濺鍍於結構體之上，用於增加結構的光學反射率；多分子材料 hydrogel (如 polyacrylamide 及 agarose) 在一些 DNA 感應晶片上提供水與離子等小分子移動的空間，同時也成為蛋白質、核苷酸等多分子的黏著基材。

　　結構層材料與犧牲層材料必須在機械強度、化學蝕刻、表面黏著、應力分布及電子性質等特性上相互配合，以符合設計需求與製程良率最佳化。一般而言，任何一組的結構層與犧牲層材料的組成，需經過數年至十餘載的製程精進改良，才可盡全功，例如：多晶矽面型微加工技術 (polysilicon surface micromachining) 從加州大學柏克萊分校的研究學者 R. Howe 和 R. S. Muller 提出到應用於商業用微慣性儀上耗費了近十年的時光。雖說微機電產品大多屬於應用導向的設計，產品的特性有部分取決於產品製程的設計與材料的選擇，但設計研發人員應儘量使用成熟的微機電製程，減少不必要的製程變異，以利縮短產品的研發時程與提升產品的品質。

(1) 結構層材料

　　結構層材料的選擇應以系統上機械結構的設計需求、製程上結構層材料與犧牲層材料間的界面特性和化學特性，以及製程上其他重要因素 (如溫度、應力、交互污染等) 為第一考量，結構層的電子特性倒為其次，不若積體電路一切以電子特性為產品上的第一考量。結構層材料包括高溫沉積的多晶矽、高溫沉積的氮化矽、低溫沉積的矽鍺化合物、低溫濺鍍的鋁，低溫電鍍的金，以及其他種類等 (註：此處的溫度高低是與積體電路的後段製程比較)，製程溫度亦為選擇結構層材料的依據之一，對設計人員而言，材料的物理化學性質、機械可靠度、製程可重複性等相當重要。上述的薄膜材料，從晶粒的角度來看，絕大多數屬於多晶格態或無晶格態，在不同批次間，其機械性質在程度上會有些許或大量的差異，直接影響微結構的機械特性。要解決此問題，絕緣層上矽晶 (silicon on insulator, SOI) 材料是一個相當不錯的替代品，其上層矽薄膜有著非常可預期的材料特性，且其犧牲層二氧化矽亦已事先製作於晶圓上。

　　多晶矽面型微加工製程，顧名思義是採用多晶矽為該製程的結構層材料。多晶矽通常藉由低壓化學氣相沉積法來進行薄膜生成，其在無摻雜物狀況下的化學反應為

$$SiH_4 \rightarrow Si + 2H_2$$

其中一組製程參數為沉積溫度 605 °C、爐管壓力 550 mTorr、矽烷 (silane) 流量 120 sccm，其沉積速率接近 10 nm/min。多晶矽為半導體材料，其導電率低，若要降低多晶矽的電阻值，需要在材料內滲入能提供電子或電洞的摻雜物，如硼原子 (boron) 或磷 (phosphorous)。一般來說有兩種方式可用，一種為在沉積過程中同時滲入摻雜物 (*in situ* doping)，另一種為先製作高純度多晶矽，然後在高溫下，將其他材料所儲存的摻雜物滲入多晶矽中。

(2) 犧牲層材料

　　犧牲層是指在製造過程中所暫時使用的隔間材料 (spacer)，待所有的加工程序完成後，即可加以移除，使微結構體成懸浮狀態 (suspended)，賦予微結構體活動的自由空間，而犧牲層材料便一去不復返，從此從原本的晶片消失。犧牲層材料在選擇上需與結構層材料有妥善的搭配，特別是微結構釋放時所使用的化學藥品，必須在這兩種材料的蝕刻速率上有高度的選擇比，方可避免在犧牲層蝕刻後發生微結構體在幾何尺寸上的改變。犧牲層材料與結構層材料界面的交互接合力在製程中扮演重要的角色，不佳的材料結合容易導致薄膜剝離的現象，降低產品良率，或者影響元件所能承受的最大負荷。此外，犧牲層材料的選擇也應注意在每一製程步驟的容許溫度上限，過高的製程溫度有時會改變晶片上既有材料的物理性質或化學特性，比如：高溫會使某些低溫鍍高分子膜中的氣泡脹大，致使晶圓上其他材料發生永久形變；高溫也有可能改變結構層材料的應力應變特性，在犧牲層移除後，會讓微結構體本身受到因製程熱循環 (thermal cycle) 殘餘應力的影響，產生結構形變。

　　多晶矽面型微加工製程所使用的犧牲層材料通常為二氧化矽或其衍生物，包含純二氧化矽 (undoped SiO_2)、磷矽玻璃 (phosphosilicate glass, PSG) 及硼磷矽玻璃 (BPSG) 等，大部分的製程使用磷矽玻璃。採用磷矽玻璃為犧牲層有著下列優點。比起純二氧化矽，2% 至 8% 濃度的磷矽玻璃 (PSG) 會增加在氫氟酸中的蝕刻速率達數十倍；同時可藉由材料高溫的

退火過程 (溫度介於 950 °C 與 1100 °C 之間)，將磷矽玻璃的磷原子滲入多晶矽中，增加多晶矽中的導電摻雜物－磷，以提高多晶矽的導電率。相對於多晶矽的高溫製程，金屬材料如鋁或黃金，通常使用低溫製程，採用高分子材料 (如光阻、聚亞醯胺 (polyimide)、BCB (benzocyclobutene)) 或電漿輔助化學氣相沉積 (PECVD) 的二氧化矽等為犧牲層材料。移除高分子材料，通常會使用氧離子的反應離子蝕刻 (reactive ion etching, RIE)，相對於液相蝕刻法，此種氣相蝕刻法的微結構釋放能降低黏著 (stiction) 的發生機率。

(3) 選擇性蝕刻

要製造有運動自由度的微結構體，就必須要將製程完成後晶片上的犧牲層加以移除，賦予微結構體能自由移動的能力，即是將微結構釋放 (released or freed)。要移除犧牲層材料，選擇性蝕刻即是用來扮演這個重要的角色。選擇性蝕刻是用化學反應的技術將犧牲層材料移除 (通常指反應物溶於液體中或反應物屬於氣體狀態)，這種化學反應所使用的化學物質與反應狀況對結構體的材質或其他材料必須只有微乎其微的化學反應或物理性侵害。

藉著選擇性蝕刻使微結構懸空，這經常會連帶產生附著的現象。微結構經過一連串清洗、乾燥的過程，因而附著在基板上。以多晶矽面型微加工技術為例，犧牲層材料一般選擇磷矽玻璃 (PSG)，其厚度通常介於 0.1 微米至數微米，在結構設計上，需蝕刻的長度一般為數十微米，有時候長達數百微米。所使用的化學藥品通常為 49% 氫氟酸 (hydrofluoric acid, HF)、稀釋氫氟酸 (diluted HF)、緩衝性氫氟酸 (buffered HF) 等。針對結構釋放這個問題已發展出許多的解決方案，最直接的方式為使用氫氟酸除去犧牲層二氧化矽 (SiO_2) 後，用去離子水 (de-ionized water) 置換前述的液體，再將前述之去離子水用異丙醇 (isopropyl alcohol, IPA) 置換，最後將沉於異丙醇的晶片置入 100 °C 以上的烤箱，待液體完全蒸發後即可取出。如果晶片上的結構面積相當大，附著黏滯的現象較易發生，因為矽原子與異丙醇之間的表面能雖比其與水分子間來得小，但仍然相當大。其他強化方法包含：氣態氫氟酸 (vapor HF)、水分子的昇華 (sublimation)、水分子的超臨界乾燥法 (supercritical drying)、自組裝分子單層膜 (self-assembled monolayer)。

3.3.4 面型微加工製程實例

面型微加工技術大多數利用沉積層材料以構成微機械結構，藉由移除在微機械結構之下的犧牲層，賦予微機械結構相當的運動自由度。在過去的二十年間，經過微機電先驅不斷的努力，面型微加工技術得以在產業持續地推出新的應用產品，從慣性感測器、光學驅動元件、射頻元件到生化感測器等，無所不括。其中多晶矽的面型微加工技術 (polysilicon surface micromachining) 與鋁的面型微加工技術 (aluminum surface micromachining) 到目前為止相關製造技術成熟度與商業化程度最高，格外受到重視。多晶矽的製程首先經由 Analog

Devices 的產品加速度計 (accelerometer) 成功量產而證明可行。

案例一：三層多晶矽結構膜面型微加工製程

三層多晶矽結構膜面型微加工製程最早由加州大學柏克萊分校的 R. S. Muller 教授等人提出，利用滲入磷的低壓化學沉積多晶矽為結構層材料，低壓化學沉積磷矽玻璃為犧牲層，三層結構層中，有一層為固定層，另外兩層可移動。1990 年代初期，美國 MCMC 公司獲得政府補助，從事此種面型加工技術的開發，推出一套微機電共用製程，稱為 MUMPs (multi-user MEMS processes)，主要目的是提供微機電產業、政府機關、研究機構或大專院校一個具有低成本、快速研究、概念驗證的共用面型微加工製程，讓設計人員在不需擁有製程能力的情況下，開發相關元件。此外，Analog Devices 亦使用兩層多晶矽結構膜面型微加工技術，製造該公司的加速度計。

以下將藉由加裝鉸鏈的微鏡面 (hinged micromirror) 為案例，介紹其中一種的多晶矽面型微加工技術：

1. 如圖 3.26(a) 所示，首先在晶片表面用標準的 $POCl_3$ 當作摻雜源摻雜磷，之後再鋪上一層 600 nm 的低應力 LPCVD 的氮化矽當作電性的阻隔層，接著鋪上 500 nm 的多晶矽，此結構層命名為 POLY0，其相對應的光罩訂為 POLY0。之後再用光阻定義其形狀，並用 RIE 加以蝕刻。

2. 如圖 3.26(b) 所示，沉積第一層 2 μm PSG1 犧牲層，經過高溫 900 °C－1100 °C 約 30 分鐘至 1 小時的回火處理，將材料密度提高，在此犧牲層上，用光阻定義凸點 DIMPLE，再用 RIE 蝕刻 PSG1，接下來用光罩定義 ANCHOR1，作為連接 POLY1 與 POLY0 之用，接著再用 RIE 蝕刻 PSG1，提供給 POLY1 填滿用。

3. 如圖 3.26(c) 所示，沉積 2 μm 的第一層多晶矽結構層 POLY1，其上再鋪上一層 200 nm 的 PSG，之後再回火處理提高密度，接下來用光阻定義蝕刻 POLY1 結構的形狀，然後可用 RIE 去掉 PSG 層 (有時候可略過此 PSG 的蝕刻)。

4. 如圖 3.26(d) 所示，沉積第二層犧牲層 0.75 μm PSG2 後，先定義連接 POLY1 與 POLY2 間的上下層貫穿孔 (via)，再以 RIE 蝕刻貫穿 PSG2，停在 POLY1。如法製作連接 POLY2 與 POLY0 的 ANCHOR2，以 RIE 蝕刻貫穿 PSG2 與 PSG1。

5. 如圖 3.26(e) 所示，沉積 1.5 μm 之 POLY2 與 200 nm 之 PSG (作為蝕刻光罩與摻雜源)，一樣是用光阻與 RIE 定義蝕刻出 POLY2 結構的形狀。

6. 如圖 3.26(f) 所示，用剝離 (lift-off) 製程技術定義沉積約 0.5 μm 之金屬黃金。

7. 如圖 3.26(g) 所示，用氫氟酸 (HF) 移除所有的犧牲層 PSG，再用去離子水置換氫氟酸，而後可將去離子水加熱除去 (請參考 3.3.3 節中的「選擇性蝕刻」。)

8. 如圖 3.26(h) 所示，將釋放的微鏡面用組裝的方式翻懸出晶圓表面。

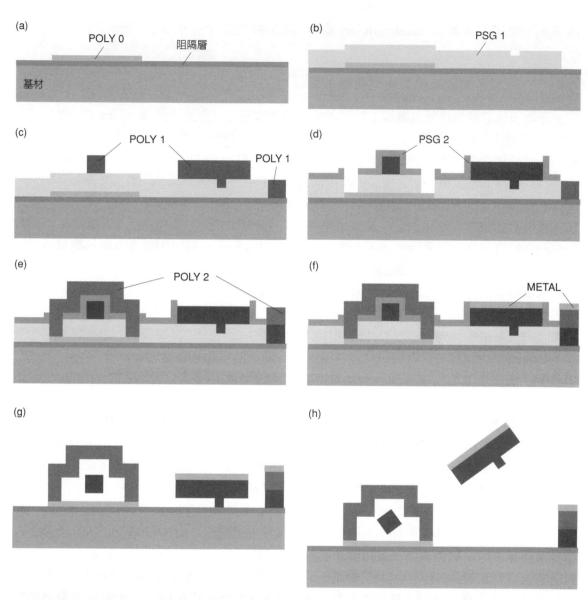

圖 3.26 多晶矽面型微加工技術製程流程圖。

案例二：鋁結構膜面型微加工製程

　　面型微加工技術的成功實例之一為德州儀器公司在 1987 年所發明的數位微鏡面元件 (DMD)，如圖 3.27 所示[43]。DMD 是一種以半導體技術為基礎所開發的快速、精準、反射式數位光學開關模組，相當適合高亮度、高對比、高解析的應用，有著下列幾個優點：(1) 反射式光學系統，有較好的光學反射效率，(2) 有著相當高的覆蓋因子 (fill factor)，(3) 微機電系統製作於積體電路之上，與電子電路系統進行垂直整合。

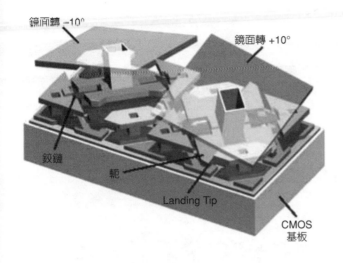

鏡面轉 −10°
鏡面轉 +10°
鉸鏈
軛
Landing Tip
CMOS 基板

圖 3.27
德州儀器公司所發明的數位微鏡面元件 (DMD)[48]。

　　DMD 微系統的製作使用微機電與積體電路整合的製程，每個光開關都使用 16 μm 見方的鋁板作為反射鏡面，在反射鏡底部配置驅動鏡面的控制電路單元，依照底部控制電路的記憶單元狀態可以達成兩個不同的反射方向。鏡面的旋轉可以藉由反射鏡面和底部記憶單元所驅動下電極間的電壓差來達成，可分別使反射鏡面旋轉 +10 度或 −10 度，進而達到光學投影上全暗及全亮的狀態。

(1) DMD 結構

　　DMD 的微機電結構，如圖 3.28 所示[49]，是建構在記憶體 (SRAM) 單元上，每個 DMD 上的反射鏡面可相對應地投射出影像上的一個畫素。每面反射鏡下皆有兩個獨立運作的電極，將偏壓加在兩個相對位置的電極板上可造成靜電式轉矩致動，靜電式轉矩和固定拴所提供的回復力互相制衡以達到不同方向的反射。因為幾何尺寸會限制旋轉的角度，並且回復力和靜電轉矩力會達到平衡態，旋轉的角度將可以精準的控制。

　　驅動電極分別在底部 SRAM 單元互相對應的上下層 (鏡面定址電極 (mirror address electrode) 與軛定址電極 (yoke address electrode))，軛形結構和鏡面分別連結到製作於第三金屬層上的偏壓匯流排 (bias bus)，再透過偏壓匯流排連結至晶片周圍的打線接腳。DMD 的鏡面為 16 μm 見方的鋁，可達到最大的反射率，並組合成具有高覆蓋因子 (~90%) 的矩陣。如此高的覆蓋因子提供了高度有效的光使用效率，並且也提供了沒有縫隙的的高品質影像。

(2) DMD 製程

　　DMD 的製程是以記憶體的積體電路製程為基礎，在積體電路製程的第二金屬層上沉積一層厚氧化膜，並且使用化學機械研磨技術 (CMP) 使之表面平滑，以確保有均勻且高度的反射效率及良好的對比。該製程共有六道光罩，包含 ① 鋁定址電極 (aluminum address electrode) 層 (Metal-3)、② 鉸鏈 (hinge)、③ 軛 (yoke)、④ 鏡面層 (mirror layer) 及 ⑤⑥ 犧牲層 (用硬化後之光阻) (Spacer-1 and Spacer-2)，來製作疊層結構。首先以濺鍍的方式將鋁鍍

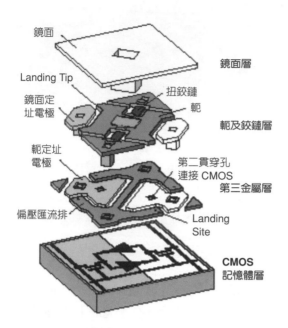

鏡面

鏡面層

Landing Tip

鏡面定
址電極

扭鉸鏈
軛

軛及鉸鏈層

軛定址
電極

第二貫穿孔
連接 CMOS

第三金屬層

偏壓匯流排

Landing
Site

CMOS
記憶體層

圖 3.28
DMD 微機電結構示意圖[49]。

上表面，並且以氣相沉積的二氧化矽作為電漿蝕刻的防護層，在之後的封裝流程裡，將以電漿蝕刻掉犧牲層以做出提供鏡面轉動的空隙，利用這些空隙可以讓鏡面有空間依靠固定拴做旋轉的動作。鏡面牢牢地連結在底部的軛形結構上，這些軛再依序連結到兩層薄膜扭轉拴，以支撐接觸於下層基材的的連結柱。

　　DMD 晶片的製作約略描述如下。

1. 如圖 3.29(a)，微機電系統製程係接續在晶圓上的積體電路與定位單元 (CMOS address) 電路完成之後。CMOS 層是利用 DMOS-IV 製程，且包含有定址用的 SRAM 單元，而其中的 SRAM 是利用 twin-well CMOS、0.8 μm 雙層金屬製程製作而成的。在基材上的介電層因其平整度的要求很高，所以加進化學機械研磨 (chemical-mechanical polishing, CMP) 製程技術以達到高平整度的需求。經過 CMP 之後，通道 VIA 2 也在此介電層被完成了。之後再濺鍍上一層鋁定址電極，利用微影定義，再用電漿蝕刻。接下來在電極上旋鍍上一層有機犧牲層，並用通道 (Spacer-1 VIA) 定義接下來將完成之支撐柱 (包含機械支撐與電性連結功用)。

2. 如圖 3.29(b) 所示，在 Spacer-1 的貫穿孔定義完成後，在犧牲層上濺鍍鉸鏈 (hinge) 用之金屬鋁，之後再沉積上一層氧化物，作為定義後續鉸鏈的蝕刻光罩 (hard mask)，用 RIE 蝕刻暴露的金屬，而後除去氧化物。

3. 如圖 3.29(c) 所示，在鉸鏈定義完成後，沉積上一層將來作為軛 (yoke) 的金屬層，之後再用電漿沉積一層氧化層作蝕刻光罩，用來定義其幾何形狀，目的是為了定義軛。

4. 如圖 3.29(d) 所示，在軛定義完成後，再利用電漿蝕刻金屬並去掉氧化層。如圖可以看出鉸鏈的支撐柱是由一層鉸鏈的金屬與一層軛的金屬組成的。

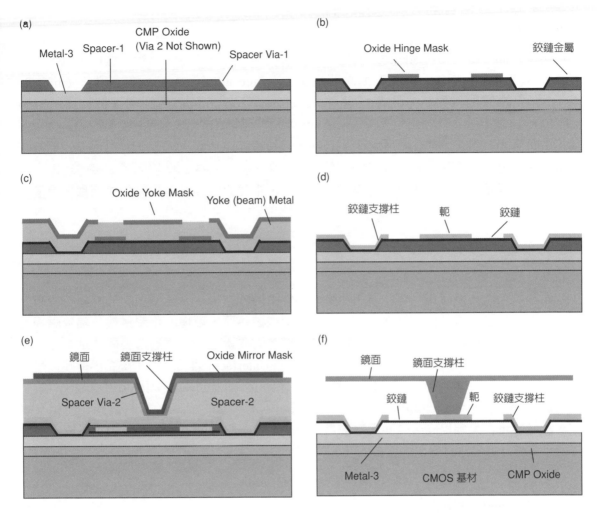

圖 3.29 DMD 晶片製作流程圖。

5. 如圖 3.29(e) 所示，如前面步驟所述，旋鍍上第二層的犧牲層，並用通道定義之後將完成的支撐柱，然後再鍍上一層高反射率的鋁製鏡面層，之後再鍍上一層氧化層並定義之。

6. 如圖 3.29(f) 所示，利用定義之氧化層定義出鏡面的形狀，最後再去掉所有的犧牲層，便完成 DMD 的結構。

　　封裝流程以劃線器對晶圓預割為開始，經過預割 (為了使晶片之後可以輕易的分離) 和晶圓的清洗後送入電漿蝕刻機，將鏡面、軛形結構及拴的底部犧牲層蝕刻掉。依循這個過程中，必須沉積一層薄的潤滑層以避免軛形結構和底層發生吸附現象。在將晶片彼此分離之前，必須先經過高速自動晶圓測試機做完全的電性及光學量測，最後將晶片和晶圓分離，並經過再次的清潔後做密閉的封裝。

3.3.5 材料性質

　　應用在面型微加工技術的薄膜材料，都必須要符合許多化學、物性、機械、電子等材料條件；其細項包括：良好的表面黏著性質 (surface adhesion)、材料低孔率 (pinhole density)、好的機械性質、化學抗蝕性 (chemical resistance)、蝕刻選擇比 (etching selectivity)、材料應力、材料可靠度 (reliability)、材料壽命 (lifetime) 等。面型微加工技術所使用的大多數材料，都是由沉積法、生長法及濺鍍法等來形成，因此，材料很多的性質皆由其製造的過程來決定，包含鍍膜的基材、前處理、材料形成的環境因子、後處理等。一般而言，薄膜都會有異於大尺寸材料的材料性質，主要原因為晶粒尺寸與表面積對體積之比不同。

(1) 表面黏著性質

　　面型微加工技術使用相當多層的薄膜來製作微機械結構，不同薄膜層間的黏著力顯得相對重要，特別是微結構在操作上通常必須承受機械負荷、環境的化學侵襲、熱效應等因子，兩層薄膜間的相互黏著力就成為抗衡結構破壞的要素之一。兩層薄膜間的黏著力受到相當多的因素影響，例如：晶格大小、應力、界面 (interface) 雜質、原子鍵結、薄膜接觸面積、材料純度等，材料配合的選擇、材料界面的潔淨度 (cleanliness) 顯得相對重要。一般來說，應力相近、材料成分類似、純度高的兩種材料有較佳的黏著力，材料間若能相互滲透，鍵結能量會大幅提高。表面潔淨度是另一個製程上必須嚴格控制的參數，雜質存在於界面大多會降低異質材料間的鍵結強度，需加以注意。

(2) 多晶材料的殘餘應力

　　利用多晶矽做微機電材料會有一些問題，包括殘餘應力、因膜厚不同而造成的應力梯度，以及因多重結晶而造成的有效楊氏係數的改變，這些都會影響多晶矽微結構的機械性質。不同於單晶 (single crystalline) 矽的體型微加工製程技術，面型微加工製程技術所使用的薄膜結構材料大都使用化學沉積法 (chemical deposition)、蒸鍍法 (evaporation)、電鍍法 (electroplating) 或濺鍍法 (sputtering) 的多晶材料或非晶 (amorphous) 材料，例如：多晶 (poly-crystalline) 矽、磷矽玻璃 (phosphosilicate glass, PSG)、金 (gold)、氮化矽 (silicon nitride) 等材料。由於此類結構材料內部存在許多的晶界 (grain boundary)，所以外在因素造成晶格尺寸的改變、晶界彼此間的推擠效應，以及空孔缺陷的產生，便形成材料最顯著的機械性質—即「殘餘應力 (residual stress)」。而依據殘餘應力在結構上的應力釋放型式，可將殘餘應力區分為兩種：均布應力 (normal stress) 及梯度應力 (gradient stress)。以下段落將探討這兩種殘餘應力對面型微加工製程的影響，以及如何加以控制與改善。

① 均布應力

　　均布應力為當材料沉積完成後，內部因晶界及空孔的影響而使整體薄膜在水平面 (即與薄膜厚度垂直的面) 產生收縮或伸展的形變大小。均布應力可依據材料相對無應力狀態時的形變趨勢區分為張應力 (tensile stress) 與壓應力 (compressive stress)，如圖 3.30 所示。在一般製程觀念中，都希望將結構薄膜的均布應力控制得越小越好，然而在實際的結構製造上，由於均布張應力可以讓結構產生繃緊的效果，間接地使結構產生平坦化的效果，因此些微的均布張應力對結構體的完整性而言是屬較佳的情形；反之，均布壓應力則會使結構產生撓曲現象，而過大的壓應力甚至使結構產生挫曲 (buckling) 或破裂 (crack)。此外，均布應力的大小也會改變材料的楊氏係數 (Young's modulus)，當薄膜存在均布張應力時，其材料楊氏係數則會較無均布應力時為大，反之，結構存在均布壓應力，則會減低材料的楊氏係數，在一定範圍內，楊氏係數與均布應力呈線性的正比關係。由此可知，結構體的均布應力狀態會對結構體的靜動態響應 (static & dynamic response) 有相當程度的影響。

圖 3.30
兩種不同型式的殘餘均布應力。(a) 張應力，(b) 壓應力。

　　薄膜材料的殘餘應力多是由於薄膜在形成過程中，產生過多的晶界及空孔所導致，因此要消除薄膜材料的殘餘均布應力可以從減少材料的晶界空孔著手，而要減少材料的晶界則可以經由對材料進行退火等熱處理來達到，當退火溫度達到材料的再結晶溫度時，可使材料進行晶粒成長而減少晶界及空孔的數目。以一般面型微加工製程常見的低壓化學氣相沉積法 (LPCVD) 所生成的多晶矽薄膜為例，沉積溫度一般設定在介於 570 ℃ 與 650℃ 之間，通常溫度越高，化學反應的速度越快，沉積速率越高。在沉積溫度低於 570 ℃ 的狀況下，較易產生非晶態的矽薄膜；在沉積溫度高於 1300 ℃ 的狀況下，在合適的基材上有可能沉積出單晶態矽薄膜。一般而言，多晶矽的均布應力大多落於壓應力的範圍，非晶態與微小晶格態之矽薄膜較易呈現正均布應力 (張應力) 或無應力態，通常適當的低沉積溫度有其必要；在材料中加入適度及適當種類的摻雜物 (dopant) 亦有益於將均布應力調整至正值。

② 梯度應力

　　有別於均布應力之對應於薄膜整體的應力效應，梯度應力則是指薄膜材料沿著厚度方向，在不同的位置上存在著不同的應力或應變，進而導致結構在橫切面上產生彎曲形變，如圖 3.31 所示。應力梯度的主要產生原因為薄膜在沉積過程中，薄膜在厚度方向因局部溫度的差異，導致材料晶粒尺寸 (grain size) 沿著厚度方向產生變化，因此薄膜的殘餘應力沿

圖 3.31 薄膜材料的殘餘梯度應力。

這厚度方向有著線性的變化。而一般對於殘餘梯度應力的控制與降低方式，仍是和均布應力相同，同樣藉由對薄膜材料進行退火熱處理來消除梯度應力。雖然一般而言，薄膜材料的殘餘梯度應力在量值上比均布應力小一至二數量級，一般在結構設計上多會允許忽視，但在一些對於結構平整度要求較高的光學應用上，殘餘梯度應力的效應便不能再忽視。以一般面型微加工製程常見的低壓化學沉積法所生成的多晶矽薄膜為例，會先在不同材料的界面間形成非晶態的矽材質，而後會隨著鍍膜厚度的增加而逐漸形成結晶態，晶格大小會漸增至一定尺寸；由此可知，在此種沉積狀況下，材料會有自生的本質應力 (intrinsic stress)。而再結晶 (re-crystallization) 技術可適度地舒緩此問題，通常對多晶矽薄膜的再結晶，將材料置於溫度介於 900 °C 至 1000 °C 的爐管中 30 分鐘至 1 小時，可見顯著地改善。

(3) 熱應力或熱應變

熱應力或熱應變發生於雙層或多層薄膜之結構體。雙層材料結構或多層材料結構常因熱應力 (thermal stress) 或熱應變 (thermal strain) 造成結構變形，若發生在雙層材料懸臂樑 (cantilever beam)，當上層材料的熱膨脹係數大於下層時，該懸臂樑會向上彎曲，當材料的熱膨脹係數組成相反，則該懸臂樑會向下彎曲。此種彎曲形變主要是因為各種材料有著不同的熱膨脹係數，在高溫時，將某一種材料鍍於結構體材料上，當溫度降回常溫時，兩種材料的收縮量 (少數是膨脹量) 不一樣，因此當底下的犧牲層移除後，材料原本受壓收縮所存在的能量得到釋放，材料得以自由變形，此時材料間的熱膨脹係數差異所造成的熱應力，迫使材料形變將這些能量吸收。例如：將黃金鍍於懸浮多晶矽薄膜結構的單面，黃金通常會有比多晶矽大的收縮量，導致該黃金與多晶矽雙層材料結構體向黃金側彎曲。當黃金厚度越大時，彎曲程度越大。

要解決或降低熱應力造成的結構形變問題，可由下列方式著手：減少薄膜相對於底下結構體的厚度比、增加結構體的厚度、對結構體的兩側鍍上相同應力與厚度的薄膜、調降鍍膜時的溫度及選擇應力較低的薄膜。

3.4 與積體電路製程相容技術

3.4.1 CMOS-MEMS 之製程相容性探討

第 3.4 節作者為鄭英周先生及張培仁先生。

簡而言之，以現階段微系統裝置領域的研究來說，欲製作一微型感測或致動元件之方法亦可粗略地區分為兩大類；其一為利用矽晶的晶格特性以及其對各種化學藥品的蝕刻選擇比予以雕塑成形，並視需求在其上沉積薄膜或是在晶圓 (晶片) 間施以對準接合 (bonding)、電鍍等較屬「人為」之方式，製作出外形精巧且具製程彈性之微裝置 (即在無塵室自行施行曝光、顯影、蝕刻及電鍍等之微加工步驟)。此種方法賦予微機電研究人員無限的創意揮灑空間，同時也很適合於開發不同用途之微元件雛形。事實上無論是國內外各大學或是較大規模的微機電系統研發單位，多半採用此種方式來設計、製作微機電元件，然此類做法極需具備較豐富製程經驗的製造工程師和適用於多樣性材料之優良機台設備等要素。於微元件設計或是製作的初期，最好能夠兼顧未來控制 (驅動) 電路外接時的成本，以及製程條件一致性等因素。

而另一種製作方式則為借助現存之積體電路代工廠 (IC foundry)，如台灣積體電路公司 (TSMC)、聯華電子公司 (UMC)，或是透過國外 MOSIS 服務所提供的標準化製程方式來完成微元件之設計製作。惟以此種標準化製程方式來製作微機電系統裝置時，往往極度受限於下列幾點：(1) 標準化的製程和固定的薄膜材質，(2) 標準化的設計規範 (design rule) 和電路元件模型 (device model)，以及 (3) 結構和力學上的考量。

(1) 標準化的製程和固定的薄膜材質

積體電路標準化製程主要乃針對電子電路所需之元件特性而制定，是故無論在材質的選用或是製程參數的設定上均以調校出較佳的電子特性為主要依歸，因而在設計具備三維視野的微機電元件時，務必事先充分了解各晶圓廠、各製程、各層厚度和所選用的薄膜沉積材質和條件。

(2) 標準化的設計規範和電路元件模型

如前述，由於積體電路代工廠所提供的製造程序主要是針對平面的電路元件設計之用，因而為求發揮我們所製作的微機電裝置具備與前端電子電路整合設計或是後段後製程 (post process) 相容的特點，往往需在兩者的設計上做些妥協或是犧牲。如電路繞線、導線連結及驅動電極 (pad) 的材料選用、介面電路設計或是經後製程乾蝕刻 (dry etching) 或濕蝕刻 (wet etching) 時電路的保護措施等等。所以在某些微結構的設計上難免違反晶圓廠所訂定之設計規範，雖說有些微結構具備較高的誤差容忍度 (相對於半導體電子電路而言)，但如此一來則相對難以保證結構設計結果之可靠度。

(3) 結構和力學上的考量

微機電元件，顧名思義，為一整合機械結構、驅動電路與感測器的微小裝置，當採用受限的製造程序和製程材料來製作時，必然遭受莫大的設計限制和阻礙。基本上以標準積體電路製程技術製作電路元件方面多半毫無問題，然而一旦將動輒挖空懸浮的三維機械結構同時製作於一半導體晶片 (chip) 上，且需要準確的致動或是高靈敏度、高線性度的精確感測之時，則以往在積體電路製程中未曾遭逢或是未受重視的物理現象便逐一浮現，此重要問題可說是未來微機電代工製造廠的首要課題，例如圖 3.32 為鋁合金金屬與二氧化矽複合樑結構經後製程加工後所形成之變形情況。故一優秀的微機電研究人員或設計工程師精妙之處，首重如何在如此諸多限制 (耦合) 的環境之中選擇較佳的配置組合，並善用製程標準化之後在經濟成本、機電系統 (裝置) 充分整合以及優良產品均一性之優勢。

圖 3.32
微機電微結構後製程處理後變形翹曲之情況。

3.4.2 IC 與 MEMS 相容製程之分類與回顧

積體電路製程 (簡稱 IC 製程) 簡單地說乃為一系列之薄膜沉積、對準曝光、顯影、蝕刻和金屬化程序之總和，而這當中當然需要極精良的製程、檢測設備和優秀的半導體研發人才。台灣的積體電路代工服務領先全球，倘若能夠掌握微元件相關之電子、物理或機構等設計技巧，以類似現今專業積體電路設計公司 (IC design house) 之模式致力於微機電系統領域之研究，則不但可擴展產品開發視野，更有助於推行一包含微機電區塊 (MEMS block) 之全方位系統單晶片的發展。

目前國外以整合微電子電路和微機械元件來製作所謂 CMOS-MEMS 裝置的團隊並不少，但一般來說以 Henry Baltes 教授 (PEL, ETH Zurich) 所領導的物理電子實驗室 (裝置應用方面) 和累積優越矽深蝕刻 (silicon deep etching) 技術能量的美國卡內基麥倫大學 (Carnegie Mellon University) 微機電實驗室 (製程、模擬和參數萃取方面) 較具代表性，研究也最為完整。而 CMOS-MEMS 的製造依微加工處理程序的不同可大致分為前製程加工 (pre-CMOS)、中間製程加工 (intermediate-CMOS) 和後製程加工 (post-CMOS) 等三大類。表 3.2 大略列出各類 CMOS 相容微感測器和微致動器所使用的製程平台 (方式) 以及其研發的團隊 (或公司) 供讀者參考[50]，之後並將針對 CMOS-MEMS 製程方式略做探討。

值得注意的是，目前所提及的 CMOS-MEMS 裝置至今仍多半著重在單一元件或是分立次系統 (discrete component or subsystem) 的研發，故將來在建構完整的微系統裝置時需特別

表 3.2 CMOS 相容微感測器／致動器所使用的製程平台及研發團隊[50]。

	單純 CMOS 製程 (pure-CMOS)	薄膜沉積 (thinfilm dep.)	面型微細加工 (surface μ mach.)	體型微細加工 (bulk μ mach.)
標準 CMOS 製程 (完全依據半導體本身特性所製作之感測裝置)	Infineon： 指紋辨識裝置 溫度感測器 影像感測器 磁性感測器			
CMOS 前製程 (於標準製程進行之前加以微機電前製程處理)			SNL i-MEMS： 加速度計 多軸微陀螺儀	PEL： Trench Hall sensor U. Michigan： 壓力感測器 MIT： 壓力感測器
中間 CMOS 製程 (於標準製程進行之中加以微機電製程處理)			Infineon： 壓力感測器 ADI： 加速度器 FhG-IMS： 壓力感測器 Toyota： 壓力感測器	
CMOS 後製程 (於標準製程終了之後再施予微機電製程處理)		PEL： Fluxgate sensor Sensirin： 溼度、流量及壓力感測器 EPFL： 近接感測裝置	PEL： 壓力感測器 Delphi： 慣性感測裝置 Texas Instru.： DMD 微鏡面陣列 Honeywell： 紅外線感測器 UC Berkeley： 慣性感測裝置	PEL： 化學、紅外線、壓力及功率轉換裝置 Motorola： 壓力感測器 Sensirin： 流量感測器 Carnegie M.： 慣性感測裝置 Stanford： 功率轉換裝置 TU Munich： 慣性感測裝置 NIST： 功率轉換裝置

留意元件或裝置的封裝及可靠度等問題。其最佳的解決方式乃是在微元件設計之初便能考慮系統或元件的可測試性和封裝。當然，這與研究團隊所累積的設計、製程能力有著密切的關係。

(1) 單純 CMOS 製程 (Just-CMOS Process)

因半導體特性的關係使得一般 CMOS 元件本身便具有作為感測器的優良特性，例如利用霍爾效應 (Hall effect) 的磁性感測器、電流／通量計，CCD/CMOS 影像感測器[51-55]，以及依據半導體電阻－溫度特性的溫度感測 IC，或者是利用電容變化來作為元件的量測參考值。如 Infineon Tech. 的 FingerTIP 在晶片上製作 228 × 224 個像素 (pixel) 來測量感測器表面與手指間所產生的電容值，以作為一可靠的指紋辨識裝置[56,57]，或者如 2001 年 Popovic 等人充分了解封裝後積體磁場感測器易導致磁場－電流間的偏置 (offset) 和漂移 (drift) 關係，而藉由電路補償技巧來改善其霍爾感測器 (Hall sensor) 的特性[58]。此類方式並不需要額外的前處理或後處理步驟，且多半運用半導體底材或是內連線金屬的物理或化學性質，加上電路設計技巧來達成微裝置的設計，因而產品製作時程較短、成本較低，基本上也是較早整合於積體電路之元件，如一般常見的溫度感測 IC 或是光－電半導體感測元件等。

(2) CMOS 前製程處理程序 (Pre-CMOS Process)

因所謂前製程處理是指在進行 CMOS 標準製程前，先將矽晶片視需要施以微加工步驟，以期在 CMOS 製程完結之後，能得到所預期的整合性結構。一般在實際製程上尚可分為面型微加工方式和體型微加工方式。

① 面型微加工

美國 Sandia 國家實驗室 (SNL) 利用面型微加工方式，先在矽晶片上預先定義微結構所佔用的區域 (圖 3.2)，並深蝕刻至 12 μm 以作為微機械部分，之後填入二氧化矽並加以化學機械研磨 (CMP)，緊接著進行標準 CMOS 製程，完成後才將二氧化矽移除，而達到其所謂的積體化微機電系統 (i-MEMS)[59-61]。而以此種方式製作的微機電裝置則有微加速度計和微陀螺儀、共振器等[62-69]。其中微加速度計和微陀螺儀的應用相當廣泛，相關的研究文獻也非常多，而事實上以微機電技術製作的微加速度計，則早已成功達到商品化所需之要求，例如應用在汽車安全氣囊和定位系統上等。

此外值得一提的是美國 Sandia 國家實驗室在提供微機電製程代工之時，深知材料機械性質於製程完結後對微裝置的良率及可靠度有著絕對的關係，因而投入大量人力從事材料性質與殘餘應力－應變的研究，因而得知環境溼度等因素對微裝置的可靠度影響甚鉅，此點相當值得吾人借鏡。

② 體型微加工

　　先利用體型微加工來進行 CMOS 前製程處理，之後再進行傳統的積體電路製程步驟。此種方式允許設計者選用各種不同微機電製造方式 (如濕蝕刻或是乾蝕刻等) 先行達到微機械部分的設計製作，不僅可使之後製作的電路部分免受高溫的破壞，建構結構時也較不需受限於傳統 CMOS 製程材料的選用問題。然而前段微機電結構材料是否會對 CMOS 製程造成污染 (如爐管等) 則為一重大考量。2000 年 Steiner Vanha 等人利用深蝕刻 (deep etching) 方式，先在 CMOS 底材上蝕刻出數道深 20 μm 的垂直槽 (vertical trench) 以定義霍爾感測器區域，之後利用離子佈植、氧化、沉積多晶矽等步驟製作霍爾感測器之結構部分，最後再進行一般的積體電路製造程序等[70]。此外，使用此類製程的研究團隊還有有美國密西根大學的微機電實驗室等[71]，其先用 KOH 濕蝕刻矽底材，定義能承受高溫的微機電結構區域，接著沉積三層多晶矽作為微裝置的電極、結構和保護層，並在之後以一層鋁作為與 CMOS 電路部分的中間連線部分，製作觀念與美國 Sandia 國家實驗室類似。以此種方式為發展平台的 CMOS-MEMS 元件，主要特點在於能有效結合高深寬比之微結構與上層控制／訊號處理電路，基本上除材料與介面電路區塊 (block) 的考量外，其機械結構設計部分大致獨立於電子電路，所以在整體的微系統設計上具有較高的自由度，然後來因高深寬比蝕刻機台如 ICP、DRIE 等陸續被採用，加上材料污染、成本等問題，多數 CMOS-MEMS 的研究團隊採用後製程處理方式 (post-CMOS process) 來發展元件雛形。另外於 1995 年，Parameswaran 等人利用矽融合接合 (silicon fusion bonding) 方式將微機電裝置與傳統 CMOS 電路晶片接合在一起[72]，亦為一有效達到機、電系統整合的具體方法。

(3) CMOS 中間製程處理程序 (Intermediate-CMOS Process)

　　所謂中間製程處理程序的製程方式主要是指在 CMOS 製程當中，在多晶矽閘極 (gate Poly) 和金屬導線層 (Metal 1) 之間加入微機電製程，較著名的例子有 Analog Devices 之加速度計[73]與 Infineon 之壓力計[74]。因為微機電製程是在金屬層之前，不受到金屬層 (鋁合金) 之溫度限制 (約 450 °C)，所以可以運用低壓化學氣相沉積法 (LPCVD) 成長多晶矽、氮化矽及氧化矽等結構，就微機電元件設計而言較具彈性。其缺點是消除結構應力之退火 (annealing) 製程會干擾原有 CMOS 之特性，製程上必須整體加以調整。此外，運用此技術之廠商必須原來就具有生產 CMOS 電路之能力，進入門檻較高，所以採用此技術之廠家不多。

(4) CMOS 後製程處理程序 (Post-CMOS Process)

　　以微機電加工技術進行 CMOS 後製程處理為較普遍的 CMOS-MEMS 裝置製作方式。由於微機械部分將與電子電路部分同時設計、製作，因而在後來的後製程處理上，多半會受到預先製作於其上之電路部分的材料限制，此外非結構強化或機械作動取向設計的積體電路金屬結構，多少會影響將來微系統裝置的表現和可靠度。然而利用標準 CMOS 製程加上後製程處理的微機電裝置不僅體積小、重量輕、響應迅速，完美整合感測／控制電路、訊號處理單元和微機械裝置的結果更可發揮低成本 (適於大量生產)、高效能 (智能化[75])、高雜訊免疫力，以及較短的商品化時程，且若能配合我國優良的半導體製造能力，則更可免除設備、廠房的巨額投資成本。一般在實際製程上尚可分為薄膜沉積後製程和體型或面型微細加工後製程等方式。

① 薄膜沉積後製程

　　在 CMOS 電路部分製作完成之後，再於其上方沉積某特定用途的薄膜，並藉由積體電路的貫穿孔 (via) 或是另行沉積導體材料作為與電路之接線。此外半導體氣體感測器 (gas sensor)、化學感測器 (chemical sensor) 或是生醫感測器 (biomedical sensor) 等，亦時常在積體電路上方直接塗佈一層特殊材料，以作為微裝置與外界之反應層 (reaction layer) 或是當作觸媒 (catalyst) 之用。此種方式並不需要再行額外的微影、蝕刻等加工過程，但需注意底層電子電路對沉積薄膜的溫度容忍度。

② 體型或面型微細加工後製程

　　體型或面型微細加工後製程之間的差異，主要在於是否對 CMOS 結構再行沉積或是移除薄膜等工作。而綜觀上述所列各種微機電系統的製作方式，則不難察覺若在 CMOS 製程之前 (或是之中) 猶需額外進行薄膜沉積或蝕刻的話，那麼基於晶圓代工的產能連貫性和一致性，以及電路／微機械的整合設計規範 (design rule)，欲提高產品穩定性和降低研發成本將比預期困難許多。因而後來的發展除特殊目的外多強調所謂無需光罩 (maskless) 後處理，亦即期望在設計之初，便統合電子電路和微機械元件之感測／致動性能，作一整體規劃和設計，當晶片由晶圓廠送回後僅需再施以簡單後製程即可。如 Tanigawa 等人於 1985 年提出了整合型的 MOS 壓阻式壓力感測器，除了標準積體電路製程之外，另利用矽－非等向性濕蝕刻由背面蝕刻出壓力感測薄膜[76]。

　　1989 年，Parameswaran 等人利用傳統金－氧－半導體結構材料改以設計成許多多晶矽 (polysilicon) 和二氧化矽 (silicon dioxide) 微橋式結構 (microbridge)，同時以矽晶片正面濕蝕刻加工而形成這兩種不同材質的懸浮微橋式結構，其所提出的蝕刻犧牲層造型之觀念可說震驚當時多數半導體和微機電研究人員，對 CMOS-MEMS 研發的演進極具創意和價值[77]。1990 年 Moser 等人及 Ristic 等人也以類似的觀念和做法，利用矽－濕蝕刻的方式在晶片上製作許多微橋、微線圈、懸臂樑和薄膜等微結構，同時提出整合微電子電路的可行性推論，亦即微細結構的加工過程並不會損傷其下方的電子電路[78,79]。

　　1992 年 Jaeggi 和 Baltes 以及 1993 年 Gaitan 等人利用蝕刻終止 (etch stop) 方式製作高效率的熱－電功率轉換裝置[80-83]。而在 1997－1999 年間，Milanovic 等人為降低電磁波與矽底材間之耦合 (coupling) 損失，將未受保護的矽底材部分先利用 XeF_2 (xenon difluoride) 等向性氣相蝕刻 16 分鐘，使下方形成一空心孔洞 (undercut cavity)，之後再用與積體電路相容的 EDP 蝕刻液進行非等向性濕蝕刻 (92 °C 約一小時)，以形成 V 形凹槽而成功移除傳輸線下方的矽底材部分[84-87]。此舉不單降低傳輸線的耦合損失，同時藉由懸浮之絕熱功率裝置的空氣絕緣層以減少導體歐姆損失。這種加工方式在傳統微機電技術雖不算特別，但將之利用在整合高頻微波元件的應用上，則可謂開創積體 RF MEMS 研究的良好契機。此外在新世代微波被動元件的開發方面，還有微機電可變電容、高 Q 值 (quality factor) 電感的設計及共振器等微機電微波元件等[88-95]。

　　事實上，與 CMOS 製程相容微機電技術的研發，歷經 1980 年中期至今，無論在研究水準和應用層面來看可謂既深且廣，故在此僅綜合本段落敘述，以幾個主要應用和代表性成果分列於表 3.3[96-152]。另外亦於表 3.4 列出目前全球幾個提供積體電路－微機電系統的專業代工組織以作為參考[153]。

表 3.3 CMOS 相容微感測器及其研發團隊。

元件及應用	研究團隊	文獻
製程相容性	Carnegie Mellon Univ./CNF-SCREAM Process (Post Si-DRIE)	52－56
	SUMMiT/SUMMiT-V Process (Pre-CMOS)	57－62
	UCB HexSil Process (Poly-Si molded Tech.)	63－65
	Univ. of Michigan, Ann Arbor (Pre-CMOS)	27、66
熱及影像感測器	Kolling (1990)	67
IR 感測器	Lenggenhanger *et al.* (1992－1993)	68、69
	Muller *et al.* (1994)	70
壓力感測器	壓阻式： Cane *et al.* (1995)、Kress *et al.* (1991) 等研究團隊	71、77
	電容式： Dudaiceve *et al.* (1994)、Kung *et al.* (1992) 等研究團隊	78－83
	壓電式： Caliano *et al.* (1995)、Schiller *et al.* (1990) 等研究團隊	84、85
化學感測器	Tai *et al.*、Muller、Hierlemann 等研究團隊	86、87
加速度計	Hierold *et al.* (1996) 等研究團隊	88
真空計	Paul and Baltes (1995) 等研究團隊	89
濕度感測器	Boltshanser & Baltes (1991) 等研究團隊	90
氣體及流量感測器	Moser *et al.* (1991-1993)、Rodadey *et al.* (1993) 等研究團隊	91－96
質量流量感測器	Yoon 及 Wise (1992) 等研究團隊	97
磁性感測器	Gottfried *et al.* (1991) 等研究團隊	98
交流電源感測器	Jaeggi *et al.* (1992) 等研究團隊	99
位置感測器	Schmidt *et al.* (1993) 等研究團隊	100
微波 CMOS-MEMS 元件	C. T.-C. Nguyen 及 R. T. Howe (1993) 等研究團隊	101－108

表 3.4 提供積體電路－微機電系統的專業代工組織[153]。

專業代工組織	代工項目
MOSIS	一般半導體製程以及 CMOS-MEMS 製程代工 (post-wet etch process)-NIST MEMS Library
CMP	CMOS-MEMS BiCMOS-MEMS GaAs-MEMS MUMPs
Cronos	LIGA 面型微加工 體型微加工 MUMPs
Bosch	MEMS 面型微加工
TRONIC'S Microsystems	Epi-SOI 面型微加工
NORMIC	壓電電阻感測器製程

3.4.3 CMOS-MEMS 之設計實務簡介

　　以下將列舉幾個利用標準積體電路製程所製作之微機電裝置，以供未來欲進行 CMOS-MEMS 元件研發者參考。

(1) 射頻微機電關鍵元件之研製

　　目前由於通訊市場的開放、資訊家電快速成長和網際網路的蓬勃發展，使得應用在通訊及網路上的被動元件如電感、電容等，皆扮演著極為重要的角色。例如於射頻前端 (RF front end) 電路之壓控振盪器 (voltage controlled oscillator, VCO)、LC 濾波器、雜訊濾波器 (EMI filter)、全球定位系統 (global positioning system, GPS)、微馬達 (micromotor) 和電腦主機板上之電源供應器 (power supply) 等。

　　此外為了配合無線通訊系統的高功能密度及小型化的市場趨勢，各種被動元件的發展也隨之朝精密化、薄膜化、小型化的方向發展，這種趨勢在電感、電容及電阻器等三種基礎被動元件以及具備高隔絕效率 (isolation)、低插入損失 (insertion loss) 等特性之微機電微波開關 (microwave switch) 尤其明顯。舉例來說，目前的高 Q 值電感器大部分都是以外接 (off-chip) 的方式 (Q 值約 500－1500) 藉由印刷電路板 (PCB) 組裝在一起，因而使得成本提升，而一般的晶片電感之 Q 值均低於 10，特性難達實際要求，甚至於積體電路常用之螺旋形電感 (spiral inductor)，則往往佔據了整個積體電路晶片大部分的面積 (chip size)。故若能將其整合在單一製程晶片上 (monolithically integrated in a single chip)，則可大幅提高系統積集度、降低研發成本。圖 3.33 為一般射頻電路部分之示意圖，圖中有底色之功能區塊代表微機電技術能將獨立元件整合到晶片上，如帶通濾波器 (band-pass filter) 等；或者是說能提升現有固態電路之性能，如射頻開關 (RF switch)、低雜訊放大器 (low-noise amplifier, LNA)、混波器 (mixer)、壓控振盪器、功率放大器 (power amplifier, PA)、電感及可變電容 (L/C)。

　　有鑒於標準 CMOS 製程技術的高良率及高穩定性，同時在成本、功率消耗 (power consumption)、量產可行性或晶片整合等因素的考慮下，筆者採用 CMOS-MEMS 相容技術，也就是採用臺灣積體電路製造公司 (Taiwan Silicon Manufacturing Company, TSMC) 提供之標準積體電路製程，並配合 MEMS 微加工技術的後續製程，研製一適用於射頻前端模組之關鍵元件－晶片電感器。如圖 3.34(a) 到圖 3.34(f) 即為利用 CMOS 相容製程所研製之各式微機電立體微電感，其中除一般矩形晶片電感之外，在後製程中同時也電鍍鎳－鐵磁芯於立體電感器之中。另圖 3.35 所示則為一橫向致動之微機電微波開關，其作動原理主要是利用四組梳狀致動器陣列，以推動兩組細長結構桿件，進而驅動中間 T 形連接頭，作為 G-S-G (ground-signal-ground) 共面波導 (coplane waveguide, CPW) 結構之訊號切換。

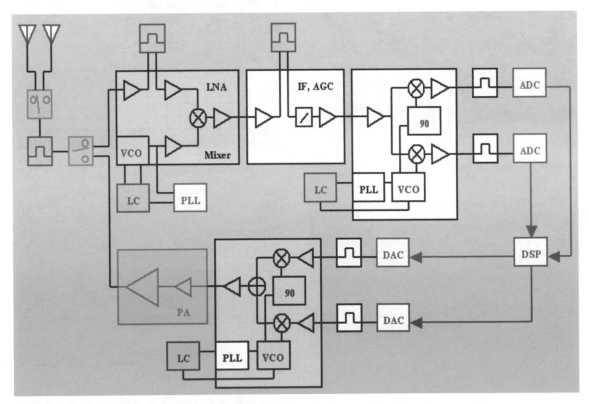

圖 3.33 一般二次降頻射頻電路之示意圖。

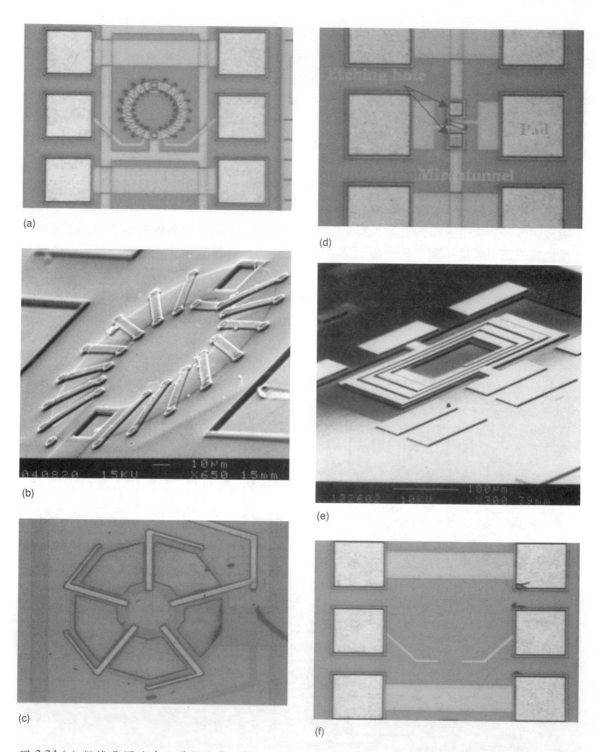

圖 3.34 (a) 微機電螺旋式立體微電感，(b) 微機電立體螺線環電感，(c) 電鍍後之立體螺線環電感，
　　　(d) 微機電立體螺線管電感，(e) 微機電立體微電感，(f) 微機電立體微電感之空置 (去耦合) 焊
　　　墊 (dummy pad)。

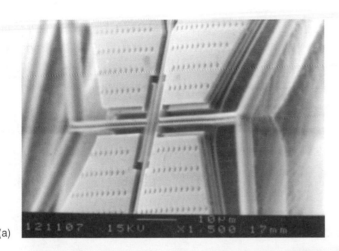
(a)

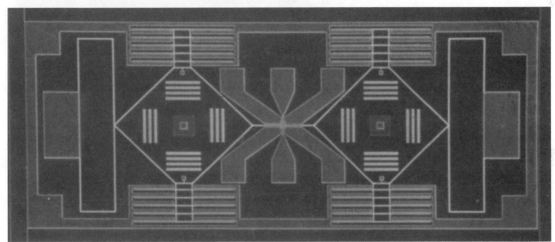
(b)

圖 3.35 CMOS 相容製程之微機電微波開關。

　　以微機電技術來提升目前通訊產業等關鍵零組件的特性,很早便已得到相當廣大的認同和迴響,也就是說,若可透過微機電製造技術之助,以幾個較單純的後製程加工便可大幅提升目前積體電路製程製作之元件特性的話,那麼將非常有利於未來積體微機電系統 (integrated MEMS) 的推行,以及貫徹系統單晶片 (SoC) 之真正意涵。

(2) 微壓力感測器之研製

　　壓力計無論在工業上、醫學上、軍事上或日常生活上皆有著相當廣泛的應用,而半導體壓力感測器又因其有較傳統壓力計體積小之優點,對量取一些接觸面積較小的物體或用來減低人體對物體的不適有很大的幫助,目前市面上已有的半導體型壓力感測產品有胎壓計、血壓計等。值得一提的是,據 Peripheral Research 最新報告指出,因零組件低價刺激、銷售量增加，以及部分終端產品應用層面提高之故，微機電技術之市場在未來三年可望成長 200%。也就是說，2005 年微機電市場規模將達 110 億美元。目前的市場規模為 37－38 億美元，且感測器平均售價為 10 美元，而至 2005 年則將降至 1 美元左右。其中汽車業所推行之輪胎壓力感測器將是帶動微機電市場成長的重要動力之一。

　　圖 3.36 所示之電容式壓力感測器是由 8 × 8 陣列分布之壓力感測單元 (sensing cell) (如圖 3.37 所示) 所組成，且藉由上下兩平行電極板來產生感測電容，下電極板為固定的電極板，上電極板為壓力薄膜，當施加壓力時會導致上電極板變形，使兩電極板之間距改變而產生相對應的電容量變化，之後再經由電路將電容之變化值轉成電壓的變量，如此一來即可得電壓變化與壓力之間的關係。

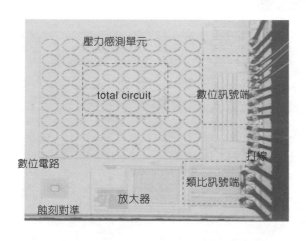

圖 3.36
微壓力感測器晶片及其打線後之情形。

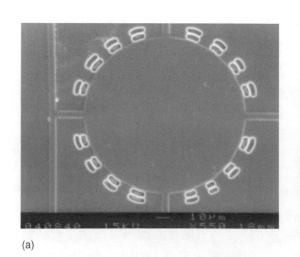

(a)

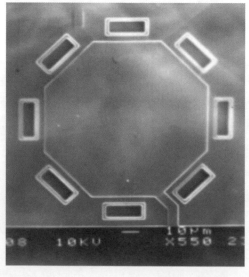

(b)

圖 3.37 微壓力感測器之單一感測薄膜。

　　經由晶圓廠設計規範,可計算出 8 × 8 並聯陣列之壓力感測單元的電容值為 5.5 pF。另在訊號處理電路方面,主要分成數位 (digital) 和類比 (analog) 二部分,數位部分由一個單相時脈 (single phase clock) 訊號轉成二相 (two phase) 的非重疊時脈 (non-overlapping clock) 訊號。而類比部分為切換電容電路 (resettable switched-capacitor gain circuit)。另外在後製程處理方面,當我們完成壓力感測器之設計、模擬、布局及驗證之後,即可循晶片製作程序送件製作。然若欲使壓力計具有實際感測壓力負載的功能,則於晶片送回之後,必須再經由後製程加工方能使感測器作動。以下即針對此電容式壓力感測器後製程略作說明:

1. 取得標準製程之晶片後,塗佈光阻 (photo-resist) 以保護其他不用蝕刻的電路部分或是結構部分。
2. 曝光及顯影 (exposure & development):利用光罩 (photo mask) 使不欲去除的光阻不受感光,再由顯影液將光阻層所轉移的潛在圖案顯現出來。
3. 乾蝕刻 (dry etching):在布局時,將欲蝕刻的地方開孔 (pass),其目的即在利用反應離子蝕刻法 (reactive ion etching, RIE) 進行非等向性蝕刻,直到蝕刻至第三金屬層 (Metal 3)。
4. 濕蝕刻法 (wet etching):利用 RIE 將二氧化矽蝕刻至第三金屬層後,再用蝕刻液 ($16H_3PO_4 + HNO_3 + CH_3COOH + 2H_2O$) 將犧牲層 (sacrificial layer, Metal 3) 完全掏空。之後利用電漿輔助化學氣相沉積法 (PECVD) 沉積氮化矽膜 (Si_3N_4) 以封住蝕刻孔。

　　經以上步驟之加工處理後便完成此壓力感測裝置之製作。雖說後製程略顯繁瑣,但未來若能穩定調制各類程序並朝向標準化、簡單化之設計、製造程序邁進,則在未來廣大的市場需求之中應仍有相當不錯的利基。

(3) 微機電帶通濾波器之研製

　　濾波器的觀念早在 1915 年即分別由德國的 K. W. Wagner 及美國的 George A. Campbell 所提出,發展至今,理論與實際技術都已相當完整,無論在工業、醫學、研究、軍事或日常生活上,皆佔有重要地位。國內外已有許多研究人員針對以微機電元件製作濾波器為主題進行一系列相關之研究,並驗證其可應用的範圍不侷限於微感測器、微加速度計、微齒輪及微馬達等,在無線通訊領域中也漸漸嶄露頭角,如可調電容器 (tunable micromachined capacitor)、積體式高 Q 值電感器 (integrated high-Q inductor)、低損失微機構式開關 (low loss micromechanical switch),以及微振動機構式共振器 (micro-scale vibrating mechanical resonator) 等。

　　我們選用 TSMC 0.5 μm SPTM 與 0.35 μm SPFM 兩種 CMOS 製程來製作微電子機械式濾波器,如圖 3.38 所示,其中梳狀驅動器 (comb drive) 的作動原理為先由直流偏壓端 (DC bias port) 給予直流偏壓,同時在驅動端 (drive port) 提供一個交流訊號,如此一來會使直流偏壓端和驅動端產生電位差,使得整個懸浮的梳狀結構 (shuttle mass) 被所產生的靜電力和彈簧結構的回復力相互拉伸吸引而產生週期性位移。此時不斷的改變輸入的頻率,讓此懸

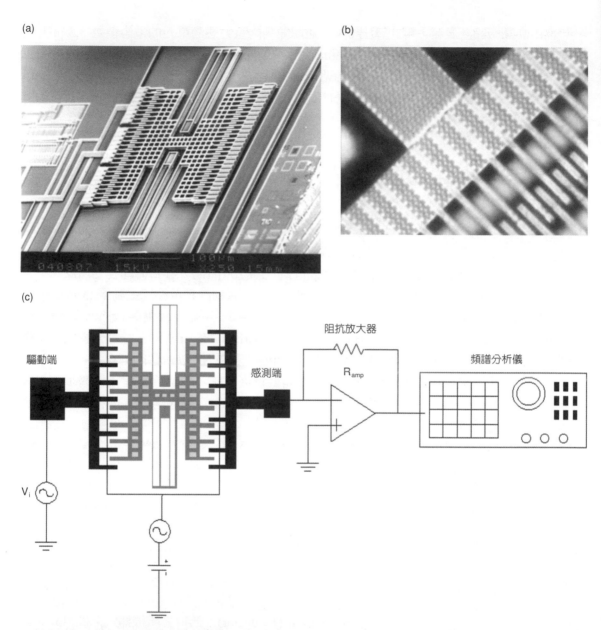

圖 3.38 (a) CMOS 相容製程之微機電帶通濾波器－梳狀共振結構及電路，(b) 微機電帶通濾波器之
梳狀共振結構，(c) 微機電帶通濾波器之轉移函數量測示意圖。

浮結構達到共振之模態。屆時，在感測端 (sense port) 則可藉由梳狀結構位移的不斷改變而
產生出感應電流，並將其導入電路進行進一步之訊號處理。

　　在後製程方面，標準製程完成之後須進行兩道後製程，一為 RIE 蝕刻二氧化矽，另一
為 RIE 蝕刻矽基材。首先對結構間的二氧化矽進行非等向性蝕刻直至矽基材為止，再對結

構下的矽基材進行等向性蝕刻使結構懸浮。由於整個共振器要懸浮的部分不超過 3 μm 寬，而固定端 (anchors) 部分面積為 19 μm × 15 μm，因此當整個微致動器懸浮時，在相同的蝕刻時間下僅剩下固定端部分與矽基材相黏著，並藉此固定端把整個微致動器牢牢的抓住。CMOS (SPTM) 共振器於共振狀態時會在感測端得到感應電流，此時必須藉由阻抗放大器將其轉換為電壓輸出模式，最後才經由頻譜分析儀 (spectrum analyzer) 來量測其轉移函數 (transfer function)。實驗觀察其中心頻率約為 13.1 kHz，並且幾乎不因 R_{amp} 的變動而使中心頻率有偏移的情形，可是其 3 dB 頻寬卻由 16 Hz 變化至 7 Hz，Q 值也由 819 變化至 1871，明顯具有改善品質因子的效果。值得特別說明的是，空氣阻尼 (air damping) 對微結構共振時的影響在此是可以忽略的，主要是因為對矽基材的蝕刻很深，大幅減少共振器與矽基材表面間的空氣阻尼。

(4) 微光學平台裝置之研製

　　資訊電子化是現代經濟和社會發展的趨勢及需求。二十一世紀的人類不僅生活忙碌且重視品質，因而人與人、社群與社群間的聯繫和往來在此時受到格外的重視，故順勢而出的寬頻網路和無線連網技術則隨著全光網路 (all optical networks, AON) 和同步光網路 (synchronous optical networks, SONET) 架構思維的逐步成形，輔以現代成熟的精密機械和微電子製造技術，慢慢地開創現代生活的新視界。目前網路頻寬正以每 6−9 個月成長一倍的速度急劇增長，同時在此亦出現了各種新型態的多媒體通訊服務，因而無論是企業或個人對通訊網路的頻寬、成本等均相對提出了更高的要求。通訊網路通常分為幹線部分 (core network) 及接取部分 (access network)。由於 DWDM (dense wavelength division multiplexing) 及 OADM (optical add and drop multiplexer) 之發展，目前之幹線已可達 tera bit (10^{12} bit) 之資訊流量，而網路路徑上有 OSNCP (optical sub-network connection protection) 以及 D&C (drop & continue) 之環狀 (ring) 保護次網路。而隨著光互連網和微機電系統技術的逐漸發展，目前已有許多研究團隊或公司擬將許多光被動元件，以積體化方式製作在適當基材之上，期望能借助微機電微型化、輕量化的製作技術將元件大量生產，以達輕薄短小、直接光傳輸 (直接光轉換) 與低成本之優勢。事實上，有越來越多的研究人員和公司採用 MEMS 技術以改善效能，或是希望能藉此降低光開關等元件的製造成本，例如 1992 年 Dautartas 等人和之後的 Ollier (1995)、Marser (1997) 等研究團隊[154-158]。而主要研製的目標則是最終之極低光訊號衰減的光對光 (O-O) 直接轉換 (提高光網路的效能) 和模組化 (簡化系統的維護流程和成本)。目前一般光通訊主、被動元件多採用昂貴的底材或是磊晶、沉積等製造技術，因而使得成本居高不下，此外部分的核心光通訊技術則因進入門檻高，不易切入，需依靠美、日等之技術支援。因而如何善用我國擅長之半導體製造技術來開發可行、可靠的通訊元件，實為研發工程師們的一大課題。微機電技術在光通訊方面的應用相當多，例如光衰減器、光纖開關、光波導等元件，而以光網路次系統來看的話，大致有 DWDM、OADM、OXC (optical cross connect) 等。因而筆者採用 TSMC 所提供之標準 CMOS 0.35 μm SPFM 製程配合 MEMS 後續製程處理來製作一具光－機調變機制裝置平台，如圖 3.39 所示，和一具數位多向性光切換之微型光連結平台裝置 (digital multi-direction optical interconnect device)，如圖 3.40 所示。主要目的乃期望能針對傳統大型光網路連結，或是空間光內連結裝置的尺度和效能改善等，提出一個切實可行的先期研究方案。以下以微型光連結平台為例簡單的說明其設計及製作過程。

首先以標準製程設計一積體化微型光通訊平台，即將 10 × 10 之圓形微結構 (半徑約 23 μm) 陣列與一控制電路 (1 × 8 demux) 同時製作於標準 CMOS 晶片之上。然而因 CMOS 製

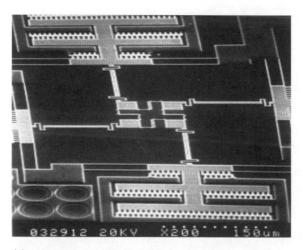

(a)

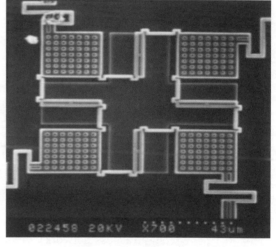

(b)

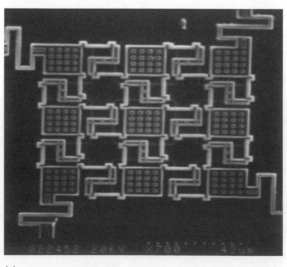

(c)

圖 3.39

微機電扭轉式光學微結構之設計和製造。

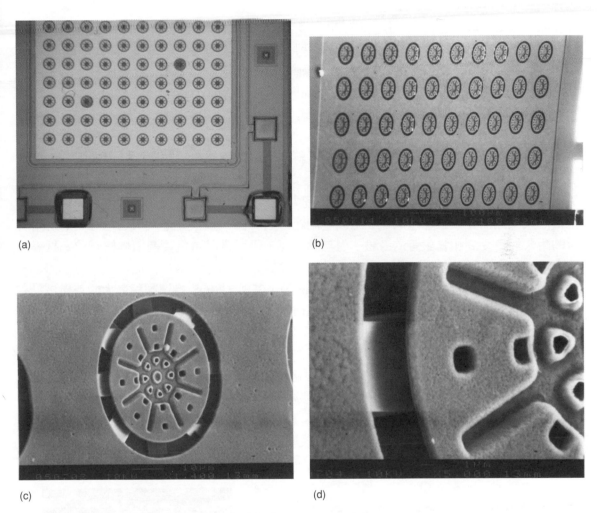

(a)

(b)

(c)

(d)

圖 3.40 CMOS 相容製程之微機電微陣列裝置。

程主要乃針對二維平面之電路結構所設計，因此在元件設計上必須特別考慮微元件經後製程釋放 (released) 後之結構變形問題，若有需要則考慮在重要結構部位酌予強化。另為求能與控制電路完整整合，將控制電路同時安置在微陣列的右方位置，期望能經由輸入選擇線的八種數位輸入方式，獲得微型鏡面的八方向作動，並藉以達到反射入射光源之目的。此類的微致動器一般可作為微光學切換平台 (micro optical bench) 裝置以及空間直接對連裝置之測試和運用。在微裝置的設計上，為求結構順利釋放，故在微鏡面上設有許多方形蝕刻孔，然蝕刻孔的大小、多寡均會影響微鏡面的光學特性以及機械強度。另外微鏡面下方由 VIA 3 構成放射狀強化樑，其目的為強化鏡面剛性，以增加其光學可靠度和平坦度。此種方式雖會在布局驗證時造成錯誤，但仍希望在製程可行的情況之下，能以取材受限的材料種類和厚度來達到最佳的利用。圓形微結構旁邊之 Metal 4 為蝕刻遮罩，用以保護下方的電路和內連線不受後製程所破壞。之後改採濕蝕刻方式蝕刻二氧化矽 (TEOS oxide)。圖 3.40(d) 中所示製程後之 SEM 圖，而微結構表面凹陷處則為設計之初為求結構補強而將 VIA 3 放大至 2 μm 所導致之製程缺陷，此可說是違反晶圓廠設計規範時所需付出之代價，故在進行實際的設計工作時務必留意此點。其改善的方式可將之設計成符合規範之最小 rule 之 VIA 陣列即可。

　　上述四個例子可說明，縱使在有限的材料種類和結構層數目限制的狀況之下，仍可藉由製程或材料本身之間的選用或是乾 (濕) 蝕刻選擇比，製作出一確實可行的微型裝置元件。惟需說明的一點是：由於在 CMOS 製程中，上方的薄膜材料多半由金屬和氧化物堆疊沉積而成，因而在裝置雛形的建立上或許問題不大，但一旦預備走入市場之時，則選用材料的耐久性會受到相當嚴苛的考驗。但無論如何，仍可嘗試將重要結構轉植至矽底材等其他方式，製作出所需之裝置元件。

　　國外之微機電專業代工如 Cronos、Sandia 等，其與 CMOS 標準製程最大的差異是具有二至三層機械性質優良穩定，而且厚達 2 μm 的多晶矽結構層，而目前 CMOS 製程之閘多晶矽 (policide) 層厚度卻多半低於 3000 Å，並不適宜作為結構層之用。然而因多晶矽與氧化層以及矽底材之間具有不同的選擇性，恰可作為一結構釋放之犧牲層。也就是說製程上的先天缺陷 (對微機械結構來說) 或許存在，但適時且靈活地避開或是反過來加以利用此「缺陷」，則成為 CMOS-MEMS 設計工程師的重要技能。如圖 3.41 及圖 3.42 則是為求取 CMOS 製程中薄膜材料之間所衍生之殘餘應力大小，藉由此類的微應變計 (strain gauge)，可提供設計者各材料間所表現出的機械特性，並作為後續設計之參考。

圖 3.41 積體電路微應變計。

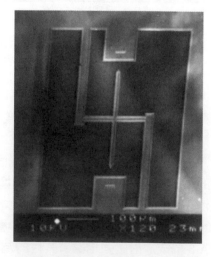
圖 3.42 積體電路指針式微應變計。

3.4.4 CMOS-MEMS 發展趨勢與未來潛力

自西元 2000 年開始，微機電專業晶圓代工廠陸續出現，從而正式宣告產業垂直分工時代的來臨。除了原有的如 Sensonor[159]、Standard MEMS[160]、Texas Instruments[161] 及 Analog Devices[162] 等整合元件廠外，日本 Sony[163]、美國 Cronos[164]、Applied MEMS[165]、瑞士 Colibrys[166] 及法國 TRONIC'S[49] 等均已開始提供 6 吋晶圓之代工服務。此外 Philips 與 Standard MEMS 在德國 Itzehoe 合建 8 吋 CMOS 與 MEMS 共用晶圓廠[167]，均提供未來整合積體電路製程之微機電裝置發展的良好契機。而在國內方面，華新麗華已建立全新之 6 吋廠，提供晶圓代工服務，亞太優勢也預定將原有的華邦一廠改裝成 6 吋廠，除了提供自有產品之需求外，亦將提供晶圓代工服務。

綜觀前述各點，CMOS-MEMS 除了具有降低雜訊及降低連線接點數等技術上之優點外，更重要的是提供傳統半導體廠一個以漸進轉移產能方式、跨入微機電事業之切入路徑 (penetration path)，以及由產品雛形快速發展至量產之能力，茲分述如下。

(1) 提供跨入微機電事業之切入路徑

一般微機電元件之成本分布約為製程佔 21%、電路 16%、測試 21%、封裝 42%[168]，所以晶圓製造部分只佔微機電總產值的五分之一左右。另一方面，微機電元件種類多，但單一元件每年需求數量不大，除了磁碟機讀寫頭達到 10 億個、噴墨印表頭達到 5 億個外，其餘大部分的元件在 1 億個以下。依據這個數字計算，一家公司如果只有單一產品線，很難填滿一座 6 吋晶圓廠之產能，但用 4 吋或 5 吋廠的營運效率又不如 6 吋或 8 吋廠，可能很快被淘汰。

一個解決的方法是形成設計公司－製造公司 (design house - foundry) 之垂直分工，由許多不同產品之設計公司共同填滿晶圓廠之產能，目前 Cronos 及華新麗華等專業晶圓代工廠即採用此模式。但即使如此，因生產線初期投資金額即相當大 (台幣 10 億左右)，廠房完成初期之產能過剩所帶來之虧損一直是個很大的困擾，也是使得投資者切入微機電產業時裹足不前的重要原因之一。另一個解決方法是像 Analog Devices、Infineon、Standard MEMS 等公司將微機電與 CMOS 合併生產，可解決微機電產品初期產能需求不足的問題。但需要特別注意的是 MEMS 製程中有許多材料如 KOH 與金會污染 CMOS 電路，所以 CMOS 中間製程處理程序還是有許多限制。因此一般仍採用 CMOS 後製程處理程序，所有微機電製程均排在 CMOS 完成之後，完全不會干擾 CMOS 生產線，有可能造成污染的製程可以移到隔離區域進行，甚至可使用較低潔淨度 (營運成本較低) 之區域製造。如果應用此方法，前段薄膜製程可用原有之 CMOS 生產線進行，只要添加後段之濕蝕刻槽、乾蝕刻機與電鍍設備，即可完成微機電製程，可以大幅降低初期投資之風險，也可以讓微機電與 CMOS 合併生產，提供傳統半導體廠一個以漸進轉移產能方式跨入微機電事業之切入路徑。

(2) 提供快速發展至量產之能力

　　一個微機電元件從出現在文獻中的雛形到變成產品平均需要 6 到 9 年，當中發展量產化技術所需要的時間與投資不容忽視。由於 CMOS-MEMS 後處理方式大部分的製程是在 CMOS 晶圓廠中完成，所使用的已經是成熟的量產技術，所以雛形測試成功後到達量產的時間可以縮短很多。

(3) 善用我國產業優勢

　　依照競爭力學者 Michael Porter 教授的說法，擁有全球競爭力之產業具有群聚效應，強勢產業會提攜其周邊產業一起取得全球優勢[169,170]。事實上我國的電子業就是一個明證。我國擁有全球第一流之 CMOS 晶圓代工業、積體電路設計、測試及封裝業，新興之微機電產業如能善用既有之電子產業結構，必能大力加速其發展。而 CMOS-MEMS 即是在此策略思考下之產物，因其與我國現有的強勢產業最接近，發展成為全球第一的機會也較大。

　　近十年來許多先進國家之技術預測 (technology foresight) 均指出[171,172]，將來 10 年至 20 年間最重要的三大科技為奈米科技 (nanotechnology)、資訊科技 (information technology) 與生物科技 (biotechnology)。在此趨勢之下，CMOS-MEMS 未來之技術研發可充分與之相輔相成，發展前景樂觀，如提供奈米結構 (物件) 一合適的操作平台等，簡要說明如下。

(1) CMOS-MEMS 作為奈米科技平台

　　奈米裝置之尺度遠小於人類尺度，所以在實際應用時無法直接產生介面，必須藉微機電技術之助方能產生連結並發揮其功用。例如日本東北大學 Esashi 教授所開發之高密度資訊儲存技術即利用微機電元件作為奈米碳針之平台[173]，場發射顯示器 (field-emission display, FED) 也是應用微機電結構作為奈米碳管 (carbon nanotube, CNT) 之平台。

(2) CMOS-MEMS 作為生物科技介面

　　以微機電技術製作生物感測器已有多年歷史，如檢測血糖、酸鹼值 (pH)、毒氣、鉀離子、鈉離子等感測器，但在許多應用上 CMOS-MEMS 更有其獨到之優點，分述如下：

① 如果感測器需要置放於人體體內，則為了減低外連線數目及減低雜訊，感測器訊號必須經前處理及多工處理 (multiplexing) 後再傳輸，所以必須與積體電路整合。

② 同時檢測多種訊號之感測器可利用積體電路進行神經網路運算、自我校正 (self calibration) 或是儲存校正參數及晶片辨識碼。此外生物科技介面中相當值得注意的是導電聚合物之發展，目前 Neuchatel 大學的 de Rooij 教授已應用 polyaniline 製作感測材料。未來如果聚合物半導體技術成熟，或許有機會將整個生物晶片 (含積體電路) 全部採用聚合物來製造[174]。

(3) CMOS-MEMS 作為資訊科技介面

目前微電子技術已能輕易在同一晶片上放進整個微電腦系統 (如 8051)，提供高速的資訊處理能力 (如 Pentium 4)，以及可重新設定之資訊路徑 (如 field programmable gate array, FPGA)。而未來發展趨勢是系統單一晶片 (SoC)，除了高度積集化以外，同時逐步將原來獨立在外之元件，如感測器、光電介面、微波介面等，一一整合到晶片上。而 CMOS-MEMS 因其製程與 CMOS 完全相容，因而可說是發展 SoC 技術之最佳選擇。

參考文獻

1. 各國微機電系統之發展現況可參考 World Micromachine Summit 2001 年之論文集或參考 mst news (http://www.vdivde-it.de/it/mst/)。

2. 請參考 Reiner Wechsung, Nezih Uenal, Jean Christophe Eloy, and Henning Wicht, Market Analysis for Microsystems, NEXUS, 1998或工業技術研究院產業經濟與資訊服務中心報告。

3. http://mems.sandia.gov/

4. http://www.imm.uni-mainz.de/

5. http://www.tronics-mst.com/

6. E. Bassous, H. Taub, and L. Kuhn, *Appl. Phys. Lett.*, **31**, 135 (1975).

7. C. Hu and S. Kim, *Appl. Phys. Lett.*, **29**, 582 (1976).

8. S. C. Terry, J. H. Jerman, and J. B. Angel, *IEEE Trans. Electron Devices*, **ED-26**, 1880 (1979).

9. E. Bassous, *IEEE Trans. Electron. Devices*, **ED-25**, 1178 (1978).

10. H. Guckel, S. Larsen, M. G. Lagally, B. Moore, J. B. Miller, and J. D. Wiley, *Appl. Phys. Lett.*, **31**, 618 (1977).

11. R. T. Howe and R. S. Muller, *J. Electrochem. Soc.*, **130**, 1420 (1983).

12. K. E. Petersen, *Appl. Phys. Lett.*, **31**, 521 (1977).

13. K. E. Petersen, *Proceedings of the IEEE*, **70** (5), 420, May (1982).

14. L. S. Fan, Y. C. Tai, and R. S. Muller, *Tech. Digest, Transducers 1987, Fourth Int. Conf. on Solid State Sensors and Actuators*, 849 (1987).

15. K. J. Gabriel, W. S. N. Trimmer, and M. Mehregany, *Tech. Digest, Transducers 1987, Fourth Int. Conf. on Solid State Sensors and Actuators*, Tokyo, 853 (1987).

16. M. Mehregany, K. J. Gabriel, and W. S. N. Trimmer, *IEEE Trans. Electron. Devices*, **ED-35**, 719 (1988).

17. L. S. Fan, Y. C. Tai, and R. S. Muller, *IEEE Trans. Electron. Devices*, **ED-35**, 719 (1988).

18. L. S. Fan, Y. C. Tai, and R. S. Muller, *Tech. Digest, IEDM, San Francisco*, 666 (1988).

19. M. Hirata, S. Suwazono, and H. Tanigawa, *Sensors and Actuators*, **13**, 63 (1988).

20. K. Ohwada, Y. Negoro, Y. Konada, and T. Oguchi, *Sensors and Actuators A*, **50**, 93 (1995).

21. C. J. Schmidt, P. Lenzo, and E. G. Spencer, *J. Appl. Phys.*, **46**, 4080 (1975).

22. B. Acklund, N. J. Coron, P. Delsing, B. Jonson, M. Lindros, G. Nyman, H. Ravn, K. Riisager, and H. H. Stroke, *Instrums and Meth. In Physics Res.*, **A279**, 555 (1989).

23. T. A. Kwa and R. Wolffenbuttel, *Sensors and Actuators A*, **31**, 259 (1992).

24. R. F. Wolffenbuttel, *Sensors and Actuators A*, **30**, 109 (1992).

25. H. L. Offereins, H. Sandmaier, K. Maruszcyk, K. Kuhl, and A. Plettner, *Sensors and Mater.*, **3**, 127 (1992).

26. J. -H. Liu, T. M. Betzner, and H. Thurman Henderson, *J. Micromech. Microengng*, **5**, 18 (1995).

27. T. Hirano, T. Furahata, K. J. Gabriel, and H. Fujita, *J. MEMS*, **1**, 52 (1992).

28. J. Branebjerg, B. Fabius, and P. Gravesen, *Proceedings of Micro Total Analysis Systems Conference*, Twente, Netherlands, 141, Nov. 21-22 (1994).

29. J. Brenebjerg, P. Gravesen, J. P. Krog, and C. R. Nielsen, *Proceedings of the 9th Annual Workshop on Micro Electro Mechanical Systems*, San Diego, CA, 441, Feb. 11-15 (1996).

30. J. P. Brody and P. Yager, *Sensors and Actuators A*, **58** (1), 13 (1997).

31. G. T. A. Kovacs, C. W. Storment, M. Halks-Miller, C. R. Belxzynski, C. C. Della Santina, E. R. Lewis, and N. I. Maluf, *IEEE Transactions on Biomedical Engineering*, **41** (6), 567 (1994).

32. J. Angell, S. Terry, and P. Barth, *Scientific American Journal*, **248**, 44 (1983).

33. C. S. Smith, *Phys. Rev.*, **94**, 42 (1954).

34. H. Robbins and B. Schwartz, *J. Electrochem, Soc.*, **106**, 505 (1959).

35. H. Robbins and B. Schwartz, *J. Electrochem, Soc.*, **107**, 108 (1960).

36. B. Schwartz and H. Robbins, *J. Electrochem, Soc.*, **108**, 365 (1961).

37. B. Schwartz and H. Robbins, *J. Electrochem, Soc.*, **123**, 1903 (1976).

38. M. J. Madou, *Fundamentals of Microfabrication-The Science of Miniaturization*, 2nd ed., New York: CRC Press (2002).

39. R. M. Finne and D. L. Klein, *J. E. C. S.*, **114**, 965 (1967).

40. X. P. Wu and W. H. Ko, *Tech. Digest, Transducers 1987, Fourth Int. Conf. on Solid State Sensors and Actuators*, Tokyo, 126 (1987).

41. J. B. Price, "Anisotropic Etching of Silicon with KOH-H2O-Isopropyl Alcohol", in *Semiconductor Silicon*, Princeton, NJ, Electrochemical Society Proceedings, 339 (1973).

42. S. A. Campbell, S. N. Port, and D. J. Schifrin, "Anisotropy and the Micromachining of Silicon," in *semiconductor Micromachining*, **2**, West Sussex England: John Wiley & Sons, Ltd., 19 (1998).

43. L. Ristic, H. Hughes, and F. Shemansky, "Bulk Micromachining Technology," in *Sensor Technology and Devices*, London: Artech House, 69 (1994).

44. N. F. Raley, Y. Sugiyama, and T. Van Duzer, *J. Electrochem. Soc.*, **131**, 161 (1984).

45. C. Y. Chang, *ULSI Technology*, McGrawHill (1996).

46. S. A. Campbell, *The Science and Engineering of Microelectronic Fabrication*, Oxford University Press (1996).

47. B. El-Kareh, *Fundamentals of Semiconductor Processing Technology*, Kluwer Academic Publishers (1995).

48. http://www.spie.org/web/oer/october/oct98/tv.html

49. http://www.semiconductor.net/semiconductor/issues/2000/200002/six0002et.asp

50. O. Brand, *Topics in Microelectronics*, Part of the DTU PhD Course, Physical Electronic Laboratory (PEL), ETH Zurich.

51. M. Gottardi and W. Yang, "A CCD/CMOS Image Motion Sensor", *Proc. ISSCC 93*, San Francisco, CA, USA, 194 (1993).

52. M. Gottardi, *Sensors and Actuators A*, **46-47**, 251 (1995).

53. R. S. Popovic and H. P. Baltes, *IEEE J. of Solid-State Circuits*, **18**, 426 (1983).

54. R. S. Popovic, *Hall Effect Devices. Magnetic Sensors and Characterization of Semiconductors*, The Adam Hilger Series on Sensors - IOP Publishing Ltd. (1991).

55. R. S. Popovic, *Integrated Magnetic Sensors: An Invited Review,* Internal Publication Microelectronics Laboratory - EPUSP - Sao Paulo - Brasil (1992).

56. MST News, No.3 (2000).

57. A. K. Jain, L. Hong, S. Pankanti, and R. Bolle, *IEEE*, **85** (9), 1365 (1997).

58. R. S. Popovic, Z. Randjelovic, and D. Manic, *Sensors and Actuators A*, **91**, 46 (2001).

59. J. H. Smith, S. Montague, J. J. Sniegowski, J. R. Murray, and P. J. McWhorter, "Embedded Micromechanical Devices for The Monolithic Integration of MEMS with CMOS," *Proceedings of International Electron Devices Meeting*, Washington, DC, USA, December 10-13, IEEE, 609 (1995).

60. T. A. Roessig, R. T. Howe, A. P. Pisano, and J. H. Smith, *Ninth International Conference on Solid-State Sensors and Actuators (Transducers' 97)*, Chicago, IL, 859 (1997).

61. C. T.-C. Nguyen, *2000 International Conference on High Density Interconnect and Systems Packaging*, Denver, Colorado, April 25-28, 112 (2000).

62. J. J. Allen, R. D. Kinney, J. Sarsfield, M. R. Daily, J. R. Ellis, J. H. Smith, S. Montague, R. T. Howe, B. E. Boser, R. Horowitz, A. P. Pisano, M. A. Lemkin, and A. C. T. Juneau, *Proceedings of IEEE PLANS 1998*, 9 (1998).

63. W. Kuehnel and S. Sherman, *Sensors and Actuators A*, **45** (1), 7 (1994).

64. M. A. Lemkin, M. A. Oritiz, N. Wongkomet, B. E. Boser, and J. H. Smith, in *ISSCC Dig. Tech. Papers*, 202 (1997).

65. M. A. Lemkin, M. A. Ortiz, N. Wongkomet, B. E. Boser, and J. H. Smith, in *Tech. Dig. 9th Int. Conf. Solid-State Sensors and Actuators (Transducers' 97)*, Chicago, IL, June , 1185 (1997).

66. M. A. Lemkin, "A Fully Differential Lateral Sigma-Delta Accelerometer with Drift Cancellation Circuitry", in *Technical Digest Solid-State Sensor and Actuator Workshop*, 90 (1996).

67. T. A. Roessig and R. T. Howe, "Surface-Micromachined Resonant Accelerometer," A. P. Pisano and J. H. Smith, *1997 International Conference on Solid-State Sensors and Actuators*, Chicago, IL, June 16-19, **2**, 859 (1997).

68. M. A. Lemkin, B. E. Boser, D. Auslander, and J. H. Smith, *1997 International Conference on Solid-State Sensors and Actuators*, Chicago, IL, June 16-19, **2**, 1185 (1997).

69. M. Ortiz, N. Wongkomet, B. Boser, and J. Smith, "A Three-Axis Surface Micromachined Sigma-Delta Accelerometer", *Proc. ISSCC*, 202 (1997).

70. R. S. Vanha, F. Kroener, T. Olbrich, R. Baresch, and H. Baltes, *J. Microelectromechanical Systems*, **9**, 82 (2000).

71. Y. B. Gianchandani, H. Kim, and M. Shinn, B. Ha, B. Lee, K. Najafi, and C. Song, "A MEMS-First Fabrication Process For Integrating CMOS Circuits with Polysilicon Microstructures", *MEMS '98. Proceedings, The Eleventh Annual International Workshop*, 257 (1998).

72. L. P. Parameswaran, C. H. Hsu, and M. A. Schmidt. "A Merged MEMS-CMOS Process Using Silicon Wafer Bonding," *IEDM '95 Technical Digest*, 613 (1995).

73. http://www.analog.com/technology/mems/

74. http://www.infineon.com/

75. K. Najafi, *Journal of Micromechanics and Microengineerings*, **1**, 86 (1991).

76. Sze, S. M., *Semiconductor Sensor*, New York: John Wiley & Sons (1994).

77. M. Parameswaran, H. P. Batles, L. Ristic, A. C. Dhaded, and A. M. Robinson, *Sensors and Actuators*, **19**, 289 (1989).

78. D. Moser, M. Parameswaran, and H. Baltes, *Sensors and Actuators A*, **21-23**, l019 (1990).

79. L. Ristic, A. C. Dhaded, K. Chau, and W. Allegrtto, *Sensors and Actuators A*, **21-23**, 1042 (1990).

80. D. Jaeggi and H. Baltes, *IEEE Electron Device Letters*, **13** (7), 366 (1992).

81. M. Gaitan, J. Kinard, and D. X. Huang, *Instrumentation and Measurement Technology Conference, 1993. IMTC/93. Conference Record.*, IEEE, 243 (1993).

82. D. Jaeggi, *Thermal Converters by CMOS Technology*, Ph.D. Dissertation no. 11567, ETH Zurich, Switzerland, (1996).

83. E. Yoon and K. D. Wise, *IEEE Trans. Electron Devices*, **41** (9), 1666 (1994).

84. E. Hoffman, B. Warneke, E. Kruglick, J. Weiglod, and K. S. J. Pister, *J. Micro Electro Mechanical Systems, MEMS '95, Proc., IEEE*, 288 (1995).

85. V. Milanovic, *Micromachined Broadband Thermocouple Microwave Power Sensors in CMOS Technology*, D.Sc. Dissertation, The George Washington University, Jan. 1999.

86. N. H. Tea, V. Milanovic, C. Zincke, J. S. Suehle, M. Gaitan, M. Zaghloul, and J. Geist, *J. Microelectromechanical Systems*, **6** (4), 363 (1997).

87. V. Milanovic, M. Hopcroft, C. A. Zincke, M. Gaitan, and M. E. Zaghloul, *Proceedings of Int. Symposium on Circuits and Systems - ISCAS '99*, **V,** 144, Orlando, FL. (1999).

88. N. M. Nguyen and R. G. Meyer, *IEEE J. of Solid-State Circuits*, **SC-25** (4), 1028 (1990).

89. N. M. Nguyen and R. G. Meyer, *IEEE J. of Solid-State Circuits*, **SC-27** (3), 444 (1992).

90. P. R. Gray and R. G. Meyer, Proceedings *1995 IEEE Custom Integrated Circuits Conference*, Santa Clara, CA, May 1-4, 83 (1995).

91. C. T.-C. Nguyen, *1997 IEEE International Symposium on Circuits and Systems*, Hong Kong, June 9-12, 2825 (1997).

92. J. A. Von Arx and K. Najafi, *Solid State Sensors and Actuators, Transducers '97 International Conference*, Chicago, **2**, 999 (1997).

93. C. H. Ahn, Y. J. Kim, and M. G. Allen, Digest of Technical Papers, *The 7th International Conference on Solid-State Sensors and Actuators (Transducers '93)*, Yokohama, Japan, June 7-10, 70 (1993).

94. C. T.-C. Nguyen and R. T. Howe, Technical Digest, *IEEE International Electron Devices Meeting*, Washington, D. C., 199 (1993).

95. C. T.-C. Nguyen, *Proceedings* of *1998 IEEE International Micro Electro Mechanical Systems Workshop*, Heidelberg, Germany, Jan. 25-29, 1 (1998).

96. Z. L. Zhang and N. C. MacDonald, *Journal of Micromechanics and Microengineering*, **2** (1), 31 (1992).

97. K. A. Shaw, Z. L. Zhang, and N. C. MacDonald, *Sensors and Actuators A*, **40**, 63 (1994).

98. R. E. Mihailovich, Z. L. Zhang, K. A. Shaw, and N. C. MacDonald, *MEMS '93, Proceedings An Investigation of Micro Structures, Sensors, Actuators, Machines and Systems. IEEE.*, 184 (1993).

99. K. -F. Bohringer, B. R. Donald, and N. C. MacDonald, *Proc. IEEE Workshop on Micro Electro Mechanical Systems (MEMS)*, San Diego, California (Feb. 1996).

100. K. A. Shaw, Z. L. Zhang, and N. C. MacDonald, *Proceedings of IEEE Microelectromechanical Systems*, 155 (Feb. 1993).

101. R. Nasby, J. Sniegowski, J. Smith, S. Montague, C. Barron, W. Eaton, P. McWhorter, D. Hetherington, C. Apblett, and J. Fleming, *Proc., Solid-State Sensor and Actuator Workshop*, 48 (1996).

102. J. J. Sniegowski and C. Smith, *8th International Conference on Solid-State Sensors and Actuators, and Eurosensors IX, Proc. Transducers '95 / Eurosensors IX*, Stockholm, Sweden, June 25-29, **2**, 364 (1995).

103. T. W. Krygowski, M. S Rodgers, J. Sniegowski, S. M. Miller, and J. Jakubczak, *Electron Devices Meeting, 1999 IEDM Technical Digest*, 697 (1999).

104. J. J. Sniegowski and M. S. Rodgers, *Electron Devices Meeting, 1997 Technical Digest*, 903 (1997).

105. J. H. Comtois, M. A. Michalicek, and C. C. Baron, *43rd International Instrumentation Symposium*, Instrument Society of America, 169 (1997).

106. E. J. Garcia and J. J. Sniegowski, *Sensors and Actuators A*, **48**, 203 (1995).

107. C. G. Keller and R. T. Howe, *IEEE Micro Electro Mechanical Systems Workshop*, Nagoya, Japan, Jan. 72 (1997).

108. C. G. Keller and R. T. Howe, *IEEE Micro Electro Mechanical Systems Workshop*, Nagoya, Japan, Jan. 72 (1997).

109. K.-F. Bohringer, K. Goldberg, M. Cohn, R. Howe, and A. P. Pisano, *Robotics and Automation 1998, Proceedings. 1998 IEEE International Conference*, **2**, 1204 (1998).

110. F. Ayazi and K. Najafi, *MEMS '98. Proceedings, The Eleventh Annual International Workshop*, 621 (1998).

111. A. Kolling, F. Bak, P. Bergveld, and E. Seevinck, *Sensors and Actuators A*, **21-23**, 645 (1990).

112. R. Lenggenhanger, H. Baltes, J. Peer, and M. Forster, *IEEE Electron Device Letters*, **13**, 454 (1992).

113. R. Lenggenhanger, H. Baltes, and T. Elbel, *Sensors and Actuators A*, **37-38**, 216 (1993).

114. M. Muller, R. Gottfried-Gottfried, H. Kuck, and Mokwa, *Sensors and Actuators A*, **41-42**, 538 (1994).

115. C. Cane, F. Campabadal, J. Esteve, M, Lozano, A. Gotz, J. Santander, C. Butter, J. A. Plaza, L. Pahun, and S. Marco, *Sensors and Actuators A*, **46-47**, 133 (1995).

116. H. J. Kress, F. Bantine, J. Marek, and M. Willmann, *Sensor and Actuator A*, **25-27**, 21 (1991).

117. C. C. Lai, L. J. Yang, P. Z. Chang, C. L. Dai, D. J. Wei, and S. I. Liu, *International Electron Devices and Materials Symposia, Symposium C, E&F*, Taiwan, 307 (1996).

118. A. C. M. Gieles and G. H. J. Somers, *Philips Technical Review*, **33** (1), 14 (1973).

119. S. Sugiyama, K. Shimaoka, and O. Tabata, *Digest of Technical Papers, 1991 International Conference on Solid-State Sensors and Actuators, Transducers '91*, 188 (1991).

120. K. Shimaoka, O. Tabata, M. Kimura, and S. Sugiyama, *Digest of Technical Papers, The 7th International Conference on Solid-State Sensors and Actuators, Transducers '93*, 632 (1993).

121. J. S. Weber, S. Seitz, U. Steger, B. Folkmer, U. Schaber, A. Plettner, H. L. Offereins, H. Sandmeier, and E. Lindner, *Sensors and Actuators A*, **46-47**, 137 (1995).

122. H. Dudaiceve, M. Kandler, Y. Manoli, W. Mokwa, and E. Spiegel, *Sensors and Actuators A*, **43**, 157 (1994). Transducers '91, p. 308.

123. J. T. Kung, and H.-S. Lee, *Journal of Microelectromechanical Systems*, **1** (3), 141 (1992).

124. F. V. Schnatz, U. Schöneberg, W. Brokherde, P. Kopystynski, T. Mehlorn, E. Ober-mier, and H. Benzel, *Sensors and Actuators A*, **34**, 77 (1992).

125. T. Nagata, H. Terabe, S. Kuwahara, S. Sakurai, O. Tabata, S. Sugiyama, and M. Esashi, *Digest of Technical Papers, 1991 International Conference on Solid-State Sensors and Actuators, Transducers '91*, 308 (1991).

126. U. Schoeneberg, F. V. Schnatz, and W. Brockherde, *Digest of Technical Papers, 1991 International Conference on Solid-State Sensors and Actuators, Transducers '91*, 304 (1991).

127. Y. E. Park and K. D. Wise, "An MOS Switched-Capacitor Readout Amplifier for Capacitive Pressure Sensors," *Proceedings of the IEEE Custom IC Conference*, pp. 380-384 (1983). Reprinted in Microsensors, ed. R. S. Muller, R. T. Howe, S. D. Senturia, R. L. Smith, and R. M. White, IEEE Press (1991).

128. G. Caliano, N. Lamberti, A. Iula, and M. Pappalardo, *Sensors and Actuators A*, **46** (1-3), 176 (1995).

129. P. Schiller, D. L. Polla, and M. Ghezzo, *Technical Digest. IEEE Solid State Sensor and Actuator Workshop*, Hilton Head, SC, USA, 187 (June 1990).

130. Y. C. Tai and R. S. Muller, in *Dig. Tech. Papers Transducers '87*, 360 (1987).

131. A. Hierlemann, U. Weimar, G. Kraus, and M. Schweizer-Berberich, *Sensors and Actuators B*, **26-27**, 126 (1995).

132. C. Hierold, A. Hildbrandt, U. Naher, T. Scheiter, B. Mensching, M. Steger, and R. Tielert,

Proceeding of IEEE Micro Electro Mechanical System, 174 (1996).

133. O. Paul and H. Baltes, *Sensors and Actuators A*, **47-47**, 143 (1995).

134. T. Boltshauser and H. Batles, *Sensors and Actuators A*, **25-27**, 509 (1991).

135. D. Moser, R. Lenggenhager, and H. Baltes, *Sensors and Actuators A*, **25-27**, 577 (1991).

136. D. Moser, R. Lenggenhager, G. Wachutka, and H. Batles, *Sensors and Actuators B*, **6**, 165 (1992).

137. D. Moser and H. Baltes, *Sensors and Actuators A*, **37-38**, 33 (1993).

138. J. Robadey, O. Paul, and H. Baltes, *Journal of Micromechanics and Microengineerings*, **5**, 243 (1995).

139. F. Mayer, G. Salis, J. Funk, O. Paul, and H. Baltes, *Proceeding of IEEE Micro Electro Mechanical System*, 116 (1996).

140. F. Mayer, G. Ofner, H. Jacobs, O. Paul, and H. Baltes, *in Tech. Dig. IEEE Int. Electron Devices Meeting IEDM 1997*, Washington, DC, 895 (1997).

141. E. Yoon, and K. D. Wise, *IEEE Trans. on Electron. Devices*, **39**, 1376 (1992).

142. R. Gottfried-Gottfried, and G. Zimmer, *Sensors and Actuators A*, **25-27**, 753 (1991).

143. D. Jaeggi, H. Baltes, and Moser, *IEEE Electron Device Letters*, **13**, 366 (1992).

144. W. D. Schmidt, H. Ahlers, V. Heimig, and R. Bohrisch, *Sensors and Actuators A*, **39**, 117 (1993).

145. N. M. Nguyen and R. G. Meyer, *IEEE J. of Solid-State Circuits*, **SC-25** (4), 1028 (1990).

146. N. M. Nguyen, and R. G. Meyer, *IEEE J. of Solid-State Circuits*, **SC-27** (3), 444 (1992).

147. P. R. Gray and R. G. Meyer, *Proceedings, 1995 IEEE Custom Integrated Circuits Conference*, Santa Clara, CA, 83 (1995).

148. C. T.-C. Nguyen, *1997 IEEE International Symposium on Circuits and Systems*, Hong Kong, 2825 (1995).

149. J. A. Von Arx and K. Najafi, *Solid State Sensors and Actuators, International Conference Transducers '97*, Chicago, **2**, 999 (1997).

150. C. H. Ahn, Y. J. Kim, and M. G. Allen, *Digest of Technical Papers, the 7th International Conference on Solid-State Sensors and Actuators (Transducers '93)*, Yokohama, Japan, 70 (1993).

151. C. T.-C. Nguyen and R. T. Howe, *Technical Digest, IEEE International Electron Devices Meeting*, Washington, D. C., 199 (1993).

152. C. T.-C. Nguyen, *Proceedings, 1998 IEEE International Micro Electro Mechanical Systems Workshop*, Heidelberg, Germany, 1 (1998).

153. 蕭富元, *MEMS Foundries Worldwide*, 國家晶片系統設計中心教材.

154. M. F. Dautartas, A. M. Benzoni, Y. C. Chen, and G. E. Blonder, *J. Lightwave Technol.*, **10**, 1078 (1992).

155. O. P. Labeye, and F. A. Revol, *Electron. Lett.*, **31** (23), 2003 (1995).

156. C. Marser, C. Thio, M. -A. Gretillat, and N. F. de Rooji, *J. Microelectromechan. Syst.*, **6** (3), 277 (1997).

157. L. Y. Lin, E. L. Goldstein, J. M. Simmona, and R. W. Tkach, *IEEE Photon. Technol. Lett.*, **10**, 525 (1998).

158. M. H. Kiang, O. Solgaard, K. Y. Lau, and R. S. Muller, *J. Microelectromechan. Syst.*, **7** (1), 27 (1998).

159. http://www.sensonor.fi/

160. http://www.stdmems.com/

161. http://www.dlp.com/

162. http://www.analog.com/technology/mems/

163. http://www.foundry.sony.com/

164. http://www.memsrus.com/

165. http://www.appliedmems.com/

166. http://www.colibrys.com/

167. MST News, No. 5, 41 (2000).

168. E. Mounier, *Semiconductor International*, **24** (14), 67 (2001).

169. M. E. Porter, *Competitive Strategy*, The Free Press (1980).

170. M. E. Porter, *The Competitive Advantage of Nations*, The Free Press (1990).

171. P. S. Anton, R. Silberglitt, and J. Schneider, *The Global Technology Revolution*, National Defense Research Institute, Santa Monica, USA (2001).

172. R. W. Siegel, E. Hu, and M. C. Roco, *Nanostructure Science and Technology, a Worldwide Study*, National Science and Technology Council, USA (1999).

173. D.-W. Lee, T. Ono, T. Abe, and M. Esashi, *Proc. 14th IEEE International Conference on Micro Electro Mechanical Systems (MEMS 2001)*, 204 (2001).

174. H. Baltes, O. Brand, A. Hierlemann, D. Lange, and C. Hagleitner, *Proc. 15th IEEE International Conference on Micro Electro Mechanical Systems (MEMS 2002)*, 459 (2002).

第四章　非矽微加工製程技術

4.1 前言

　　微機電製程領域相當地廣泛，其範疇如表 4.1 所示，其中源自於半導體 IC 製程技術的矽基微加工技術，已相當成熟並成為發展的主流。早在 1965 年，Nathanson 便利用面型矽微加工技術製作微元件，亦即利用積體電路製程之薄膜沉積、微影及蝕刻等製程，配合犧牲層蝕刻技術在矽晶片上製作微機械元件，只是當時還沒有面型矽微加工這個名詞。

　　面型矽微加工可以說是建立在薄膜沉積、微影、蝕刻以及犧牲層蝕刻釋放 (release) 等技術上，可製作出具導電性且懸浮之微機械結構，發展出之應用有梳狀致動器、微夾子、微馬達等微致動器，還有 Fresnel 微透鏡、微反射鏡、分光器等微光學系統等，另外利用懸臂樑或特殊微結構的設計製作，可以應用在材料基本特性的量測，尤其是薄膜材料的基本性質，例如楊氏係數、熱膨脹係數等的測量。面型矽微加工技術主要是建立在利用不同材料間蝕刻率的選擇比，以製作出各種形狀及用途的微結構；而其蝕刻機制為等向性，不同於非等向性蝕刻易受到矽晶格方向的影響，並且可以與積體電路垂直整合製造，達到最小使用面積的目的。

　　體型矽微加工技術是建立在單晶矽非等向性蝕刻、雙面對準、蝕刻終止與蝕刻遮罩保護等技術上，大約於 1970 年代開始發展，最初被應用於積體電路製造，後來逐漸應用於微機電系統的製程。利用單晶矽非等向性蝕刻的特性，以高摻雜濃度、電化學或 p-n 接合等蝕刻終止 (etch stop) 技術，加上二氧化矽、氮化矽或鉻／金等當作蝕刻遮罩 (mask)，或者以鐵氟龍、壓克力等夾具，配合 O 型環作為蝕刻保護，逐漸發展出體型矽微加工技術。隨著雙面對準技術的日益成熟，對矽晶片的加工，也擴展到對晶片上下兩面的加工，用來製造隔膜、懸臂樑與其他 3D 結構，如壓力感測器、加速度計、麥克風 (microphone)、微閥 (microvalve)、微幫浦 (micropump)、微稜鏡 (microprism)、微探針 (microtip) 等。

　　矽基微加工技術容易量產，可以在一片矽晶圓上不用經過任何組裝步驟，即能製作出數千個微機械元件，大幅降低生產成本。然而，矽基微加工技術亦有其先天上的限制，例如面型矽微加工當其表面輪廓高度差達 4 μm 以上，將造成光阻塗佈與對準曝光的困難，影響到微結構尺寸解析度與深寬比，而且後續薄膜沉積製程也會有階梯覆蓋 (step coverage) 的

第 4.1 節作者為楊啟榮先生。

表 4.1 MEMS 領域中微製造技術分類表。

					濕式	浸漬式 漬著式
矽基微加工	體型微加工技術	蝕刻技術 • 等向性蝕刻 • 非等向性蝕刻 • 蝕刻終止技術		化學蝕刻技術	乾式	電漿蝕刻 反應離子蝕刻 濺射蝕刻 離子束蝕刻
	面型微加工技術		光蝕刻技術			
		薄膜技術	積體電路技術 接合技術 高深寬比製程 犧牲層結構釋放技術			
非矽基微加工	LIGA 技術	X 光深光刻術	精密電鑄技術 • 純金屬電鑄 • 合金電鑄		微成形技術 • 塑膠微結構成形 　熱壓成形 　射出成形 　輥壓成形 　紫外光硬化法 • 陶瓷微結構成形 　粉末射出成形 　帶板鑄造	
	類 LIGA 技術	紫外光厚膜光阻微影 準分子雷射微加工 感應耦合電漿離子蝕刻* 電子束光刻術				
	微機械加工	切削加工	微切削加工 微鑽孔加工 微銑削加工 微輪磨加工			
		非切削加工	微電鍍成形 微壓模成形 微射出成形 微衝壓成形			
		特殊加工	微放電加工 雷射、離子束及電子束微加工 超音波微加工 原子力顯微加工術			
	高分子微加工技術	微雷射光合高分子成形 (Microstereolithography, μSL) 軟式微影技術 (Soft Lithography) 微接觸印刷術 (Microcontact Printing, μCP) 毛細管微成形 (Micromolding in Capillaries, MIMIC) 微轉印成形 (Microtransfer Molding, μTM) 複製成形 (Replica Molding, REM)				
	其他低溫製程技術與材料	聚對二甲苯 (Parylene) 明膠 (Gelatin) 蛋白質 鐵氟龍 (Teflon) 矽膠 (Silicone)				

＊感應耦合電漿離子蝕刻加工技術：一般應用於矽基體型微加工製程之非等向性、高深寬比蝕刻加工。

問題，所以設計愈多層的結構，將使製程變得窒礙難行。另外面型矽微加工技術還將面對薄膜殘餘應力變形、薄膜與基材間因吸附 (stiction) 造成的黏著 (adhesion) 現象及 3D 結構限制等問題。

　　而體型矽微加工技術則會受限於單晶矽的鑽石立方結晶，產生特定的蝕刻角度，而無法任意蝕刻出特殊形狀的微結構，所以元件設計時就得考量結構上的基本限制。另外，因高溫製程、薄膜沉積或薄膜改質所造成的殘餘應力，易造成蝕刻後的懸浮結構產生形變。再者，蝕刻保護的必要性亦是影響體型矽微加工技術成敗的關鍵。如果晶片正面已經形成一些薄膜圖案，其中部分薄膜會被蝕刻液所影響，則必須製作鐵氟龍夾具配合 O 型環或沉積氮化矽，保護整個晶片正面，待背面蝕刻完畢後再將氮化矽去除。但是在去除氮化矽的同時必須考慮蝕刻選擇比的問題，以免傷及其他的薄膜結構。然而，利用氮化矽保護法的前提是正面薄膜的表面輪廓不可相差太大，因為沉積氮化矽時階梯覆蓋可能無法完美，蝕刻液容易從結構側壁滲入，進而破壞整個元件。

　　以上敘述之矽基微加工技術的缺點與限制，雖然可以利用元件設計、製程改良或材料選擇匹配等方式，獲得某種程度的改善，但仍會衍生其他問題。再者，矽材料的硬脆性、成形困難性，以及一些功能性的不足，使得僅以單晶矽、多晶矽、氧化矽、氮化矽及金屬薄膜為材料主體所製作之微機電元件，在應用上不免有所限制。此外，因矽基微加工技術源自於半導體 IC 製程技術，故微加工之元件厚度、時間、製程環境與成本，將受到極大的限制。例如沉積氧化矽、氮化矽、金屬薄膜時，其厚度幾乎不可能超過 3 μm 以上，因為薄膜沉積速率太慢，事實上就算勉強沉積完成，也容易因應力問題造成薄膜破裂。因此，為改善矽基微加工技術在高溫製程、材料選擇、結構深寬比等的限制，故發展出非矽基微加工技術，包括 LIGA (德文：Lithographie, Galvanoformung, Abformung；英文：lithography, electroforming, molding) 製程、微機械加工技術、高分子微加工技術，以及為了低溫製程需要所開發之特殊材料加工技術。

　　微機電元件除了強調特有的結構性能，如光學性質、導電性及導熱性外，為了支援結構強度或增加元件的電、磁致動特性，結構體必須朝著高深寬比 (high aspect ratio) 且複雜的 3D 形狀發展，致使微系統 LIGA 製程技術日益受到重視。此製程結合了光刻術、電鍍鑄模技術，以及微成形之模造量產技術，可應用於微致動器、微熱交換器、微幫浦、微感測器及微光學系統等元件開發。所適用的材料範圍包括半導體、金屬、高分子及陶瓷等；因使用光刻技術，故產品易與 IC 電路結合，機電整合效果佳；利用電鍍鑄模與模造成形技術，易應用於工業批量生產。

　　標準的 LIGA 製程使用波長 0.2－0.6 nm 的同步輻射 X 光進行深光刻術，由於同步輻射 X 光具有波長短、繞射現象小、功率大及穿透力強等優點，使得 X 光 LIGA 製程所製作的結構深度、精度、表面粗糙度，乃至深寬比，皆可達到過去微機械加工所無法達到的境界。然而，同步輻射光源為一龐大且昂貴的設備，世界上適合用來進行 X 光 LIGA 製程的同步輻射環僅約 30 座，且 X 光光罩的製作成本與時間的耗費過高。因此，在微元件應用上次微米 (sub-μm) 精度並非絕對必要的前提下，尋求替代性光源來進行「類 LIGA (LIGAlike)」製程已成為研究趨勢。

　　類 LIGA 製程是以不同於同步輻射 X 光的光源進行光刻術，主要的替代性光刻法有紫外光微影、準分子雷射微加工 (excimer laser micromachining) 及反應離子蝕刻 (reactive ion etching, RIE) 等。這些替代性光源的成本雖遠低於同步輻射光源，但是加工精度也由 X 光深刻術的次微米等級降至微米左右，同時光刻深度及深寬比也相對降低，然而在一些微元件的應用方面，次微米的精度與高深寬比並非絕對必要。這些類 LIGA 製程的光源設備所佔的空間小，價格亦較便宜，且在光源設備的改良與新型光阻材料的開發下，亦可獲得令人滿意的加工品質，故仍具有競爭優勢。因此，本章亦針對紫外光厚膜光阻 (thick photoresist) 微影製程、準分子雷射微加工及感應耦合電漿離子蝕刻 (inductively coupled plasma-reactive ion etching, ICP-RIE) 三種替代性光刻技術加以專節探討，其中感應耦合電漿離子蝕刻技術一般是應用於矽基微結構之製作，故亦可歸類於第三章的矽微加工之體型微加工製程部分。另外，精密電鑄與微成形技術亦關係到 LIGA 製程的成敗，而兩者製程本身也都是獨立之專門技術領域，於微機電製程的開發與應用方面，仍存在著待突破的技術要點，故仍以專節方式討論，希望能讓讀者清楚地了解整個 LIGA 製程之技術要點。

　　廣義的微機械加工是利用微切削、微鑽孔、微銑削、微輪磨等切削加工，或微放電、電子束、離子束、雷射及超音波等特殊加工，再結合微電鑄、微成形、微熔接及電解研磨等後續處理程序，製作並組裝數十微米至數毫米尺寸之微機械元件，其加工精度為微米等級，表面粗度則被要求為次微米級，適合應用於模具工業中的塑膠模、衝模、壓鑄模及鍛造模等，目前以日本的技術發展位居世界領先地位。微機械加工技術可加工成形的材料範圍相當廣泛，包含金屬、矽、玻璃、陶瓷及高分子等；可製造複雜的 3D 微結構，如任意導角與錐角形狀、微小導螺桿，可直接加工於高硬度金屬材料，製作批量生產用之微成形模仁 (mold insert)，這是其他微加工技術所無法達到的層次。

　　目前發展的微機械加工技術，各種不同製程包括：放電、電解、電鑄、研削、研磨、銑削、切削、衝壓、超音波組裝及雷射微熔接等，都可以整合在同一台加工機上完成，全部製程可以達到完全自動化的能力。此外，微放電加工技術在加工機制中導入化學蝕刻反應，可突破放電加工所受導電材料的限制，用以加工非導電硬脆材料 (如陶瓷、玻璃及鑽石等)，加工後的表面粗糙度與形狀精度可優於雷射加工，加工速度則較超音波加工為快，可發展應用於矽晶圓切片與微小 3D 陶瓷模具的開發。

　　雖然微機械加工技術與微電子電路的結合性差，但其具有設備與環境維護成本低的特點，其在製程設計規劃、加工時間及加工費用等方面有顯著的優勢。尤其對於需要小量多樣生產，或對於先導性產品的開發，需要初步測試研究而言，微機械加工更能提供迅速有效且具經濟效益的解決方案，因此本技術的開發仍受到重視，有必要提出加以說明。

　　另外，在微機電製程技術中，為了簡化矽基微加工或 LIGA 製程的複雜性與降低生產成本，或因應低溫製程與一些特殊材料應用的需要，而發展出一些特有的微加工技術，其中高分子微加工技術包括微雷射光合高分子成形 (microstereolithography, μSL) 與微接觸印刷術 (microcontact printing, μCP)、毛細管微成形 (micromolding in capillaries, MIMIC)、微轉印

成形 (microtransfer molding, μTM)、複製成形 (replica molding, REM) 等四種軟式微影技術 (soft lithography)；而非矽低溫製程技術目的則是為了因應聚對二甲苯 (parylene)、明膠 (gelatin) 蛋白質、鐵氟龍 (teflon)、矽膠 (silicone) 等材料的應用，所發展之低溫製程技術。這些特殊的微加工技術已在微機電製程領域中，逐漸受到研發人員的重視，尤其在微流體 (microfluid) 與生醫微機電系統 (bio-MEMS) 應用領域的微元件製作方面，扮演著舉足輕重的角色。

藉由第三、四章的說明，讀者將了解各個微加工技術均有其優缺點與適用範圍，但不可主觀地認定何種微加工技術才是最佳，因為這將失去作者所傳達的真正信念。選定微加工技術時必須考慮的因素很多，包括微元件種類、加工形狀與材料、要求精度、應用範圍、生產規模、技術成熟度與 IC 相容性、成本等。因此，讀者必須根據個人微元件製造的需求，選擇適合的微加工技術。當然，既然所有的微加工技術均無法全面滿足微元件製造需求，故進行製程設計規劃，擷取各個微加工技術的特長並加以互補，以發展出複合式的微加工製程，應用於新型微系統產品的開發，將是未來發展的重點。

4.2 X 光深刻技術

X 光因具有波長短、穿透力強的特性，若作為曝光光源可提供次微米精度、次微米解析度 (sub-micron resolution) 及高深寬比的光刻能力。早在 1975 年，IBM 即嘗試利用 X 光光刻及電鑄技術製造高深寬比的金屬微結構[1]，惟直到 1982 年，完整的 X 光 LIGA 技術 (亦即包括 X 光深刻 (deep X-ray lithography)、電鑄及模造製程) 才在德國卡斯魯爾核能研究所 (Kernforschungszentrum Karlsruhe, KFK) 發展出來[2]。當時的計畫目標是製造一個微流分離器，將不同質量的鈾同位素藉由離心力的差異在經過多次曲流之後分離出來 (如圖 4.1 所示)。X 光 LIGA 所提供的高精度、高深寬比微加工能力，可以充分呈現該微流道設計的特

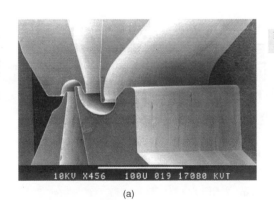
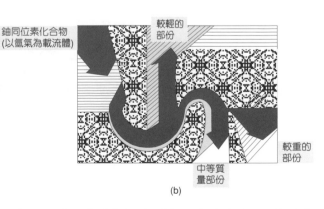

圖 4.1 第一個以 X 光 LIGA 技術製作的元件：鈾同位素微流道分離器。(a) 微流道電子顯微鏡照片 (本圖感謝德國 FZK 研究中心許可使用)，(b) 微流道分離機制示意圖[1]。

第 4.2 節作者為許博淵先生。

殊功能，而讓一個靜態的、不耗電的微結構表現出獨特的功能性，這正是 X 光 LIGA 技術應用的典型代表。類似的「功能性微結構」也普遍應用於微波、微光學及微流體熱傳等元件。因此即使在 1995 年之後，諸如厚膜光阻、準分子雷射或乾蝕刻等類 LIGA 技術逐漸發展成熟，而使該技術呈現更多樣的能力與選擇，X 光 LIGA 技術仍具有相當明確而獨特的應用價值。

　　X 光 LIGA 製程一般均使用同步輻射 (synchrotron radiation) 作為 X 光曝光光源，其主要原因為：

(1) 準直性佳：同步輻射 X 光的發散角一般均在 1 mrad 以下，因此可提供準直的光刻側壁。

(2) 光強度高：同步輻射 X 光的光強度 (intensity) 為一般 X 光機的十萬倍以上，因此可大幅縮短曝光時間。

　　表 4.2 是世界上較具代表性的 X 光 LIGA 研發單位及其使用的同步輻射光源。同步輻射設施因體積龐大且造價昂貴，目前全世界僅有 70 座左右，因此直接影響 X 光深刻技術的普遍應用與研究。鑒於同步輻射光源珍貴，因此 X 光 LIGA 應該朝下列方向發展以提升其工業應用價值：

1. 以模造技術進行量產：完整的 LIGA 製程中僅需一次 X 光深刻生產精密模具，即可進行複製量產製程，對於同步輻射設施的需求可降至最低。

2. 高靈敏度 X 光光阻的開發：X 光深刻所需的曝光時間將可大幅縮短，提高同步輻射光源的微加工製程產率。

3. 小型同步光源的普及：由於微電子、奈米技術及生物科技的蓬勃發展，對於同步輻射光源的需求日益殷切，因此同步輻射光源小型化將是未來發展的趨勢之一。目前已有多家廠商可提供小型同步輻射設施，其中日本住友工業 (Sumitomo) 所製造的 AURORA 即是其中典型的代表[3]。

　　以下便就 X 光深刻相關技術內容作進一步的介紹。

表 4.2 代表性的 X 光 LIGA 技術研究單位。

位址	同步輻射設施	電子能量	主要使用研究單位
德國	ANKA	2.5 GeV	卡斯魯爾研究中心 (Karlsruhe)
德國	BESSY	1.7 GeV	柏林工業大學 (TU Berlin)
法國	LURE	2.5 GeV	巴黎奧賽 (Orsay)大學
美國	ALS	1.5 GeV	山迪亞 (Sandia) 國家實驗室
美國	SRC	1 GeV	威斯康辛 (Wisconsin) 大學
美國	CAMD	1.5 GeV	路易斯安那州立 (Louisiana State) 大學
日本	AURORA	0.58 GeV	立命館 (Ritsumeikan) 大學
韓國	PLS	2.0 GeV	浦漢 (Pohang) 科技大學
台灣	SRRC	1.5 GeV	同步輻射中心、工業技術研究院

4.2.1 同步輻射光源

(1) 何謂同步輻射？

　　根據電磁學理論，帶電粒子作加速度運動時便會放射出電磁波，因此當接近光速飛行中的電子受到磁場偏轉，便因相對論效應在其切線方向放射出細錐狀的電磁波 (圖 4.2)。此現象最早是在同步粒子加速器中發現，因此稱為「同步輻射」[4]。

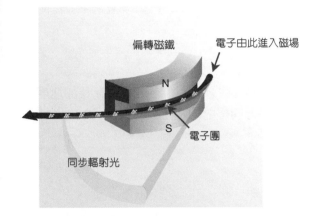

圖 4.2
同步輻射光產生原理示意圖。當接近光速飛行中的電子受到磁場偏轉，便會因相對論效應在其切線方向放射出細錐狀的電磁波，也就是同步輻射光(本圖由同步輻射研究中心提供)。

　　今以台灣光源為例 (圖 4.3)，同步輻射設施通常包括增能環 (booster ring)、儲存環 (storage ring) 及光束線 (beamline) 三部分。

1. 增能環：由電子槍所產生的熱電子，在經過線型加速器集束 (bunch) 成電子團後，即被灌入增能環持續加速。當電子達到預定的能量，再透過傳輸線注射至儲存環。
2. 儲存環：一團團的電子以接近光的速度在儲存環內繞行，並輻射出電磁波。儲存環內的射頻電源持續補充電子因輻射所損失的能量，以維持電子在正常軌道內飛行。儲存環內的電流會因電子的損失而逐漸降低，因此必須重新注射以維持相當的電子電流。一般儲存環內電子的生命週期可達數小時之久。
3. 光束線：同步輻射光是一個涵蓋從紅外線至硬 X 光的特殊光源，因此光束線的主要功能除了引導光束至特定實驗站之外，也藉由其中的光學結構過濾特定波段的光源以進行研究。

　　同步輻射設施是一個複雜而精密的儀器。尤其飛行中的電子團直徑只有 100 μm 左右，在以光速繞行儲存環一周之後必須回到原點以避免偏離軌道而損失；同時為了減低電子損失及輻射光源被空氣所吸收的比例，整個同步輻射設施必須保持在超高真空環境下 (~10^{-6} Pa)，對於加速電源、偏轉磁鐵、真空技術及機械定位均是極大的挑戰。

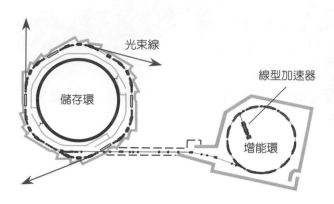

最大電子能量 1.5 GeV
最大電流 240 mA
周長 120 m
軌道繞行週期 400 ns
射頻電源頻率 500 MHz
轉彎半徑 3.495 m
特徵光子能量 2.14 keV

圖 4.3
台灣同步輻射設施
示意圖與重要的運
轉條件 (本圖由同
步輻射中心提供)。

(2) 同步輻射光源特性

同步輻射光既然是由加速狀態的電子所產生，光源特性必然與電子能量 (E) 及加速度大小 (或磁場大小、轉彎半徑) 有關。其中電子團沿切線方向輻射的細錐狀發散角 (θ) 為[5]：

$$\theta_{\text{(mrad)}} = \frac{mc^2}{E} \approx \frac{0.5}{E_{\text{(GeV)}}} \tag{4.1}$$

以台灣光源為例，其儲存環電子能量為 1.5 GeV，因此其發散角約為 1/3 mrad。此發散角的大小直接影響曝光結構的側壁準直性。當連續取出部分轉彎區段 (通常為數 mrad) 所輻射出的細錐狀光源，可組合成薄而寬的片狀光源，如圖 4.4 所示。此片狀光源強度在垂直方向成高斯分布，因此曝光時試片必須上下移動掃描以取得均勻的曝光強度。

曝光光源的波長會影響光刻解析度及 X 光的穿透能力。同步輻射光為一連續波段光源，而其亮度 (brightness) 最大的波段，亦即其特徵波長 (λc, characteristic wavelength) 可表示為：

$$\lambda_{c\text{ (nm)}} = \frac{0.559\rho_{\text{(m)}}}{E^3_{\text{(GeV)}}} \tag{4.2}$$

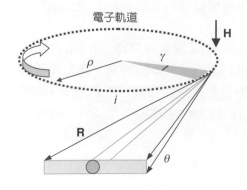

θ：同步輻射發散角
ρ：轉彎半徑
H：磁場強度
i：電子電流
R：光束線長度
γ：取出光源的圓周角

圖 4.4
與輻射光源特性有關的同步設施
重要參數。

以台灣光源為例，其轉彎半徑 (ρ) 為 3.495 公尺，因此其特徵波長約為 0.58 nm。光源的功率則直接影響曝光的時間，而同步輻射光源的功率 (P) 與其運轉參數具有以下的關係：

$$P_{(kW)} = \frac{88.47 E^4_{(GeV)} I_{(A)}}{\rho_{(m)}} \tag{4.3}$$

以台灣光源為例，其儲存電流約為 0.15 安培左右 (2003 年將提升至 0.4 安培)，因此其輻射功率約為 19.2 千瓦。

4.2.2 X 光光阻材料

(1) PMMA

X 光深刻技術自 1980 年代發展以來，聚甲基丙烯酸甲酯 (polymethylemethacrylate, PMMA)，亦即俗稱的壓克力，一直是最普遍採用的 X 光光阻材料。主要原因為其光刻解析度高 (~0.2 μm)，同時具有優異的光刻表面品質 (R_a < 30 nm)，能充分反映 X 光光刻的特點，因此非常適合製作諸如光柵、光波導及釐米波元件等高精度的微結構。

PMMA 屬於一種正型的 X 光光阻材料。當 PMMA 進行 X 光曝光時，其分子鍵因吸收 X 光的能量而斷裂，而使原來百萬級的分子量遞減至數千級 (如圖 4.5 所示)，斷鍵的過程同時也伴隨氣體的釋出。其中分子量 (M_{ND}, g/mol) 與曝光劑量 (D, eV/g) 之間大致具有下列的關係[6]：

$$\frac{1}{M_{ND}} = \frac{1}{M_{N0}} + \frac{G(s)}{100 N_A} D \tag{4.4}$$

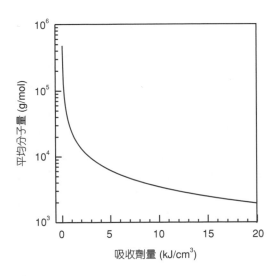

圖 4.5

PMMA 光阻平均分子量與 X 光吸收劑量的關係。

其中 M_{N0} 為未曝光前的分子量，N_A 為亞弗加厥常數 (Avogadro constant)，$G(s)$ 為每接收 100 eV 劑量斷裂的分子主鏈。

曝光與未曝光的光阻因分子量的差異會在顯影過程中呈現極大的顯影對比，亦即低分子量光阻將迅速溶解於顯影液中，而留下未曝光的高分子量結構。

PMMA 雖然表現出優異的 X 光深刻品質，然而此光阻在製程上卻有幾項缺點亟待改進：

1. 感光度低。PMMA 的感光劑量約為 4 kJ/cm³，若要單次曝光 500 μm 厚的 PMMA 光阻，以台灣光源為例約需 6 小時以上的曝光時間，這對於 X 光 LIGA 使用珍貴的同步輻射光源而言並不符合使用效益。

2. 抗應力腐蝕 (stress corrosion) 性質不佳。PMMA 光阻在準備與曝光過程中可能因熱或釋氣的發生而累積內應力，並導致脆性的 PMMA 光阻在隨後的顯影過程中產生嚴重的應力腐蝕現象，散佈延伸的裂縫可能破壞光刻的精密微結構。

多年來從事 LIGA 技術的研究團體一直嘗試尋找可以替代 PMMA 的新光阻材料。表 4.3 是幾種可能的 X 光光阻材料的評估結果，其中唯有 PLG (polylactide-co-glycolide) 能夠提供與 PMMA 相當的光刻品質，同時擁有更高的感光度及抗應力腐蝕性質[7]。然而該材料仍處於商業公司 (BASF, Germany) 的內部研發階段，目前並無商品化的產品可供使用。

表 4.3 各種 X 光光阻的性質比較。

	PMMA	POM	PAS	PMI	PLG
感光度	−	+	++	◯	◯
解析度	++	◯	−−	+	++
光刻側壁品質	++	−−	−−	+	++
抗應力腐蝕性質	−	++	+	−−	++
附著性	+	+	+	−	+

PMMA: poly (methylmethacrylate), POM: polyoxymethylene, PAS: polyalkensulfone,
PMI: polymethacrylimide, PLG: poly (lactide-co-glycolide).
(資料來源：W. Ehefeld, LIGA at IMM, Baniff, Canada, 1994)

(2) SU-8

SU-8 是類 LIGA 技術中廣泛使用的厚膜負型光阻。藉由化學放大 (chemical amplification) 機制，該光阻只需極少的曝光劑量使其光活化物質 (photon active compound, PAC) 進行光化學反應，並在後續的曝後烘烤 (post exposure baking, PEB) 過程中引發一連串的交聯 (cross link) 反應，因此該光阻具有極高的曝光敏感度[8]。有關 SU-8 光阻的準備請參考本章 4.3 節。

　　SU-8 一般均使用 i-line (波長 365 nm) 作為曝光光源，但事實上該光阻亦可使用電子束或是 X 光進行曝光。前人曾研究 SU-8 對於 X 光的曝光反應，發現其敏感度為傳統 PMMA 的百倍以上[9]。其他的研究結果則顯示，SU-8 光阻的 X 光深刻精度及側壁表面品質甚至略優於傳統的 PMMA 光阻[10,11]。雖然目前尚無文獻報導 SU-8 的 X 光深刻解析度，然而早在 1980 年 IBM 開發該光阻並應用於微電子製程時，即曾以電子束直寫 0.1 μm 線寬的 SU-8 光阻結構。由於電子束與 X 光光阻具相容性，相信 SU-8 作為 X 光光阻應該也有次微米的解析度。此外，由於 SU-8 以環氧樹脂 (epoxy) 為基質材料，具有極佳的耐熱性、化學穩定性、附著性及抗應力腐蝕能力，因此對於深刻微結構的良率、尺寸精度及製程相容性均有極大幫助。然而也因為其化學穩定性佳，因此光阻不易剝除仍是其使用上較大的限制。

　　由表 4.4 的綜合資料顯示，以 SU-8 作為 X 光光阻材料不但有優異的光刻品質、機械性質及耐化性質，尤其感光度為 PMMA 的百倍以上。以台灣光源為例，過去單次曝光 500 μm 厚的 PMMA 需要 6 小時以上的曝光時間，若採用 SU-8 光阻則只需要不到 1 分鐘的時間。除此之外，由於光阻特性的提升，對於 X 光光罩 (X-ray mask) 的要求可相對減少，X 光光罩製程的複雜度及難度將可大幅降低[11]。這些影響對於 X 光 LIGA 製程的工業化應用價值具有極正面的意義。

表 4.4 SU-8 與 PMMA 光阻的 X 光光刻性質比較。

	PMMA	SU-8	可能的影響
感光度	--	++	感光度高，可縮短曝光時間，簡化光罩製程，利於光刻極深之微結構
解析度	++	(++)	解析度高，有利於製作高深寬比之次微米微結構
光刻側壁品質	++	++	粗糙度低，適合直接作為光學、微波或微流體元件應用
抗應力腐蝕性質	–	++	抗應力腐蝕能力佳，有利於提高光刻結構的良率及完整性
附著性	+	++	附著性佳，特別有利於厚膜光阻製程
化學穩定性	+	++	化學穩定性佳，有利於光阻與電鍍液、蝕刻液的製程相容性
剝除性質	○	--	光阻剝除處理的方式會影響光阻製程的難易度

4.2.3 X 光光阻製程

(1) 基板的準備

　　對於 X 光 LIGA 製程而言，基板的選擇必須考慮下列幾點：

1. 基板具導電性，以利於後續的電鑄製程。基板的導電性可由材料本身或是藉由表面鍍導電膜的方式達成。導電材料必須考慮與電鍍液的相容性與電鍍的性質 (是否易生成針孔)。導電層最好不需化學前處理即可電鍍，否則覆蓋其上的光阻微結構會影響化學處理的完整性而導致大量電鑄缺陷的發生。

2. 基板通常需要有適當的表面粗糙度，以提供基板與光阻或電鑄層間的機械附著性。通常光阻越厚，製程應力越大，需要的粗糙度也越大。基板表面的粗糙度則可藉由化學蝕刻或噴砂的方式達成。

3. 基板需有足夠的結構剛性，以減低製程殘餘應力所造成的基板變形。

4. 對於 X 光深刻而言，基板應儘可能採用低原子序的材料，以避免 X 光照射時產生大量無方向性的光電子 (photoelectron) 與螢光 (fluorescence)，進而影響光刻精度。

5. 若採用化學蝕刻的方式分離電鑄母模與基板，必須選擇適當的基板以提供足夠的蝕刻選擇比 (selectivity)。

　　基板的準備常因實際的需要 (例如光刻精度、解析度與結構深度) 而有不同的設計與選擇。若欲光刻數百微米厚的光阻結構，典型的例子是以厚銅片作為基板以提供足夠的機械剛性。銅片經研磨拋光後再濺鍍一層約 3 μm 厚的鈦膜作為電鑄起始層 (plating base)，鈦膜並且經過化學處理 (0.5 M NaOH, 0.2 M H$_2$O$_2$, 65 °C) 數分鐘使其表面生成 TiO$_x$ 層。TiO$_x$ 因具有導電性及較好的化學穩定性，因此在後續的電鑄製程前無需再作化學前處理。TiO$_x$ 同時呈現均勻細緻的粗糙表面 ($R_a \sim 0.5$ μm)，因此可提供良好的光阻附著性。

(2) 光阻的準備

　　PMMA 光阻因厚度需求的不同，可選擇旋塗 (spin coating)、鑄造 (casting)、壓板及電漿聚合 (plasma polymerization) 的方式準備。其中旋塗及電漿聚合適合薄光阻製程，鑄造及壓板則適合厚光阻的準備。

　　PMMA 可像一般光阻旋塗成形，但單次旋塗厚度只有數微米，多作為電子束直寫光阻使用。雖然利用多次旋塗可達到較大的厚度，但各光阻層間的介面常因應力腐蝕現象而影響光刻精度。電漿聚合的 PMMA 具有等向性高、內應力小等優點，文獻也曾報導利用此方法塗佈 100 μm 厚的 PMMA 光阻[13]。惟此方法因沉積速率較慢、所需設備較複雜，因此並未被廣泛使用。

　　早期厚膜的 PMMA 光阻多是用鑄造的方式準備 (如圖 4.6)，其步驟首先將 35 wt% 的 PMMA 粒材充分溶於 MMA 單體中，隨後加入起始劑 (dimethylaniline, DMA) 及硬化劑 (benzoyl peroxide, BOP)，聚合反應即可在室溫下進行[14]。由於膠體中的殘留氣體會在固化後的光阻中形成氣泡，而且殘留的氧氣也會阻礙聚合反應的進行，因此膠狀物在鑄造前必須在真空下進行除氣 2－3 分鐘，隨後儘快將膠體澆注至模穴中以免膠體固化而影響其流動性。澆注後的光阻並以玻璃覆蓋其上，減少膠體的氧氣吸附，並且均勻施壓以取得平整的光阻厚度。玻璃表面並噴塗脫模劑以避免光阻的附著。聚合的時間則視硬化劑含量、聚合溫度及光阻厚度而定，從數分鐘至數小時不等。聚合完成的光阻再以高速鑽石銑刀加工其表面至預定的厚度。

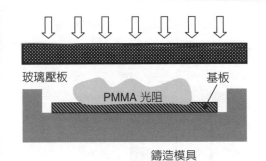

圖 4.6
鑄造模具 ‧ PMMA 光阻鑄造架構示意圖。

PMMA 光阻也可將其板材直接黏貼於基板上，並以 PMMA 膠作為黏著劑以提供相近的光刻行為。PMMA 板也可以溶劑處理表面後直接黏貼於基板上。壓板法提供一個快速簡便的 PMMA 準備方式，但板材與基板間的附著性往往是此製程必須克服的主要問題。

4.2.4 X 光光罩

當光線穿透介質材料時，同時也伴隨著光吸收的發生。典型的光罩即利用材料對於光的吸收與穿透行為，提供所需的曝光對比。其中穿透的光強度與介質材料的關係可由下式表示：

$$I = I_0 e^{-\mu T} \tag{4.5}$$

其中 I_0 為原始的光強度，μ 為材料的線性吸收係數，T 為材料的厚度。

典型的 X 光光罩如圖 4.7 所示，其包含吸收體 (absorber)、鼓膜 (membrane) 與框架 (frame) 等三個部分，圖 4.8 所示為 X 光鼓膜光罩的結構與操作方式。為了提供足夠的曝光對比，吸收體必須儘可能吸收 X 光，因此多採用高原子序、高密度的材料 (例如金)，而且厚度要厚 (~10 μm，視光刻深度而定)。相反地，鼓膜要儘可能透光，因此多採用低原子序、低密度的材料 (例如鈹)，而且厚度要薄 (~1 μm)。框架的功能則是提供機械的支撐以利於光罩的操作。由以上的描述可知，X 光光罩是由極薄的鼓膜支撐著厚吸收體的脆弱結構，製程中的內應力或機械的動作均可能導致光罩的破壞。此現象隨著光刻深度的增加與所需的吸收體厚度增加而越形顯著[15]。表 4.5 則是 X 光光罩與 UV 光罩的比較。

(1) 光罩鼓膜

鼓膜的主要功能其實只是提供吸收體的機械承載，但是適合作為 X 光光罩的鼓膜材料還必須滿足幾項要求：

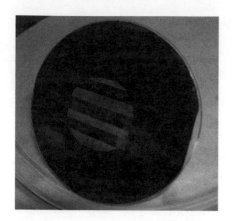

圖 4.7 典型的 X 光光罩，其中吸收
　　　體材料為鎢，鼓膜為氮化
　　　矽，框架為 Pyrex 玻璃。

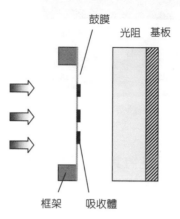

圖 4.8 X光鼓膜光罩結構與操作方式示意圖。

表 4.5 X 光光罩與 UV 光罩的比較。

	X 光光罩	UV 光罩
鼓膜 (基板) 透光度	> 80%	> 50%
鼓膜 (基板) 厚度	~ μm	~ mm
吸收體厚度	> 5 μm	~ 0.1 μm
表面平整度	< ± 1 μm	< ± 1 μm
光罩／光刻圖形尺寸比	1：1	1：1 或 N：1

1. 透光性佳。鼓膜對於 X 光的吸收越少，光源利用的效率便越高，所需的曝光時間也越
   短，因此鼓膜多採用低原子序、低密度的材料。若欲進行多層對準曝光時，鼓膜材料更
   必須能讓可見光或紅外光穿透，以利於光罩對準工作的進行。

2. 尺寸穩定度高。鼓膜本身必須具備相當的尺寸穩定度，才能提供高精度的 X 光深刻品
   質。鼓膜尺寸或型態的改變，主要受光罩製程的殘餘應力，以及 X 光曝光時光罩溫度升
   高所造成的尺寸變化影響。解決之道除了適當控制製程參數之外，也要選擇高楊氏係數
   (>100 GPa) 及導熱性佳的鼓膜材料。

3. 化學穩定性佳。倘若鼓膜的化學穩定性低，在高能量的 X 光照射時將會使鼓膜逐漸劣化
   而破壞，影響光罩的使用壽命。鼓膜材料也必須具備相當的化學穩定性，才能相容於製
   程中接觸的顯影液或電鍍液等各式的化學藥品。

　　除此之外，鼓膜的平整性、表面粗糙度及毒性也是選擇鼓膜材料時必須考慮的因素。
表 4.6 是幾種常用的光罩鼓膜材料的比較。圖 4.9 則是幾種鼓膜材料的 X 光穿透率。其中鈹
因同時具有極優異的 X 光透光性及尺寸穩定度，理應是相當適合的鼓膜材料。然而因其具

表 4.6 常用的鼓膜材料與性質。

	鈹	鑽石	矽	鈦
X 光穿透性	++	+	○	−
可見光透光度	−	++	○	−−
尺寸穩定度	++	++	○	○
表面品質	+	+	++	+
化學穩定性	○	++	++	+
無毒性	−	++	++	++

有毒性，在實際應用上並不普遍。圖表中的資料也顯示氮化矽的性質普遍滿足鼓膜材料的要求，同時也是半導體製程中常用的材料，因此是目前最為廣泛採用的鼓膜材料。惟化學氣相沉積的氮化矽層往往含有相當含量的氧雜質，在長時間 X 光曝光後會逐漸劣化並影響其可見光透光度，此點是使用該材料必須注意的地方。

(2) 光罩吸收體

X 光光罩吸收體的主要功能是吸收 X 光以提高光罩曝光對比，因此多採用高原子序、高密度的材料。由圖 4.10 材料的光吸收係數可知，金、鎢、鉭等材料在波長 0.5−0.7 nm 時有極大的吸收峰 (absorption edge)，而此波段正好是最適合 X 光深刻的光源 (詳見 4.2.6 節)，因此這些材料均可提供不錯的光遮蔽效率。除此之外，吸收體材料也必須具有高化學穩定性，以免因氧化或化學製程而影響尺寸的精度。

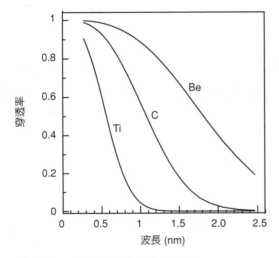

圖 4.9 不同鼓膜材料的透光性質。

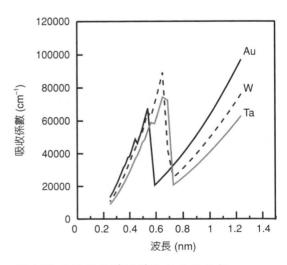

圖 4.10 不同吸收體材料的光吸收係數。

表 4.7 常用的吸收體材料的性質比較。

		金	鎢	鉭	鉑
X 光吸收能力		++	++	+	++
殘餘應力		++	++	○	–
與鼓膜材料的熱膨脹係數相近	鈹	++	–	○	+
	鑽石	––	+	○	–
	矽	–	+	++	++
	鈦	○	+	++	++
電鑄可能性		++	––	––	––
乾蝕刻可能性		––	++	++	––

　　在製程考量上，沉積吸收層的殘餘應力應儘量降低，以免破壞易碎的鼓膜或是影響吸收體的附著性。表 4.7 是幾種常用的光罩吸收體材料，其中金因為對 X 光吸收能力強、化學穩定性高，而且製程應力低，因此是最為普遍採用的光罩吸收體材料。惟金吸收體只能以電鑄的方式沉積，對於厚度均勻性與解析度均不易提升。如果所需的吸收體厚度不大，可考慮使用鎢或其合金，並利用反應離子蝕刻的方式轉移吸收層圖形。

　　圖 4.11 是同步輻射光穿透一個典型 X 光光罩時的劑量分布情形。首先，當連續波長的同步光源穿透塑膠濾片時 (~200 μm 厚)，濾片會吸收絕大部分的低能量光源而讓高能量的 X 光穿透。隨後在無吸收體的曝光區域 (以虛線表示)，光源僅被鼓膜少量吸收而照射至光阻，其吸收劑量在厚度方向成指數遞減分布。對於 PMMA 光阻而言，其底部劑量 (感光度) 必須大於 4 kJ/cm^3 方能在合理的時間內被顯影。同時其頂部 (最大) 劑量則必須低於 20 kJ/cm^3，否則光阻會因為大量斷鍵釋出的氣體而起泡，因此光罩結構與曝光條件必須隨著光阻厚度作適當的調整 (詳見 4.2.6 節)。

　　圖 4.11 也顯示 X 光在穿透吸收體光罩時被大量吸收 (以實線表示)，因此在光罩下的光阻只有極少量的劑量沉積。對於 PMMA 光阻而言，光罩底下之最大劑量須小於 0.2 kJ/cm^3，因此吸收體厚度必須隨光源特性及曝光條件作改變。圖 4.12 是不同 X 光光源 (特徵波長分別為 0.23 及 0.56 nm) 加工不同光阻厚度所需的光罩吸收體厚度。圖中顯示，光刻深度越深所需的吸收體越厚，而且當 X 光波長越短 (穿透力越強)，所需的金光罩也越厚，方能提供足夠的 X 光遮蔽能力。由以上敘述可知，X 光光刻製程必須有適當的方法計算光阻內的劑量分布，方能根據不同的光源特性與光阻特性設計適當的曝光時間與光罩厚度。有關劑量的計算將在本章 4.2.7 節再作介紹。

4.2.5 X 光光罩製程

　　X 光光罩依結構可分為鼓膜光罩與共型光罩 (或稱為轉移光罩)，以下分別就其製作過程作簡要說明。

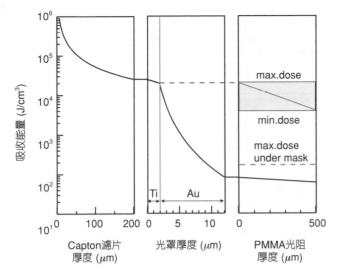

圖 4.11 同步輻射 X 光在濾片、光罩與光阻的劑量分布情形[5]。

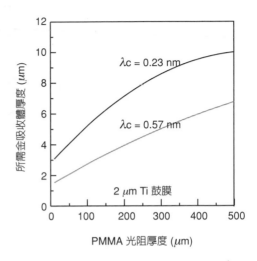

圖 4.12 光罩所需的金吸收體厚度與特徵波長及光阻厚度的關係[5]。

(1) 鼓膜光罩製程

　　X 光深刻製程必須透過 X 光鼓膜光罩進行圖形轉移才能達到次微米精度與解析度的微加工品質。圖 4.13 即是一個高解析度的 X 光鼓膜光罩製程的示意圖。今以氮化矽鼓膜與金吸收體材料為例,其製程步驟依序為:

1. 以化學氣相方式在矽晶片上沉積 1－2 μm 厚的氮化矽。隨後乾蝕刻氮化矽窗口,再配合背向濕蝕刻鼓膜結構 (圖 4.13(a))。此濕蝕刻階段可預留一背層 (backwall),提供鼓膜足夠的機械強度,以利於後續的光罩製程。

2. 於鼓膜表面塗佈光阻,再以電子束直寫技術進行微影蝕刻 (圖 4.13(b))。

3. 透過電子束直寫的光阻結構電鑄金吸收層,隨後再將光阻去除,如圖 4.13(c) 所示。電子束直寫技術雖可提供極高的解析能力,但電子穿透深度小 (約 1 μm),因此電鑄金層的厚度對絕大部分的應用而言仍嫌不足。以光刻 10 μm 的 PMMA 光阻為例即需要 1.5 μm 的金光罩,故此階段僅能製作中間光罩 (intermediate mask),必須再配合後續製程製作更厚的精密光罩結構。

4. 為了加深光罩吸收體厚度,通常利用一軟 X 光光源,透過步驟三所製作的中間光罩將其上的精密圖形轉移至另一鼓膜結構的厚光阻上,如圖 4.13(d) 所示。

5. 透過厚光阻光刻結構電鑄較厚的金吸收體 (圖 4.13(e)),去除光阻後即可得到 X 光深刻應用的鼓膜光罩,如圖 4.13(f) 所示。

　　鼓膜光罩雖可提供極精密的光刻解析力,但必須先製作一中間光罩,同時需要另一條軟 X 光光束線 (非 LIGA 使用的硬 X 光) 進行光罩複製,因此製程的困難度及複雜度相當高。光罩的製作與品質也是次微米級 X 光深刻製程成功與否的關鍵。

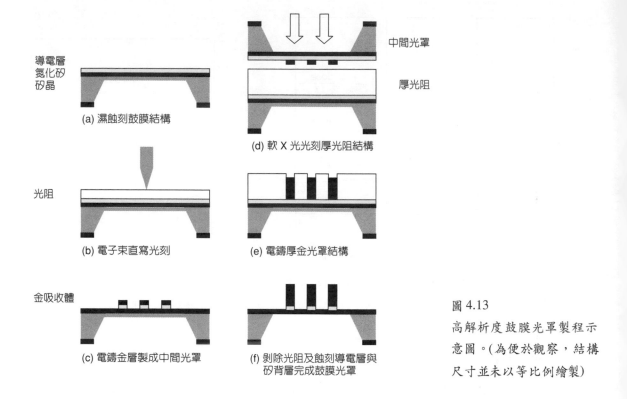

導電層
氮化矽
矽晶

(a) 濕蝕刻鼓膜結構

光阻

(b) 電子束直寫光刻

金吸收體

(c) 電鑄金層製成中間光罩

中間光罩

厚光阻

(d) 軟 X 光光刻厚光阻結構

(e) 電鑄厚金光罩結構

(f) 剝除光阻及蝕刻導電層與
　　矽背層完成鼓膜光罩

圖 4.13
高解析度鼓膜光罩製程示
意圖。(為便於觀察，結構
尺寸並未以等比例繪製)

(2) 共型光罩製程

　　以 X 光光刻厚光阻結構時，所需的金吸收體厚度隨之增加。以台灣同步光源為例 (特徵波長為 0.58 nm)，若欲單次曝光 1 mm 深的 PMMA 光阻，所需的金光罩厚度至少為 10 μm，其累積的殘餘應力將使鼓膜破壞的可能性大幅增加。因此加工厚光阻時，可考慮透過共型光罩，亦即直接將吸收體沉積在光阻表面，因此無須鼓膜提供承載功能。圖 4.14 是典型的共型光罩製程示意圖，其步驟依序為：

1. 在 PMMA 光阻表面沉積 Cr/Au 作為電鍍金的導電層。其中因鍍金液的侵蝕性極強，因此必須用金作為電鍍起始層，厚度約為 50 nm。金也因為其化學穩定性高，因此也可免除電鍍前複雜的表面處理程序。至於鉻層的主要功能為提供金與 PMMA 光阻間的附著力，厚度約為 10 nm。
2. 在電鍍起始層上塗佈光阻並光刻光罩圖形。
3. 透過光阻結構電鍍金吸收層。
4. 剝除光阻並以化學蝕刻去除非光罩區的 Cr/Au 電鍍起始層，即完成共型光罩的準備。其中金層是以碘化鉀 (5%) 與碘 (1.25%) 的水溶液浸泡數十秒後去除。

　　共型光罩具有簡便、快速的優點，由於沒有鼓膜的脆弱結構，製程的良率也可大幅提升。同時因共型光罩直接製作於光阻上，即使進行多次曝光也無需進行光罩的對準工作，因此非常適合進行極厚的 X 光微加工製程[16]。共型光罩雖然只能使用一次,但是對於完整的 LIGA 製程而言,量產的工具為模具而非光罩。惟此光罩製程的基板 (光阻) 表面平整度較差,曝光時的繞射誤差會造成光罩圖形轉移的精度與解析力降低,因此並不適合作為高解析度的 X 光深刻製程使用。

4.2.6 X 光曝光與顯影

(1) 適合的 X 光波長

同步輻射為一涵蓋紅外線至硬 X 光的連續光源,為了在進行 X 光深刻時能獲得優異的光刻品質,必須選擇適當波長的光源進行曝光,選擇的標準則在於光源對光刻精度的影響。

前人的研究結果顯示,影響光刻精度的主要因素包括繞射現象與光電子散射[17]。其中繞射誤差大致與波長的 1/2 次方成正比關係,而光電子的散射距離 (誤差) 則與波長的平方成反比關係。若以 500 μm 的 PMMA 光阻為例,並將該效應所造成的誤差與波長作圖 (圖 4.15),可知最小的誤差總合大約發生在波長 0.2－0.6 nm 之間[18]。當波長較長時,光刻誤差主要來自於繞射現象;而當波長較短時,光刻誤差主要來自於光電子的散射。

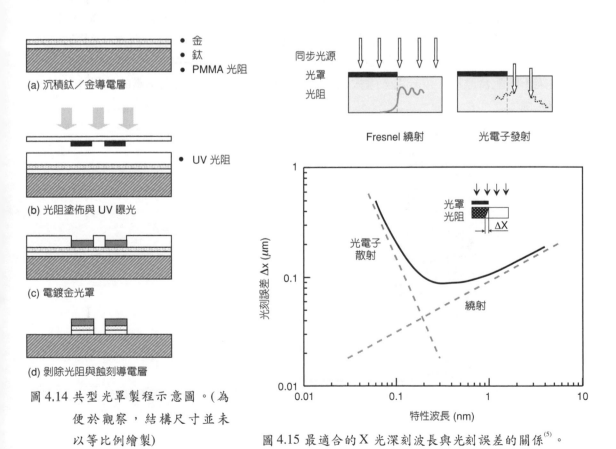

圖 4.14 共型光罩製程示意圖。(為便於觀察,結構尺寸並未以等比例繪製)

圖 4.15 最適合的 X 光深刻波長與光刻誤差的關係[5]。

除了光刻精度的影響外，X 光照射至較高原子序的基板材料時也會產生光電子散射與螢光效應，其結果將會造成未曝光區光阻底部接受額外的劑量沉積，因此 PMMA 光阻顯影時將會發生嚴重的側蝕現象，進而導致微結構的剝落與破壞[19]。此現象在使用高能量 X 光曝光時更為嚴重。

同步輻射光源因其設計參數的不同而會有不同的輻射光譜。圖 4.16 是台灣同步輻射光源與法國 ESRF 光源的輻射光譜圖，其中台灣光源的加速電子能量為 1.5 GeV，轉彎半徑為 3.5 m；ESRF 的加速電子能量為 6.0 GeV，轉彎半徑為 25 m。如果要使用以上光源進行 X 光深刻製程，台灣光源必須濾除低能量的波段，而 ESRF 光源則必須去除大部分高能量的波段，才適合作為 X 光深刻光源。

(2) 如何取出適合的 X 光波長

利用濾片 (filter) 即可輕易去除低能量光源，濾除的波段則可藉由濾片材料及厚度調變。圖 4.17 是台灣光源經過不同濾片後的光譜圖，圖中顯示波峰處的光子能量隨著濾片厚度與原子序的增加而逐漸增大，意即高能量光源所佔的比例逐漸增加。

至於高能量 X 光的去除，通常是藉由 X 光在不同入射角度時的反射情形進行調變。圖 4.18 是不同能量的 X 光在不同入射角時的金表面反射量。圖中顯示，高能量的 X 光隨著入射角度增加，穿透與吸收的比例隨之增加，因此反射量將逐漸減小。而當入射角為 10°時，幾乎可完全去除光子能量大於 2000 eV (或波長小於 0.62 nm) 的 X 光。由此可知，藉由濾片與鏡子的配合應用，可分別去除太低或太高能量的 X 光，並取出適當的波段作為 X 光深刻的光源。

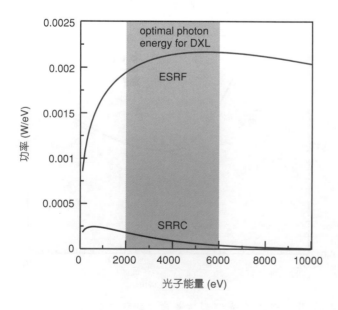

圖 4.16
台灣同步光源與法國 ESRF 光源的輻射光譜比較。

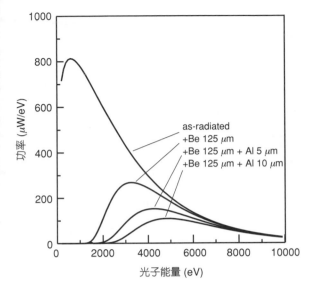

圖 4.17 台灣同步輻射光源經穿透不同材料與
　　　　厚度之濾片後的光譜圖。

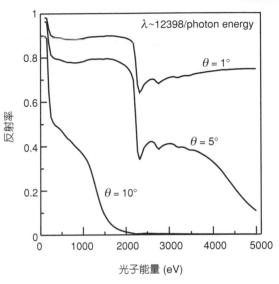

圖 4.18 不同能量的光在不同金表面入射角時
　　　　的反射量。

(3) X 光曝光

　　同步輻射為一扁平的片狀光源，因此曝光時試片 (含光罩) 必須等速上下來回移動以取得均勻的曝光劑量。曝光時最好在控制氣氛的真空中進行，以減少光源被氣體吸收的比例。圖 4.19 是一個典型的 X 光曝光機與示意圖。片狀的 X 光光源經由光束線導引至曝光機，並以鈹窗隔離兩邊的真空環境。基於透光性與機械強度的考量，其厚度一般選擇在 150 μm 左右。鈹窗必須承受光束線與曝光機兩邊的壓力差，任何突然的劇烈壓力變化均可能使脆弱的鈹窗破裂而污染儲存環內的超高真空環境，因此曝光機在進行抽氣或破真空時均需要緩慢進行。

　　由於 X 光鼓膜光罩極為脆弱，光罩不可直接貼附於光阻進行曝光，通常是以一厚度均勻 (~50 μm) 的塑膠墊片提供光罩與光阻間的固定間隙。此外，由於高強度的 X 光曝光時會造成試片、光罩與夾具的溫度上升，因此必須有適當的散熱方式以免熱膨脹的效果影響光刻的精度。一般是以循環水冷卻試片基板，同時在曝光機內充填氦氣 (~ 10^4 Pa)，利用該惰性氣體重量輕、熱運動快的特性將光阻表面的熱量迅速移除。

　　進行 X 光曝光時，曝光量 (單位通常以 mA·min/cm 表示) 必須根據光阻的厚度、感光度與光源特性進行劑量模擬分析而定。由於儲存環內的電流在注射完成後會逐漸衰減，因此曝光量不可單純以曝光時間計算，而需即時偵測電流並作曝光時間補償。曝光量除了必須考量光阻的感光度 (最小劑量) 之外，也需考量光阻所能承受的最大劑量，並對光源作適當的調整。以台灣光源為例，若直接以未過濾的光源單次曝光 500 μm 厚的 PMMA 光阻，

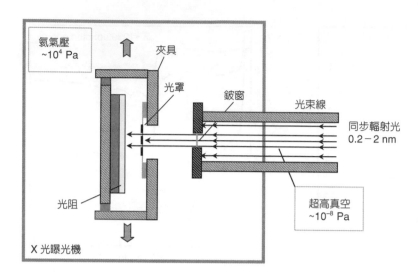

圖 4.19
典型的 X 光曝光機裝置示意
圖。

則當底部劑量達到光阻敏感度 (4 kJ/cm^3) 時，其表面劑量 (55 kJ/cm^3) 已遠超過該光阻所能承受的最大劑量 (20 kJ/cm^3) 而使光阻起泡。如圖 4.20 所示，若加上 10 μm 的鋁箔濾除低能量的光源，則頂部與底部劑量均可滿足該光阻對於曝光劑量的要求。然而由表 4.8 的劑量模擬結果可知，加上濾片後所需的曝光量與金光罩厚度將隨之增加，意即光源的使用效率與光罩的解析度下降，此現象在光阻厚度增加時更為明顯。解決之道除了使用較高能量的光源之外，也可考慮使用多次曝光顯影的方式進行厚光阻的 X 光深刻程序[20]。

(4) X 光光罩對準

以光刻技術製作多層結構時，光罩必須與下層的微結構進行對準程序。在紫外光光刻時，因玻璃光罩對可見光的透光性佳，對準程序可以一般的光學顯微鏡進行。然而 X 光光刻時，由於大部分的鼓膜材料 (鈹、矽、鈦) 均不透可見光，因此通常可以下列的方式進行光罩對準：

表 4.8 濾片的使用對於 X 光曝光條件的影響 (以台灣光源為例)。

項目	單位	未加濾片的曝光參數	加濾片的曝光參數
曝光量	mA·min/cm	8092	12224
頂部劑量	kJ/cm^3	54.9	19.6
底部劑量	kJ/cm^3	4	4
金光罩厚度	μm	6	7
光罩下最大劑量	kJ/cm^3	0.14	0.18

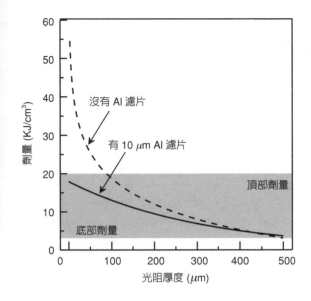

圖 4.20

在相同的底部劑量下，濾片的使用對於頂部劑量的影響 (以台灣光源為例)。

1. 以紅外線作為對準光源。但此法的定位精度不高，與 X 光光刻的加工品質並不匹配。
2. 直接在鼓膜上製作穿孔的定位結構[21]。然而因鼓膜本身極為脆弱，此法的光罩製程良率將大幅下降。
3. 在光罩和基板上製作輔助微結構進行定位[22]。惟此法將大幅增加製程的複雜度。

　　其實最直接的解決之道便是採用透光的鼓膜材料，例如氮化矽或鑽石膜。氮化矽是半導體製程中的標準材料，但是經多次 X 光曝光後，其透光度可能會逐漸下降而影響對準精度[23]。鑽石膜則同時具有極佳的透光性、導熱性與尺寸穩定性，惟製程取得較不普遍。

(5) X 光光阻顯影

　　PMMA 光阻經 X 光照射之後，曝光區的分子量會大幅降低，因此可在顯影過程中溶解出來。為了匹配 X 光光刻所能提供的光刻精度，曝光與未曝光光阻的顯影速率比建議應在 1000 以上。典型的 PMMA 顯影液成分如表 4.9 所列，顯影溫度通常保持在 35 °C 左右。當曝光區光阻完全顯影去除之後，為了避免溶解在顯影液中的光阻於乾燥過程中再次析出於微結構內，必須先用顯影清洗液 (wash solution，成分如表 4.9 所列) 浸漬數分鐘之後，再以去離子水充分清洗並於真空中乾燥[24]。

　　在 PMMA 的顯影過程中，顯影液首先滲透至曝光光阻內使其軟化 (swelling) 形成膠狀物質，隨後再逐漸溶解於顯影液內。由於膠狀層的存在，顯影過程將會受到相當程度的阻礙。由於膠狀物的密度比顯影液大而且具流動性，因此顯影時可將基板傾斜，藉由重力的作用讓膠狀物慢慢脫離微結構，顯影槽可搭配循環與過濾裝置，保持顯影液的清潔與均勻。

表 4.9 PMMA 光阻的顯影液與清洗液化學成分。

化學成分	顯影液 (vol%)	顯影清洗液 (vol%)
Tetrahydro-1,4-oxazine	20	—
2-aminoethanol-1	5	—
2-(2-butoxyethoxy) ethanol	60	80
DI Water	15	20

　　PMMA 光阻的顯影速率緩慢，因此當光刻相當厚的微結構時，顯影時間將長達十餘小時之久。為了加速顯影速率，可能的改善之道包括：提高顯影溫度、提高曝光劑量及使用高頻率的超音波振盪。下列的方法應該針對微結構的幾何尺寸、形狀與規格要求作適當的選擇。

1. 提高顯影溫度：溫度提高雖然可有效增加顯影速率 (圖 4.21)，但也會降低曝光／未曝光光阻的顯影對比，進而影響光刻精度。

2. 提高曝光劑量：如圖 4.5 所示，當曝光劑量越高，光阻的分子量降低，因此顯影的速率可獲得改善。但是顯影速率增加的幅度在劑量大於 6 kJ/cm^3 之後會逐漸趨於緩和 (圖 4.21)，利用此方法時也應該注意最大曝光劑量應低於 20 kJ/cm^3，以免光阻起泡而破壞微結構。

3. 使用高頻率的超音波振盪：超音波振盪有助於顯影過程中的物質傳輸，進而提升顯影速率[25]。對於高深寬比的微結構顯影，必須使用高頻率 (~ MHz) 的超音波，其所產生的短波長震波方能進入微孔內加速質傳的進行。然而音波本身也是機械波，因此並不適合脆弱結構 (例如細長的柱子) 顯影時使用。

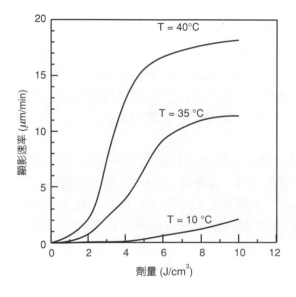

圖 4.21

接受不同劑量的 PMMA 光阻在不同溫度時的顯影速率。

4.2.7 X 光劑量模擬

在 X 光深刻製程中，最佳的曝光條件必須同時考量光源特性、光罩結構與光阻性質，並藉由 X 光劑量模擬的協助選取最佳的參數組合。對於 X 光深刻技術而言，劑量模擬比一般紫外光光刻更迫切需要的原因主要是：

1. 全世界每一座同步輻射光源與光束線光學結構設計均不盡相同，因此曝光參數並不具相容性。
2. X 光深刻所加工的光阻較厚，因此在深度方向的吸收劑量分布差異較大。
3. 材料對 X 光均有相當的吸收現象，造成在深度方向劑量分布明顯不同。

計算光阻內的 X 光吸收劑量時通常必須考慮同步輻射光源參數、光束線光學架構、光罩結構與材料的吸收係數等四項要素。其中，由儲存環轉彎磁鐵所輻射的 X 光功率 (單位為 W/mrad/eV) 可表示為[26]：

$$P_E(\lambda) = 1.96 \times 10^4 \frac{E^7}{(h/\lambda)^2 R_M^2} G(\lambda) \tag{4.6}$$

其中，E 為加速電子能量 (GeV)，R_M 是轉彎磁鐵半徑 (m)，$G(\lambda)$ 是同步輻射光源泛用參數。

因此，穿透至光阻深度 z 處的 X 光功率可表示為：

$$P_R(z,\lambda) = I_B P_E(\lambda) \tau_W(\lambda) \theta T_S(\lambda) \exp\left[-\rho_R \mu_R(\lambda)z\right] \tag{4.7}$$

其中，I_B 為儲存環電流 (A)，τ_w 為光束線光學元件的穿透係數，θ 為光束線的幾何係數，T_S 是光罩結構的穿透係數，ρ_R 與 μ_R 分別是光阻的密度與光吸收係數。

所以在非光罩區光阻深度 z 處的 X 光吸收劑量即可表示為：

$$D(z) = \frac{d}{dz} \int dz \int_0^\infty P_R(z,\lambda)d\lambda \tag{4.8}$$

至於光罩下的殘留劑量也可依據上述的方法進行模擬，並依此選擇適當的光罩厚度。然而由於同步光源涵蓋的波段極廣，而且材料的光吸收係數隨波長而異，再加上同步光源泛用參數 $G(\lambda)$ 本身即是一個貝色函數 (Bessel function) 的不完全積分，因此實際的計算非常複雜，一般均是藉由電腦程式配合資料庫執行劑量模擬計算。典型的例子包括美國威斯康辛大學開發的 ToolSet[27] 與免費共享軟體 SHADOW[28]，以及由美國 Sandia 國家實驗室所發展的 LEX 等 X 光劑量模擬程式。

4.2.8 特殊的 X 光深刻技術

(1) 傾斜曝光

同步輻射 X 光因準直性高、光源發散小，因此即使傾斜曝光時光源與光罩間的距離略有不同，因光源發散所造成的誤差並不明顯。傾斜曝光時光罩與試片仍需上下來回掃描以取得均勻的曝光劑量。若再配合試片的運動，傾斜曝光方式可能加工如表 4.10 的多種立體微結構[29]。圖 4.22 即是以三次的傾斜曝光技巧所製作的三維光子晶體結構[30]。光子晶體係透過特殊幾何結構所產生的光子能隙 (band gap)，進而控制光線表現出特定的行為，未來可普遍應用於積體光路中的光波導、耦合器、超稜鏡與雷射共振腔等各式微光學元件。

(2) 曲面曝光

如果紫外光光刻在彎曲的基板上進行，由於光罩與基板間隙不同，將會造成嚴重的繞射誤差。若以波長極短的 X 光作為曝光光源，繞射損失的光刻精度較不明顯。利用此項特性，X 光可應用於製作所謂的「龍蝦眼 X 光聚焦鏡」，其製作方法如圖 4.23(a) 所示[31]。與一般折射式的聚焦原理不同，龍蝦是利用光在其眼球微孔片 (multi-channel plate, MCP) 內的反射進行聚焦 (如圖 4.23(b))，此種反射式聚焦方式特別適合應用於 X 光望遠鏡作為太空觀測使用。

(3) 光子蝕刻

材料本身可能因吸收高能量、高強度的光能量而破壞其內的分子鍵結，被照射的材料瞬間被移除而產生所謂的「光刨 (ablation)」現象，此機制已普遍應用於雷射加工，其實也

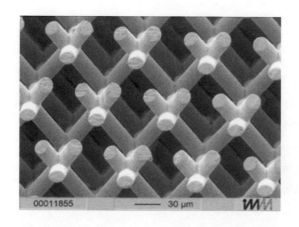

圖 4.22
利用 X 光傾斜曝光所製造的紅外線波段三維光子晶體結構(本圖感謝德國 IMM 公司許可使用)。

表 4.10 藉由傾斜曝光可能製造的光阻立體結構。

光罩 (上視圖)	曝光 (側視圖)	顯影後光阻結構 (側視圖)	電鑄後光阻結構 (側視圖)

可以 X 光進行光子蝕刻製程。與雷射加工不同的是，同步輻射光源因準直性佳而且發散角小，因此高深寬比的加工能力較強。前人的研究結果顯示，以 X 光蝕刻鐵氟龍呈現出最佳的加工品質，而且光強度越大，加工品質越好[32]。光子蝕刻的速度極快 (~μm/min)，再加上該技術無需顯影，因此非常適合製作較厚的光刻結構。然而由於光子蝕刻過程同時伴隨光刨碎屑的產生，因此該技術的解析度 (~10 μm) 與表面品質均不及 X 光光刻製程。光子蝕刻可透過光罩或直接書寫的方式進行，若配合基板的移動，光子蝕刻可連續製造出塑膠微溝槽，提供相當特殊的製程加工能力[32]。

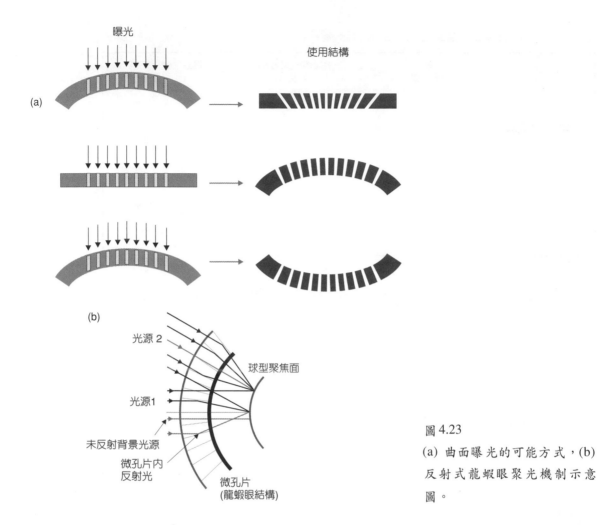

圖 4.23
(a) 曲面曝光的可能方式，(b)
反射式龍蝦眼聚光機制示意
圖。

4.2.9 X 光深刻技術應用實例

　　X 光深刻技術早在 1980 年代即在德國發展出來，與當時的半導體製程相較，其高深寬比的加工能力相當獨特，因此許多微機械元件均藉由 X 光深刻技術製造出來，例如微馬達[33]、微幫浦[34]、微閥[35] 及微熱交換器[36] 等。然而 X 光微加工品質其實均遠高於大部分微機械元件的要求，加上同步輻射光源並未普遍，因此實際的商業價值並不高。在 1990 年後，許多高深寬比的微加工技術陸續開發出來 (詳見 4.3 節)，這些技術的設備與技術容易取得，加工品質也能符合大部分微機械元件的規格，因此已實際應用於微系統的各式元件上。

　　即使新技術的發展快速，X 光深刻技術仍具有相當獨特的技術區隔。由本節的說明可知，X 光深刻與其他微加工技術相較具有以下的特殊製程能力：

1. 次微米級的加工精度與解析度。
2. 奈米級的光刻表面品質。

3. 毫米厚的高深寬比結構。

4. 可配合模造技術量產精密微結構。

以下便是幾個充分表現 X 光深刻技術特色與能力的典型應用。

(1) 微光譜儀

各式光學元件目前已普遍應用在資料儲存、影像顯示、通訊與檢測用途，未來甚至也可能利用積體光路進行高速的資料計算處理。光學應用若要進一步普及，光學元件便必須朝微小化、積體化與低價化努力，其中製程技術便扮演相當重要的角色。

光學元件必須有效率地調變光的行為以表現出特殊的功能，光學微結構的尺寸或精度便必須與光波長相當。其中可見光波長約在 $0.3 - 0.7$ μm 之間，光通訊波長則在 $1.3 - 1.5$ μm 左右。由前述的說明可知，X 光深刻技術除了可提供次微米的精度與解析度之外，其奈米級的光刻表面品質更可作為光反射鏡面之用。不同光學元件也可藉由精密模造製程一次製作出來，免去各光學模組間的複雜定位問題，極有利於大量生產以降低成本，因此目前世界上的 LIGA 研發或商業生產單位均是以光學應用作為其發展主軸。典型的微光學元件包括光柵 (grating)、繞射光學元件、光波導、光耦合器、光纖定位結構、濾光片及微鏡片[37-41] 等。其中利用反射式光柵製作的微光譜儀即是 X 光 LIGA 技術的代表性商品。

光譜儀的主要功能在於定量分析光源成分，並藉此推算待測物的成分或濃度，可廣泛應用於化學、生醫、環保與食品的檢測。圖 4.24 即是 LIGA 微光譜儀與其分光機制示意圖。其中反射光柵每一階的最小斷差只有 0.2 μm，結構深度大於 100 μm，反射面的平均粗糙度則在 30 nm 以下。此精密光柵結構即是以 X 光深刻技術製作模具，再以精密熱壓塑膠成形進行量產[42,43]。同樣的反射光柵結構也可應用於光纖通訊，作為多波分光器 (wavelength division multiplexer, WDM) 元件使用。

(2) 微光學平台

光通訊因其頻寬大、資料傳輸速度極快，是未來通訊技術的主流。但是各光學模組間的連接需要次微米級的定位精度以降低插入損失，並提高資料傳輸品質，此項要求對於目前加工技術而言仍是極大的考驗。為了克服此一問題，美國 Sandia 國家實驗室以 X 光 LIGA 技術製作精密定位結構，並應用在光訊號分析模組的光學平台上 (圖 4.25)。此項技術除了技轉美國當地廠商之外，並在美國先進光源 (ALS) 建造其專屬的 X 光微加工光束線以供商業生產[44]。未來如果能進一步藉由 X 光 LIGA 技術，將分光器、耦合器、定位結構及光學鏡組等各光學元件一次模造成形，免除各模組間複雜的定位問題，光通訊網絡的普及與應用在可預見的未來將可大幅提升。

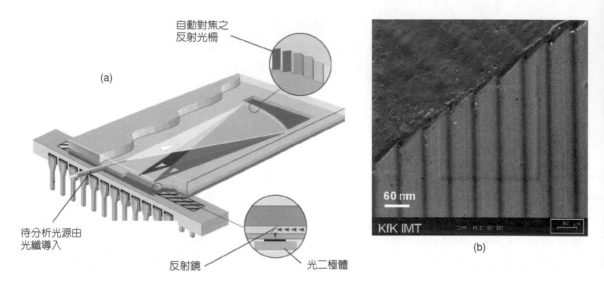

圖 4.24 (a) 微光譜儀運作機制示意圖，(b) 以 X 光 LIGA 技術製作的高精度反射光柵(本圖感謝德國
　　　 STEAG microParts 公司與 IMT 研究中心許可使用)。

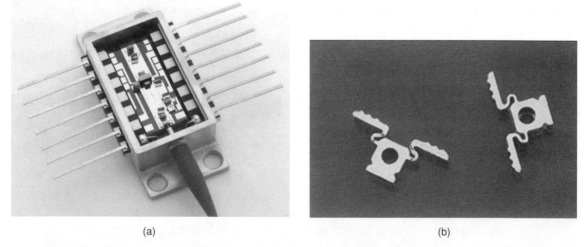

圖 4.25 (a) 運用在多波分工通訊系統的即時 (real-time) 光檢測器，(b) 其內以 X 光 LIGA 技術製作
　　　 的高精度光纖定位結構(本圖感謝美國 AXSUM 公司許可使用)。

(3) 迷你粒子加速器

　　粒子加速器可用於同步輻射光源，作為基礎科學研究、奈米技術、生物結構解析、微
電子與微加工光刻技術的利器。粒子加速器也可應用在醫療用途，作為輻射治療、同位素
生產與醫療造影技術。相關微波技術也可應用於高功率釐米波電源、微波加熱、衛星通訊

與高解析雷達。雖然粒子加速器的應用十分廣泛，然而由於該設施體積龐大，限制了廣泛應用的可能性。其根本解決之道便是將該設施大幅縮小，而這也成為加速器研究發展的一大挑戰。目前許多先進的研究單位，包括史丹福線性加速器中心 (SLAC) 及柏林工業大學 (TU Berlin) 均積極投入此議題的研究，期望能將此技術普遍應用在日常生活上[45,46]。

加速器微小化的最大關鍵便是提升加速能力，讓帶電粒子在有限的距離加速至預定目標。目前絕大多數的加速器均使用射頻 (RF) 電源來加速電子，當集束 (bunch) 的帶電粒子與 RF 電場在正確的相位，那麼電子團便能像衝浪般持續加速至極高能量。因此，提升加速能力最直接的方式便是縮短 RF 波長，亦即使用高頻率的 RF 電源來加速電子。然而伴隨使用高頻 RF 電源之後，除了干擾增強外，加速器共振腔的尺寸精度要求更嚴苛，電磁波穿透加速器結構的深度 (skin depth) 也縮短，意謂對共振腔表面品質的要求也相對提高[47]。以目前 SLAC 所設計的 RF 頻率為 91.4 GHz (台灣同步輻射的 RF 高頻為 500 MHz)，線性加速能力可達 1 GeV/m，所需的微加速器結構厚度約為 1.5 mm，深寬比大於 15，精度 $1-2$ μm，電磁波穿透深度只有 0.2 μm，這些條件對於一般加工技術而言均是極為嚴苛的要求。同時由於使用高頻電源在表面產生脈衝加熱 (pulse heating) 效應，因此共振腔結構必須採用導熱快、高強度的銅基陶瓷複合材料製作加速器結構，這些必要的條件都必須與加工技術的能力一併考慮。

由前述的說明可知，X 光深刻技術不但可滿足微加速器結構的精度、深度及表面品質的要求，銅基複合材質也可透過電鑄製程實現，非常適合應用於迷你粒子加速器微結構的製作。圖 4.26 即是台灣同步輻射中心與史丹福線性加速器中心合作製作的射頻共振腔結構。經實際測試，該微共振腔結構的高頻品質與理論值相當接近，充分表現出 X 光深刻技術的微加工能力[48]。

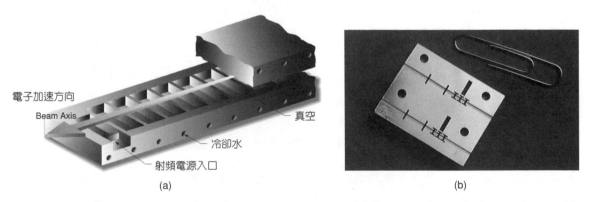

         (a)   (b)

圖 4.26 (a) 迷你粒子加速器結構示意圖，(b) 以 X 光 LIGA 技術製作的銅基複合材料射頻共振腔結構
      (本圖感謝美國史丹福線性加速器中心 SLAC 許可使用)。

4.3 類 LIGA 製程光刻技術

4.3.1 UV 厚膜光阻微影技術

4.3.1.1 前言

　　LIGA 製程雖可製造高精度、高深寬比的微結構，但因其微影製程所用之光源為同步輻射 X 光，此一同步輻射光源取得殊為不易，更遑論其成本極高了。就算解決了光源問題，用來作為阻擋 X 光穿透之光罩因製作不易，所以其價格亦是不菲。綜合上述因素，因此乃有紫外光厚膜光阻技術之開發來解決此一問題。紫外光 (ultraviolet, UV) 厚膜光阻微影技術之發展，是基於不大幅改變現有 UV 曝光機台及其他微影相關設備的前提下，所開發出來具製作高深寬比微結構能力之製程技術。其基本概念即是以成本較低、取得較易的 UV 光源，來取代成本較高、取得不易的同步輻射 X 光源。

　　利用 UV 光曝光來定義及製作微結構的方式，不論是在半導體產業或近十年來新興的微機電產業皆已行之多年，因此不論是在機台的穩定度上、周邊設備的搭配上，或相關技術的發展上都已相當的成熟。由於 UV 光之波長 (< 400 nm) 遠大於 X 光 (0.2－0.6 nm)，受限於繞射效應 (diffraction effect) 的影響，其在製作精度上無法達到與 X 光 LIGA 製程相同的水準。然而在一些微元件的應用上，次微米 (sub-micron) 精度並非絕對必要，且加上近幾年來因厚膜光阻材料的開發、新型光阻塗佈機的發展及 UV 光刻設備的改良，使得 UV 厚膜光阻 (UV thick film resist) 製作技術的精度大幅提升，因此其發展前景亦逐漸受到重視。

4.3.1.2 厚膜光阻之特性

　　有別於傳統積體電路對於微影製程的需求，UV 厚膜光阻微影技術不僅需具備製作小線寬圖形之能力，更需製作出厚達數微米至數百微米的光阻微結構。厚膜光阻在類 LIGA 製程中所扮演的角色主要有二：(1) 作為電鑄 (electroforming) 製程中之模仁 (mold insert)：直接以厚膜光阻作為電鑄膜仁進行電鑄，可以得到金屬微結構來進行壓模射出等製程。(2) 反應離子蝕刻 (reactive ion etching, RIE) 或感應耦合電漿 (inductively coupled plasma, ICP) 離子蝕刻等深蝕刻技術之遮罩 (mask)：以深蝕刻之方式取代電鑄製程來製作高深寬比之微結構，作為壓模射出之母模，微結構材料取決於蝕刻基材 (如單晶矽、石英等)。

　　在電鑄製程的應用上，所選擇之厚膜光阻除要能夠抵抗電鑄液的侵蝕外，其厚度必須大於欲電鑄之微結構厚度，以保持微電鑄結構表面的平整性，一般常用之光阻型式為負光阻，厚度在數十至數百微米左右。而在抗深蝕刻遮罩方面，所選擇之厚膜光阻與被蝕刻基材間的蝕刻選擇比 (etching selectivity) 應越大越好，一般常用之光阻型式為正光阻，其厚度在數微米至數十微米之間，依照蝕刻深度及蝕刻選擇比而定。

第 4.3.1 節作者為殷宏林先生、游智勝先生、楊啟榮先生、胡一君先生及周曉宇先生。

　　由於厚膜光阻的厚度遠大於一般微影製程所用之光阻，因此在製程中，除需留意一般微影製程常見的問題外，仍有一些現象是值得注意的。如在旋轉塗佈的過程中，可以發現試片邊緣的光阻較中央部分厚，將會造成曝光時光阻與光罩間對準間距 (alignment gap) 不平整等問題。為了解決邊緣突起 (edge-bead) 的現象，Karl Suss 公司已發展特殊的旋轉塗佈機－GYREST 系統[49]。此系統具有一個可與基材同步旋轉的蓋子 (cover)，這種同步旋轉的設計可以抑制空氣的擾動，讓溶劑揮發之濃度在光阻與蓋子間達到飽和狀態，如此即可避免光阻在旋轉塗佈的過程中因溶劑揮發所造成的光阻乾燥效應，進而促使光阻層達到更好的均勻性。

　　另一個要注意的問題即為水平度的掌控，在進行軟烤之前需確定加熱板 (hot plate) 的水平度，避免光阻在烘烤固化的過程中，因加熱板傾斜造成光阻流動而厚度不均勻的現象發生，此一現象對厚膜光阻製程的影響，較一般光阻製程更為明顯。其他諸如軟烤、曝光、曝後烘烤 (post bake) 及顯影等，各種光阻皆有其特別需要注意的地方，以下將針對幾種 UV 厚膜光阻來加以說明。

4.3.1.3 各種厚膜光阻簡介

　　由於在微機電製程中，利用厚膜光阻製作高深寬比微結構的方式日益受到各界重視，目前已有多家廠商開發出各種厚膜光阻可供選擇，如 (1) 德國廠商：Hoechst 推出的 AZ 系列正型光阻及 Microresist Technology 的 ma 系列正負型光阻；(2) 美國廠商：Microlithography Chemical Corporation 著名的 SU-8 系列負型光阻；(3) 日本廠商：Japanese Synthetic Rubber 所開發的 THB JSR 系列正負型光阻、TOK 的 PMER 光阻及 Olin Microelectronic Material 的 Probimide 光阻等。由於各種厚膜光阻的特性不盡相同，因此在光阻的選擇上，仍必須視應用端之需求以選擇特性較合適的光阻。以下就幾種較常使用之 SU-8 系列負型光阻、JSR THB-430N 負型光阻及 AZ 系列正型光阻做進一步的介紹。

(1) SU-8 系列負型光阻

　　SU-8 為一負型、近紫外光區段，以及由環氧樹脂組成之光阻[50]。主要之組成成分有 (1) 高分子：epoxy novolak resin、(2) 溶劑：GBL (γ-butyrolactone) 及 (3) 感光劑：triaryl sulfonium salt (HSbF$_6$)。最早為 IBM 公司所發展，並於 1989 年通過美國專利認證[51]。目前則由兩家公司購得其專利權，即 MicroChem 公司的 SU-8 系列光阻及 SOTEC Microsystems 公司的 SM 系列光阻。SU-8 系列光阻之所以在厚膜光阻應用上備受關注，是因為其在近 UV 的光譜中具有相當低的光吸收性 (極佳的光穿透性)，因此在膜厚增加的情況下，整個厚膜的 SU-8 光阻仍能得到均勻的曝光劑量，使得微結構能維持相當垂直的側壁，且易於精準控制厚度方向的尺寸。由於溶劑含量的多寡將改變光阻黏度，進而影響光阻的塗佈厚度，因此其厚度可控制範圍的彈性相當大，利用單層旋塗所得的厚度由 2 μm 到 500 μm。

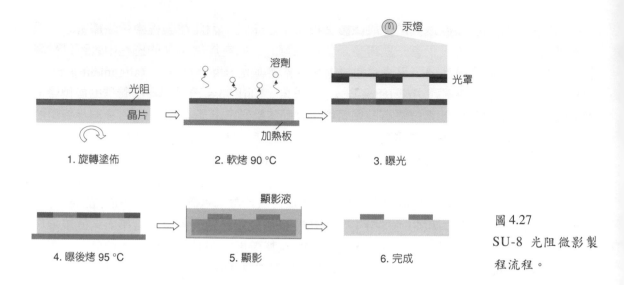

圖 4.27
SU-8 光阻微影製
程流程。

圖 4.27 所示為 SU-8 光阻微影製程流程，以 MicroChem 公司的 SU-8 50 光阻為例，其塗佈轉速 (spin speed) 與厚度之關係如圖 4.28 所示，由於 SU-8 光阻的黏滯性較一般光阻大得多，因此旋轉塗佈的時間勢必增加，以改善其均勻性 (uniformity)。一般多利用兩階段旋轉的方式來塗佈 SU-8 光阻。第一階段為慢速旋轉，讓光阻慢慢旋開至晶圓邊緣。此時必須注意光阻是否充分地旋至晶圓邊緣，若晶圓表面未完全覆蓋光阻，則會形成塗佈不完全的情形。第二階段為快速旋轉，主要目的為增加光阻的均勻性。隨著膜厚增加，軟烤所需的時間亦相對增加，以確保溶劑能完全去除並增加光阻對晶圓的附著能力。然而為了避免厚膜光阻因熱應力產生而裂開，一般在升溫及降溫過程中，均採分段式升 (或降) 溫的方式進行 (如圖 4.29 所示)。

在曝光步驟中，所選用之光源波長為 365 nm (i-line)，同樣採用分段曝光 (multi-exposure) 的方式，一方面避免長時間曝光所造成的熱應力問題，另一方面則是考量到長時

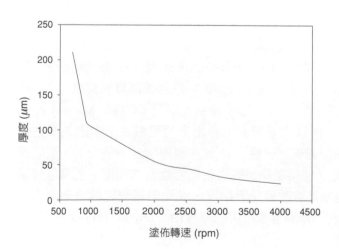

圖 4.28
SU-8 50 光阻厚度與塗佈轉速之關係圖。

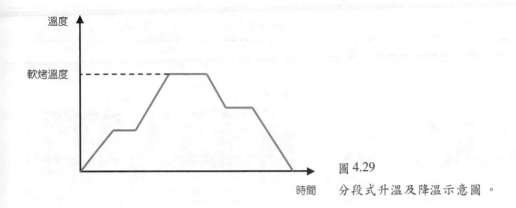

圖 4.29
分段式升溫及降溫示意圖。

間曝光對汞燈壽命亦會造成影響。此時必須注意的是曝光劑量應足夠，否則容易發生顯影完後結構由晶片表面脫落的問題，如圖 4.30 所示即為因曝光劑量不足，造成部分 SU-8 微圓柱狀結構脫落傾倒的情形。試片經過曝光之後，則是藉由曝光後烘烤 (post exposure bake) 來促進分子鍵結反應，此時若用肉眼觀察即可看到圖形逐漸地顯現出來。接著進行顯影，由於 SU-8 光阻顯影的時間可能長達 10 分鐘以上，為了加速顯影的進行，以超音波振盪方式來輔助顯影是一般常用的方式。未經烘烤固化之 SU-8 光阻，一般是由熱的 NMP (1-methy-2-pyrrolidi-1) 加以去除，或以氧電漿 (O_2 plasma) 去除。關於 SU-8 光阻製程常用之溶液，詳列於表 4.11。

　　SU-8 系列光阻單層塗佈厚度最厚可達數百微米，若是採多層塗佈 (multiple coatings) 的方式則可達成更厚的光阻層 (目前已知最大的 SU-8 光阻結構厚度為 2.1 mm[52])，且其深寬比大於 15[53]，因此在微機電系統的應用上備受矚目，如圖 4.31 所示即為以 SU-8 50 光阻所製作出的各種微結構電鑄模仁。然而 SU-8 系列光阻在使用上仍存在一些缺點，如小線寬孔洞圖形在顯影時，因顯影液不易進入，常造成顯影不完全的情形，因此在光罩的設計上應以開放性圖形為佳。

　　另一個常見的問題則是經由曝光烘烤後的 SU-8 光阻不易去除或無法完全去除乾淨，不僅使得電鑄脫模製程的困難度增加，殘餘的光阻更會對往後的製程造成影響，因此在進行

表 4.11 一般 SU-8 光阻製程常用之溶液。

化學品	品名
光阻	SU-8 5, 10, 25, 50, 100
顯影液	NANO™ SU-8 Developer
稀釋液	NANO™ GBL Thinner
去除液	NANO™ Remover PG

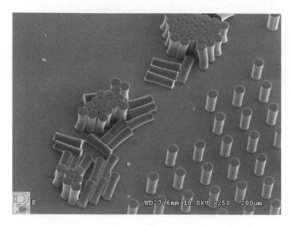 

圖 4.30 SU-8 光阻微結構脫落之電子顯微鏡照片。　　圖 4.31 以 SU-8 50 光阻製作之微結構電鑄模仁。

預定製程前先做一些初步的製程測試 (如 SU-8 的去除測試及去除液對電鑄結構之影響等) 是必要的。有鑑於此，MicroChem 公司近年來亦積極開發相關產品來解決此一問題，如釋放層 (XP SU-8 release layer) 的應用。釋放層的基本概念和製備金屬微結構時的脫除製程 (lift-off) 類似，其相關的製程流程如圖 4.32 所示。其中釋放層的去除可以分為乾式和濕式兩種方式，乾式去除法是利用氧電漿蝕刻去除釋放層，濕式去除法則是搭配適合的顯影液或去除液以去除釋放層。

　　然而若想完全避免 SU-8 去除困難的問題，在設計之初直接利用 SU-8 光阻作為微結構亦不失為一個好的解決方法，圖 4.33 即為以 SU-8 光阻作為結構層，懸浮在矽晶片表面且

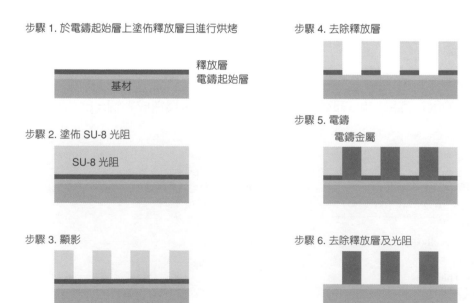

圖 4.32
加入釋放層之 SU-8
光阻製程流程圖。

可動的梳狀微致動器。其製作方式如圖 4.34 所示，首先利用 SU-8 光阻微影製程定義出微結構，此時 SU-8 光阻的厚度即為微結構的厚度，然後藉由濕式 (如 TMAH 等) 或乾式等向性蝕刻 (如 ICP 或 RIE 等) 的方式來蝕刻基材。藉由控制蝕刻的時間，結構線寬較小的部分因底部基材完全被掏空，因此得以懸浮釋放而成為可動件，而結構線寬較大的部分則因底部基材未完全掏空而形成固定端 (anchor)，最後鋪上一層金屬導電層作為微致動器的電極，即完成整個製程[54]。此一製作方式，除了可在基材表面得到高深寬比的微結構外，由於 SU-8 本身剛性較低 (其楊氏係數約為 4 GPa)，亦可大幅降低微致動器的驅動電壓。

　　此外，由於 SU-8 為高分子聚合物，具生醫相容性，且為透明材質，有利於光學檢測，亦容易進行接合 (bonding) 製程，因此在生醫方面的應用如微流道 (micro channel) 的製作等，常選用之結構層即為 SU-8[55,56]，相關 SU-8 材料特性參數詳列於表 4.12[50]。其中 Guerin 等人是利用多層塗佈及曝光的方式，以製作封合密閉的微流道[55]，Chuang 等人則是利用單層 SU-8 光阻，藉由控制不同曝光劑量製作微流道[56]。除了利用 UV 曝光的方式來製備 SU-8 厚膜光阻試片外，一些國外的研究團隊也嘗試利用立體式微影製程 (stereolithography) 或是質子束 (proton beam) 直寫的方式，來製作出三維的 SU-8 光阻結構[57,58]，擴大其應用領域。其餘 SU-8 相關應用詳列於表 4.13[59]。

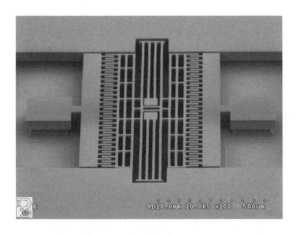

圖 4.33 以 SU-8 光阻作為結構層之梳狀微致動器。

表 4.12 SU-8 相關材料係數。

材料特性參數	數值
楊氏係數 (Young's modulus)	4 GPa
波松比 (Poisson's ratio)	0.22
摩擦係數 (Friction coefficient)	0.19
玻璃轉換溫度 (Glass temperature)	> 200 °C
折射率 (Refractive index)	1.7

步驟 1. 旋塗 SU-8 光阻至所需之結構厚度

步驟 2. 微影定義結構圖形

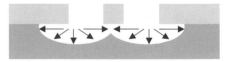

步驟 3. 等向性蝕刻基材懸浮並釋放結構

步驟 4. 鋪上金屬層作為電極

圖 4.34 以 SU-8 光阻作為結構層之梳狀微致動器製作流程。

表 4.13 SU-8 光阻在 MEMS 領域的應用。

應用領域	相關元件及技術
微電子	接合襯墊 (Bonding pads) 介電層塗佈 (Dielectric coatings) 次微米元件 (Sub-micron devices)
資料儲存元件	介電層 (Dielectric layer) 線圈製作 (Coil manufacturing) 讀寫頭製作 (Head manufacturing) 滑子製作 (Slider manufacturing)
微流體	噴墨頭 (Ink jets) 薄膜 (Membranes) 閥門及幫浦 (Valves and Pumps) 高分子流道 (Polymeric channels) 儲存及混合單元 (Storage/mixing cells)
封裝	封裝用光阻 (Packaging resist) 多晶片模組製程 (MCM fabrication)
快速成型製作	光塑性零件 (Photo plastic parts) 平坦化金屬零件 (Plated metal parts)
微光學	連結器 (Connectors) 柵狀陣列 (Grid arrays) 高分子波導 (Polymer waveguide)
蝕刻遮罩	矽微加工 (Silicon micromchining)
印刷電路板	加成多層膜 (Additive multilayer)
生醫應用	微網狀導管 (Stents) 細胞成長平台 (Cell growth platform) 細胞成長腔體 (Cell growth chambers)
液晶顯示器	微粒子 (Spacers) 阻隔牆 (Barrier Ribs)
微感測器	
微致動器	
微奈米壓印	

(2) JSR THB-430N 負型光阻

　　Japanese Synthetic Rubber 所發展的 THB-430N 負型厚膜光阻，其不同於 SU-8 光阻之處主要有兩點。其一為，THB-430N 光阻在經過軟烤、曝光步驟後，並不需曝光後烘烤的製程即可直接進行顯影。其二為，利用此光阻作為電鑄之母模，在電鑄完成微結構之後，可輕易的將光阻母模去除，並不會對微結構產生任何之影響。

　　JSR THB-430N 負型厚膜光阻經由單次的旋塗，其光阻厚度之範圍可為 $10-500\ \mu m$，而經由多次旋塗的製程技術，目前最大厚度可達 $1400\ \mu m$ 且深寬比最高約為 8，其塗佈轉速與光阻厚度之關係如圖 4.35 所示[60]。有別於 SU-8 光阻，JSR THB-430N 厚膜光阻在曝光完後的狀態，是不需經曝光後烘烤之製程即可進行顯影。也就是說此光阻的光阻鏈結 (cross link) 的能量是來自於曝光的機制中，因此在曝光的製程參數中，與 SU-8 光阻相較起來，在相同的光阻厚度情況下，此光阻所需的曝光劑量將會比 SU-8 厚膜光阻要多。由於是厚膜光阻，因此長時間的顯影是無法避免的。當顯影的時間過長，將會有以下缺陷：(1) 光阻因為吸收了顯影液而膨脹，造成尺寸的錯誤；(2) 還會使光阻與晶片之間的黏著變差，使光阻掀離晶片表面，如圖 4.36 所示；(3) 光阻底部的表面會顯得非常粗糙，如圖 4.37 所示。

　　由於最終的目的是要利用 JSR THB-430N 光阻母模作為電鑄的模仁，因此上述之問題都會在電鑄製程產生相當大的影響。由於電鑄金屬會隨著光阻母模形貌成形，因此當光阻與矽晶片存在隙縫且又有電鑄之起始層 (seed layer) 時，電鑄液會滲入此隙縫中，進行非定

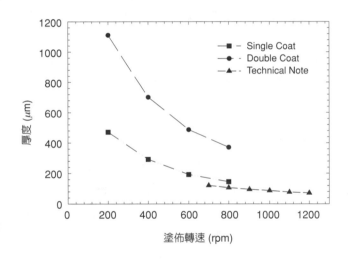

圖 4.35
JSR THB-430N 光阻厚度與塗佈轉速之關係圖。

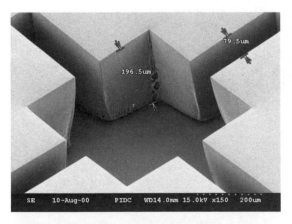

圖 4.36 THB-430N 光阻掀離晶片表面之電子顯微鏡照片。

圖 4.37 THB-430N 光阻表面之電子顯微鏡照片。

義區之電鑄，而電鑄之金屬將會對光阻產生擠壓效應，此擠壓力量除了造成光阻產生龜裂的現象之外，甚至還會造成微結構變形。因此需減少厚膜光阻的顯影時間，超音波振盪器是可以考慮的一個方法。藉由超音波振盪器的衝激能量，轉換成對光阻底部的顯影，因此加速了顯影的進行。在顯影的製程中，以 1000 μm 的厚膜光阻結構來說，加入超音波振盪器作為顯影的輔助顯影工具，其振盪功率定為 52 W、振盪頻率 42 kHz[61]，可以將顯影時間從 4 小時 (4 μm/min) 縮短為 1 小時 (8 μm/min)，除了顯影的時間縮短之外，光阻上的缺陷也減少了許多，其結果如圖 4.38 所示。

　　電鑄的過程中，是為液體與固體兩相的接觸，光阻的表面與電鑄液之間存在一個接觸角 (contact angle) 的關係。當接觸角越小時，液體越能夠沿著粗糙的固體表面流入，使其氣泡的含量越少，而減少針孔 (pin hole) 的產生，因此在微結構的電鑄中，濕潤劑是一項重要的成分。以胺基磺酸鎳的電鑄液為例，與 JSR THB-430N 光阻的接觸角約為 43.35 度，而隨著濕潤劑的添加，此接觸角度會逐漸變小，因此可以使電鑄的氣泡減少許多。當然在電鑄的過程中，還有許多的條件需控制得適當，才可以有更佳的電鑄效果。

　　由於電鑄高深寬比之微結構與光阻母模之間有相當緻密程度的結合，所以電鑄金屬微結構會因光阻模仁在移除過程中所產生的剝除力量而掀離。因此若試圖直接以去除液使光阻母模脫離微結構時，微結構會被此剝離的力量所掀離。JSR 厚膜光阻可以利用簡易之兩階段 (two steps) 製程方式，將光阻從電鑄完後的微結構上乾淨的移除[62]。

　　移除之方法大致上是利用丙酮及光阻本身之去除液。丙酮的目的在於使光阻吸收丙酮之後產生融溶的狀態，此時光阻模仁與電鑄金屬界面會產生鬆動。待至光阻模仁與電鑄微結構兩者之界面分開後，再將浸泡於光阻去除液中，並由室溫升溫至 60–70 ℃，此時藉由去除液可使光阻脫離矽晶圓表面，經由這樣的方式可以得到如圖 4.39 所示的結果，可以清楚的看出，在電鑄微結構中的角落也可以很乾淨的清除。利用兩階段去除光阻的方式，不

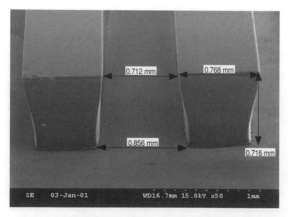

圖 4.38 以超音波振盪顯影 THB-430N 光阻之電
　　　　子顯微鏡照片。

圖 4.39 微電鑄結構之電子顯微鏡照片。

僅在製程上相當簡易，微結構存留的機率相當高，並且在狹縫內的光阻也可以去除得相當乾淨。雖然在去除過程中會加熱至 60 °C，但是並不會對微結構有任何的影響。

(3) AZ 系列正型光阻

AZ 系列光阻為 Hoechst 公司所推出的產品[63]，主要成分為酚醛樹脂，其所標榜的特點為製程時間短及高解析度。根據不同之光阻型號，可得到不同範圍的光阻厚度，如 AZ1500 系列及 AZ6000 系列之光阻厚度約小於 5 μm，AZ4000 系列則是約 20 μm，AZ9000 系列光阻最厚可達 100 μm 等[64]。因此考量整體製程所需之光阻厚度在約小於 20 μm 左右時，選用此一系列的正型光阻，在製程時間上會較選用負型光阻 (如 SU-8 或 THB 系列負光阻等) 節省許多。

圖 4.40 為 AZ 光阻微影製程流程，和圖 4.27 相較可發現其製程流程相似，較不同的是正型光阻一般並不需要藉由曝後烤來促進光化學反應，而是直接在曝光後進行顯影的動作。此外，為了增加光阻的抗蝕刻能力，在顯影完後通常會進行硬烤的步驟，提高蝕刻時的選擇比。然而由於 AZ 光阻一般在使用上其厚度相對於 SU-8 等負型光阻要薄，因此其軟烤或硬烤時間相對亦較短，且不需採分段式升 (降) 溫的方式，可大幅縮減製程的時間，提高製程效率。

圖 4.41 所示為 AZ4620 光阻其塗佈轉速與厚度之關係，其最大厚度可達 20 μm 以上。在實際的需求上，以單晶矽的深蝕刻為例，一般所使用之反應離子蝕刻或感應耦合電漿離子蝕刻技術，對於單晶矽與光阻的蝕刻選擇比約大於 20，即 1 μm 厚的光阻可抵擋蝕刻深度至約 20 μm。因此正型光阻在厚度上雖然比不上負型光阻，但考量製程時間等因素，在作為深蝕刻遮蔽層的選擇上應是較佳的選擇。圖 4.42 所示即為以 AZ4620 光阻作為蝕刻遮蔽層，其厚度僅 4 μm，隨後以感應耦合電漿離子蝕刻技術蝕刻矽晶片深度至約 80 μm 之電子顯微鏡照片。AZ 光阻的去除亦相當容易，可利用丙酮加上超音波振盪或者是熱煮硫酸的方式去除，或利用氧電漿去除。實際實驗所得之 AZ4620 光阻其深寬比約為 1，線寬小於 4

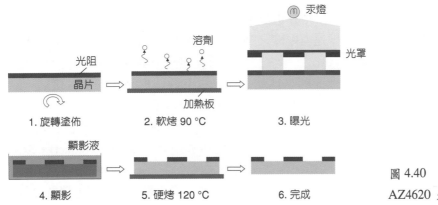

圖 4.40
AZ4620 光阻微影製程流程。

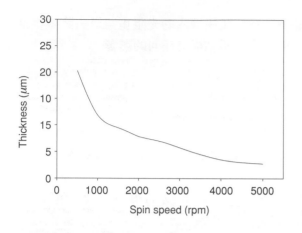

圖 4.41
AZ4620 光阻厚度與塗佈轉速之關係圖。

圖 4.42
以 AZ4620 光阻
作 為 蝕 刻 遮 蔽
層進行感應耦
合 電 漿 離 子 蝕
刻之結果。

μm 以下之圖形並不易製作。

　　然而在類 LIGA 製程的許多的應用上 (如微梳狀電極及側壁式的微光柵元件等)，不僅要得到高深寬比的微結構，還需要有製作較小線寬的能力，才能得到整體較佳的效能 (performance)。因此對於線寬小於 4 μm 以下之圖形，在後續製程許可的情形下 (如光阻厚度足夠抵擋之蝕刻深度)，或可選用 AZ6000 系列及 AZ1500 系列光阻來製作。其基本製程流程大約與上述相同，但由於這一類型的光阻劑較 AZ4000 系列光阻稀薄很多，因此在旋轉塗佈時，常發生光阻液滲入到晶片背面的情形。要避免這種情形發生，除了控制光阻劑量外，事後的晶片背面清洗動作 (可利用丙酮) 也很重要。

　　圖 4.43 所示為 AZ6112 光阻塗佈轉速與厚度之關係，利用 800 nm 的 AZ6112 光阻來製作 2 μm 線寬之圖形所得結果如圖 4.44(a) 所示。由圖中可發現光阻結構中央部分呈現凹陷的情形，一般是由於光的繞射現象所造成的，也就是當光罩上的圖形小到一定程度後，當光通過時即會產生如狹縫般的繞射效應。雖然繞射效應很難避免，但仍有一些改善的方法，如將光阻與光罩間的接觸模式改變，以 Karl Suss MA6 的曝光機台為例，可將軟式接觸模式 (soft contact) 或硬式接觸模式 (hard contact) 改成真空接觸模式 (vacuum contact)，以降低繞射光對光阻的影響，如圖 4.44(b) 所示。還有一種方式便是降低正常的曝光劑量 (此時顯影時間將會相對增加)，如圖 4.45 所示即為 AZ6112 光阻在不同曝光劑量下，線寬 2 μm

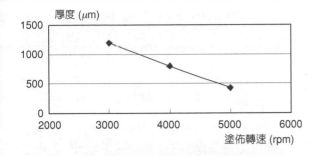

圖 4.43
AZ6112 光阻厚度與塗佈轉速之關係圖。

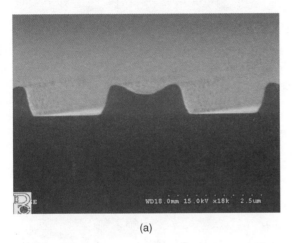
(a)

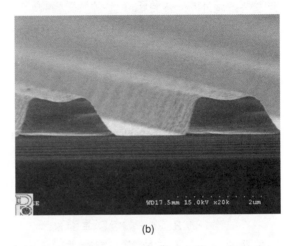
(b)

圖 4.44 AZ6112 光阻 2 μm 線寬圖形之電子顯微鏡照片，(a) 以硬式接觸模式曝光，(b) 以真空接觸模式曝光。

的微梳狀電極製作情形。有了製作小線寬圖形的微影能力後，配合感應耦合電漿離子蝕刻等矽深蝕刻 (silicon deep etching) 技術，即能製作出高深寬比的微結構，如圖 4.46 所示即為一利用上述方式所製作出來的單晶矽側壁式微光柵結構。

　　同樣地，AZ 系列光阻在使用上亦有一些值得注意的問題，如硬烤時的溫度太高或時間太長，光阻結構容易產生回流 (reflow) 的現象。圖 4.47 所示為 AZ4620 光阻由於硬烤溫度過高 (在此為溫度 > 120 °C，時間 2 min) 而產生回流，造成光阻結構斷面形成半圓形。如圖 4.48 所示，若以斷面為半圓形之光阻作為蝕刻遮蔽層進行蝕刻，由於光阻厚度不均勻 (光阻厚度在圖形中央處最厚，邊緣則是最薄)，容易造成微結構邊緣遭到蝕刻的現象，圖 4.49 所示即為梳狀微結構其邊緣因光阻回流造成過度蝕刻之電子顯微鏡照片。雖然回流現象會對微影結果造成影響，但若能妥善利用此一特性，亦能開發出不少應用領域，如微透鏡的製作等[65]。此外，若直接利用 AZ 光阻作為電鑄時的模仁，則必須考量化學電鑄液對光阻可能產生的侵蝕，因此除了光阻必須要硬烤之外，在其上鍍上一層金屬層作為電鑄起始層兼保護層，為較佳的作法。

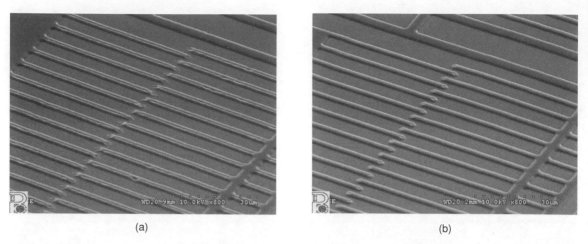

(a)   (b)

圖 4.45 AZ6112 光阻、2 μm 線寬微梳狀電極之電子顯微鏡照片，(a) 正常曝光劑量，(b) 降低曝光劑量。

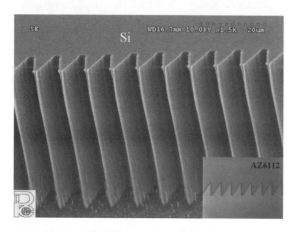

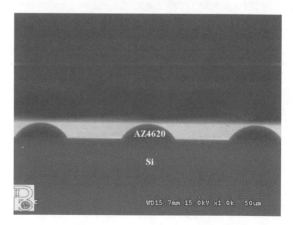

圖 4.46 側壁式微光柵之電子顯微鏡照片。　　　　　圖 4.47 AZ4620 光阻斷面之電子顯微鏡照片。

4.3.1.4 結論

　　以 UV 厚膜光阻微影製程技術取代 X 光 LIGA 製程技術，提供了低成本的高深寬比微結構的製作技術，進一步開展了微機電製程的各種應用。不論是什麼樣的製程設計，微影製程往往是站在第一線上的先鋒位置，微影製程結果的好壞往往影響最終實驗結果的成敗。就 UV 厚膜光阻微影製程來說，若無法在一開始就得到良好的厚膜光阻微結構，不論後續是電鑄製程、感應耦合電漿離子蝕刻製程或是壓模射出等製程，都無法獲得線寬精確、形狀完整的微結構。因此，初接觸 UV 厚膜光阻微影製程的首要課題，即是認清各種厚膜光阻的特性，選擇適合的光阻，並針對這種特定的光阻去做各種製程測試，找出其最佳化之製程參數，以確保製程之成果。

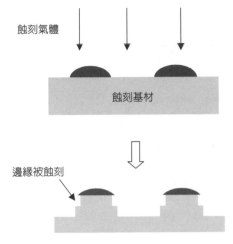

圖 4.48 以回流光阻進行蝕刻之結果示意圖。

圖 4.49 微結構邊緣被過度蝕刻之電子顯微鏡照片。

4.3.2 準分子雷射微加工技術

4.3.2.1 前言

　　準分子雷射 (excimer laser) 可作為 LIGA 製程的替代性光源，用以製作次微米級精度之高深寬比微結構，再配合精密電鑄與模造成形技術，形成所謂之「雷射 LIGA 製程」，用以批量生產微機電系統相關應用元件，如生物晶片、微光學透鏡、數位式全像片 (computer generated hologram, CGH)、噴墨頭等。此外，準分子雷射特殊之光學性能，可應用於陶瓷、玻璃、金屬膜及高分子等材料加工，故深具醫療、電子、資訊、通訊等產業之應用潛力。本節將循序針對準分子雷射之原理、微加工機制、加工系統、類 LIGA 製程應用，以及準分子雷射在其他應用領域，如乾式清潔技術、光纖光柵與奈米工程，作深入淺出之說明。

4.3.2.2 準分子雷射原理

　　準分子雷射屬於氣體雷射，其工作物質就是準分子氣體。一般氣體分子如果沒有外來的刺激，如照光、電子碰撞，不會自行分解成其他分子，準分子則不然，準分子就是一種處於激發態 (excited state) 的複合分子，也就是說這種分子不存在於基態 (steady state)。準分子的英文為「excimer」，就是 excited dimer 的縮寫，意指被激發的雙原子分子。二種不同原子形成之準分子稱為「exciplex」，是 excited complex 的縮寫，不過現在已將這二種準分子通稱為「excimer」[66,67]。準分子雷射的氣體組成為惰性氣體，如 He、Ne、Ar、Kr 等，與化學性質較活潑的鹵素 (halogen) 氣體，如 F_2、Cl_2、Br_2 等，相互混合後經放電激發出高功率

第 4.3.2 節作者為楊啟榮先生、林暉雄先生、周曉宇先生及胡一君先生。

表 4.14 商品化之準分子雷射規格[67]。

	F₂	ArF	KrCl	KrF	XeCl	XeF
雷射波長 (nm)	157	193	222	248	308	351/353
脈衝能量 (J)	0.06	0.8	0.2	1.5	2	0.7
峰值功率 (MW)	3	30	10	50	50	30
平均功率 (W)	3	60	10	150	200	70
脈衝時間 (ns)	10－30 (up to 200 possible on XeCl)					
光束發散角 (mrad)	2－10					

的紫外光。惰性氣體化學特性非常不活潑，在平常狀況下不易與其他物質反應，但當它被激發至激發態後，情況卻大為改觀，變得相當易與其他分子結合。但是要讓二個惰性氣體激發且結合相當不易，所以發展出以惰性氣體原子與鹵素氣體原子結合之準分子。因此可藉由惰性氣體及鹵素氣體的組成變化，來取得不同波長的雷射光源，如 F₂ (157 nm)、ArF (193 nm)、KrCl (222 nm)、KrF (248 nm)、XeCl (308 nm)、XeF (351 nm) 等，其中 ArF 雷射適合加工 PMMA，KrF 適合加工聚亞醯胺 (polyimide) 與聚碳酸酯 (polycarbonate)。目前商品化的準分子雷射規格如表 4.14 所示[67]，因為準分子雷射屬於脈衝式 (pulsed) 雷射，脈波時間約 20 ns、輸出脈波能量 10－1000 mJ、最高脈波重複率 (repetition rate) 200Hz，故可獲得百瓦級的平均功率。在如此高功率的能量下，準分子雷射適合加工金屬、陶瓷、玻璃及高分子等材料。

圖 4.50 即為準分子雷射光產生機制的示意圖[68]，圖中各符號所代表的意義及操作機制敘述如下。首先電子與腔體中的緩衝氣體發生碰撞，由於能量的轉移使緩衝氣體由基態 (B) 躍升到較高能階的激發態 (B*)。此激發態的緩衝氣體 (B*) 隨即再與惰性氣體 (R) 碰撞，此時能量又被傳遞至惰性氣體上使其成為激發態 (R*)。最後激發態的惰性氣體與鹵素氣體原子 (H) 利用碰撞的方式形成短暫的鍵結，而由於鍵結分子處於不穩定的過渡態，因此很快以放出能量的方式緩解至基態，同時釋放出的能量以光的型式出現，即可得到所需要的脈衝雷射[69]。

以 KrF 準分子雷射為例，其能階圖如圖 4.51[67]。準分子能階最大的特色就是在基態的分子生命時間 (life time) 很短 (約 10^{-12} s)，而在激發態的分子生命時間很長 (約 10^{-9} s)，所以在基態的分子數量幾乎為零，極易達到粒子數反轉 (population inversion) 的狀態，具備產生準分子雷射光之基本條件[67,70]。表 4.15 就是 KrF 準分子雷射之工作原理[67]，主要是利用放電方式將 Kr 激發成為 Kr⁺ 或亞穩態 (metastable) 的 Kr*，同時也將 F₂ 形成帶負電荷的 F⁻ 離子與 F 原子，Kr⁺ 與 F 以及 Kr* 與 F₂ 經碰撞後皆結合為 KrF*，並留在激發態。KrF* 準分子經光子激發產生能階躍遷回到基態，KrF* 分解為 Kr 與 F 原子，並將多餘的能量以光的形式釋出，形成波長 248 nm 的 KrF 準分子雷射光[71]。

表 4.15 KrF 準分子雷射之工作原理[67]。

激發	(1) $e^- + Kr \rightarrow Kr^+ + e^- + e^-$	正離子隋性氣體產生
	$e^- + Kr \rightarrow Kr^* + e^-$	亞穩態隋性氣體產生
	(2) $e^- + F_2 \rightarrow F^- + F$	負離子鹵素氣體產生
	(3) $Kr^+ + F + M \rightarrow KrF^* + M$	KrF 產生
	(4) $Kr^* + F_2 \rightarrow KrF^* + F$	KrF 產生
激發放射	$KrF^* + h\nu \rightarrow Kr + F + 2h\nu$ (248 nm)	雷射放射
損失	(1) $KrF^* \rightarrow Kr + F + h\nu$	自發性放射
	(2) $KrF^* + M \rightarrow Kr + F + M$	碰撞復原成 Kr 與 F
	$KrF^* + M + Kr \rightarrow Kr_2F + M$	碰撞復原成 Kr_2F
	(3) $X + h\nu$ (248 nm) $\rightarrow X^*$	雷射光子吸收

M 與 X 分別是第三碰撞粒子 (緩衝氣體) 與不純分子。

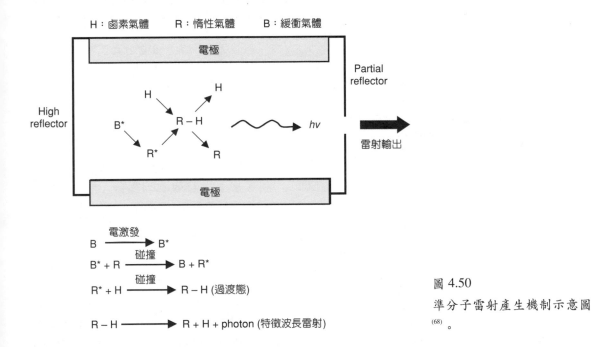

圖 4.50

準分子雷射產生機制示意圖[68]。

4.3.2.3 準分子雷射光分解挖除機制

　　作為材料加工用之雷射，較常見的有二氧化碳 (CO_2) 雷射、鉫釔鋁石榴石 (Nd:YAG) 雷射、準分子雷射三種，從表 4.16 可知 CO_2 雷射與 Nd:YAG 雷射輸出的光子能量分別約為 0.12 eV 與 1.2 eV，而準分子雷射因工作物質種類不同，輸出的光子能量由 3.5 eV 至 7.9 eV，比 CO_2 雷射與 Nd:YAG 雷射高出許多。因此，以準分子雷射光加工時，加工材料只需吸收一個或二個光子便可將化學鍵結打斷。反觀 CO_2 與 Nd:YAG 雷射因光子能量小，所以材料需吸收數個光子累積能量後，以熱將分子解離 (dissociation) 進行加工，而累積熱能所

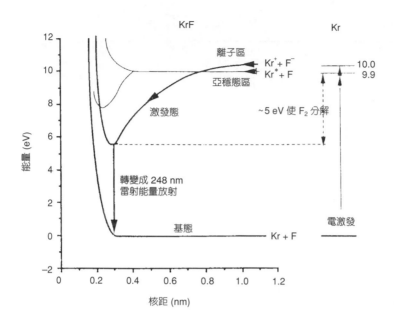

圖 4.51

KrF 準分子雷射之能階圖[67]。

造成的高溫會使加工點附近材料發生融熔 (melting)、流動 (flow) 等情形，影響加工品質[67]。圖 4.52 中的 (a)、(b)、(c) 就是分別以 Nd:YAG、CO_2 及準分子雷射光加工聚亞醯胺 (polyimide, PI) 材料的結果[7]。很明顯的，CO_2 雷射因輸出的光子能量最小，熱效應也最為明顯，加工孔洞邊緣堆積相當多殘渣；Nd:YAG 雷射光加工結果雖比 CO_2 雷射光加工結果佳，但側壁品質仍不理想；準分子雷射所加工的孔洞幾乎不受熱效應的影響，而獲得完美的表面及側壁 (side wall) 加工品質。因此準分子雷射加工可視為冷加工，適合作為雷射 LIGA 的光源[71]。

　　準分子雷射之所以適用於微細加工，主要是因其加工機制為光分解挖除 (photoablation)。圖 4.53 表示準分子雷射光分解挖除加工機制示意圖，即當紫外光透過光罩到達加工材料表面，經由吸收之後將材料的鍵結打斷，接著產生微量氣體使其內部壓力急速上升，並強迫材料以微小爆炸 (mini-explosion) 的方式排出，而達到加工的目的[73]，亦即準分子雷射照射後的材料可馬上結構成形，並不需要再經過顯影 (developing) 的步驟。準分子雷射脈

 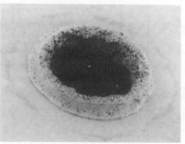 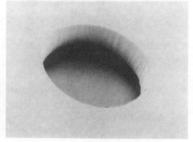

圖 4.52 比較聚亞醯胺以不同雷射加工的結果：(a) Nd:YAG 雷射；(b) CO_2 雷射；(c) 準分子雷射[72]。

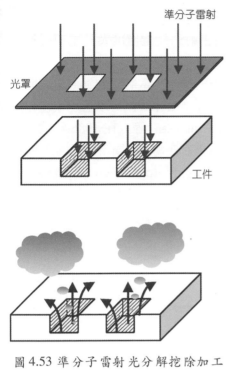

圖 4.53 準分子雷射光分解挖除加工機制示意圖。

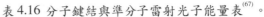

表 4.16 分子鍵結與準分子雷射光子能量表[67]。

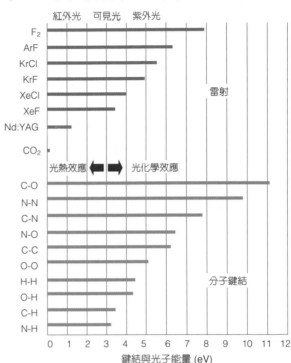

衝的瞬間能量密度達數 MW/cm^2，照射區的能量被強烈吸收在 50 nm－1 μm 的薄層上，此薄層材料以高速噴出，每一個脈衝僅移去固定深度的薄層，故計算雷射脈衝的次數即可精密地控制加工深度。因每個雷射脈衝的持續時間僅 20 ns，工件受到熱傳導影響的時間很短，而且殘留的熱量被移除的材料帶走，使得加工後的結構未受熱損害 (thermal damage)，而獲得最佳的加工品質。因此，此種斷鍵型式之準分子雷射光分解挖除加工，又被稱為冷加工，適合作為雷射 LIGA 的光源[74]。此種加工方式具有下列特點[72]：

(1) 可精確控制移除之加工材料表面深度 (< 10 μm)。

(2) 材料被加工之邊緣品質佳，且附近不會有燒焦或殘渣堆積之情形。

(3) 熱效應小，不會對材料未加工的部分造成影響。

　　1984 年，H. H. G. Jellinek 等人提出純粹以光化學 (photochemical) 斷鍵的準分子雷射加工機制[75]，認為蝕刻速率與能量密度的關係應該遵守 Lambert-Beer law，如下所示：

$$l_{photo} = \frac{1}{\beta} \ln\left(\frac{F}{F_{TR}}\right) \tag{4.9}$$

其中，A_1 為一個常數，E 為熱分解所需要的活化能，R 為氣體常數，T 為熱分解溫度，l_{photo} 為光化學分解的蝕刻速率 ($\mu m/pulse$)，β 為材料對入射雷射光的吸收係數 (cm^{-1})，F 為雷射光到材料的能量密度 (J/cm^2)，F_{TR} 為材料可被加工的臨界能量密度 (J/cm^2)。

由這個蝕刻速率與能量密度的關係式得知，在加工時雷射的能量密度大於光刻材料的臨界能量密度，光分解挖除的行為才會發生。

圖 4.54、圖 4.55 與圖 4.56 分別為聚亞醯胺在 ArF、KrF、XeCl 雷射下的蝕刻速率曲線圖[76]。圖中虛線部分為遵守 Lambert-Beer law 的蝕刻速率曲線，由此我們可以看出，在較高的能量密度時蝕刻速率與虛線部分有明顯的偏差。於是 V. Srinivasan 等人在 1986 年的文獻中提到，在較低能量密度 (< 1 J/cm^2) 時，主要以光化學分解機制主導整個光刻過程[77]；而在較高能量密度時 (> 1 J/cm^2)，整個光刻過程包含光化學分解及光熱 (photothermal) 效應。以下的方程式便是解釋此項推論的數學模式：

$$l_{total} = l_{photo} + l_{thermal} = \frac{1}{\beta}\ln\left(\frac{F}{F_{TR}}\right) + A_1\exp\left(-\frac{E}{RT}\right) \tag{4.10}$$

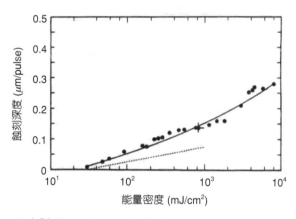

圖 4.54 聚亞醯胺在 ArF 雷射下的蝕刻速率曲線圖[76]。

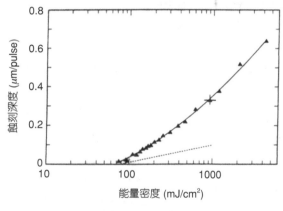

圖 4.55 聚亞醯胺在 KrF 雷射下的蝕刻速率曲線圖[76]。

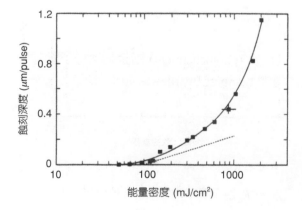

圖 4.56

聚亞醯胺在 XeCl 雷射下的蝕刻速率曲線圖[76]。

其中，l_{total} 為蝕刻速率 (μm/pulse)，l_{photo} 為光化學分解所貢獻的蝕刻深度 (μm/pulse)，$l_{thermal}$ 為光熱效應所貢獻的蝕刻深度 (μm/pulse)。經由一些假設及推演可以將 $l_{thermal}$ 再展開成下式：

$$\ln l_{thermal} = \ln A_l - \left(\frac{E^*}{\beta}\right)\left[\frac{\ln(F/F_{TR})}{F}\right] \tag{4.11}$$

之後 V. Srinivasan 等人在文獻中找出上式需要的參數值來計算 $l_{thermal}$ 值，接著將計算出來的數據與實驗數據相比較，其結果與式 (4.10) 所表示的關係式相近。因此在光刻過程中應該包括光化學分解及光熱效應機制，且兩者的貢獻比例決定於能量密度 (fluence) 的大小[78,79]。

4.3.2.4 準分子雷射微細加工系統

　　英國 Exitech Limited 公司所發展的準分子雷射加工系統，是廣泛應用於雷射 LIGA 製程的光刻系統。圖 4.57 為建置於國科會精密儀器發展中心 (PIDC) 之 Exitech Series 7000 型準分子雷射微細加工系統與其功能方塊圖，主要的模組大約可分為如下。

(1) 雷射光源：雷射型號 Lambda Physik LPX 210、波長 248 nm 之 KrF 雷射。最大雷射脈衝輸出重複率 (repetition) 100 Hz，最大雷射脈衝輸出能量 700 mJ，雷射能量穩定度為 3%；均勻擴束輸出光束點徑為 12 mm × 12 mm，光束能量均勻性 ± 5% RMS。

(2) Micro 與 Macro 光路傳輸系統：Micro 光路傳輸系統為聚焦直寫 (direct writing) 模式；Macro 光路傳輸系統 (delivery system) 為光罩投影 (mask projection) 模式。光罩材質可為金屬或石英鍍鉻片，兩種加工方式可依實際需要相互組合使用。兩者光路傳輸系統均包括光衰減器 (attenuator)、光束能量均勻化微透鏡陣列、聚焦透鏡等鏡組。

(3) 聚焦投影物鏡：四倍物鏡、數值孔徑 (numerical aperture, NA) 值 0.1、能量密度為 1.5 J/cm²；十倍物鏡、NA 值 0.2、能量密度為 10 J/cm²。

(4) 工件加工監視系統：採用黑白 CCD 照相機與顯示器監控處理工件及準直時的狀況，並具備影像處理軟體作加工尺寸的量測。

(5) 光束波形診斷與雷射能量監控裝置：對紫外頻域敏感的 CCD 照相裝置與分析軟體，可線上調整及監視工件上的光束能量分布與進行能量密度分析。

(6) 工件與光罩定位平台：高精準、高速運行之光罩定位平台與三維定位工作台，前者最大進給速率 (feedrate) 為 150 mm/s，後者為 200 mm/s，兩者之定位精度均為 0.1 μm。工件與光罩定位平台運動與雷射激發參數亦受到軟體的整合控制。

　　為了使雷射光束的能量均勻，必須使用光束均勻器 (homogenizer)，將高斯分佈 (Gauss distribution) 的出口雷射能量在光罩位置轉化為均勻分布 (uniform distribution)，如圖 4.58 所示[80,81]。利用蠅眼 (fly eye) 原理，讓雷射光束經過兩道 6 × 6 微透鏡陣列，在第一道微透鏡陣列使雷射分為 36 道小光束，再經第二道微透鏡陣列使雷射光束在光罩位置合併聚集，使

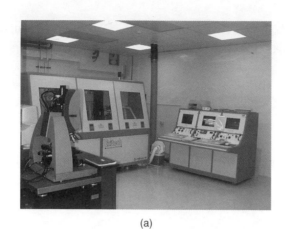

(a)

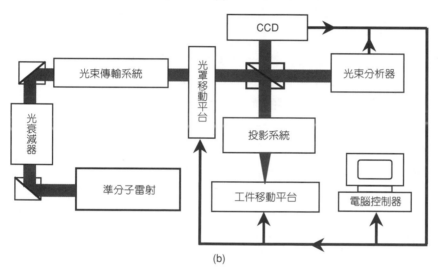

(b)

圖 4.57
Exitech 7000 型準分
子雷射加工系統與架
構圖。

雷射光束能量均勻性達到 ± 5% RMS，以獲得良好的微結構加工表面品質及側壁垂直度。光
束均勻器的另一個功能是可以將一定範圍的角度 (如 ± 20 mrad) 引入光束中，此角度比雷射
自有的發散角 (約 ± 2 mrad) 大很多，故加工時側壁挖除的角度可控制成斜面或垂直[82]。

4.3.2.5 準分子雷射在類 LIGA 製程的應用

(1) 適合 LIGA 製程之試片製備方法

　　LIGA 製程目的在於製作高深寬比金屬微結構，故試片的製備必須合乎一定條件，如基
板必須有電鑄起始層 (seed layer)，再鋪上一層相當厚度 (數十至數千微米) 的高分子光阻材
料，此光阻材料的選擇必須視所使用的光源而定。為了獲得合乎 LIGA 製程的試片，常使
用之製備方法如圖 4.59 所示，有光阻旋塗 (spin coating) 法、乾膜滾壓 (roll laminating) 法、
溶劑貼合 (solvent bonding) 法及熱壓鑄 (hot casting) 法，分別說明如下。

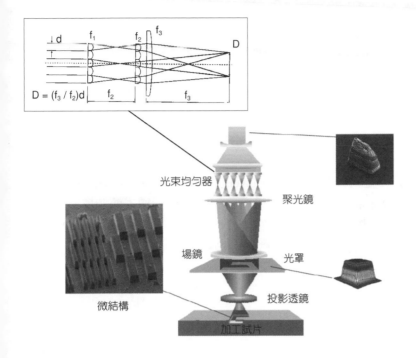

光束均勻器

聚光鏡

場鏡　　光罩

投影透鏡

微結構

加工試片

圖 4.58

準分子雷射的均質化示意圖
(80,81)。

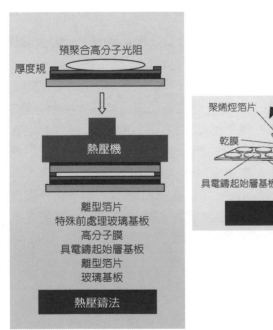

預聚合高分子光阻

厚度規

熱壓機

離型箔片
特殊前處理玻璃基板
高分子膜
具電鑄起始層基板
離型箔片
玻璃基板

熱壓鑄法

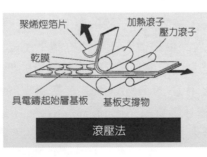

聚烯烴箔片　　加熱滾子

壓力滾子

乾膜

具電鑄起始層基板　　基板支撐物

滾壓法

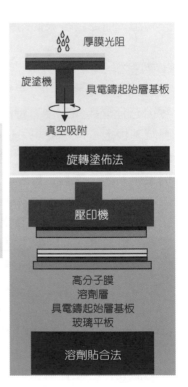

厚膜光阻

旋塗機　　具電鑄起始層基板

真空吸附

旋轉塗佈法

壓印機

高分子膜
溶劑層
具電鑄起始層基板
玻璃平板

溶劑貼合法

圖 4.59 具厚膜光阻及電鑄起始層的試片製備方法。

① 光阻旋塗法

　　以厚膜光阻旋塗於具金屬層之基板 (一般為矽晶圓) 上。此法雖然較為簡便，但卻較適用於 UV LIGA 製程，因現行厚膜光阻幾乎都設計成適合 UV 微影製程。若要利用準分子雷射對目前市售的厚膜光阻進行微加工，則必須事先試驗準分子雷射對該光阻的加工性，並防止準分子雷射挖除基板該保留之金屬層。

② 乾膜滾壓法

　　乾膜為三層式薄膜結構，底面是黏著層 (adhesion layer)，滾壓時必須先將黏著層表面的保護膜撕掉；表面則為保護薄膜 (protect film)，其在滾壓後一直保留至加工前撕掉即可。利用厚度數十微米之乾膜 (dry film)，以熱滾壓方式滾壓於具金屬層之基板 (一般為 FR-4 板) 上，必要時以多層滾壓的方式控制其厚度[83]。乾膜材質有多種種類，因此必須視所使用的光刻源，選擇適當的乾膜材料。

③ 溶劑貼合法

　　此種方法僅見於 X 光 LIGA 製程。在具金屬層的基板上，塗上適當的有機溶劑，再將厚度數百微米至數毫米之高分子板加重壓貼合於基板上。溶劑層與高分子材料都必須合乎光刻源，而貼合後表面的平整性及與基板的結合性則是技術的重點。

④ 熱壓鑄法

　　首先配製適當高分子單體溶液，再加上必要的添加劑，如起始劑、活化劑或感光劑，然後充分攪拌預聚合。待高分子單體溶液達到適當黏度之後，再取出置於事先準備好的金屬層基板上，以厚度規 (spacer) 控制高分子膜的厚度。最後蓋上處理過的玻璃板 (於玻璃表面塗佈一層矽烷類物質)，送入熱壓鑄機內在壓力控制下壓鑄完成。以 PMMA 厚膜光阻為例說明其製作流程，首先取適量的單體組成 (已溶有適量的低分子量 PMMA)，加入起始劑 (BPO) 溶解均勻後，再將活化劑 (N,N-DMA) 滴入，接著置於水浴恆溫的超音波振盪器內作預聚合。因為黏度並不好掌控且影響壓鑄出的厚膜品質，所以在進行壓鑄之前須事先製作時間－黏度曲線 (以便決定預聚合之時間)。待達到適當黏度之後再取出置於具金屬層之基板上，以厚度規控制光阻膜的厚度。最後蓋上處理過的玻璃板，送入壓鑄機內於室溫 90 psi 的壓力下壓鑄四小時，再除去厚度規即可[69,79]。

(2) 準分子雷射微結構加工技術

　　為了使準分子雷射光刻後的微結構精度，以及微結構形狀符合應用上的規格及後續製程的需要，必須探討雷射種類、加工材料、能量密度、雷射光刻速率、成像鏡頭的數值孔徑 (numerical aperture, NA) 等加工參數，以及 CNC 系統控制工件與光罩平台相對運動所造成之各種加工技巧，對微結構成形性的影響。本節即針對雷射加工參數與加工技巧的運用，對微結構成形性的影響作一說明，以證明準分子雷射在微機電元件製作與應用的優越性。

雷射加工影響參數包括：雷射種類、加工材料、能量密度、光刻頻率及成像鏡頭的數值孔徑，分別說明如下。

① 雷射種類

不同波長的雷射光源，如 F_2、ArF、KrCl、KrF、XeCl、XeF 等，所適合的加工材料有很大差異，即使是高分子材料，所適用的雷射種類也不同，如 ArF 雷射適合加工 PMMA，

表 4.17 不同種類材料所適用之最佳準分子雷射[67]。

加工材料 (Materials)	最適合之準分子雷射 (Optimum laser)			
	XeCl 308 nm	KrF 248 nm	ArF 193 nm	F_2 157 nm
高分子 (Polymer)	PEEK, PEI, PET, PI	PA, PES, PC, PUR, PPS, Polyparaxylylene	Polyacetylene, PE, PMMA, PS, PVC, PVDC, PVOH, PVDF, Silicone rubber, Nitrocellulose	PTFE (Teflon)
環氧樹脂光纖複合材料 (Composites of fibers in epoxy)	Glass fiber, Carbon fiber, Aramid			
陶瓷 (Ceramics)	Alumina, $LiTaO_3$, SiC, Si_3N_4, ZrO_2	Si_3N_4 (gas pressure sintered or reaction bonded), PZT	SiC (toughened)	
單晶矽與玻璃 (Crystals and glasses)			Fused silica, SiO_2, Silicon, Borosilicate glass, Yttrium aluminium garnet (YGA)	GaAs, Quartz, Fused silica, Sapphire, Silicon
金屬薄膜 (Metal film)		Aluminium, Copper		
生物組織 (Biological tissue)	動脈壁 (Artery wall)、膽囊導管 (Bile duct)、癌腫瘤 (Carcinoma tumour)、前列腺組織 (Prostate tissue)、		眼角膜 (Cornea)	
牙齒 (Teeth)	琺瑯質 (Enamel)、象牙質 (Dentine)			

而 KrF 適合加工聚亞醯胺 (polyimide) 與聚碳酸酯 (polycarbonate)。表 4.17 即表示高分子、陶瓷、半導體及金屬膜等不同種類的材料其最佳適用之準分子雷射；亦即事先知道加工材料種類以選擇適當雷射是重要的[67]。

② 加工材料

　　在相同的雷射照射下，不同材料所形成之微結構品質仍有所差異。圖 4.60(a) 與圖 4.60(b) 分別顯示聚亞醯胺 DMDB/6FDA 與聚碳酸酯以 KrF 雷射加工而成的微齒輪結構局部放大圖。聚亞醯胺 DMDB/6FDA 在能量密度、脈衝數目、加工頻率的光刻條件分別為 3.43 J/cm^2、300 shots、1 Hz；而聚碳酸酯的光刻條件則為 4.5 J/cm^2、200 shots、1 Hz。圖中顯示聚亞醯胺 DMDB/6FDA 在光刻後不僅可以得到垂直的微結構，而且比較圖 4.60(c) 齒型光罩之局部放大圖發現，光罩設計的齒型輪廓有不平滑的現象，但聚亞醯胺 DMDB/6FDA 所加工之齒型輪廓，並未產生如圖 4.60(b) 所示輪廓曲線平滑化的現象，幾乎完整複製光罩圖案輪廓，這驗證了聚亞醯胺 DMDB/6FDA 較聚碳酸酯有更佳之光罩圖案定義能力[84]。

　　另外，加工材料對深紫外光的吸收性與耐熱性，將影響準分子雷射微結構加工的品質表現。藉由圖 4.61 聚亞醯胺 DMDB/6FDA 與 PMMA 光學 Fresnel 微結構之局部放大圖來作比較，便可更清楚得知光刻材料的選擇對微結構的影響性。圖 4.61(a) 是以聚亞醯胺 DMDB/6FDA 作為 KrF 光刻材料，並在能量密度、脈衝數目、加工頻率分別為 0.82 J/cm^2、1200 shots、1 Hz 的條件下所製作出的微結構，可以明顯看出結構頂端並無被蝕刻的跡象。這是由於聚亞醯胺 DMDB/6FDA 具有良好的耐熱性，以及對深紫外光也具有強吸收性，使雷射照射區材料分子的電子組態較容易由基態躍升到激發態，進而使其鍵結斷裂且迅速噴發，以減少能量轉換成熱能對結構造成熱損害。圖 4.61(a) 中結構最細的線寬為 10 μm，而聚亞醯胺膜厚為 300 μm，所以圖中 Fresnel 結構的深寬比為 30 左右，而圖 4.61(b) 為 PMMA 之 Fresnel 微結構，其光刻條件分別為 4.2 J/cm^2、100 shots、1 Hz。雖然 PMMA 厚度亦為 300 μm，但是結構頂端的細微部分受到嚴重的蝕刻，使其在高深寬比結構的應用上受到極大限制[84]。

③ 能量密度

　　圖 4.62 為三種聚亞醯胺的 KrF 光刻速率曲線圖，其中 DMDB/6FDA 與 OT/6FDA 為清華大學化工所高分子實驗室製備而成[78,79]，而 Kapton 則為市售之產品。在較低能量密度時，光刻速率與能量密度呈線性變化，而在高能量密度時光刻速率呈現趨緩的現象。這是因為較大的能量密度作用於材料時，所引發的光化學 (photochemical) 及光熱 (photothermal) 分解挖除的程度亦相對較大，因此光刻速率隨著能量密度增加而增大[84]。Kuper 曾提及每個雷射脈衝進入材料內部後，僅可以到達表面幾微米的深度，且可引發光反應的能量效率亦有一定上限[85]，即雷射光源對介質的穿透深度有一定臨界值，所以在高能量密度區的光刻速率便有逐漸趨緩的現象。

(a) 聚亞醯胺 DMDB/6FDA

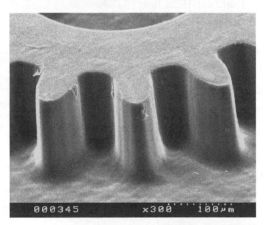

(b) Polycarbonate (PC)

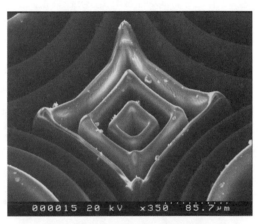

(a)

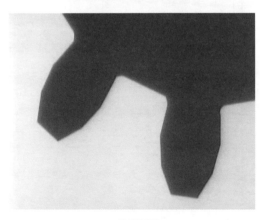

(c) 光罩圖案

圖 4.60 聚亞醯胺 DMDB/6FDA 與 PC 對
　　　KrF 雷射圖案定義能力之比較。

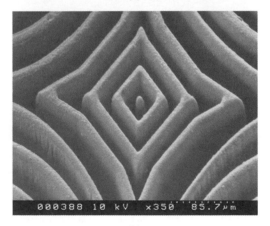

(b)

圖 4.61 不同材料 KrF 雷射加工特性之比
　　　較：(a) PMMA，(b) 聚亞醯胺
　　　DMDB/6FDA。

　　由圖 4.62 與圖 4.63 發現，在相同的能量密度下，聚亞醯胺 DMDB/6FDA、OT/6FDA 的 KrF 光刻速率大於 Kapton。Srinivasan 等人也曾提到 Kapton 在光刻時會由最弱的鍵結處斷裂[86,87]。破壞化學鍵結所需的能量大小順序為參鍵 > 雙鍵 > 單鍵 (C-O > C-C > C-N)[88]，而聚亞醯胺 DMDB/6FDA 與 OT/6FDA 在主鏈上含有 C-C 鍵結，而且在碳上又接有一對 CF₃ 基團的強拉電子基，因此推測打斷 DMDB/6FDA、OT/6FDA 主鏈上的 C-C 單鍵所需能量，小於打斷 Kapton 主鏈上 C-O 單鍵的能量，所以 DMDB/6FDA、OT/6FDA 的光刻速率大於 Kapton。另外。聚亞醯胺 DMDB/6FDA、OT/6FDA 的吸收係數小於 Kapton，因此在相同的能量密度下，光源所穿透的深度也比較大，所以 DMDB/6FDA、OT/6FDA 的光刻速率大於 Kapton。DMDB/6FDA 與 OT/6FDA 僅是側鏈甲基的取代位置不同，此外兩者的吸收係數也極為相近，所以兩者的光刻速率並沒有明顯的差異[84]。

　　此外，利用光刻速率與能量密度的對數圖，並與 Lambert-Beer law 作比較，探討聚亞醯胺 DMDB/6FDA、OT/6FDA、Kapton 對 KrF 雷射的光化學分解與光熱效應機制如圖 4.63 所示。計算 Lambert-Beer law 所需之聚亞醯胺 β 與 F_{TR} 值，是以 UV 光譜量測其在 248 nm 波長下的吸收係數，並以外插法得到臨界能量密度值，其 (β, F_{TR}) 結果分別為 DMDB/6FDA (1.26×10^5, 40)、OT/6FDA (1.49×10^5, 40) 及 Kapton (2.60×10^5, 27)[89]。由圖 4.63 可以清楚看出，聚亞醯胺 DMDB/6FDA、OT/6FDA 及 Kapton 在低能量密度時，整個光刻過程是以光化學分解機制所主導的，但是隨著能量密度增加，光熱效應也隨之增加，實驗所測得的結果與 Srinivasan 等人的結果幾乎相同[77]。

　　圖 4.64 與圖 4.65 表示不同 KrF 雷射加工參數對三種聚亞醯胺材料之側壁垂直度的影

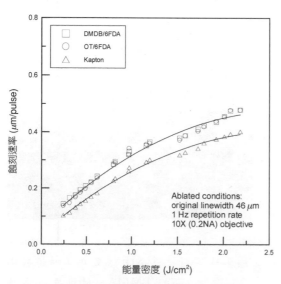

圖 4.62 聚亞醯胺 DMDB/6FDA、OT/6FDA 及 Kapton 之光刻速率曲線圖。

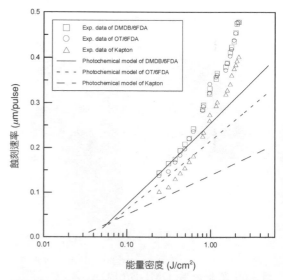

圖 4.63 聚亞醯胺 DMDB/6FDA、OT/6FDA 及 Kapton 的蝕刻速率與能量密度之曲線圖。

響。圖中顯示傾斜角度隨能量密度與照射次數的增加而減小,亦即在較大的能量密度或較多的照射次數下可獲得垂直側壁。此外,在相同光刻條件下,Kapton 所製作的結構側壁傾斜角度大於 DMDB/6FDA、OT/6FDA。這種因為能量密度的不同,所造成結構側壁傾斜角度的差異性,是因雷射光經過均質器及透鏡後,光能量強度在外圍區會有些許分布不均的情況。在低能量密度時,曝光區邊緣的雷射能量較小,使其無法完全蝕刻,造成只有曝光區中心處的蝕刻深度增加而邊緣不易被蝕刻,進而形成錐狀結構。反之在高能量密度時,在曝光區邊緣的光刻速率已趨近中心處的光刻速率,因此可以得到近乎垂直結構側壁。至於 Kapton 在相同光刻條件下,會有較大的側壁傾斜角度,可能的原因是 Kapton 的光刻速率小於 DMDB/6FDA 與 OT/6FDA,所以在曝光區邊緣的光刻速率相對較小,進而導致較大結構側壁角度[84]。

圖 4.65 顯示在相同的能量密度下,隨著照射次數增加而結構側壁的傾斜角度卻隨之減少。在雷射照射 50 次後的結構側壁,其傾斜角度的趨勢雖然也隨著能量密度增加而遞減,但是在 5.8 J/cm² 的高能量密度時,結構側壁仍然約有 8° 的傾斜角度。然而,在 3.0 J/cm² 能量密度時,經雷射照射 200 次的加工仍可得到接近垂直的結構側壁。這種因脈衝次數對側壁傾斜角度的影響,主要是因加工的深度隨著脈衝數目增加而增大,而雷射光的能量強度分布也會隨著加工的深淺而有所變化。當光刻到達一定深度之後,曝光區的材料表面逐漸有離焦的情形,並且會產生干涉效應[90],所以在進行光刻過程中,隨著脈衝數目的增加,其干涉效應也較為顯著。因此推測每一次脈衝雷射對結構側壁的傾斜角度有修飾作用,所以在適當的能量密度下,脈衝數目達到一定次數時,即可製作出垂直的結構側壁[84]。

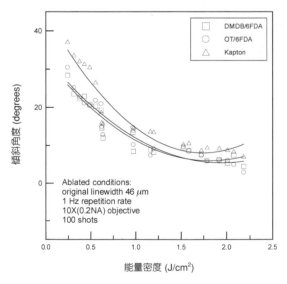

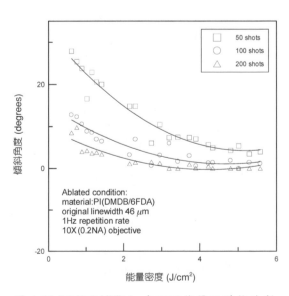

圖 4.64 聚亞醯胺 DMDB/6FDA、OT/6FDA 及 Kapton 之側壁傾斜角度曲線圖。

圖 4.65 DMDB/6FDA 在不同能量及脈衝次數對側壁傾斜角度之影響。

④ 光刻頻率

在準分子雷射微加工過程中，光刻頻率的大小將會影響熱量累積殘餘的多寡。雖然一般認為殘餘的熱量會被噴發的材料帶走，但是光刻頻率若過大，就會造成熱量無法完全被移除而殘留於材料之內。此時，殘留的熱量將會一直累積，甚至影響微結構的精度。這種因熱量累積造成結構損傷的現象，在較小的結構線寬下特別明顯，而較小的線寬所能承受的加工頻率亦較小。圖 4.66 為 PMMA 於不同線寬與脈衝頻率所光刻出的微結構。PMMA在線寬 30 μm 時，3 Hz 與 15 Hz 皆可獲得不錯的結構加工品質，但是當線寬縮小到 20 μm時，則 15 Hz 所得到的條狀結構幾乎都傾倒而黏在一塊。這是因為隨著脈衝頻率的增大，熱量來不及被帶走而一直累積於加工材料內部，使溫度持續上升，一旦溫度超過高分子的玻璃轉換溫度 (T_g)，材料就開始軟化而向旁邊傾倒破壞。此實驗結果證明線寬縮小時可忍受的光刻頻率也隨之降低，推論這是因為細線寬的間隙較小，所以在深度逐漸加大時材料的噴發顯得不易進行。如此間接造成被帶走的熱量減少，因此在較低頻率就可以看到因熱量累積所顯現的效應[91]。

(1) 3 Hz

(1) 3 Hz

(2) 15 Hz

(a) 線寬 30 μm (80 shots)

(2) 15 Hz

(b) 線寬 20 μm (80 shots)

圖 4.66
PMMA 於不同線寬與脈衝頻率下之光刻微結構比較。

⑤ 成像鏡頭的數值孔徑

　　數值孔徑會影響穿過成像鏡頭的光折射角度，亦即會影響加工材料上之入射光角度。在高入射角度時 (NA ≈ 0.3)，結構加工壁將發生底切 (undercutting) 的現象；在適當的入射角度時 (NA ≈ 0.1－0.2)，加工壁的角度可被調整成接近垂直或形成錐狀。此外在適當的底切加工配置下，即可產生如圖 4.67 所示的橋狀結構[73]。

(3) 雷射加工技巧的運用

　　藉由 CNC 系統控制工件與光罩平台的相對運動，並配合能量密度、光刻頻率及透鏡數值孔徑的設定，可控制雷射照射工件表面的劑量 (dose) 與入射角度，使得特殊的 3D 微結構得以實現。圖 4.68 表示以控制工件平台的運動形態進行曲面、多層 (multi-level)、斜面結構的加工[73]，其原理是利用不同的工件運動形態，如連續性等加減速度運動、連續性定速度運動及間歇性運動，以控制雷射劑量，形成如圖所示之曲面、斜面或多階微結構。圖 4.69

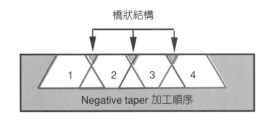

圖 4.67
橋狀結構的形成方式[73]。

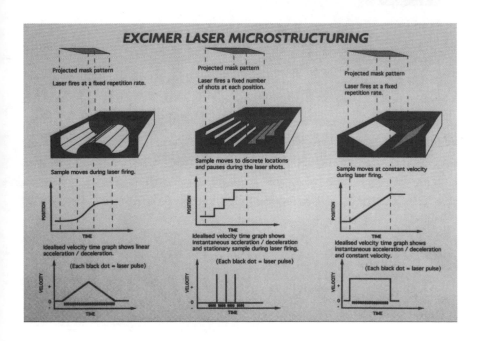

圖 4.68
以控制工件平台運動狀態之方式進行雷射加工[73]。

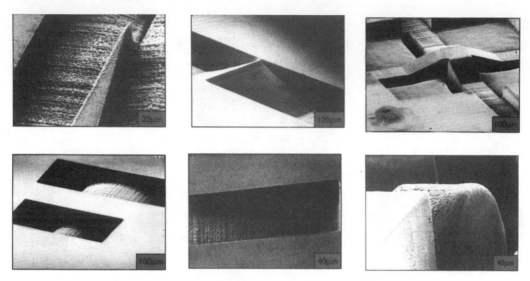

圖 4.69 以控制工件平台運動狀態進行雷射加工所形成的結構[73]。

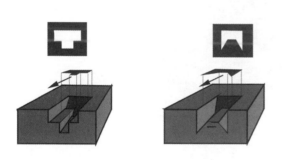

圖 4.70
以光罩拖拉 (移動工件平台) 技巧進行雷射加工的方式。多層結構可以使用特殊設計的光罩，以單一微加工程序完成。

即是應用這些方法所形成的奇特結構[73]。此外，利用光罩圖樣的設計，配合工件與光罩平台的相對運動，亦可獲得有趣的微結構，譬如圖 4.70 顯示光罩拖拉 (mask dragging) 加工的技巧，這個技巧其實也就是固定光罩而移動工件平台的加工方式，故亦稱為移動工件 (moving workpiece) 加工。圖 4.70 中顯示在固定 T 形光罩與移動工件的加工過程中，T 形的中間部分因接受較翼臂多的雷射劑量，故導致兩層的溝槽產生。事實上，這種加工方式所產生之加工斷面 (cross-section)，其幾何形狀即為光罩圖案。因此，利用光罩圖案之設計，配合移動工件平台的加工技巧與雷射加工參數設定，即可獲得如圖 4.71 所示之曲面、斜面或多階微結構，以符合微光學 (micro-optical) 與微流體 (micro-fluid) 的應用。表 4.18 顯示光罩與工件平台相對運動的不同，所產生的加工模式及其應用。

　　利用準分子特有之加工技巧，配合其他微機電製程技術，可快速地製作獨特微結構。圖 4.72 即顯示寬度為 100 μm 之潛埋式微渠道，其製程整合準分子 KrF 雷射微細加工與微影技術，說明如下：① SU-8 光阻旋塗於矽晶圓上，並經軟烤、UV 曝光、曝光後烘烤等步驟，使光阻充分交聯固化 (crosslinking)，此時光阻厚度約 250 μm；② 以光罩拖拉方式加工

表 4.18 光罩與工件平台相對運動所造成的加工方式及其應用。

	利用投影系統進行光罩-工件相對運動變化			
運動狀態	光罩固定 工件固定	光罩固定 工件移動	光罩移動 工件固定	光罩移動 工件移動
加工方式	光罩投影法	光罩拖拉法	光罩掃描法	同步光罩-工件掃描法
特色	階級重複成形加工	連續劃線標記	光蝕刻雕刻	大面積圖案定義
應用	微結構成形	溝槽加工表面 輪廓修正	漏斗狀結構加工	電路原型圖案加工

開放式微渠道約 5 公分長，加工條件為能量密度 4.34 J/cm^2、照射頻率 60 Hz、工件平台進給速率 5 mm/min；③ SU-8 光阻再一次旋塗於矽晶圓上，並經軟烤、UV 曝光、曝光後烘烤、超音波顯影等步驟。此時的重點是必須控制曝光劑量約為第一步驟曝光劑量的十分之一，達成光阻表面淺層交聯固化即可。另外，為防止顯影液無法進入潛埋渠道內造成顯影不完全，故在渠道的前後與中段開孔，配合超音波振盪使顯影液容易滲入渠道中。另外，渠道的截面形狀即為光罩透光區形狀，因此藉由光罩的設計與 UV 曝光劑量的控制，即可輕易達到多階、斜面或任意形狀的渠道加工[27]。

國科會精儀中心應用 KrF 準分子雷射進行 LIGA 製程技術開發，除了高深寬比微結構外，亦進行微光學元件的製作。圖 4.73(a) 表示以準分子雷射加工有金屬底層的 PMMA 基板形成之微齒輪與 Fresnel zone 微結構，加工完成的 PMMA 漸開線齒輪有極佳的側壁垂直度。圖 7.73(a) 的 PMMA 結構再經鎳電鑄變成如圖 4.73(b) 之金屬結構，其中鎳電鑄之 Fresnel zone 結構，結構深度約為 250 μm、最小線寬 10 μm，故具有 25 的深寬比。傳統二元化 2^M 階微光學繞射元件的製作方式，係利用標準 RIE 半導體製程技術，即經過 M 道光罩對準微影與 RIE 蝕刻而成，因此有耗時長、成本高及良率低等缺點。運用準分子雷射光刻技術，數秒鐘內即可完成微光學繞射元件陣列，運用 X-Y-Z 三維高精度定位平台配合特殊

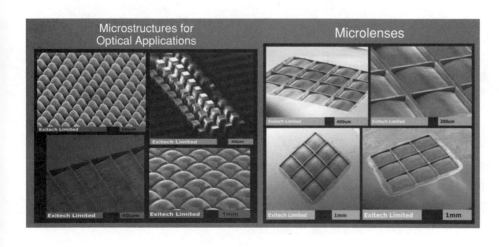

圖 4.71
以光罩拖拉加工技巧製程之曲面、斜面或多階微結構[73]。

圖 4.72
準分子雷射應用於潛埋式微流道之製作。

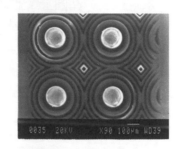

(a) PMMA 準分子雷射微加工

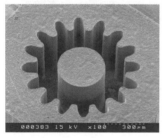

(b) 鎳金屬電鑄翻製

圖 4.73
雷射 LIGA 製程之微結構製作技
術：(a) PMMA 準分子雷射微加
工；(b) 鎳金屬電鑄翻製。

的光罩設計，並可在數分鐘內完成多階繞射元件之製作。圖 4.74 為單一光罩三個子罩重疊
曝光加工八階微結構示意圖。相同的加工方式可應用於十六階微透鏡陣列的製作，加工程
序是先選擇石英光罩上線寬最粗的子罩圖案，控制準分子雷射能量密度、加工頻率、脈衝
次數等參數，加工聚碳酸酯至所需深度，利用精度 0.1 μm 的光罩定位平台選擇次道子罩圖
案，並固定加工件進行重疊曝光加工，如此經過四道子罩圖案的重疊光刻，即可獲得十六
階微透鏡陣列。圖 4.75 表示利用準分子雷射加工完成之十六階繞射式微透鏡陣列與四階數
位式全像片 (computer generated hologram, CGH)，經由表面形態與微光學特性檢測，可驗證
其加工品質的優越性。加工完成的微機械結構或微光學元件均可利用電鑄方式形成金屬模
仁，再利用熱壓成形或射出成形方式達到批量生產的目的[93,94]。

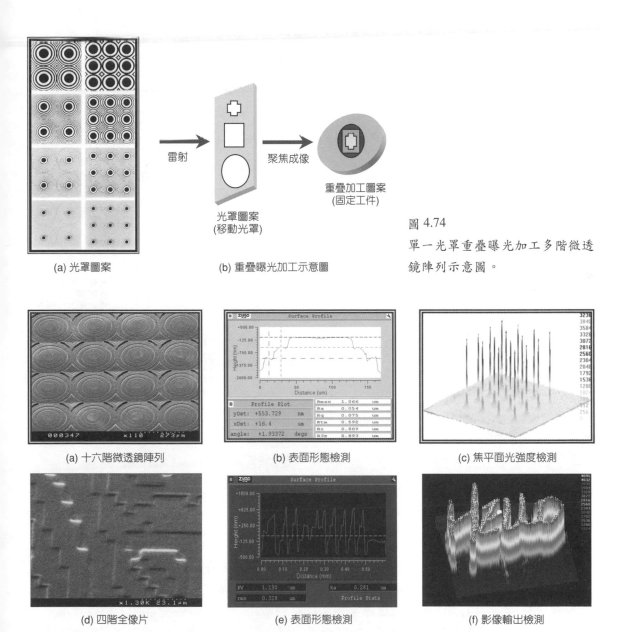

(a) 光罩圖案　　　　　(b) 重疊曝光加工示意圖

雷射　　聚焦成像

光罩圖案
(移動光罩)

重疊加工圖案
(固定工件)

圖 4.74
單一光罩重疊曝光加工多階微透
鏡陣列示意圖。

(a) 十六階微透鏡陣列　　　(b) 表面形態檢測　　　(c) 焦平面光強度檢測

(d) 四階全像片　　　　(e) 表面形態檢測　　　(f) 影像輸出檢測

圖 4.75 準分子雷射微光學繞射元件製作技術。

4.3.2.6 準分子雷射其他應用領域

　　準分子雷射波長的多樣性，使其可加工之材料種類極多，再加上 CNC 移動平台之運用，故產業應用範圍甚廣，並不侷限於雷射 LIGA 製程領域。圖 4.76 即表示準分子雷射的應用領域分類[95]，包括鑽孔 (drilling)、標記 (marking) 與雕刻 (engraving)、醫療、微電子、清潔 (cleaning)、汽車與太空、表面處理、脈衝雷射鍍膜 (pulsed laser deposition, PLD) 及感

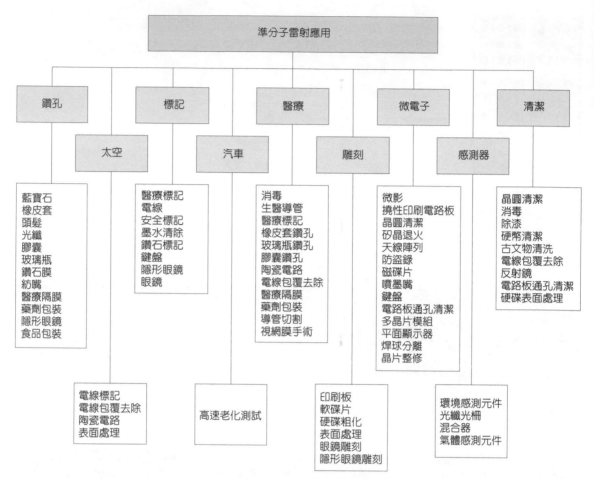

圖 4.76 準分子雷射適用之應用領域[95]。

測器等。圖 4.77 即顯示準分子雷射在微加工方面的精度與獨特能力[73,96]。準分子雷射每一個脈衝僅移去固定深度的薄層，故計算雷射脈衝的次數即可精密地控制加工深度。光罩投影與聚焦直寫兩種加工方式，可依實際需要相互組合使用，使複雜的圖案加工得以實現，且加工完成的微結構邊緣 (edge) 與側壁 (sidewall) 品質佳。因此，準分子雷射在微細加工方面的能力，已受到如噴墨頭、光電全像、LCD 背光板模組及醫療等相關產業的重視。其他具有發展潛力之準分子雷射應用技術，說明如下。

(1) 雷射表面潔淨

　　利用各種材質對準分子雷射吸收能力的差異，或者是分子鍵剝離與光化學反應的方式，使其在模具殘渣的清洗、表面油漆的剝離、微導線的去皮、半導體晶圓清洗、光阻去

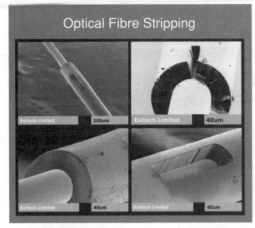

圖 4.77
準分子雷射之
優異微加工能
力[73,96]。

修復區

(a) 處理前　　　　　　(b) 處理後

圖 4.78 準分子雷射應用於修復古代藝術品之實例[99]。

除，甚至是錢幣、雕像、字畫書籍等古文物之潔淨應用，均有極佳之成效[97]。晶圓的清洗在半導體廠是個繁複卻重要之工作，清洗過程需大量使用水資源及化學藥劑；在晶片生產過程中，估計每一片晶片耗費約 10 加侖的水，因此雷射乾式潔淨技術可節省水的消耗，有益於環保。準分子雷射可快速地清除灰塵、有機及無機物、金屬離子等，以 Lambda Physik LPX 210i 型雷射潔淨 200 mm 的裸晶圓，約 60 秒即可完成[98]。圖 4.78 顯示應用準分子雷射可使火災損傷之古代藝術品，其修復工作的成效明顯[99]。展望未來對環保的要求、日益缺乏的水資源、工安意識的抬頭，以及日益嚴苛的清洗要求，雷射潔淨技術發展的空間將逐漸受到重視[97]。

(2) 光纖光柵的製作

光纖光柵 (fiber grating) 顧名思義即是在光纖中建立光柵結構，主要功能是滿足布拉格 (Bragg) 條件的波長反射。光纖光柵的基本原理如圖 4.79 所示[100]，係利用 UV 光經相位光罩 (phase mask) 照射光纖，使光纖纖芯 (core) 折射率產生週期性變化，形成光纖光柵結構。當多種波長訊號經光纖傳輸，經過光纖光柵結構時，可針對特定波長訊號反射，而讓其餘波長訊號穿透，以達到針對特定波長濾波的功能。

準分子雷射應用於光纖布拉格光柵 (fiber Bragg grating, FBG) 的製作已相當普遍，其在摻雜鍺的光敏光纖 (photosensitive fiber) 上，有如圖 4.80 所示之三種形成光柵圖案的方法，分別為相位光罩 (phase mask) 法、干涉 (interferometric) 法及投影 (image projection) 法[100]。相位光罩法是以相位光罩貼近光敏光纖，再照射準分子雷射，使光纖的纖芯 (core) 折射率呈現週期性變化；干涉法是以雙光束干涉的方式，在光敏光纖上形成干涉條紋，並造成光

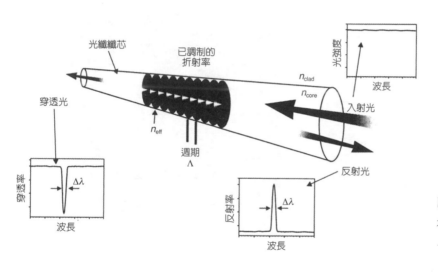

圖 4.79
布拉格光纖光柵之光反射
－穿透傳輸示意圖[100]。

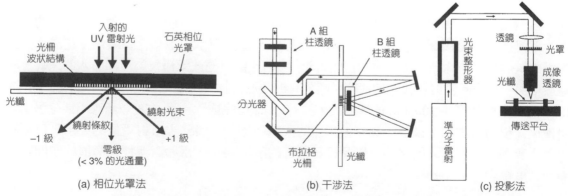

圖 4.80 三種在光纖纖芯形成光柵圖案的方法：(a) 相位光罩法，(b) 干涉法，(c) 投影法[100]。

纖核心折射率週期性變化。光纖光柵可應用於寬頻通訊與光纖感測，如波長多工通訊 WDM 網、光纖雷射、雷射穩定光源，以及溫度、應力訊號感測系統。

(3) 奈米工程應用

準分子雷射在奈米工程的應用方面，如奈米微影技術、奈米結構或顆粒製作技術，近年來亦逐漸受到重視。在電子奈米微影製程方面，準分子雷射步進掃描曝光機廣泛應用於特徵尺寸 (critical dimension, CD) 0.25 μm 以下之微影製程，最新之 F_2 雷射步進掃描曝光機已商品化。目前 KrF、ArF、F_2 準分子雷射微影所達到之特徵尺寸分別為 130 nm、90 nm、65 nm，亦即準分子雷射可應用於次 100 nm 之微影製程[101]。另外，在奈米粉末的製備方面，亦可應用準分子雷射轟擊靶材，如 SiO_2、ZnO、TiO_2 等無機材料，使靶材受到挖除 (ablation) 剝離，即可生成奈米級顆粒；由承載氣體 (carrier gas) 帶出這些奈米顆粒，再以靜電 (electrostatic) 集塵、沉澱器 (precipitator)、網袋過濾 (bag filter) 或溶於液體中再乾燥等方式加以收集。圖 4.81 即為以準分子雷射製備奈米粉末之系統架構示意圖[102]。

圖 4.82 表示以近場光學之準分子雷射進行奈米加工的示意圖[95]。所謂近場 (near-field) 光學就是當光束經由一直徑小於光束波長之狹孔，照射至物件表面時，其在物件表面上所形成的照射面積大小與光束波長無關，僅取決於狹孔直徑大小，此範疇內之量測與加工即歸屬於近場光學[95]。近場光學的點光源和物件距離遠小於光束波長，故不需考慮繞射現象。應用近場光學原理，利用特殊製作之光纖探針導引準分子雷射進行加工，即可獲得奈米等級之結構[95]。

如圖 4.83 所示之消色差干涉光刻 (achromatic interferometric lithography, AIL) 技術，亦可應用於奈米結構之製作[103]。其係利用干涉微影 (interferometric lithography, IL) 製程與離子蝕刻技術 (RIE)，製作三道光柵圖案週期為 200 nm 之相位光柵 (phase grating)。因蝕刻深度不等，可使第一道光柵獲得第一階 (the first order) 之高繞射效率，第二、三道光柵可獲得第二階 (the second order) 之高繞射效率。當雷射通過第一道光罩，繞射後所產生之第零階 (the zero order) 光束受到阻擋，兩道第一階光束則分別照射在第二、三道光柵上；入射第二、三

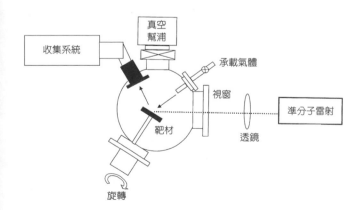

圖 4.81

以準分子雷射製備奈米粉末之系統架構示意圖[102]。

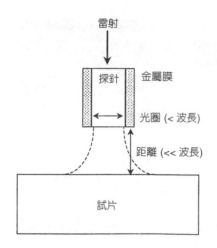

圖 4.82 近場光學之準分子雷射奈
米加工技術示意圖[95]。

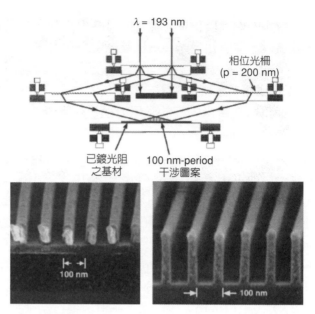

圖 4.83 準分子雷射干涉光刻技術應用於奈米結構之製作[103]。

道光柵的光束繞射後，所產生的第二階光束於光阻基板上再結合 (recombine)，此時將產生空間週期 (spatial period) 為相位光柵一半 (即 100 nm) 之駐波 (standing-wave) 干涉圖案，並轉移至光阻基板[103]。

4.3.2.7 結語與展望

　　準分子雷射可應用於陶瓷、玻璃、金屬膜及高分子等材料之切割、成形 (shaping) 及結構化 (structuring)。藉由 CNC 控制之平台運動與雷射加工參數如脈衝重複率 (repetition)、能量密度 (fluence) 及光罩幾何形狀的設計，容易產生新奇的 3D 微結構，且具有次微米級橫向 (lateral) 準確度及典型之 100 nm 深度精度。準分子雷射微加工再配合精密電鑄與模造成形技術，所形成之雷射 LIGA 製程，可批量生產生化醫療、光電影像、通訊、資訊等相關應用元件，並在微機電產業中扮演重要之角色。

4.3.3 感應耦合電漿離子蝕刻技術

　　目前矽蝕刻製程中，電漿離子蝕刻製程技術是能獲得最佳垂直度且最高深寬比之製程技術，尤其在製作各項高深寬比之單晶矽 (single crystal silicon, SCS) 微結構上，更是扮演舉足輕重的角色。本文首先簡介說明基礎電漿蝕刻技術，接著針對感應耦合電漿離子蝕刻 (inductively coupled plasma-reactive ion etching, ICP-RIE) 製程技術作深入的探討，內容包含

第 4.3.3 節作者為林郁欣先生、徐永裕先生、楊啟榮先生、胡一君先生及周曉宇先生。

感應耦合電漿離子蝕刻之基本原理、蝕刻製程之常見現象、等向性與非等向性蝕刻製程之能力，以及此獨特蝕刻製程在微機電領域之基礎應用等。藉由全盤的介紹讓讀者能清楚瞭解此項蝕刻技術的優異之處。

4.3.3.1 前言

在微機電製程領域中，矽蝕刻一直是矽微加工 (silicon micromachining) 技術中最重要的製程步驟。早在 1960 年代，濕式矽微加工技術已被發展出來，接著表面微加工 (surface micromachining) 製程結合了犧牲層技術，應用於微致動器與微感測器的製作，開啟了微機電系統 (MEMS) 應用的新里程。因單晶矽擁有良好的物理與機械性質，故廣泛應用於半導體及微機電領域，因此單晶矽之蝕刻技術便成為重要關鍵製程技術。然而，傳統濕式矽蝕刻技術受限於矽晶格方向與側向蝕刻之故，故無法得到高精度與高深寬比的微結構。近年來，屬於乾式蝕刻之反應離子蝕刻 (reactive ion etching, RIE) 製程技術已被開發應用於光電元件、積體電路及電路板等結構圖案之製作，並對單晶矽蝕刻技術帶來莫大的衝擊，輕易地實現高深寬比矽微結構的製作。離子蝕刻更可利用其等向性蝕刻之控制來進行結構釋放 (release)，以製作可動的浮板、懸臂樑等微結構，增加微機電元件應用的彈性。

矽蝕刻製程的功能，是將沒有被遮罩覆蓋及保護的部分，以化學或物理作用的方式加以去除，達到轉移光罩圖形到矽基材的目的。一般而言，矽蝕刻技術分為濕式蝕刻 (wet etching) 與乾式蝕刻 (dry etching)。濕式非等向性矽蝕刻的蝕刻面和矽晶格方位有關，係利用 KOH、EDP、TMAH 等蝕刻溶液，控制不同濃度、溫度、攪拌方式與時間來進行矽蝕刻，它的優點是製程單純，且量產速度快。但濕式蝕刻有明顯側向蝕刻及無法得到高深寬比的結構等缺點。乾式蝕刻主要是利用離子電漿來進行蝕刻，通常將蝕刻氣體游離產生電漿，利用電漿中高能電子分解氣體來獲得所需之蝕刻物質。此種蝕刻包含物理性轟擊及化學性蝕刻雙重作用，具有較佳的非等向性蝕刻，而傳統的反應離子蝕刻製程，蝕刻速率慢 (< 1 μm/min) 以及深寬比小 (< 10：1)，因此，如電子迴旋共振電漿 (electron cyclotron resonance, ECR) 或感應耦合電漿離子蝕刻等具有高電漿密度低氣體壓力 (high density low pressure, HDLP) 之蝕刻技術即被開發應用。

4.3.3.2 電漿蝕刻技術

電漿蝕刻製程中，蝕刻氣體與被蝕刻材料主要的反應過程說明如下：通常在電漿蝕刻中所用的蝕刻氣體為 Cl_2、SF_6、HBr、CF_4 等氣體，而電漿是包含離子、電子與中子的完全或部分游離氣體，此電漿的產生是當足夠大的電場加至氣體時，致使氣體崩潰而游離。以電漿放電中所產生之高能電子與蝕刻氣體分子碰撞，產生 Cl、F 或 Br 等具腐蝕性自由基之鹵素元素，此自由基分子與晶片表面形成化合物。通常此化合物為揮發性氣體型態，因此可經由抽氣作用移除。另一方面此類化合物之鍵結極為穩定，並不容易在電漿中分解，而電漿中之正離子，因蝕刻製程腔體中之靜電偏壓，使高能離子撞擊晶片表面，增加蝕刻速率，同時形成具方向性之蝕刻[104]。

電漿蝕刻中的反應有物理性蝕刻、化學性蝕刻與混和性蝕刻三種。所謂的物理性蝕刻即是離子轟擊，高能離子經偏壓吸引，加速撞擊在被蝕刻材料的表面，導致被蝕刻物產生被挖除的現象，此反應完全為物理性的碰撞，並無化學反應。化學性蝕刻則是具腐蝕性之自由基與被蝕刻材料反應，鍵結而氧化之反應，一般而言，化學性蝕刻為等向性蝕刻，即被蝕刻物向下與側向的蝕刻速率相等，亦造成結構底切 (undercut) 的缺點。混和性蝕刻則為包含物理性與化學性的蝕刻機制，本節將詳細介紹的感應耦合電漿離子蝕刻即是混和性之蝕刻機制。一般而言，混和性蝕刻反應之機制較為複雜，有能量性離子輔助與保護性離子輔助。能量性離子輔助的作用為高能離子對被蝕刻材料提供能量，造成被蝕刻材料鍵結斷裂、表面原子自由能提高及被蝕刻材料溫度升高等效果，如此可加速化學性的蝕刻。保護性離子輔助則是在被蝕刻材料的表面，因蝕刻生成物、氧化或其他原因，導致在被蝕刻材料的表面形成一層保護膜，使得被蝕刻材料與化學蝕刻氣體隔絕而無法進行化學性蝕刻，但因高能離子的撞擊，可將此保護膜濺射移除，確保化學反應的蝕刻，因此混和性蝕刻可獲得較高的蝕刻速率。另乾式蝕刻製程技術較濕式蝕刻能得到高精密度之圖形、高深寬比及垂直之微結構，同時電漿蝕刻之平均氣體溫度為 50 至 100 °C 之間，因此低溫製程為另一項優點，並能廣泛製作各項微結構[104]。

反應離子蝕刻 (RIE) 技術為 1980 年代積體電路製程的主流[104]，以射頻電容耦合的方式產生電漿，射頻功率通常為 13.56 MHz 或二倍、三倍頻，蝕刻機制是以離子輔助之混和性蝕刻為主，通常以外加之射頻功率來提高蝕刻速率，但因蝕刻中之偏壓也隨著外加之射頻功率而升高，使得離子能量過高，離子轟擊的現象過於嚴重，造成較差的蝕刻品質。另蝕刻過程通常在較低的氣壓下操作，RIE 之電漿密度會隨著氣體壓力降低而大幅降低，導致蝕刻速率變慢，因此高密度電漿源如電子迴旋共振電漿蝕刻機、感應耦合電漿離子蝕刻機隨之發展出來。

電子迴旋共振電漿蝕刻機之結構如圖 4.84 所示[104,105]，高密度電漿之產生是經由電子在磁場中之運動與電磁波共振效應，使得電子對微波能量之吸收提高，因而加熱。由於此共振加熱效率極高，使電子迴旋共振電漿在低氣壓時能保持極高的電漿密度，提高蝕刻速率。另電子迴旋共振電漿蝕刻機所使用的電源通常為 2.45 GHz 之微波，需要大型電磁鐵來提供相對應之共振磁場強度，另需加一電磁場線圈，以提高在晶圓表面電漿密度之均勻度。

感應耦合電漿離子蝕刻機之結構如圖 4.85 所示[104,105]，射頻電源頻率通常為 2 MHz、13.56 MHz 與 50 MHz，蝕刻機制為非局部隨機電漿加熱機制，在低壓時仍可產生極高的電漿密度，同時獲得較均勻之電漿分布，另在蝕刻機中將晶圓放置在另一外加射頻功率之電源上，產生靜電偏壓來獲得非等向性之蝕刻。目前感應耦合電漿離子蝕刻在高電漿密度低氣體壓力之蝕刻製程上的應用最為廣泛，因此本章節也對此作深入之探討及介紹。

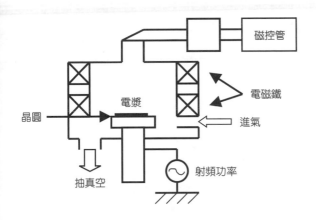

圖 4.84 電子迴旋共振電漿蝕刻機 ECR 結構示意圖。

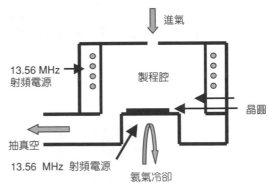

圖 4.85 感應耦合電漿離子蝕刻機 ICP 示意圖。

4.3.3.3 感應耦合電漿離子蝕刻技術

(1) 感應耦合電漿離子蝕刻原理

感應耦合電漿離子蝕刻機系統如圖 4.85 所示，其基本規格如下：上電極線圈為頻率 13.56 MHz 的射頻電源，下電極也為頻率 13.56 MHz 的射頻電源。晶片冷卻方式為背面氦氣冷卻 (backside helium cooling)。晶片固定方式有機械夾持式與靜電夾持式，可通入之氣體有 O_2、Ar、SF_6、C_4F_8、CF_4、XeF_2 等。感應耦合電漿離子蝕刻中的蝕刻機制 advanced silicon etch (ASE) 由 Larmer and Schilp[106,107] 所提出，並利用 Bosch 的交替蝕刻與高分子鈍化 (alternating etch and polymerization) 專利，使側壁鈍化方法來進行深矽蝕刻。蝕刻機制原理以 CF_4/SF_6 反應氣體為例說明，如圖 4.86 所示。

① 首先在矽壁沉積鈍化高分子：CF_4 被電漿分解成活性基，並進行高分子沉積反應，使壁上形成鈍化膜：

$$CF_4 + e^- \rightarrow CF_x^+ + CF_x^{\cdot} + F^{\cdot} + e^-$$
$$nCF_x^{\cdot} \rightarrow nCF_{2(adsorb)} \rightarrow nCF_{2(film)}$$

② 矽底部的高分子與矽被蝕刻：SF_6 被電漿分解成 $F^{\cdot}$，先蝕刻鈍化膜再蝕刻 Si，此時離子撞擊的角色為移除表面的鈍化膜與維持方向性：

$$nCF_{2(film)} + F^{\cdot} \rightarrow \text{ion energy} \rightarrow CF_{x(adsorb)} \rightarrow CF_{x(g)}$$
$$SF_6 + e^- \rightarrow S_xF_y^+ + S_xF_y^{\cdot} + F^{\cdot} + e^-$$
$$Si + F^{\cdot} \rightarrow Si\text{-}nF$$
$$Si\text{-}nF \rightarrow \text{ion energy} \rightarrow SiF_{x(adsorb)}SiF_{x(adsorb)} \rightarrow SiF_{x(g)}$$

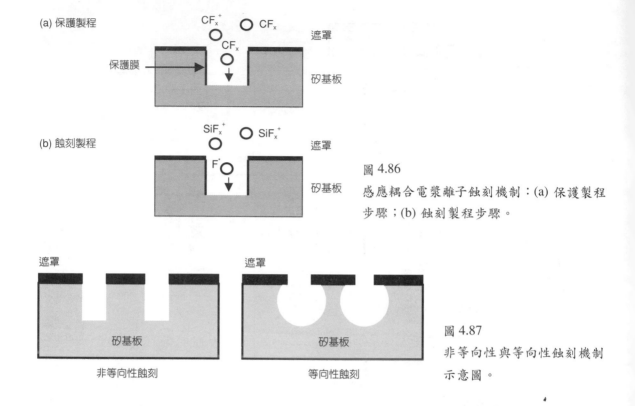

圖 4.86
感應耦合電漿離子蝕刻機制：(a) 保護製程步驟；(b) 蝕刻製程步驟。

圖 4.87
非等向性與等向性蝕刻機制示意圖。

另外在蝕刻步驟中，常會加入適當的氧氣，增加 $F^{\cdot}$ 的濃度，提高蝕刻速率。

③ 交替反覆 ①、② 步驟：必須選擇適當的反應氣體，維持鈍化沉積與蝕刻步驟的平衡。此製程的主要特點在於不需低溫冷卻即可得到高蝕刻速率、高選擇比、高非等向性、高蝕刻深度及高深寬比的矽蝕刻結果。

感應耦合電漿離子蝕刻系統中，晶圓置於一頻率為 13.56 MHz 的射頻功率之下電極上來產生靜電偏壓，此靜電偏壓使得電漿中大部分的正離子被電位差之電場吸引至蝕刻底部，並且被加速因而撞擊蝕刻底部，使得蝕刻反應具有化學蝕刻與物理轟擊兩種機制。並可在蝕刻製程中透過加入下電極與否，產生具有非等向性或等向性的蝕刻，如圖 4.87 所示。

(2) 感應耦合電漿離子蝕刻技術

深矽蝕刻技術中，影響蝕刻結果的因素有反應氣體的控制、上電極和下電極的功率與製程腔體內的壓力等，用以獲得高的遮罩與矽蝕刻選擇比、高蝕刻速率、深蝕刻深度、良好的非等向性、垂直度、平坦的側壁以及高深寬比的結構[108-110]。本節所示矽深蝕刻圖片是在 STS Multiplex 感應耦合電漿離子蝕刻系統中製作，其基本規格如下：上電極線圈為 0－1000 W、頻率 13.56 MHz 的射頻電源，下電極為 0－300 W、頻率 13.56 MHz 的射頻電源。晶片冷卻方式為背面氦氣冷卻。晶片固定方式為機械夾持式，蝕刻反應氣體為 SF_6，鈍化氣

表 4.19 典型的感應耦合電漿離子蝕刻製程能力。

項　目	性能規格
蝕刻速率	$\geq 3\ \mu m/min$
對光阻選擇比	$\geq 75：1$
對氧化矽選擇比	$\geq 150：1$
蝕刻深度	$10-500\ \mu m$
深寬比	$\geq 20：1$
晶片均勻性	$\leq 4\%$
晶片溫度	$\leq 60\ °C$

體是 C_4F_8 氣體，並在蝕刻步驟中加入氧氣改善側壁之粗糙度及彎曲的現象。典型的感應耦合電漿離子蝕刻的製程能力如表 4.19 所示。接下來，針對感應耦合電漿離子蝕刻之基本蝕刻現象，非等性向蝕刻、等向性蝕刻、側壁鏡面製程與基本製程應用作詳細的介紹。

① 感應耦合電漿離子蝕刻常見蝕刻現象

　　感應耦合電漿離子蝕刻的參數為影響蝕刻結果成功與否主要之因素，但除了蝕刻參數外，矽晶片的部分是另一項影響蝕刻品質的因素，包含晶片本身的品質與規格、遮罩材料的選擇與製作、不同線寬之結構和蝕刻的面積，均會導致蝕刻結果的不同。晶片的品質與規格影響蝕刻之速率，不同的遮罩材料影響蝕刻之選擇比與底切現象，不同的線寬大小則有不同的蝕刻速率，即所謂的反應離子蝕刻延遲 (reactive ion etching lag) 的現象，蝕刻的面積過大則會影響蝕刻電漿的濃度，導致蝕刻品質的下降。以下由光阻溝槽為遮罩圖形來進行蝕刻，介紹利用 Bosch 的交替蝕刻方式常見的一些蝕刻現象。圖 4.88(a)、(b) 為製程腔體中蝕刻與保護氣體的比例不對，導致溝槽形狀形成外擴或內凹的情形，及垂直度不佳的現象。圖 4.88(c) 為在同一次蝕刻製程中，不同尺寸的溝槽因質傳等因素導致蝕刻速率明顯不同，尤其在溝槽寬度 10 μm 以下蝕刻速率差異較大，此稱為活性離子蝕刻延遲現象。設計光罩圖形時可在主結構旁加入補償之圖形，得到相同的蝕刻尺寸，來解決蝕刻延遲的現象。圖 4.88(d) 為通入的氣體量不足，導致蝕刻電漿密度太低，或蝕刻總面積過大導致電漿密度不足，情況輕微時導致蝕刻之粗糙度變差，嚴重時蝕刻底部出現雜草的現象。圖 4.88(e) 所示為蝕刻側壁的橫紋，其為 Bosch 交替蝕刻下之正常現象[111-113]，而降低蝕刻側壁粗糙度也是另一項值得深入研究的課題，將於後文作介紹。

② 非等向性蝕刻製程

　　感應耦合電漿離子蝕刻與濕蝕刻最大的差別，即是可以提供良好之非等向性蝕刻，以獲得垂直且高深寬比的結構。本節以光阻溝槽圖形來作為非等向性製程的測試遮罩，蝕刻速率、垂直度、側壁的平坦度與圖形的輪廓都是考量的重點。圖 4.89 表示同一製程條件參

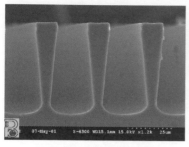

(a) 蝕刻溝槽呈外擴現象

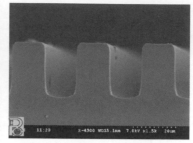

(b) 蝕刻溝槽呈內凹情形

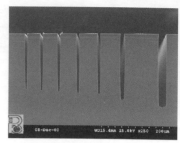

(c) 蝕刻延遲的現象

(d) 雜草現象

(e) 側壁橫紋

圖 4.88 感應耦合電漿離子蝕刻 ICP-RIE 製程易形成之結構缺陷。

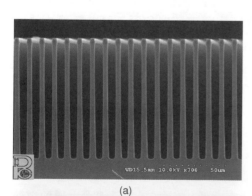

(a)

(c)

圖 4.89

掃描式電子顯微鏡矽深蝕刻之溝槽圖形：(a) 蝕刻深度約為 100 μm、溝槽寬度為 5 μm，垂直度為 89° ± 1°，深寬比為 20；(b) 蝕刻深度約為 90 μm、溝槽寬度為 3 μm，深寬比為 30；(c) 蝕刻深度約為 80 μm、溝槽寬度為 2 μm，即深寬比為 40。

數下，以矽深蝕刻製程完成之深溝槽圖案，其中圖 4.89(a) 的蝕刻深度約為 100 μm、溝槽寬度為 5 μm，垂直度為 89° ± 1°，深寬比為 20；圖 4.89(b) 的蝕刻深度約為 90 μm、溝槽寬度為 3 μm，深寬比為 30；圖 4.89(c) 的蝕刻深度為 80 μm、溝槽寬度約 2 μm，即深寬比可高達 40。深寬比越高其垂直度越差，在越接近蝕刻底部部分，可發現蝕刻出的線距越來越小，對小線寬圖形，此現象極為明顯，甚至底部成為尖形，這是由於蝕刻氣體無法蝕刻所致。其原因有二：一、蝕刻氣體不足，改善方法為蝕刻氣體流量隨蝕刻深度增加而增加；二、蝕刻氣體足夠但無法順利到達底部，改善方法為增加下電極功率使蝕刻氣體快速到達底部，或隨深度增加蝕刻時間。

圖 4.90 所示的晶片厚度為 500 μm，遮罩線寬 30 μm，蝕刻深度 410 μm，由此可製作蝕穿晶片之製程，但由於感應耦合電漿離子蝕刻機是由晶片背面通入氦氣進行冷卻，因此不能將晶片直接蝕穿，必須將要蝕穿之晶片黏著於一基板上，或於蝕刻晶片背面沉積二氧化矽、氮化矽等與矽有高蝕刻選擇比之材料，當作蝕刻終止層，避免氦氣洩漏致使蝕刻製程中斷。但當有蝕刻終止層或如 SOI 晶片製程時，會產生底部結構嚴重側蝕現象，產生的原因為蝕刻至蝕刻終止層後，向下蝕刻之離子因與蝕刻終止層碰撞而反射至側向進行蝕刻所致。如圖 4.91 所示為直徑 100 μm 之圓形圖案，係晶片底部沉積二氧化矽蝕刻終止層，經蝕穿 500 μm 之底部並去除二氧化矽後之 SEM 圖。

③ 等向性蝕刻製程

蝕刻製程中若不施加電壓於下電極，則不產生靜電偏壓於製程腔體中，電漿中的正離子不會被吸引向下轟擊，使得蝕刻方向具有等向性。同樣以不同線寬的光阻溝槽圖形來作測試，經過不同時間以等向性蝕刻方式來掏空光阻下方之矽基材，此等向性蝕刻製程更可用來製作懸浮結構。圖 4.92 為經過等向性蝕刻 18 分鐘後線寬 50 μm 的溝槽形狀，經過等向性蝕刻 20 分鐘後則可掏空線寬 50 μm 下之矽基材。通入之蝕刻氣體為 SF_6 與 O_2，不加電壓於下電極。

除以上利用參數的調整來獲得等向性蝕刻外，常見的等向性乾蝕刻也有利用 XeF_2 氣體

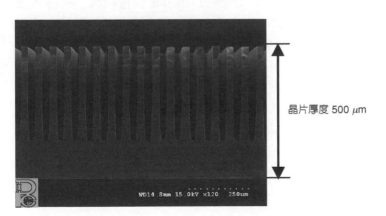

晶片厚度 500 μm

圖 4.90
矽深蝕刻之溝槽圖形的掃描式電子顯微鏡影像，溝槽寬度 30 μm，蝕刻深度 410 μm。

圖 4.91 蝕穿圓形圖形之掃描式電子顯微鏡，圖
形直徑為 100 μm，蝕刻深度 500 μm。

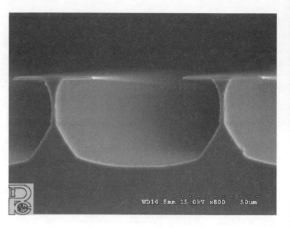

圖 4.92 光阻線寬 50 μm 經過等向性蝕刻 18 分鐘
後之掃描式電子顯微鏡圖形。

來進行。當以 XeF_2 進行等向性蝕刻時，則不需要調整任何參數，不需施加上下電極，只需調整 XeF_2 氣體流量，將氣體導入製程腔體即可進行等向性蝕刻。但 XeF_2 有毒性，需小心使用。

④ 側壁鏡面製程

　　感應耦合電漿離子蝕刻之蝕刻機制為 Bosch 的交替蝕刻方式，蝕刻後結構的垂直度也因此得以提高。但相對的，此種蝕刻機制會在蝕刻側壁產生橫紋的現象，導致側壁之粗糙度變差，限制了此項製程之應用，若能獲得平坦之鏡面蝕刻側壁，則感應耦合電漿離子蝕刻除可製作高深寬比的微結構外，更可應用在光學的設計上，如常見的光開關、光通訊及微鏡面等。一般標準製程參數所獲的側壁粗糙度均方根值 (RMS) 約為 20－30 nm 左右，PV (pitch to valley) 值約 200－300 nm 左右。如圖 4.93 所示為感應耦合電漿蝕刻深度 50 μm，以原子力探針所量測到的側壁粗糙度，其品質不太符合光學等級的應用，但經蝕刻製程參數調整能獲得較平坦的側壁微結構[114]。如圖 4.94(a) 所示為線寬 10 μm 溝槽結構，利用 ASE 蝕刻機制，蝕刻深度為 40 μm，垂直度為 89 ± 1°，以原子力探針量測其側壁粗糙度均方根值約 10 nm 左右，PV 值約為 85 nm 左右，如圖 4.94(b)，即可應用在光學設計上，並且不同於一般光學結構設計因製程限制只能作垂直入射之設計，若能獲得平坦且高深寬比的側壁，使得光可由側向入射，使光源如光纖與光學結構同時製作，則可避免對準的問題。

(3) 蝕刻基本製程應用

　　如前所述，感應耦合電漿離子蝕刻可藉由下電極的控制，來達成非等向性與等向性的蝕刻。因此，可藉由其非等向性與等向性蝕刻、蝕刻參數的調整及與其他製程之搭配來製作不同之微結構。以下說明利用感應耦合電漿離子蝕刻製程的特性，應用於微結構的製作。

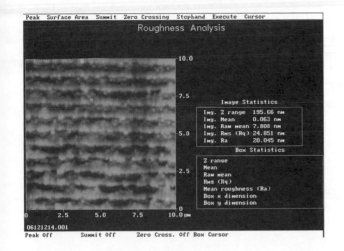

圖 4.93

原子力探針所量測到的側壁粗糙度，掃描範圍為 $10\ \mu m \times 10\ \mu m$，RMS 值為 25 nm。

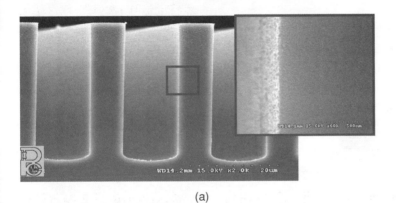

(a)

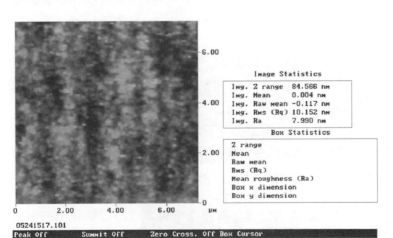

(b)

圖 4.94

(a) 掃描式電子顯微鏡所得平整側壁之溝槽圖；(b) 原子力探針所量測到的側壁粗糙度，掃描範圍為 $10\ \mu m \times 10\ \mu m$，RMS 值為 10 nm。

① 懸浮製程技術

　　利用感應耦合電漿離子蝕刻之等向性蝕刻來製作懸浮微結構，微結構可使用非矽的材料，如氧化矽、氮化矽、金屬或高分子材料等，利用不同之蝕刻選擇比來製作，將結構層製作於矽基板上，再利用感應耦合電漿離子蝕刻之等向性蝕刻來掏空微結構下方之矽基材，製作懸浮結構。與一般濕蝕刻製作懸浮微結構比較，離子蝕刻為乾式蝕刻，可避免微結構黏著於基板的問題，增加製程之良率。圖 4.95 為微繼電器製程步驟圖。圖 4.96 為利用此法所製作出之微繼電器 (micro relay)，先進行黃光製程，曝光顯影製作微結構層，微結構材料為 SU-8 負型厚膜光阻，厚度約 30 μm，再以感應耦合電漿離子蝕刻進行等向性蝕刻，利用懸浮與不懸浮結構尺寸的不同，一道光罩即可製作完成，最後鋪上金屬導電層即可驅動。

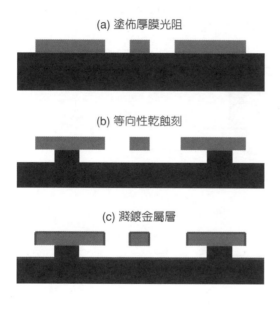

圖 4.95
微繼電器製程步驟。

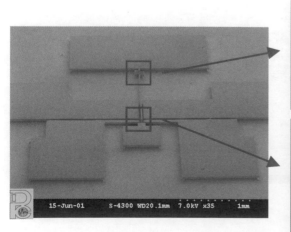

圖 4.96
SU-8 負型光阻微繼
電器之 SEM 圖。

② 潛埋式微流道製程技術

　　如圖 4.97 所示為單晶矽潛埋式微流道製程步驟圖，也是利用感應耦合電漿離子之蝕刻特性所製作，一道光罩即可完成。圖 4.98 為單晶矽潛埋式微流道之 SEM 圖，首先在矽基板上利用光阻定義細長型的溝槽圖形，將晶片置入感應耦合電漿離子蝕刻機進行非等向性蝕刻，蝕刻到要製作流道的深度，通入 C_4F_8 氣體使溝槽側壁形成高分子聚合物 $(C_xF_y)_n$ 保護層，將底部的高分子聚合物膜蝕刻掉，使矽暴露出來，最後利用等向性蝕刻出微流道，將高分子聚合物膜與光阻移除，再經 PECVD 沉積 SiO_2 薄膜將流道上方溝槽密封，形成單晶矽潛埋式微流道。製程上所要注意的是微流道上方的溝槽不可過大，尺寸之設計需考慮後

(1)　定義圖形

(2)　第一段非等向性蝕刻

(3)　沉積高分子保護層

(4)　第二段非等向性蝕刻

(5)　等向性蝕刻蝕刻出微流道

(6)　去除光阻及高分子薄膜

(7)　利用 PECVD 沉積二氧化矽將流道密封

圖 4.97 單晶矽潛埋式微流道製程步驟。

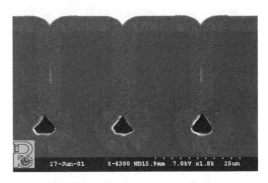

圖 4.98 單晶矽潛埋式微流道之 SEM 圖。

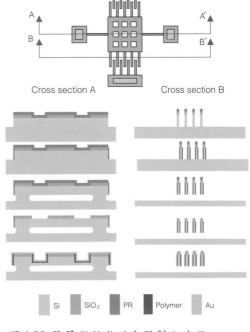

圖 4.99 雙層微梳狀致動器製程步驟。

段製程之能力，否則將導致溝槽難以密封。另外因上方溝槽限制蝕刻氣體進入蝕刻微流道之方向，導致微流道之形狀受到限制，此為其缺點。

③ Dry SCREAM 製程技術

SCREAM (single crystal reactive etching and metallization) 製程技術是利用複雜之離子蝕刻步驟製作出之各種單晶矽可動式懸浮微結構，如微繼電器 (micro relay)、微梳狀致動器 (micro comb-drive) 及微電容器 (micro capacitance) 等，此製程技術完全利用調整感應耦合電漿離子之蝕刻參數製作完成[115]。

蝕刻製程參數中，如氣體流量、反應蝕刻的時間、週期、製程腔體的壓力及上下電極的大小，都是影響製程結果的重要因素。製作單晶矽可動式懸浮結構，一般所熟知的是使用 SCREAM 製程技術。在 SCREAM 製程技術中，是用二氧化矽來當作懸浮時結構的保護層，而此處則是用感應耦合電漿離子蝕刻本身所提供的高分子聚合物 $(C_xF_y)_n$ 保護層來取代二氧化矽，如此一來，製作懸浮可動的微結構，就完全只需 ICP 蝕刻技術即可。使用單光罩將遮罩圖案製作於矽基板上，經過 ICP 蝕刻過程後，即可完成懸浮微結構，更可利用多道的遮罩，加上不同遮罩材料的選擇搭配，如光阻、二氧化矽、氮化矽及金屬等，來獲得不同厚度的微結構。本實驗採用光阻與二氧化矽兩種遮罩，經過七道 ICP 蝕刻製程步驟，製作兩種結構厚度。所有製程步驟均在 ICP 乾蝕刻製程機台中製作，製程簡化且無濕蝕刻黏著的問題，使得此製程技術更為可靠。

製程步驟如圖 4.99 所示，以兩道光罩製作兩層結構厚度之微梳狀致動器為例，首先在晶片方向為 $\langle 100 \rangle$ 的矽晶片上，長一層 5000 Å 的二氧化矽，使用第一道光罩，將光罩圖形定義在第一道二氧化矽的遮罩上，再鋪上正型光阻 AZ4620，利用第二道光罩，定義圖形到第二道光阻的遮罩上，由二氧化矽與光阻兩道不同圖形的遮罩決定結構不同厚度的部分。之後將定義好遮罩之矽晶片放置至感應耦合電漿蝕刻機中，進行蝕刻。蝕刻第一步驟係利用 ASE 蝕刻機制非等向性往下蝕刻，此步驟決定微結構之厚度。第二步驟，只通入 C_4F_8 鈍化保護氣體，形成較厚的高分子聚合物薄膜 C_xF_y，此步驟之目的在獲得保護層，使結構在等向性懸浮蝕刻製程時不被蝕刻。第三步驟，將結構底部之高分子聚合物薄膜打掉，使矽暴露出來。第四步驟，採用等向性蝕刻將結構底部矽材掏空，形成懸浮結構。第五步驟，通入氧氣將光阻遮罩去除，使要打薄之矽結構部分暴露出來。第六步驟，依據二氧化矽遮罩圖形定義，用 ASE 蝕刻機制再將暴露出的結構部分打薄。第七步驟，則再通入 C_4F_8 鈍化保護氣體，利用高分子聚合物薄膜 C_xF_y 將微結構整個覆蓋住當作作絕緣層，即完成製作雙層微梳狀致動器微結構，最後鋪上金屬當作導電層。藉由此製程技術可製作不同厚度之可動式微結構，如不同厚度的微梳狀致動器，其特點為可藉由控制彈簧厚度，降低結構整體的剛性，以降低所需的驅動電壓；另外如減少質量塊的大小則可以提高振動頻率。

本製程方法成功的利用單光罩製作出幾種單層結構微致動器，如微繼電器、微梳狀致動器與微電容感測器，其結構厚度為 30 μm，如圖 4.100(a)－(c) 所示。圖 4.100(d) 為微梳狀

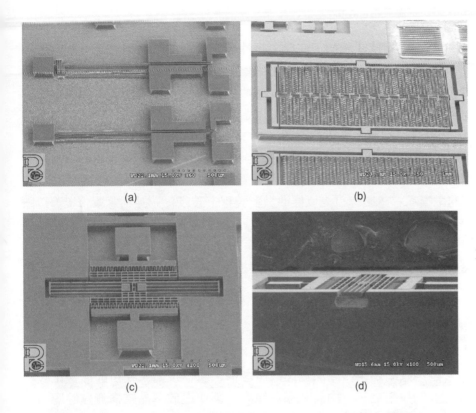

(a)   (b)

(c)   (d)

圖 4.100
Dry SCREAM 製程
技術製作單晶矽可
動式微結構：(a) 微
繼電器；(b) 微電
容器；(c) 微梳狀致
動器；(d) 微梳狀
致動器之側視圖。

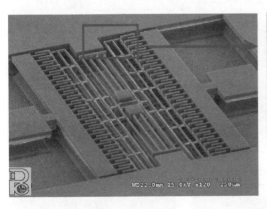 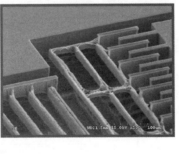

圖 4.101
Dry SCREAM 製程
技術，利用兩道遮
罩製作之不同厚度
微梳狀致動器。

致動器之側視圖，可明顯觀察其懸浮情形。更可利用兩道光罩製作出兩種厚度之微梳狀致
動器，主結構厚度為 30 μm，彈簧結構為 20 μm，如此可降低結構剛性，因而所需的驅動電
壓也可降低，如圖 4.101 所示。

　　通常單晶矽懸浮微結構是以 SOI 晶片來製作，但 SOI 矽晶片本身價格昂貴，同時 SOI
蝕刻二氧化矽層需濕式蝕刻來達成懸浮步驟，可能因黏著問題導致良率下降。此製程技術
完全是利用感應耦合電漿離子蝕刻製作完成，並以一般單晶矽晶片即可製作可動式懸浮微
結構，因此以此項製程製作可動式懸浮微結構，即可降低成本及提高良率。

④ ICP-RIE LIGA 製程技術

　　利用感應耦合電漿離子蝕刻技術所加工完成之脆性矽質模，並不適用於進行後續的高分子壓模或射出成形。因此，將矽模以電鑄方式翻製成金屬模仁，將是實現 ICP-RIE LIGA 製程的最佳方式。整個程序首先在矽模上以蒸鍍或濺鍍方式形成金屬薄膜，當作電鑄起始層，當金屬沉積於矽模達到需求厚度後，鑄層經過研磨修整，再以 KOH 或 TMAH 溶液蝕刻矽模進行結構釋放 (release) 獲得金屬模仁，圖 4.102 為 ICP-RIE LIGA 製程示意圖。然而，因矽蝕刻完才鍍上金屬薄膜當作電鑄起始層，若蝕刻深寬比較大，則金屬薄膜不易整面覆蓋，易形成階梯覆蓋 (step coverage) 的問題，造成電鑄層的缺陷。圖 4.103 表示以 ICP-RIE LIGA 技術製作的微噴嘴[116]，製程首先以標準微影製程定義氧化矽蝕刻遮罩，接著以離子蝕刻方式加工 275 μm 深度 (圖 4.103(a))，去除氧化矽後再以 AZ4620 光阻為蝕刻遮罩加工 125 μm 深度 (圖 4.103(b)－(d))，完成的矽模以電鑄方式沉積 400 μm 鎳金屬或合金 (圖 4.103(c))，鑄層經過研磨後，再以 KOH 溶液蝕刻矽模進行結構釋放 (release)，獲得金屬微噴嘴 (圖 4.103(e))[116]。

4.3.3.4 結論

　　感應耦合電漿離子蝕刻技術為製作高深寬比矽微結構之製程技術，在目前微機電製程領域中為深矽蝕刻最主要的技術之一，由於其深寬比高，製作之矽單晶結構無殘餘應力問題，加上深蝕刻所構成之大質量塊特性，在一些利用慣性量測感測器應用上有極大用處，使得此項技術備受重視。感應耦合離子蝕刻是類 LIGA 製程技術其中一種，更可替代 LIGA 此種費用極高之製程技術。同時此製程技術為製作在矽基板上，矽基製程技術已發展非常

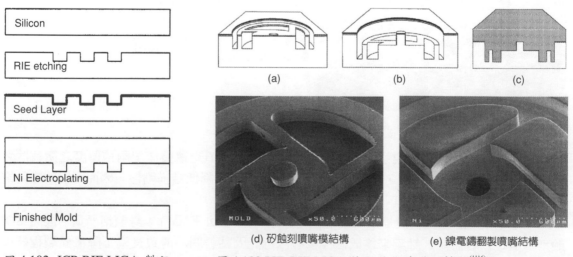

(a)　　　　　　　　(b)　　　　　　　　(c)

(d) 矽蝕刻噴嘴模結構　　　　　(e) 鎳電鑄翻製噴嘴結構

圖 4.102. ICP-RIE LIGA 製程
示意圖。

圖 4.103 ICP-RIE LIGA 技術於微噴嘴的製作[116]。

成熟,除本節所詳細介紹感應耦合電漿離子蝕刻本身之應用外,若結合其他矽製程技術與 IC 電路,感應耦合電漿離子蝕刻製程技術將有更大發展空間。

4.4 精密電鑄技術

4.4.1 簡介

電鑄製程係把原型母模放在陰極上,利用電鍍原理沉積至適當的厚度,再使其與母模分離,此製程可用以生產各種金屬模具和精密零組件。在光電、電子、微機電等產業快速發展,且強調輕薄短小、提升附加價值的今日,傳統的車、銑、鉋、磨、鑽等機械加工方式,已無法滿足精密微結構模具的製造,故精密電鑄製程的應用已日益受到重視。至於何時可考慮採用電鑄技術呢?基本考量為需要百分之百複製精度者,其所適用之製造領域如下[117]:

(1) 光學鏡面複製,例:塑膠鏡片用光學模仁。
(2) 表面複雜細紋複製,例:各類光碟片衝模。
(3) 以傳統加工方法製作不易或製作成本太高之模具複製,例:非球面鏡模具複製。
(4) 以傳統加工方法製作不易掌握再現性者,例:設計複雜之光學模仁複製。
(5) 工件壁薄,很難以傳統方法加工者,例:反射鏡、燈罩、內部為鏡面之環、管。
(6) 希望透過大量翻製,縮短製程時間者,例:塑膠鏡片用光學模仁複製、光學全像片製作。
(7) 工件內含複雜結構,以傳統方法加工困難者,例:導波管。
(8) 微篩網、微過濾膜等微結構之複製量產,例:微機電應用結構與元件。
(9) 金屬箔之製造,例:銅箔、鎳箔。

電鑄是一種高效率且精密的模具成形技術,以前主要應用於票卷印製、低價模具複製,今日則廣泛應用於光碟片、全像片及光學模仁複製。在光電、電子及微機電產業蓬勃發展帶動下,電鑄的應用領域將更形擴大。精密電鑄技術的特性為:① 只要一道加工程序,即可得形狀複雜工件;② 對母模複製性極佳,可複製量產用公模;③ 複製精度高,適合作光學訊號複製;④ 配合其他加工技術,可得多種特殊設計工件。基於以上特性,精密電鑄可用於製作一般傳統機械加工不易完成或成本偏高之零件,如精密模具、光碟衝模 (CD stamper)、雷射鏡面、伸縮囊管、光學可拋棄式模仁、導波管、光學全像片、耐磨砂輪、金屬箔 (foil)、板模 (stencil) 及航空零組件等,圖 4.104 即為電鑄技術應用產業及產品關連圖[117]。

微機電製程領域之微光刻電鑄模造技術 (LIGA),結合了積體電路的光刻術、電化學的電鍍鑄模技術及高分子材料模造技術,可用以大量翻造高深寬比 (high-aspect-ratio) 或複雜的 3D 形狀微結構,支援元件強度及增加其電、磁致動特性。圖 4.105 為 LIGA 製程示意圖

第 4.4 節作者為楊啟榮先生、游智勝先生、黃奇聲先生、胡一君先生及周曉宇先生。

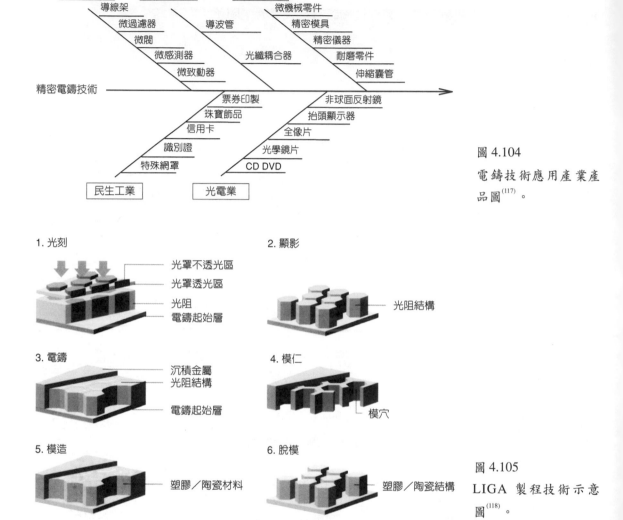

圖 4.104

電鑄技術應用產業產品圖[117]。

圖 4.105

LIGA 製程技術示意圖[118]。

[118]，首先在基板上鋪上一層厚度數十至數百微米的高分子光阻材料，此光阻材料的選擇端視所使用的深刻光源而定，光源經由特殊設計與製作的光罩 (mask) 照射在光阻上。第二步驟是將照射過光源的光阻顯影 (developing) 後，即可得到由光罩圖案轉移 (pattern transfer) 的光阻模板。第三步驟是利用電鑄技術，將金屬沉積在此光阻模板內，然後第四步驟是以蝕刻的方式將光阻去除，即可得到所需的金屬微結構。第五步驟則是以金屬微結構作為模仁 (mold insert)，以熱壓法 (hot embossing) 或射出成形 (injection molding) 等技術量產塑膠微結構，或利用鑄製法 (casting process) 翻製樹脂 (resin) 元件，亦可經由注漿法 (slip casting process) 量產 PZT 等陶瓷微結構，最後脫模 (demolding) 得到微結構產品[119]。

從量產的角度而言，LIGA 製程本質上即可視為一種製造超精密模具的方法。LIGA 製程之所以選用微電鑄技術的原因，在於 IC 製程用之 PVD、CVD 成形速率太慢，而電鑄則可克服此項缺點。LIGA 製程與 IC 製程相同，均以光刻技術定義光阻圖案 (pattern)，因此製作之微結構與 IC 電路的整合較無困難。此外，利用電鑄及模造技術，使得微結構得以批量翻造大量生產。LIGA 製程可實現高深寬比微小元件，對於微齒輪、紡口 (spinneret)、IC 導線架 (leadframe) 及光纖連接器 (connector) 等微機械零組件的開發特別適用，另外在微加速度計、微幫浦、微馬達及微光學應用元件技術已臻成熟，並實際應用於生化、醫療、環保、消費性電子及精密機械等方面。

　　根據模仁的微結構尺寸、準確度需求與製造成本，LIGA 技術已呈現多樣發展，但其本質仍不脫離光刻、電鑄及模造三種主要製造程序，以下各節將僅針對電鑄基本原理與微結構電鑄技術作深入的說明。

4.4.2 電鑄技術基本原理

　　電鑄 (electroforming) 技術乃利用電鍍 (electroplating) 原理，將各類金屬 (或合金) 沉積於特殊設計之母模上，待累積到相當厚度後再與母模脫離，即可產生電鑄工件。電鍍與電鑄的基本差異為：電鍍沉積層較薄 (μm) 且須與基材緊密的結合，鍍層成為工件的一部分，而電鑄層較厚 (μm – cm) 且可與母模完全脫離成一獨立成品，故所用之母模前處理方式不同。一般而言，電鍍用之模具材料多為導體，而電鑄用模具的選用則具多樣化，導體、非導體及光阻製作之母模均是選擇範圍。電鑄品主要是強調機能性，因此鑄品的硬度、拉伸強度等機械特性受到重視；電鍍層則注重光澤性、平滑性、抗磨耗與耐腐蝕性等，故兩者的鍍液組成及操作條件均不同。電鑄的沉積過程乃是一個個原子之堆積，故可完整複製原母模的所有訊息。電鑄成品之精確度完全取決於母模之設計精度，只要模具設計得當，其複製精度可達到次微米級，此時可將之定義為所謂的精密電鑄技術。然而，由於電鑄層較厚，故易產生內應力 (internal stress)、變形及表面暨內部針孔等問題，必須將電鑄操作參數如鑄液成分、pH 值、溫度、添加劑及雜質等，在電鑄程序中控制管理。

　　電鑄技術的基本分類有金屬電鑄，如 Ni、Cu、Au、Ag 及 Pt 等；合金電鑄 (alloy electroforming)，如 Ni-Fe、Ni-Co、Ni-Mn 及 Ni-W 等，及複合電鑄，如 Ni-SiC、Ni-Al$_2$O$_3$ 及 Ni-diamond 等。雖然任何可以電鑄的金屬或合金皆能作為電鑄模具的材質，但在應用上標準的電鑄材料是鎳，因鎳具有容易電鑄及抗腐蝕性佳的特性，但其質軟，硬度僅約 250 Hv，故主要是應用於製造較無磨耗問題之塑膠結構成形模仁，或加速度計與過濾網等微結構。若需要製作強韌、耐衝擊與耐磨耗之刀具／模具，則必須開發低應力、高硬度 (550 Hv)、高強度之合金電鑄或複合電鑄技術。

　　應用電鑄製程製作鎳合金金屬模具的基本原則與步驟如圖 4.106 所示，說明如下[120]。
(1) 製作合適的電鑄用原型母模，材料的選用如蠟、橡膠、塑膠、石膏或其他金屬皆可。
(2) 原型母模必須先進行表面處理，如清洗、脫脂、活化及導電等步驟，再放入專門設計與

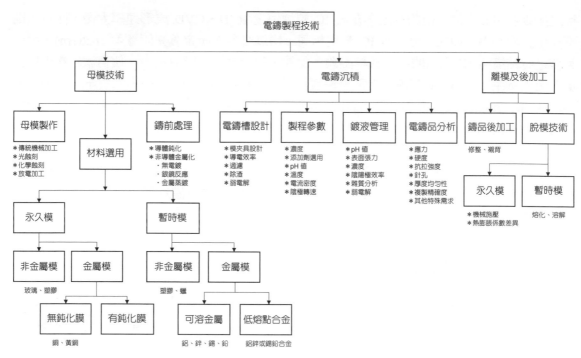

圖 4.106 電鑄製程技術內容[117]。

調配好電鑄溶液之槽體中,經直流或脈衝 (pulsed) 電源導通後,陽極的金屬便溶解沉積於陰極的原型母模上。

(3) 待達到所需的鎳合金厚度,原型母模即可離開電鑄液,經過清洗與乾燥步驟,鑄層即可與原型母模剝離。

(4) 最後進行鑄件檢視與品質測試。

4.4.3 微結構電鑄技術

(1) 微電鑄加工特性[121]

在 LIGA 製程技術中,電鑄技術是唯一可用以生產金屬結構的製程,其加工程序要項如圖 4.107 所示[122]。此技術乃是利用電鍍原理,將所需之金屬 (或合金) 沉積於以深光刻術所形成的光阻母模上,待沉積到所需厚度後再與母模脫離,即可產生金屬微結構。LIGA 製程技術所製造的結構具有微小、高精度、高深寬比的特色,因此所要求的微電鑄技術層次較一般電鑄技術為高。在 LIGA 製程中電鑄程序所扮演的角色如圖 4.108 所示,主要有三項功能:① 鍍金製作 X 光光罩之吸收層 (absorber);② 以金屬、合金或複合電鑄方式,製作金屬微結構;③ 以金屬、合金或複合電鑄方式製作模仁,大量生產塑膠或陶瓷微結構。

　　基於應用上物理與機械性能的需求，使得 LIGA 製程之電鑄金屬或合金種類 (甚至合金組成比例) 有所差異，表 4.20 即表示不同電鑄金屬與合金之特性與應用領域，其中 Ni、Cu 主要用於製造較無磨耗問題之金屬微結構或塑膠微結構成形模仁；Au 用於製作 X 光罩之吸收層；Ni-Co 與 Ni-Mn 合金具高強度與高硬度特性，適合作為耐衝擊或耐磨耗之刀具或模具；21% Fe : 79% Ni 之 Permalloy 合金為軟磁材料，具有高導磁係數與高飽和磁束密度，可用以製作電磁式微致動器或微感測器；64% Fe：36% Ni 之 Invar 合金其熱膨脹係數相當低，與 Si 晶片及一些陶瓷材料相近，故可直接以此類材料為基材製造 Invar 合金微結構，因此 Ni-Fe 合金在微機電系統中極具應用價值[123]。

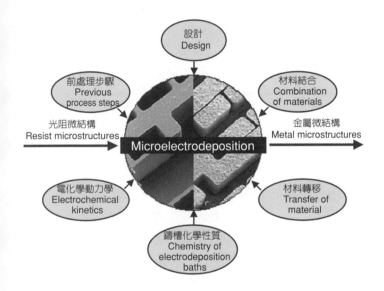

圖 4.107
LIGA 製程之電鑄程序要項示意圖[122]。

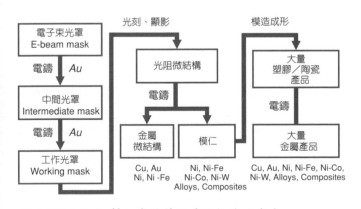

圖 4.108 LIGA 製程中電鑄程序所扮演的角色。

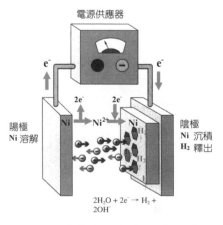

圖 4.109 電鑄系統架構與陰、陽極作用示意圖。

表 4.20 LIGA 製程之電鑄金屬特性與應用。

電鑄金屬	材料特性與應用目的
鎳	金屬微結構、模仁
金	X 光光罩吸收層 (absorber) 材料 中間層 (intermediate layer) 材料
銅	金屬微結構、中間層材料
鎳－鐵	高磁性與耐腐蝕特性 ・Invar (64% Fe: 36% Ni)：低熱膨脹係數特性 　(熱膨脹係數 (TCE)：鎳：13.4×10^{-6}/K、銅：16.5×10^{-6}/K、矽：2.6×10^{-6}/K、 　Invar：2.0×10^{-6}/K) ・Permalloy (21% Fe: 79% Ni)：高磁性特性 　(飽和磁化強度－鎳：6 kgauss、Permalloy：10 kgauss)
鎳－鈷	高強度特性適用於耐衝擊、耐磨耗衝模
鎳－錳	高硬度特性適用於耐衝擊、耐磨耗衝模
鎳－鎢	耐高溫特性

(2) 電鑄製程說明[121]

　　一般而言，經光刻後所形成的光阻模板為三層式結構，最底部為非導電的矽晶圓、玻璃、陶瓷或塑膠等基材，其次是作為電鑄起始層的導電金屬，最上層則為光刻後的光阻圖案結構。圖 4.109 為電鑄系統架構與陰、陽極作用示意圖，其中光阻模板在電鑄槽中作為陰極，而欲電鑄的純金屬 (99.9%) 材料盛於鈦籃 (titanium basket) 中作為陽極。包裹鈦籃之陽極袋最好用內面起毛之棉布或塑膠纖維布，以過濾陽極金屬溶解時的不純物。在電鑄過程中，接上外部直流電源使兩極間產生電壓，此時陽極金屬會溶解於鑄液中，形成金屬離子並放出電子，陰極則獲得電子使金屬離子還原並沉積於模板中。因導電起始層僅有數千埃 (angstrom, 10^{-10} m)，故在開始沉積時宜先以低電流密度為之，等鑄層增厚後再加大電流密度，否則沉積層會呈現燒焦狀態。電鑄前待鑄件必須經過適當之處理，以確保良好之電鑄品質。一般之電鑄前處理步驟為：水洗→脫脂→水洗→酸洗活化→水洗→(浸漬離型劑→水洗)。此外，為去除顯影後電鑄起始層表面殘存的光阻，待鑄件可進行氧電漿 (plasma) 表面潔淨處理。

　　純水沖洗目的在於去除待鑄件之微粒雜質，並清除各前處理程序之殘留藥劑，以避免污染鑄液。另外，具高深寬比特性的光阻模板將使陷入圖案內的空氣難以排出，致使電鑄層產生缺陷。為了排除陷入圖案內的空氣，使電鑄液能與電鑄起始層緊密的接觸，可在待鑄件放入鑄液前，先浸入純水中並進行短暫的超音波處理。脫脂與酸洗活化目的，分別是去除附著於電鑄起始層表面的油脂類污染與氧化層，以保持鍍液之潔淨及金屬沉積層能密著於電鑄起始層。浸漬離型劑 (重鉻酸鉀) 的目的則是為了電鑄完成後，使電鑄層能與光阻模板順利分離所施行的步驟。前處理完成之待鑄件應立即置入電鑄槽中，以免因與空氣接

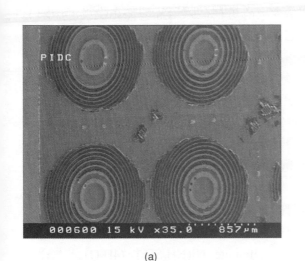
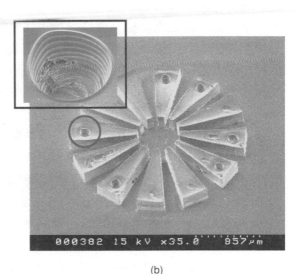

(a)   (b)

圖 4.110 微結構電鑄時容易產生之缺陷：(a) 鑄層附著力不佳；(b) 氣泡針孔。

觸而產生氧化作用，並且須在最短時間內啟動電流進行電鑄，否則會發生陰極金屬溶解 (正常應為沉積) 的現象。若不克馬上進行電鑄，應將鑄件拿出並浸泡於純水中，必要時必須重新進行酸洗活化步驟。圖 4.110 表示微結構電鑄時容易產生之缺陷，如圖 4.110(a) 所示前處理不良所造成之鑄層脫落，以及圖 4.110(b) 因氣泡附著所造成的鑄層針孔，其起因可能為空氣深陷光阻模板內、鑄液攪拌不足以及溼潤劑 (wetting agent) 添加量或針孔抑制能力不足所致。

待鑄件經過前處理後露出活化的金屬起始層，電鑄金屬即由此起始層開始成長，最後形成與光阻形態互補 (complementary) 的金屬結構。當電鑄進行中應儘量避免拿出鑄件觀察，以免鑄層氧化致使後續沉積不易，或容易產生界面剝離現象。若必須在電鑄進行中觀察鑄層，則鑄件拿出鑄液面後，在鑄層表面鑄液尚未乾燥前即必須將鑄件重新置入鑄液中。電鑄完成後，鑄件須進行純水沖洗並加以乾燥，以避免鑄件表面產生斑點、鏽及變色。此外，為了使電鑄後的結構高度均一或表面平滑，必須在去除光阻前經過研磨拋光，以適應結構的應用或後續的塑膠模造成形，最後將工件浸在化學溶液中去除光阻，完成電鑄結構。

(3) 高深寬比電鑄技術[121]

光學應用元件如繞射式 (diffractive) 微透鏡、全像片 (hologram) 或 DVD 碟片等，製作時先完成塑膠母片 (master)，再以蒸鍍 (evaporating)、濺鍍 (sputtering) 或銀鏡反應的方式鋪上金屬起始層，接著進行電鑄以複製金屬沖印片 (stamper)，整個製程如圖 4.111 所示。由於光學應用元件之圖案結構其深度僅數千埃至數微米，故可在塑膠母片製作完成後，才鋪上金屬起始層加以電鑄複製。但為使 LIGA 製程之高深寬比光阻微結構於深窄孔道內仍可獲得均勻之電鑄沉積層，必須如圖 4.105 所示先在基材與光阻間鋪上電鑄起始層，利用結構側壁具非導電特性，使金屬沉積層僅由底部的電鑄起始層開始成長，終至形成與光阻形態互補的金屬結構。LIGA 微結構的深寬比為微光學元件的數十倍，若在光刻術後才鋪上電鑄起始層，將會產生兩種不良的影響：① 濺鍍的金屬無法均勻分布在深窄的孔道壁表面；② 電鑄層非僅由底部基材開始沉積，容易造成孔道表面突出的部位，電鑄層快速沉積而封閉，形成包覆孔洞的現象。圖 4.112 即表示高深寬比電鑄製程，母模幾何形狀與電鑄起始層位置對電鑄沉積層品質的影響示意圖。

　　一般而言，任何可以電鑄的金屬或合金皆可作為微結構的材料，但在應用上，微結構或塑膠成形模仁的標準電鑄材料是鎳，因鎳具有高張力強度、良好的機械性質及抗腐蝕的特性。電鑄鎳使用的標準鑄液為胺基磺酸鎳 (nickel sulfamate, $Ni(NH_2SO_3)_2 \cdot (4H_2O)$)，此鎳電鑄浴具有下列優點：① 鑄層內應力低，機械性質佳；② 沉積速率快；③ 電著性 (throwing

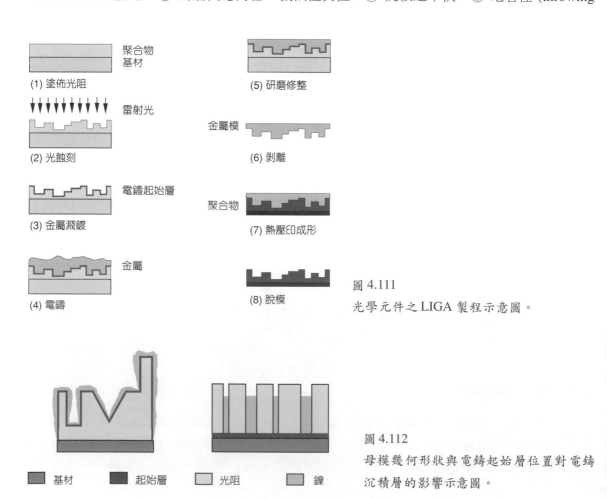

圖 4.111
光學元件之 LIGA 製程示意圖。

圖 4.112
母模幾何形狀與電鑄起始層位置對電鑄沉積層的影響示意圖。

power) 均勻。表 4.21 即為德國 FZK 所使用之鎳電鑄浴組成與操作條件[124,125]，為了使電鑄結構達到所需的品質，除了控制鑄液的 pH、溫度、鎳金屬鹽濃度及選擇適當的電流密度外，亦須控制緩衝鑄液 pH 變化的硼酸濃度，並添加應力消除劑 (stress reducer) 以降低鑄層內應力。另外，為增進電鑄液與光阻結構間的親和性，促使電鑄液能進入深窄孔道，溼潤劑的添加亦不可避免。溼潤劑可降低電鑄液的表面張力，使陰極產生之氫氣與氫氧化物膠體不易附著於鑄層表面，減低鑄層產生針孔及凹洞的機會，故又稱為針孔抑制劑。圖 4.110(b) 即為因氣泡附著所造成的鑄層針孔，由此可知添加溼潤劑的重要性。

為防止電鑄前的處理程序使電鑄起始層產生氧化失效，以及增加電鑄起始層對基材的黏附性，常以黏附層－電鑄起始層－保護層之金屬結構披覆在基材上，三層式金屬製程的一般選擇為 Cr-metal-Cr 或 Ti-metal-Ti (metal: Cu 或 Ni)。在電鑄前以 1：1 的 HCl：H_2O 溶液蝕刻 Cr 保護層，或以 1：9 的 HF：H_2O 溶液蝕刻 Ti 保護層，露出活化的電鑄起始層。電鑄起始層的選用則視欲電鑄之金屬種類而定，例如結構電鑄 Cu 時，則選用 Cu 為電鑄起始層，如此可避免異種金屬黏結性不佳之問題，然而在蝕刻去除電鑄起始層時，蝕刻液亦會損傷電鑄結構。若要使電鑄完成的結構脫離基材，需利用底蝕刻 (underetching) 的方式將黏附層去除，達成電鑄結構的釋放 (release)。除了三層式金屬製程外，亦可利用 Au 與 Ag 難以氧化且導電性佳之特性，形成如 Cr-metal 或 Ti-metal (metal: Au 或 Ag) 之黏附層－電鑄起始層結構，但電鑄完成後，需以 4 g KI、1 g I_2、40 mL H_2O 溶液蝕刻 Au 電鑄起始層，或以 11 g $Fe(NO_3)_3$、9 mL H_2O、44－49 °C 溶液蝕刻 Ag 電鑄起始層[126]。

一般的巨觀結構電鑄，離子從電鑄液傳遞至陰極表面的方式有對流 (convection)、擴散 (diffusion) 及電遷移 (electromigration) 三種，然而在微結構電鑄過程中，其孔道內的質傳 (mass transport) 定性模式如圖 4.113 所示[128]，低深寬比孔道靠對流與擴散方式，高深寬比孔

表 4.21. 德國 FZK 之鎳電鑄浴組成與操作條件[124,125]。

操作參數	數值
胺基磺酸鎳	400－450 g/L
硼酸	40 g/L
溼潤劑 (sodium dodecylsulfate)	2－3 mL/L
應力降低劑 (saccharin)	3－5 g/L
電流密度	1－10 A/dm^2
溫度	50－60 °C
pH	3.5－4.0
過濾	0.2 μm
鎳陽極	Sulfur-depolarized Nickel pellet

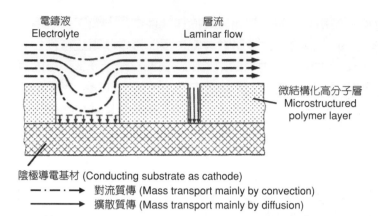

電鑄液
Electrolyte

層流
Laminar flow

微結構化高分子層
Microstructured
polymer layer

陰極導電基材 (Conducting substrate as cathode)
--- · --- ▶ 對流質傳 (Mass transport mainly by convection)
———————▶ 擴散質傳 (Mass transport mainly by diffusion)

圖 4.113
不同線寬之結構電鑄時質傳的定性
模式[127]。

道則僅靠擴散達到質傳目的。擴散層 (diffusion layer) 區分為下方的線形 (linear) 擴散層與上方的類球形 (quasi-spherical) 擴散層。類球形擴散層生成的速率較線形擴散層為快，故深窄孔道質傳速率的關鍵在於線形擴散層，兩擴散層孔道內的分布比例與位置，取決於對流程度、孔道深寬比、鑄液濃度與組成等因素[127]。

雖然加強鑄液的攪拌與陰極擺動，有助於深窄孔道內的離子對流傳遞，但當結構深寬比大於 500，任何攪拌方式均無法達到對流目的，孔道內的鑄液幾乎呈靜滯狀態，亦即達到所謂的質傳極限 (mass transport limitation) 狀態[128]。在質傳極限狀態下，若增加電流密度使金屬沉積速率變大，則深窄孔道內因離子消耗量大而不及補充，使形成的鑄層不穩定且表面粗糙。離子消耗量大時易生成氫氣，靜滯的鑄液使氫氣泡不易散失，造成孔道內電鑄失敗。雖然降低電流密度使金屬沉積速率變小，有助於以上缺點的改善，但低沉積速率意味著需增加電鑄時間與製程成本，而且過低電流密度的超電勢 (overpotential) 亦會產生不可接受之沉積金屬型態[130]。

事實上，質傳極限狀態下電鑄所需之極限電流 I_{lim}，可經由公式 (4.12) 計算，以作為選擇操作電流範圍的基準：

$$I_{\mathrm{lim}} = nFD\frac{(C_b - C_s)}{\delta} \tag{4.12}$$

其中 n 為金屬離子的電荷 (charge)，F 為法拉第常數，D 為金屬離子的擴散係數 ($\mathrm{cm^2/s}$)，δ 為有效的擴散層厚度 (cm)，C_b 為電鑄槽金屬離子濃度，C_s 則為電極表面金屬離子濃度。實際的電鑄情況下，n、F、D、C_b、C_s 幾乎保持常數，故唯一影響 I_{lim} 的因素為 δ 的大小。δ 的大小受到對流的影響，在攪拌、超音波振盪、鑄液流動等方式下，對流將使 δ 值減小一至兩個級數 (order)。δ 值減小時極限電流 I_{lim} 變大，故可提高電流密度以獲得良好鑄層品質，一般的經驗法則是為避免有害鑄層因素的影響，操作電流約設定為極限電流 I_{lim} 的

60%[128]。總之,高深寬比微結構的電鑄製程,必須特別注意擴散層厚度、金屬離子濃度及擴散係數等因素的影響。另外,利用深孔內的擴散控制進行局部反應 (partial reaction),可使合金電鑄時結構厚度即使達數百微米,其組成成分仍能在各高度保持均質 (homogeneous) 比例。更進一步地,可善用合適的較大電流密度以縮短沉積時間,加速產品的開發,特別是需要較大鑄層厚度的 LIGA 模仁製造。

微結構電鑄的品質,深受結構圖案設計、圖案密度、圖案分布位置、深寬比及鑄液組成等因素影響。圖 4.114 顯示薄光阻結構電鑄時,電流密度分布不均勻及尺寸差異導致鑄層厚度形成的差異[130]。當密度均勻的陽極電流經過鑄液接近陰極圖案結構,將在圖案接近光阻的外緣產生電流聚集 (crowding) 現象。當被鍍物的尺寸愈小,周圍光阻的覆蓋面積愈大,則電流聚集密度愈大。電流聚集區域的金屬沉積速率較中間部位為快,因此在橫向 (lateral) 尺寸較大的結構中,產生外緣鑄層較內緣為厚的結果。然而,在橫向尺寸小於 5 μm 的結構中,外緣鑄層將合併形成凸塊。

圖 4.115 顯示不同深寬比光阻結構電鑄時,鑄層表面輪廓曲線隨電鑄厚度變化所造成的差異[131]。低深寬比結構電鑄時,受到外緣電流聚集現象,與類球形擴散層所造成之離子質傳效果佳的雙重因素,使外緣鑄層迅速沉積,終至形成香菇狀 (mushroom) 的凸塊。高深寬比結構電鑄時,由於僅受到底部線形擴散層的影響,再加上深孔內的電流分布較均勻,外緣電流聚集現象並不明顯,故從底部至孔洞 2/3 高度處,鑄層厚度幾乎一致,如圖 4.116(a) 所示[130]。然而隨著鑄層接近孔洞頂部,低深寬比結構電鑄的效應顯現,最後仍出現如圖 4.116(b) 所示的香菇狀凸塊[130]。因此,深孔電鑄時為避免厚度不均,一般的建議是至孔洞

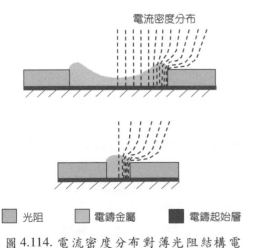

圖 4.114. 電流密度分布對薄光阻結構電鑄厚度影響示意圖。

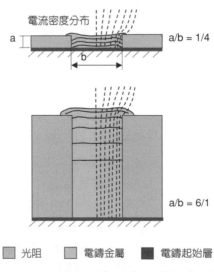

圖 4.115 不同深寬比對電鑄輪廓曲線影響示意圖。

 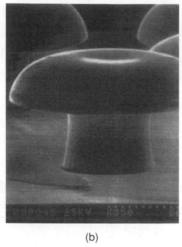

(a)   (b)

圖 4.116

(a) 於結構高度 2/3 處停止電鑄之鑄層輪廓；(b) 過度電鑄所造成之香菇狀凸塊[130]。

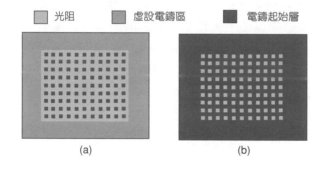

(a)   (b)

圖 4.117

改善微結構電鑄易受電流聚集影響的方法：(a) 增加虛設電鑄區；(b) 減小光阻覆蓋面積。

2/3 高度處即停止電鑄。當然，若是最後經研磨平坦化處理 (planarize)，則可於任何時間或適當高度處停止電鑄。因電流聚集所造成的厚度不均，可以添加適量的有機平坦劑 (leveler)，使其吸附於高電流密度區，達成抑制電流鑄層厚度平坦化的目的。以上的實例說明，設計結構圖案時，其尺寸、密度及分布位置應力求一致，使相同陰極面積上的鑄層厚度差異減少。

陽極電流經由鑄液接近陰極電鑄面積時，不可避免地將在圖案接近光阻的外緣產生電流聚集現象。當被鑄物的橫向尺寸愈小，周圍光阻的覆蓋面積愈大，則電流聚集密度愈大，因此微結構的電鑄品質受到電流密度分布的影響甚巨。改善微結構電鑄易受電流聚集影響的方法，除了注意上述提及結構圖案設計及鑄液組成等因素外，陰極電鑄面積可設計如圖 4.117 所示之虛設電鑄區 (thieving area) 或減小光阻覆蓋面積。虛設電鑄區仍可沉積金屬，但不用以製作微結構，純粹是吸收陰極外緣的高密度電流，並於微結構電鑄面積不足時增加電流密度。另外，減小陰極光阻覆蓋面積讓電鑄面積增大，有助於電流密度的均勻分布，亦可避免深孔電鑄時前處理費時、光阻殘留物不易去除、鑄層易形成缺陷等缺點。

利用電鑄技術製作微結構成形模仁,用以批量 (batch) 生產微系統元件,可降低成本、滿足工業市場需求,這也是 LIGA 製程的最大特色。然而,模仁電鑄的技術層次相當高,因隨著鑄層厚度增加 (數 mm－cm),鑄層容易產生應力變形、表面暨內部針孔及平坦性等問題。利用電鑄參數與鑄液組成的控制,上述問題可獲得改善。為了降低模仁內應力,常以低電流密度方式進行電鑄,亦即需耗費數週時間才能完成模仁電鑄。一般模仁電鑄的方式如圖 4.118(a) 所示,先將鑄層變厚再經精密機械加工修整。但這種電鑄方式必須將鑄層內應力控制到最小,耗費製程時間,且加工修整模仁時易造成微結構破壞。為避免以上的缺點,模仁的製作方式改良成如圖 4.118(b) 所示,先將純鎳金屬 (99.9%) 材料修整成模仁基部形狀,接著以此作為基板形成光阻微結構,後續鎳電鑄至所需厚度,去除光阻後即形成所需的模仁。

圖 4.119(a) 表示高深寬比光阻結構電鑄時,鑄層於結構入口外側不可避免地形成香菇狀的凸塊,使後續的鑄層沉積厚度差異很大,造成後續加工修整的困難。為了改善此一效應,製程改良成圖 4.119(b) 所示,當鑄層沉積至結構入口側時,鑄件表面另行鋪上金屬導電層,使光阻表面與已鑄金屬間形成導電通路。此時因已電鑄的金屬表面輪廓較為平坦,使後續的鑄層沉積厚度差異變小。圖 4.120(a) 顯示陰極表面外緣的電流密度較大,將造成

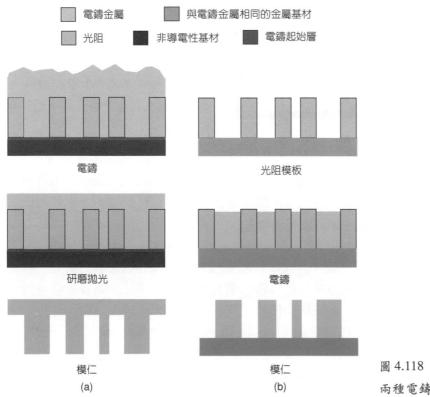

圖 4.118

兩種電鑄製作模仁之程序。

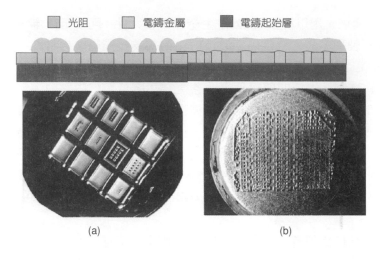

圖 4.119
避免鑄層沉積厚度差異過大之製
程示意，(a) 改良前，(b) 改良後
[118]。

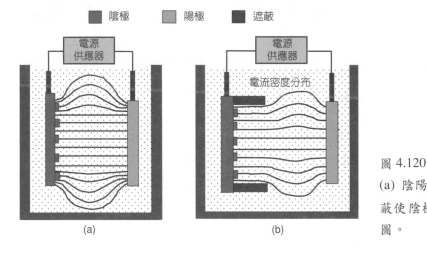

圖 4.120
(a) 陰陽極間電流密度分布；(b) 遮
蔽使陰極表面電流密度均勻化示意
圖。

陰極面積外緣區域的結構鑄層厚度大於內緣區域者。遮蔽 (shield) 為電流絕緣物，通常用塑膠，可將電流分布均勻化，有助於減小陰極結構鑄層厚度的差異，圖 4.120(b) 即顯示使用遮蔽達成電流分布均勻化之示意圖。絕緣遮蔽的形狀尺寸及與陰極的相對位置對遮蔽效果的影響，必須根據陰極電鑄面積尺寸與分布加以評估。另外，圖 4.121 表示應用輔助陰極方式，改善鑄層厚度均勻性的方法[131]。圖 4.121(a) 顯示陰極電鑄面積外緣區域的鑄層，因電流密度較大、沉積速率較快之故，其厚度較內緣區域者為大。為避免此一鑄層厚度不均勻的現象，傳統的作法是加上遮蔽物，或將陰陽極的工作距離拉近，使電流分布均勻化。圖 4.121(b) 則以輔助陰極的方式，在被鑄物四周的一特定距離 (小於 2.5 mm)，加上一與被鑄物面積相同尺寸之導電金屬框 (frame) 作為第二陰極，兩個陰極分別與兩台電源供應器連接，但設定相同的電流密度。第二陰極的目的在於減少電鑄面積外緣區域的離子濃度，進而降低此區域之電鑄沉積速率，達到提高鑄層厚度均勻性的目的。

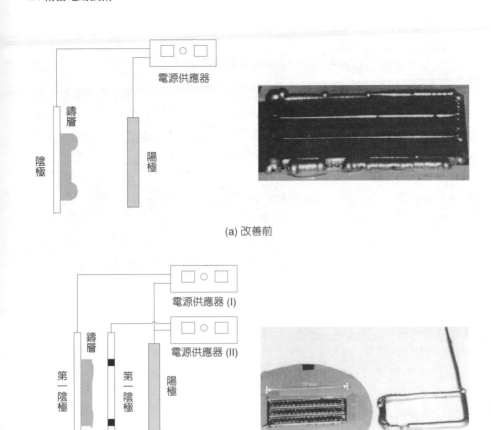

(a) 改善前

(b) 改善後

圖 4.121
應用輔助陰極改
善鑄層厚度均勻
性的方法[131]。

(4) 合金電鑄技術

為開發適合作為耐衝擊或耐磨耗之刀具或模具，或為增進微元件應用上物理及機械性能的需求，合金電鑄扮演重要的角色。合金電鑄是指在陰極上同時析出兩種或兩種以上金屬的電鍍方法，此時合金鑄液本身的特性及控制條件，遠較單一金屬鑄液複雜，關鍵的問題有[132]：

1. 鑄液穩定性：鑄液中金屬離子的比例為控制鑄層組成最重要的變因，若鑄液成分隨時發生改變，將無法控制電鑄程序。例如，在鎳－鐵合金電鑄中，鑄液中的亞鐵離子 (Fe^{2+}) 容易氧化成三價鐵離子 (Fe^{3+})，進而產生氫氧化物沉澱，使得鑄液成分不能維持恆定。

2. 鑄層缺陷：一般合金電鑄層具有很大的內應力，內應力將使鑄層捲曲變形，甚至是電鑄微結構發生裂痕或脫落現象。

3. 合金鑄層的成分比例控制：合金鑄層的成分比例受到鑄液組成、電流密度、pH 值、操作溫度等因素的影響。但在深孔電鑄過程中，隨著鑄層的長成，孔洞的深度逐漸變淺，造

　　成局部電流分布以及擴散層時時在變化，而深孔內 pH 值的分布梯度，亦可能使電鑄條件沿孔洞深度而變，導致應力或成分組成控制的問題更加複雜。

　　大多數的合金電鑄均屬於異常共沉積 (anomalous deposit) 型[123]，即在陰極兩種金屬的沉積率不同。例如對 21% Fe：79% Ni 之 Permalloy 合金而言，鑄液中的鐵離子僅需 2% 就已足夠。Dahms 和 Croll 等人認為當鑄液中的 pH 值約為 2－4 且外加電流時，可使電極表面 pH 值偏高，形成 Fe(OH)$_2$ 吸附。此種水合物阻礙了 Ni 的沉積，但對 Fe 不造成影響，因此 Fe 的沉積速率遠高於 Ni，而 Fe(OH)$_2$ 的吸附量、厚度等，均會影響電極表面極化的程度，進而改變合金析出的成分。因此，電鑄時可利用金屬離子濃度、電流密度、操作溫度、pH 值、添加劑等參數，來改變電極表面極化程度，而得到所需求的成分[133,134]。參考之 Ni-Fe 與 Ni-Co 合金鑄液組成如表 4.22 所示[123,135,136]，在鎳系合金電鑄中，胺基磺酸系列可獲得較低的內應力，故使用胺基磺酸鐵 Fe(NH$_2$SO$_3$)$_2$·7H$_2$O 與胺基磺酸鈷 Co(NH$_2$SO$_3$)$_2$·2H$_2$O 應用於鎳－鐵與鎳－鈷合金電鑄，但實際的鑄液配方仍在實驗發展階段，或被各研發單位列為專門 know-how，並不對外公開。

　　合金鑄層中的金屬比與鑄液中的二種金屬離子的濃度比密切相關。通常二種金屬離子的濃度比越高，鑄層中相應的金屬比也越高。但隨電鑄過程之進行，鑄液中的金屬離子將不斷減少，為保持陰極上正常的金屬析出，應及時補充鑄液中的金屬離子。在合金電鑄中有下列補充方法[132]：

1. 採用與合金鑄層相同成分的合金陽極，即鑄液中的金屬離子完全由合金陽極供給。此法適用於鑄液成分已固定的系統，而鑄層組成須與陽極完全相同，優點是省略雙陽極系統複雜的電流控制問題；缺點為系統缺乏可調整性。鎳鐵合金方面，因為陽極溶解電位較高，會引起合金陽極不能正常溶解，並不適用此種方式。

2. 採用不溶性陽極 (惰性陽極)，補充化學藥品。即添加金屬鹽補充鑄液中的金屬離子。配合即時監控系統，對於鑄液濃度的控制將最為準確，但缺點是成本較高。

3. 雙陽極配置系統。二種金屬離子用不同的陽極來補充，以分電流的方式，個別控制二陽極之溶解量。但電流控制方面非常複雜，在微小電流電鑄時供電系統亦會產生干擾。

4. 混合不同比例的二種金屬球或金屬粒，放置於陽極袋中進行電鑄。由於陽極表面積會隨電鑄時間而變，對於金屬個別析出量控制不易。

(5) 複合電鑄技術[137]

　　一般合金鑄層之內應力會隨硬度的增加而增大，亦即為獲得較高之硬度，可能無法避免高內應力的產生。因應鑄層低應力高硬度之要求，複合電鑄技術的發展受到重視。所謂複合電鑄係將一種或多種不溶性之固體微細顆粒，其大小約為微米至奈米等級，均勻鑲埋於金屬中所形成之特殊鑄層，藉以改良因單一物質所無法滿足之功能。複合鑄層的基本組成有兩部分，一是通過還原反應所形成的基質金屬，其組成連續相；另一部分則為不溶性

表 4.22 合金電鑄浴組成與操作條件參考資料[123,135,136]。

合金電鑄種類	操作參數	數值
Ni-Fe bath (I)[123]	胺基磺酸鎳	240 g/L
	胺基磺酸鐵	Ni/Fe≒12/1－40/1
	硼酸	30－40 g/L
	溼潤劑	dipentyl ester of sodium sulfosuccinic acid*
	應力降低劑	sodium saccharin*
	安定劑	ascorbic acid*
	電流密度	1－10 A/dm²
	溫度	40－60 °C
	pH	3.5－4.0
	過濾	0.2 μm
	雙陽極	Nickel pellet、Iron foil
Ni-Fe bath (II)[136]	硫酸鎳	200 g/L
	硫酸鐵	8 g/L
	氯化鎳	5 g/L
	硼酸	25 g/L
	溼潤劑	sodium dodecylsulfate*
	應力降低劑*	sodium saccharin*
	安定劑*	ascorbic acid*
	電流密度	1 A/dm²
	溫度	30－40 °C
	pH	2.5－3.0
	過濾	0.2 μm
	雙陽極	Nickel pellet、Iron foil
Ni-Co bath[137]	胺基磺酸鎳	70 g/L
	胺基磺酸鈷	6 wt%
	硼酸	30－40 g/L
	溼潤劑	dipentyl ester of sodium sulfosuccinic acid*
	應力降低劑	sodium sulfosuccinic acid*、benzene-m-disulfonate*
	電流密度	1－5 A/dm²
	溫度	55 °C
	pH	4.0
	過濾	0.2 μm
	雙陽極	Nickel pellet、Cobalt foil

*：一般的用藥選擇。

固體顆粒，它們通常均勻鑲嵌於基材金屬中，組成一個不連續相。如果不經過特殊的加工處理，基質金屬和固體顆粒之間是呈物理性的混雜，相互間幾乎不發生化學反應及擴散現象，所以鑄層可同時獲得基質金屬與固體顆粒的綜合性能。

　　一般而言，此種複合鑄層的應用主要在於提升耐蝕性、耐磨耗性、耐氧化性或增加潤滑性等機能，因此常用之固體粉末包括有碳化矽 (SiC)、三氧化二鋁 (Al_2O_3)、鑽石、碳化鎢 (WC)、二硫化鉬 (MoS_2)、鐵氟龍 (PTFE) 與氟化石墨等。目前各種不同之複合鑄層已為世界各國廣泛應用，如以鎳－碳化矽 (Ni-SiC) 複合電鑄進行汽機車汽缸與工具機軸之表面處理。鎳－鑽石粉末 (Ni-diamond) 複合鑄層則可用於切割寶石、齒科醫療等方面之刀刃上，其性能皆比純金屬優越甚多。然而，在微機電元件的應用開發方面，製作次微米級複合電鑄微結構最大的困難點，在於若鑄液中添加之微粒太小，則其相互間之吸引力極大，十分容易聚集在一起形成團狀物，使鑄層中之微粒分布不均勻，影響鑄層性質甚巨。因此必須藉助界面活性劑之添加，使微粒表面產生靜電排斥力或立體效應，達到充分分散之效果，以獲得均勻之複合鑄層，提升複合電鑄微結構之應用性能。

4.4.4 影響電鑄品質參數[121]

　　影響微結構電鑄品質的因素整理如圖 4.122 所示，包括微結構圖案設計與製作、鑄件前處理程序、電鑄槽設計、電鑄參數控制等，參數眾多且控制不易，故目前為止電鑄仍是一種藝術。LIGA 微結構電鑄技術之操作準則如下：

1. 考量光阻相容性，鍍液 pH 值須小於 7 (一般光阻抗酸不耐鹼)。
2. 電鍍液的成分儘可能單純化。
3. 鍍液成分必須可分析控制 (特別是溼潤劑)。
4. 僅使用高純度化學藥劑 (試藥級)。
5. 低微粒含量，在無塵室環境操作或連續循環過濾 ($< 0.2\ \mu m$)

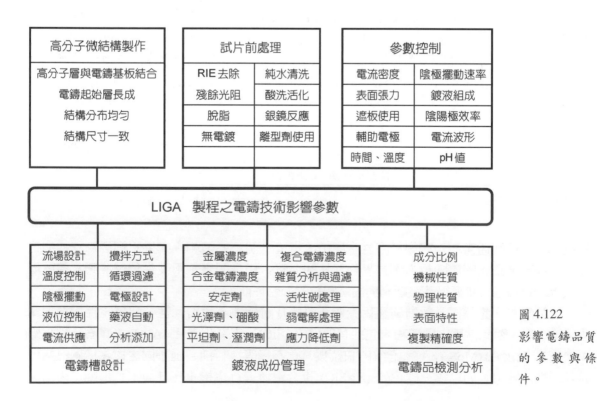

圖 4.122 影響電鑄品質的參數與條件。

6. 特別注意鍍液品質，不可產生有機污染物。

7. 100% 的電流效率 (但有易生成氣體造成針孔的危險)。

8. 優良的微電著性 (throwing power)。

9. 輔助陰、陽極的應用，增加鍍層厚度的平坦性。

10. 適當的流場設計，使鍍液攪拌均勻，深孔內易質流傳輸。

11. 利用遮蔽 (shield) 板使鍍槽中電流分布均勻，減少鍍層厚度的差異。

　　LIGA 微結構電鑄裝置之設計要求為：(1) 提供適合的電流密度分布。(2) 提供均勻的鍍液攪拌。(3) 防護微粒與化學污染。(4) 具備過濾、溫度及 pH 值控制。(5) 鑄液成分分析控制與自動添加。而對電鑄溶液之要求為如下：

1. 純淨度高、沉積速率快、鑄層內應力低。

2. 能夠產生高品質的金屬 (符合電、磁、機械等特性)。

3. 不會侵蝕光阻、基材及電鑄起始層。

4. 容易進入光阻結構之深窄孔道，並排除陷入孔道內的氣泡。

5. 電鑄時不會產生過量的氫氣。

6. 具良好的電著性。

7. 在適當的電鑄裝置下，產生厚度與成分均勻的鍍層。

8. 不會對局部電流密度的變化敏感。

9. 經歷長時間電鑄，可容易控制與重新補充。

　　表 4.23 所列為 LIGA 製程中電鑄起始層與光阻層之品質需求[128]。事實上微結構電鑄受局部電流密度的影響很大，製程條件不可一體適用所有的鑄槽設計，必須尋求符合個人需求的參數設定。除了上述各節對電鑄技術與品質影響因素的說明外，其他值得注意的事項與操作條件分述如下：

1. 適當設計且可靠之電鑄槽是影響微結構電鑄品質的關鍵。圖 4.123 是 IMT/FZK 為 LIGA 製程所開發之電鑄設備功能示意圖[125]，此裝置採電鑄槽與輔助槽雙槽式設計，鍍液的成分與濃度可自動監測與添加。目前如圖 4.124 所示符合工業應用之 LIGA 微結構電鑄設備，已由德國 Institute of Microtechnology Mainz (IMM) 單位研發上市[138]。為因應電鑄參數的探討，圖 4.125 則為精密儀器發展中心所開發之鎳電鑄實驗槽。

2. 均勻電著性與鍍液種類及組成、操作條件、陰陽極幾何形狀及相對位置、電流密度等相關連，使得厚度均勻的鑄層不易獲得。改善的原則是促使電流密度分布均勻，其方法有加大陰陽極間的距離、調整鍍液成分與操作條件、結構設計避免尺寸與分布差異過大、使用絕緣遮蔽或增加虛擬電鑄面積等。

3. 鑄液雜質的存在會使得鑄件產生缺陷，故必須以連續過濾及週期性淨化的方式加以濾除。雜質可分為微粒子污染、金屬污染、有機物污染，處理方式是以濾孔小於次微米的濾材過濾微粒子，以弱電解的方式去除不必要的金屬離子，並以電鍍級的粉末活性炭去除有機物質。

表 4.23 LIGA 製程中電鑄起始層與光阻層之品質需求。

電鑄起始層之品質需求

1. 對基材的黏著性佳。
2. 高導電性。
3. 不容易氧化或受污染。
4. 有能力在顯影液與鍍液的浸泡中，抵抗過度的蝕刻或氧化。
5. 電鑄完成後容易選擇性去除。
6. 不會產生對鍍液有害的離子。
7. 不會與光阻反應，但必須與光阻黏著性佳。

電鑄起始層的去除過程必須：
1. 具選擇性，不會侵蝕已電鑄的圖案。
2. 導電層與黏著層一起去除。
3. 不會有殘留物或表面污染。

光阻層之品質需求

1. 塗佈時無細孔產生。
2. 容易被 UV 光、電子束、X 光等選擇性曝光。
3. 容易被光刻源所穿透。
4. 曝光與未曝光區間對顯影液展現高溶解率。
5. 顯影後微結構產生幾乎垂直的側壁。
6. 在顯影區域不會在電鑄起始層表面形成殘留物。
7. 不會與電鍍液反應。
8. 不會釋放污染鍍液物質。
9. 對電鑄起始層有優異的黏著性。
10. 不會產生過度的應力 (不可產生破裂、剝落等)。
11. 電鑄完成後容易去除。

圖案定義必須：
1. 間距具一致性。
2. 尺寸及形狀不可差異過大。

光阻層去除過程必須：
1. 不會導致侵蝕已電鑄圖案或電鑄起始層。
2. 容易去除乾淨，不會產生殘留物。

4. 為使深窄的孔道底部獲得完美的電鑄，並避免包覆孔洞的現象，必須給予鍍液適當的攪拌。攪拌的方式有流體循環攪拌、氣體攪拌、機械式螺槳攪拌及陰極擺動等方式。一般而言，以流體循環攪拌配合陰極擺動的方式最適用 LIGA 結構的電鑄，如此可避免微小氣泡所形成的缺陷。

5. pH 與溫度變化會影響電鑄品質，必須力求準確控制。由於胺基磺酸易於高溫分解成硫酸根與胺根，故應避免加熱器 (heater) 與鑄液直接接觸，最好是以隔水加熱或熱交換方式達到控制溫度目的。若必須將加熱器直接置於槽內，則應置於溢位槽或輔助槽中，並輔以高速鑄液流動，縮短鑄液與加熱器表面的接觸時間。

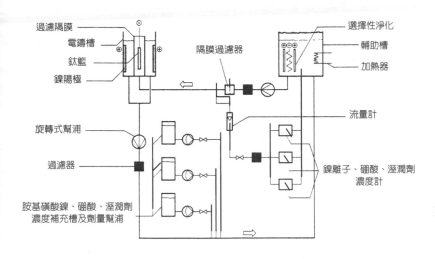

圖 4.123
FZK/IMT 自動化電鑄設備的功能示意圖[125]。

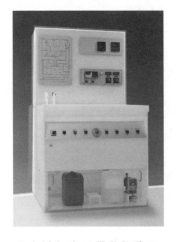

圖 4.124 德國 IMM 單位研
發上市之電鑄裝置
(GALV 750[138])。

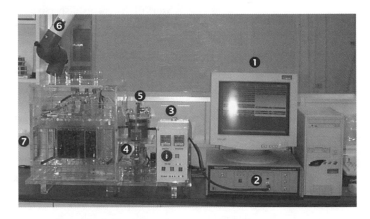

圖 4.125 精密儀器發展中心之鎳電鑄實驗槽。① PC 介面控制，② 恆電位儀，③ 控制器，④ 循環幫浦，⑤ 0.1 μm 濾心，⑥ 抽氣管路，⑦ 電鑄槽體：陰極擺動、液位控制、浴溫控制、流場控制、隔水加熱、雙陽極設計。

6. 一般的電鑄是使用直流電，但脈衝電流對鑄層的硬度、針孔度、接觸電阻等特性有顯著的改善，故其應用日益受到重視。尤其是逆電流法 (PR 法)，可藉由促進凸部的電解研磨與凹部的電鑄沉積，達到深窄孔道的均勻電鑄。

7. 必須適時的分析與補充，以維持電鑄液穩定，儘量使用高純度化學藥劑，並精準控制鑄液組成比例。電鑄時一般常用的分析與檢測方法如表 4.24 所示。事實上 LIGA 製程微結構電鑄所需的化學耗用量少，長期使用的鑄液可能產生劣化，而巨觀結構電鑄時則著重鑄液成分的補充。

表 4.24 電鑄時一般常用的分析與檢測方法。

分析檢測項目	分析儀器或檢測方法
鑄液離子濃度	化學滴定分析 極譜分析 (polarographic analysis) 色層分析 (chromatographic analysis) 光譜光度分析 (spectrophotometry)
界面活性劑 (添加劑) 濃度	哈耳氏槽 (定性分析) 高效率液相層析術 (HPLC) (定量分析)
鑄液表面張力檢測	液體表面張力儀 (surface tensiometer) 接觸角計 (contact angle meter)
鍍層內應力量測	內應力儀 (spiral contract-meter)
鍍層硬度量測	微硬度計 (micro Vickers hardness tester)
鍍層顯微組織觀察	SEM
鍍層成分分析	SEM/EDX (energy dispersive X-ray spectrometry) 感應耦合電漿光譜儀 (ICP-OES)

4.4.5 結語與展望

　　LIGA 製程已廣泛應用於微系統元件的製作，並成功的商業化，而電鑄技術是唯一可在 LIGA 製程中生產金屬結構的製程，其模仁製作的良窳則為後續模造批量生產成敗的關鍵，故必須加以重視。但影響微結構電鑄品質的因素眾多且控制不易，故目前為止微結構電鑄仍是一種藝術。藉由新材料與新設計概念的引進，LIGA 製程將增加其應用潛力，特別是未來整合 LIGA 製程與矽微加工的優點，更可促進微系統技術的成熟與應用。因此如何開發滿足 LIGA 產品機械與物理特性的電鑄配方，並提供穩定的製程品質，仍然充滿挑戰，相信藉由研發人員的努力與技術交流，定可提高微結構電鑄技術的成熟度。

4.5 微成形技術

　　微成形 (micro molding) 是泛指利用模具 (mold, die) 來進行微結構的創形或複製。實際上，必須依據成形對象的材料種類、尺寸與形狀上的特徵，採用適當的成形方法，才能以最經濟的成本獲得品質符合要求的微成形品。目前在塑膠微結構的成形方面，主要的方法有熱壓法 (hot embossing)[139] 和射出成形 (injection molding)[140]，其他如輥壓 (rolling)[141] 以及光聚合法 (photopolymerization) 亦有工業上的應用實例。而陶瓷微結構的製作[142]，則以粉末射出成形 (powder injection molding)、帶板鑄造 (slip casting) 結合壓印 (stamping) 或衝孔 (punching) 的製程較普遍，其他尚有利用陶瓷前驅物 (preceramic polymer) 成形[143] 或溶膠－凝膠 (sol-gel) 變化的方法，但此兩法在製程與應用上都有很大的限制。

第 4.5 節作者為陳仁浩先生。

4.5.1 塑膠微結構熱壓成形

　　熱壓法是在熱壓機的上下兩壓板間置入微結構模仁與塑膠板材或覆膜，並在該塑膠材料的玻璃轉換溫度 (glass transition temperature) 以上的高溫下，由上下壓板對塑膠材料施予壓力，而使模仁上的微結構得以賦形在塑膠板 (或覆膜) 上的一種成形方法，基本上可以分成封閉模方式與開放模方式兩種。所謂封閉模方式的熱壓，就是熱壓過程中除了上下壓板以外，在塑膠材料的側向周圍亦設置有模板來限制材料在側向上的流動 (如圖 4.126)，因此整個材料是在一個封閉的狀態下受到壓縮。相對的，開放模方式的熱壓則除了上下壓板之外，並未設置額外的模板來限制塑膠材料朝側向的運動 (如圖 4.127)，因此熱壓過程中在上、下壓板間的塑膠材料的厚度會變薄。

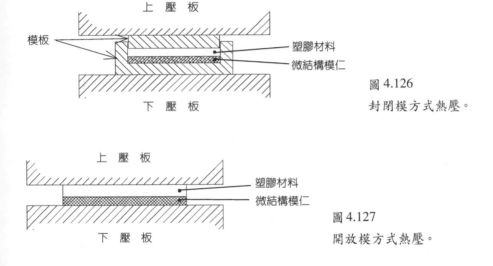

圖 4.126
封閉模方式熱壓。

圖 4.127
開放模方式熱壓。

　　由於封閉模方式的熱壓會使加工過程中的材料少有流動的發生。各部分的材料皆受到相同的壓應力，因此冷卻脫模後的微成形品能獲得均勻分布的收縮率和良好的品質。而開放模方式的熱壓，則由於材料在加工過程中會有側向的流動，容易形成中央部分高而邊緣附近低的壓力分布，致使脫模取出後的成形品可能會有微結構賦形性與收縮不均勻的情況發生，亦即尺寸精度的控制較困難。

　　無論是哪一種方式的熱壓，都必須維持工作區在真空中來進行熱壓步驟，以避免空氣殘留在微結構模穴中無法排出而造成成形缺陷。圖 4.128 是典型熱壓過程中的壓縮應力－時間以及溫度－時間關係。圖中所示接觸壓的目的是要保持初始升溫過程中塑膠材料的平整性，以及使材料能自上下兩方同時受到加熱，以縮短耗時並有助於材料溫度的均勻性。而當量測點的材料溫度達到設定值後，必須等待一小段的時間後才升高壓縮力而真正開始熱壓。此一措施是為了確保全體塑膠材料的溫度均達設定值的均溫狀況以進行微成形。至於

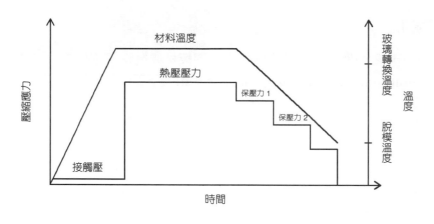

圖 4.128
熱壓過程中的壓縮力與溫
度的變化。

熱壓壓力的大小以及熱壓時間的長短則需視微結構的尺度大小和深寬比以及塑膠材料的種
類而定。一般而言,微結構越細或越薄所需的壓力越大,且深寬比越大則需要的熱壓時間
就越長。在冷卻過程中,保壓力量的大小和變化狀況會影響塑膠材料的收縮 (shrinkage) 特
性,對於微結構成形品是否會產生缺陷以及尺寸精度的控制至為重要。

        如果微結構本身無傾斜角或無脫模角之設計,則由於塑膠微結構成形品與微結構模仁
間的冷卻收縮差異所產生的夾持應力,使得脫模時必須借助脫模板或真空吸盤來使微結構
成形品與模仁分離。此時必須注意前述夾持應力對於成形微結構或模仁所可能造成的損
害。在微成形用的模仁表面通常不允許使用脫模劑。

4.5.2 塑膠微結構射出成形

        射出成形是利用巨大的壓力將熔融的塑膠材料高速射入模具的模穴內,並俟其冷卻固
化以獲得製品的一種成形方法。用來製作微結構的射出成形機基本上必須能非常準確地控
制每次的射膠量,其他在機器的結構上與傳統塑膠射出成形所用者並無太大的差異。

        模具設計是微射出成形與傳統射出成形差異較大之處。為了使模仁的微結構模穴內的空
氣能確實被排出,以避免發生微結構模穴充填不良等現象,模具內必須有真空排氣的設計。
此外,為因應製程中所需的模溫高低之變化,良好的溫度調節設計對於模具亦非常重要。

        由於微結構模穴的尺寸很小,充填過程中熔膠材料表面的溫度梯度所造成的表面材料
黏度增加甚或固化層的成長將會降低材料對微模穴的充填能力,因此有必要適當的提高充
填過程中的模具溫度,通常此溫度至少需設定在材料的玻璃轉換溫度以上為宜。此種充填
時的高模溫設定使得充填完畢後進行冷卻時的保壓措施益形重要,以補充因巨大的冷卻收
縮所造成的模穴內材料量之不足。然而,若無良好的保壓策略並配合適當的澆口設計,容
易造成整體模穴內的壓力分布不均,因而導致微成形品各部分的收縮率不一致,降低了微
成形的精度。要解決這種問題,射出壓縮成形 (injection-compression molding) 具有很大的優

勢。

　　冷卻過程中微結構模仁與模穴內塑膠材料之間收縮率的差異，會使模仁與成形品雙方的微結構在相對接觸的側邊產生接觸壓力，同時兩方微結構的基部亦會產生相對的剪應力場。前者使脫模時產生脫模抵抗，並因而是造成微結構模仁破損的主要原因。後者則容易使成形品的微結構歪曲倒塌，甚至於折斷。要減低模仁與成形材料間的收縮差異所衍生的問題，就必須在冷卻過程中施以恰當的保壓力。

4.5.3 塑膠微結構輥壓成形

　　輥壓成形的概略如圖 4.129 所示。塑膠薄片在穿過相對旋轉的一對平行輥子之間的間隙時，受到高溫輥子的瞬間加熱而使表面軟化，值此同時藉由輥子所施加的壓力而使附於高溫輥子表面的微結構轉印賦形於塑膠薄板上。而由於甫通過輥子間隙的塑膠薄板的表面仍具有較高的溫度，為避免其上新形成的微結構受到表面張力的影響而破壞，通常會以低溫的空氣流來對輥子間隙出口附近的塑膠薄板施予冷卻。

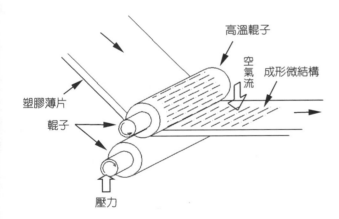

圖 4.129
微結構輥壓成形的概要。

　　輥子是輥壓製程設備的關鍵，除了必須具備足夠的剛性以抑制由輥壓負荷所可能造成的撓曲變形外，表面設有微結構的輥子其軸向溫度分布均勻性的控制亦非常重要。輥子表面設置微結構以成為微結構模具的方法有二。其一是先製作出一厚度均勻而薄 (數百 μm) 的微結構模板，再將該模板環繞並固定至輥子上以完成輥子模具之製作。此時必須注意該薄模板在輥子上的固定方法，以維護輥子模具的直徑均一性以及周面形狀之平滑性。另外一種製作輥子微結構模具的方法則是直接在輥子表面以切削、蝕刻或能量束等各種加工手段製作出微結構。

　　塑膠微結構輥壓成形的主要操作條件為輥子溫度、輥子轉速以及輥壓壓力。在沒有使用其他輔助加熱設備以軟化即將進入輥子間隙的塑膠薄板的情況下，高溫輥子所傳遞出來的熱是使塑膠材料表面層軟化的主要憑藉，因此輥子必須具備足夠高的溫度及熱容量，以便在極短的時間內使連續進入輥子間隙入口的塑膠薄板表面軟化。輥子溫度的適當設定值與所欲加工的塑膠材料之種類有關，並必須參考輥子的轉速 (圓週速度) 範圍。輥子的轉速控制了材料通過輥壓區的時間長短，在一定的輥子溫度設定值下，轉速因此決定了由輥子傳遞到每單位體積的塑膠材料的熱量，進而影響到塑膠薄板表面的軟化程度 (黏度)。而材料通過輥壓區的時間越長，其輥壓變形速度相對就越慢，承受壓力作用的時間亦越長。因此較慢的輥子轉速有助於將微結構良好地賦形於塑膠薄板上，並可使用較低的輥壓壓力。惟輥子轉速亦直接影響到該製程的生產速度，因此亦不宜過低。在能確保良好輥壓成形微結構的品質之前提下，目前的工業技術已可做到輥子圓週速度 1 m/s 以上。

　　由於塑膠材料自身的熱傳導性通常不佳，利用高溫輥子來軟化塑膠薄板表面層的輥壓製程通常僅適用於高度 (或深度) 小於 1 μm 的微結構之成形，例如全像 (hologram) 圖案或短波長光柵元件等。另一方面，成形微結構與其所接觸之輥子的微細凹凸表面在隨著製程的行進而分離時可能產生的相互干涉所造成的問題，亦是限制此製程之適用微結構高度的重要原因。此限制因子可於設計時利用加大輥子直徑來獲得某種程度的緩和。

4.5.4 以光聚合法製作塑膠微結構

　　光聚合法是一種賦形性極佳的成形方法，非常適合於塑膠微結構之製作，其製程的概略如圖 4.130 所示。將預先製妥的微結構模板置入模座，其上並罩以透明的玻璃板。在抽離空氣的同時即可將紫外光硬化型樹脂導入微結構模板與玻璃板之間的模穴內，一旦整個模穴填滿樹脂後立即開始進行紫外光照射。樹脂經紫外光照射一段時間而硬化後，即可將其與模板剝離而得到微結構製品。

　　此製程的裝置簡單，每次複製時間約僅一分鐘，因此量產性極佳。此外又因具有非常良好的轉印賦形性，可輕易複製次微米光柵結構[144]，對於繞射光柵元件的普及化有很大的幫助。

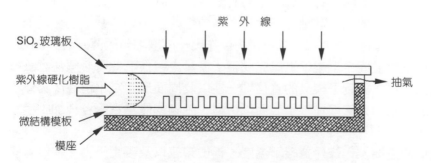

圖 4.130
利用光聚合法製作微結構。

4.5.5 陶瓷微結構射出成形

利用粉末射出成形法以製作陶瓷微結構時，首先必須考慮如何脫模的問題。由於陶瓷生胚的強度低，若使用一般的金屬模具和模仁，則脫模時的脫模力很容易使微結構生胚產生破壞。此種情況的發生，尤其以具有複雜形狀或垂直縱深的微結構者為甚。為了避免此種缺憾，可以採用撓性模仁或運用消失模 (lost-mold) 技術於成形製程中[145,146]。

所謂撓性模仁是指該模仁是用撓性材料所製作，且其剛性遠較陶瓷生胚為低，在脫模過程中其能順應力量之作用產生適當的變形或壓縮，以減輕陶瓷生胚所受的應力。矽膠是撓性模仁最常用的材料之一。在使用這類撓性模仁以進行陶瓷微結構的射出成形時，必須充分注意充填與保壓過程中成形材料的流動與壓力對於模仁所造成的變形影響，以免脫模後的成形品在尺寸精度或形狀上造成誤差。

撓性模仁通常可以重複使用，其壽命與使用過程所受的應力大小、狀態以及本身材料的的劣化特性有關。太高的模溫或成形材料溫度會使矽膠快速劣化，進而降低矽膠微結構模仁的使用壽命。

除了利用撓性模仁以外，採用消失模製程亦是製作陶瓷微結構的有效方法。消失模技術的種類很多，依據其除去模仁的手段可大致分成：(1) 加熱熔化或汽化，(2) 化學蝕刻及 (3) 溶劑溶解等三大類。對於陶瓷微結構的射出成形而言，確保微結構生胚不受損害是其與任何一種消失模技術結合的基本要件。前述第 (1) 類的加熱消失模技術即因加熱過程中容易造成陶瓷微結構生胚的變形或坍塌而不易適用。第 (2) 類的消失模技術則是無論使用乾式或濕式蝕刻，一方面在除去模仁的過程中對於陶瓷微結構生胚的保護較為困難，另一方面則因為目前適合利用蝕刻方法來去除的模仁材料種類較少，亦較難做複雜形狀的加工 (例如矽)，因此適用性也很小。至於第 (3) 類利用溶劑溶解的消失模法，則因為下列因素而最容易與陶瓷微結構的射出成形配合使用[146]：第一，塑膠模仁材料與有機溶劑的組合種類較多，易於找到對陶瓷微結構生胚的傷害性很低者。第二，塑膠材料的微結構模仁可以利用成形的方法大量生產以降低模仁成本，且可製做出複雜或三維的形狀。第三，此法不需加熱。針對第一點，以使用石蠟 (paraffin fax)、硬脂酸 (stearic acid) 和聚乙烯 (polyethylene) 作為結合劑的陶瓷生胚為例，可選用聚丙烯 (polypropylene) 為模仁材料，並以丙酮 (aceton) 做為除去模仁的溶劑。

圖 4.131 所示是結合了溶劑溶解消失模技術的陶瓷微結構射出成形製程。與傳統的陶瓷射出成形相較，此製程的射出充填階段宜設定較高的模具溫度與較低的射出壓力。選擇較高的模具溫度其目的是要避免充填中成形材料的黏度增加太多或固化而降低微結構的賦形性，惟必須注意塑膠模仁可承受的溫度。使用較低的射出壓力則是一方面要減少成形材料中結合劑的滲出，另一方面要避免模仁產生不必要的變形與破壞，當然其前提是該壓力值必須確保微結構模穴可被材料完全充填。圖 4.132 所示是運用圖 4.131 的製程所得到的陶瓷微結構之例。

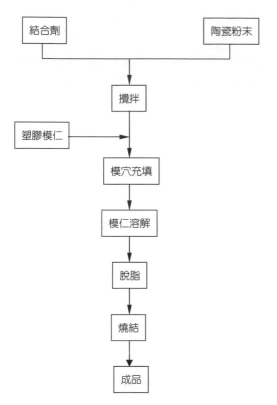

圖 4.131 利用溶解消失模技術的陶瓷射出　　　　　　圖 4.132 陶瓷微結構射出成形品實例 (微結
　　　　成形的流程。　　　　　　　　　　　　　　　　　　　　　　構高度 500 μm，最薄處約 90 μm)。

4.5.6 陶瓷微結構壓印與衝孔加工

　　燒結後的陶瓷非常硬且脆，我們很難對其進行塑性加工，然而如果是在燒結前所謂生
胚的狀態，則因其具有數個百分比的延性而可施予適當的變形處理。因此為了能以塑性加
工的方法來製作陶瓷微結構，首先就必須製作適當的陶瓷生胚材料，通常是利用帶板鑄造
法 (如圖 4.133) 將陶瓷生胚做成厚度均勻的平板材料。這種陶瓷生胚板材與金屬板材同樣具
有相當大的撓性，而其抗張強度、剪切破壞強度等力學性質則與生胚中所含的結合劑種類
以及體積百分比有關。

　　利用壓印或衝孔加工製作陶瓷微結構與傳統的金屬壓印或金屬板材衝孔在工程上極為
相似。圖 4.134 所示為用於陶瓷生胚薄板的微細衝孔所用的模具剖面圖。如果模具內等間隔
排列設置多數的衝頭，則可進行連續的衝孔加工以獲得具有微孔陣列的陶瓷薄板，因而此
法非常適合於製作具有各種截面形狀和微細孔徑的陶瓷濾膜和紡口等。惟陶瓷生胚薄板的
高密度微細衝孔加工必須注意避免衝頭折損，以及抑制薄板的變形。前者可以從模具的結
構設計上著手，後者則必須提高衝頭刀刃的耐磨耗性，並改良陶瓷生胚薄板的力學特性來
予以解決。

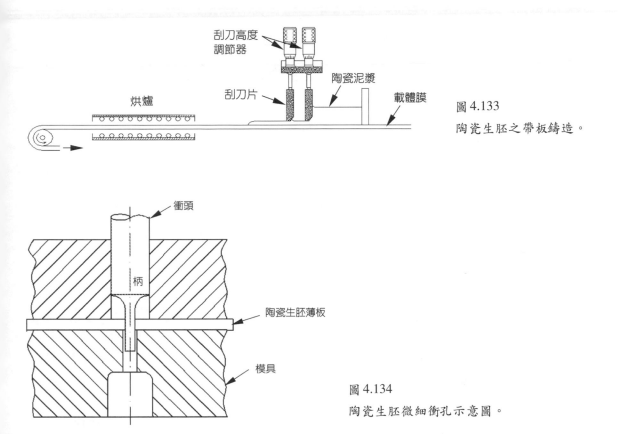

圖 4.133
陶瓷生胚之帶板鑄造。

圖 4.134
陶瓷生胚微細衝孔示意圖。

4.5.7 其他製作陶瓷微結構的方法

　　傳統上陶瓷元件的製作皆是以目的製品的原料粉末出發，經歷成形和燒結等步驟而獲得最終製品。然而當所欲製作的是具有微米或微米以下等級的形狀特徵，亦即微結構的陶瓷元件時，傳統製程會在模仁強度、成形材料流動性以及最終製品的表面粗度上遭遇到很大的挑戰。針對這些問題，國外開發了利用陶瓷前驅物 (屬於聚合物) 進行微成形，然後再施予裂解處理以獲得陶瓷微結構的製程[143]，其流程如圖 4.135 所示。此製程雖有：(a) 成形時材料流動性佳，(b) 較傳統製程易於製作更微細尺寸的微結構，(c) 最終製品的表面光滑等優點，但基本上亦有：(1) 能夠製得的陶瓷材料種類受制於是否有適當的前驅物可資利用以及裂解程序，(2) 裂解過程複雜且費時等缺點，因此尚未普及。

　　此外，亦有利用溶膠－凝膠變化以製作陶瓷微結構者。所謂溶膠凝膠製程，基本上是一種液相的化學反應，乃是利用適當的金屬烷基氧化物醇鹽 (alkoxide) 或有機鹽類 (organic salts)、無機鹽類 (inorganic salts)、金屬氧化物 (metal oxides) 等與各種溶劑配製成符合需求的溶液出發，經過水解 (hydrolysis) 與聚縮合 (condensation) 反應、凝膠化 (gelation)、時效 (aging)、乾燥、熱處理以獲得目的材料的方法。由於出發溶液在變成均勻的溶膠後而尚未轉變為凝膠之前皆具有極好的流動性，因此若在此階段將此溶膠充填入微結構模穴內，俟

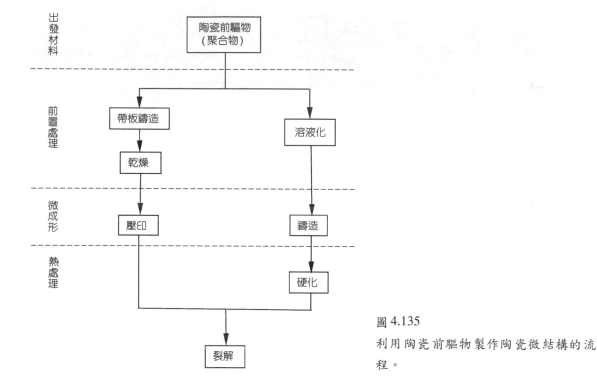

圖 4.135
利用陶瓷前驅物製作陶瓷微結構的流程。

溶膠轉化成凝膠，再經乾燥、熱處理即可得到所要的陶瓷微結構。經由此方法製得的陶瓷微結構具有高的材質均勻性與化學純度，惟從最初充滿模穴的溶膠到變成最後的緻密陶瓷微結構，其間會產生很大 (數十 %) 的收縮，亦容易產生裂痕，而且非常耗時，因此此製程在微結構製作上的應用尚未普遍。

4.6 微放電加工技術

　　數十微米至數毫米尺寸等級之微小元件，已被廣泛的使用於汽車、航空、精密量測、光學、醫療、生化及光電等相關產業，例如：引擎噴嘴、非球面鏡片、光纖接頭、紡織紡口 (spinneret)、噴墨印表機噴嘴、IC 封裝導線架 (leadframe)、CPU 散熱微鱗片、IC／晶圓測試微探針、球狀微細探針等，以及未來發展微機械所需的各種微型元件。由於這些微型元件其加工精度被要求在微米尺寸，表面粗度則需在次微米尺寸 (sub-μm) 以下的鏡面，形狀有 2D 及 3D 的結構，所以加工及製造非常困難。半導體光刻微影 (lithography) 和 LIGA 技術雖然可以加工二次元 (或 2.5 次元) 及部分三次元微型元件，但前者的材料以矽為主，後者的材料以電鍍為主，雖然兩者的技術都滿足上述的要求，但仍受限於加工材料、加工尺寸、加工形狀、設備及維護費高等缺點。而微放電綜合加工技術及相關之微精密加工技術則比較不受上述的條件影響，為發展 MEMS 不可或缺的一環。

第 4.6 節作者為郭佳儱先生。

本節主要是以微放電加工技術為基礎，並結合微磁氣研磨拋光、電解研磨、微研削、微銑削、機械式鬆／緊配，以及雷射微熔接組裝等複合製造技術，以解說各種微小元件的加工及組裝技術。

本文中所闡述之微放電綜合加工法中，只簡單說明了其中一部分的技術，其他的製程如電鑄、微電解拋光、微衝壓、超音波微組裝等內容可參考文獻 185，在此省略說明。

4.6.1 發展背景

數十微米至數毫米尺寸等級、加工精度為數微米以下，以及表面粗度為微米以下的鏡面之 2D 及 3D 微細形狀的創成加工技術，大致可分為三大類：除去加工、附加加工及塑性加工。

(1) 除去加工

此加工方式加工後，工件體積減少。屬於此項的加工法有：微放電加工[147]、電解加工、切削加工[148]、研磨加工、電子束加工、離子束加工[149]、化學蝕刻[150,151] 及微生物利用[152] 等。

(2) 附加加工

此加工方式加工後，工件體積增加。屬於此項的加工法有：電鍍 (electroplating)[153] 與快速成型法 (rapid prototyping)[154]。

(3) 塑性加工

此加工方式加工後，工件體積不變。屬於此項的加工法有：塑性加工[155] 與光刻法 (光、電子線等反應加工)[156,157]。

根據日本精密工學會誌在 1995 年 12 月所發表的資料，將構成微機械元件的加工分為釐米系統 (數毫米以上)、次釐米系統 (數毫米至數十微米)、次微米系統 (數十微米至微米以下) 三大類[158,159]。其中傳統中小型的泛用加工技術屬於釐米系統，半導體 IC 製程及 LIGA 技術屬於次微米系統，微放電綜合加工及微精密機械加工技術則屬於中間領域的次釐米系統。以下將針對加工形狀、材料及設備費用等三方面，說明半導體 IC 製程、LIGA 製程及微放電綜合加工技術三者的差異之處。

(1) 加工形狀

半導體製程及 LIGA 技術可以利用多次微影、蝕刻 (etching) 及犧牲層 (sacrificial layer) 技術，加工製造 2D 及 3D 微小元件，但是加工深度或者是 3D 加工複雜度都有限制。微放電加工製程可以結合電解、電鍍、研削、銑削、衝壓、擠壓、超音波振動及雷射微熔接等複合加工法 (總稱為微放電綜合加工技術)，完成各種微小元件的加工、成形及組裝。到目前為止的研究報告有：微細電極 (最小直徑 2.5 μm，材料為鎢)[160]、超微細電極 (最小直徑 1 μm 以下，材料為鎢或銀)[161]、微小孔 (最小直徑 1 μm，材料為不鏽鋼)[162,163]、微細溝槽 (最小槽寬 5 μm，材料為不鏽鋼)[164,165]、微小銑刀 (最小直徑 50 μm，材料為碳化鎢)[166]、微小鑽刀 (最小直徑 50 μm，材料為碳化鎢)[167]、微小衝孔 (最小直徑 50 μm，材料為不鏽鋼)[168]、微小管 (最小內徑 2.5 μm，內徑 50 μm，深寬比可達 50 以上，材料為鍍鎳)[169]、超音波微組裝[170]、微小齒輪 (模數 0.05658 mm、齒數 12、外徑 0.7922 mm，材料為不鏽鋼)[171,172]、微小導螺桿[173]、矽 (silicon) 與玻璃材料的放電電解加工[174]，以及雷射微熔接 (針－板 (pin-plate)，針直徑 100 μm)[175] 等。以上已發表的研究中，有多項微小元件的加工形狀、深寬比及加工材料，是其他兩種光刻製程所不易或不可能達到的。

(2) 加工材料

半導體 IC 製程受限於矽 (silicon) 基材等，LIGA 製程則受限於電鍍金屬、高分子等材料，而微放電綜合加工技術則比較不受材料的限制，全部的導電金屬都可以直接加工，如果配合射出成形、衝壓成形、擠壓成形及熱壓成形等，則非導體的高分子及陶瓷也可以加工成形。

(3) 設備費用

半導體 IC 製程及 LIGA 製程都需要非常昂貴的設備及比較長時間的設備建立，而且無塵室及設備的維護費也很高，比較之下，微放電綜合加工技術的設備費及環境維護費相對較便宜。

綜合以上的分析，可以瞭解微放電綜合加工技術的特徵如下：

1. 加工成形材料範圍非常廣，超硬合金等全部導電金屬及矽、玻璃、陶瓷、高分子等非金屬材料都可以，其中 LIGA 雖然可以達到高深寬比的加工，但對於具有導角或錐角的形狀加工卻非常困難，而微放電綜合加工技術卻可以輕易的完成各種形狀之加工。

2. 不需要光罩及曝光設備，不同製程 (放電、電解、電鍍、研削、研磨、銑削、切削、衝壓、超音波組裝及雷射微熔接等) 都可以在同一台加工機上，以完成不同的加工步驟。不會因為有不同的製程，需要移動工件到不同機台，因而造成相對位置精度不良，或因此需要重新校正工件之水平、垂直度的問題。從工具 (微小電極、微小鑽刀及微小銑刀等) 的加工及披覆 TiC (加工及披覆可同時完成，不需要 PVD 或 CVD)，到使用微小刀具加工 2D 或 3D 微小元件，再利用超音波及雷射微熔接等微組裝方法，將各種微小元件全部組裝起來，完成高精度複雜的系統機構模組，而且全部製程可以達到完全自動化的程度。

3. 對於 LIGA、IC 製程及微放電綜合加工技術等三種方法而言，若產品規格都能達到需求，則選擇後者的加工方法，不論是在製程設計規劃、加工時間及加工費用等方面，都有非常顯著的優勢。尤其是對於需要初步測試研究的先導性產品開發而言，更能提供迅速有效且具有經濟性的最大助益。

4.6.2 微放電綜合加工機

加工微小元件所需的加工機，其主要特徵有：行程小、精度高及空間小等特性。

1. 行程小：微小元件加工最大的特徵為尺寸小，因此加工機的行程不需要太大。
2. 精度高：行程小的加工機比較容易達到高精度的定位設計，此外由於加工機的各個機構組成元件也相對縮小，則因操作環境溫度的變化所造成機台的精度誤差也相對縮小。
3. 空間小：加工機整體所佔的空間很小，可作為桌上型 (desk-top) 系統的設計。此外，操作環境如溫度、濕度、防塵等的控制也相對比較容易及經濟。低噪音、操作環境的舒適性極佳及廢棄物極少等優點，可以吸引高科技人才投入，也符合 21 世紀綠色科技 (green technology) 的發展趨勢。

國立雲林科技大學機械系從 1994 年起透過國科會計畫的補助，先後完成 CNC 立式微小放電加工機及 CNC 臥式微小放電加工機各一台，其中臥式系統組合如圖 4.136 所示。電控部分包括各軸運動控制 (PC-base，rotary encoder 回饋，可接受 G code 指令，每軸最小解析度 0.2 μm)、放電伺服迴路控制 (RC 迴路，可任意改變 R、C、V) 等。系統控制軟體用 Visual Basic 撰寫，使用 Windows 作業系統。圖 4.137 所示為加工時的主畫面，右下方的視窗為透過攝影系統所擷取到微小元件的實際加工畫面，藉此可以隨時監控微細加工的狀態。此外，電極和工件夾持的位置亦加裝了壓電驅動器，透過波形產生器及 PZT 放大器的作用，可以使兩者以一定的頻率高速振動，有助於加工屑之排除及機械式微組裝之應用。

圖 4.138 所示為日本 Panasonic 公司之超微細放電加工機，其中 WEDG (wire electro-discharge grinding) 機構為東京大學生產技術研究所增沢隆久教授的構想。X、Y、Z 三軸最

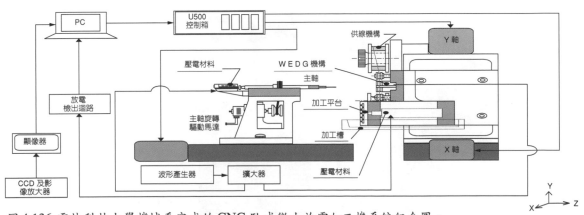

圖 4.136 雲林科技大學機械系完成的 CNC 臥式微小放電加工機系統組合圖。

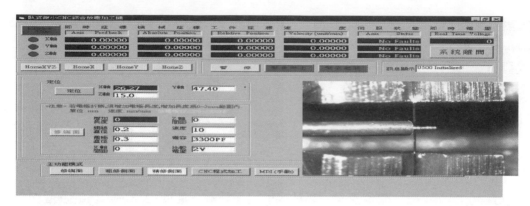

圖 4.137 操作系統的主畫面 (雲科大)。

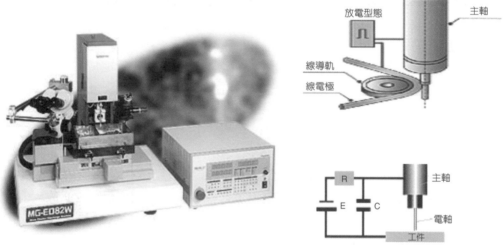

圖 4.138 日本 Panasonic 超微細放電加工機。

加工例

圖 4.139
日本三菱電機公司之創成放電
加工機。

小設定單位為 0.1 μm，採 RC 放電迴路。而日本三菱電機公司之創成放電加工機 EDSCAN8E 如圖 4.139 所示，三軸最小移動單位為 1 μm，X、Y、Z 三軸移動量為 300 × 250 × 250 mm，共有 TP、SC、SF、GM 四種微細放電迴路。系統具有創成放電專用 CAM 軟體及 WEDG 機構，工作物容許荷重可達 550 kg。

圖 4.140 所示為日本 Micro Research 公司之 μ-SPARK 2000 超微細放電加工機，X 軸與 Y 軸的最小移動單位為 0.038 μm，而 Z 軸為 0.069 μm，X、Y、Z 三軸移動量為 205 × 100 × 90 mm，電極最小加工直徑 15 μm，未配備 WEDG，日幣約 1500 萬。

μ-SPARK 2000 (超微細放電加工機)

圖 4.140

日本 Micro Research 公司之超微細放電加工機。

4.6.3 微細電極加工

利用上述自行開發完成的臥式微小綜合放電加工機，測試微細電極的放電加工，圖 4.141 所示為其加工流程與其加工結果的關係。以碳化鎢材料而言，直徑 10 μm 的電極長度可達 1500 μm、深寬比為 150。純鎢材料，直徑 10 μm 的電極長度只能達到 300 μm、深寬比為 30 的程度。其原因主要是碳化鎢為燒結而成，其材料內部之殘餘應力遠小於抽拉製成的純鎢所致。圖 4.142 及圖 4.143 為加工完成之實例。圖 4.144 為磁氣研磨法於微細電極表面拋光之初步結果，終極目標是平均鏡面粗糙度 (Ra) 為 0.01 μm 以下。

電解微針狀成形法可以將前者放電加工微細電極的極限 (約 2−4 μm) 再往下延伸至次微米 (sub-μm) 以下，而且速度非常快 (約十餘秒)，其製程架構如圖 4.145 所示。圖 4.146 所示為不同參數下所形成不同錐度之鎢針狀電極，其電流密度與液面位置關係如圖 4.147 所示。由於其成形速度超快、再現性又高 (含形狀及尺寸精度)，又可陣列批量生產，為一種

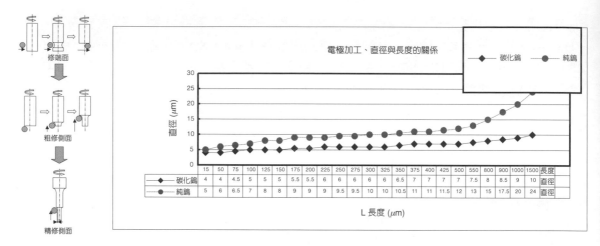

圖 4.141 微細電極的加工流程與加工長度和直徑的關係。

圖 4.142 (a) 碳化鎢電極直徑 10 μm、長度 1500 μm，(b) 純鎢電極直徑 5 μm、長度 330 μm。

潛力極高的加工方法，將來極有可能發展出取代 WEDG 機構。

氣中放電製作微球狀電極法如圖 4.148 所示，是將前面電解微針狀成形後之鎢電極作氣中放電，此時由於沒有加工液，不會因高熱瞬間氣化產生爆發力，所以熔融的金屬會因表面張力之故，形成微球狀。成形速度非常快 (數 μs)，可陣列批量生產取代針狀電極探針應用於晶圓測試。微球狀的尺寸及形狀可以從放電前電極形狀及放電方式來調整，放電電流值與成形球徑之關係如圖 4.149 所示。

生化探針的製作是一種新的技術，其針尖形狀、尺寸及結構如圖 4.150 所示。圖 4.151 為利用雙高速主軸所完成之探針，開口溝槽尺寸為 30 μm。圖 4.152 為製作完成之後於實驗平板測試點滴時，每一點的大小及均一性。

4.6.4 微細孔槽加工

圖 4.153 所示為利用微細電極及微放電加工法，所完成的微細槽 (穿孔) 與微小孔加工結果，就微放電加工法而言，這似乎已經快達到細小化的極限。圖 4.154 與圖 4.155 所示為

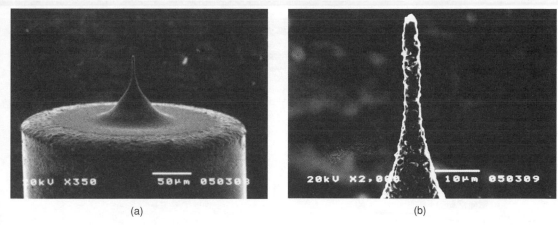

圖 4.143 (a) 碳化鎢電極直徑 4 μm、長度 20 μm，(b) 前端局部放大圖。

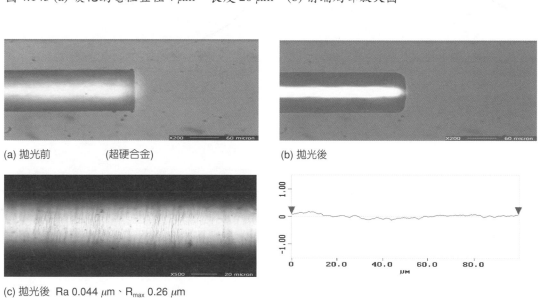

(a) 拋光前   (超硬合金)

(b) 拋光後

(c) 拋光後 Ra 0.044 μm、R_{max} 0.26 μm

圖 4.144 磁氣研磨法於微細電極表面拋光。

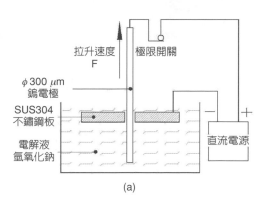

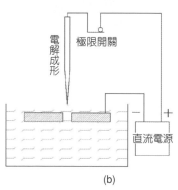

圖 4.145
電解微針狀成形法
示意圖，(a) 拉升電
解成形前，(b) 拉
升電解成形後。

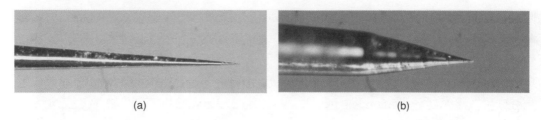

(a)　　　　　　　　　　　　　　　　　　(b)

圖 4.146 電解微針狀成形，(a) 鎢針狀電極－小錐角，(b) 鎢針狀電極－大錐角。

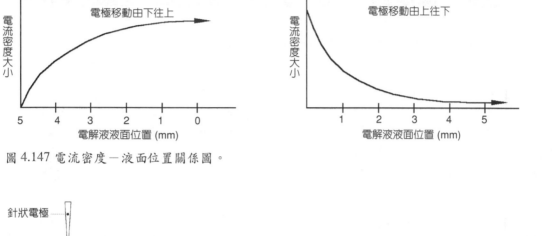

圖 4.147 電流密度－液面位置關係圖。

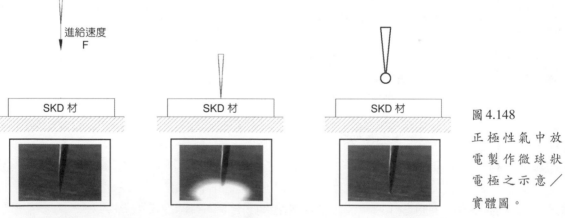

圖 4.148
正極性氣中放
電製作微球狀
電極之示意／
實體圖。

利用微放電加工法 (WEDG，配合 ϕ 30 μm 純鎢線) 完成之微細圓盤電極。微細圓盤直徑為
260 μm、厚度為 8 μm (最小可達 5 μm)，圓盤間的截距 (pitch) 為 40 μm，每支超硬合金電極
共有 12 片微細圓盤電極。微細圓盤電極的直徑／厚度比 (280/5) 約 50，為另一種型態的高
深寬比 (aspect-ratio) 微小電極。

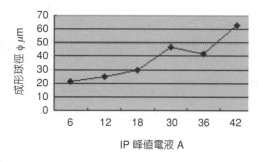

圖 4.149 電流值與成形球徑關係圖。

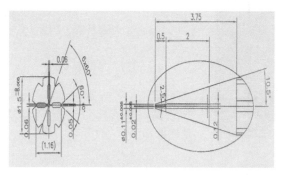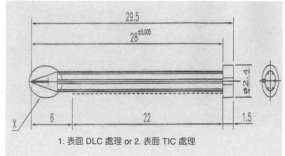

1. 表面 DLC 處理 or 2. 表面 TIC 處理

圖 4.150 生化探針針尖形狀尺寸及結構示意圖。

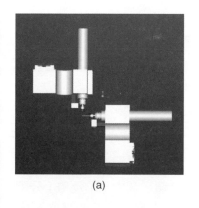

(a)

(b)

圖 4.151
(a) 雙高速主軸之加工示意圖，(b) 完成之探針。

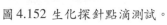

點滴

圖 4.152 生化探針點滴測試。

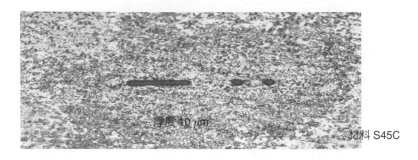

圖 4.153

$5 \mu m \times 20 \mu m$ 細槽與直徑 5.5 μm 微小孔。

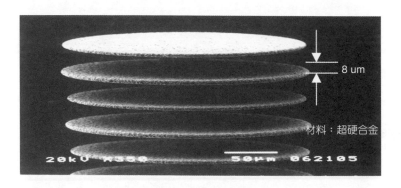

圖 4.154

微細圓盤電極(局部放大圖)。

圖 4.155

微細多槽同時加工。

　　圖 4.156 所示為醫療器材之棋盤模具加工，主要是用於細胞分類。圖中 (a) 及 (b) 分別為利用 10 片微細圓盤電極加工的結果，顯示極為優異的直線度及十字交差線的精度。(c) 及 (d) 分別為完成之棋盤模具加工及微射出 PMMA 成形的結果。

　　圖 4.157 所示為微放電加工微圓盤刀具製作流程，以及微研削圓盤製作完成結果，圓盤寬度 30 μm、直徑 1.9 mm。而圖 4.158 為微銑削圓盤製作完成結果，圓盤寬度 30 μm、直徑 1.9 mm，圓盤面呈現鋸齒狀。不同結構、材料之刀具有其不同的的加工結果，如圖 4.159 所示，圖中的 (a) 及 (b) 為鋁材的切槽加工，有著良好的切斷面，而圖中的 (c) 及 (d) 為玻璃

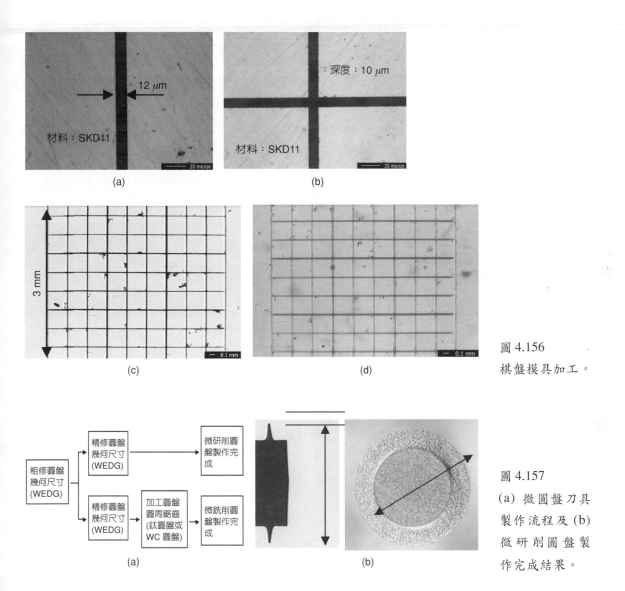

圖 4.156
棋盤模具加工。

圖 4.157
(a) 微圓盤刀具
製作流程及 (b)
微研削圓盤製
作完成結果。

材，是屬於脆性破壞的切斷面。由於圓盤刀具的直徑非常小，只有 1.9 mm，而加工時的轉速只能達 4000 rpm，在切削加工的條件中並不適合；以良好的切削線速度而言，轉速最少需要 10000 rpm 以上，其結果才會較好。圖 4.160 所示為圓盤刀具在不適當的加工條件下，磨損及破斷的結果。

　　以微研／銑削加工法和利用圓盤放電加工微細槽 (圖 4.154 及圖 4.155) 的比較如下。

1. 由於是機械式的研／銑削，所以加工速度非常快，可進行高速大量的微細槽 (micro channel) 加工。

2. 由於是機械式的研／銑削，而刀具材料可以使用超硬合金 (碳化鎢 (tungsten carbide,

鋸齒狀局部放大圖

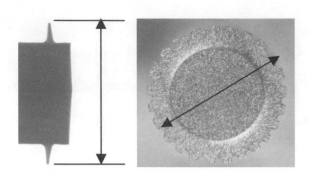

圖 4.158
微 銑 削 圓 盤
製 作 完 成 結
果。

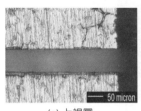

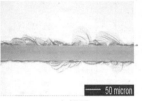

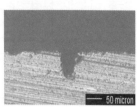

(a) 上視圖　　　　　　(b) 剖面圖　　　　　　(c) 上視圖　　　　　　(d) 剖面圖

圖 4.159 微研削加工不同材料的圓盤刀具，(a) 及 (b) 材料為鋁，(c) 及 (d) 材料為玻璃。

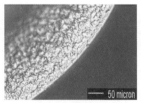

圖 4.160 以微研／銑削加工不同材料的圓盤刀具後，刀刃磨損的結果。

WC)，HV 1200－1500) 等高硬度的材料，如果選用適當的參數，加工時刀具的磨耗非常低，可長時間不需更換。

3. 可在超硬合金表面透過放電披覆碳化鈦 (TiC) 薄膜來提高其硬度 (HV 3000－5000)，更進一步強化刀具的壽命。

4. 可製作多片式研／銑削圓盤刀具，同時加工微細槽以提高量產速度。

4.6.5 2D 及 3D 微細加工

　　微放電加工法的主要缺點為在加工時電極會消耗，尤其在加工 2D 及 3D 元件時，如果沒有進行電極消耗補償，則無法精確的達到要求。因此可利用線性補償的方式，在加工的同時，同步進行長度消耗補償。圖 4.161 所示為微小齒輪 CAD 圖及 CAM 模擬加工狀態，

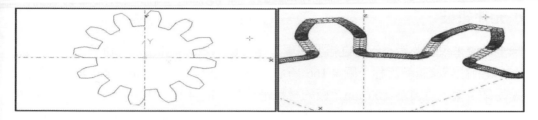

圖 4.161 微小齒輪 CAD 圖及 CAM 模擬加工狀態。

圖 4.162 微小齒輪加工及單齒正反面放大圖。

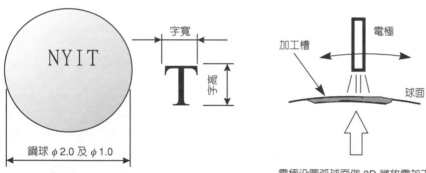

電極沿圓弧球面做 3D 微放電加工

圖 4.163
微槽字形加工示意圖。

 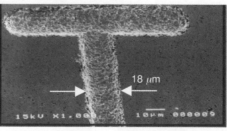

圖 4.164
φ2 mm 鋼球微
槽字形加工。

齒輪模數 0.05658 mm，外徑 0.7922 mm，加工電極直徑 20 μm。圖 4.162 為實際加工的結
果。圖 4.163 及圖 4.164 為在直徑 2 mm 鋼球上加工微槽字形的結果，字高 0.212 mm、字寬
0.158 mm，加工電極直徑 18 μm。

4.6.6 微小元件組裝

　　數微米至數毫米尺寸的微小元件之組裝技術，是發展 MEMS 非常關鍵重要的一環。圖 4.165 所示為雷射微熔接組裝流程；圖 4.166 所示為實際完成針－板 (pin-plate) 組裝過程，針的材料是超硬合金，直徑為 100 μm，板的材料是碳鋼。圖 4.167 所示為高深寬比微針陣列 (multi-pins array) 組裝結果。圖 4.168 為結合 Nd:YAG 雷射熔接與放電加工之複合加工機系統組合圖。

　　圖 4.169 及 4.170 所示為利用材料的彈性變形，將針插入板完成機械微小元件緊配的微組裝方法。圖 4.171 為微馬達之設計外形圖。圖 4.172 為碳化鎢定子的加工製作。圖 4.173 為機械式微組裝所完成之靜電微馬達。

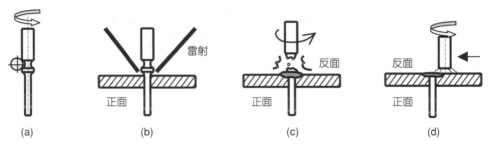

圖 4.165 雷射微熔接組裝製程。

 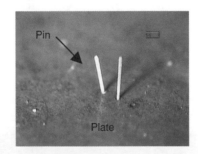 

圖 4.166 針－板雷射微熔接組裝，(a) 熔接後針的背面，(b) 熔接後針的正面，(c) 針的正面放大圖。

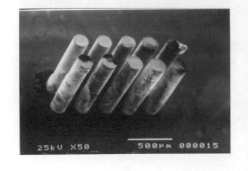 

圖 4.167
高深寬比針－板雷射微熔接組裝。

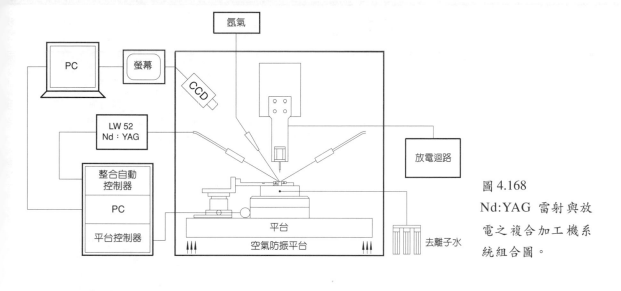

圖 4.168
Nd:YAG 雷射與放
電之複合加工機系
統組合圖。

圖 4.169 機械式微組裝之流程，(a) 電極加工，(b) 導孔及針加工，(c) 針－板組裝，(d) 組裝完成。

4.7 非矽質的微細加工低溫製程

面型微細加工傳統的做法大部分以多晶矽 (polysilicon) 為結構層，搭配磷矽玻璃 (phosphosilicate glass, PSG) 犧牲層的方式製作微元件[186]，或是 CMOS 代工配合乾蝕刻掏空犧牲層的製程方式[187]，但兩者技術上之進入門檻 (entry barrier) 均不低。因此如果可以開發一種新的製程技術，並且很容易的應用在面型微細加工上，將可以簡化傳統面型加工複雜的製程，及減少耗費的時間。

這種新的面型微細加工方式，必須沒有體型微細加工因晶片鍵合而帶來的問題，但在考慮以光阻作為犧牲層的材質時，如圖 4.174 所示，結構層的製程溫度必須大幅降低。以 LPCVD 成長多晶矽的溫度至少 600 °C 與 PSG 至少 400 °C 來說，溫度顯然太高，就算是以 PECVD 成長多晶矽亦需要至少 300 °C，或是旋塗式玻璃 (spin-on glass, SOG) 高於 200 °C 的加熱過程，也都會損傷光阻犧牲層。

受限於上述許多矽基 (silicon-based) 沉積製程溫度不易降低，故而尋找其他不傷及光阻

第 4.7 節作者為楊龍杰先生。

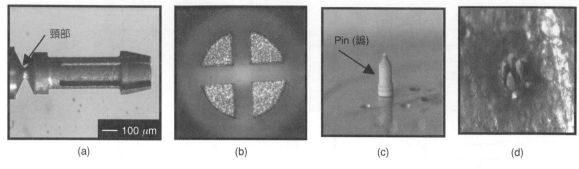

圖 4.170 機械式微組裝結果，(a) 針側視圖，(b) 針下視圖，(c) 組裝完成，(d) 板下視圖。

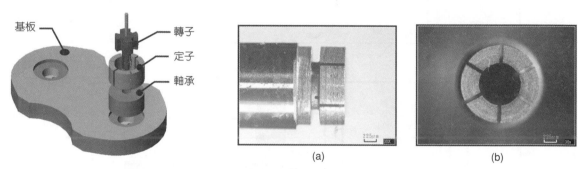

圖 4.171 微馬達之設計外形。　　　　　　圖 4.172 碳化鎢定子的加工製作。

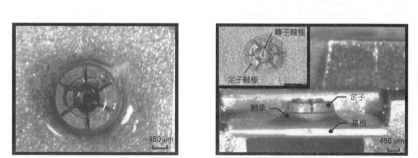

圖 4.173 機械式微組裝所完成之靜電微馬達，(a) 碳化鎢軸承與鋁基板的接合，(b) 碳化鎢定子與
　　　　軸承的接合，(c) 微馬達的製作外形。

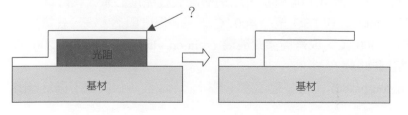

圖 4.174
以光阻作為犧牲層的面型加
工示意(問題在於結構層材質
是什麼？)。

犧牲層的非矽質低溫鍍膜材料與製程 (low-temperature process)，以面型加工之微結構製作方式是必要的。本節將介紹幾種製程溫度低於 120 °C 的高分子材料，包括聚對二甲苯 (parylene)、明膠 (gelatin) 蛋白質、鐵氟龍 (Teflon) 與矽膠 (silicone)。

4.7.1 聚對二甲苯

(1) 材料與製程機台簡介

關於聚對二甲苯最早的文獻記載，是於 1947 年由曼徹斯特大學的 Michael Mojzesz Swarc 所提出，一直到了 1965 年，聚對二甲苯高分子鍍膜系統的發展才算真正完備，並且在 1971 年，才由 Nova Tran Ltd. 公司製作出第一台「聚對二甲苯鍍膜機器」。由於鮮少有人投入相關研究，因此聚對二甲苯在這段期間發展遲緩，也漸漸遭人遺忘，直到最近幾年才又被研究使用，例如在物理或化學特性的測試與改進[188-191]，以及微機電領域的應用等[192-195]。

聚對二甲苯 (poly-para-xylylene, parylene) 是一種高分子聚合物，其種類約有 20 種，但商業化產品只有 parylene N、parylene C、parylene D 等三種 (如圖 4.175 所示)，它們各有獨特的特性，並且適合於不同的塗層應用。聚對二甲苯沉積是一個乾薄膜過程，類似非溶劑類的塗層，它可以經由活潑的單體 (monomer) 氣體，聚合於物體表面上，而不同於一般常見經由液體塗層的方法製備。而其沉積過程，如圖 4.176 所示，係先將對二甲苯的二聚物 (di-para-xylylene; dimer) 加熱汽化，再透過高溫裂解為對二甲苯 (para-xylylene) 單體，最後再將預先做過清潔並已添加過高分子附著層 (A174) 的目標物置於沉積腔 (deposition chamber) 中，而在目標物表面上沉積一層 parylene 的聚合物[196]。

由於聚對二甲苯其具有許多良好的特色，如鍍膜環境為室溫 (鍍膜後無殘餘應力的發生)、可精密的控制沉積薄膜厚度與均勻性、抗酸抗鹼、介電特性良好、無色及高透明度

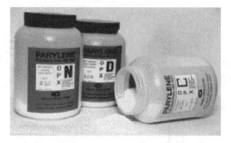

圖 4.175
聚對二甲苯 N、C、D 材料與化學結構[196]。

Parylene N　　Parylene C　　Parylene D

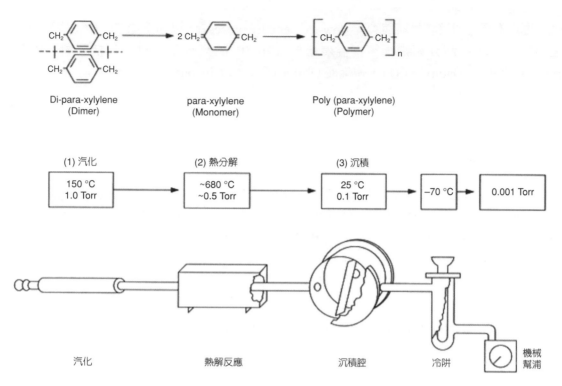

圖 4.176 聚對二甲苯沉積過程[198]。

等，因此被廣泛應用於印刷電路板之電性隔絕、感測器或醫療儀器的防潮保護，以及金屬鍍膜的防蝕等[197,198]。

(2) 聚對二甲苯薄膜應用

　　加州理工學院 (Caltech, USA) 戴聿昌教授 (Dr. Yu-Chong Tai) 領導的微細加工研究群 (Micromachining Group)，近年來在聚對二甲苯的微機電技術及其應用上，著力甚多。幾個較著名的例子說明如下。

　　Ken Walsh 等人在文獻 199 中，利用光阻當犧牲層、聚對二甲苯為結構層，製作許多尺寸大小不同的微流道元件，製作流程請參見圖 4.177，製妥之晶片實貌如圖 4.178 所示，並探討丙酮對聚對二甲苯結構內光阻犧牲層的溶解速率[199]。

　　另外，筆者利用圖 4.178 的晶片，也用以探討毛細液面前緣 (capillary meniscus) 的吸入充填速度[200]，實驗之顯微鏡影像如圖 4.179 所示。原來當 parylene 高分子內壁在適當的溫度與溼度下，仍呈現微親水 (hydrophilic) 的沾濕性，故可以因著此表面張力之主導，自微流道的進口導引出一充填流動 (filling flow)。該流速可利用一維數學模式與本微流動問題之表面能 (surface energy) 建構出明確的關係，並且經過實際充填速度量測比對證實。換言之，

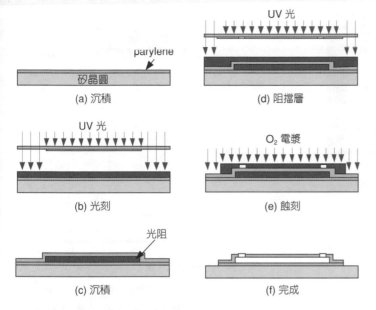

圖 4.177

光阻犧牲層溶除後形成聚對二甲苯空腔微結構[199]。(a) 沉積底層之 parylene，(b) 光阻犧牲層之光刻成形；(c) 沉積頂層之 parylene；(d) 頂層 parylene「開窗」用之光阻阻擋層製備；(e) 以氧氣電漿對於頂層 parylene 進行「開窗」；(f) 丙酮溶除光阻犧牲層，元件完成。

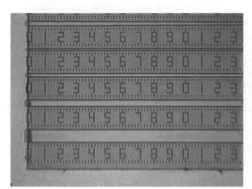

圖 4.178 以聚對二甲苯當作微流道管壁材質之晶片外觀。該 200 μm 長、10－80 μm 寬、厚度 3－6 μm 的微流道，係用於觀察光阻犧牲層之溶除速率。

可藉量測充填液面前緣的速度，得知微流道的表面能訊息，而規避掉微流道內壁不易量測接觸角 (contact angle) 的問題。

聚對二甲苯固然可以方便地配搭光阻犧牲層，完成上述微流道之製作，但仍有表面黏著 (surface stiction) 的問題。尤其當聚對二甲苯的楊氏係數 (Young's modulus) 只有 2－4 GPa 時，勢必遠較多晶矽微結構更容易黏著底材。因此，以聚對二甲苯製作剛性 (stiffness) 更差的懸臂樑 (cantilever beam) 或是扭轉鏡片 (torsional mirror) 等自由懸浮 (free-standing) 微結構，似乎肯定不可行；故聚對二甲苯在諸如加速度計 (accelerometer)、陀螺儀 (gyro) 與麥克風 (microphone) 等產品之應用也似乎遙遙無期！

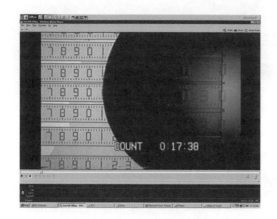

圖 4.179 提供進行毛細液面前緣速度量測之
　　　　parylene 材質微流道，充填純水之瞬
　　　　間：該微流道長 2 mm、高 3 μm、寬
　　　　度分別為 80、40、20、10 μm；晶片
　　　　背景上已經事先刻劃間格 20 μm 的尺
　　　　標；圖右側陰影為充填的水珠影像。

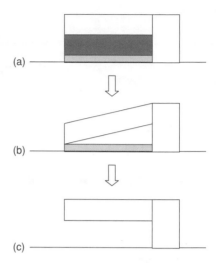

圖 4.180 加州理工學院微加工研究群
　　　　防止 parylene 微結構黏著的
　　　　方法。最底層是非晶矽，中
　　　　間是光阻，頂層是 parylene。

　　而文獻 201 在聚對二甲苯面型加工製程開發了解決之道。其避免黏著的做法是先在光
阻犧牲層底下濺鍍一層薄薄的非晶矽 (amorphous silicon)，整體截面如圖 4.180(a) 所示，雖
然以丙酮去掉光阻後，聚對二甲苯結構層還是會與非晶矽相黏住 (圖 4.180(b))，但其後利用
氣態 BrF_3 (bromine trifluoride) 的蝕刻選擇比 (etching selectivity)，只蝕刻矽而不蝕刻聚合物
的特性，在去掉非晶矽的同時，也重新懸浮起聚對二甲苯的懸臂樑結構 (圖 4.180(c))。文獻
201 的實驗結果顯示：1－2 mm 長、100 μm 寬的聚對二甲苯懸臂與薄橋 (離基板只有幾微米
間隙)，或是 2 mm 直徑的聚對二甲苯圓形薄膜，都應用此法成功製作，未發現與基板黏著
之現象。

　　除了加州理工學院之外，其他微機電研究群也已經廣泛使用聚對二甲苯薄膜材質，例
如日本東北大學製作聚對二甲苯材質的風箱結構，應用於微致動器[202]；美國加州大學戴維
斯分校製作聚對二甲苯的擬生物型麥克風[203]；文獻 204 則利用 parylene C 作為界定神經記
錄單元矩陣 (multiple-unit neural recording array) 的電性隔絕層等。

4.7.2 明膠蛋白質

(1) 明膠簡介

　　人類使用明膠的歷史已經超過 6,000 年，並且其應用範圍也非常的廣泛，如食品工業中
的果凍、軟糖、製藥業的膠囊、照相底片中的膠膜、化妝品中的果膠等，皆可發現其蹤

跡。明膠主要由動物結締組織中的膠原質 (collagen) 所提煉出來，如牛皮、豬皮、軟骨或肌腱等，因此屬於膠原質類的蛋白質 (protein)[205-207]。膠原蛋白在自然的狀態下是由三股螺旋狀的聚胜肽鏈相互纏繞結合在一起的 (如圖 4.181 所示)，但是高溫、強酸、強鹼或一些有機溶劑會破壞膠原蛋白中聚胜肽鏈之間的雙硫架橋 (disulfide bridge)，或其他像氫鍵之類的交聯吸引力，而打開相互纏繞的狀態，這種現象叫做變性 (denaturalization) (很像 DNA 複製時雙螺旋拆開的機制)，因此明膠即是立體高次結構遭受破壞而變性的膠原蛋白[208,209]。

明膠是由大約 1000 個胺基酸 (amino acids) 所組合而成的，其單體結構如圖 4.182(a)，構成明膠的主要胺基酸有甘胺酸 (glycine，33.5%)、脯胺酸 (proline，12%)、羥基脯胺酸 (hydroxyproline，10%)，而其排列方式如圖 4.182(b) 所示[210,211]。

圖 4.181

膠原蛋白分子鏈結構[209]。

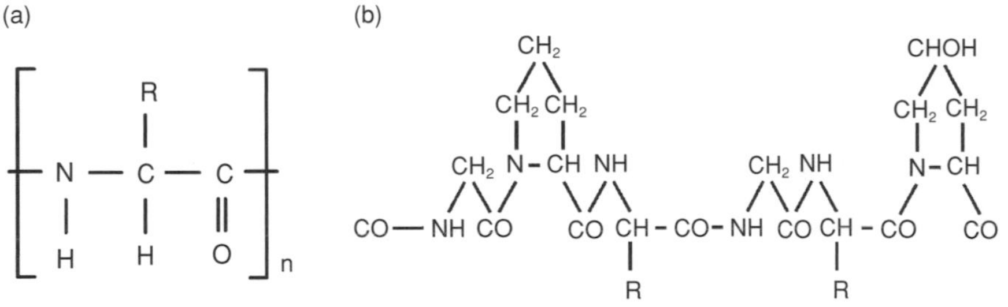

(a)

(b)

圖 4.182

(a) 明膠單體結構[210]，(b) 明膠結構鏈[206]。

純明膠是由大量的多肽鏈以 -CO-NH-CHR- 立體交叉的形式所構成，由於其中存在著氨基和羧基等極性基團，而水分子屬於極性低分子，所以會佔據多肽鏈間 N 或 O 原子的位置，並與極性基團產生親和，所以隨著水分子不斷的遷入，明膠的結構間隙也會不斷擴大，因此明膠會具有明顯的吸水腫脹 (swelling) 特性[212,213]。

此外明膠還具有另一項特殊的特性，那就是明膠是屬於可逆熱塑性 (thermo-reversible) 的高分子材料。如果將吸水膨潤過的明膠粉末加熱至 30−40 °C，明膠粉末便會慢慢的溶於水中，形成明膠溶液。反之如果將熱明膠溶液冷卻至 25 °C，明膠溶液便會產生膠凝現象而形成凝膠。會造成此現象的發生主要是因為蛋白質分子中的氨基和羧基等極性基團，對於水的親和力遠大於本身的親和力，因而在溶液中線性高分子的主體互相依附著；但隨著溫度的降低，分子的熱運動減弱，分子鏈間的凡德瓦力便使分子鏈相互交鏈，形成網狀結構，使分子不能互相活動，系統失去流動性，而分子鏈上的極性基團又牢固地吸附著大量的水分子，充滿網狀結構之間，所以會形成富有彈性的凝膠[205,213]。

A. Bigi 將大小為 3 × 30 mm²、厚度為 0.12−0.3 mm 的明膠試片，透過拉伸試驗後取得其應力－應變圖，發現明膠機械性質為楊氏係數 0.7 ± 0.3 MPa、極限強度 3.8 ± 0.4 MPa、伸長率 240 ± 10%，延展性極佳，楊氏係數及極限強度皆正比於伸長率[214,215]。

　　明膠溶液可藉由加入的重鉻酸鉀 (potassium dichromate，如圖 4.183) 形成對光敏感的感光高分子材料，而感光高分子顧名思義，就是高分子藉由吸收光的能量促使高分子鏈內或高分子鏈間產生結構上的變化。在這種光學反應機制裡，並非一定是高分子本身要能吸收光的能量，也可以藉由加入的感光化合物 (如圖 4.184 之所謂「增感劑」)，吸收光能量來引導出光化學反應，造成高分子結構上的改變，使得原本散亂的高分子鏈組成規則的三維網狀結構 (network)[216]。而在明膠溶液中添加重鉻酸鉀的功能也是如此，Cr^{6+} 藉由水分擴散進入明膠中，經照光反應還原成 Cr^{3+}，進而與明膠的極性基團進行配位鍵結形成架橋或交聯 (cross-linking)[217]。

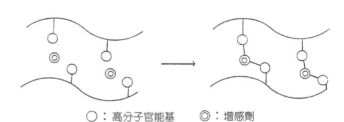

○：高分子官能基　　◎：增感劑

圖 4.183 重鉻酸鉀粉末。　　　　　　圖 4.184 高分子光架橋反應[216]。

(2) 與明膠製備相關的文獻

　　W. A. Little 在文獻 218 中提到，以明膠作為遮掩玻璃基板的阻擋材質 (obstructer)，配合噴砂法 (abrasive sand blast) 的使用，將 27 μm 粒徑的氧化鋁粉 (Al_2O_3 powder) 衝擊裝在車床轉盤上之玻璃板，加工出玻璃流道凹槽 (如圖 4.185 所示)。文獻中表示，明膠薄膜可以有效並長時間的阻絕氧化鋁粉的高速衝擊，加工出 2－100 μm 深的玻璃流道。

　　另外在文獻 219 中，如圖 4.186 所示，也提到在明膠溶液中添加重鉻酸鉀，形成類似負光阻的感光材料，並旋塗於銅基板上，以灰階光罩曝光及熱水顯影後，形成 3D 的明膠薄膜，最後再將其置於硫酸銅的電鍍液中，類似陰陽模的功能，充當電鍍時被鍍基板的外形控制層。

　　在文獻 220 中則提到，利用與戊二醛 (glutaraldehyde, GA) 交鏈過的明膠當犧牲層，其上製備光刻定義的光阻微孔篩層，然後以蛋白酶 (protease) 為蝕刻液，去除明膠犧牲層，使光阻微篩浮起，以便進一步黏附於較粗的網格上，經過導電層之鍍著後，成為次微米級的濾網。

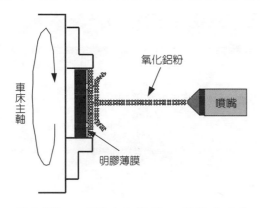

圖 4.185 以明膠為阻擋層，利用噴砂法 (氧化鋁粉) 加工玻璃微流道。

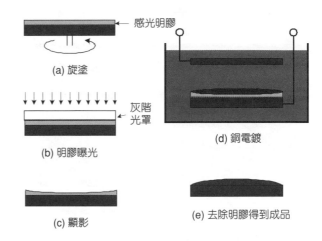

圖 4.186 利用明膠薄膜作為電鍍時厚度變化的控制層。

由以上的文獻回顧，可知交聯明膠可藉光刻微影方式成形，材質穩定，可阻擋酸鹼與機械式的衝擊，適用於保護性的材料用途。

(3) 交聯明膠的製備

由於明膠的熔點與凝固點都接近或略高於室溫，再加上實驗場所無塵室的環境溫度只有 20 °C，明顯低於明膠的凝固點，因此常常可以發現許多滴在矽晶片上的明膠溶液，在不及旋塗均勻之前便已經凝固，並且在晶片上出現明顯的輻射式花紋及氣泡孔洞。此地藉微差掃描熱卡計 (Perkin Elmer; Pyris-1 DSC) 控溫過程中，記錄明膠吸放熱時所產生的熱流變化與時間及溫度的函數關係，進而取得明膠 (包含純明膠與交聯明膠) 的熔點，如圖 4.187 所示。

以旋轉塗佈 (spin-coating) 的方式，將明膠均佈於基板上，顯然是最直接且方便的鍍膜法，但旋塗後明膠薄膜的厚度與明膠溶液的濃度 (wt%) 及旋塗轉速 (rpm) 有關，實驗探討如下：

1. 調製 5、10、15、20、25、30 wt% 等六種不同濃度的明膠溶液，並將漂浮於其上的泡沫濾除，以防止旋塗後在明膠膜表面造成輻射狀的條紋及氣泡孔洞。
2. 依序將不同濃度的明膠溶液倒於基材上，並分別以 1000－5000 rpm 的轉速旋塗。為防止因無塵室環境溫度低於明膠的凝固點，造成明膠溶液在尚未旋塗均勻之前已經凝固，故在旋塗之前先對基材加熱，並以紅外線 (infrared rays, IR) 加熱器輔助 (圖 4.188)，確保在旋塗完成前明膠溫度仍保持在凝固點之上。
3. 待其凝固後，即可在基材上選取三個量測點，利用表面輪廓儀 (Alpha Step-500) 量測出薄膜厚度。圖 4.189 即為明膠薄膜厚度與濃度、塗佈轉速之關係。

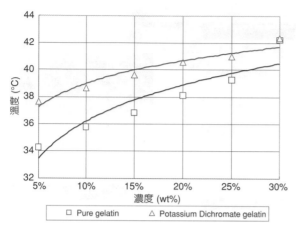

圖 4.187 純明膠與重鉻酸鉀明膠熔點分布圖。

圖 4.188 使用紅外線加熱器做為明膠薄膜旋
塗時的輔助工具。

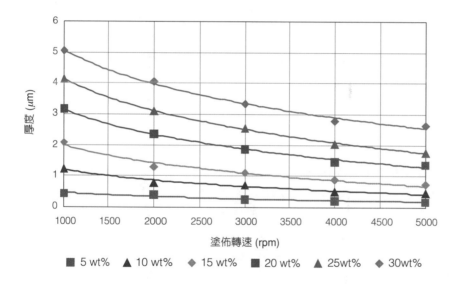

圖 4.189
明膠薄膜厚度與濃度、
塗佈轉速之關係。

　　圖 4.190 是加入重鉻酸鉀之明膠，經過光刻顯影完畢之微結構圖形，圖 4.190(a) 是顯微
鏡放大 300 倍之明膠圖形，最細線寬達微米。由於厚度只有 0.1 μm，原本紅褐色之明膠表
面轉而呈現藍色；圖 4.190(b) 的明膠線寬則增寬到 10 μm、厚度 2.2 μm，呈透明狀。

　　在天然的膠原蛋白纖維裡雖然本身就有交聯，但利用官能基 (functional) 交聯劑造成分
子間的交聯 (intermolecular cross-linking)，可以使得膠原蛋白纖維在物理性質、化學性質與
生物性質方面變得更加穩定；對於明膠而言，也是除了重鉻酸鉀等強氧化劑外可用之交聯
劑。官能基交聯劑多半是醛類的交聯劑，如甲醛 (formaldehyde)、戊二醛 (glutaraldehyde)、
二醛澱粉 (dialdehyde) 等，其中戊二醛是一般常用的官能基交聯劑，主要是利用其內的兩組
醛官能基 (aldehyde functional group) 只與膠原蛋白裡離胺酸殘基 (lysyl residue) 的 ε-胺基 (ε-

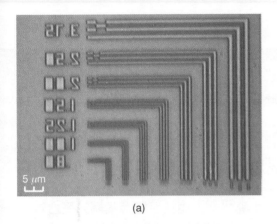 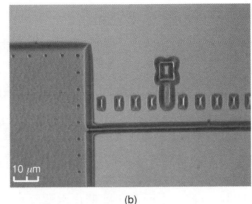

圖 4.190 光刻顯影完畢之明膠微結構圖形：(a) 放大 300 倍之明膠圖形，最細線寬達微米，厚度 0.1 μm；(b) 線寬 10 μm，厚度 2.2 μm 的明膠微結構。

amino group) 產生共價鍵的方式，來形成此處明膠的交聯作用[221-223]。使用戊二醛做為明膠的交聯劑，並搭配定義圖形後的光阻遮罩層製作微結構的方法，介紹如下。

1. 將調製好的純明膠溶液均勻的塗佈於基材上，並於室溫下待其自然乾固，如圖 4.191(a) 所示。

2. 在底層明膠上旋塗一般正光阻，置於黃光室內自然乾固，然後藉由曝光顯影程序，定義光阻圖案，如圖 4.191(b) 所示。

3. 將定義圖形後的光阻層，連同基材一起泡入戊二醛溶液中，使未受光阻遮掩部分的明膠與戊二醛產生交聯，如圖 4.191(c) 所示。浸潤時間長短端賴官能基交聯劑之強度而定，需要精確控制，以防有光阻保護之邊緣明膠因側向交聯作用，產生最後明膠圖形之「增胖」。

4. 利用丙酮將光阻阻擋層洗去，露出明膠薄膜，並將明膠膜置於 80 °C 的溫水中，溶除受光阻阻擋層遮掩而未與戊二醛交聯的明膠，最後再將基材撈起，以氮氣將明膠微結構上多餘水分吹乾定型，如圖 4.191(d) 所示。

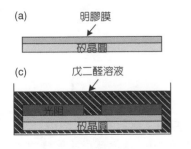 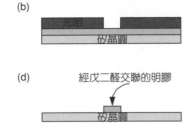

圖 4.191
以戊二醛搭配光阻遮罩層製作明膠微結構：(a) 塗佈明膠，(b) 室溫光阻製程，(c) 泡入戊二醛進行交聯，(d) 去除光阻。

(4) 已交聯明膠之去除

在前一個章節已介紹可光刻微影的重鉻酸鉀感光明膠及戊二醛搭配光阻兩種方式，達成明膠微結構的定義成形。但之後的實際應用，若有需要加以去除已交聯的明膠，則由先前描述其可抵抗酸鹼的特性得知，熱水與一般酸鹼均將無能為力，而須改採蛋白酶等生化途徑。

酶就是生物學中的酵素 (enzyme)，其中可催化蛋白質水解作用的酵素，一般稱為蛋白酶，屬於水解酶的一種。大部分的蛋白酶都具有某些序性專一性，會偏好催化特定氨基酸殘基之間胜肽鍵的水解作用，因此蛋白質生化學家經常使用蛋白酶做為「分子剪刀」，在特定位置「切割」(技術上而言，即催化水解反應) 多肽鏈[224-226]。由於明膠薄膜屬於蛋白質生物聚合體，因此可利用蛋白酶作催化反應加以水解，且選擇由牛胰島所提煉的胰蛋白酶

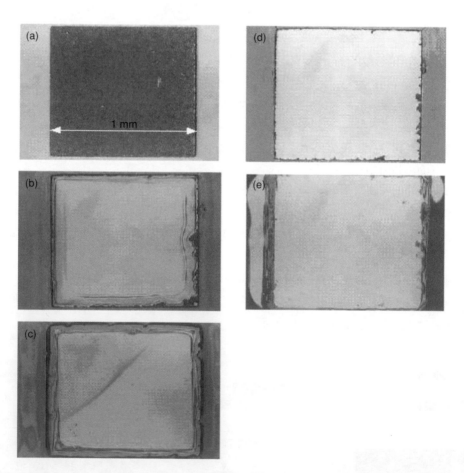

圖 4.192 蛋白酶溶除戊二醛明膠之過程：(a) 以光阻微型方孔做為蛋白酶溶液的遮掩層，(b) 浸泡一小時蛋白酶之明膠薄膜，(c) 浸泡兩小時蛋白酶之明膠薄膜，(d) 浸泡三小時蛋白酶之明膠薄膜，(e) 浸泡四小時蛋白酶之明膠薄膜。

(protease from bovine pancreas) 為宜。其使用方式以最適溫度 37 °C、最適 pH 值 7.5，培養於 0.041 M 的磷酸鹽緩衝液中 (phosphate buffer solution, PBS) 一段時間即可[227]。

以蛋白酶去除交聯明膠時，由於均屬 100 °C 以下之低溫製程，自然能以一般正光阻定義遮掩的圖形。圖 4.192 為蛋白酶溶除戊二醛明膠之過程。

(5) 明膠之染色

由於明膠的顏色幾近無色透明，在實驗中不易觀測，因此可以藉由 Brilliant Blue R 做為明膠的染色劑。Brilliant Blue R 的分子式為 $C_{45}H_{44}N_3O_7S_2Na$，結構如圖 4.193 所示。其調配方式係以 1 mg/mL 的比例溶於水中[227]。使用方式則是直接將調配好的染色劑，滴染在已經鍍敷或光刻好的明膠上，圖 4.194 即為應用的實例。

由圖 4.194(a) 未使用 Brilliant Blue R 染色前的明膠微結構，與圖 4.194(b) 染色後的明膠微結構比較，可以明顯發現明膠微結構由染色前的無色透明變成染色後的清晰可見，且 Brilliant Blue R 對明膠微結構沒有不良的影響，是一種有利觀測辨認的增益手法。

(6) 明膠在微機電上之應用

根據以上相關章節的說明，提供了以明膠作為面型微加工材質的知識技術背景。使用重鉻酸鉀感光 (或是可光刻；photo-patternable) 明膠，透過曝光顯影的方式定義出微結構模型，或以光阻為遮罩成形的戊二醛交聯 (GA cross-linked) 明膠，均可以製作交聯明膠的微結構。以明膠當作犧牲層為例，只要再將聚對二甲苯或環氧樹脂 (epoxy) 等結構層材料 (都是低溫或室溫製程) 直接覆蓋於明膠犧牲層上，並預留洞口，作為蛋白酶酵素溶除明膠犧牲層的進出口，待蛋白酶將明膠犧牲層完全溶除後，即可取得以聚對二甲苯或環氧樹脂製成的微結構。以圖 4.195 所示取代需要晶片鍵合之矽質體型加工法所製成之微流道而言，本低溫製程概念完全不會傷及原本晶片上已經製妥的微機電元件，非常適合當作後製程 (post processing) 使用[228]。

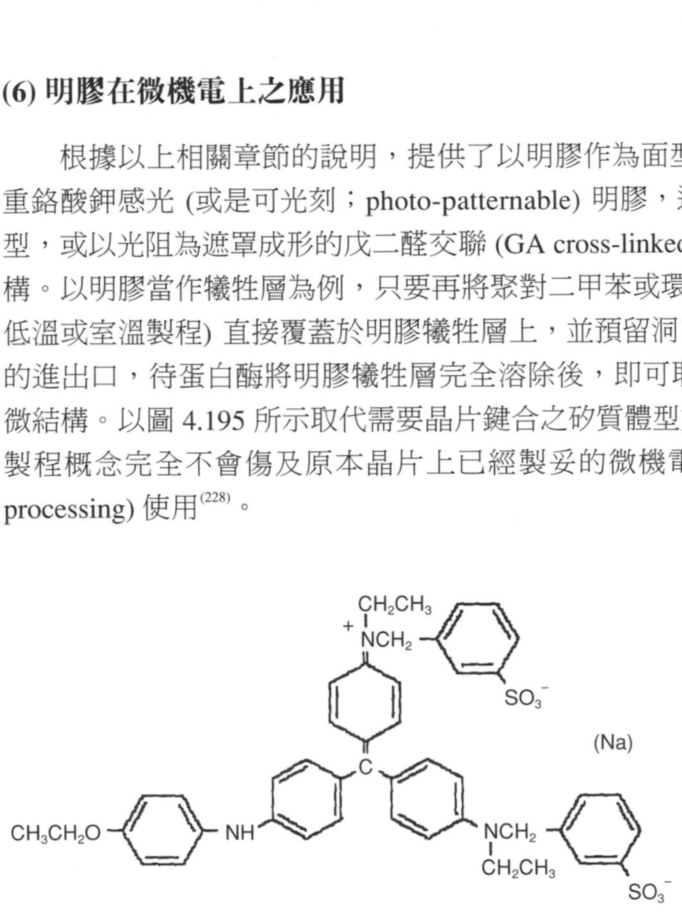

圖 4.193
Brilliant Blue R 相結構圖。

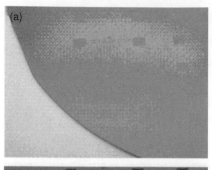

圖 4.194 使用 Brilliant Blue R 對明
　　　　膠進行染色：(a) 染色前，
　　　　(b) 染色後。

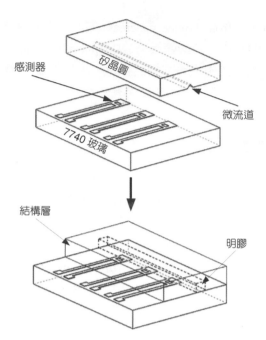

圖 4.195 以明膠犧牲層配合高分子結構材料晶片
　　　　鍵合製作微流道的方式，取代需要晶片
　　　　鍵合之矽質體型加工法。

　　除了犧牲層之外，也考量將明膠當作面型加工的結構層，不過明膠材料楊氏係數不大 (約只有 MPa 的等級)，剛性太差，往往會在其下方支撐的光阻犧牲層去除之後，與基材產生黏著。因此筆者將交聯明膠改用於其他材質 (諸如聚對二甲苯) 微結構的補強層 (protection or strengthening layer) 應用，亦即藉著已交聯的明膠厚膜堆加於聚對二甲苯之上，大幅增加聚對二甲苯結構的剛性，防止結構黏著於基板之上[229]。使用明膠的理由也是因為低溫製程的緣故，可與一般正光阻、聚對二甲苯成為相容配搭的面型加工材料系統；而且使用可光刻重鉻酸鉀明膠相當便利，與一般負光阻相同，材質卻又不如光阻般容易脆裂，極適用於結構層之加強。圖 4.196 與圖 4.197 的實作結果，已對比出有無明膠加強層對於抵抗黏著基板的效果。

　　結構補強成功後，如果明膠膜會影響到元件的機械作動功能時，還是可以用蛋白酶將之去除，甚至加上一些輔助的製程步驟，如圖 4.198 所示，可以順便將諸如空腔結構的進出口予以封閉。本明膠填塞製程也可以應用於 CMOS 面型加工微空腔元件之常溫、常壓填塞封閉，部分取代傳統使用電漿輔助化學氣相沉積 (PECVD) 在 350 °C 的溫度下沉積氮化矽 (SiN_x) 的封合方式。

　　另外，低溫明膠材料也可以進一步應用於如圖 4.199 所示之電化學感測器電極的側邊封合保護，防止黏著用之鉻 (Cr) 膜底層電極在液體中遭到氧化，進而延長鉻層上的黃金電極之使用期限。

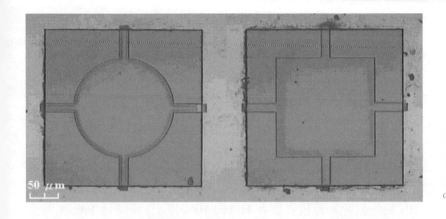

圖 4.196

因毛細力造成聚對二甲苯空腔薄膜與基材產生黏著[229]。

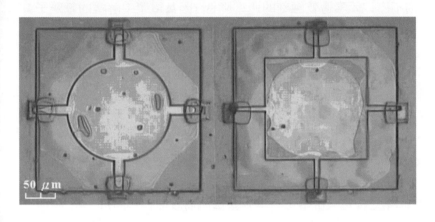

圖 4.197

交聯明膠補強層防止空腔結構產生黏著[229]。

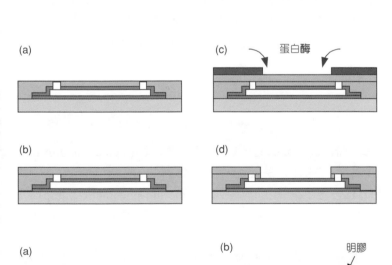

圖 4.198

以明膠作空腔微結構的補強與填塞：(a) 將空腔微結構內的犧牲層光阻掏空，(b) 在空腔微結構上旋塗明膠作為洞口之填塞，(c) 在其上定義蛋白酶溶除的光阻阻擋層，(d) 以蛋白酶將未受光阻阻擋的明膠溶除，露出聚對二甲苯的原始設計結構。

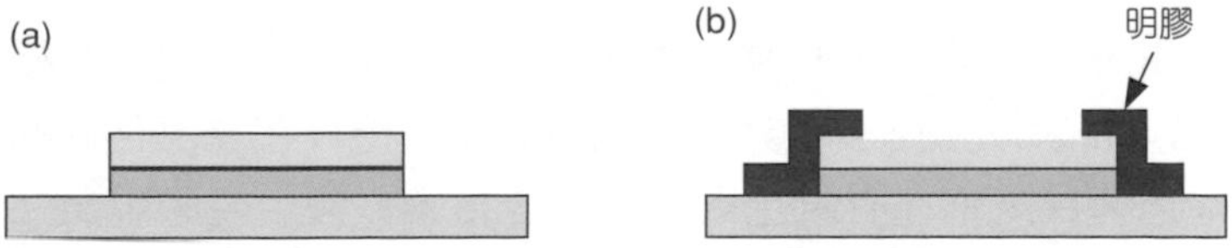

圖 4.199

以明膠作為電極側邊的封合保護。

4.7.3 鐵氟龍

鐵氟龍 (fluorocarbon polymer, Teflon) 是一種眾所週知、能有效抵抗酸鹼、穩定性好的高分子聚合物材料，其分子式是聚四氟乙烯，英文簡寫為 PTFE (poly-tetra-fluoro-ethylene)。Teflon 熔點達 370 °C，常用於半導體製程設備之腐蝕槽或夾具材質；因表面呈現極度的疏水性 (hydrophobic)，與許多材質的黏著性均不佳，故可以當作脫模層 (mold release layer)，或是受驅動液體行徑的滑動面所在 (因為接觸角很大，幾乎不沾濕 (non-wetting))。

市售的 Teflon 通常呈圓柱狀或板狀塊材，當然無法直接應用於微機電的產品或製程，而需採用較為特別的鍍膜方式。第一種方式是利用電漿輔助沉積法所得到的 Teflon $(C_2HF_3)_n$[230]。當以 CF_4 進行 RIE 乾蝕刻時，若藉著加入 H_2 (約 10% 以上) 來降低 F/C 比例值 (fluorine-to-carbon ratio)，則不僅矽元素遭乾蝕刻的速率降低 (因為電漿中解離的氟離子減少)，甚至導致碳氫化合物 (hydro-carbon) 開始進行聚合 (polymerization) 反應，而得以在原本該腐蝕的矽晶表面成長出類似 Teflon 的薄膜。

第二種方式是採室溫下的旋塗法 (spin-coating)，利用呈現膏狀的諸如 Dupont spin-on Teflon AF 1601S[231]，旋塗在晶片基板上，經過室溫下乾固，即可得到數微米以上厚度的 Teflon 薄膜。該薄膜經實驗證實與矽 (silicon)、氧化物 (oxide)、氮化物 (nitride)、銅 (copper)、金 (gold)、鉻 (chrome) 等基板表面的黏著良好，且不管浸泡於正光阻的顯影劑 (developer)、丙酮、HF 或 BOE，都不會受損。塗佈 Teflon 薄膜時要注意氣泡 (trapped bubble) 之剔除，其方法是在薄膜乾固之前，利用抽真空的方式 (就是將晶片置於真空艙體中一段時間)，即可去除。比起第一種電漿沉積法，本旋塗法所需設備較為簡單。

上述 Teflon 薄膜備便之後，利用氧氣電漿 (oxygen plasma；幾乎適用於所有的高分子塑膠薄膜的去除)，在一般正光阻的阻擋保護下，即可進行平面圖形之定義。最後要提醒的是，Teflon 並不是絕對氣密性的材質，氧氣分子仍可以穿透之 (oxygen-permeable film)[232]，不宜直接使用於氣密封裝的應用。

4.7.4 矽膠

高分子塑膠材料中有所謂的「彈膠體 (elastomer)」，以擁有高變形率 (high elongation) 之彈性及良好的密合性 (good sealing) 著稱，文獻 233 就是利用矽膠 (silicone)，或稱為聚二甲基矽酮 (poly-di-methyl-siloxane, PDMS)，製成熱驅動氣壓幫浦 (thermo-pneumatic pump) 所需之微膜閥門元件。由於尺寸只在數毫米至數百微米之間，該彈膠薄膜的製備仍是採用室溫旋塗法。

以 American Safety Technologies Inc. 公司製造、型號 MRTV1 的 PDMS 膏膠為例，經旋塗以及室溫乾固後，可得到厚達 132 μm 的矽膠膜。文獻 233 同時顯示，塗佈在具氮化矽的矽晶上可以增加 PDMS 的附著性；若直接塗佈在有氧化層的矽晶上很容易發生脫層現象。MRTV1 的薄膜性質請參考表 4.25。(另可嘗試較容易塗佈的 GE RTV615 型矽膠，但是彈性

表 4.25 MRTV1 *矽膠的薄膜性質*。

基本特性	數值
混合黏度 (mixed viscosity)	60,000 cps
硬度 (hardness)	Shore A24
拉伸強度 (tensile strength)	500 psi (楊氏係數 0.5 MPa)
抗扯強度 (tear strength, die B)	125 lb/in
拉伸變形量 (tensile elongation)	10－1,000%
溫度範圍 (temperature range)	–55－200 ℃
熱導係數 (thermal conductivity)	0.002 W/cm·K
介電強度 (dielectric strength)	550 V/mil
體積電阻率 (colume resistivity)	$1.6 \times 10^{15}\ \Omega\cdot cm$
經室溫 24 小時凝固後，可抵擋的化學藥品	緩衝稀釋的氫氟酸、光阻顯影劑、酒精，短時間的氧氣電漿侵蝕，但在丙酮與鹼液中不能支撐太久
化學蒸氣溶液之穿透性	明顯

與耐久性都比前者差。)

　　另外矽膠也可以當作填塞母模 (molded squeegee) 的材質，應用於微機電的元件製作。文獻 234 即採用 Dow Corning 公司製作的 Sylgard 184 矽膠膏，分別製作了止回閥 (check valve) 的矽膠薄膜元件，以及供液體進出口管道使用的微型矽膠 O 型環。實際製作上，包括了擠壓填塞、刮刀削平以及室溫乾固等三道程序。

4.8 高分子加工技術

4.8.1 微雷射光合高分子成形技術

　　微雷射光合高分子成形技術 (microstereolithography, MSL) 是一種新穎的微元件製程技術，目前在所有微製造的製程發展中，微雷射光合高分子成形可製作出微小物件，並且可做出許多複雜的外形與精細的結構。相較於其他傳統的微製程技術，微雷射光合高分子成形並非由微電子技術所衍生出，而是由快速成型 (rapid prototyping, RP) 產業發展而來。事實上，微雷射光合高分子成形主要用於製作各種不同的微製程所設計的元件，而該技術是由雷射光合高分子成形技術 (stereolithography, SL) 所發展出來。

　　雷射光合高分子成形技術是一種快速成型的製作技術，主要用於汽車與航太工業產品的原型製造，而且由於其產品實體成形能力極佳，所以同時也廣被用於所有需要 3D 原型製造的工業與技術上。這種技術首先起源於西元 1993 年，此後各國的研究單位陸續研發出微實體微影製作的儀器，這些儀器所製作的實體皆為光線聚焦後層層堆疊而成，然而文獻中

第 4.8 節作者為林裕城先生及任春平先生。

也陸續發表不同的技術方法，但主要可分為向量掃描方式 (vector-by-vector) 與平面投影 (projection) 式。

　　微雷射光合高分子成形技術可以製作複雜的 3D 微結構元件，例如：微馬達元件、微流體元件及微系統元件等，並且可與微製程技術結合，例如結合厚膜光阻或是壓電材料等製程。雖然大部分微雷射光合高分子成形領域在此微製造技術領域上有一定的成果，然而，如何製造出高解析度且微小尺寸的原型元件，仍是目前主要的研究方向。

　　雖然微雷射光合高分子成形技術 (microstereolithography) 的名詞如今已廣泛被使用者與業界所採用，但是仍有許多不同的名稱亦被研究人員所使用，例如：微光成形 (micro-photoforming)、內部硬化成形 (IH process)、空間成形 (spatial forming)、三維光學製造 (3D optical modeling)、微雷射光合高分子成形技術 (microstereophotolithography)、光成形 (optical forming) 等。然而，所有的微雷射光合高分子成形技術都有共通的目標以及共通的基本定理：即由光線聚焦在液體樹脂上以形成空間的實體，再層層的堆疊，最後建立微小尺寸、高解析度、3D 的立體結構。

4.8.1.1 雷射光合高分子成形製作法

　　雷射光合高分子成形技術製作法為最早且最為廣泛使用的快速成型技術，它藉由雷射造成感光液體聚合反應後，建構出一層層的結構。雷射光束在感光液體上聚焦並且掃描，使得該局部液體變為固體而形成第一層結構後，再移動第一層結構使乾淨的感光液體或樹脂液體覆蓋在剛形成的實體上面，接著再以雷射光束使感光液體或樹脂固化形成第二層。此技術在 3D 方向具有 150－200 μm 的解析度，若要往微結構尺寸發展，則解析度必須有相當大的突破，如此必須減少光束和樹脂間的反應體積。

　　為了控制光束在反應介質的穿透深度，感光樹脂及相關不同的溶液需特別配製。當雷射光束聚焦在表面感光樹脂上並且進行動態掃描時，為了將雷射光束直徑的大小降到數微米，首先必須增加水平解析度並正確聚焦在表面。第一種向量掃描式微雷射光合高分子成形對每一層結構的掃描方式，一般不以移動掃描鏡面的方式，而是採用在 x-y 方向移動感光樹脂平臺的方式來完成。為了避開聚焦在液體樹脂表面準確性的問題，另一種名為平面投影式的微雷射光合高分子成形製程應運而生，物體的影像以整層高解析度方式投影在樹脂表面上，並在某深度上聚焦。

4.8.1.2 向量掃描式

　　向量掃描式雷射光合高分子成形大致可歸類為三種型式：限制型表面技術、自由表面技術 (free surface technique) 及集體光纖製程 (collective manufacturing with optical fibers)，分別具有各自機構上的差異性。

(1) 限制型表面技術

　　1993 年 Takagi 等人在 MHS 國際會議[235]、Ikuta 等人在 MEMS 國際會議[236]，首先發表關於微雷射光合高分子成形相關技術的論文，他們藉由光束的向量對向量的一層層掃描方式，穿透視窗聚焦在樹脂上以便建構物體，如圖 4.200 所示，此機構並沒有掃描鏡面來反射雷射光，而是以 x-y 方向改變的 2D 平臺來移動整個光學系統的聚焦位置，或者當聚焦位置固定時，用來改變樹脂的光反應系統平臺。當層與層作轉換時，光遮罩阻擋光束前進，防止新的聚合反應產生。

　　使用玻璃視窗主要是為了推動流體以及固定樹脂的厚度，然而，透過一個透明視窗作聚合反應最大的缺點，在於已形成的高分子材料黏著其上，在整個製程中，這樣會容易造成局部或完全的結構性破壞。

(2) 自由表面技術

　　為了避免高分子黏著在玻璃視窗上，便有某些研究者以自由表面技術來作為改善，Zissi 等人於 1994 年首先提出此方法[237]，到了 1998 年 Zhang 等人也同樣使用此微雷射光合高分子成形方法[238]。在此種技術中，光束固定聚焦在樹脂的表面，以向量對向量 x-y-z 三軸方向移動感光平臺來製作層狀結構。雖然這樣的機構比前一個方法容易建立物體，然而控制樹脂層的厚度仍是困難的，一旦液體層擴散到整個已形成的樹脂表面時，必須等待重力使其達到表面水平，因此必須儘可能使用低黏滯係數的液體。

(3) 集體光纖製程

　　研究此技術的人並不多。隨著微雷射光合高分子成形發展，由於面積有限，因此一般元件以批次製造完成。對微製造領域而言，傳統的微製程方式為晶圓等級的製程，具有可大量生產而降低成本的優點。Ikuta 等人於 1996 年研發出集體式微實體微影製程，如圖 4.201 所示[239]，使用 5 個陣列式的單一光纖，並且以氙氣所產生的 UV 光線聚焦在 5 個不同

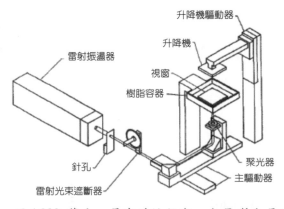

圖 4.200 藉由一層穿透性視窗，向量對向量的微雷射光合高分子成形機構[235]。

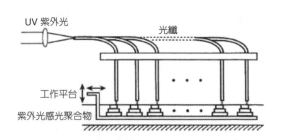

圖 4.201 集體式微雷射光合高分子成形製程。

的樹脂液體自由表面，藉由電腦控制 *x-y-z* 方向移動平臺掃描以層對層向量組成的元件，然而，此種技術的缺點在於其解析度沒有其他向量掃描式的 MSL 機台來得好。

4.8.1.3 平面投影式微雷射光合高分子成形

平面投影式微雷射光合高分子成形 (projection microstereolithography) 是近幾年發展出的整合性 MSL 製程，此方法比向量掃描式的快速成型技術困難許多。此外，系統組成元件包含動態的圖形產生器 (dynamic pattern generator)，由於解析度問題為此系統的關鍵技術，一直到 1995 年才商品化。

(1) 原理

整合性 MSL 的原理如圖 4.202 所示，藉由模型製作的步驟，在選定的平面上作單位方向、尺寸以及切薄片等動作，配合 3D 的電腦輔助設計出各個物件，將每一個薄片 (slice) 轉成繪圖檔案，接著輸入、驅動動態圖形產生器，以物件底部的切平面開始製作。光源發出的光束經由圖形產生器變成所要的一層影像圖形，接著聚焦光學元件 (focusing optics) 將影像縮小並且聚焦在聚合性液體的表面，而受光面積會選擇性的凝固，因此所需的圖形形成了薄薄的一層聚合物。光遮斷器 (shutter) 則控制光照射的時間，以便在聚合物層的聚合作用完成後，精確地控制光路而立即將照射光線遮斷。當樹脂聚合物受光凝固後，光遮斷器便立即將照射光線遮斷，隨即將樹脂凝固物浸入反應槽中直到樹脂聚合物完全覆蓋其上，再打開光遮斷器使光線照射樹脂聚合物，形成另一層的樹脂凝固層。如此反覆以上的製程步驟，聚合物一層一層的堆疊直到物件形成為止。完成物件後將該聚合物從光反應槽中移除，並以適合的溶劑清洗。

平面投影式 MSL 的優點比向量掃描式 MSL 來得多，例如：與單一點光源聚焦在平面上比較來說，平面投影式 MSL 光束通量強度比較低，如此，可以避免由熱效應所產生的聚合反應；而且平面投影式 MSL 製程非常快速，無論圖形的形狀如何，皆可由一次照射而形成。

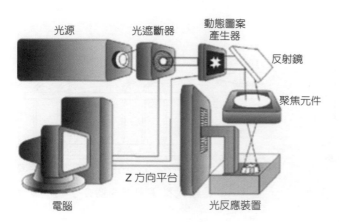

圖 4.202
整合性微雷射光合高分子成形機構圖[240]。

(2) 液晶顯示圖形產生器

投影式 MSL 不使用真的光罩，而使用動態圖形產生器，其組成為一個電腦控制的 LCD 鏡面板。一般而言，係一個具有位址記憶的 LCD 光學閥陣列，用來控制光線的開與關。

使用 LCD 來當作特殊的光線調變器與 UV 光線並不能一起搭配使用，因此可見光源在投影式 MSL 變得很重要，同時光感樹脂也必須選擇與可見光適用的材料。第一個作此實驗的研究團隊使用氬離子雷射，波長 515 nm，而雷射光為點光源，因此配合一個光學架設平臺使投射光重新分布成一高斯平面 (Gaussian top-flat profile)[241]。到了 1998 年 Loubere 等人發表另一個技術[242]，該技術不再使用雷射作為光源，而以鹵素燈泡取代之，如此不但價錢比雷射便宜，而且可降低斑點效應。

(3) 數位微鏡面元件圖形產生器

另一種組成圖形產生器為德州儀器生產的數位微鏡面元件 (digital micromirror device, DMD)，它是一種靜電式微鏡面致動器，是以微機電製程做成的光學開關[243]。

DMD 是由類 CMOS (CMOS-like) 製程完成，並且批次做出 $16 \times 16 \ \mu m^2$ 大小的鋁鏡面。鏡面的旋轉藉由靜電吸引力驅動，並結合 DMD、光源與光學系統，以及鏡面懸樑的操控技術，每一鏡面反射投影鏡面 (projection lens) 的入射光或者阻擋其前進。當鏡面旋轉正 10 度，相對應的影像畫素轉為明亮；相反地，鏡面旋轉負 10 度時，相對應的影像畫素轉為暗。當然，DMD 晶片可以迅速作光的開關，當 DMD 結合彩色旋轉盤時，其速度足夠形成灰階與彩色的影像，然而，在 MSL 機構中的圖形轉換器上，並未使用這個功能。

為了顯示此技術的可能性，以一個具有 VGA 解析度 (640 × 480) 陣列式微鏡面為例說明，此技術由 Bertsch 等人以可見光實現於第一個原型開發[244]。在此儀器中，光源為金屬鹵素燈泡，而波長則藉由多頻帶通濾波器 (broadband pass filter) 來得到。不同的光感應樹脂在此機構中被研發出來，首先第一步，高解析度的樹脂適用波長為 530 nm，它不但製造出許多的零件，而且還可以顯示重要的變形資訊；在第二步驟中，發展出 410 nm 適用樹脂，它

圖 4.203 由 EPFL 發展出的紫外光 DMD 微雷射光合高分子成形 機器[245]。

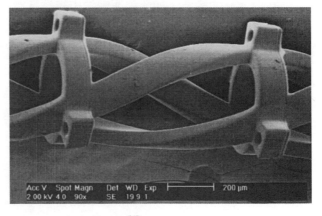

圖 4.204 微螺旋結構[247]。

有很多成分接近傳統的雷射光合高分子成形，事實上它對 UV 光並不反應，但卻可適用在可見光的藍光中，這樣的機器每小時可容許 200 到 300 層的製程速度。

第二種創造的 MSL 機器可用於 UV 光中，搭配解析度 XGA (1024 × 768) 的 DMD 晶片。如圖 4.203 所示為此機器外觀，是由瑞士聯邦政府技術中心 (Swiss Federal Institute of Technology in Lausanne, EPFL) 所發展出，其光源是一個金屬鹵素燈泡結合多頻帶通濾波器 (broadband pass filter)，以得到可見光波長，並且使用 acrylate-based 樹脂，其具有對照射光線波長的高吸收性，而且有接近傳統雷射光合高分子成形樹脂的機械特性。

4.8.1.4 應用

MSL 目前已是商品化的製程技術，隨著微小化產品的快速成長，高解析度的小尺寸原型元件需求也變多，傳統的快速成型機已經無法達到此微米等級。MSL 主要商業化的應用在於快速成型的產品上，最早開始販賣 microTEC 原型元件為德國的公司，而 MSL 最重要的發展應用如下文說明。

(1) 高複雜幾何物件

使用 MSL 發展出的元件皆是傳統微製程方法很難製作的物件，例如：微管道[246]、微齒輪[247]、微圓錐[246]、微渦卷彈簧結構[248]、微螺旋結構[247] (如圖 4.204 所示)、可轉動的自由元件[248]、3D 網狀結構[248] 等。

(2) 微機械元件

大部分研究單位已經對微系統、微流體等領域有許多研究，這是一個逐漸成長的領域，致力於高解析度原型物件，特別是醫療科學技術領域。當尺寸變小時，內科內視鏡用的光學、化學感測器在放入檢體中可減少排斥的產生[240]；人類用的助聽器製造業嘗試設計出質量輕的產品，體積小達到配戴舒服、外觀無法看出來的圓形外形，其自然幾何形狀可以完全貼近人耳的構造，如此需要製造出複雜且微小的結構，如圖 4.205 所示的助聽器結構。

(3) 微系統零件

當 MSL 由快速成型技術發展並且不需要晶圓等級的製程時，許多研究團隊致力於使 MSL 與傳統矽製程整合在一起，以致於發展出新的平面結構功能以及創造許多微系統零件。1994 年 Takagi 等人藉由 MSL 做出微爪形結構[249]，如圖 4.206 所示，並且藉由壓電致動器來驅動。

MSL 同時也結合厚膜光阻 UV 微影製程[247]，在 MSL 的後段製程中，3D 聚合物微結構可以藉由 SU-8 厚膜光阻製作出高深寬比的元件。如此，將 MSL 的平面曲線結構加上 SU-8 技術晶圓等級的製程，使兩者的優點結合，在微米精確度下做出平滑垂直壁。如圖 4.207 為

圖 4.205 助聽器結構[240]。

圖 4.206 微爪形結構[249]。

MSL 所製的圓錐狀軸承附著在 SU-8 厚膜製成的齒輪上，而兩個結構要能夠結合在一起，須事先以微機電製成元件，再由傳統的微製造技術將 MSL 直接長在元件上，主要關鍵在於將 SU-8 製成的部分浸入光反應槽中，然後以 MSL 儀器上的光束進行對位。

　　另一種微系統元件型式為 MSL 所製的機械結構，結合形狀記憶合金 (shape memory alloy, SMA) 線來形成一多個自由度的 3D 致動器[250]，當機械結構設計好之後，夾型區域提供 SMA 線插入，接著 SMA 線以光聚合黏著劑固定在機械結構中，一旦固定在聚合物結構後，SMA 線便會因焦耳熱效應 (Joule effect) 傳遞機械應力，使得整個結構變形，微致動器便具有分布性的彈力或彈性樞紐特性。

(4) 微流體元件

　　許多研究者探討以 MSL 方法來製作微流體元件，而 MSL 確實可以做出管道、連接器等樣式，此為傳統微製程技術不可能達成的結果。不同的被動微流體元件目前已發展出來，例如彎管、微結構閥、微流管道及雙層單向連接器[240]，以及大尺寸工業靜態 3D 微混

圖 4.207

MSL 所製的錐狀軸承附著在 SU-8 厚膜製成的齒輪上[247]。

合器[251]，如圖 4.208 所示為大尺寸工業靜態微混合器的剖面圖。更多複雜的被動微流體元件已經於文獻中發表，例如結合不同技術或者在 MSL 製造過程中插入薄膜結構。

　　一種螢光酵素 (luciferase) 接合的無細胞生物化學晶片 (cell-free biochemical chip)[252]，由 MSL 所製的透光反應區加上可以控制化學反應的光感應器結合在一起，如圖 4.209 所示。

　　另一種更強的設計是有關光蛋白質的接和反應器[253]，此反應器結合多種功能的反應槽在一起，分別具有閥、反應區、儲存槽及感應器等功能，圖 4.210 所示為各個元件圖形，而圖 4.211 為各部件的整合圖形。

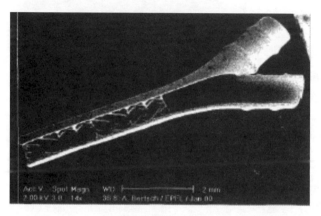

圖 4.208 大尺寸工業靜態微混合器的剖面圖[251]。

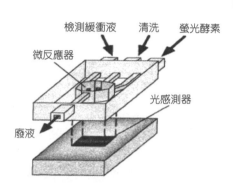

圖 4.209 無細胞生物化學晶片結構示意圖[252]。

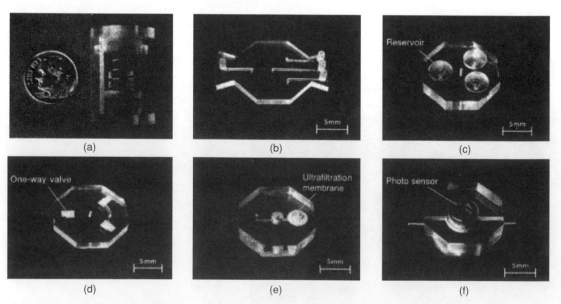

圖 4.210 光蛋白質之接合反應器的各個功能元件：閥、反應區、儲存槽及感應器[253]。

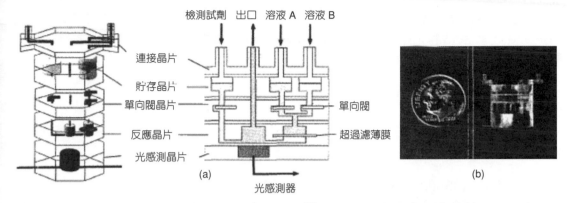

圖 4.211 光蛋白質之接合反應器各部件的整合圖形[253]。

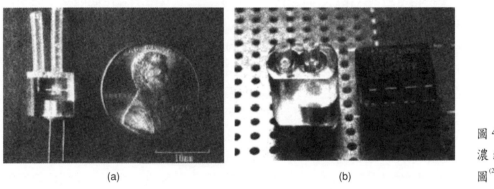

圖 4.212
濃縮晶片實體
圖[254]。

　　圖 4.212 所示為一種濃縮用晶片的實體[254]，為 MSL 的元件，包含微流管道、微反應槽，其中微反應槽在製造過程中，以超過濾薄膜插入其中分成兩部分，且用二極體雷射來監控其濃度，此實驗以光學即時偵測反應區的蛋白質接合所發出的冷光生化反應作為監控。

4.8.1.5 結語

　　微雷射光合高分子成形 (MSL) 是一個新發展的技術，分為向量掃描式與投影式整合性的微雷射光合高分子成形製程，可以創造出相當小尺寸、複雜的 3D 實體元件，尤其對於生物醫學領域，可以製作出微製程領域不容易達到的解析度與微小化結構，未來對生醫的應用具有相當貢獻。然而 MSL 至今尚未商品化，即使一些快速成型機器可以用來建立微小物體，卻不可能以傳統或微小光束的 SL 來完成，即使大部分的研究團隊已發展出自己的微製造技術，然而此技術的第一個應用領域在於快速成型。目前快速成型技術正面臨著微小尺寸、高解析度元件的製作，MSL 可以和傳統的微製造技術並存，但是 MSL 仍受限於微系統領域，例如結合厚膜光阻作微齒輪、結合壓電材料作微爪結構等，而非晶圓等級可以批次製造。MSL 所製造的元件具有 3D 實體的特徵，且大部分所做的皆為複雜的物體，這意味著在某些應用上，MSL 不是原型的技術，而是一種微製程的技術。

4.8.2 軟式微影技術

4.8.2.1 技術背景

微機電系統 (MEMS) 在短短數年快速的發展下，儼然已成為本世紀與生化技術並行的主流科技。從各種研究文獻也看到，MEMS 在製程設計上不斷地突破創新、趨向成熟。然而在研發與商品化的路途上，MEMS 所面對高額的製作成本，卻是一道高大的門檻，讓許多研究者望之怯步，這也是每個 MEMS 研究單位的沈重負擔。為了因應這個問題，許多極富創意的想法便隨之產生，而軟式微影 (soft lithography) 即是個重要的例子[255,256]。

軟式微影是由哈佛大學生物化學教授 George M. Whitesides 在 1997 年所提出，而這套製程方法原先是要克服光學微影解析度的極限，並利用翻模、轉移的方式製作更細微尺寸 (約 30 nm) 的奈米結構 (nanostructures)，然而，後來這套方法廣受應用卻是因其製程快速並且成本低廉。軟式微影有別於傳統微機電技術中的光罩微影技術 (photolithography)，它代表了一種非光微影 (non-photolithographic) 的技術，其主要是藉由自我組成及複製成形的特性，以達到製造出極微小元件之目的。它的原理主要是利用高分子材料化學反應產生自組裝 (self-assembly)，與多次翻模技術製作微米或奈米的結構，具有便利性佳、高製程效率與低成本的優點，利用具有彈性體的母模或形狀，將原料翻印或轉印在結構上，製程尺寸的範圍從 30 nm 到 100 nm，應用的範圍包括光學導線、感測器、致動器、微型幫浦、生醫晶片、微流結構與奈米表面處理等。藉由表 4.26 的比較，更可以說明此類技術與光罩微影技術的不同點[256]，如不需耗時費事的蝕刻過程、雙面加工容易與材料選擇多樣等。

在整個軟式微影的製程中，主要是利用一種透明的彈性高分子聚合材料二甲基矽氧烷 (polydimethylsiloxane, PDMS)，作為翻模用的彈性印章 (stamp)，利用印章圖形轉移的方式，並搭配不同的後處理 (如蝕刻、灌模等)，來完成各種不同的微結構。其中，因各種製程技術的差異，常用的軟式微影主要可區分成以下四種：(1) 微接觸印刷 (microcontact printing, μCP)、(2) 毛細管微成形 (micromolding in capillaries, MIMIC)、(3) 微轉印成形 (microtransfer molding, μTM) 及 (4) 複製成形 (replica molding, REM)[255]。

在說明各項軟式微影技術之前，此處先對自組裝膜的概念及常用的高分子材料聚二甲基矽氧烷之特性做簡單的介紹。

(1) 自組裝單層膜 (Self-Assembled Monolayer, SAM)

自組裝作為製造有機超薄膜的一種新型分子組裝技術，越來越引起人們的興趣。自組

表 4.26 光罩微影技術與軟式微影之比較表。

	光罩微影	軟式微影
如何定義圖案	硬體光罩 (利用 Cr 在石英板上定義圖形)	利用模具和壓印的方式 (利用模造技術將圖案轉到 PDMS 上)
可以直接定義圖案的材料	光阻 (添加光感的高分子材料)	光阻[a,e]
	自組裝於 Au 和 SiO₂	自組裝於 Au、Ag、Cu、GaAs、Al、Pd 及 SiO₂[a] 不感光之高分子材料[b-e] (epoxy、PU、PMMA、ABS、CA、PC、PE、PVC) 高分子材料前身[c,d](至碳及陶瓷) 珠狀聚合物[d] 導體聚合物[d] 膠狀材料[a,d] 燒結材料[c,d] 有機和無機鹽類[d] 生物巨分子[d]
轉印上去可以形成的表面和結構	平坦面和 2D 結構	平坦面、非平坦面、2D 結構、3D 結構
目前解析度的極限	~250 nm (投影) ~100 nm (實驗室)	~30 nm[a,b]，~60 nm[e]，~1 μm[d,e] (laboratory)
最小可形成的特徵大小	~100 nm (?)	10(?)－100 nm

a：μCP，b：REM，c：μTM，d：MIMIC，e：SAMIM。

PU：polyurethane；PMMA：poly (methyl methacrylate)；ABS：poly (acrylonitrile-butadiene-styrene)；

CA：cellulose acetate；聚苯乙烯 (PS)：polystyrene；聚氯乙烯 (PVC)：poly (vinyl chloride)。

裝膜的成膜原理是通過固液界面間的化學吸附，在基體上形成化學鍵連接、取向排列及緊密的二維有序單分子層，此為奈米級的超薄膜。活性分子的頭基與基體之間的化學反應，使活性分子佔據基體表面上每個可以鍵接的位置，並通過分子間的力使吸附分子緊密排列。如果活性分子的尾基也具有某種反應活性，則又可繼續與別的物質反應，形成多層膜。由於需通過化學反應形成化學鍵，因此成膜具有選擇性，一定的活性分子只能在與之相應的基體上成膜。

　　自組裝單層膜由於具有製造簡單、性能穩定、厚度小與基體結合性能好等特點，得到了人們的重視。分子自組裝單層膜的特徵與優點在於可在任意形狀的表面成膜、被破壞的膜可原位生成，通過控制分子組成，分子自組裝單層膜的性質可隨柔性發生變化，少量的成膜材料即可使大面積表面包裹一層有序分子膜,以及有較高的堆積密度和較低的缺陷濃度等。這種超薄膜在非線性光學、材料科學、生物學及光化學等領域極具重要價值。在微機械技術過程中加入製備矽烷自組裝膜的程序,減小了微機械中的黏著和靜摩擦。帶氟原子端點的矽烷自組裝膜比同種材料的 LB 膜排列更緊密,很少有空洞。以摩擦力顯微鏡分別測得在矽片上製備矽烷自組裝膜可以將摩擦係數由 0.5 左右降至 0.1。矽烷在自然氧化的矽表面上 (單晶矽、玻璃、雲母),鏈烷酸在自然氧化的鋁、銅和銀上,烷基硫醇在 Au、Ag、Cu、GaAs 表面等。由於聚矽氧烷的網狀結構,矽烷在 SiO_2 表面上通過共價鍵形成的單分子膜穩定而牢固;而硫醇-金屬的極性鍵使得硫醇在 Au、Ag 表面形成穩定的單分子膜。在微矽馬達上製備矽烷自組裝膜,可以降低磨損,減小摩擦力/力矩,達到旋轉平穩。自組裝膜同時也是一種極有前景的分子極超薄潤滑膜。

SAM 主要的成膜種類可分為:① 有機硫醇 (alkanethiol) 在銀、金、銅表面;② 有機矽衍生物在含羥基表面,如矽表面的二氧化矽,鋁表面的氧化鋁;③ 醇、胺在白金表面;④ 羧酸在氧化鋁、銀表面。

(2) 聚二甲基矽氧烷 (Polydimethylsiloxane, PDMS)

PDMS 之分子鏈極為柔軟,分子轉動能障低而且矽氧鍵能高,具有下列諸多特點:良好的熱穩定性與氧化穩定性、表面張力低、良好的透氣性及電絕源性,低溫下仍具有柔軟性、彈性及流動性,耐候性佳,生物相容性佳等特點,在高分子材料的改質中,一般多以摻混或共聚合的方式在塑膠中添加小量的橡膠以改進之。聚矽氧烷由於其優良柔軟性與熱穩定性,常作為酚醛樹脂、壓克力樹脂與環氧樹脂的改質劑,但由於聚矽氧烷與其他高分子之相容性較差,加上聚合反應的差異性,而造成改質上的困難。歸納以往的研究結果,以矽氧烷改質一般塑膠的途徑有:互穿網型結構、團聯共聚合物及接枝共聚合物等三種,在微機電領域中它是極佳的高分子製程材料。

PDMS 常用來搭配 LIGA、類 LIGA 與 DRIE (deep reactive ion etching) 的製作過程,其深寬比高達 100,以 PDMS 為主的複製技術大都應用於微流體設計,它具有堅固、光學特性佳與價格低廉等優點。PDMS 可在室溫下操作,在 65 °C 時會發生固化,本身為一種疏水性矽膠類的材質,具有相當好的電絕緣性,並且能夠吸收震動、減少應力的衝擊;其功能不受環境溫度或溼度影響,容忍的範圍相當大。材料本身可以抵抗臭氧及紫外光的作用,具有相當好的化學穩定性;對於矽晶圓、玻璃或 PMMA 有相當不錯的附著力,可以貼附在一般光滑的基板表面。在製造的過程中,可以以翻模方式大量生產特殊的立體結構,或是藉由塗佈的方式覆蓋表面。PDMS 固化前,成黏稠態流體 (黏度約 3900 mPa·s),容易定義形狀;固化後具有彈性,彈力模數 1.4 MPa,使用上並沒有溶劑揮發的問題;操作的溫度範圍相當廣,可以長時間在 –45 到 200 °C 正常作用[257,258]。

4.8.2.2 微接觸印刷術

　　微接觸印刷術 (microcontact printing, μCP) 是一種奈米元件製程的新方法，能在金、銀、矽片、陶瓷等基材表面印刷出奈米－微米量級的精細結構，印製導電高分子微電路，以及製作三維結構微製品。該方法精確重複、工藝簡單，對實驗室條件要求也不高，在微電子學、超微機械加工等超微元件製程中有很好的應用前景。簡便、可精確重複的印刷術曾為人類文明作出重大的貢獻，隨著時代發展，製造技術進入微米乃至奈米微觀範疇，類似的微觀圖紋印刷在微電子學、超微機械加工、微觀化學反應和生物等研究領域仍有很大的吸引力。傳統的光刻方法適用於製作微米量級的結構，要製作更微細的圖紋，就要採用紫外光、電子束、X 射線等更短波長的光來蝕刻，若要製作 0.5 μm 以下的圖紋難度就很大了，然而 μCP 經過一定的技術處理，能很容易地製造出小至 100 nm 的精細結構，μCP 可說是以美國哈佛大學 Whitesides 教授研究群為主的多個研究小組集體開創的技術[259]。

(1) 微接觸印刷原理

　　微接觸印刷術是一種使用高分子彈性「印章」和自組裝單層膜 (SAM) 技術，在基片膜 (通常是金膜) 上印刷奈米－微米量級圖紋的新技術。在蝕刻有精細圖紋的矽片表面淺鑄，加熱固化後剝離，矽片上的精細圖紋就傳遞到 PDMS 表面上，這就是所謂彈性印章。其以烷基硫醇為「墨水」，用 PDMS「印章」在基片的鍍金表面上「蓋印」，精細圖紋就由彈性印章傳遞到了金基片表面。「墨水」中的硫醇基與金反應，形成自組裝單層膜 (SAM)，單分子層對化學腐蝕液有阻隔作用，用蝕刻劑進行腐蝕，就在基片上得到與原蝕刻圖紋完全一樣的精細圖紋 (圖 4.213)。

　　圖 4.214 顯示某些印章的圖案結構會在轉印過程中造成失真的影響，如果印章深度太淺，則在轉印的過程中，可能會把不想要的部分也一併轉印過去，或是深度過深，也可能會造成印章圖案的變形。微接觸印刷過程可能的失真情形包括成對 (pairing)、下陷 (sagging) 及縮減 (shrinking)[255]。

(2) 微接觸印刷優點

　　與目前在微製造領域廣泛使用的光刻技術相比，微接觸印刷 (μCP) 有如下幾個優點：

1. 過程簡單，μCP 是一種印刷過程，效率較高，而光刻要先在基材的表面上塗上光阻，用帶有圖案的光罩遮光，然後用紫外光或電子束照射、顯影、蝕刻。其問題在於每個製品都要經過這樣的步驟，較為繁雜。
2. 彈性印章可重複 100 多次，它的複製也很容易，而進一步提高效率。
3. 對實驗要求不高，適於沒有光刻設備的實驗室使用。
4. 光刻法能夠在曲面上蝕刻圖案，而高分子彈性印章有優良的彈性，能用於三維尺度結構的複製。

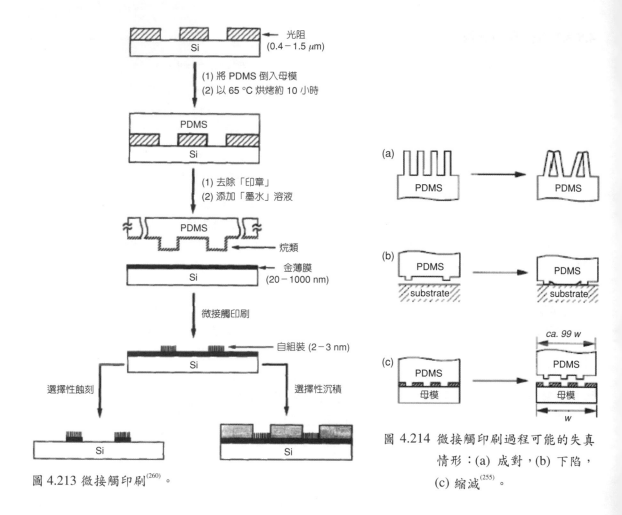

圖 4.213 微接觸印刷[260]。

圖 4.214 微接觸印刷過程可能的失真
　　　　 情形：(a) 成對，(b) 下陷，
　　　　 (c) 縮減[255]。

　　μCP 適用於微米至奈米級精細圖紋的印刷，最小可印刷幾十奈米大小的圖紋，清晰度優於 50 nm，能用於電路芯片、微型機械結構等超微元件的製造，也可以作為進行生物、微觀化學反應等方面研究的工具，如用以微接觸印刷方法印刷抗體光柵成為生物感測器，能選擇性固定抗原檢測大腸桿菌，及製作微化學反應器和毛細電泳系統等。

4.8.2.3 毛細管微成形 (MIMIC)

(1) MIMIC 原理

　　MIMIC 之方法是先將 PDMS 的模子放置在基質的表面上，在介於基質表面和 PDMS 模子間的中空通道會形成網狀系統，然後將低黏度的預聚合高分子 (prepolymer) 液體放置於通道的開口端，而此液體會因為毛細現象的作用自動地進入並填滿通道。經由烘烤固化

(curing) 後，預聚合高分子會變成固體，然後將 PDMS 移開後，就可以形成如圖案所示的微小聚合體結構。其簡單之示意圖如圖 4.215。

　　與光微影 (photolithography) 比較起來，MIMIC 所能使用的材料範圍更為廣泛，包括有可紫外光光固化 (UV-curable，或可熱固化 (thermal curable)) 的高分子材料等，圖 4.216 為MIMIC 所形成結構之類型。

(2) MIMIC 技術之限制

　　MIMIC 是一種能容納多種材料的微製造方法。目前使用此方法而製造出的平行線剖面積值最小為 $0.1 \times 2 \ \mu m^2$，但這並不代表是此技術的極限值了。目前 MIMIC 發展階段有以下的限制：

1. MIMIC 需要一個由毛細管組成的流體連接網狀系統。
2. 毛細管填充之動作在短距離 (~1 cm) 是快速且完全的。可是在長距離時，填充速度會由於在毛細管中的流體黏性阻力和流體必須運送的距離而明顯地下降。如果流體阻力夠大的話，那麼毛細管前端處可能會無法完全地填滿。

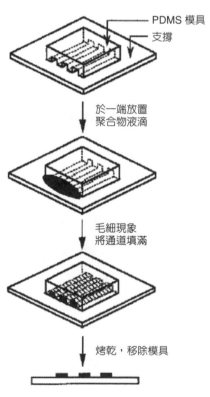

圖 4.215 MIMIC 程序示意圖[255]。

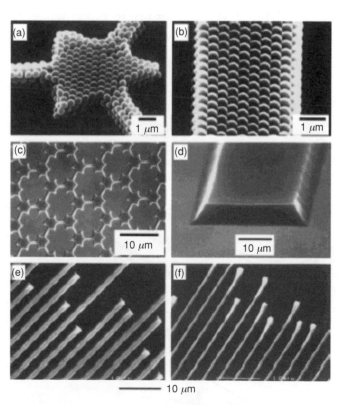

圖 4.216 MIMIC 製程技術可形成之結構[255]。

3. 當毛細管橫斷面面積減小，且當介於兩個表面間的自由能減少時，填充速率也會減小。雖然在實驗上已有好幾種適用於微尺寸 (直徑 < 50 nm) 的流體，然而也只是對短距離而言。對於微製造中的小毛細管而言，其非常慢的填充速率會限制 MIMIC 的益處，除非有新的流體輸送方法發展出來。

(3) MIMIC 技術之優點及缺點

　　以上的方法不需要特別的設備，不像光微影 (photolithography) 製程必須在避免有灰塵和髒污的清淨空間內，並且在應用上，其提供了快速的優點。此外，此方法可以運用許多的材料來製造極微結構物，包括生物研究所需的複合有機分子，並且可以在彎曲面上印刷或形成圖案 (或結構)。但是此方法在複雜的極微電子之製造上卻不是非常理想的，因為此技術在二維結構物的製造上雖有很好的再現性，但是在電子元件的適用性及三維複雜結構物的製造仍然有些應用的困難待克服。

(4) MIMIC 之實際應用

① 3D MIMIC

　　首先利用製作出之三維 PDMS 模 (如圖 4.217)，然後利用此 PDMS 模來達到在平面上印刷出所要圖案的目的。整個過程中最難的是在於如何正確地製作出此三維的 PDMS 模，而其也關係了整個實驗之成敗。

② 半波整流器 (half-wave rectifier)

　　在製造過程中 (見圖 4.218)，其分別在過程 (a) 和 (d) 中應用了 MIMIC 的製作方法，並在過程 (g) 中結合了 μCP 的技術，以達到製作出此電子元件之目的。

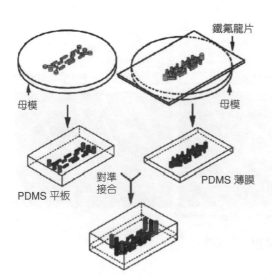

圖 4.217

三維微流體印章 (3D microfluidic stamp) 製程示意圖[261]。

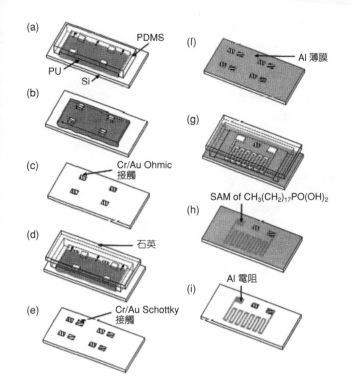

圖 4.218
利用軟式微影製作半波整流器之步驟 [262]。

③ GaAs/AlGaAs 場效電晶體 (field effect transistor, FET)

　　如圖 4.219，分別在過程 (a)、(d)、(g) 中運用了 MIMIC 之技術，類似此種在多層板之電子元件技術，在未來的應用上被賦予極大之期望，但並不是非常看好。

4.8.2.4 微轉印成形 (μTM)

　　微轉印成形 (microtransfer molding, μTM) 是在 1995 年由哈佛大學所發展出來的技術，利用具有良好光學特性與彈性極佳的 PDMS 作為母模，利用 UV-PU 型材料經紫外光照射會加強之負光阻特性進行快速 3D 結構堆積製程，達成面積廣與高深寬比的微結構，更由於可產生良好的塑性變形，可打破一般微型感測器只具有單一方向偵測的限制，增加三維型式傳遞轉換光學性質，大幅提升微機電應用的範圍與減低其製程限制。

(1) μTM 原理介紹

　　μTM 的原理其實就是來自於大型鑄模與翻模技術的構想，但是微小化以後有些困難便必須設法解決，如脫模的部分由於質量減少與表面積增加，容易造成黏著現象，因此需要藉由材料本身化學性質的光學固化作用來達成目的。

　　μTM 製程的第一步是母模製作，採用 PDMS 作為基材，利用準分子雷射直接加工，或利用厚膜光阻如 SU-8 與 AZ 等進行間接加工製程，達到所需要的形狀後，置於平坦的平台

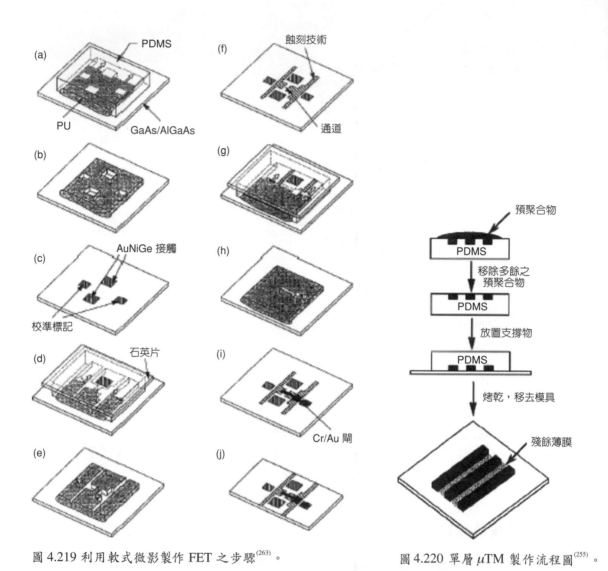

圖 4.219 利用軟式微影製作 FET 之步驟[263]。

圖 4.220 單層 μTM 製作流程圖[255]。

表面便可以進入製模的程序。第二步驟是將 UV-PU 高分子材料倒入模具中，液態的 prepoly-mer 充滿模具後，多餘的部分可以利用平坦的 PDMS 塊狀當作刮刀或以氮氣噴離法加以去除，但是也可以留下一層大約為 100 nm 薄膜狀的 PDMS，作為熔融接合的材料，或供定位、防止形變之用，之後再以紫外光照射法或加熱加以固化。以條狀結構為例，邊緣常會有殘留的 PDMS，可以利用氧氣電漿離子蝕刻 (O₂-RIE) 將多餘的部分去除，藉以提高精度。第三個步驟就是將固化好的形體，將模具翻轉 180 度使其附著在指定的基材上，去除母模即可。如果想要反覆堆疊製作三維形狀則只需要重複上述步驟，以轉換角度的方式便能夠成網狀結構，完成的部分可利用加熱的方式使上下層加以接合，製作方法如圖 4.220 所示，這種方法製作出來的結構解析度約為 10 nm[264]，圖 4.221 為本製程開發之各種微結構形狀。

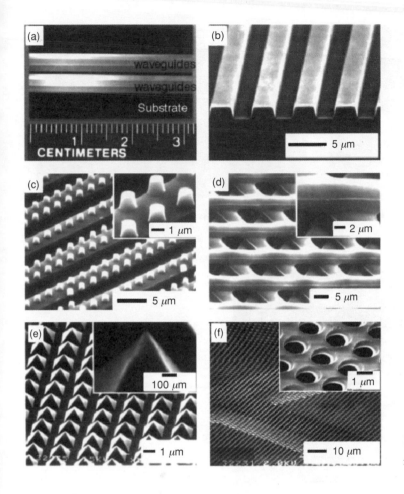

圖 4.221
利用 μTM 製作之結構[264]。

(2) μTM 的應用與限制

① 微型光波導元件開發

　　光學訊號的處理是微機電領域的一項重要研究，2000 年 Yang 等人在科學期刊 (Science) 發表一篇文章[265]，利用 μTM 與 MIMIC 技術製作出寬 1－3 μm、高 1－2 μm、間隔 8 μm 的陣列光波導 (如圖 4.222)。

② 微型結構立體結構

　　材料若只有 x 方向受拉力，則除了 x 方向會伸長外，其餘二方向亦會隨之變形 (縮短)，而 y、z 方向應變與 x 方向應變的比值即為波松比 (Poisson's ratio)，而波松比的上限值以 0.5 為最佳，彈性材料所做成的立體結構也必須注意應力與應變的問題。研究中曾有人以 μTM 以及 MIMIC 的技術做一些深寬比為 1：14、最厚處為 600 μm 的微結構，探討它所具有的物性，結果其波松比最大為 0.53，如圖 4.223 所示。

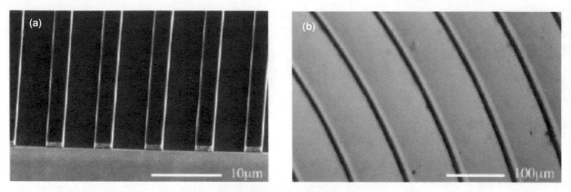

圖 4.222 光波導結構 SEM 照片：(a) 線陣列，以 MIMIC 技術製作、(b) 圓形結構，以 μTM 技術製作。

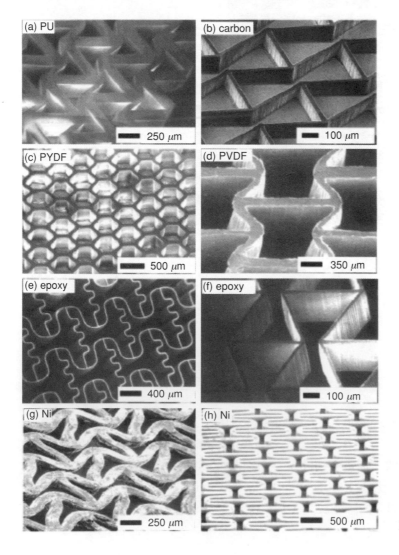

圖 4.223
不同材料製成之 NPR (negative Poisson's ratio) 微結構[266]。

4.8.2.5 複製成形 (REM)

(1) REM 製程原理

在 REM 製程中，主要是將液態的預聚合高分子 (prepolymer) 直接灌注在母模上，等到預聚合物固化 (curing) 反應完成後，移去母模，即得到固化的聚合物 (polymer)，此時母模上的微結構也因此轉移到其表面上，此即是所謂的彈性印章 (elastomeric stamp) 技術，如圖 4.224(a) 所示。根據文獻指出，轉移完成的彈性印章與母模的解析度要達成 30 nm 以上範圍的微結構是相當容易。此外，根據 Whitesides 的定義，REM 乃是利用轉移完成的彈性印章，一般材料為 PDMS，再次作為母模，然後灌注其他的預聚合高分子如 PU 等，如此二次

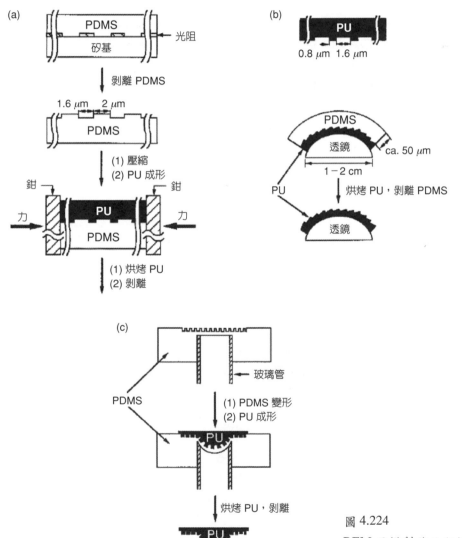

圖 4.224

REM 母模製作及翻模示意圖[255]。

翻模，得到與原先母模凸紋一致的聚合物微結構，如圖 4.224 所示。但由於 PDMS 母模具有軟性材料可彎曲的特性，第二次翻模出的聚合物將可隨母模的彎曲而固化成具有曲度的表面，如此將能作為光學上的應用。這個方法所完成的曲面，在曲率控制上雖非精準，但可謂是一創新的設計了。

(2) REM 技術應用

① 製作高深寬比的微結構

　　1997 年 Whitesides 所發表的文獻中[267]，則結合反應離子蝕刻 (RIE) 與可收縮性 (shrinkable) 材料聚苯乙烯薄膜 (PS)，製作高深寬比的微結構。在經過收縮之後，微結構的尺寸可減少 4 至 5 倍，而高度則可增加至大約 20 倍之高。文獻中，完成之微結構高度可達 126 μm，而深寬比 (aspect ratio) 則大約是 9.5，其中最小的矩形凹槽 (pits) 尺寸為 1.4 μm × 1.7 μm。圖 4.225 為此製程的概略說明：首先，在 PS 薄膜上定義一層蝕刻遮罩，其材料可以是金或是其他光阻，然後以反應離子蝕刻除掉露出的 PS 部分，圖中蝕刻深度為 6.4 μm、開口直徑為 65 μm。移走、洗掉蝕刻遮罩後，將 PS 薄膜加熱至 110 °C，使薄膜產生收縮反應，最後整個薄膜將被擠壓成為高深寬比的微結構，圖中開口直徑收縮至 13 μm，深度則幾乎增加 20 倍，達到了 126 μm。在接下來 REM 的製程中，凸模能較輕易地完成翻模的動作，而凹模則因為液態預聚合高分子不易流入孔洞之內，故需小心的將預聚合高分子滴入，且在固化之後，必須將 PU 母模溶解，才能取下所需的聚合物。

② 微熱交換器

　　Whitesides 使用 REM 的方式[268]，以 PDMS 負模複製模造出 PU、PMMA 等不同材料的正模，而這些聚合體在此製程中，扮演的是犧牲層的結構，因此藉由 REM 的方式，使得犧牲層材料的選擇性變得寬裕許多。

　　在這個製程中，先用 SU-8 厚膜光阻來定義母模的形狀，如圖 4.226(a)，而使用 SU-8 作微影後的母模，厚 100 μm。待母模完成後，在其內灌注 PDMS 預聚合高分子，熱固成形即可撕下 PDMS 翻模下來的結構。為了製作同樣形狀的 PU 與 PMMA 結構，便將此 PDMS 作另一次的 PDMS 翻模，而翻模後的 PDMS 再以 REM 的方式，即可輕易的完成 PU 與 PMMA 的鑄造，如圖 4.226(b)(c)。

　　待整個聚合物結構表面沉積好金屬，接下來的步驟便是電鍍，而電鍍的目的即是要構成最後流道外部的金屬薄殼，以及中央柱狀金屬導熱結構。最後，將內部的聚合物本體犧牲去除，便僅留下整個金屬的微流通道結構。在最後把聚合物材料作為犧牲層的步驟中。值得一提的是，PDMS 是用溶劑 TBAF/THF 將之溶解去除；而 PU、PMMA 等環氧化物 (epoxy) 則是將之加熱至 400 °C 去除 (burn out)，因此當製作上選擇聚合物作為犧牲層時，必須考慮後段製程的熱處理，並選擇適當的聚合物材料。

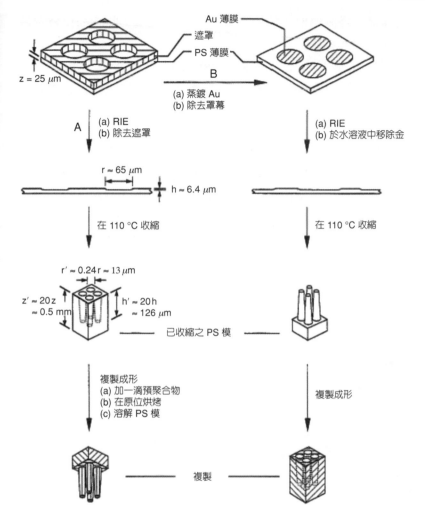

圖 4.225
高深寬比微結構製作流程圖。

③ 微流體元件

軟式微影的技術也被廣泛應用於不同的製程目的之中,例如製作出幫浦 (pump) 與閥 (valve) 的結構[269]。

如圖 4.227 所示,其整體結構是由兩片 PDMS 組合而成,而這兩片 PDMS 則分別由兩組母模作 REM 翻模而得。很明顯地,翻模而成的結構都是做為流體的微通道,但由於上下兩片 PDMS 所需的厚度不同,因此灌模方式便有差異,例如這裡下板部分希望做薄一點,以利流體驅動,便以塗佈的方式旋塗一層薄的 PDMS,再做熱固脫模。

流體驅動的機制如圖 4.228 所示,其下層微流道乃實際流體所流通的管道,而上層的微通道則通以操作之氣體。由於 PDMS 為軟性材料,因此在通氣之後會造成管徑受壓力而膨脹,進而壓迫下層的微通道,而阻塞流體的行進,如同作為閥的功能。同時,若循序的控制上層管徑的脹縮，則進而能推動下層微流道內的流體往固定方向流動，此時則作為幫浦的功能。

　　為了使下層流道更易受上層流道的膨脹而受到擠壓，因此在製程上要求下層 PDMS 要薄而上層 PDMS 要厚。至於測試方面，由於軟性材料的頻率響應不是很快，因此流體驅動在頻率超過 300 Hz 時，其效率便往下降了。

(3) REM 技術特性

　　由於許多聚合物為軟性材料，具有容易變形的特性，因此藉由收縮 (shrink) 的作用，能將原先製作的微結構再一次縮小其尺寸，甚至擠壓出高深寬比的微結構。而軟性材料易變形的特性，若應用在微流道的組合之中，亦能用最簡易的方式，製作出不同型式的微幫浦 (micropump) 與微閥 (microvalve)，使得流體控制也能整合至整個微流體晶片之中。

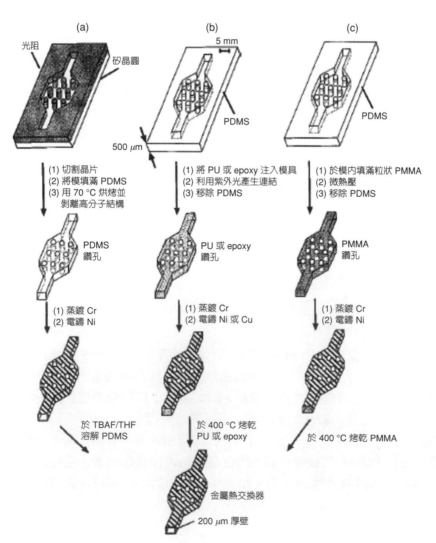

圖 4.226

微熱交換器製程[268]。

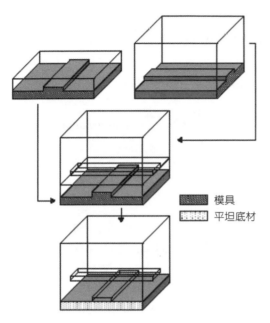

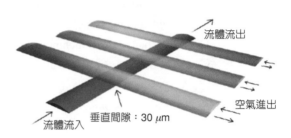

圖 4.227 多層流道製程示意圖[269]。   圖 4.228 流體控制示意圖。

　　綜觀 REM 製程技術的優點，首先它降低整個製程的成本與時間，使得更多的研究者能輕易地將自己的新想法付諸於實際的實驗之中；此外，REM 二次翻模的方式，亦使得實驗者不僅能選擇 PDMS 做為結構主體，也能選擇適合所需的聚合物來製作微結構。另外，若配合軟性材料的特性，REM 亦使得曲面的製作變得十分容易，而這也是剛性 (rigid) 母模所無法突破的一點。

參考文獻

1. E. Spliller, R. Feder, J. Topalian, E. Castellani, L. Romankiw, and M. Heritage, *Solid State Tech.*, April, 62 (1976).

2. E. Becker, W., W. Ehrfeld, D. Munchmeyer, H. Betz, A. Heuberger, S. Pongratz, W. Glashauser, H. J. Michel, and V. R. Siemens, *Naturwissenschaften*, **69**, 520 (1982).

3. http://www.shi.co.jp/quantum/eng/product/accelerator/aurora2d.html

4. E. E. Koch, *Handbook on Synchrotron Radiation*, New York, North-Holland: Publishing Company, chap.1 (1983).

5. M. Madou, *Fundamentals of Microfabrication*, chap. 6, New York: CRC Press (1997).

6. W. Schnabel and H. Sotobayashi, *Prog. Polym. Sci.*, **9**, S.297 (1983).

7. O. Wollersheim, H. Zumaque, J. Hormes, J. Langen, P. Hoessel, L. Haussling, and G. Hoffman, *J. Micromech. Microeng.*, **4**, 84 (1994).

8. N. LaBianca, J. Gelorme, K. Lee, E. Sullivan, and J. Shaw, in *Proc. 4th Int. Symp. on Magnetic Materials, Processes, and Devices*, 386 (1995).

9. A. L. Bogdanov and S. S. Peredkov, *Microelectronic Eng.*, **53**, 493 (2000).

10. L. Singleton , A. L. Bogdanova, S. S. Peredkova, O. Wilhelmia, A. Schneider, C. Cremers, S. Megtert, and A. Schmidt, *IMM internal report*.

11. B. Y. Shew, H. J. Wang, and M. C. Chou, *The 5th Nano Engineering and Micro System Technology Workshop*, Hsinchu, Taiwan, 125 (2001).

12. J. M. Shaw, J. D. Gelorme, N. C. LaBianca, W. E. Conley, and S. J. Holmes, *IBM Journal of Research and Development*, **41**, 81 (1997).

13. H. Guckel, J. Uglow, M. Lin, D. Denton, J. Tobin, K. Euch, and M. Juda, *1988 Solid State Sensors and Actuator Workshop*, Hilton Head Island, 9 (1988).

14. J. Mohr, W. Ehrfeld, and D. Munchmeyer, *J. Vac. Sci. Tech.*, **B6**, 2264 (1988).

15. W. Ehrfeld, W. Glashauer, D. Munchmeyer, and W. Schelb, *Microelectro. Eng.*, **5**, 463 (1986).

16. Y. Vladimirsky, V. Saile, K. Morris, and J. Klopf, *Proc. of the SPIE*, Santa Clara, 391 (1995).

17. G. Feiertag, W. Ehrfeld, H. Lehr, A. Schmidt, and M. Schmidt, *Microelectro. Eng.*, **35**, 557 (1997).

18. W. P. Menz, *Mikrosystemtechnik fur Ingenieure*, Germany: VCH Publishers (1993).

19. F. J. Pantenburg, J. Chlebek, A. El-Kholi, H. L. Huber, J. Mohr, H. K. Oertel, and J. Schulz, *Microelectro. Eng.*, **23**, 223 (1994).

20. Y. Cheng, B. Y. Shew, C. Y. Lin, D. H. Wei, and M. K. Chyu, *Ultra-deep LIGA process, J. Micromech. Microeng.*, **9**, 58 (1999).

21. W. K. Schomburg, H. J. Baving, and P. Bley, *Microelectro. Eng.*, **13**, 323 (1991).

22. U.S. Patent 4,654,581.

23. A. Schmidt, W. Ehrfeld, H. Lehr, L. Muller, F. Reuther, M. Schmidt, and Th. Zetterer, *Microelectro. Eng.*, **30**, 235 (1996).

24. J. Mohr, W. Ehrfeld, D. Munchmeyer, and A. Stutz, *Makromol. Chem. Macromol. Symp.*, **24**, 231 (1989).

25. A. El-Kholi, J. Mohr, and R. Stransky, *Microelectro. Eng.*, **23**, 219 (1994).

26. E. E. Koch, *Handbook on Synchrotron Radiation*, chap. 13, New York, North-Holland: Publishing Company (1983).

27. http://www.nanotech.wisc.edu/toolset/xray.bk.html

28. http://www.nanotech.wisc.edu/shadow/shadow.html

29. W. Bacher, P. Bley, and H. O. Moser, *Optoelectronic Interconnects and Packaging*, 442-459.

30. G. Kiriakidis and N. Katsarakis, *Mater.Phys.Mech.*, **1**, 20 (2000).

31. R.K. Kupka, F. Bouamrane, C. Cremers, and S. Megtert, *Applied Surface Science*, **164**, 97 (2000).

32. Takanori Katoh, Nobuyoshi Nishi, Masafumi Fukagawa, Hiroshi Ueno, and Susumu Sugiyama, *Sensors and Actuators A*, **89**, 10 (2001).

33. H. Guckel, K. J. Skrobis, T. R. Christenson, J. Klein, S. Han, B. Choi, E. G. Lovell, and T. W. Chapma, *J. Micromech. Microeng.*, **4**, 40 (1991).

34. R. Rapp, W. K. Schomburg, D. Maas, J. Schulz, and W. Stark, *Sensors and Actuators A*, **40**, 57

(1994).

35. W. K. Schomburg, J. Fahrenberg, D. Maas, and R. Rapp, *J. Micromech. Microeng.*, **3**, 216 (1993).

36. W. Bier, W. Keller, G. Linder, and D. Seidel, *Sensors and Actuators*, 19 (1990).

37. S. Valette, *Journal of Micromech. and Microeng.*, **5**, 74 (1995).

38. J. A. Cox, D. C. Dobson, T. Ohnstein, and J. D. Zook, *Optical Eng.*, **37** (11), 2878 (1998).

39. T. R. Ohnstein, *Proc. of Transducer '95*, Stockholm, Sweden, June, 324 (1995).

40. H. D. Bauer, W. Ehrfeld, and T. Paatzsch, *Proc. of MOEMS'97*, Nara, Japan, 215 (1997).

41. J. Sochtig and H. Schift, *Microsystem Tech.*, **4** (3), 132 (1998).

42. J. Mohr, B. Anderer, and W. Ehrfeld, *Sensors and Actuators A*, **27**, 571(1991).

43. H. Staerk, A. Wiessner, C. Muller, and J. Mohr, *Review of Scientific Instruments*, **67** (7), 2490 (1996).

44. http://www.axsun.com/technology/home.htm

45. J. J. Song, S. Bajikar, F. Decarlo, Y. W. Kang, R. L. Kustom, D. C. Mancini, A. Nassiri, B. Lai, A. D. Feinerman, and V. White, *Microsystem Technologies*, **4**, 193 (1998).

46. A. Nassiri, R. L. Kustom, Y. W. Kang, and J. Song, *Nuclear, Instruments & Methods in Physical Research A*, **375**, 1, ABS46-ABS47 (1996).

47. R. Apel, H. Henke, R. Merte, and M. Peikert, Technische Universitaet Berlin, inner report (1999).

48. G. Scheitrum, B. Arfin, B. G. James, P. Borchard, L. Song, Y. Cheng, G. Garyotakis, A. Haase, B. Stockwell, N. Luhmann, and B. Y. Shew, *International Vacuum Electronics Conference*, UA, 2-4 May (2000).

49. J. Hermanowski, *SUSS report*, **10**, 5 (1996).

50. http://www.microchem.com/

51. U. S. Patent No. 4882245 (1989).

52. H. Lorenz, M. Despont, P. Vettiger, and P. Renaud, *Microsystem Technologies*, **4**, 143 (1998) .

53. 楊啟榮, SU-8 厚膜光阻於微系統 UV-LIGA 製程的應用, 科儀新知, **20** (5), 45 (1999).

54. 林郁欣, 可動微結構之單光罩製程技術, 精儀中心簡訊, **47**, 5 (2001).

55. L. J. Guerin, M. Bossel, M. Demierre, S. Calmes, and Ph. Renaud, *Transducers '97*, 1419 (1997).

56. Y. J. Chuang, F. G. Tseng, and W. K. Lin, "A Novel Fabrication Method of Embedded Micro Channels by Using SU-8 Thick-Film Photoresist," *Proc. of 5th Nano Engineering and Micro System Technology Workshop*, 103 (2001).

57. A. Bertsch, H. Lorenz, and P. Renaud, *IEEE MEMS*, 18 (1998).

58. http://www.microbeams.co.uk

59. D. W. Johnson, MCC Technical Report, *Advance Pckage Seminar*, Taiwan (1998).

60. F. G. Tseng and C. S. Yu, "Fabrication Of Ultrathick Micromolds Using JSR THB-430N Negative UV Photoresist", *IEEE Tranducers '01*, Munich, Germany, 1620 (2001).

61. F. G. Tseng and C. S. Yu, "Improvement Of Developing Process On Ultrathick Micro Structuresof Jsr THB-430N Negative UV Photoresist By Adjusted Ultrasonic Agitation," *HARMST'01*, Munich, Germany, 85 (2001).

62. F. G. Tseng and C. S. Yu, "High Aspect Ratio Ultrathick Microstensiles By JSR THB-430N Negative UV Photoresist," paper submitted to *Sensors and Actuators A*.

63. http://www.hoechst.com

64. V. Conedera, B. L. Goff, and N. Fabre, *J. Micromech. Microeng.*, **9**, 173 (1999).

65. H. S. Alhokail, "Fabrication of photoresist microlens arrays," *ICM '98. Proc. of the Tenth International Conference*, 49 (1998).

66. 丁勝懋, 雷射工程導論, 中央圖書出版社 (1986).

67. R. C. Crafer and P. J. Oakley, *Laser Processing in Manufacturing*, London: Chapman & Hall (1993).

68. G. H. Pettit, *Laser Ablation*, 453 (1995).

69. 馬偉中, 清華大學化工所碩士論文 (1999).

70. K. Jain, *Excimer Laser Lithography*, SPIE (1990).

71. 強玲英, 中華大學電機所碩士論文 (2000).

72. T. A. Znotins, D. Poulin, and J. Reid, *The Industrial Laser Annual Handbook*, 47 (1988).

73. *The Technical Data of Exitech Limined Company*, Long Hanborough, Oxford, UK.

74. E. C. Harvey, P. T. Rumsby, M. C. Gower, and J. L. Remnant, *SPIE*, **2639**, 266 (1995).

75. H. H. G. Jellinek and R. Srinivasan, *J. Phys. Chem.*, **88**, 3048 (1984).

76. R. Srinivasan, B. Braren, and R. W. Dreyfus, *J. Appl. Phys.*, **61** (1), 372 (1986).

77. V. Srinivasan, M. A. Smrtic, and S. V. Babu, *J. Appl. Phys.*, **59** (11), 3861 (1986).

78. 黃光宇, 清華大學化工所碩士論文 (2000).

79. 謝佑聖, 清華大學化工所博士論文 (2001).

80. N. Rizvi, J. Greuters, J. Dallimore, K. Hamilton, R. Clabburn, and B. Ebsworth, *Photonics West*, San Jose, (2000).

81. *The Technical Data of Micro Lab*, Lambda Physik GmbH, Germany.

82. E. C. Harvey and P. T. Rumsby, *SPIE*, **3223**, 27 (1997).

83. C. R. Yang, Frank H. H. Lin, H. Y. Chou, C. H. Lee, Bruce C. S. Chou, W. K. Kuo, Roger, K. S. Luo, J. W. Chang, C. J. Chen, and W. H. Huang, *Proc. of the 15th CSME Conference*, Tainan, Taiwan, 7 (1998).

84. 楊啟榮, 謝佑聖, 黃光宇, 李育德, 第十七屆機械工程研討會, 高雄, 361 (2000).

85. S. Kuper and M. Stuke, *Appl. Phys. A*, **49**, 211 (1989).

86. R. Srinivasan, *Appl. Phys. A.*, **56**, 417 (1993).

87. R. Srinivasan, *J. Appl. Phys.*, **78**, 4881 (1995).

88. J. H. Noggle, *Physical Chemistry*, 849 (1989).

89. J. H. Brannon, J. R. Lankard, A. I. Baise, F. Burns, and J. Kaufman, *J. Appl. Phys*, **58**, 2036 (1985).

90. C. Paterson, A. S. Holmes, and R. W. Smith, *J. Appl. Phys.*, **86**, 6538 (1999).

91. 楊啟榮, 謝佑聖, 馬偉中, 李育德, 陳建人, 黃文雄, 第十六屆機械工程研討會, 新竹, 13 (1999).

92. 楊啟榮, 謝佑聖, 強玲英, 林瑞青, 何鍵宏, 李育德, 第四屆奈米工程暨微系統技術研討會, 新竹, 4 (2000).

93. 林暉雄, 黃榮錫, 科儀新知, **19** (6), 77 (1998).

94. 楊啟榮, 強玲英, 郭文凱, 林郁欣, 林暉雄, 張哲瑋, 趙俊傑, 科儀新知, **22** (4), 33 (2001).

95. 魏茂國, 微／奈米機電學理論與應用研討會, 台灣大學工學院, 台北 (1999).

96. http://www.lambdaphysik.com/

97. 黃錦賢, 陳鴻隆, 光訊, **83**, 16 (2000).

98. 郭文凱, 雷射及其應用技術研習班, 國科會精儀中心, 新竹 (2001).

99. http://optics.org/articles/ole/7/4/4/1#oleart2_94-02

100. A. Othonos and K. Kalli, Artech House, Inc., Boston (1999).

101. 陳學禮, 準分子雷射與微奈米應用研討會, 成功大學, 台南 (2002).

102. 鄭世裕, 中美近代工程技術討論會, 中美工商界聯合會議, 台北 (2002).

103. T. A. Savas, M. L. Schattenburg, J. M. Carter, and H. I. Smith, *J. Vac. Sci. Technol. B*, **14** (6), 4167 (1996).

104. M. J. Madou, *Fundamentals of Microfabrication*, New York: CRC Press (1997).

105. 真空技術與應用, 行政院國家科學委員會精密儀器發展中心 (2001).

106. A. M. Hynes, H. Ashraf, J. K. Bhardwaj, and J. Hopkins, I. Johnston, and J. N. Shepherd, *Sensors and Actuators A*, **74**, 13 (1999).

107. F. Larmer, A. Schilp, *Method of Anisotropically Etching Silicon*, German Patent DE4241045C1, USA patents 4855017 and 4784720.

108. I. W. Rangelow, *Surface and Coatings Technology*, 140 (1997).

109. H. Jansen, M. de Boer, R. Legtenberg, and M. Elwenspoek, The black silicon method: a universal method for determining the parameter setting of a fluorine-based reactive ion etcher in deep silicon trench etching with profile control, 1995 IOP Publishing Ltd., (1995).

110. C. K. Chung, H. C. Lu, and T. H. Jaw, *Microsystem Technologies*, **6**, 106 (2000).

111. 鍾震桂, 盧慧娟, 趙天行, 感應耦合電漿的矽非均向蝕刻技術, 第三屆奈米工程暨微系統技術研討會 (1999).

112. 楊啟榮, 強玲英, 郭文凱, 林郁欣, 林暉雄, 張哲瑋, 趙俊傑, 科儀新知, **22** (4), 33 (2001).

113. 林郁欣, 徐永裕, 劉祥麒, 郭文凱, 周正三, 感應耦合電漿 (ICP) 深矽蝕刻技術, 第七屆微系統科技協會年會暨微機電研討會, 172 (2001).

114. H. C. Liu, Y. H. Lin, B. C. S. Chou, Y. Y. Hsu, and W. Y. Hsu, "Parameters Study to Improve Sidewall Roughness in Advanced Silicon Etch Process", *SPIE* (2001)

115. Y.-H. Lin, H.-L. Yin, Y.-Y. Hsu, Y.-C. Hu, H.-Y. Chou, and T.-H. Yang, "SCREAM for Multi-Level Movable Structures by Inductively Coupled Plasma Process", *ASME International Mechanical Engineering Congress & Exposition* (2002).

116. N. Rajan, M. Mehregany, C. A. Zorman, and S. Stefanescu, *J. Microelectromechanical Systems*, **8** (3), 251 (1999).

117. 吳憲明, 精密電鑄技術市場應用, 雷射加工暨精密電鑄技術研討會, 台大慶齡工業中心, 52 (1997).

118. *The Technical Report of Institut fur Mikrotechnik Mainz* (IMM), Mainz, Germany.

119. 楊啟榮, 微系統 LIGA 製程技術, 科儀新知, **19** (4), 4 (1998).

120. 陳建仁, 精密電鑄製程之應用介紹, 鑄造科技, **154**, 4 (2002).

121. 楊啟榮, 強玲英, 黃奇聲, 科儀新知, **22** (1), 15 (2000).

122. http://www.fzk.de/imt/eimt.htm

123. 周敏傑, 呂春福, 王紀雯, 何淑鈴, 葉信宏, 機械工業雜誌, **8**, 150 (1998).

124. E. W. Becker, W. Ehrfeld, P. Hagmann, A. Maner, and D. Munchmeyer, *Microelectronic Engineering*, **4**, 35 (1986).

125. A. Maner, S. Harsch, and W. Ehrfeld, *Plating and Surface Finishing*, March, 60 (1988).

126. J. L. Vossen and W. Kern, *Thin Film Process*, New York: Academic Press (1978).

127. N. Masuko, T. Osaka, and Y. Ito, *Electrochemical Technology Innovation and New Technologies*, Gordon & Breach, Newark (1996).

128. P. R. Choudhury, *Handbook of Microlithography, Micromachining, and Microfabrication*, Vol. 2, SPIE Press (1997).

129. S. K. Griffiths, R. H. Nilson, R. W. Bradshaw, A. Ting, W. D. Bonivert, J. T. Hachman, and J. M. Hruby, *SPIE*, **3511**, 364 (1998).

130. L. T. Romankiw, *Electrochimica Acta*, **42**, 2985 (1997).

131. H. Yang and S. W. Kang, *International Journal of Machine Tools & Manufacture*, **40**, 1065 (2000).

132. 劉道奇, LIGA Process 電鑄鎳鐵合金之研究, 清華大學化工所碩士論文 (2000).

133. S. Hessami and C. W. Tobias, *J. Electrochem. Soc.*, **136** (12), 3611 (1989)

134. 屠振密, 電鍍合金原理與工藝, 國防工業出版社 (1995).

135. A. B. Frazier and M. G. Allen, *J. of Microelectromechanical System*, **2** (2), 89 (1993).

136. M. C. Chou, H. Yang, and S. H. Yeh, *Microsystem Technologies*, **7**, 36 (2001).

137. 李仁智, 電鑄鎳鎢合金在 UV-LIGA 製程之研究, 國防大學中正理工學院兵器系統工程研究所碩士論文 (2002).

138. http://www.imm-mainz.de/techno/apparat.html

139. H. Becker and U. Heim, *Sensors and Actuators A*, **83**, 130 (2002).

140. R. Ruprecht, W. Bacher, J. H. Hauβelt, and V. Piotter, *SPIE*, **2639**, 146 (1995).

141. M. T. Gale, *Microelectronic Eng.*, **34**, 321(1997).

142. L. Weber, W. Ehrfeld, H. Freimuth, M. Lacher, H. Lehr, and B. Pech, *SPIE*, **2879**, 156(1996).

143. H. Freimuth, V. Hessel, H. Kolle, M. Lacher, and W. Ehrfeld, *J. Am. Ceram. Soc.*, **79** (6), 1457(1996).

144. H. Hosokawa *et al., SPIE*, **1559**, 229 (1991).

145. V. Piotter, W. Bauer, T. Benzler, and A. Emde, *Microsystem Technologies*, **7**, 99 (2001).

146. R. H. Chen and C. L. Lan, *J. Microelectromechanical Systems*, **10**, 62 (2001).

147. 佐藤, 日本精密工學會誌, **61** (10), 1369 (1995).

148. 和井, 日本精密工學會誌, **61** (10), 1365 (1995).

149. 宮本, 日本精密工學會誌, **61** (10), 1377 (1995).

150. 佐藤, 日本精密工學會誌, **61** (10), 1373 (1995).

151. E. H. Klaassen, K. Petersen, J. M. Noworlski, J. Longan, N. I. Maluf, J. Brown, C. Storment, W. W. McCulley, and G. T. A. Kovacs, *Tech. Digest of Tranducers '95*, Stockhjolm, 556 (1995).

152. 宁野, 日本精密工學會誌, **61** (10), 1389 (1995).

153. 渡邊, 日本精密工學會誌, **61** (10), 1381 (1995).

154. 山口, 日本精密工學會誌, **61** (10), 1385 (1995).

155. 黑崎, 日本機械學會論文集 (C 編), **55** (516), 2206 (1989-8).

156. 平成 5 年 LIGAプロセスに關する調查研究報告 (1993).

157. J. Mohr. C. Burbaum. P. Bley, W. Menz, and U. Walrabe, *Proc. of Micro System Technologies 90*, 529.

158. Kokano, T. Waida, T. Suto, J. Mizuno, and T. Kobayashi, *Proc. of Int. ABTEC (Abrasiue Tecchnology) Conf.*, Seoul, 100 (1993).

159. 須藤徹也, マイクロマツソニソダ技術の動向, マイクロマツソニソダ技術に關する研究協力分科會研究成果報告書, 9 (1995).

160. T. Masuzawa *et al., Ann, CIRP*, **34** (1), 431 (1985).

161. 增沢隆久, 放電マイクロ加工の研究一走行ワイヤによる微細軸加工, 昭和 61 年度科學研究費補助金研究報告 (1986).

162. 增沢隆久, 生產研究, **40** (10), 44 (1988).

163. 稻恆, 機械技術, **33** (7), 70 (1985).

164. 日本松下技研公司微細放電加工機目錄.

165. 郭佳儱, 嚴天聰, 多功能微小綜合加工機的開發及微細加工的研究, 國科會專題研究計畫成果報告, NSC 83-0618-E-224-004.

166. 李東山, 臥式微小放電加工機之開發與 10 μm 以下微細加工電極的研究, 國立雲林科技大學碩士論文 (1999).

167. 津坡, ツールエンジニア, 119 (1993).

168. T. Masuzawa, *et al., Proc. of Int'l Symposium for Electromachining* (ISEM-9),86 (1989).

169. C. L. Kuo, T. Masuzawa, and T. Fujino, *Proc. IEEE Micro Electro Mechanical Systems Workshop*, 116 (1991).

170. 增沢, Langen, 藤野, 第 2 回電氣加工學會全國大會講演論文集, 45 (1992).

171. 中村, 1992 年日本精密工學會秋季大會學術講演會講演論文集, 679 (1992).

172. Takahada, 電氣加工技術, **9** (62), 13 (1995).

173. 河田, 電氣加工學會誌, **28** (59), (1995).

174. 余正賢等, 電化學放電法玻璃微細加工研究, 第二屆奈米工程暨微糸統技術研討會論文集, 3 (1998).

175. 郭佳儱, 黃俊德, 梁輝源, 機械月刊, **320** (3), 84 (2002).

176. 郭佳儱, 機械月刊, **312** (8), 84 (2001).

177. 蔡興正, 郭佳儱, Pin-Plate 微小元件之機械式緊配技術流程之研究, 中國機械工程學會第 17 屆學術研討會論文集, E006 (200).

178. 陳順同, 郭佳儱, 吳尚德, CNC 微放電加工機之設計製造與 2.5D/3D 之微放電加工技術的研究, 中國機械工程學會第 14 屆學術研討會論文集, 180 (1997).

179. 郭佳儱, 微細電極之鏡面拋光加工的研究, 第 9 屆全國技術及職業教育研討會, 127 (1994).

180. C.-L. Kuo, S.-T. Chen, and Y.-J.-E. Wu, *Smart Materials Structures and MEMS*, **12**, 3242 (1997).

181. 鄭國丞, 郭佳儱, 高轉速旋轉電極之放電加工的研究, 中國機械工程學會第 17 屆學術研討會論文集, E033 (2000).

182. 鄭國丞, 郭佳儱, 微細電極放電被覆 TiC 之研究, 2001年精密機械製造學術研討會論文集, 166 (2001).

183. 吳偉堯, 郭佳儱, 李季龍, 游智翔, 黃俊德, 解安國, 電解微針狀成形及氣中放電製作微球狀電極之研究, 中國機械工程學會第 19 屆學術研討會論文集, D-6 非傳統加工技術 (2002).

184. 黃玉龍, 郭佳儱, 微放電加工製作微圓盤刀具進行銑削和研削微溝槽之研究, 中國機械工程學會第 19 屆學術研討會論文集, D−6 非傳統加工技 (2002).

185. 郭佳儱, 科儀新知, **18** (3), 59 (1996).

186. R. T. Howe, *J. Vac. Sci. Technol. B*, **6** (6), 1809 (1989).

187. L. J. Yang, *et al., Sensors and Actuators A*, **90** (1-2), 148 (2000).

188. H. M. Tong, *et al., IEEE Trans. Electron Devices*, **37** (3), 345 (1990).

189. E. M. Charlson, *et al., IEEE Transactions on Biomedical Engineering*, **39** (2), 202 (1992).

190. R. Olson, *et al.*, "Relative Compatibility of Parylene Conformal Coatings with No-Clean Flux Residues", *Electronics Manufacturing Technology Symposium*, 157 (1993).

191. G. R. Yang, *et al., Journal of Crystal Growth*, **183**, 385 (1998).

192. X. Yang, *et al., Sensor and Actuators A*, **73**, 184 (1999).

193. X.-Q. Wang, *et al.*, "A Normally Closed in-Channel Micro Check Valve", *Proc. of IEEE MEMS-2000*, 68 (2000).

194. M. Bera, *et al., European Polymer Journal*, **36**, 1765 (2000).

195. T.-J. Yao, *et al.*, "Dielectric Charging Effects on Parylene Electrostatic Actuators", *Proc. of IEEE MEMS-2002*, 614 (2002).

196. J. Noordegraaf, *et al.*, "C-shield Parylene Allows Major Weight Saving for EM shielding of Microelectronic", *The First IEEE International Symposium on Polymeric Packaging*, 190 (1997).

197. http://www.scsalpha.com/indexus.htm

198. http://www.paryleneengineering.com/

199. K. Walsh, *et al.*, "Photoresist as a Sacrificial Layer by Dissolution in Acetone", *Proc. of IEEE MEMS-2001*, 114 (2001).

200. L. J. Yang, *et al.*, "Marching Velocities of Capillary Meniscuses in Microchannels", *Proc. of IEEE MEMS-2002*, **93** (2002).

201. T. J. Yao, *et al., Sensors and Actuators A*, **97-98**, 771 (2002).

202. K. Minami, H. Morishita, M. Esashi, *Sensors and Actuators A*, **72** (3), 269 (1999).

203. K. Yoo, C. Gibbons, Q. T. Su, R. N. Miles, and N. C. Tien, *Sensors and Actuators A*, **97-98**, 448 (2002).

204. C. Y. Xu, W. Lemon, and C. Liu, *Sensors and Actuators A*, **96** (1), 78 (2002).

205. G. Ward, and A. Courts Ed., *The Science and Technology of Gelatin*, R. Hinterwaldner, (1978).

206. J. Burroughs, *et al.*, "Gelatin Solution", *The Manufacturing Confectioner*, 35 (1996).

207. http://www.gelatin.com/

208. J. L. Yung, *et al., Chemical Engineering Inf.*, **33**, 33 (1992).

209. 江晃榮, 食品資訊, No. 150, 19 (1998).

210. J. E. Jolley, *et al., Photographic Science and Engineering*, **14** (3), 169 (1970).

211. J. B. Park, *et al., Biomaterials Science and Engineering*, **3**, 236 (1984).

212. D. W. Jopling, *Journal of Applied Chemistry*, **6**, 79 (1956).

213. 連成東, 檔案學通訊, No. 4, 46 (1999).

214. A. Bigi, *et al., Biomaterial*, **19**, 739 (1998).

215. A. Bigi, *et al., Biomaterial*, **19**, 2335 (1998).

216. 查良駿, 重鉻酸銨明膠膜的製備, 碩士論文, 元智工學院化學工程研究所 (1996).

217. J. Oksar, *Light Sensitive System*, Chap. 2, New York: John Wiley and Sons, 74 (1965)

218. W. A. Little, *et al., Rev. Sci. Instrum.*, **55** (5), 661 (1984).

219. J. C. Angus, *et al., J. Electrochem. Soc.*, **133** (6), 1152 (1998).

220. E. Ermantraut, *et al., Ultramicroscopy*, **74** (6), 75 (1998).

221. H.-K. Lu, *et al., Chin. Dent. J.*, **17** (1), 15 (1998).

222. 林峰坯, 豬皮膠原蛋白膜之生物毒性與酶分解速率之研究, 碩士論文, 台北醫學院牙醫學系 (1998).

223. H.-W. Sung, *et al., Chemistry*, **52** (2), 219 (1998).

224. P. Ritter, *Biochemistry: A Foundation*, ITPA, in Chapter 5, 157 (1999).

225. 劉心琦, 酵素完成不可能的任務, 食品資訊, 18 (1999).

226. 王全祿, 生物技術, **2** (1), 8 (2000).

227. http://www.sigma-aldrich.com

228. 林韋至, 明膠材料於面型微細加工之應用, 淡江大學機械工程研究所碩士論文 (2002).

229. L.-J. Yang, *et al.*, "Photo-patternable Gelatin as Protection Layers in Surface Micromachining", *Proc. of IEEE MEMS-2002*, 471 (2002).

230. M. Madou, *Fundamentals of Microfabrication*, 1st ed., 75.

231. W. Hsieh, *et al.*, "A Micromahcined Thin-Film Teflon Electret Microphone", *Proc. of Transducer '97*, Chicago, **1**, 425 (1997).

232. G. T. A. Kovacs, *Micromachined Transducers Handbook*, 717.

233. C. M. Ho, X. Yang, C. Grosjean, and Y. C. Tai, *A MEMS Thermo-Pneumatic Silicone Rubber Membrane Valve*, **64** (1), 101 (1998).

234. E. Meng, *et al.*, "A Check-Valved Silicone Diaphragm Pump" and T. Yao, et al., "Micromachined

Rubber O-ring Micro-Fluidic Couplers", *Proc. of IEEE MEMS 2000*, Mizayaki, Japan (2000).

235. T. Takagi and N. Nakajima, "Photoforming Applied to Fine Machining," in *Proc. of the 4th International Symposium on Micro Machine and Human Science (MHS '93)*, 173 (1993).

236. K. Ikuta and K. Hirowatari, "Real Three Dimensional Micro Fabrication Using Stereo Lithography and Metal Molding," in *Proc. of the 6th IEEE Workshop on Micro Electro Mechanical Systems (MEMS '93)*, 42 (1993).

237. S. Zissi, A. Bertsch, S. Ballandras, S. Corbel, J. Y. Jezequel, C. Belin, D. J. Lougnot, and J. C. Andre, "Limites de la Stereolithographie Pour des Applications Microtechniques," in *Proc. of the 3e Assises Europeennes du Prototypage Rapide*, Paris, France, 19 (1994).

238. X. Zhang, X. N. Jiang, and C. Sun, *Micro Electro Mechanical Systems (MEMS) ASME*, **66**, 3 (1998).

239. K. Ikuta, T. Ogota, M. Tsubio, and S. Kojima, "Development of Mass Productive Microstereolithography," in *Proc. of the 8th IEEE Workshop on Micro Electro Mechanical Systems (MEMS'96)*, 301 (1996).

240. A. Bertsch, P. Bernhard, C. Vogt, and P. Renaud, *Rapid Prototyping Journal*, **6**, 259 (2000).

241. A. Bertsch, S. Zissi, J. Y. Jèzèquel, S. Corbel, and J. C. Andrè, *Micro. Tech.*, **3**, 42 (1997).

242. V. Loubere, S. Monneret, and S. Corbel, "Microstereolithography Using a Mask-Generator Display," in *Proc. of the 4th Japan-France Congress and 2nd Asia-Europe Congress on Mechatronics*, Kitakyushu, Japan, 160 (1998).

243. L. J. Hornbeck, "Digital Light Processing (TM) for High-Brightness Hi-Resolution Applications," in *Proc. of the Electronic Imaging (EI '97)* - Projection displays III, San Jose, CA, USA, 1 (1997).

244. A. Bertsch, H. Lorenz, and P. Renaud, "Combining Micro-Stereolithography and Thick Resist UV Lithography for 3D Microfabrication," in *Proc. of the 11th IEEE Workshop on Micro Electro Mechanical Systems (MEMS '98)*, Heidelberg, Germany, 18 (1998).

245. http://dmtwww.epfl.ch/~abertsch/fpage.html

246. K. Ikuta, T. Hasegawa, T. Adachi, and S. Maruo, "Fluid Drive Chips Containing Multiple Pumps and Switching Valves for Biochemical IC Family," in *Proc. of the 13th IEEE International Conference on Micro Electro Mechanical Systems (MEMS '00)*, 739 (2000).

247. A. Bertsch, H. Lorenz, and P. Renaud, *Sensors and Actuators A*, **73**, 14 (1999).

248. V. K. Varadan, X. Jiang, and V. V. Varadan, *Microstereolithography and Other Fabrication Techniques for 3D MEMS*, Wiley (2001).

249. T. Takagi and N. Nakajima, "Architecture Combination by Micro Photoforming Process," in *Proc. of the 7th IEEE Workshop on Micro Electro Mechanical Systems (MEMS'94)*, Oiso, Japan, 211 (1994).

250. S. Ballandras, D. Hauden, M. Calin, S. Zissi, A. Bertsch, and J. C. André, *Sensors and actuators A*, **62**, 741 (1997).

251. A. Bertsch, S. Heimgartner, P. Cousseau, and P. Renaud, "3D Micromixers-Downscaling Large Scale Industrial Static Mixers," in *Proc. of the 14th IEEE International Conference on Micro Electro Mechanical Systems (MEMS2001)*, Interlaken, Switzerland, 507 (2001).

252. K. Ikuta, S. Maruo, Y. Fukaya, and T. Fujisawa, "Biochemical IC Chip toward Cell Free DNA Protein Synthesis," in *Proc. of the 11th IEEE Workshop on Micro Electro Mechanical Systems (MEMS '98)*, Heidelberg, Germany, 131 (1998).

253. K. Ikuta, A. Takahashi, and S. Maruo, "In-chip Cell-free Protein Synthesis from DNA by Using Biochemical IC Chips," in *Proc. of the 14th IEEE International Conference on Micro Electro Mechanical Systems (MEMS '01)*, Interlaken, Switzerland, 455 (2001).

254. K. Ikuta, S. Maruo, T. Fujisawa, and A. Yamada, "Micro Concentrator with Opto-Sense Micro Reactor for Biochemical IC Chip Family. 3D Composite Structure and Experimental Verification," in *Proc. of the 12th IEEE International Conference on Micro Electro Mechanical Systems (MEMS '99)*, Orlando, Florida, 376 (1999).

255. Y. Xia and G. M. Whitesides, *Angew. Chem. Int. Ed.*, **37**, 550 (1998).

256. Y. Xia and G. M. Whidesides, *Annu. Rev. Mater. Sci.*, **28**, 153 (1998).

257. S. W. Park, K. S. Kim, and J. B. Lee, *Polydimethylsiloxane (PDMS) Elastomer for Polymer and Metallic High Aspect Ratio Microstructures*, University of Taxas (2001).

258. B. H. Jo, L. M. Van Lerberghe, K. M. Motsegood, and D. J. Beebe, *Journal of Microelectromechanical Systems*, **9** (1), 76 (2000).

259. A. Kumar and G. M. Whitesides, *Applied Physics Letters*, **63** (14), 2002 (1993).

260. Y. Xia, X. M. Zhao, and G. M. Whitesides, *Microelectronic Engineering*, **32**, 255 (1996).

261. D. T. Chiu, N. L. Jeon, S. Huang, R. S. Kane, C. J. Wargo, I. S. Choi, D. E. Ingber, and G. M. Whitesides, "Patterned Deposition of Cells and Proteins Onto Surfaces by Using Three-Dimensional Microfluidic Systems," *PNAS 97*, 2408 (2000).

262. T. Deng, L. B. Goetting, J. Hu, and G. M. Whidesides, *Sensors and Actuators A*, **75**, 60 (1999).

263. J. Hu, R. G. Beck, T. Deng, R. M. Westervelt, K. D. Maranowski, A. C. Gossard, and G. M. Whidesides, *Appl. Phys. Lett.*, **71** (14), 2020 (1997).

264. X. M. Zhao, Y. N. Xia, and G. M. Whitesides, *Advanced Materials*, **8** (10), 837 (1996).

265. P. Yang, G. Wirnsberger, H. C. Huang, S. R. Cordero, M. D. McGehee, B. Scott, T. Deng, G. M. Whitesides, B. F. Chmelka, S. K. Buratto, and G. D. Stucky, *Sicence*, **287**, 465 (2000).

266. B. Xu, F. Arias, S. T. Brittain, X. M. Zhao, B. Grzybowski, S. Torquato, and G. M. Whitesides, *Advanced Materials*, **11** (14), 1186 (1999).

267. X. M. Zhao, Y. Xia. O. J. A. Schueller, D. Qin, and G. M. Whitesids, *Sensors and Actuators A*, **65**, 209 (1998).

268. F. Arias, S. R. J. Oliver, B. Xu, R. E. Holmlin, and G. M. Whitesides, *Journal of Microelectromechanical Systems*, **10** (1), 107 (2001).

269. M. A. Unger, H. P. Chou, T. Thorsen, and A. Scherer, *Science*, **288** (7), 113 (2000).

第五章 微機電材料

5.1 前言

材料是工業之母，也是許多新技術在發展過程中常需突破的第一站，因為技術能力 (capability) 或元件性能 (performance) 與材料性質 (property)、結構／成分 (structure/composition) 和製程／合成 (process/synthesis) 有著密切的關係，如圖 5.1 所示。材料的結構與製程屬於科學知識 (scientific knowledge) 的一環，必須對基礎材料科學與工程有基本的認知，才能靈活應用於產品的研究發展；而材料的性質與性能則屬於經驗知識 (empirical knowledge) 之一部分，通常由社會的需求和經驗建立所需的規格。對材料科學與工程知識的了解與建立，有助於研究人員與設計者對元件與產品的開發掌握更高的準確性。

以材料結構對機械性質的影響為例，週期表相鄰的鎂和鋁元素，因鋁的原子結構為體心立方堆積 (face-centered cubic, fcc)，比鎂原子的六方最密堆積 (hexagonal close-packed, hcp) 有更多的滑移系統 (slip system)，而具有較好的延展性。再以材料結構對光學性質的影響而言[1]，單晶的氧化鋁材料 (藍寶石，sapphire) 是透明的 (transparent)，但多晶有孔洞的 (porous) 氧化鋁材料是不透光的 (opaque)，如果經由製程消除多晶的孔洞，如添加少量的氧

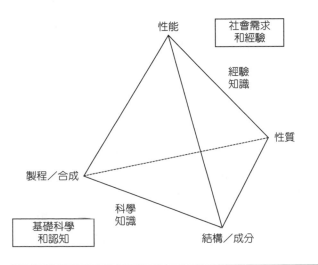

圖 5.1
材料結構／成分、製程／合成、性質和性能的關係圖。

第 5.1 節至第 5.3 節作者為鍾震桂先生。

化鎂在氧化鋁中，則可變成緻密的多晶無孔洞氧化鋁，且為半透光的 (translucent)。最後，再以材料製程對電性的影響為例，在矽晶片中添加不同的摻雜物 (dopant)，可改變矽半導體的電性，如摻雜物為硼、鋁等三價的元素，則變成以電洞載子為主的正型半導體；如摻雜物為磷、砷等五價的元素，則變成以電子載子為主的負型半導體，摻雜物濃度的高低會影響半導體電阻的大小。綜合以上所述，可知材料的結構與製程對元件的性質與性能有著重要的影響。

在多功能整合的微機電系統技術發展中，材料科學與工程知識一樣扮演著重要的角色。例如在矽體型微加工技術 (bulk micromachining) 中，利用不同晶面的矽晶片 (如 Si(100) 和 Si(110))，以非等向性濕蝕刻製程和精密對準技術 (precision alignment)，可製作出不同斜面 (54.7°、90° 或 45°) 的 V 形或 U 形結構，原因與矽的晶體結構有關[2-4]。而蝕刻終止 (etching stop) 技術則是利用過高的摻雜物濃度 ($> 5 \times 10^{19}$ cm^{-3}) 大量降低矽蝕刻速率，達到均勻薄膜的微機電結構。傳統的玻璃材料濕蝕刻特性為等向性，但若經過材料改質、曝光與退火等製程，則可製作出高深寬比的非等向玻璃微結構[5]。

在面型微加工 (surface micromachining) 技術中，主要是在一個共同的基材上經由沉積、微影與蝕刻等製程，將結構層、犧牲層和遮罩 (mask) 層等材料堆疊出所要的結構，製程整合過程的蝕刻選擇比、方向性、微結構、附著力、應力及強度等，則是重要的設計考量。在感測器和致動器的應用上，除了傳統的積體電路製程材料外，尋找適用於高驅動力、抗高溫或耐酸鹼等嚴酷環境能力、高深寬比，以及高感測靈敏度的各種材料與製程，則是研究的重要課題[6]。以高深寬蝕刻技術而言，於蝕刻過程中改變保護氣體 (passivation gas) 和蝕刻方法，則可得到高深寬比、高蝕刻速率、高選擇比、高非等向性及高蝕刻深度的矽深蝕刻能力，其可應用在微機電系統中多種產品的微結構上[7-9]。

綜合以上特性，對微機電材料的討論常是整體所使用材料系統的考量，內容非常的廣泛而無法詳述，因此本章節主要係介紹微機電系統中常使用的材料種類與相關知識。首先將介紹基本的材料科學，包括晶體結構 (crystal structure)、結晶 (crystal) 和非晶 (amorphous)、等向性 (isotropy) 與非等向性 (anisotropy)，進而介紹各種材料，從結構區分的有基板材料和薄／厚膜材料，從用途區分的有感測材料、致動材料和封裝材料，最後將介紹材料分析技術。

5.1.1 晶體結構

在三維空間內，晶體結構主要可分為七大晶系、十四種晶格類型，如表 5.1 所列。七大晶系分別是立方 (cubic)、正交 (orthorhombic)、四方 (tetragonal)、六方 (hexagonal)、菱形 (rhombohedral)、單斜 (monoclinic) 和三斜 (triclinic) 晶系，若再考慮體心與面心原子的晶格排列，則可衍生為十四種晶格。這些晶系的分類方法是根據晶軸間平面和方向的相互關係，而在立方晶系中有三種常被用到的晶格類型，分別是簡單立方晶格 (simple cubic lattice)、體

心立方晶格 (body-centered cubic lattice, bcc) 及面心立方晶格 (face-centered cubic lattice, fcc)。

　　在半導體與光電產業中，最重要的材料為矽與砷化鎵 (GaAs)，所以矽與砷化鎵的晶體結構也就格外重要。由於矽屬於週期表中的 IVA 族，其結構和由碳元素所組成的鑽石結構 (diamond structure) 相同，如圖 5.2(a) 所示。另外砷化鎵則屬於硫化鋅 (ZnS) 結構 (或稱閃鋅礦 (zinc blende) 結構)，其結構和鑽石結構相似，如圖 5.2(b) 所示。以下將分析介紹這兩種晶體結構的特色。

表 5.1 晶體結構中七大晶系、十四種晶格與實例表。

晶體系統 (布拉格晶格)	晶軸長度和夾角關係*	實例
立方晶系 (簡單立方、體心立方、面心立方)	三等軸、三直角 $a = b = c$、$\alpha = \beta = \gamma = 90°$	金 (Au)、銅 (Cu)、氯化鈉 (NaCl) 矽 (Si)、砷化鎵 (GaAs)
正交晶系 (簡單正交、體心正交、面心正交、基心正交)	$a \neq b \neq c$、$\alpha = \beta = \gamma = 90°$	鎵 (Ga)、碳化鐵 (Fe$_3$C)
四方晶系 (簡單四方、體心四方)	$a = b \neq c$、$\alpha = \beta = \gamma = 90°$	銦 (In)、二氧化鈦 (TiO$_2$)
六方晶系 (簡單六方)	$a = b \neq c$、$\alpha = \beta = 90°$、$\gamma = 120°$	鋅 (Zn)、鎂 (Mg)
菱形晶系 (簡單菱形)	$a = b = c$、$\alpha \neq \beta \neq \gamma$	汞 (Hg)、鉍 (Bi)
單斜晶系 (簡單單斜、體心單斜)	$a = b = c$、$\alpha = \gamma = 90°$、$\beta \neq 90°$	氯酸鉀 (KClO$_3$)
三斜晶系	$a \neq b \neq c$、$\alpha \neq \beta \neq \gamma$	矽酸鋁 (Al$_2$SiO$_3$)

* 三軸單位長分別為 a、b 和 c，三軸夾角分別為 α、β 和 γ。

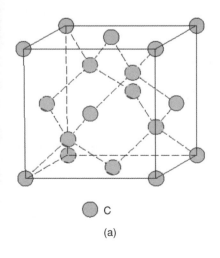

C

(a)

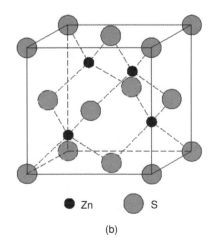

● Zn　S

(b)

圖 5.2
(a) 鑽石結構和 (b) 硫化鋅結構的原子排列圖。

(1) 鑽石結構

　　鑽石結構可以視為由兩個面心立方晶格 (fcc) 所組成，兩個 fcc 相對位置為相互平移 (1/4, 1/4, 1/4) 體對角線 (圖 5.2(a))。傳統的單位晶胞 (unit cell) 包含了八個原子，每個原子有四個最鄰近原子及十二個次鄰近原子。鑽石結構是相當空的，若以硬球來堆積，硬球實際的體積僅佔晶格全部體積的 34%，此比值稱為堆積因子 (atomic packing factor)，只有最密堆積結構 (fcc) 的 46%。鑽石結構材料是位於週期表 IV 族，它是共價鍵結的元素，包括碳、矽、鍺和錫的晶體都是鑽石結構。

(2) 硫化鋅 (閃鋅礦) 結構

　　硫化鋅結構與鑽石結構相似，也是由兩個面心立方晶格所組成，其相對位置為相互平移 (1/4, 1/4, 1/4) 體對角線，與鑽石結構的主要差別是兩個面心立方晶格分別放置不同原子，即將鋅 (Zn) 原子放在其中一組 fcc 晶格上，而硫 (S) 原子則放在另一組 fcc 晶格上 (圖 5.2(b))。傳統晶胞是一個立方體，其中 Zn 原子的座標為 0 0 0、0 1/2 1/2、1/2 0 1/2、1/2 1/2 0；而 S 原子的座標為 1/4 1/4 1/4、1/4 3/4 3/4、3/4 1/4 3/4、3/4 3/4 1/4。傳統晶胞共有四個 ZnS 分子，對某一個原子來講，臨近有四個距離相等的另一種原子，且分別位於正四面體的四個角上。ZnS、ZnSe、SiC、SiGe、GaAs、GaP、AlAs 及 CdS 等半導體化合物都是屬於硫化鋅結構。

　　由於材料性質與晶體結構的平面和方向有關，在普遍的命名上以米勒指數 (Miller index) 來表示，以下簡短介紹這個方法的原則。

　　首先想像在空間中一個任意平面上的一個點 $P(x, y, z)$，以笛卡兒座標系統 x-y-z 而言，表示 P 點位置的方程式為：

$$\frac{x}{a} + \frac{y}{b} + \frac{z}{c} = 1 \tag{5.1}$$

a、b 和 c 為平面相對於 x、y 和 z 軸的截距。方程式 (5.1) 可寫成：

$$hx + ky + lz = 1 \tag{5.2}$$

很明顯的，$h = 1/a$、$k = 1/b$，而 $l = 1/c$。米勒指數是以 (hkl) 來表示晶面，也就是說米勒指數為晶面於 x、y 和 z 軸截距的倒數，而 $[hkl]$ 表示垂直於晶面 (hkl) 的方向，也就是晶面的法向量；米勒指數之平面 (hkl) 和方向 $[hkl]$ 的示意圖如圖 5.3 所示。

　　對立方晶體而言，$a = b = c$，圖 5.4 為立方晶體三個常用晶面 (001)、(110)、(111)，而矽晶體在此三個晶面的原子排列如圖 5.5 所示。因晶體結構的對稱性，立方晶體的

±(100)、±(010) 和 ±(001) 六個晶面的性質是一樣的,這時以晶面族 (family of plane) 符號 {100} 表示 ±(100)、±(010) 和 ±(001) 六個晶面。同理,{110} 和 {111} 分別表示 (110) 和 (111) 兩種晶面族。而方向族 ±[100]、±[010] 和 ±[001] 六個方向以符號 ⟨100⟩ 表示,⟨110⟩ 和 ⟨111⟩ 則分別表示 [110] 和 [111] 兩種方向族。

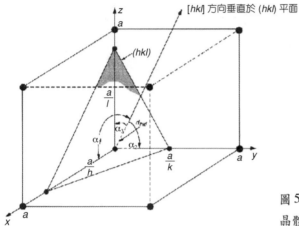

圖 5.3
晶體平面 (*hkl*) 和方向 [*hkl*] 的米勒指數表示圖。

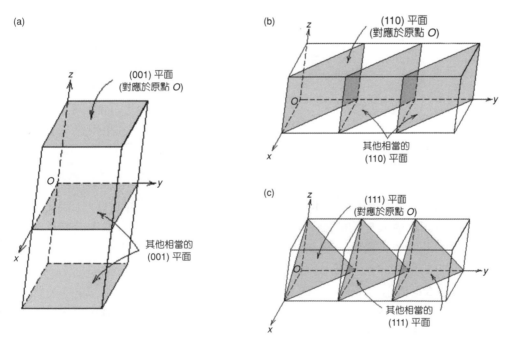

圖 5.4 立方晶體的三個常用晶面: (a) (001)、(b) (110) 和 (c) (111)。

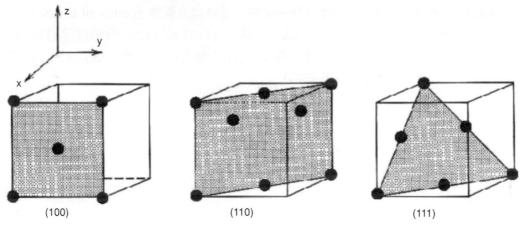

圖 5.5 矽晶體三個常用晶面 (100)、(110)、(111) 與其原子排列。

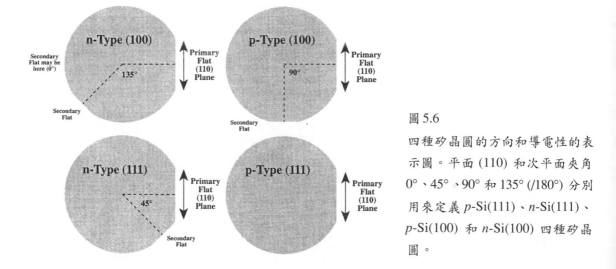

圖 5.6

四種矽晶圓的方向和導電性的表示圖。平面 (110) 和次平面夾角 0°、45°、90° 和 135° (/180°) 分別用來定義 p-Si(111)、n-Si(111)、p-Si(100) 和 n-Si(100) 四種矽晶圓。

　　如前面所言，矽的鑽石結構是由兩個 fcc 晶格所組成，其中位於平面 (111) 上兩相鄰原子之間距為晶體中最短的。這最短的間距造成了在此平面上原子間的吸引力大於其他兩種平面，因此在此平面的晶體成長最慢，且在蝕刻製程中，在此方向蝕刻也最慢。由於矽基材在不同方向上的可加工性質非常不同，因此晶圓供應商在裝運晶圓時，必須指明矽晶圓的方向，其表示法如圖 5.6 所示，是利用矽所切之平面 (110) 為主平面，再以單晶次平面與其夾角 0°、45°、90° 和 135° (/180°) 分別來定義 p-Si(111)、n-Si(111)、p-Si(100) 和 n-Si(100) 四種矽晶圓的方向和導電性 (負型電子或正型電洞)。

5.1.2 結晶和非晶

對一個材料來說，其結構狀態可分為三種類型：單晶、多晶和非晶。單晶結構是指原子的排列是規則、有週期性的，並且可延伸至整個試件，而沒有晶界 (grain boundary) 打斷其連續性，此種狀態即稱為單晶。單晶內所有的單位晶胞 (unit cell) 都是一樣且具有相同的方向。多晶結構是指大部分晶體固體是由許多小單晶或晶粒所組成的，其原子的排列是規則且有週期性的，但無法延伸至整個試件，在兩兩晶粒彼此間有界面，稱為晶界。而非晶結構則是原子的排列沒有規則和週期性。

結晶狀態的呈現和材料種類與製程控制有很大的關係，以矽而言，在室溫或低溫的沉積薄膜為非晶矽，若再經高溫退火或直接在高溫所得薄膜則為多晶矽。若要沉積單晶矽薄膜，需在乾淨的單晶矽表面，利用磊晶成長技術才能達到。至於單晶矽晶圓則是利用長晶 (crystal growth) 技術在矽晶種上成長矽晶棒，然後再切片而成。材料的結構狀態與材料性質有著顯著的關係，尤其是對方向性的影響，將於下節介紹。

5.1.3 等向性和非等向性

單晶物質的物理性質和量測的結晶方向有關。如彈性係數 (modulus of elasticity，又稱楊氏係數 (Young's modulus, E))、導電性和折射率在 [100] 和 [111] 方向是不同的，這和不同原子或離子的空間結晶方向有關。在不同方向上並無不同性質的物質稱為等向性材料，反之，在不同方向有不同性質的情況，則稱為非等向性材料。結晶材料的非等向性範圍和大小與晶體結構的對稱性有關，材料的非等向性程度會隨著結構對稱性的減少而增加。對大部分多晶材料而言，個別晶粒的結晶方向是完全無秩序的 (random)，在此情形下，即使每一個晶粒是非等向性的，但一個由很多晶粒積聚而成的試件卻可能呈現等向的性質，因為所量測到的是整體性質，是所有方向值的平均。表 5.2 列出單晶矽在不同方向的楊氏係數和剪力係數 (shear modulus, G)，由此可知楊氏係數在 [111] 方向最大，[100] 方向最小，而剪力係數則相反。表 5.3 為鋁、銅、鐵和鎢四種材料的彈性模數，鋁、銅和鐵與單晶矽趨勢一樣，在 [111] 方向最大，[100] 方向最小，因為三者都是 fcc 結構；而鎢則顯現出等向性行為，此與鎢是 bcc 結構有關。有時在這些多晶材料中，晶粒有固定結晶方向的傾向，此情

表 5.2 單晶矽在不同方向的楊氏係數和剪力係數的大小。

米勒指數的方向	楊氏係數 (E) (GPa)	剪力係數 (G) (GPa)
[100]	129.5	79.0
[110]	168.0	61.7
[111]	186.5	57.5

表 5.3 鋁、銅、鐵和鎢四種材料的彈性係數大小。

金屬	彈性係數 (GPa)		
	[100]	[110]	[111]
鋁	63.7	72.6	76.1
銅	66.7	130.3	191.1
鐵	125.0	210.5	272.7
鎢	384.6	384.6	384.6

況稱材料具有織狀結構 (texture)，亦具有某個優選方向 (preferred orientation)，即材料的物理性質具有某程度的非等向性。

5.2 基板／塊材材料

半導體、陶瓷 (／玻璃／石英)、高分子或金屬等許多材料都可以製作成基板／塊材或是薄／厚膜，本章的分類是以在 MEMS 領域使用頻率較高的材料來區分，此節以介紹單晶矽、玻璃／石英和高分子為主，至於其他材料如多晶矽、多孔矽、氧化矽、氮化矽、鑽石、金屬、壓電材料、多晶鍺和鍺化物、III-V 族化合物以及高分子聚合物等，則於第 5.3 節中介紹。

表 5.4 係單晶矽、陶瓷、玻璃和高分子等材料的主要特性趨勢比較表，其中包括成本、金屬化製程和可加工能力等三方面的比較。以矽而言，因成熟的積體電路製程技術和良好材料特性，在金屬化製程和可加工能力方面是最佳的材料，雖然相對價格略高，但隨著成熟的長晶技術和大量生產，其價格已經不昂貴。對陶瓷和玻璃而言，最大瓶頸在可加工能力，因其並沒有像矽一樣的非等向性蝕刻特性，無法製造出多種形狀的微結構。雖然經過材料改質、曝光與退火等製程，可製作出高深寬比的非等向 FOTURAN® 玻璃微結構，但其製程限制條件多且價格較高[5]。至於高分子材料，其優點在於便宜且和許多生物材料相容，但最大瓶頸則在金屬化製程能力，一般金屬鍍膜對高分子材料的附著力較差，需要作表面改質來改善。針對以上各類材料各有的特色，將分別在下面各小節探討。

表 5.4 單晶矽、陶瓷、玻璃和高分子等材料的主要特性趨勢比較表。

母材	成本	金屬化製程	可加工性
矽	高	佳	非常好
陶瓷	中等	普通	差
玻璃	低	佳	差
高分子	低	差	普通

5.2.1 單晶矽

以矽基材作為微製造的感測器材料可以追溯到 1954 年，當時 Smith 等人發表第一篇描述在鍺和矽中的壓阻效應特性之論文[10]。該研究的結果顯示，由這些材料製成的應變規 (strain gauge)，其靈敏度可比傳統金屬製成的應變規大 10 倍到 20 倍，這使得在 1950 年代後期有商業性的應變規出現。經過 1960 年代和 1970 年代的初期，利用機械和化學方面的技術，可以製造更小的矽基材和彈性機械結構，使得應變規能被大量製造成商業產品，如在 1970 年代中期已有大量生產的矽基材壓力感測器。這些矽微製造技術，同時利用了使現代生活有革命性發展的矽基固態元件 (solid-state device) 和積體電路 (IC) 的技術。在 1980 年代期間，結合矽積體電路和矽微製造技術成為微機電系統新的應用，同時使矽成為微機電系統的主要材料。

使用矽作為半導體的材料是大家普遍知道的。單晶矽為鑽石晶體結構，與許多半導體的材料一樣有電子能隙，為 1.1 eV，藉由摻入雜質可改變其導電率。磷是常用於負型 (n 型) 矽的摻雜劑，硼一般則被用來產生正型 (p 型) 矽。其固相氧化物 (SiO$_2$) 能夠藉由其穩定的化學性在矽表面成長。在機械性質上，矽是一種脆性材料，其楊氏係數約為 190 GPa，與鋼 (210 GPa) 相近。矽是地球上最豐富的元素，已經可以從沙子提煉製造產生電子等級的材料。目前在成熟工業階段，已有低價、少缺陷且大表面積 (直徑大於 8 吋) 的單晶矽晶圓生產。

在 MEMS 的應用中，單晶矽扮演很重要的角色。由於單晶矽具有良好的非等向性蝕刻特性和可用的蝕刻遮罩 (etching mask) 材料，使其成為體型微加工中最具多樣功能的材料。在面型微加工應用方面，單晶矽基材可作為機械結構平台，使得元件結構能夠由矽或其他材料中製造出來。在以矽基材整合的 MEMS 元件中，單晶矽是製造 IC 元件最主要的電子材料。矽的體型微加工是利用乾蝕刻和濕蝕刻技術，並結合蝕刻遮罩和蝕刻終止方法，以矽基材製造微機械元件。從材料觀點，使體型微加工成為可實施技術的兩個重要關鍵為：(1) 非等向性 (anisotropic) 蝕刻的能力，如氫氧化鉀 (KOH)、氫氧四甲基氨 ((CH$_3$)$_4$NOH, TMAH)、EDP (ethylenediamine-pyrocatecol-water) 和聯氨 (N$_2$H$_4$)，可以沿著特定的晶格平面蝕刻單晶矽；(2) 能夠與矽相容的蝕刻遮罩和蝕刻終止技術，使得利用蝕刻化學劑來移除矽材料時可以保護選擇的區域不被蝕刻。

蝕刻最重要的特徵為蝕刻過程的方向性或側壁輪廓 (sidewall profile)。假設各方向的蝕刻速率都相同的話，這個過程稱為等向性蝕刻。比較起來，非等向性的蝕刻過程通常則發生在與晶圓表面垂直的蝕刻速率大於側向蝕刻速率時。必須強調的是，非等向性蝕刻的側壁形狀也可以利用其他加工技術製作，如深反應離子蝕刻 (deep RIE)、離子束磨削 (ion beam milling) 或雷射鑽削 (laser drilling)。圖 5.7(a) 和 (b) 分別表示利用感應耦合電漿深反應離子蝕刻技術所得側壁垂直度 90° 的不同圓洞直徑 (10－25 μm) 的圖案，和深寬比大於 30、垂直度 89.9° 的高深寬比深溝槽蝕刻結果。

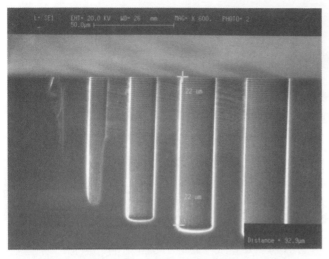

(a)

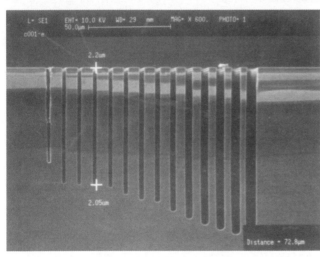

(b)

圖 5.7

感應耦合電漿的矽深蝕刻結果：(a) 側壁
垂直度 90° 的不同圓洞直徑的圖案；(b)
深寬比大於 30、垂直度 89.9° 的高深寬
比深溝槽蝕刻結構。

　　等向性蝕刻通常在液態化學品中進行，可用來移除工作物表面的缺陷和定義單晶或多
晶半導體薄膜的圖案與結構。對矽的等向性蝕刻而言，最常使用的蝕刻劑為氫氟酸 (HF)、
硝酸 (HNO₃) 和醋酸 (CH₃COOH) 的混合液，通常稱為 HNA 蝕刻系統。至於矽的非等向性
蝕刻，對 (100) 和 (110) 平面的蝕刻比對 (111) 平面的蝕刻速率快很多。例如在精密對準
下，(100) 平面對 (111) 平面的蝕刻速率比約為 400：1。對於典型的氫氧化鉀 (KOH)／去離
子水蝕刻溶液，矽非等向性蝕刻的蝕刻遮罩可以為二氧化矽、氮化矽 (Si₃N₄) 和一些金屬薄
膜 (如鉻、金)。遮罩材料的選擇和蝕刻深度及選擇比有關，在使用需要長蝕刻時間的 KOH
蝕刻時，Si₃N₄ 由於具有極佳的抗化學性，是很好的蝕刻遮罩材料，尤其在晶片背面蝕穿
(etch through) 製程的使用非常多。

在蝕刻終止技術上，主要利用高濃度硼摻雜矽 (heavily B-doped Si，p^+-Si) 進行，於一些化學蝕刻相當有效，而對等向性和非等向性蝕刻劑有不同的反應趨勢。基本上，蝕刻為一種電荷轉移過程，蝕刻速度由摻雜型式和濃度所決定。高的摻雜濃度材料因為有較多可移動的載子，可以預期有較高的蝕刻速率。

這對於等向性蝕刻劑如 HNA 而言，當正型或負型摻雜物濃度大於 10^{18} cm^{-3} 時，其典型蝕刻速率為 1 到 3 $\mu m/min$，但當摻雜濃度小於 10^{17} cm^{-3} 時，其蝕刻速率則近於零。在另一方面，非等向性蝕刻劑如 EDP 和 KOH 則展現完全不同的蝕刻行為。當使用 KOH 蝕刻時，摻雜大量硼的矽 (> 7 × 10^{19} cm^{-3}) 比沒有摻雜物的矽其蝕刻速率可以慢 5 到 100 倍；而當使用 EDP 蝕刻時，則可慢 250 倍。

硼摻雜通常使用擴散方法，其 p^+ 技術形成的蝕刻終止厚度通常小於 10 μm。若提高擴散溫度 (如 1175 °C) 和增長擴散時間 (如 15 到 20 小時)，則可以產生更厚 (約 20 μm) 的 p^+ 蝕刻終止層。也可以使用離子佈植 (ion implantation) 方法產生低於矽表面的 p^+ 蝕刻終止，但會受到離子佈植深度僅幾微米，以及提供離子佈植所使用的高能量／高電流離子加速器限制。另外，雖然也可以利用磊晶成長技術，在硼摻雜 p^+ 矽蝕刻終止層上成長單晶矽以增加最後結構厚度，但是由於磊晶成長製程的費用很貴，故很少使用。

由於摻雜高濃度的硼，使得矽具有高的缺陷密度，這樣的缺陷主要是因為硼原子比矽原子還要小，在摻雜後於矽晶格內產生的應力所致。對於 p^+ 矽的研究報告指出，在合成薄膜中的應力可能是張應力 (tensile stress)[11] 或壓應力 (compressive stress)[12]，而這些應力變化可能是由後製程步驟所造成。例如，熱氧化作用能夠調整靠近 p^+ 矽薄膜表面顯著的殘餘應力分布，造成整個薄膜應力的改變。因為結晶缺陷的產生，在 p^+ 蝕刻終止層的高濃度摻雜物會影響在這些層製造電子元件的機會。儘管有這些缺點，由於 p^+ 蝕刻終止技術的效率和簡單性，它仍然被廣泛的使用。

很多乾蝕刻製程可以用來定義單晶矽圖案，這些製程內容範圍從物理蝕刻的濺鍍和離子加工方法到化學電漿蝕刻。如反應離子蝕刻 (RIE) 和反應離子束蝕刻 (RIBE) 兩者是結合了物理和化學方面的蝕刻特性。通常乾蝕刻製程利用氣體電漿離子化並伴隨中性粒子移走蝕刻表面的材料，詳細的乾蝕刻過程可以參考半導體製程相關文獻資料。反應離子蝕刻是最常用來定義矽圖案的一種乾蝕刻方法，通常可用氟化物氣體如 CF_4、SF_6 和 NF_3，或其他氯化物如 CCl_4 或 Cl_2，有時會與 He、O_2 或 H_2 等氣體混合使用。RIE 過程為高度方向性，因此可將圖案由遮罩材料上轉移到蝕刻的矽表面。蝕刻遮罩材料的選擇與所使用的蝕刻化學劑及期望的蝕刻深度相當有關。對於 MEMS 應用而言，常使用光阻和二氧化矽薄膜作為蝕刻遮罩材料。矽蝕刻速度在 RIE 過程通常比 1 $\mu m/min$ 還要小，所以乾蝕刻最常被用來蝕刻數微米厚的圖案層。由於 Si_3N_4 或 SiO_2 具有對矽電漿選擇性高的蝕刻特性，所以這些材料可以用作蝕刻遮罩或蝕刻終止層。由 MEMS 深蝕刻技術所發展的感應耦合電漿蝕刻技術[7-9]，矽蝕刻深度已經可以超過幾百微米，如圖 5.8 為直徑 200 μm、蝕刻深度大於 500 μm 之矽圓洞的穿透蝕刻結果，此技術對於體型微加工結構可提供新的製程設計與方法。

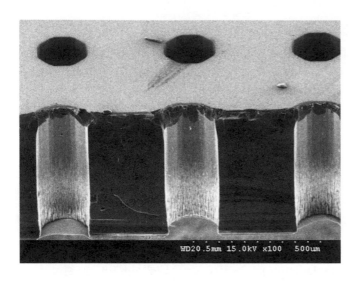

圖 5.8

矽圓洞直徑為 $200~\mu m$、蝕刻深度大於 $500~\mu m$ 的穿透蝕刻圖案。

5.2.2 玻璃和石英

　　玻璃 (glass) 是二氧化矽的非晶狀態，原文稱為 fused silica 或 vitreous silica，圖 5.9 為其結構示意圖，矽和氧的鍵結呈現沒有規則排列的網狀結構 (network structure)。此非晶的網狀結構除了氧化矽外，其他的氧化物如氧化硼 (B_2O_3)、氧化鍺 (GeO_2) 等也可能形成玻璃網狀結構，因此稱為網狀形成物 (network former)。除了網狀形成物以外，其他添加的氧化物如氧化鈉 (Na_2O)、氧化鈣 (CaO) 所形成的普通無機鈉鈣矽玻璃，常被用來做為容器、窗戶。這些添加的氧化物並不形成多面體網結構，而是在矽酸鹽 (SiO_4^{4-}) 的陽離子內部連結而形成 SiO_4^{4-} 的網狀結構，所以這些氧化添加物稱作網狀修正物 (network modifier)，如圖 5.10 為鈉矽酸鹽玻璃的結構示意圖。玻璃內還可能有其他氧化物如氧化鋁 (Al_2O_3)、氧化鈦 (TiO_2)，當沒有網狀形成物時，這些氧化物替代了矽而成為部分網絡且穩定了網狀物，因此稱作中間物 (intermediate)。從應用的角度來看，這些添加的修正物和中間物可以降低玻璃的熔點和黏度，使玻璃更容易於低溫成形加工[1]。

　　在微機電系統技術中最常使用的玻璃材料為 Pyrex 7740，其成分為重量百分比 81% SiO_2、13% B_2O_3、4% Na_2O 和 2% Al_2O_3，因為其在 300－350 ℃ 的熱膨脹係數與矽較接近，所以適用於矽與玻璃的陽極接合。也可以利用氫氟酸 (HF) 和其緩衝液 (BOE) 等濕式蝕刻方法，對玻璃做體型的等向性加工，製作成流體通道、溝槽或反應室等。乾式蝕刻方法對玻璃加工而言，因為氧化矽以外的其他氧化物添加物會在蝕刻過程產生反沉積效果，導致蝕刻速率慢並增加表面粗糙度，而且氧化物的電荷累積 (charging) 容易在底部邊緣產生微溝槽蝕刻現象，如圖 5.11 所示，故較少使用。以上等向性濕蝕刻特性的玻璃材料，若經過材料改質再添加不同成分的氧化物，如氧化鋰 (Li_2O)、氧化銻 (Sb_2O_3)、氧化鈰 (CeO_2)、氧化鋅 (ZnO)、氧化銀 (Ag_2O) 等，可以形成 FOTURAN® 玻璃[5]，具有非等向性濕蝕刻特性。

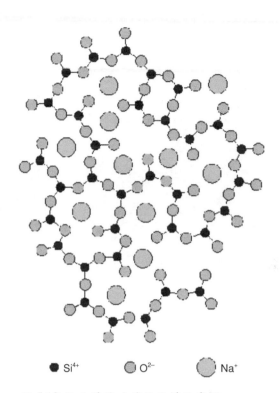

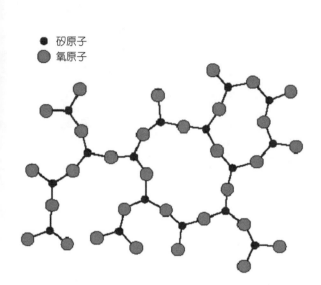

● 矽原子
● 氧原子

● Si⁴⁺　　○ O²⁻　　○ Na⁺

圖 5.9 非晶狀態的二氧化矽結構示意圖。　　　圖 5.10 鈉矽酸鹽玻璃的結構示意圖。

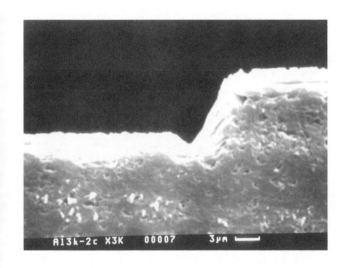

圖 5.11
以乾式蝕刻方法對玻璃加工的結果，在底部邊緣產生微溝槽蝕刻現象，並增加表面粗糙度。

FOTURAN® 玻璃的曝光部分經退火後會再結晶，容易被氫氟酸 (HF) 移除，蝕刻速率約為未曝光的 FOTURAN® 玻璃的 20 倍，可製作出高深寬比的玻璃微結構，應用在微流體和生物晶片上，如圖 5.12 所示[5]。

(a)

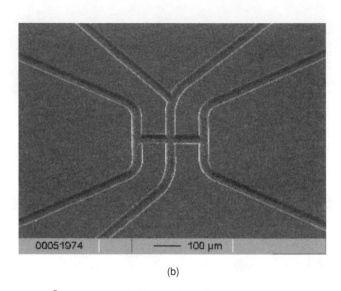

(b)

圖 5.12 具非等向性濕蝕刻特性的 FOTURAN® 玻璃：(a) 可製作出高深寬比的玻璃微結構，(b) 應用在微流體晶片照片[5]。

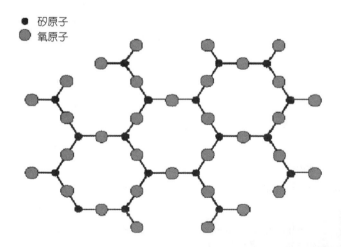

● 矽原子
● 氧原子

圖 5.13
結晶狀態的二氧化矽結構示意圖。

　　石英為二氧化矽化合物的結晶體，其結構如圖 5.13 所示[1]。石英的單位晶胞是一個四面體，在這四面體基部的三個頂點佔有三個氧原子，而矽原子則位於另一個頂點，垂直於底面的軸稱作 z 軸。石英的晶體結構是由六個矽原子圍繞的環狀所組成，對感測器來說，石英是一種非常理想的材料，因為它具有近乎絕對的熱穩定度，在尺寸變化上比矽更為穩定，特別適合在高溫的應用。

　　石英常用於許多壓電裝置及其他商業應用，包括手錶、電子濾波器和共振器等。因為石英良好的電絕緣和可被紫外光穿透特性，可應用在生醫分析、微流體電泳

(electrophoresis) 元件，以及探測流體中的各種物質。石英是一種很難加工的材料，鑽石切割是一個普遍的方法，而超音波切割則用在形狀要求較為精確的切削中，另外也可以使用如 HF/NH₄F 等化學液將石英蝕刻成所需要的形狀。有關石英蝕刻及應用於製造微加工加速規感測器可參考文獻 13。

5.2.3 高分子聚合物

　　高分子又名聚合物 (polymer)，種類非常多，在分類上有多種方式。依物性而分，可以分為塑膠 (plastic)、橡膠 (rubber) 和纖維 (fiber) 三大類；依可塑性而分，可以分為熱塑性 (thermoplastic) 和熱固性 (thermosetting) 兩大類；依產出來源而分，可以分為天然高分子 (natural polymer) 和合成高分子 (synthetic polymer) 兩大類。因此應用上的高分子包含了各式各樣的材料和名稱，如塑膠、接著劑、透明樹脂 (如路賽特 (Lucite)，一種熱塑性樹脂)、樹脂玻璃 (如 Plexiglas，一種耐熱有機玻璃) 等。

　　高分子材料是由有機分子的長鏈所組成 (主要是碳氫化合物)，這種聚合的分子可以是好幾百奈米長，一般具有低的機械強度、低熔點和低導電度的材料特性。高分子材料最早在工業上的使用大多是以可塑性來分類，熱塑性材料可以輕易的被塑造成產品要求的形狀，但熱固性材料卻有較佳的機械強度和較耐高溫的性質 (可達 350 °C)。應用範圍包括電絕緣體、保護層、電子設備的電容板和積體電路中印模的內墊、機器和元件零組件等。

表 5.5 幾種常用高分子基材在生醫和生物晶片應用的特性比較。

簡寫	全名	透光性	最高操作溫度 (°C)	吸水程度 (24 h)	水蒸氣滲透度	硬度	抗化學特性	生醫使用例	生物晶片使用例
PS	聚苯乙烯	可	50－90	< 0.4%		M60－90	差	微滴定板	無
PMMA	聚甲基丙烯酸甲酯 (壓克力)	可	80－100	0.2%	1	M92－100	差		Aclara (CE)
PC	聚碳酸酯	可	130	0.1－0.3%	8	M70	差	聯合微平板	Affymetrix (PCR、IVT、HYB)
PSO	聚硫磺烯	可	170	0.22%		R120	尚可	滲析過濾器	?
COC	環烯烴共聚合物	可	130－170	< 0.01%	1	R180?	佳		?
PP	聚丙烯	不可	120	0.03%	2	R80－100	佳	PCR微反應管道	Affymetrix (PCR、IVT、HYB)

　　高分子材料在微電子和微機電系統的衍生應用，目前已非常普遍，例如環氧樹脂和接著劑如矽膠，是微電子和微機電系統封裝常用的材料。在生醫工程的應用上，因高分子具有和生物相容 (bio-compatible)、低成本、易加工、重量輕和可丟棄等優點，已經是各領域研究者所喜愛的材料。表 5.5 列出幾種被使用的高分子基材，如聚苯乙烯 (polystyrene, PS)、聚甲基丙烯酸甲酯 (壓克力，PMMA)、聚碳酸酯 (polycarbonate, PC)、聚硫磺烯 (polysulfone, PSO)、環烯烴共聚合物 (cyclo-olefin copolymer, COC) 和聚丙烯 (polypropylene, PP)，在透光性、可使用溫度、吸水性、透水性、硬度、抗化性，以及在生醫和生物晶片應用的特性比較[14]。其中 PS、PMMA、PC、PSO 和 PP 等基材目前已都有產品在使用，彼此各有優缺點。如 PMMA 的透光性和抗透水性佳，但是可使用溫度低且抗化性差；PP 可使用溫度和抗化性佳，但是透光性差；而表中的 COC 則具有透光性、可使用溫度、抗透水性和抗化性都佳的優點，是未來深具潛力的材料。

5.3 薄／厚膜材料

5.3.1 多晶矽

　　多晶矽的應用非常廣，在 IC 工業範圍中，可從簡單電阻、MOS 電晶體的閘、薄膜電晶體 (TFT)、動態隨機存取記憶體 (DRAM)、電池平板和溝槽填充 (trench filling)，到作為相互連接的雙極電晶體和半導體中的發射極。如單晶矽一樣，多晶矽可以利用摻雜物質來控制其電性行為，製作成相關的電子元件。在微機電系統應用上，多晶矽是最常用於面型微加工的主要材料，常見的材料系統為利用多晶矽當作主要結構層材料，二氧化矽作為犧牲層的材料，以及利用氮化矽作為元件結構的電子隔離材料，如微機電系統的共用晶片製程 (MUMPs) 即是如此[15]。因為此三種材料已經普遍使用在 IC 製造上，所以薄膜鍍膜和蝕刻的技術已經可以廣泛的取得。

　　與單晶矽一樣，多晶矽可以使用標準的 IC 製程，在鍍膜的製程期間或之後加以摻雜。二氧化矽可以成長或沉積在一個寬廣的製程溫度範圍 (如 200 到 1150 °C)，以滿足各種製程和材料需要，且可以完全溶解在氫氟酸中被蝕刻。而氫氟酸是一個與 IC 相容的化學藥品，不會蝕刻多晶矽材料結構 (高選擇比)[16]，所以當二氧化矽犧牲層完全被氫氟酸蝕刻溶解時，氫氟酸並不會蝕刻破壞多晶矽結構。

　　對於面型微加工結構而言，由於多晶矽具有可和單晶矽比擬的機械性質，使得其成為受矚目的材料。表 5.6 列出單晶矽和多晶矽的性質比較，顯示多晶矽的楊氏係數和破壞強度 (fracture toughness) 分別為 1.61×10^{11} N/m^2 和 $0.8-2.82$ GPa，而單晶矽則分別為 1.90×10^{11} N/m^2 ((111) 平面) 和 6 GPa。多晶矽的製程技術在 IC 上已經發展得很成熟，且能抵抗二氧化矽蝕刻液，所以多晶矽面型微加工是原有 IC 產業中的鍍膜、圖案成形和材料檢測等重要技術另一個重要的衍生應用。

表 5.6 單晶矽和多晶矽的性質比較。

材料性質	單晶矽	多晶矽
熱傳係數 (W/cm·K)	1.57	0.34
熱膨脹係數 (10^{-6}/K)	2.33	2－2.8
比熱 (cal/g·K)	0.169	0.169
壓敏電阻係數 (1/Pa)	n-Si ($\pi_{11} = -102.2$) p-Si ($\pi_{44} = +138.1$) 量規因子 90	量規因子 (Gauge factor) 30 (雷射再結晶產生，> 50)
密度 (g/cm^3)	2.32	2.32
破壞強度 (GPa)	6	0.8－2.84 (未摻雜質)
介電常數	11.9	4.2 eV 對 295 nm 厚 3.4 eV 對 365 nm 厚
殘餘應力	無	變化
熱敏電阻係數 (TCR) (K^{-1})	0.0017 (p-type)	0.0012 非線性，＋ 或 － 與摻雜 有關，隨摻雜濃度減少而增加
波松比 (Poisson ratio)	對 (111) 平面，最大 0.262	0.23
楊氏係數 (10^{11} N/m^2)	對 (111) 平面，1.90	1.61
室溫電阻率 (Ω·cm)	依雜質量而定	一般 7.5 × 10^{-4} (比單晶矽高)

　　多晶矽薄膜的材料特性已證實和鍍膜方法有著密切的關係。介電材料和多晶矽薄膜可以藉由蒸鍍、濺鍍和分子束 (molecular beam) 等技術來加以沉積，在 VLSI 和面型微加工範圍，這些技術不如化學氣相沉積 (CVD) 已被廣泛地使用，因為這些技術最主要的缺點是產能低、階梯覆蓋 (step coverage) 差以及鍍膜不均勻等問題。由表 5.7 的各種化學氣相沉積技術比較得知，在中間溫度 (500－900 °C) 的低壓化學氣相沉積 (LPCVD) 技術優於其他技術。VLSI 元件和整合面型微加工需要低製程溫度來阻止淺界面的移動，而均勻階梯覆蓋、少的製程步驟以及高晶圓產能可以降低成本，這些需求可透過熱壁、低壓鍍膜來實現[17]。

　　當利用 LPCVD 沉積材料時，主要影響沉積結果的製程參數為鍍膜溫度、氣體壓力、流率和鍍膜時間。為了使得每一個晶圓表面獲得均勻的沉積，製程控制在反應限制區域 (reaction-limit region) 下進行。在這個反應限制沉積區域下，沉積速率是由基材表面之反應物質的反應速率所決定，其與反應物質到達表面的速率相反 (稱為擴散控制區域 (diffusion-limit region))。在反應限制區域中，沉積速率和基材溫度的關係為指數形式，因此必須精確控制反應室的溫度。通常沉積條件的溫度範圍為 580 到 650 °C，而壓力是從 100 到 400 mTorr，最常使用的原料氣體為矽甲烷 (SiH$_4$)，當加熱到此溫度範圍時，矽甲烷的矽可以很快的分解沉積到基材上。氣體流動速度與管子直徑及其他的條件有關。製程溫度在 630 °C 時，多晶矽沉積速率約為 100 Å/min。在製造微結構元件期間，多晶矽薄膜在沉積以後，經常還需經過一道或更多的高溫製程步驟 (例如摻雜、熱氧化、退火)，這些高溫步驟能夠使

表 5.7 各種化學氣相沉積 (CVD) 技術比較。

	常壓 CVD (APCVD)	低溫 LPCVD	稍高溫 LPCVD	電漿輔助 CVD (PECVD)
沉積溫度 (°C)	300－500	300－500	500－900	100－350
沉積材料	二氧化矽、磷玻璃	二氧化矽、磷玻璃、硼磷玻璃	多晶矽、二氧化矽、磷玻璃、硼磷玻璃、氮化矽、氮氧化矽	二氧化矽、氮化矽、氮氧化矽
使用範圍	防護、絕緣、間隙	防護、絕緣、間隙	防護、閘金屬、結構元素、間隙	防護、絕緣、結構元素
製程產量	高	高	高	低
階梯覆蓋	差	差	一致	差
污染顆粒	多	少	少	多
薄膜性質	佳	佳	極佳	差

得多晶矽晶粒產生再結晶化，使得薄膜再方向化並明顯增加晶粒平均尺寸。因而當晶粒尺寸增加時，多晶矽表面粗糙度亦跟著增加。從製造的觀點來看，由於表面粗糙不平限制樣品的解析度，而產生不好的結果。對於許多機械結構而言，光滑表面是需要的，因為表面粗糙度的缺陷通常是結構開始破壞的起始點。對於這些問題，可利用化學機械研磨製程 (CMP) 以減少表面粗糙度。

表 5.8 列出一些微電子材料的近似機械性質，包括楊氏係數 (E)、波松比 (v)、熱膨脹係數 (α) 和殘餘應力 (σ_0) 等。各種影響薄膜機械性質的製程參數，將分別以未摻雜的多晶矽和摻雜的多晶矽加以討論。

(1) 未摻雜的多晶矽

以低壓化學氣相沉積 (LPCVD) 的未摻雜多晶矽薄膜其性質是由成核和矽晶粒成長所決定。LPCVD 矽薄膜可在低於結晶溫度 (crystallization temperature，對於 LPCVD 而言大約是 600 °C) 輕微地成長，起初是非晶固體，隨後可能在鍍膜製程期間結晶[18-19]。當鍍膜溫度低於矽的熔化溫度 (1410 °C) 時，化學氣相沉積法會導致最初非晶薄膜的產生，然後由非晶轉變到晶體的過程取決於原子表面移動率 (atomic surface mobility) 和鍍膜的沉積速率 (deposition rate)。在低溫時，表面移動率是低的，並且會限制成核的成長。當固態擴散明顯比表面移動率低時，新沉積的原子會受限在任意位置，需要更長的時間來結晶。產生此現象的原因在於低的鍍膜溫度，非晶層只有在反應室足夠長的時間才會開始結晶。當操作溫度在 580－591.5 °C 之間時，Guckel 等人製造出大部分的非晶薄膜[19]。但是 Krulevitch 等人僅在稍高的溫度 (605 °C) 操作，並將薄膜置放在 LPCVD 中更長一些時間，就可製造出晶體薄膜。當超過非晶和晶體成長的轉換溫度時，由於晶體表面移動率的增加，允許原子在鍍

表 5.8 一些微電子材料的近似機械性質。

		楊氏係數 (GPa)	波松比	熱膨脹係數 (1/°C)	殘餘應力
基材	矽	190	0.23	2.6×10^{-6}	—
	氧化鋁	~415	—	8.7×10^{-6}	—
	氧化矽	73	0.17	0.4×10^{-6}	—
薄膜	多晶矽	160	0.23	2.8×10^{-6}	變化
	熱氧化矽	70	0.2	0.35×10^{-6}	壓應力 (e.g. 350 MPa)
	PECVD 氧化矽	—	—	2.3×10^{-6}	—
	LPCVD 氮化矽	270	0.27	1.6×10^{-6}	張應力
	鋁	70	0.35	25×10^{-6}	變化
	鎢	410	0.28	4.3×10^{-6}	變化
	聚亞醯胺	3.2	0.42	$20-70 \times 10^{-6}$	張應力

膜製程一開始便找到低能量、晶體位置,故可快速地在基材開始成長。由非晶轉變到晶體結構的鍍膜溫度取決於許多參數,例如鍍膜速率、氫氣的分壓、全部壓力、摻雜物的出現和雜質的存在 (O、N 或 C) 等[20]。

在晶體區域,許多成核作用在具有許多微小晶粒的薄膜／基材界面到頂部柱狀微晶之間的轉換區域產生,圖 5.14 為在 620−650 °C 成長多晶矽柱狀薄膜的示意圖,包含細小、任意方向晶粒的轉換區域出現在靠近二氧化矽層之處。這裡結晶化的速率比鍍膜速率更快,由頂部細小晶粒開始,柱狀晶粒的直徑會在 0.03 和 0.3 μm 之間變化[20]。這些柱狀粗大晶粒結構是由細小晶粒中競爭成長的製程所產生,在此過程中留下優選方向的晶粒在垂直方向快速成長,而在錯向、慢速成長的晶粒則慢慢消失[21-22]。鍍膜的溫度愈低時,開始的晶

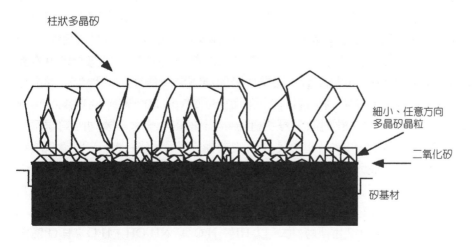

柱狀多晶矽

細小、任意方向
多晶矽晶粒

二氧化矽

矽基材

圖 5.14
在 620−650 °C 成長多晶矽柱狀薄膜的示意圖[52]。

粒尺寸愈小。在 700 °C 時薄膜也呈現柱狀，然而晶粒會穿過整個薄膜的厚度呈圓柱形擴展，並且在靠近二氧化矽界面會沒有轉換區域[18]。

多晶矽薄膜的應力會隨著鍍膜溫度和矽烷的壓力變化而呈現顯著的變化。Guckel 等人發現低於 600 °C 所沉積的主要是非晶薄膜，證實在應變大小高達 –0.67% 時有高的壓應力現象[19]。當溫度超過 600 °C 時，會出現張應力，而 Krulevitch 指出此張應力薄膜反而會在溫度更高時 (≥ 620 °C) 再變回壓應力。當薄膜在溫度高於 630 °C 沉積時，所有的應力都會變成壓應力，而且當溫度增加時，壓應力會跟著降低。多晶矽薄膜的應力梯度可以解釋為什麼當從基材釋放時，未摻雜和未退火的壓應力多晶矽的樑會趨於向上捲曲 (正向應力梯度)[23]。

利用高解析度的穿透式電子顯微鏡觀察材料微結構，Krulevitch 等人[18] 和 Guckel 等人[19] 皆發現材料微結構和其表現的應力之間有極大的關聯。Guckel 等人發現在低於 600 °C 沉積時主要為非晶薄膜，在靠近基材界面的區域，會有介於 100 和 4000 Å 之間的晶粒大小成長。Krulevitch 等人則發現伸張、低溫 (605 °C) 的薄膜會有矽晶粒從薄膜厚度中被驅散出的現象，並且提出在高溫 (≥ 620 °C) 時，薄膜的壓應力與這些柱狀晶粒的競爭成長機制有關，並推斷熱源對應力影響較不顯著。

Guckel 等人並發現在氮中退火或在真空裝置下，可將壓應變 (–0.007) 之低溫多晶矽薄膜轉變成可控制於 0 到 +0.003 之間應變水準的張應變 (參考圖 5.15 的上方曲線)。在退火期間，沒有顯著的晶粒尺寸增加 (100 – 4000 Å)，但可測量出表面粗糙度會輕微地增加。這類型的多晶矽稱作細小晶粒多晶矽。Guckel 等人解釋這個應變場逆變換的原因為：當薄膜的非晶區域結晶，它會趨於收縮，但由於限制了新區域的結晶，於是產生張應力，更高溫度的薄膜，在退火期間具有較低的應變，但是應變仍為壓縮 (參考圖 5.15 的下方曲線)。此外，在此情況下，晶粒尺寸會增加且表面會變得更粗糙，後者可稱為粗大晶粒多晶矽。微小晶粒多晶矽具有好的伸張應變，然而，它卻不能摻雜出像粗糙晶粒多晶矽那麼低的電阻率。因此，應該把微細晶粒多晶矽看作是一種結構材料，而不是一種電子材料。

總之，多晶矽的應力和材料的微結構有密切關係，在鍍膜的非晶到晶體變化過程中會產生張應力，且在晶粒競爭成長機制中會產生壓應力。在 600 到 650 °C 之間沉積的多晶矽會有一個 {110} 的優選方向，而在高溫時，{100} 方向主導一切，摻雜物、雜質和溫度會影響優選方向[20]。Drosd 和 Washburn 等人提出一個模型來解釋實驗所觀察到的現象，非晶矽在 {100} 表面的再成長速率最快，{110} 和 {111} 分別比它慢 2.3 和 20 倍[24]。有趣的是，對於結晶圖形平面的蝕刻，後者在鹼性蝕刻液中可明確分辨出快速與慢速等級的蝕刻速率。Elwenspoek 等人因此深入觀察矽平面蝕刻和成長平面的對稱性，而發展出新的理論來解釋非等向性蝕刻[25]。在表 5.9 中，列出此處所討論的粗大和微小晶粒多晶矽的特性比較。

藉由控制基材的本質，使得前文所描述的應變圖形更加地複雜。例如從 disilane (Si_2H_6) 在溫度低於 480 °C 時沉積的非晶矽 (α-矽)，以及在 600 °C 連續退火所得結晶，可證明在二氧化矽表面底下會有大結晶尺寸附屬的情形發生。以 HF：H_2O 或 NH_4OH：H_2O：H_2O 處理

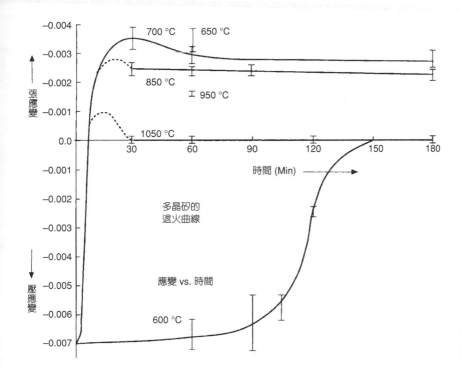

圖 5.15

多晶矽薄膜退火與應變
關係圖。上方曲線為低
溫薄膜，下方曲線為高
溫薄膜。

這個表面，可以產生大晶粒尺寸的多晶矽薄膜，比沒有二氧化矽處理的情況大兩倍或三倍，相信這是由於成核速率疊加的結果[26]。Abe 和 Reed 等人藉由直流磁濺鍍和後退火處理製造出低應變的多晶矽薄膜，這個薄膜呈現出非常小的局部應力和非常平滑的結構。其鍍膜速率為 193 Å/min，而且基材是不冷卻也不加熱，其平均粗糙度可與拋光、裸露矽基材的表面粗糙度相比較[27]。

(2) 摻雜的多晶矽

以微機械製造而言，較常採用摻雜的多晶矽，摻雜物可降低電阻率以產生導體和控制應力。多晶矽可以藉由擴散、佈值或者在鍍膜期間加入摻雜氣體 (即時摻雜) 等方式來加以摻雜。即時摻雜多晶矽薄膜可以減少製造摻雜微元件所需的許多製程步驟，並可提供通過薄膜厚度而均勻摻雜的能力。利用磷即時摻雜多晶矽，可以透過在熱壁 LPCVD 設備中保持大約 1 vol% 的磷酸對甲烷氣體流動比例完成摻雜。在這個比例，薄膜內的磷會超出飽和限制，且在晶界會有過量摻雜劑偏析 (segregate) 現象[20]。對於即時磷摻雜的多晶矽而言，在未摻雜的薄膜上，會觀察到相同的非晶到晶體成長的轉換過程，而材料的微結構與鍍膜溫度及鍍膜壓力有關。關於轉換溫度，摻雜薄膜比未摻雜的多晶矽來得低，而且會在 580 到 620 °C 之間發生轉換[28,29]。磷摻雜可提升非晶矽的結晶形成[30]，因為用磷氣體鈍化多晶矽表面會降低多晶矽的鍍膜速率[28]，降低約 25 倍的速率[31]。更慢的鍍膜速率允許原子有更多時

表 5.9 粗大和微小晶粒多晶矽的特性比較。

	粗大晶粒多晶矽	微小晶粒多晶矽
沉積溫度 (°C)	620－650	570－591.5
表面粗糙度	粗糙，> 5 nm	平滑，< 1.5 nm
晶粒大小	未摻雜質：16－32 nm 摻正型雜質：24－40 nm	非常小晶粒
沉積時應變	−0.007 (壓應變)	−0.007 (壓應變)
高溫退火的效應	晶粒大小增加，殘餘應變減少不過仍維持壓應力，但彎曲力矩減少	晶粒成長至 10 nm，也可以至 70–90 nm，在應變上有很大的變化，從壓應變到張應變
乾式和濕式蝕刻速率	對摻雜物的材料速率較快；和摻質濃度有關	對摻雜物的材料速率較快，和摻質濃度有關
織狀結構方向	剛沉積為 ⟨110⟩ 方向 正型沉積為 ⟨311⟩ 方向	剛沉積沒有方向性；和摻雜濃度有關，900－1000 °C 退火後為 ⟨111⟩ 方向

間找到晶體位置 (site)，使晶體可在較低的溫度成長。從表 5.9 得知，磷摻雜之多晶矽的晶粒尺寸比未摻雜材料大 (240－400 Å)，而且在摻雜材料中的 {311} 平面可表現出多面體的結構。

對於即時摻雜的沉積製程，薄膜厚度的控制、沉積速率和均勻的沉積通常比未摻雜多晶矽薄膜的沉積複雜，有關的反應參數包括不同溫度的第二種氣體和壓力也在內。除此之外，對於反應室清潔的標準要求更多，因此許多 MEMS 微製造仍使用擴散的沉積製程，擴散對於多晶矽薄膜沉積是一種有效方法，特別是非常厚 (> 2 μm) 和高摻雜的薄膜 (例如電阻率為 10^{-4} $\Omega \cdot$cm)。然而，擴散是一種高溫製程，通常介於 900 到 1000 °C 之間。因此，製程若需要長擴散時間來達成一定深度的均勻摻雜，就無法與互補金屬氧化半導體 (CMOS) 整合結構互補的前 MEMS 製程相容，像即時摻雜一樣，必須適當的執行擴散製程，以確保通過薄膜厚度的摻雜劑可以均勻分布，所以對於薄膜厚度的機械性質，其摻雜有關的變動可以最小化。

因為犧牲層摻雜的二氧化矽可以當作一個擴散源，可使用摻雜的氧化物犧牲層以減輕利用擴散製程均勻摻雜薄膜。磷是在多晶矽 MEMS 中最常見的摻雜劑，由於在多晶矽的擴散速率明顯比單晶矽快，預期可以提高晶圓邊界的擴散速率，多晶矽薄層 (例如小的等晶圓) 的擴散係數約為 1×10^{12} cm²/s。另外，離子佈植也可用以摻雜多晶矽薄膜，藉由經常調整佈植能量，因此集中曲線的最高點會靠近薄膜的中間點。當必要時，不同的佈植步驟配合不同的能量，可以用來均勻分布薄膜厚度的摻雜性。為了佈植摻雜物的電子性活化 (activate) 及修護多晶矽薄膜因佈植而產生的有關損壞，高溫退火步驟是必需的，通常佈植多晶矽薄膜的電阻率不像擴散摻雜薄膜那麼低。此外,由於需要特定的佈植設備,故限制這個方法在多晶矽 MEMS 的可行性。

在較低的鍍膜溫度和更高的壓力時,微結構會由非晶和晶體等區域組成,而以更高溫度和較低壓力產生的柱狀薄膜,會使得沉積薄膜表現出殘餘壓應力。這些柱狀薄膜越接近薄膜表面會有越大的應力梯度,與未摻雜柱狀多晶矽的梯度相反。這應力梯度很可能是由於磷在薄膜上不均勻分布所造成。如同未摻雜的多晶矽,磷摻雜的多晶矽薄膜可藉由在磷環境中即時摻雜沉積薄膜,然後以退火技術獲得平滑表面 (細小晶粒)[32,33]。摻雜磷的多晶矽比未摻雜的多晶矽更快速氧化,而氧化速率是由在多晶矽表面的摻雜物濃度所決定[20]。

即時磷摻雜的兩個缺點為:較低鍍膜速率和降低薄膜厚度的均勻性[31,34],然而不均勻性可以藉由調整反應室的幾何形狀而加以改進[28]。即時磷摻雜的較低鍍膜速率可以藉由降低磷化氫/矽烷的流動比例為 1:3 得到改善[35]。即時磷和砷摻雜可降低鍍膜速率,但硼乙烷 (diborane) 摻雜的硼多晶矽會使得它的 p^+ 加速鍍膜速率[20]。硼、砷和磷摻雜的多晶矽其斷裂應力值分別是 2.77 ± 0.08 GPa、2.70 ± 0.09 GPa 和 2.11 ± 0.1 GPa,而未摻雜多晶矽的斷裂應力值為 2.84 ± 0.09 GPa。較低的磷摻雜材料會產生大的表面粗糙度,且在高磷摻雜薄膜中會有因過度晶粒成長而產生的大量缺陷[36]。

由於低溫多晶矽鍍膜的需求,使得 320 °C PECVD 鍍膜方法特別受到喜愛,在 50 kHz 平行式平面二極反應室中沉積,可以即時摻雜並藉由快速升溫退火 (RTA) 加以結晶 (RTA 條件:1100 °C,100 秒)。藉由快速升溫退火的細小晶粒,PECVD 薄膜有好的電子特性和介於 20 到 30 之間的量規因子 (gauge factor),與已經發表之其他類型的多晶矽類似[37]。多晶矽的電子性質與薄膜的晶粒結構有很大的關係,其晶界提供了一個位能障礙 (potential barrier) 限制電荷載子移動,從而影響薄膜的導電率。對磷摻雜多晶矽而言,電阻率會隨著磷濃度增加超過 1×10^{21} cm^{-3} 而降低,當超過此值時,電阻率在 1000 °C 退火之後可以達到 4×10^4 $\Omega \cdot$cm。對於高磷摻雜多晶矽而言,最大的移動率約為 30 cm^2/V·s。在載子傳遞過程,晶界和離子雜質的散射 (ionized impurity scattering) 是影響載子移動率和導電率的重要因素,多晶矽的熱導電率和薄膜晶粒結構有很大的關係[38]。對細小晶粒薄膜而言,熱導電率約在 0.30 到 0.35 W/cm·K 之間,此值大約是單晶矽的 20% 到 25%。對於較大晶粒薄膜而言,熱導電率範圍約是單晶矽的 50% 到 85%。晶粒愈大,其導電率愈高。

對於 MEMS 應用而言,傳統用來沉積多晶矽薄膜的技術為 LPCVD,但沉積速率限制了最大的薄膜厚度約為 5 μm。然而對於許多元件設計,所需的結構層厚度並不容易利用 LPCVD 製程完成。對於這些元件,晶圓接合和背面蝕刻 (etchback) 等技術通常用來在基材犧牲層製造超過 10 μm 厚度的單晶矽。然而有種沉積技術能在基材犧牲層產生厚的多晶矽薄膜,此厚的多晶矽薄膜通常稱為磊晶-多晶 (epi-poly),因為可用矽磊晶膜反應元件在高溫製程中來沉積這些薄膜。傳統的 LPCVD 多晶矽沉積製程只有 100 Å/min 的沉積速率,而磊晶-多晶製程可以有 1 μm/min 的沉積速率[39]。高沉積速率是藉由一些沉積條件,如高基材溫度 (高於 1000 °C) 和高沉積壓力 (大於 50 Torr) 來達成。多晶矽薄膜通常在二氧化矽犧牲層進行沉積，並已用於機械性質測試結構的製造[39-41]、熱致動器、電子式致動加速器[39] 和陀螺儀[42]。為了控制成核、晶粒大小和表面的粗糙度，會使用一種 LPCVD 多晶矽起始層。通常磊晶－多晶薄膜的微結構和殘餘應力與沉積條件有關，使用壓縮薄膜會有最大的 (110) 和 (311) 晶粒[40-41]，且伸張薄膜會有隨機混合的 (110)、(100)、(111) 和 (311) 晶粒[40]。由微製造測試結構所量測得到的磊晶－多晶楊氏係數，可與 LPCVD 多晶矽相比擬[41]。

5.3.2 多孔矽

　　多孔矽 (porous silicon) 是可以應用在 MEMS 技術方面的一種矽，其是在室溫下利用氫氟酸電化學蝕刻矽所製造。在正常的情況下，矽不會被氫氟酸所蝕刻，因此氫氟酸廣泛用於面型微加工作為多晶矽氧化犧牲層的蝕刻劑。在一個使用氫氟酸作為電解液的電化學電路中，在矽表面的正電荷載子 (電洞) 導致氟原子和氫原子鍵結於矽表面。此反應延伸至次表面鍵的交換，最後移除了氟化的矽。蝕刻表面的品質與由電流密度控制的電洞密集度有關，高電流密度會提高電洞的密度而產生光滑的蝕刻表面，而低電流密度導致電洞的密度降低，並且會將表面缺陷區域集中在一起。這些表面缺陷會由於蝕刻而擴大，並導致氣孔的形成，氣孔大小和密度與使用的矽的類型和電化學電池條件有關。單晶矽和多晶矽可以轉變為多孔矽，且能有百分之八十的多孔性。

　　由於多孔矽具有高表面體積比 (surface-to-volume ratio)，吸引了許多 MEMS 的應用。如預期的，多孔矽已有許多氣體的和液體的應用被提出，包括在化學和質量感測的過濾器膜和吸收層[42]。高表面體積比也讓多孔矽可作為形成厚的熱氧化起始材料，適當氣孔大小能夠用來說明熱氧化物的體積膨脹。當使用單晶矽基材來形成多孔性薄膜時，沒有蝕刻的單晶依舊保留住，因此提供磊晶膜成長的適當模板。有研究指出 CVD 塗層 (coating) 不會穿透多孔區域，但會在表面孔穴產生過量塗層[43]。對於面型微加工的局部成形，僅僅結合電化學蝕刻、磊晶膜成長、乾式蝕刻和熱氧化，可以產生絕緣結構的矽。在 MEMS 有關的應用方面為直接使用多孔矽當作多晶矽的犧牲層，以及單晶矽的面型微加工。這製程包含透過選擇性摻雜的 *pn* 界面 (junction) 形成或使用電子式絕緣薄膜所產生的電子絕緣矽結構層[43]。基本上，氣孔的形成只會在帶電的表面上發生，弱的矽蝕刻劑會強烈攻擊這些孔狀區域形成孔洞，但不會破壞矽結構層。由於多孔矽在氫氟酸中具有穩定的化學性質，並可容忍高溫製程步驟，因此是微加工製程不錯的選擇材料。

　　多孔矽可能的例外情況為使用上面提到的製程來讓多晶矽應用於 MEMS，不論是在薄膜沉積或應力釋放退火步驟，皆需在 570 ℃ 的基材溫度。這樣的高溫製程限制了使用其他非矽的材料，例如金屬化的鋁和犧牲層的聚合物。假如它們能夠通過這些製程的話，對於多晶矽的微製造會有很大的幫助。對於多晶矽低溫沉積製程的發展大多集中在鍍膜技術[44-45]。早期的研究主要強調能夠在合理的沉積速率 (191 Å/min) 和低殘留應力條件下，鍍製非常薄的薄膜 (平均表面粗糙度 25 Å)[44]。這製程包含使用氬濺鍍氣體從矽靶材作直流磁控，腔體壓力為 5 mTorr 及電漿功率為 100 瓦，基材是由熱氧化的矽晶圓所構成。其中研究報告指出在 700 °C 的氮氣中進行兩個小時後沉積退火，可以完成結晶化和低應力的沉積薄膜。另一個研究團隊 Honer 等人研發相關高分子材料，以利矽基材和面型微加工的製程整合[45]。方法是將矽薄膜濺鍍在聚亞醯胺犧牲層上，為增加微加工矽結構的導電率，這些鍍製的矽薄膜會像三明治一樣被包夾在兩個鈦鎢合金電鍍層之間。藉由氧電漿蝕刻聚亞醯胺，將元件結構釋放，其中高溫製程步驟為加熱聚亞醯胺，會在 350 °C 中執行 1 小時。在含 CMOS 元件的基材上，製造鍍膜的矽微結構，測試此製程的可靠度，結果顯示此結構的元件性能並不會在製程中被破壞。

5.3.3 二氧化矽

二氧化矽可以在矽基材上以熱氧化生成，也可以有不同的沉積製程，以滿足不同的需求。對於多晶矽面型微加工而言，二氧化矽被當作犧牲層材料，可以在不破壞多晶矽的蝕刻劑中快速溶解。二氧化矽也被用來作為厚多晶矽薄膜在乾式蝕刻的蝕刻遮罩，因為它具有對多晶矽乾蝕刻化學反應物較高的選擇比與抵抗力。在二氧化矽成長和沉積製程中，最廣泛使用於多晶矽面型微加工的製程為熱氧化和 LPCVD。矽的熱氧化過程需在高溫 (例如 900 到 1000 °C 之間) 和氧氣或者水蒸氣中進行。因為熱氧化是一種自我限制製程 (即當薄膜厚度增加時，氧化物成長速率會減少)，實際上能夠獲得的薄膜厚度最大值約為 2 μm，但在許多犧牲層應用上已經足夠了。

在 MEMS 應用中，二氧化矽薄膜的沉積可以採用低溫氧化 (low-temperature oxization, LTO) 的 LPCVD 製程。通常 LPCVD 可提供比熱氧化溫度低很多的方式，以沉積出厚度大於 2 μm 的二氧化矽薄膜。LTO 薄膜不僅可以在低溫沉積，而且在氫氟酸中有比熱氧化薄膜更高的蝕刻速率，可以在多晶矽面型微加工元件中顯著快速的釋放。LPCVD 製程的優點為摻雜氣體可以混合在流動的原料氣體中，用以摻雜已沉積的二氧化矽薄膜，例如結合磷以產生磷矽玻璃 (phosphosilicate glass, PSG)。PSG 的形成是採用和 LTO 薄膜一樣的沉積製程，是在含有磷 2% 到 8% 環境中，增加磷化氫 (PH_3) 以摻雜此玻璃。PSG 在氫氟酸中有比 LTO 薄膜更高的的蝕刻速率，能夠用以製造多晶矽面型微加工元件。PSG 可在高溫 (例如 1000 到 1100 °C 之間) 中流動，可以用來製作平滑的表面形狀。除此之外，兩 PSG 層間夾一層多晶矽薄膜可作為磷摻雜源，可提升以擴散為基礎之摻雜方法的均勻性。

磷矽玻璃和 LTO 薄膜會在熱壁、低壓、矽玻璃反應爐中沉積，典型的沉積速率約為 100 Å/min。前驅氣體包含作為矽來源的矽甲烷，作為氧化源的氧或氧化氮 (N_2O，笑氣)，在 PSG 的製程中，PH_3 則作為磷來源。因為矽甲烷為自燃性 (即在氧氣中會自主性燃燒)，在 400 到 500 °C 之間的沉積溫度，門式注入法的沉積氣體會沿著管子不均勻沉積，產生大量氣體消耗的情形，因此這些氣體必須使用沿著分布於管子長度的注入器引入爐中。晶圓會垂直地擺放在籠罩的晶舟中，以確保氣體會均勻的通過晶圓。在籠罩的晶舟中，每個槽中的兩個晶圓會背對背擺放，以降低晶圓背後的二氧化矽沉積。

　　低溫氧化薄膜和 PSG 薄膜通常會在溫度 425－450 °C 和壓力 200－400 mTorr 之間沉積。由於在薄膜中結合了氫，低的沉積溫度導致 LTO 和 PSG 的薄膜比熱氧化薄膜緻密性較差，但利用高溫 (1000 °C) 退火步驟能使 LTO 薄膜更緻密。因為 LTO 和 PSG 為低密度的薄膜，增加了在氫氟酸中的蝕刻速率，使得它們成為多晶矽面型微加工重要的犧牲層材料。LTO 和 PSG 沉積製程使用低的基材溫度，所產生的反應物為低表面移動性，故很少可均勻覆蓋到非平面表面。雖然沉積薄膜在深溝的底部表面有較薄的情況，然而對於許多多晶矽面型微加工應用而言，此處的討論所涵蓋的步驟已經足夠。

　　在多晶矽面型微加工中，二氧化矽犧牲層的溶解對於釋放自由站立 (free-standing) 的結構為關鍵性的步驟，通常這釋放過程所使用的為 49 wt% 的氫氟酸。對於大結構物而言，普遍的方式為使用濕化學蝕刻定義氧化物薄膜圖案，稱為在緩衝氫氟酸 (28 mL 49% HF、170 mL H_2O 和 113 g NH_4F, buffered hydrofluoric acid (BHF)) 中蝕刻，或稱為緩衝氧化蝕刻 (buffered oxide etch, BOE)。

　　對於許多 MEMS 應用而言，熱氧化矽、LTO 薄膜和 PSG 為合適的電絕緣體。熱氧化物和 LTO 薄膜的的介電常數分別為 3.9 和 4.3；熱二氧化矽的介電強度為 1.1×10^6 V/cm，而 LTO 薄膜大約是熱二氧化矽的 80%，另外熱二氧化矽的壓應力大約為 3×10^9 dyne/cm^2 [46]。然而對 LTO 薄膜而言，已經摻雜的殘餘應力為張應力型式，約為 1 到 4×10^9 dyne/cm^2 [46]。在 LTO 薄膜中增加磷 (如 PSG)，當磷的濃度為 8% 時，可降低殘餘張應力到大約 10^8 dyne/cm^2 [47]。在典型條件下，當氧化薄膜直接在矽基材沉積時，以上這些資料具有代表性。然而，氧化薄膜的應力最終值會像任何後處理的步驟一樣，是製程中一個重要函數 (strong function)。

　　對於 MEMS 應用而言，另一種低壓製程為電漿輔助化學氣相沉積 (PECVD)，可在微製造氣體渦輪引擎的絕緣層中沉積出低應力且非常厚 (10－20 μm) 的二氧化矽薄膜 [48]。選擇 PECVD 的部分理由是因為它是低溫沉積製程，且可以提供合理的沉積速率以沉積出期望的薄膜厚度。此種製程可使用的沉積氣體除 $SiH_4^+O_2$ (或 N_2O) 外，還可使用具有 TEOS (tetraethoxy sliane) 傳統的平行板反應器，此 TEOS 通常在 LPCVD 前製程中被當作來源氣體。如同預期的，研究發現在薄膜上薄膜應力與分解氣體的濃度有關，且退火的薄膜容易產生破裂。藉由使用薄的 Si_3N_4 薄膜結合厚的二氧化矽薄膜，發現可以製造出低應力和無龜裂的二氧化矽薄膜。表 5.10 所列為各種沉積方法所得氧化矽的性質比較 [49]，可知熱氧化矽和 LPCVD 氧化矽的階梯覆蓋性最好，熱氧化矽的折射率為 1.46、熱穩定性最佳，且 1% HF 的蝕刻速率最慢，為 3 nm/min；相反的，PECVD 氧化矽的製程溫度最低，但階梯覆蓋性較差，折射率為 1.47，熱穩定性較差 (失去 H)，1% HF 的蝕刻速率較快，為 40 nm/min；其他方法的氧化矽性質則介於中間。

　　於 MEMS 製程中，有另外兩種二氧化矽家族的材料受到更多的注意，特別是現在的材料系統已經擴大超出了傳統的矽製程。第一種材料稱為晶體石英，如 5.2.2 節所敘述，第二種為旋塗式玻璃 (spin-on glass, SOG)，是一種使用在薄膜型式、可在 IC 製程中當作一種平

表 5.10 各種沉積方法所得氧化矽的性質比較表。

沉積種類	PECVD	$SiH_4 + O_2$	TEOS	$SiCl_2H_2 + N_2O$	Native Oxide (thermal)
傳統溫度 (°C)	200	450	700	900	1100
成分	$SiO_{1.9}$ (H)	SiO_2 (H)	SiO_2	SiO_2 (Cl)	SiO_2
階梯覆蓋	變化	不一致	一致	一致	一致
熱穩定度	損失 H	致密化	穩定	損失 Cl	極佳
密度 (g/cm³)	2.3	2.1	2.2	2.2	2.2
折射率	1.47	1.44	1.46	1.46	1.46
應力 (MPa)	300 (−)−300 (+)	300 (+)	100 (−)	300 (−)	300 (−)
介電強度 (10^6 V/cm)	3−6	8	10	10	10
蝕刻速率 (nm/min) (H_2O：HF = 100：1)	40	6	3	3	~3

坦化介質的材料。這材料是一種聚合物,可提供適當黏性來進行旋轉塗附,並且可以在旋轉基材上於室溫下執行,它具有提升溫度以形成固體薄層的功效。

　　列舉兩篇文獻說明 SOG 在 MEMS 的潛能。第一為 SOG 被發展成一種厚薄膜犧牲型材料,可用來定義厚多晶矽薄膜圖案[50]。第二為具有高深寬比的通道平板微結構可由 SOG 製造出來[51]。

　　Yasseen 等人提出一種製程來製造 SOG 薄膜,其厚度為 20 μm,同時具有化學機械研磨 (CMP) 程序和蝕刻技術[50]。這些厚 SOG 薄膜會在填滿 10 μm 厚的 LPCVD 多晶矽薄膜模型中,選擇 CMP 來平整化,並逐步溶解在鹽酸:氫氟酸:水的濕蝕刻劑中,以顯露出圖樣的多晶矽結構。這些加溫的 SOG 薄膜與多晶矽沉積製程完全相容,表示 SOG 能在結構層之間具有極大的縫隙,以製造 MEMS 元件。

　　利用 SOG 能製造出具有高深寬比的通道平板微結構[51],此製程需要使用模具來產生結構。電鍍的鎳被用來當作模具材料,使用傳統的 LIGA 製程配合鎳不斷地更換電鍍模具製造,以 SOG 填滿鎳模具,並可由相反的電鍍製程中移除犧牲鎳模型。在這些例子中,製造出來的 SOG 結構高度可超過 100 μm,基本上此種體型微加工是採用犧牲模具進料系統以製造微結構。

5.3.4 氮化矽

　　氮化矽 (SiN_x) 已廣泛使用在 MEMS 中,具有電絕緣作用、表面保護層 (passivation)、蝕刻罩幕,以及可當作機械材料等特性。沉積 Si_3N_4 薄膜常使用的兩種沉積方法為 LPCVD 和

PECVD。PECVD SiN$_x$ 通常是非計量比 (nonstoichiometric)，且含有顯著的氫濃度。PECVD Si$_3$N$_4$ 在微加工的應用是有些限制的，因為薄膜的多孔洞性質，使得它在氫氟酸中的蝕刻速率很高 (通常比熱氧化成長的氧化矽高)。然而，PECVD 能沉積接近於無應力的 SiN$_x$ 薄膜，這對於許多 MEMS 應用而言具有吸引力，尤其是在封蓋 (encapsulation) 和封裝的範圍。

　　不同於 PECVD，LPCVD SiN$_x$ 對於化學蝕刻具有極佳抵抗性，使得其成為許多矽體型和面型微加工應用的材料。LPCVD SiN$_x$ 通常用來當作絕緣層，可將元件結構與基材和其他元件結構加以隔離，主要是因為它具有電阻率 10^{16} Ω·cm 的絕緣性和 10^7 V/cm 的崩潰電場 (field breakdown limit)。表 5.11 為 LPCVD 和 PECVD 氮化矽的性質比較表[52]，由表可知 LPCVD 氮化矽有一致的階梯覆蓋性，折射率為 2.01，薄膜品質最佳，雜質較少，但製程溫度高；相反的，PECVD 氮化矽的製程溫度低，但階梯覆蓋性較差，折射率為 1.8－2.5，薄膜品質較差，雜質較多。

　　表 5.12 所列為 LPCVD 氮化矽在不同溶液或電漿中的蝕刻行為，其對 BHF 具有很好的抗蝕刻能力，以及高氧化矽對氮化矽的選擇比；在熱磷酸和 CF$_4$-O$_2$ 電漿中會被蝕刻，對氧化矽選擇比在熱磷酸中較高 (10：1)。圖 5.16 表示 LPCVD 氮化矽製程溫度與 SiH$_2$Cl$_2$/NH$_3$

表 5.11 LPCVD 和 PECVD 氮化矽的性質比較。

沉積方法	LPCVD	PECVD
溫度 (°C)	700－800	250－350
密度 (g/cm^3)	2.9－3.2	2.4－2.8
針孔	無	有
產量	高	低
階梯覆蓋	一致	差
顆粒	少	多
薄膜性質	極佳	差
介電常數	6－7	6－9
電阻率 (Ω·cm)	10^{16}	10^6－10^{15}
折射率	2.01	1.8－2.5
氫的原子百分比 (at.%)	4－8	20－25
能隙 (eV)	5	4－5
介電強度 (10^6 V/cm)	10	5
蝕刻速率 (濃 HF)	200 Å/min	
蝕刻速率 (緩衝 HF)	5－10 Å/min	
殘餘應力 (× 10^9 dyne/cm^2)	1T	2C－5T
波松比	0.27	
楊氏係數	270 GPa	
熱膨脹係數	1.6 × 10^{-6}/°C	

表 5.12 LPCVD 氮化矽的蝕刻行為。

蝕刻劑	溫度 (°C)	蝕刻速率 (Å/min)	選擇比 $Si_3N_4：SiO_2：Si$
H_3PO_4	180	100	10：1：0.3
CF_4-4% O_2 電漿	—	250	3：2.5：17
BHF	25	5－10	1：200：±0
HF (40%)	25	200	1：>100：0.1

流量比對殘餘應力、折射率以及 HF 蝕刻速率的影響[52]。當製程溫度與 SiH_2Cl_2/NH_3 流量比增加時，殘餘應力降低，折射率增加，且 HF 蝕刻速率降低。

　　LPCVD Si_3N_4 薄膜會在水平式的反應室中沉積，典型的鍍膜溫度和壓力範圍分別介於 700 到 900 °C 以及 200 到 500 mTorr 之間，其沉積速率大約為 30 Å/min，標準的原料氣體是二氯矽甲烷 (SiH_2Cl_2) 和氨氣 (NH_3)。用 SiH_2Cl_2 來取代 SiH_4 的理由是它可以在需要的鍍膜溫度製造出均勻的厚薄膜，並允許晶圓緊密的置放在一起，因此可以增加每個反應室裝載晶圓的數量。為了製造合乎化學計量比 (stoichiometric) 的 Si_3N_4，NH_3 對 SiH_2Cl_2 流量的比例通常會選擇 10：1。同時考慮到氣體的損耗效應，會使用標準的反應室構造，其原料氣體採用門式注入方式，且溫度沿著管子的軸向呈梯度分布。在溫度為 700 到 900 °C 之間沉積的 LPCVD Si_3N_4 薄膜為非晶結構，因此在溫度沿著管子的長度呈梯度分布狀況下，所沉積的材料性質不會有顯著的變化。因為 Si_3N_4 是在反應限制區域下沉積，薄膜會在每個晶圓的兩面沉積出相同的厚度。

　　合乎化學計量比的 Si_3N_4 薄膜其殘餘應力會較大且為拉伸應力，其值約為 10^{10} $dyne/cm^2$。因為過厚的薄膜易於龜裂 (crack)，這樣大的殘餘應力限制已沉積的 Si_3N_4 薄膜實

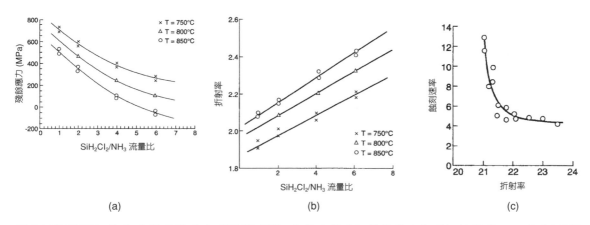

圖 5.16 LPCVD 氮化矽製程溫度與 SiH_2Cl_2/NH_3 流量比對 (a) 殘餘應力和 (b) 折射率，以及 (c) HF 蝕刻速率的影響[52]。

際厚度僅約數千埃 (angstrom, Å)。然而，合乎計量比的 Si_3N_4 薄膜已經用於壓阻式壓力感測器的機械支援結構和電絕緣層[53]。為了減少殘餘應力，讓更厚的 Si_3N_4 薄膜在需要耐用的應用場合中能加以使用，具化學抵抗力的膜、非計量比的氮化矽 (Si_xN_y) 薄膜可以藉由 LPCVD加以沉積。這些薄膜通常被認為與富矽 (Si-rich) 或低應力的氮化物有關，僅僅降低反應室中 NH_3 對 SiH_2Cl_2 的比例，可沉積超額量的矽。圖 5.17 顯示 Si-N 的相圖，穩定的氮化矽相為 S_3N_4，不同比例的中間相可能在氮化矽沉積過程出現，實驗結果發現當 Si/N 的比例增加時，會降低氮化矽薄膜應力，但均勻性會變差，適當的 Si/N 比例約 6/1－4/1。當 SiH_2Cl_2 對NH_3 比例為 6：1 時，在鍍膜溫度為 850 °C 和壓力為 500 mTorr 下，沉積的薄膜會有接近無應力的情況[54]。增加矽的含量不僅可降低拉伸應力，也可以減少薄膜在氫氟酸中的蝕刻速率。於是低應力氮化矽薄膜已經在許多 MEMS 應用中取代了計量比 Si_3N_4，並可提升製造技術。例如低應力氮化矽薄膜已經在使用多晶矽作為犧牲層材料的面型微加工製程中，成功地作為結構材料[55]。在這種情況下，像 KOH 和 EDP 的矽非等向蝕刻液會被用來溶解犧牲層的多晶矽。第二種的低應力氮化矽面型微加工製程為使用 PSG 當作犧牲層材料，並使用氫氟酸為基材溶解液來移除犧牲層[56]。當然，由於 Si_3N_4 的介電 (dielectric) 性質，用它來當作 MEMS 材料會遭遇限制。然而，由於它的楊氏係數 (146 GPa) 與矽 (約 190 GPa) 同等級，使得它成為一個具有吸引力的機械元件材料。

對於基材、電絕緣層、犧牲層和結構層之間實質的互相影響，可以藉由在多層面型微加工製程的關鍵步驟來加以解釋。如圖 15.18 所示，為一利用快速成型製程 (rapid prototyping process) 技術所製造出來的矽微小馬達[57]，這快速成型製程利用三種鍍膜和三種

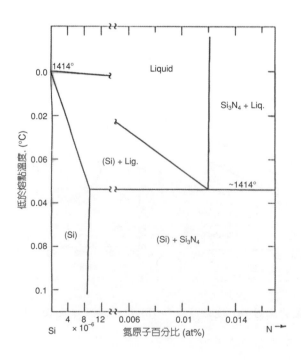

圖 5.17

Si-N 的平衡相圖，穩定的氮化矽相為 S_3N_4。不同比例的中間相可能在氮化矽沉積過程出現。

微影 (photolithography) 等步驟，實現法蘭軸承 (flange-bearing) 和側邊驅動 (side-drive) 的微
小馬達，圖 15.19 所示為利用掃描式電子顯微鏡 (SEM) 所照的圖形[57]。這元件由沉積於矽
晶圓上的高磷摻雜 LPCVD 多晶矽結構部分所組成，並使用 LTO 薄膜來當作犧牲層和電絕
緣層。一開始，厚 2.4 μm 的 LTO 薄膜會先在矽基材上沉積，之後厚 2 μm 的摻雜多晶矽層
會在 LTO 薄膜上沉積。然後由微影和 RIE 等步驟完成定義轉子、定子和轉子／定子的氣
隙。為了製造出法蘭，可在 LTO 薄膜上利用等向性蝕刻液加以蝕刻以創造出犧牲模型，然
後部分氧化此多晶矽轉子和定子的結構，以產生一軸承間隙的氧化物 (bearing clearance
oxide)。這個氧化步驟也會產生軸承法蘭模型，然後厚度為 1 到 2 μm 的高摻雜多晶矽薄膜
會由微影和 RIE 等步驟來加以沉積並蝕刻圖案而產生這個軸承。基於這個觀點，微馬達的
結構部分可完整的形成，而剩下的部分為在氫氟酸中蝕刻氧化犧牲層以釋放出轉子，並執
行適當的乾式製程。在這個例子中，LTO 薄膜有三個目的：包含法蘭模型部分，它是自由
旋轉轉子的犧牲下層，並可當作定子和軸承柱的隔離支撐物 (insulating anchor)。同樣地，
熱氧化層係作為模型和電隔離層。由於 LTO 和熱氧化層的材料性質使得這些薄膜可以用在
快速成型製程，因而可用最少的製程步驟來製造多層結構。毫無疑問地，二氧化矽是一種
用來作為多晶矽面型微加工極佳的犧牲層材料，然而其他材料也能加以採用。根據化學性

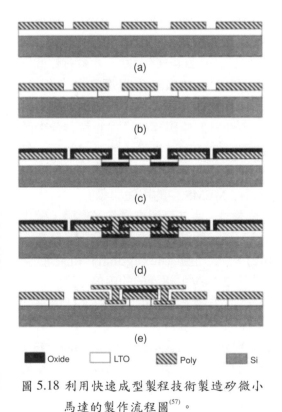

(a)

(b)

(c)

(d)

(e)

■ Oxide   □ LTO   ▨ Poly   ▨ Si

圖 5.18 利用快速成型製程技術製造矽微小
馬達的製作流程圖[57]。

圖 5.19 快速成型製程技術所製矽微小馬達
的 SEM 照片[57]。

質，鋁是作為犧牲層的優選者，因為酸性基材的鋁蝕刻液可以完全溶解鋁，且不會蝕刻多晶矽。然而，LPCVD 多晶矽通常在溫度 580 到 630 °C 之間沉積，此溫度非常靠近或超過鋁的熔化溫度，所以鋁在多晶矽結構中並不適合當犧牲層。

利用多晶矽面型微加工的相關釋放製程 (release process) 在理論上相當簡單，但實務上卻很複雜，其目的是從獨立式的元件下面完全溶解犧牲氧化層，且不會蝕刻到多晶矽結構元件。晶圓／晶粒必須完全地浸泡在適當溶液中，而能在足夠長的時間內釋放出所有想要的部分，這可由不同濃度的電子等級 (electronic-grade) 氫氟酸來加以完成，包括 BOE，其對二氧化矽和多晶矽的蝕刻速率明顯不同。經過觀察，在氫氟酸釋放步驟期間，多晶矽的機械性質，包括殘餘應力、楊氏係數和破裂應變 (fracture strain) 都會受到影響[58]。通常多晶矽的楊氏係數和破裂應變會隨著在氫氟酸中暴露時間增加和氫氟酸濃度增加而下降，而楊氏係數和破裂應變的降低表示薄膜機械完整性的退化 (degradation)。為縮短氫氟酸的釋放時間，結構會設計成具有進入孔 (access hole) 的形式，並挖出足夠大的孔徑，以幫助氫氟酸更容易流進犧牲氧化層，如此可以釋放多晶矽結構，且不會明顯降低薄膜的性質和元件性能。

5.3.5 碳化矽

矽在機械和電的材料使用上，為 MEMS 的發展提供了很廣泛的用途。然而在 MEMS 的使用仍受限於材料的物理性質，如矽基材的溫度必須限制在 200 °C 左右，才會有較低的磨損和較佳的化學環境。因此，使用替代材料以擴大 MEMS 在嚴酷環境 (harsh environments) 的應用是必需的。廣義上，嚴酷的環境包括高溫、高輻射、高磨損、高酸鹼性和基本的化學環境，其會限制矽的電、機械和化學等性質的使用條件。在直接替代矽的應用材料上，需要的是具化學惰性、硬度很高、對溫度不靈敏、可微加工的半導體。一般碳化矽和鑽石這一類的寬能帶半導體可呈現出在嚴酷環境用途中所需要的電、機械和化學的特性，在 5.3.5 和 5.3.6 兩節中，將討論碳化矽和鑽石在 MEMS 中的用途與發展。

碳化矽在高溫和高功率電子 (power electronics) 的潛力，使其可用來當作半導體。碳化矽是多形體的 (polymorphic)，亦即它有多種晶體結構，每一個結構具有相同的化學計量。碳化矽有三種主要的晶體型態：立方體 (cubic)、六方體 (hexagonal) 和菱形體 (rhombehedral)。其中立方結構稱為 3C-SiC，其電能帶是 2.3 eV，超過矽的兩倍。許多六方和菱形晶體已經被確認，最常見的是 4H-SiC 和 6H-SiC 六方體。4H-SiC 和 6H-SiC 的電能帶都高於 3C-SiC，分別是 2.9 和 3.2 eV。

一般碳化矽有高的熱傳導性，其範圍由 3.2 到 4.9 W/cm·K，且具有高的崩潰電場 (3×10^6 V/cm)。利用摻雜技術可將碳化矽薄膜製成負型和正型的半導體材料。相較於矽，碳化矽的硬度相當高，其楊氏係數在 300 GPa 到 700 GPa 的範圍，因此常被用來製作微機械振盪器和濾波器，主要是因為共振頻率會隨著楊氏係數增加而增加。

　　一般用於矽的濕蝕刻方法無法蝕刻碳化矽，但碳化矽可以在溫度超過 600 °C 時用 KOH 去蝕刻。碳化矽是一個不易熔化 (熔點 2830 °C) 的材料，其溫度必須超過 1800 °C 才會有相當的昇華 (sublimation)。儘管 4H-SiC 和 6H-SiC 單晶晶圓尺寸比矽小 (直徑三吋)，也比較昂貴，但它們在商業上是被接受的。由以上所陳述的特性，以及表 5.13 所列碳化矽和砷化鎵、矽和鑽石等其他材料的性質比較[59]，就可知為什麼碳化矽在 MEMS 的應用中會扮演著非常重要的角色[60-61]。

　　碳化矽薄膜可利用許多不同的技術成長或沉積，若要得到高品質的單晶薄膜，APCVD 和 LPCVD 是最常使用的方法，可由基材表面取向成長 4H-SiC 和 6H-SiC 薄膜來實現。此製程需要兩個先驅物，通常是矽甲烷 (SiH$_4$) 和丙烷 (C$_3$H$_8$)，以提供需要的 Si 和 C。典型的磊晶 (epitaxy) 成長溫度範圍為 1500－1700 °C，磊晶成長薄膜可以將 Al 和 B 摻雜在正型薄膜中，而將 N 和 P 摻雜在負型薄膜中。事實上，摻雜 N 可以有效的降低導電性，而剩餘的 N 集結在沉積系統中是相當高的，因此要成長沒有摻雜物的碳化矽實質上是不可能的。在此溫度範圍內，上層晶體的品質用來製造電子元件結構的構造物已是相當足夠的。

　　APCVD 和 LPCVD 可以在非碳化矽基材上沉積成長所需的晶體，即在 Si 上長 3C-SiC。因為 3C-SiC 和 Si 有相似的晶格構造，所以異質磊晶 (heteroepitaxy) 是可能的。此成長過程需要二個主要步驟。第一個步驟是碳化 (carbonization)，將溫度約 1300 °C 的矽基材暴露於氫／丙烷混合氣體中，其靠近表面的矽基材會轉換成 3C-SiC，再將 SiH$_4$ 加入氫／丙烷混合氣體中，可使這碳化層 3C-SiC 薄膜進而形成一個結晶的模板。因 Si 和 3C-SiC 有 20% 的晶格不相合 (mismatch)，導致所形成的 3C-SiC 薄膜會有晶格缺陷。碳化層的密度很高，但會因厚度的增加而降低，儘管如此仍較取向成長的 6H-SiC 和 4H-SiC 薄膜為佳。無

表 5.13 碳化矽、砷化鎵、矽和鑽石的材料性質比較表[61]。

性質	3C (/6H)－碳化矽	砷化鎵	矽	鑽石
熔點 (°C)	2830 [昇華]	1238	1415	~3550 [天然] 1400 [相變化]
最高操作溫度 (°C)	873 (1240)	460	300	1100
熱傳導係數 (W/cm·K)	5	0.5	1.5	20
熱膨脹係數 (10^{-6}/K)	4.2	6.86	2.6	1.0
楊氏係數 (GPa)	448	75	190	1035
物理穩定度	極佳	尚可	佳	佳
能隙 (eV)	2.2 (2.9)	1.424	1.12	5.5
電子移動率 (cm^2/V·s)	1000 (600)	8500	1500	2200
電洞移動率 (cm^2/V·s)	40	400	600	1600
崩潰電壓 (10^6 V/cm)	4	0.4	0.3	10
介電常數	9.72	13.1	11.9	5.5

論如何，因 3C-SiC 可在矽基材上成長，使得矽體型微加工技術可大量應用於 SiC 基的 MEMS 結構，例如壓力感測器和共振結構。

多晶碳化矽 (poly-SiC) 已被證明在碳化矽的 MEMS 中用途很多。與單晶碳化矽不同，多晶碳化矽可以在不同型式的基材上沉積，包括一般面型微細加工的材料，例如多晶矽、氧化矽和氮化矽。此外，多晶碳化矽可用比磊晶成長 (epitaxial growth) 薄膜更廣泛的方式沉積，如 LPCVD、APCVD、PECVD 和反應濺鍍 (reactive sputtering) 皆可用來沉積多晶碳化矽薄膜。這些沉積方式所需要的基材溫度比磊晶成長薄膜的基材溫度還低，範圍為 500－1200 °C，而多晶碳化矽薄膜的微構造取決於溫度和基材[62]。基本上，晶粒的尺寸會隨著溫度的增加而增大。對非晶型基材如 SiO_2 和 Si_3N_4 而言，多晶碳化矽傾向於隨意成長等軸晶粒 (equiaxed grain)，而在 SiO_2 基材有較大的晶粒沉積。相對地，於單晶矽的基材，其晶體結構與多晶碳化矽薄膜相符合，因而導致晶粒對晶粒的磊晶成長[63]。因此可選擇適當的基材和沉積條件，以調整微結構中的元件性能 (performance)。

由於碳化矽顯著的化學耐久性，它的體型微細加工是很困難的。常見的濕化學蝕刻技術不是很有效，然而一些電化學蝕刻技術已經被論證。這些技術對某些摻雜型式有選擇性，所以蝕刻結構的尺寸控制取決於形成摻雜層的能力，故此能力只能靠即時 (in situ) 摻雜或離子植入方法去達成，在合理製程溫度下固體源頭擴散是不可能的，這個約束限制了組裝元件的幾何複雜性。為了製造厚的 (數百微米)、三維的、高深寬比的碳化矽結構，有個製模技術已經被發展出來[64]。此模型是用深反應離子蝕刻技術在矽基材上成形，其乾蝕刻過程徹底改革矽的體型微細加工過程。這微機械矽模型是用多晶形 CVD 製程來規劃碳化矽薄的和厚的聚合體。在長膜過程中，是在 SiC/Si 界面成長 3C-SiC 薄膜，以確保模型構造有平坦的表面，模型充填過程用非常厚的 SiC 薄膜覆蓋模型所有的表面。首先在基材上，用機械方式磨光模型要曝光的部分，然後將基材浸入矽的蝕刻劑將模型完全的溶解，以移除模型並釋放碳化矽構造。因為碳化矽不會被矽蝕刻劑所侵蝕，所以碳化矽會完全留下而無需特別的程序。這製程已成功的用在固態碳化矽燃料噴霧器，而且也可以在矽基上製造碳化矽構造的微小氣體渦輪機[65]。這兩個例子是利用碳化矽的化學惰性和與矽的反應來製造結構，否則無法用既存的方法去製作。

儘管不能用常見的濕蝕刻技術去蝕刻碳化矽，但可以用常見的乾蝕刻技術。在反應離子蝕刻 (RIE) 過程使用含氟的添加物，如 CHF_3 和 SF_6 結合 O_2，有時會使用惰性氣體或氫氣。在高氧氣含量的等離子體中，一般禁止使用光阻當遮罩材料，因此用金屬作為堅固遮罩，例如 Al 和 Ni 都是較常用的。RIE 製程是一般常用且有效形成圖形的技術；然而有時候會有微細遮罩 (micromasking) 的現象，導致構成蝕刻小草 (grass) 區域問題。但是利用 RIE 的碳化矽表面微細加工過程，已經發展出使用多晶矽和 SiO_2 當犧牲層的製程[66]，此製程能有效的製造 SiC 的單層構造，但很難製造出多層的構造，因為犧牲層的蝕刻速率比碳化矽結構層還要快很多。因缺乏完善的蝕刻終止方法，使厚度的尺寸控制變得不可靠，從而使得利用 RIE 製造碳化矽多層膜的製程尚未可行。

5.3.6 鑽石

繼 SiC 之後，鑽石是微機電在嚴酷環境的用途上另一個重要的材料，其具有許多的特點：(1) 是自然界已知最硬的材料，適用於高磨耗 (wearing) 環境；(2) 有很大的電子能隙 (5.5 eV)，適用於高溫的穩定操作；(3) 有著高介電常數 (5.5) 的特性，適用於絕緣體；(4) 高楊氏係數 (1035 GPa)，適用於高頻率微機械加工共振器 (resonator)；(5) 與 SiC 一樣有很高的化學惰性，適用於各種酸鹼環境下的操作；(6) 可以藉由摻雜硼製造正型的導電性，適用於電子元件製作。

但是從材料的觀點，鑽石最大的缺點是不能在表面成長穩定的氧化物，也就是鑽石無法在熱氧化的反應中形成固態氧化物，其在標準的條件下形成的碳氧化物 CO 和 CO_2 是氣體。因此當應用上需沉積其他的隔離薄膜時，將使得與鑽石相關的電子元件製作變得較複雜。例如在高溫操作下的鑽石相關感測器，需要使用不易起變化的鈍化膜，以保護鑽石構造不會被氧化。

與碳化矽不同，鑽石微機電結構的製造受限於多晶和非晶形的材料。儘管鑽石的磊晶 (epitaxy) 成長技術已被發表，但這些磊晶薄膜是成長在小的、不規則的單晶片上，在晶圓上無法取得單晶鑽石。利用 3C-SiC 薄膜，可以在 Si 基材上沉積出高方向性的鑽石薄膜。多晶鑽石薄膜可以沉積在 Si 和 SiO_2 的基材上，但是這通常需要用鑽石粉末損壞基材表面或者用負電荷加偏壓於基材表面，這個過程稱為偏壓輔助成核 (bias enhanced nucleation)。一般而言，鑽石在 Si 的表面比在 SiO_2 的表面更容易成核，而且利用這個現象可在微構造成形鑽石薄膜，例如微加工原子力顯微鏡 (AFM) 的懸臂探針，使用一個選擇性的結合過程來和 SiO_2 模型面模結合[67]。如同前述，鑽石材料可以是絕緣體或半導體，而對多晶鑽石能利用這兩種狀態直接製作微結構。這個能力允許「全鑽石 (all diamond)」微機電的架構，無需再使用 Si_3N_4 作為絕緣層。

鑽石的體型微加工比 SiC 還困難，因為其電化學蝕刻技術尚未被論證出。使用類似於 SiC 的對策，體型微加工的鑽石結構已經可用矽模的體型微加工製造出來[68]，而此矽模是用常見的微加工技術所製造，而且用熱燈絲化學氣相沉積 (hot filament CVD, HFCVD) 沉積多晶鑽石。此 HFCVD 製程是用氫作為媒介氣體，用甲烷作為碳的來源，熱鎢線不僅用來使甲烷產生反應，也用於加熱基材。這個過程的基材溫度為 850－900 ℃，壓力為 50 mTorr。矽基材在沉積之前先放入乙醇溶液，以加入懸浮的鑽石粒子。在鑽石沉積後，鑽石結構最上方的表面會用熱的鐵板來拋光 (polishing)，其材料移除速率大約為 2 μm/h。在拋光後，矽模會被矽的蝕刻劑移除，留下微加工鑽石結構。這個製程被用來製造全鑽石的、高深寬比的微流體結構[69]。

多晶鑽石薄膜的面型微加工需要修改常用的微加工製程，以補償在犧牲層上鑽石薄膜的成核和成長機構。早期的研究集中於發展薄膜圖案的成形技術，但常見的 RIE 方法一般沒什麼效果，所以集中發展有選擇性的成長方式。早期使用選擇性的播種 (seeding) 來形成鑽石成核的圖案模型，以混合著鑽石粉末的光阻平面圖案為基礎[70]，此裝載鑽石的光阻被沉積在覆蓋鉻的矽晶圓上，曝光然後顯影，使其在晶圓表面留下一個圖案結構。在這鑽石沉積過程中，其光阻快速的揮發消失，使鑽石粒子遺留在期望架構的形狀裡，此時它會充當一個供鑽石成長的樣板。另一種製程為在犧牲基層直接選擇性沉積，其含有傳統鑽石技術，並加入微影成形方法和使用 SiO_2 犧牲層來蝕刻製造微加工鑽石構造[71]，此製程可選擇以下兩個方法進行。第一個方法是先在矽晶圓上用熱氧化製程形成 SiO_2 層，再加入鑽石粒子，塗覆光阻，然後靠微影成形的方式來侵蝕 SiO_2 以形成光罩。SiO_2 薄膜的暴露區域在 BOE 局部蝕刻，以形成不利鑽石成長的表面，最後移除光阻，而且鑽石薄膜會選擇性的蝕刻。第二個方法開始於矽晶圓的氧化並塗覆光阻，接續微影和後來的晶圓離子植入，利用播種過程來損壞 SiO_2 表面的光阻選擇區域，然後移除光阻，而鑽石薄膜會選擇性的沉積。以上兩種方式，一旦鑽石薄膜形成，即可使用傳統方法去釋放微結構，可用來製作懸臂或橋式結構。

　　面型微加工多晶鑽石薄膜的第三種做法是，依照傳統的薄膜沉積方法、乾蝕刻和釋放而產生。因鑽石的化學惰性，使得最常見的等離子化學蝕刻無法用於鑽石薄膜，然而氧離子束電漿 (oxygen-based ion beam plasma) 則可以用來蝕刻鑽石薄膜[72]。因氧離子束限制光阻遮罩的使用，必須使用金屬成形的硬罩膜，如 Al 金屬。此面微加工製程開始於在矽晶圓上沉積 Si_3N_4 薄膜，且沉積產生多晶矽犧牲層，將鑽石層加入鑽石泥漿 (slurry) 中，而且用 HFCVD (hot filament CVD) 沉積鑽石薄膜。接著沉積 Al 罩膜並形成圖案。然後用氧離子束蝕刻鑽石薄膜，並且以 KOH 蝕刻多晶矽而釋放此結構。此製程已經用於製造側向共振結構 (lateral resonant structure)，儘管這成形過程是成功的，但由於薄膜中的壓力梯度，因此元件尚無法使用。藉由對鑽石薄膜架構性質的全盤了解，並藉由面型微加工技術解決此問題，應可成功製造出高功能的元件。

5.3.7 金屬

　　金屬材料廣泛使用在許多地方，例如硬蝕刻遮罩、與薄膜傳導相互連接器，以及微感測器和微致動器的結構元件等。金屬薄膜能藉由各種鍍膜技術來加以沉積，最常使用的方法為蒸鍍、濺鍍、化學氣相沉積和電鍍。各種不同的鍍膜技術，使得金屬薄膜成為 MEMS 元件中最多功能的一種材料。因金屬材料應用廣泛，無法完整詳述，下面僅舉例說明金屬薄膜與其他薄膜有何不同之處。

　　鋁可能是微製造元件中使用最廣泛的金屬。在 MEMS 領域中，因為鋁薄膜可以在低溫製程中濺鍍沉積，故鋁薄膜可以和高分子接合。在多數的情況下，鋁被用來當作結構層，然而，鋁也可以用來當作犧牲層。結合高分子和鋁分別當作結構和犧牲材料，已被證實是一種有效的面型微加工方法[73-74]。在這種情況下，酸基底鋁蝕刻液可以用來溶解這個鋁犧牲層。此材料系統的唯一特點為高分子比多晶矽和氮化矽具有更高的順從性 (例如其彈性係數約小 50 倍)，同時高分子能夠在破裂前承受更大的應變 (在同樣化學物質中可以高達

100%)。最後，因為高分子和鋁能夠在低溫中 (如 400 °C) 加以處理，使得這材料系統可以在晶圓上製造出 IC。而高分子的唯一缺點為它具有黏彈性質 (例如潛變)。在面型微加工中，已經用鎢 (由 CVD 製程加以沉積) 作為結構材料，並用氧化矽作為犧牲層材料[75]。在這種情況下，氫氟酸可用來移除氧化犧牲層。結合高深寬比 (high-aspect-ratio) 製程，鎳和銅金屬可與高分子一起作為結構層，並與其他金屬 (如鉻) 作為犧牲層。這些材料系統的研究大多還在剛開始階段，所以它們的效益需要加以評估。

金屬薄膜是 MEMS 材料中最通用的材料，如某些特定金屬元件所用的合金可表現出形狀記憶效應的行為。藉由熱應用，形狀記憶效應可透過可逆轉換，由易延展相位變換到硬的奧氏體的相位。由於這個相變化是可逆的自然性質，故可允許形狀記憶效應作為驅動機構。此外，已經發現到在合理的功率輸入下，可由形狀記憶薄膜產生高的力量和應變，因此使形狀記憶驅動能夠應用在以 MEMS 為基礎的微流體元件，像微閥和微幫浦。鈦和鎳合金，如鎳鈦合金 (TiNi)，由於其高驅動功密度 (work density) (研究報告指出可高達 50 MJ/m^3) 及高頻寬 (高達 0.1 kHz)，已是最受歡迎的形狀記憶合金[76]。最近的研究報告指出[76]，鎳鈦合金另一個受歡迎的原因是使用傳統的濺鍍技術便可以在此合金上沉積出薄膜。在這個研究報告中，鎳鈦合金薄膜可藉由兩種方法加以沉積，第一種方法為共同濺鍍元素的鎳和鈦靶材，第二種方法為共同濺鍍鎳鈦合金和元素的鈦靶材，這兩種方法已經在微製造形狀記憶驅動器中比較過。在各種情況下，要達成的目標是要建立讓薄膜可以有適當化學計量的條件，因此能夠維持相變化溫度。這個濺鍍工具配備有基材加熱器，目的是為了能夠在熱基材上沉積薄膜，以及能夠在濺鍍之後從真空環境中進行退火。有研究報告指出，由於與鎳靶材粗糙度有關的製程變化，使得由鎳鈦合金和鈦靶材共同濺鍍所得的薄膜品質可比由鎳和鈦靶材共同濺鍍的更好。鎳鈦合金／鈦共同濺鍍製程已經成功地使用在矽彈性基底微閥的驅動材料上[77]。

在 MEMS 領域中，另一個金屬材料的多功能性例子為應用薄膜金屬合金在磁性驅動系統中。從物理觀點來看，磁性驅動在微觀和巨觀領域基本上是相同的，主要的不同點為設計微尺度元件的製程限制。對於微元件的磁性驅動，一般需要的磁性層比較厚 (數十到數百微米)，以用來製造可以產生足夠磁場強度而提供所需驅動力之結構。為達成此目的，磁性材料通常透過像電鍍一樣的厚薄膜方法來加以沉積。這些沉積層的厚度通常超過能夠利用蝕刻以形成圖案的範圍，因此鍍層通常在微製造模板中傳導，此模板通常藉由 X 光製成，如 polymethylmethacrylate (PMMA)。PMMA 型模板其厚度能夠超過幾百微米，所以可把 X 光當作曝光 (exposure) 來源。在某些情況下，薄膜起始層可藉由濺鍍或者其他傳統方法，在電鍍製程開始之前便加以沉積。在鍍層製程完成之後，這模板會分解以釋放出金屬元件。此製程通常稱作 LIGA 製程，已經用來製造高深寬比的結構，例如由鐵化鎳合金製造出微齒輪[78]。LIGA 製程不受特定磁性致動器結構的限制，事實上也已經用來製造像鎳流體霧化器之結構[79]。在這個應用方面，選用鎳是因為鎳的理想化學性質、磨耗和溫度性質，而不是因為它的磁性性質。

5.3.8 壓電材料

　　壓電材料在 MEMS 技術扮演很重要的角色，主要用於機器的致動，另外也有少部分用於感測。在一個壓電材料中，機械壓力會導致材料中電場產生極化 (polarization)；這種效應也會反向發生，亦即施加電場會造成機械的應變。許多材料保有壓電的行為，如石英、砷化鎵 (GaAs) 和氧化鋅 (ZnO)。MEMS 最近的研究集中於鋯鈦酸鉛 ($Pb(Zr_xTi_{1-x})O_3$, PZT) 的發展。PZT 受囑目的原因是它的高壓電常數會導引高機械能量轉換。

　　PZT 可以用各種方式來沉積，包括共同濺鍍 (co-sputtering)、化學氣相沉積法和溶膠凝膠法 (sol-gel)。凝膠法由於能控制大範圍表面區域沉積材料的成分和均勻性，因此近來一直受到注意。凝膠製程是使用含有 Pb、Ti、Zr 和 O 的液體先驅物來製造 PZT[80]。此溶液是用旋轉塗佈的方式 (spin-coating process) 沉積在基材上。這個例子中的基材含有矽晶圓以及矽晶圓表面上 $Pt/Ti/SiO_2$ 的多層薄膜。這 PZT 複合薄膜的沉積過程是每個披覆層都在 110 °C 烘乾 5 分鐘，然後在 600 °C 加熱 20 分鐘。當 PZT 的厚度逐漸加大後，再將其加熱到 600 °C 達 6 小時。在這退火處理後，再於 PZT 的頂層沉積 PbO，然後將 Au/Cr 電極濺鍍沉積在此壓電疊層 (piezoelectric stack) 的表面上。這個過程是為了用來裝配以 PZT 為基底的壓感器。如同矽一樣，PZT 薄膜也可以在含氯之化合物的氣體中用乾蝕刻來定義圖案。同樣就像 Cl_2/CCl_4 一樣，PZT 能在惰性氣體 Ar 的氣氛中用離子束 (ion beam) 去磨削 (milling)。

5.3.9 多晶鍺和鍺化物

　　鍺 (Ge) 在半導體材料的發展上已經有一段歷史，最早可追溯到電晶體的發展。相同的事實亦出現在微加工換能器 (transducer) 的發展和最早在半導體材料中壓電效應的工作中[81]。如果能在 Ge 表面形成非水溶性的氧化物 (water-insoluable oxide)，Ge 在微電子儀器的發展仍會持續。然而，Ge 在微加工儀器又重新引起人們的興趣，尤其是需要低溫製程的元件 (device)。

　　多晶鍺 (poly-Ge) 薄膜可以用 LPCVD 沉積在溫度比多晶矽還低 (約 325 °C)、壓力為 300 mTorr 的 Si、Ge 或 SiGe 基材上[82]。Ge 不能成核在 SiO_2 的表面，因此無法使用熱氧化及 LTO 薄膜來作犧牲層，但是當用 SiO_2 遮罩薄膜來選擇性成長時，使用這些薄膜來作為犧牲模型是可能的。多晶鍺薄膜沉積在矽基材會有約 125 MPa 的殘餘壓應力，這應力在退火到 600 °C 約 30 秒後就可以消除。多晶鍺基本上對於 KOH、TMAH 和 BOE 是沒有滲透性的，使它在矽的微加工可作為理想的遮罩、蝕刻終止材料。事實上，結合低殘餘應力與矽非等向性蝕刻的惰性，可以賦予 Ge 膜在矽基材上製造的能力[82]。Poly-Ge 的機械性質可以跟 poly-Si 相比較，其楊氏係數經量測為 132 GPa，而且斷裂的應力範圍介於 1.5 GPa 到 3.0 GPa[83]。Poly-Ge 也可以用來當犧牲層。典型的濕蝕刻劑以 HNO_3、H_2O 和 HCl 以及 H_2O、H_2O_2 和 HCl 的混合液為基礎，並以 RCA SC-1 為清潔溶液。這些混合液不能侵蝕 Si、SiO、Si_3N_4 和 Si_xN_y，因此使 poly-Ge 在多晶矽面型微加工中可作為犧牲基層。利用上面提到的方法，使用 poly-Ge 犧牲層已經製造出 poly-Ge-based 電熱調節器和 Si_3N_4-membrane-based 壓力感測器[82]。此外，poly-Ge 微結構，例如橫向共振結構 (lateral resonant structure)，已經被製造在矽基上，包含沒有過程聯繫的退化執行之 CMOS 結構，從而展示低沉積溫度和共存的濕化學蝕刻技術的優勢。

　　SiGe 是 Si 和 Ge 的合金 (alloy)，其在微電子的用途倍受矚目，因此 SiGe 薄膜的沉積技術很容易獲得。製作 SiGe-based 電子元件的必要條件是需要單晶材料，而 MEMS 材料的限制條件就比較少，因此多晶材料在 MEMS 有很多用途。Poly-Ge 薄膜具有許多性質可以跟多晶矽相比，且可以在較低的基材溫度沉積，沉積過程包括低壓化學氣相沉積法 (LPCVD)、常壓化學氣相沉積法 (APCVD)、快速加溫化學氣相沉積法 (RTCVD)，而使用 SiH_4 和 GeH_4 當先驅氣體。沉積溫度從 LPCVD 的 450 °C 到 RTCVD[84] 的 625 °C。此 LPCVD 製程可以用水平熔爐管去沉積和多晶矽薄膜結構及大小相似的覆膜。一般而言，這沉積溫度歸因於薄膜中 Ge 的濃度 (concentration)，高的 Ge 濃度會導致低的沉積溫度。像多晶矽，poly-Ge 摻入 B 和 P 可以調整 (modify) 它的傳導性。事實上，已有報導指出，當沉積 poly-SiGe 薄膜時，若即時 (in situ) 摻雜 B 則薄膜有 1.8 $\mu\Omega \cdot cm$ 的電阻率 (resistivity)[83]。Poly-SiGe 可以被沉積在一些犧牲層上，包括 SiO_2[84]、PSG[83] 和 poly-Ge[83]。且如前面章節所描述的，可以在低的製程溫度沉積。由於薄膜含有 Ge，多晶矽摻雜層有時可以用在 SiO_2 表面，因為 Ge 不容易在氧化物表面集結。而且因為 poly-SiGe 是合金，所以薄膜化學計量的變化會導致物理性質的變化。例如，poly-GeSi 以雙氧水 (H_2O_2) 侵蝕，在一些 Ge 蝕刻劑的主要部分，Ge 的組成超過 70% 就會有問題。如同 CVD 薄膜，其沉積在基材的過程殘餘應力會持續增加；然而，對摻雜 B 薄膜，這殘餘壓力相當低，約 10 MPa[85]。

　　在許多方面，因為 Si 和 Ge 是相容的 (compatible)，元件的製造是用 poly-Si 微加工製程來製造 poly-Ge 薄膜。當使用 H_2O_2 作為釋放媒介時，此 poly-SiGe/poly-Ge 材料系統在面型微加工特別受矚目。已有報導指出，在 H_2O_2 中 poly-Ge 的蝕刻速率可達 0.4 $\mu m/min$，當 poly-Ge 的 Ge 集中超過 80%，在 40 小時後就沒有顯著的蝕刻速率[86]。用 H_2O_2 當犧牲層蝕刻劑會使 poly-SiGe 和 poly-Ge 結合，也許可以讓這材料系統成為表面微結構。目前，一些有趣的裝置已經用 poly-SiGe 製造出來。由於 poly-SiGe 覆膜本質上的一致性 (conformal nature)，poly-SiGe 基材的高深寬比結構已可毫無困難地使用 Hexil 製程製作出來[86]，如平衡環／微致動器 (gimbal/microactuator) 結構。利用低的基材溫度可使沉積的 poly-SiGe 和 poly-Ge 薄膜結合在一起，在矽晶圓上結合 MEMS 的製造程序已經被論證出來[85]。在這個製程中，CMOS 結構最先被製造在標準的矽晶圓裡，poly-SiGe 薄膜機械結構是在 CMOS 元件上面以面型微加工製作，其是以 poly-Ge 作為犧牲層，H_2O_2 為蝕刻劑。將 MEMS 結構直接放在 CMOS 結構上的設計會有顯著的優點，從而明顯降低寄生電容和互連接觸電阻，聯繫側對側 (side-by-side) 整合方案通常用來整合多晶矽 MEMS。以 H_2O_2 為蝕刻劑意味著在釋放過程不需要使用保護層來保護在下面的 CMOS 層。顯然地，poly-SiGe 和 poly-Ge 材料系統的唯一特質被用來結合 Si/SiO$_2$ 材料系統，減少連結的距離且可能增加元件的性能，使 MEMS 整合的製造變成可能。

5.3.10 III-V 族化合物

　　砷化鎵 (GaAs)、磷化銦 (InP) 和其他 III-V 族化合物，在各種不同型式的感測器和光電元件是很受歡迎的電子材料。通常 III-V 化合物具有合適的壓阻和光電性質、高壓阻常數和寬的電子能隙 (對於矽而言)。除此之外，III-V 材料能夠沉積出三元素或四元素構成的合金，其晶格常數 (lattice constant) 與二元的混合物 (如 $Al_xGa_{1-x}As$ 和 GaAs) 相當匹配 (match)，從而允許製造出多變化的異種結構，以提升元件性能。雖然 III-V 族材料類別非常多，但是本節將針對在 MEMS 應用中的砷化鎵和磷化銦做探討。

　　結晶的砷化鎵為閃鋅礦晶體結構，電子能隙為 1.4 eV，使得砷化鎵電子元件在溫度高於 350 °C 時方能產生功能[87]。高品質單晶矽晶圓可由市場上產品取得，且對於砷化鎵磊晶層及其合金已發展出有機金屬化學氣相沉積 (MOCVD) 和分子束磊晶 (molecular beam epitaxy, MBE) 成長製程。砷化鎵也是一個優良的熱絕緣體，而且在高溫時有良好的尺寸穩定度。但此種材料的缺點是低降伏強度 (yield strength)，它的降伏強度約 2700 MPa，只有矽的三分之一。在機械性質上，砷化鎵較矽為差。然而由於它的剛性和韌性 (toughness)，砷化鎵對於微機械元件仍然適合，結合了機械和電的性質，使得砷化鎵在特定 MEMS 應用中受到注目。

　　微加工砷化鎵可說是相當的直接，如晶格相匹配的三元和由四元素構成的合金有足夠的化學性質變化性，允許它們作為犧牲層。例如對於砷化鎵而言，最常見的三元合金是 $Al_xGa_{1-x}As$。當 $x \leq 0.5$ 時，氫氟酸和水的混和蝕刻劑會蝕刻 $Al_xGa_{1-x}As$，而不會破壞砷化鎵。相對地，包含 NH_4OH 和水的混和蝕刻劑會等向的破壞砷化鎵，但是不會蝕刻 $Al_xGa_{1-x}As$。因此使得在砷化鎵晶圓上具晶格狀相匹配的蝕刻終止層之體型微加工成為可能。廣泛的 III-V 族蝕刻製程論文可以參考 Hjort 等人發表的回顧文獻[88]，利用能在砷化鎵基材找到的單晶異種結構之優點，能夠在砷化鎵中利用面型和體型微加工製造出不同的元件，例如梳狀驅動側向共振結構[88]、壓力感測器[89-90]、溫差電堆感測器[91] 和 Fabry-Perot 偵測器[92]。

　　微加工磷化銦與砷化鎵的技術類似。磷化銦的許多性質與砷化鎵相當類似，例如晶體結構、機械剛性和硬度。然而，磷化銦的光學性質使得它在波長為 1.3 到 1.55 μm 的微光電元件中特別受到矚目[93]。與砷化鎵一樣，磷化銦的單晶體晶圓已經可以取得；而磷化銦與砷化鎵的三元和四元素構成的合金，包括 InGaAs、InGaAsP 和 InGaAlAs 合成物，根據蝕刻化學品而定，其中一些合金合成物可以當作蝕刻終止層或是犧牲層。例如在 $In_{0.53}Al_{0.47}As$ 犧牲層中沉積磷化銦結構材料，就可以使用 $C_6H_8O_7 : H_2O_2 : H_2O$ 的蝕刻液。同時，磷化銦薄膜和基材可以在鹽酸和水為基礎的溶解液中，以及以 $In_{0.53}Al_{0.47}As$ 作為蝕刻終止層的環境中加以蝕刻。Hjort 等人更針對磷化銦的濕化學蝕刻和相關合金技術提出廣泛的回顧文獻[88]。使用磷化銦為基礎的微加工技術，已經由磷化銦及其相關合金製造出多氣隙濾波器[94]、橋狀結構[93] 和可扭轉的薄膜[92]。

5.3.11 高分子聚合物

　　高分子除了當基板材料外，高分子塗層覆膜的應用在微系統和微機電中也已經相當重要。這些應用包括在微影製程中用來製造特別圖案光罩的厚膜光阻，如 SU-8、JSR、SJR 及 AZ 等不同廠牌型號光阻。厚膜光阻如 SU-8 可作為生產 LIGA 製程中有特定圖案的母模，再經電鑄和模造成形製程，可用來批量生產微元件和高深寬比微結構。性質如同壓電晶體的鐵磁性高分子材料可以作為微元件致動器的驅動源，如微幫浦。此外，許多高分子也是微感測器和微電子封裝的理想材料。

　　很多導電高分子材料對於氣體還有其環境狀況的特殊靈敏度，使得其適合應用於微感測器，其感測特別物質的能力是可逆的，且高分子層表面對於某特定種類物質的吸收與可量測之導電度變化相關。這些感測器的操作原則，是當其暴露在某特定氣體下，其高分子元件的導電度會隨著其感測量的改變而變化。導電高分子材料也被應用在電化學生物感測器上，如微安培葡萄糖、半乳糖感測器。鐵電性高分子薄膜如 PVDF (polyvinylidene fluoride) 有特別用途，可應用在空氣及水中的聲波轉換器、觸覺感測器，以及生醫應用，如生物組織相容移植、心肺感測器、可移植的義肢和復健設備的轉換器及感測器。其他可控制光學性質的塗層材料可應用在寬頻光纖，傳輸不同波長的雷射光。

5.4 微感測材料

5.4.1 簡介

　　十幾年來，利用簡單的物理原理，以傳統微電子材料 (如 Si、SiO$_2$、Si$_3$N$_4$ 及 Al 等) 所作成之 MEMS 元件，如加速度計與壓力感測器等，已經商業化生產成功。但是近來，單純以這類傳統材料製造之商業化產品，可以說是相當稀少。例如德州儀器之數位微鏡面元件 (DMD) 的鋁鏡鉸鏈 (mirror hinge)，也是使用新的材料以解決鉸鏈之記憶問題，即無法回復到原來靜止位置的現象。此問題之根本原因為金屬的潛變 (creep)，因此使用新的合金材料解決此問題，以增加其可靠性[95]。1997 年美國國家研究委員會 (National Research Council) 之國家材料顧問會議的結論，就建議應該研發新材料以開拓 MEMS 的應用能力。他們認為使用現有之 IC 製程材料，雖對商業化有利，但卻無法滿足越來越多顧客與應用之所有需求[96]。未來可預見之新材料需求，包括高出力 (high forces)、高溫與嚴酷環境下之穩定性與強韌之高深寬比結構材料等。這些新材料必須可以某種程度地與 IC 製程積體化，才可降低成本，落實應用。

　　塊狀 (bulk) 或厚膜形態之材料，已經廣泛使用在各種感測器與致動器之應用。這些材料大都是所謂的功能性材料 (functional material)，亦即具有某種特定物理量與物理量間或物理量與化學量間轉換的特性。如某些氧化物可以顯現各種特性，如壓電 (piezoelectric)、焦電 (pyroelectric)、電光 (electro-optical)、鐵磁 (ferromagnetic)、半導性 (semiconductive) 或超

第 5.4 節及第 5.5 節作者為彭成鑑先生。

導性 (superconductive) 等。某些合金材料具磁性、磁致伸縮 (magnetostrictive) 或形狀記憶 (shape memory) 等特性。功能性材料大略可分為感測材料、致動材料與智慧型材料 (smart material) 等。感測材料具有回饋熱、電、磁、輻射、機械與化學等刺激 (stimulus) 的能力，而致動材料則是會隨溫度、電場或磁場之變化，具有改變形狀、剛性、位置、自然頻率、阻尼 (damping) 或其他機械特性能力之材料。

　　智慧型材料則有許多種定義，包括 (1) 兼具感測與致動功能之材料；(2) 對某一刺激有多重具協調作用之反應；(3) 被動式智慧型材料，可以對突然之變化具自我修復或待命之特徵；(4) 利用回饋之主動式智慧型材料；(5) 具複製生物功能之智慧型材料與系統[97]。主動式振動與噪音控制、主動式形狀控制及主動式傷害控制是智慧型材料與系統最有潛力之應用領域。一些應用實例包括精密微定位、振動隔離、快速反應之閥及噴嘴、豪華汽車之懸吊系統與飛機用主動式引擎等。

　　在感測原理上，微感測器大都利用傳統式感測器之各種物理／化學感測原理，只在尺寸上加以縮小而已。在感測器微小化的過程中，所利用的各種製作方式，有很多是由成熟、可製作大量且微小之微電子／IC 製程技術衍生而來；在材料上，則大部分以矽質材料為主。因而目前微感測器大部分為矽質感測器 (silicon sensor)。在矽基板上製作的另一個好處是，可將電路也製作在同一晶片上，即積體化 (integration)。然而，對很多種類的感測器而言，矽質本身並不是最佳的材料，因此可搭配其他功能性材料，製作於矽基板上，以達到感測的功能。例如鍍上 $PbTiO_3$ 焦電材料可感測紅外線、PZT 壓電材料可感測聲波或用以產生表面聲波 (SAW)、SnO_2 薄膜可感測各種氣體以及酵素與抗體等，以感測各種生化現象。因此微感測器之定義，廣義來說，只要比傳統感測器小得多，一般在毫米 (mm) 範圍以下，應該就算是微感測器；而狹義的定義，單純是指矽質感測器而言。

　　若能將以上這些功能性材料以薄膜之形式，與微機電之 3D 微結構，如懸樑、橋、懸膜、通道與閥門等結合，將可提供性能更優異的微感測與微致動應用。本節首先針對感測材料之特性，做綜合性之探討，再對這些功能性材料應用於微機電產品之研究，舉例說明之。

5.4.2 微感測材料之特性

　　一般外界環境之影響不外乎是熱、電、磁、輻射、機械與化學等六大類刺激，感測材料是對此六大類中之一種或多種刺激具有特別好的反應，其反應亦不外乎此六大類。刺激與反應之間的關係，即為其效應 (effect)，如表 5.14 所示[98]。

　　在現今積體電路發達的時代，如果一種材料可以直接將非電參數轉變 (感測) 成電的信號，那麼在控制電路或資料的處理上，將最為省事，成本最低。所以表 5.14 中第四欄的效應，如機→電的壓電效應、壓阻效應與電阻效應 (應變規)；熱→電的熱電效應與焦電效應；磁→電的霍耳效應與磁阻效應；輻射→電的光伏效應 (photovoltaic effect) 與光導效應

表 5.14 感測效應[98]。

訊號 (Signal)	機械 (Mechanical)	熱 (Thermal)	電 (Electrical)	磁 (Magnetic)	輻射 (Radiant)	化學 (Chemical)
機械 (Mechanical)	(流體) 機械與聲波效應 (如：懸膜，重力天平，回音測探器)	摩擦效應 (如摩擦熱量計) 冷卻效應 (如熱流計)	壓電性 壓阻性 電阻、電容及電感性效應	磁－機效應 (如：壓磁效應)	光彈性系統 (應力引起雙折射) 干涉儀 Sagnac 效應 都卜勒效應	
熱 (Thermal)	熱膨脹 (雙金屬帶，液體在玻璃與氣體溫度計，共振頻率) 輻射計效應 (光魔輪)		Seebeck 效應 熱阻性 焦電性 熱 (Johnson) 雜訊		熱－光效應 (如：液晶中) 輻射放射	反應活化 (如：熱分解)
電 (Electrical)	電動學與機電效應 (如：壓電性，靜電計，安培定律)	焦耳 (電阻) 加熱 Peltier 效應	集電器 Langmuir 探測器	Blot-Savart's 定律	電－光效應 (如：Kerr 效應，Pockels 效應) 電發光	電解 電遷移
磁 (Magnetic)	磁－機效應 (如：磁伸縮性磁力計)	熱－磁電效應 (如：Righi-Leduc 效應) 電－磁效應 (如：Ettingshausen 效應)	熱－磁效應 (如：Ettingshausen-Nernst 效應) 電磁效應 (如：霍耳效應，磁阻性)		磁－光效應 (如：法拉第效應) Cotton-Mouton 效應	
輻射 (Radiant)	輻射壓	輻射熱測定器 熱堆	光電效應 (如：光伏效應，光導效應)		光折射效應 光雙穩定性	光合成 分解
化學 (Chemical)	濕度計 電鍍池 光聲效應	熱量計 熱傳導池	電位計 傳導計 安培計 火焰離子化 電量效應 氣體敏感場效應	核磁共振	(放射與吸收) 光譜 化學發光	

(photoconductive effect)；化學→電的位能效應與化學場效效應 (chemFET) 等最被普遍使用，其中大部分已經有商業化產品。

晶體物理各性質之間的關係中，有一種稱為黑格曼關係圖 (Heckmann diagram) 的圖形，可清楚地說明電場、應力與溫度之間的許多效應，如圖 5.20 所示[99]。這些效應中，有些可以用於感測器，如正壓電效應、焦電效應；有些則可以用於致動器，如逆壓電效應、熱膨脹效應 (利用兩層不同熱膨脹係數材料) 等。將此圖延伸，加上磁性之物理特性，亦可得到類似的效應圖，如圖 5.21 所示。在光之效應方面，電壓、磁性、溫度與應力等特性均

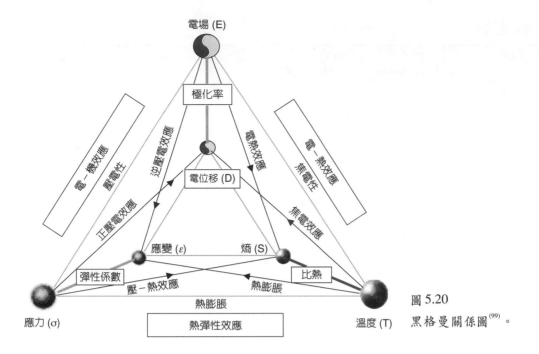

圖 5.20
黑格曼關係圖[99]。

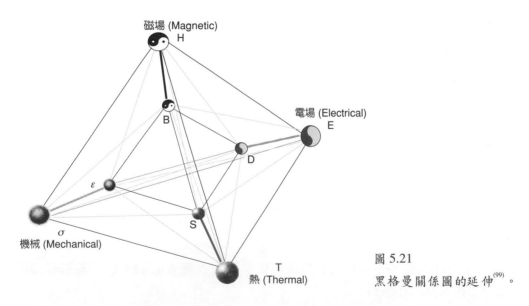

圖 5.21
黑格曼關係圖的延伸[99]。

可以影響晶體之折射率指標 (optical indicatrix)，分別稱做電－光 (electro-optic)、磁－光 (magneto-optic)、熱－光 (thermo-optic) 與壓電－光 (piezo-optic) 效應，這些效應均可當作感測作用來應用。

　　在晶體中，有些效應與晶體之種類及方向性無關，有些效應則與晶體之種類、方向性及軸向性 (axial) 有很大之關係。與方向性及軸向性之關係，一般需以張量 (tensor) 來表示，

表 5.15 為各級張量之轉換律 (transformation law) 與例子[99]。轉換之目的在幫助決定晶體對稱性對效應之影響、計算任一方向特性之大小與特性之幾何描述等。譬如，經由轉換得知，具有中心對稱 (centro-symmetric) 之晶體是不具壓電效應的。表 5.16 所列為具某些物理特性之代表性材料[100]。

表 5.15 各級張量之轉換律與例子[99]。

等級	極性	軸向性	轉換律
零級 (zero)	比熱	旋轉性 (Rotatory power)	$T' = T$
第一級	焦電性	焦磁性 (Pyro-magnetism)	$T'_i = \lvert \alpha \rvert\, a_{ij} T_j$
第二級	熱膨脹	磁電性 (Magneto-electricity)	$T'_{ij} = \lvert \alpha \rvert\, a_{ik} a_{jl} T_{kl}$
第三級	壓電性	壓磁性 (Pizeo-magnetism)	$T'_{ijk} = \lvert \alpha \rvert\, a_{il} a_{jm} a_{kn} T_{lmn}$
第四級	彈性	壓電－迴轉性 (Piezo-gyrotropy)	$T'_{ijkl} = \lvert \alpha \rvert\, a_{im} a_{jn} a_{ko} a_{lp} T_{mnop}$

$\lvert \alpha \rvert$：Handedness $= \pm 1$。

表 5.16 各物理特性之代表性材料[100]。

物理性質 (Physical Properties)	代表性材料
焦電性 (Pyroelectric)	TGS、PVDF、PZT、$PbTiO_3$ 等
壓電性 (Piezoelectric)	PVDF、Quartz、ZnO、AlN、PZT、$PbTiO_3$ 等
鐵電性 (Ferroelctric)	$BaTiO_3$、PZT、$PbTiO_3$ 等
鐵磁性 (Ferromagnetic)	α-Fe、Co、Fe_3O_4
反鐵磁性 (Antiferromagnetic)	α-Fe_2O_3、Cr_2O_3
焦電磁性 (Pyromagnetic)	Co、$Gd_3Fe_5O_{12}$
磁電性 (Magnetoelectric)	Cr_2O_3
壓磁性 (Piezomagnetic)	CoF_2
鐵彈性 (Ferroelastic)	$Pb_3P_2O_8$、ZrO_2
鐵雙彈性 (Ferrobielastic)	SiO_2
鐵雙電性 (Ferrobielectric)	$SrTiO_3$
鐵雙磁性 (Ferrobimagnetic)	NiO
鐵彈電性 (Ferroelastoelectric)	NH_4Cl
鐵磁電性 (Ferromagnetoelectric)	Cr_2O_3
鐵磁彈性 (Ferromagnetoelastic)	$FeCO_3$
霍爾效應 (Hall effect)	Si、InSb
熱磁效應 (Thermomagnetic effect)	Si
熱差電性 (Thermoelectric)	Bi-Sb、Bi_2Te_3、PbTe、Si-Ge 等
壓阻效應 (Piezoresistive effect)	Si、Ge、SiC 等
電光效應 (Electro-optic effect)	PLZT、$LiNbO_3$、$NaBa_2Nb_5O_{15}$ 等

　　除了應用晶體本身具有的物理特性外，另外還有利用材料微構造之控制與變化以感測外界之刺激的感測原理。譬如，氧化物薄膜之導電率會受到其表面吸附之分子影響，以及在較高溫時，會因氧之擴散入薄膜內部或由內部擴散出去而變化。利用此種因吸附氣體分子所導致之導電率變化，是化學感測器最常用來偵測氣體或化學物種之原理。眾所週知，在氧或金屬位置之晶格缺陷，如空缺或插入 (interstitial)，可以當作施體或受體用 (亦即，氧空缺及金屬插入是施體；而氧插入與金屬空缺是受體)。以 SnO_2 薄膜為例，當其在適當溫度受到較低之氧分壓時，會導致氧缺乏，使得 n 型之導電率增加。另一方面，在較低溫操作時，主要是因氣體分子在薄膜表面吸附與脫附時，所導致之表面導電率 (surface conductivity) 變化。例如，親電性較強之氧被吸附在氧化物表面時，形成電子陷阱 (electron trap)。這會導致 n 型之半導體氧化物形成電子空乏，而 p 型之半導體氧化物形成電洞累積的情形。利用此種空間電荷之調變，就可以調變氧化物表面之導電率。相同的原理也被用在多孔材料晶界電阻之調變，或金屬／半導體氧化物接面 Schottky 障層接觸電阻之調變上[101]。這些元件對氣體種類如 CO、H_2、CH_4 或 H_2O 之選擇率，可以在氧化物表面上鍍上一層催化劑，或是變化溫度以催化某一反應來改善。表 5.17 是幾種相當有潛力作為感測材料所製成之感測器的種類與操作模式[96]。在表 5.17 中，除了上述之感測原理外，正溫度係數熱敏元件則同時結合晶體之物理特性 (鐵電性，ferroelectricity) 與材料之微結構控制 (晶界障層) 來感測溫度的變化。

　　高分子材料也常用來當作感測材料，主要是測氣體、化學溶劑及溶液中離子等。測量的方法包括感測器因待測物所引起之阻抗變化 (ΔR、ΔC)、二極體特性偏移 (ΔV_{th})、共振頻率變化 (Δf_r)、電化學電池特性變化 (ΔU、ΔI、ΔR)、溫度變化 (ΔT) 與光行進／吸收／放射之變化等。以上這些變化或偏移，有很多情形是由於高分子材料與待測之氣體、化學溶劑及

表 5.17 幾種相當有潛力作為感測材料所製成之感測器的種類與操作模式[96]。

感測器型式	感測材料	操作模式
氧氣感測器	$Zr_{1-x}Ca_xO_{2-x}$	氧氣梯度造成之離子傳導
溼度感測器	$MgCr_2O_4 \cdot TiO_2$	吸附水氣分子之分解
酸鹼度感測器	RuO_2	質子與表面氧原子之反應
辛烷感測器	SnO_2	氧化錫之還原
負溫度係數熱敏電阻 (Negative temperature coefficient thermistor)	$Ni_{1-x}Li_xO$	溫度引起之大電阻變化的 p 型半導體
正溫度係數熱敏電阻 (Positive temperature coefficient thermistor)	$Ba_{1-x}La_xTiO_3$	由鐵電變態 (ferroelectric transition) 修正之半導體特性
變阻器 (Varistor)	$ZnO\text{-}Bi_2O_3$	薄的絕緣晶界的穿隧效應
磁阻 (Magnetoresistor)	$La_{1-x}Ca_xMnO_3$	磁變態／電阻變化

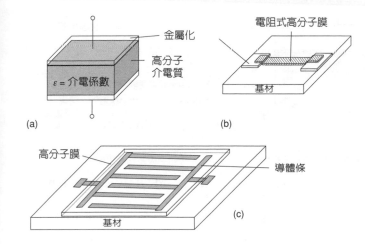

圖 5.22
使用高分子材料的阻抗式感測器原理
示意圖。(a) 片狀電容器的結構,(b)
薄膜電阻的結構,(c) 片狀電容器與薄
膜電阻兩者的積體化結構。

溶液中離子間行物理／化學作用,而使高分子材料之物理性質發生變化而來[102]。譬如,有些高分子材料吸附或是與水氣或有機溶劑接觸時,往往會有膨脹 (swelling effect) 的現象。此種膨脹的現象,可能導致介電常數、體積或折射率的變化,因而可以用於電容式、共振式、熱卡式 (calorimetric) 或光纖式感測器。表 5.18 為阻抗式氣體感測器中,所使用高分子材料的應用特性[102]。圖 5.22 為一般使用高分子材料的阻抗式感測器 (resistive-type sensor) 的原理示意圖。圖 5.22(a) 是以片狀之高分子材料,兩面加上電極作成之電容器,可測高分子材料與氣體或溶劑接觸所產生之電容變化 (ΔC)。圖 5.22(b) 是將高分子材料在絕緣基板上作成薄膜電阻,可測高分子材料與氣體或溶劑接觸所產生之電阻變化 (ΔR)。圖 5.22(c) 是將高分子材料做在鍍有梳狀電極之絕緣基板上,可測高分子材料與氣體或溶劑接觸所產生之電阻變化 (ΔR) 或電容變化 (ΔC)。

表 5.18 阻抗式氣體感測器中高分子材料的應用特性[102]。

感測高分子	感測氣體或蒸氣	感測之量	相對變化	氣體濃度	備註
Polystyrene[103]	NO_2 in N_2	電導	1−3	10%	
Poly (AlPcF)[104]	O_2 in N_2 NO_2 in N_2	電導	2−10 3	1−8% 200 ppm	at 180°C
Polyaniline[105]	NH_3	電阻	3	1%	
Polypyrrole[106]	NH_3	電阻	0.5	1%	
Polyphenylacetylene[107]	CO_2 CO CH_4	電容	4% 3.3% 2.5%	2.7 kPa	at 100 Hz
Poly (ethylene glycol)[108]	Dimethylformamide	電容	20%	0.15%	
Poly (cyanopropylmethyl-siloxane)[108]	n-hexane、ethanol	電容	3%	0.15%	

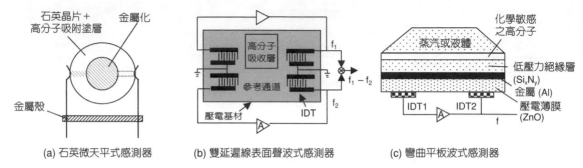

(a) 石英微天平式感測器　　　(b) 雙延遲線表面聲波式感測器　　　(c) 彎曲平板波式感測器

圖 5.23 共振式氣體感測器使用不同的共振形式以偵測氣體，(a) BAW 式，(b) SAW 式，(c) FPW 式 [102]。

　　圖 5.23 則為共振式氣體感測器 (resonant type gas sensor) 所使用的不同共振型式，以偵測氣體[102]。表 5.19 則為共振式氣體感測器中所使用的高分子材料、共振型式、偵測氣體與靈敏度特性。利用壓電性基板與上下電極設計方式，可以形成體聲波 (bulk acoustic wave) 共振，如圖 5.23(a)，其為在厚度方向共振，如一般常用之石英微天平 (quartz microbalance)。當塗佈在基板表面上之高分子感測材料吸收待測物後，會使共振頻率變化 (Δf_r)，可測得其含量。如圖 5.23(b) 為利用梳狀電極做在壓電性基板上，產生表面聲波 (surface acoustic wave)。同時製作兩組梳狀電極，在其中一組梳狀電極之間塗佈上高分子感測材料，另一組無塗佈者則當作參考基準。當塗佈有高分子感測材料吸收待測物後，與參考組比較，會有頻率變化 (Δf_r)，而可測得待測物之含量。圖 5.23(c) 同樣為利用梳狀電極做在壓電性基板上，但由於電極設計之不同，可產生彎曲平板波 (flexural plate wave, FPW)。

表 5.19 共振式氣體感測器中所使用高分子材料及其應用特性[102]。

共振型式 (Resonant type)	基板	吸附層 (Sorbent coating)	感測氣體	靈敏度 (Hz/ppm/MHz)
體聲波－石英微天秤 (BAW-QMB)[109]	石英	DMPS	Perchloroethylene C_2Cl_4	0.1 cca. 1 Hz/ppm
表面聲波 (SAW)[110]		Polycarbonate resin Polyepichlorohydrin 1.2 polybytadine	Acetone Dichloromethane Acetone Toluene	0.34 0.98 0.57 5.83
表面聲波[111]	$ZnO/Al/Si_xN_y$	DMPS	Toluene	0.028
彎曲平板波 (FPW)[111]	$ZnO/Al/Si_xN_y$	DMPS	Toluene	0.25
體聲波懸樑 (BAW cantilever)[112]	PVDF/glass		SF_6	0.025

* DMPS：Dimethylpolysiloxane

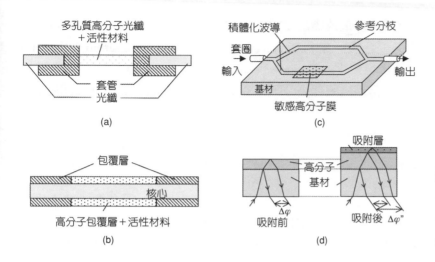

圖 5.24
光纖－光學感測器使用不同感測方法與原理以偵測氣體[102]。(a) 使用多孔質高分子為部分光纖核心的感測器，(b) 有敏感性包覆層的光纖感測器，(c) 傳輸式干涉感測器，(d) 反射式干涉感測器。

　　利用高分子材料測量光行進／吸收／放射變化等之光纖－光學感測器，其方法與原理大約可分為如圖 5.24 所示幾種。圖 5.24(a) 是利用將光纖之一段改為能吸附氣體並含有活性材料之多孔質光纖 (porous fiber)，測量吸附前後光之強度變化或衰減率。圖 5.24(b) 是利用光纖之一段包覆層 (cadding layer) 為能吸附氣體，並含有活性材料之高分子材料。同樣的，此能吸附氣體之包覆層能夠改變光之強度，得以測得氣體含量。圖 5.24(c) 與 (d) 為分別利用傳輸干涉 (Mach-Zehnder interferometry) 與反射干涉原理的感測器。表 5.20 則為光纖－光學感測器所使用的不同感測方法與原理、高分子材料、偵測氣體與靈敏度特性等[102]。

表5.20 光纖－光學感測器所使用的不高分子材料及其應用特性等[102]。

感測器型式	感測高分子 (sensing polymer)	偵測氣體	測量之量	變化／濃度	典型波長 (nm)
多孔質光纖[113]	P (MMA + TGDM) + bromocresol purple	氨氣 (ammonia)	強度 (吸收)	–4.34% /ppm	596
多孔質光纖[114]	P (MMA + TGDM) + PdCl$_2$	CO	衰減率 (decay rate)	2 ppm/ppm	630
包覆層[115]	PTFE	丙烷 (propane)	偵測極限 (detection limit)	(5% low explosive limit	No data
包覆層[116]	COP	甲苯 (toluene)	強度	–45 ppm/ppm	670
Mach-Zehnder 干涉儀[117]	DMPS	Perchloro-ethylene	強度	235 ppm/ppm	788
反射式干涉[118]	DMPS	C$_2$Cl$_4$	光程差 (optical pathlength)	0.029 nm/ppm	解析度 2.8

* TGDM：Triethylene glycol dimethacrylate，COP：Glycidoxypropylmethyl dimethyl siloxane copolymer，
　PTFE：Polytetrafluoroethylene，DMPS：Dimethylpolysiloxane。

其他常用之高分子材料包括具壓電效應之 PVDF (polyvinylidene fluoride) 與 P(VDF-TrFE) (與 trifluoroethylene 之共重合體)、駐極體 (electret) 之 PTFE (polytetrafluoroethylene) (常用於麥克風)、用於離子選擇性場效電晶體 (ion-selective field effect transistor) 中之隔膜材料 (PVC 系列) 及電化學式感測器常用之固態高分子電解質 (solid polymer electrolyte, SPE) 如 Nafion 等，種類眾多。

5.4.3 微感測材料之應用例

由於微機電系統之技術本身就是源起於利用矽半導體技術，因此，很多微機電產品之設計就是利用矽材料當作基板。矽材料除了電性以外，其機械特性也很好，很適合當作機械結構使用。很多微感測器就是將感測材料做在矽基的微結構上，以提供足夠的敏感性來偵測物理、化學或生物特性。氧化物化合物顯現各種性質，如壓電、焦電、電光、鐵磁、半導性與超導性等，對機械、光、電、磁、熱、化學與生物性質的測量特別有用[101]。將氧化物材料以厚膜或塊狀的型式製成感測器的歷史由來已久。若將這些材料以薄膜之型式，與微機電之 3D 微結構，如懸樑、橋、懸膜、通道與閥門等結合，將可提供性能更優異的微感測器。尤其是化學／氣體感測器，當感測材料作成薄膜狀放在 MEMS 微結構上時，以微熱板 (micro-hot-plate) 為例，因其熱容量小很多且熱絕緣良好，使得熱效率提高 (8 °C/mW)、升降溫更快、操作溫度更高 (500－800 °C) 及消耗功率極小 (500 μW－40 mW 相對於傳統的 1 W)[119] 等，可以說是感測器之一大改革。圖 5.25 顯示用 SnO_2 薄膜當作氣體感測層，放在微細加工的微熱板結構上，加上二極體感溫元件，構成的氣體微感測元件 [120,121]。SnO_2 薄膜是以有機金屬溶液以旋鍍法鍍於 Pt 之梳狀電極上，並經過熱處理；加熱電阻以植入之矽導線為之，最後則以體型微細加工技術由背面蝕刻成懸膜。SnO_2 氧化物薄膜之導電率會受到其表面吸附之分子影響 (較低溫時)，以及在較高溫時，會因氧之擴散入薄膜內部或由內部擴散出去而變化。如前所述，由於熱容量很小，感測層之溫度很容易隨意調整。這一點是很重要的，因為對不同種類的氣體，感測層與溫度有特別的關係。尤其是將微熱板作成橋狀以隔絕熱傳導，作成感測陣列時，陣列上每一微感測元件可控制在對某

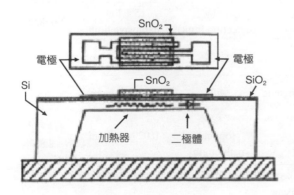

圖 5.25
由 SnO_2 薄膜氣體感測層，微細加工微熱板結構，與二極體感溫元件，構成的氣體微感測元件[120]。

一氣體有特別關係的溫度,大大增加對氣體之選擇性。此種選擇性之改善,對於電子鼻、電了舌等分辨氣味與味道的準確性,在電路上提供更大的方便。

　　以半導體氧化物薄膜在高溫時與氧的平衡關係,可以用來測量氧分壓,成為氧氣感測器。同樣地,氧化物薄膜之導電率會受到高溫時氧之擴散入薄膜內部或由內部擴散出去而變化。由缺陷化學 (defect chemistry) 模型,可以導得氧化物薄膜之導電率 (σ) 與氧分壓 (P_{O_2}) 之關係:

$$\sigma = C \exp\left(-\frac{E_A}{kT}\right) P_{O_2}^{1/m} \tag{5.3}$$

其中,C 為常數,E_A 為傳導活化能,k 為波茲曼常數,T 為絕對溫度,$1/m$ 為斜率,而 m 即為感測氧氣的靈敏度。當 $m = -6$ 時,傳導發生機構與施體之氧空缺二次游離化 (V_O) 缺陷有關。當 $m = -4$ 或 $= +4$ 時,傳導發生機構與受體之金屬空缺缺陷有關。由何種缺陷主導,與材料、氧分壓及摻雜物有關。表 5.21 為各種不同氧化物薄膜作成之氧氣感測器之靈敏度、活化能與操作溫度[122]。

　　高分子材料用於微感測器之感測材料研究,也是相當普遍。如表 5.18 到表 5.20 內所示之材料種類與感測氣體／液體之種類,相當廣泛。所用之感測原理,也相當多,如圖 5.22 至圖 5.25 所示。

　　Fujioka 等人以 Nafion 固態高分子電解質 (solid polymer electrolyte, SPE) 開發 CO 氣體警報器[123],可以得到很好的效果。圖 5.26 為一氧化碳警報器之構造。SPE 除了當作電解質以外,也必須可以讓氣體滲透,同時又具有高的離子 (氫離子) 電導性,讓 CO 能順利氧化。SPE 以溶液狀態注入深的凹槽構造,然後在大氣中 100 °C 乾燥 2 小時,可使 SPE 在深凹槽壁與底部之厚度不同。其好處是薄的區域可讓 CO 氣體容易滲入,而厚 ($5-7\ \mu m$) 的區域 (凹槽底部) 可使氫離子有足夠的遷移與輸送作用。由於此兩種效應之配合,反應時間可大為減少。偵測一氧化碳濃度在 500 ppm 以內均十分線性,反應時間小於 20 s,甚低於一般之半導體式感測器 (> 2 min)。使用此固態高分子電解質,可在室溫下操作,而且不必像

表 5.21 各種不同氧化物薄膜做成之氧氣感測器之靈敏度、活化能與操作溫度[122]。

材料	靈敏度 (m)	活化能 (eV)	溫度 (K)
TiO₂	-4、-6	1.5	$973-1073$
TiO₂(Nb,Cr)	-4、-6		1273
SrTiO₃	-6、-4、$+4$	1.24	$973-1373$
Ga₂O₃	-4	1.9	$1173-1273$
CeO₂	-6、-4		$973-1373$
BaTiO₃(Nb)	-4		

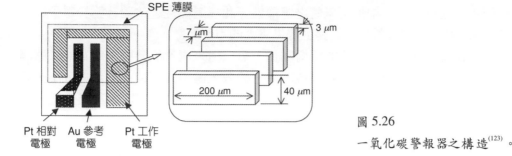

圖 5.26
一氧化碳警報器之構造[123]。

液態電解質般需重新補充。用一氧化碳當作警報器，比起煙霧警報器，可以更早期測知火警的發生。

　　焦電性是利用材料的極化隨溫度而變化的現象。由於鐵電材料之飽和極化 (P_s) 在居禮溫度以上變成零，此類材料在稍低於居禮溫度以下時應會有高的焦電係數。不同類鐵電材料之飽和極化隨溫度變化之情形，如圖 5.27 所示[124]。具二次變態 (second-order transition) 之鐵電材料，如 TGS (triglycine sulphate，變態溫度為 49 °C)，有高的焦電係數 (> 280 $\mu C \cdot m^{-2} \cdot K^{-1}$，在 20 °C)。鈦酸鍶鋇 ((BaSr)TiO$_3$, BST) 為一次變態之材料，在居禮溫度有非常陡地變態。在此溫度，雖有非常高的焦電係數，但不實用，因其具有遲滯性，且實用上環境溫度不易穩定控制。因此，一般使用溫度遠低於居禮溫度，雖然焦電係數較小，但是對環境溫度較穩定。焦電材料薄膜做在微機電之懸膜或懸樑 (beam) 的構造上，可減少熱傳導的影響，增加反應速度、感測度與靈敏度。一般紅外線感測元件的電壓響應度 (voltage responsivity, R_v)，可以下式表示：

$$R_v = \frac{\eta p A}{\omega H C} = \frac{\eta p}{C_v \varepsilon_0 \varepsilon_r \omega A} \qquad 單位：V/W \qquad (5.4)$$

其中，η 為放射率 (emissivity)，p 為焦電係數，C_v 為體積比熱 (J/cm·°C)，熱容量 H 等於

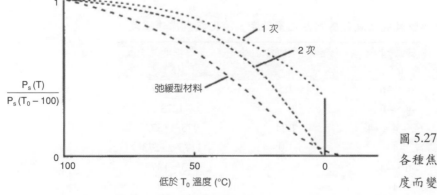

圖 5.27
各種焦電材料的自發極化隨溫度而變化的現象[124]。

C_vAt，A 為焦電材料面積，電容 C 等於 $\varepsilon_0\varepsilon_r A/t$，$\varepsilon_0$ 為真空介電係數，ε_r 是材料的相對介電常數，ω 為角頻率。

考慮雜訊時，感測度 (detectivity) D^* 為：

$$D^* = \frac{\eta p}{C_v\sqrt{\omega\varepsilon_0\varepsilon_r\tan\delta}\sqrt{4kT\sqrt{t}}} \qquad 單位：cm\sqrt{Hz}/W \qquad (5.5)$$

其中，k 為波茲曼常數，T 為絕對溫度，t 為焦電材料厚度，$\tan\delta$ 為介電損失。由 (5.4)、(5.5) 兩式，可知焦電材料最好有小的 C_v、ε_r 及 $\tan\delta$，而 p 要大，一般使用績效指數 (figure of merit) 來表示：

$$F_I = \frac{p}{C_v} \qquad 單位：C\cdot m/J \qquad (5.6)$$

$$F_V = \frac{p}{C_v\varepsilon_r}$$

$$F_D = \frac{p}{C_v(\varepsilon_r\cdot\tan\delta)^{1/2}}$$

F_I 及 F_V 各為以電流及電壓型式輸出之感度績效指數，F_D 為介電損失所引起的雜訊為主因時感測度的績效指數。材料相對介電係數 ε_r 雖說越小越好，但由於需與外部電路匹配 (matching) 的關係，某種程度的大小是必要的。對焦電材料，雖然希望有較低的居里溫度

表 5.22 各種焦電材料的性能比較。

名稱	p 10^{-8} C/cm$^2\cdot$°C	ε_r	$\tan\delta$ (%)	C_v (J/cm$^3\cdot$°C)	F_V (10^{-10}C·cm/J)	F_D (10^{-8}C·cm/J)	T_c (°C)
TGS (單晶)	3.5	38		2.13	4.3		49.5
LiTaO$_3$ (單晶)	2.3	54		3.13	1.4		618
SBN (單晶)	6.5	380		2.33	0.73		115
PbGeO$_3$ (單晶)	1.1	40	0.05	1.98	1.4	3.93	178
PT 系陶瓷	1.8	190	0.8	3.19	0.3	0.46	460
PCT 系陶瓷	3.9	200			0.61		
PZT 系陶瓷	5.0	380		2.42	0.53		220
PZ 系陶瓷	3.5	250	0.5	2.6	0.54	1.2	200
PT 薄膜	3.0	97		~3.2	0.97		
PVDF	0.4	13	1	2.4	1.3		120

TGS：triglycine sulphate，SBN：$(Sr_{0.48}Ba_{0.52})Nb_2O_6$，PT：$PbTiO_3$ 系，PCT：$(Pb_{0.76}Ca_{0.24})(Ti_{0.96}(Co_{1/2}W_{1/2})_{0.04})O_3$，PZT 系：$Pb(ZrTi)(Su_{1/2}Sb_{1/2})O_3$，PZ：$PbZrO_3$ 系，PT 薄膜：C 軸取向 $PbTiO_3$ 薄膜，PVDF：polyvinylidene fluoride。

(T_c)，以得到較大的 p。但是，同時對溫度的變化也相當大，因而 T_c 也需在某種程度的高溫較好。表 5.22 為各種焦電材料的性能比較。

由式 (5.4) 及 (5.5)，若將 A、t 縮小，即作成薄膜，可使元件之性能更好。將薄膜做在微機電之懸膜或懸樑 (beam) 的構造上，更可減少熱傳導的影響，增加反應速度。TGS 的 F_v 雖然最高，但是易裂且溶於水，故不實用。PVDF 的 p 雖然很小，但因其相當穩定、ε_r 低、導熱低，因而 F_v 高，又容易作成薄膜，因而有人將之商品化。最近，許多機構研究以鈦酸鉛 (PbTiO$_3$) 薄膜為焦電材料，製成紅外線感測元件或熱像儀。尤其是 C 軸優先取向的 PbTiO$_3$，其焦電係數大且相對介電常數較小，使其很有應用潛力。圖 5.28 顯示用微細加工的感測元件，其焦電電流比塊材高出 10 倍左右[125]。圖 5.29 則為利用面型微加工 (surface micromachining) 積體化之焦電紅外線熱像陣列示意圖，表 5.23 則為其測得的性能[126]。

Koller 等人研究利用聲波來測定液體的特性，如密度與黏度等，如圖 5.30 所示[127]。其為利用壓電薄膜上之一組柵狀電極產生一聲波於懸膜上，而第二組柵狀電極即利用逆壓電效應偵測此聲波受到所接觸液體而改變之相速度與振幅。此兩項參數與所接觸液體之密度與黏度有關。結果顯示此種元件可得到最小為 20 dB 之插入損失。由於此種元件具有尺寸小及反應快等優點，而可應用於線上監測流體之黏度[127]。其所用的懸膜，由 4.6 μm Si、0.1 μm SiO$_2$、0.6 μm Al、2.4 μm ZnO 及兩組 0.3 μm Al 的柵狀電極組成。壓電層之厚度，經由最佳化以得到最大的耦合效率。ZnO 壓電層也可改用 PZT 等壓電係數更高的材料。

與矽微細加工結合之壓電感測元件，早在 1985 年就研究用於超音波感測器[124]。如圖

表 5.23 所測得積體化焦電紅外線熱像陣列之性能[125]。

在多晶矽上的 PbTiO$_3$ 材料性質	
膜厚	0.36 μm
相對介電常數	200
焦電／熱感應	90 ± 5 nC/cm$^2 \cdot$ K
電容	4.4 pF
薄膜電阻率	> 1 × 10^9 $\Omega \cdot$ cm
介電損失 (30 Hz)	0.020 ± 0.005
NMOS 積體電路特性	
設計規則	3 μm
起始電壓，V_t	−0.8 V
氧化層的電容，C_{ox}	138 nF/cm^2
電子移動率	400 cm^2/V $\cdot$ s
電晶體數	≈ 10000
電晶體良率	100%
績效指數 (30 Hz)	
黑體電壓感度	1.2 × 10^{-4} V/W
電壓雜訊	0.3 ± 0.1 μV/$\sqrt{\text{Hz}}$
感測度 (D^*)	2 × 10^8 cm $\cdot \sqrt{\text{Hz}}$/W

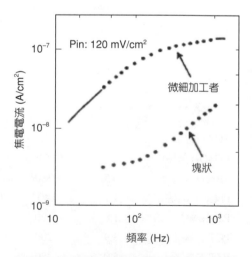

圖 5.28 具微機電構造感測元件之焦電電流與塊材的比較[125]。

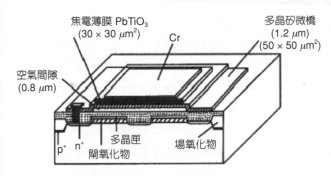

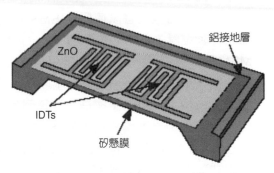

圖 5.29 利用面型微細加工積體化焦電紅外線熱像儀
陣列之示意圖[126]。

圖 5.30 利用聲波之流體特性監測元件之截面
圖，流體直接接觸懸膜[127]。

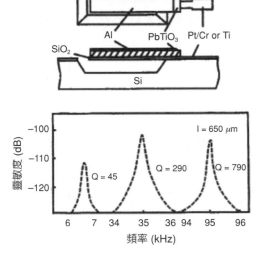

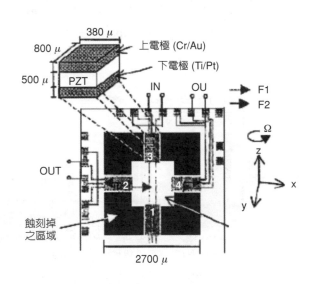

圖 5.31 與矽微細加工結合的超音波感測
元件示意圖與頻率之響應[125]。

圖 5.32 利用壓電薄膜 TE 振動型式的微陀螺儀
(microgyroscope) 示意圖[128]。

5.31 所示，其為將 PbTiO$_3$ 薄膜鍍在矽微細加工之懸臂樑 (cantilever beam) 上。圖中也顯示其頻率之響應。圖 5.32 為一利用壓電薄膜 TE 振動型式的微陀螺儀 (microgyroscope) 示意圖[128]，基本上為掛有一質量塊的懸臂樑構造。操作上，係將 **1** 及 **3** 的壓電微致動器以 AC 輸入信號振盪 (y 方向)。如果微陀螺儀平行 xz 平面且以 z 軸為中心旋轉，則 **2** 與 **4** 之壓電感應懸臂樑會承受 y 方向的速度。此方向的速度與旋轉率的向量乘積，即產生一所謂的科氏力 (Coriolis force) 於 x 方向上。**2** 與 **4** 懸臂樑上之壓電薄膜感應到此剪切應力，而在 y 方向之上下電極間產生電壓變化，因而可以測量得到旋轉速率及大小，當做陀螺儀用。此微陀螺儀可在 0.3 VAC 下振盪，而且非常適於可攜式產品上。所測得之靈敏度為 30.8 μV/V/(°/s)，測量範圍為 150°/s (在 73.8 kIIz 共振頻率下)。總面積大小為 2.7 mm × 2.7 mm。

　　最近，有些人嘗試使用 MEMS 技術製作麥克風與微揚聲器[129-131]，希望能應用於助聽器、行動電話、個人數位助理 (personal digital assistant, PDA) 與耳機等。壓電薄膜材料與 MEMS 結構結合，是其中相當可行方式之一；好處包括可將麥克風做在電路的旁邊、尺寸控制佳、微小化及可以批量生產以降低成本等。Lee 等人[131] 利用應力平衡之多層結構作成平坦的懸樑，平坦的懸樑是為了達到麥克風之高靈敏度與微揚聲器之高音量輸出所必需的條件。其平衡之多層結構如圖 5.33(a) 與 (b) 所示，在經過背面體型微細加工之後，除了 ZnO 與 Al 電極層以外，在製作氮化矽 (silicon nitride)、多晶矽與三層 LTO 時，均在懸樑兩面同時為之 (因 CVD 製程)，並不去除。為了保護懸樑在釋放及切割時不會被破壞，在其背面再鍍上一層 0.5 μm 厚之 Al。由於 Al 層本身具有殘餘應力，太厚時 (1.5 μm 以上) 反而會破壞懸樑，太薄時 (0.3 μm 以下) 則又不能達到正面切割時之保護作用。所測得之麥克風靈敏度，在低頻時幾乎不太變化，其值為 3 mV/μbar；此值逐漸隨頻率增加而增加至最低共振頻率 (890 Hz) 時之 20 mV/μbar。在 2 cm^3 耦合器與 4 V (zero-peak) 驅動之下，在 890 Hz 時微揚聲器之輸出達 75 dB 音壓位準 (sound pressure level, SPL)。在 4.8 kHz、6 V (zero-peak)

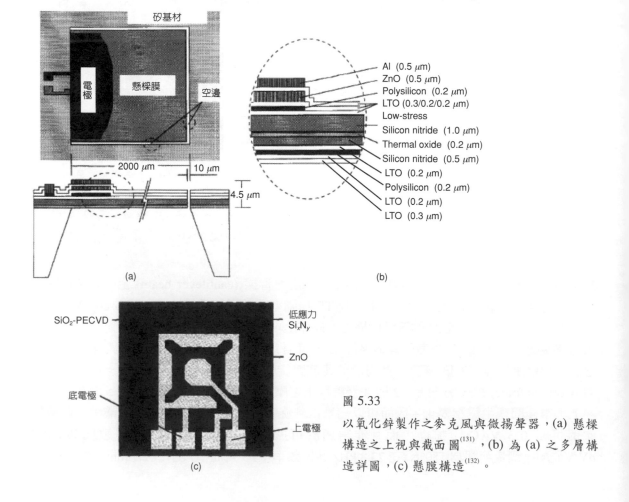

圖 5.33

以氧化鋅製作之麥克風與微揚聲器，(a) 懸樑構造之上視與截面圖[131]，(b) 為 (a) 之多層構造詳圖，(c) 懸膜構造[132]。

驅動之下，微揚聲器之輸出可達 100 dB 音壓位準。Ko 等人以 0.5 μm 厚的氧化鋅 (ZnO) 薄膜鍍在 1.5 μm 厚之低應力氮化矽懸膜上，如圖 5.33(c)[132]。麥克風與微揚聲器為由此 $3 \times 3 \times 0.003$ mm^3 大小之壓電懸膜作成。在 7.3 kHz / 15 V$_{P-K}$ (zero-peak) 情形下，懸膜中間之最大變形量達 1 μm。所測得微揚聲器之音壓量，在 15 V、7.3 kHz 時為 76.3 dB SPL，在 13.3 kHz 時為 83.1 dB SPL。參考麥克風與壓電微揚聲器之距離為 1 cm，壓電麥克風之靈敏度則為 0.51 mV/Pa (在 7.3 kHz 時)，雜訊為 18 dB SPL。以有機壓電材料薄膜，如 PVDF 或 P(VDF/TrFE)，結合矽微細加工結構，也被嘗試作為微小麥克風之用[133,134]。所得 1 mm^2 懸膜大小之麥克風，靈敏度達 ~0.21 mV/Pa，頻寬為 17 kHz，雜訊小於 54.6 dB SPL。

5.4.4 結語

　　感測材料的種類繁多，除了利用感測材料之晶體性質 (表 5.14 中各種效應，即功能性材料) 以外，還可利用材料之微構造控制與變化來感測外界之刺激。微感測器就是將以上這些功能性材料，以薄膜之型式，與微機電之 3D 微結構，如懸樑、橋與懸膜等結合，提供性能比塊狀或大型元件更優異的感測器應用。對特定之設計、製程或應用，需選擇適當的感測材料，並不是每一種材料都可達到需求。

5.5 微致動材料

5.5.1 簡介

　　自從 1989 年 Fan 等人發表可動作之微小馬達以來[135]，人們就開始研究開發各式各樣的微致動器。Fan 等人所製造之微小馬達是以靜電方式來驅動，所使用的材料則是以傳統半導體材料稍加修改之多晶矽。以多晶矽作成之微渦輪、微馬達與微齒輪等高速轉動的元件中，磨耗是最主要的失效機構。在美國 Sandia 國家實驗室 (Sandia National Lab.) 的微引擎研究中，也發現驅動軸的磨耗是最主要的失效機構[136]。而德州儀器之數位微鏡面元件 (DMD) 的鋁鏡鉸鏈 (mirror hinge) 並沒有摩擦所致之磨耗的問題，並且在經過 1.7×10^{12} 次之循環後，鉸鏈也沒有如理論上預期地發生疲勞的情形[95]，但是卻存在所謂的記憶問題 (即無法回復到原來靜止位置的現象)。

　　未來可預見之新材料需求包括高出力 (high forces)、於高溫與嚴酷環境下之穩定性與強韌之高深寬比材料結構等，同時這些新材料，必須可以某種程度地與 IC 製程積體化 (如可經由黃光製程、薄膜化與批量化)，才可降低成本、商業化而普及應用。其中高出力的材料即為致動材料，這些材料包括磁性、壓電、強介電與形狀記憶合金材料等。

　　經過多年的研究，發現利用靜電與熱膨脹係數不同之原理的致動器有其限制，如力量、速度、動作與所需電壓等。因此，若能利用功能材料本身之致動性質，除可超越限制外，或可大幅簡化微機電之設計與製程，並提高微機電產品性能。

　　某些致動效應亦列於表 5.14 中之第二欄，如熱膨脹效應、壓電效應與磁致伸縮效應等。其中，前者乃利用雙金屬等兩種不同熱膨脹係數材料加熱導致彎曲致動；而後兩者則屬於材料本身之功能特性。其他常用於大型致動器之材料，還有電磁材料、形狀記憶合金、電流體 (electrorheological fluid)、磁流體 (magneto-rheological fluid) 與磁致形狀記憶合金 (magnetostrictive shape memory alloy) 材料等。但是，為了能夠與 MEMS 之微小結構積體化，上述致動材料以作成薄膜狀態為最佳。以下所介紹之致動材料為有潛力作成薄膜狀態，且可能產生相當的力量或變形量者，例如：磁性、磁致伸縮、壓電、電致伸縮與形狀記憶合金材料等。

5.5.2 微致動薄膜材料

(1) 磁性薄膜材料

　　磁性材料一般分為軟磁 (soft magnetic)、硬磁 (hard magnetic) 與磁致伸縮 (magnetostrictive) 材料等，軟磁材料具高的導磁率與低的矯頑磁場，而硬磁材料剛好與其相反。軟磁材料如 NiFe、FeSi 及 Ni-Zn-ferrite 等，硬磁材料則如 Alnico V、SmCo、NdFeB 及 Ba-ferrite 等。硬磁材料一般以永久磁鐵之型式用於揚聲器與量測儀器等，而軟磁材料一般用於變壓器、馬達或發電器等。含 1–5% Si 之 Fe-Si 合金 (矽鋼) 廣為變壓器與馬達等所使用，但是含 Si 量高時，易裂、不易成形；Ni-Fe 合金比矽鋼要來得好，但較貴。以上兩者在高頻使用時，一方面導磁率大幅下降，另一方面渦電流損失也大。因此，具高電阻率與高導磁率之 Ni-Zn-ferrite 或 Cu-Zn-ferrite 較適合高頻使用[137]。硬磁材料之代表性材料為 Alnico V，是由 Al-Ni-Co 加上 Fe、Cu 之合金組成，在 1300 °C 緩慢降溫時，產生兩種微小析出物之偏析，是產生高矯頑磁場的原因。而 SmCo 系列硬磁合金，則具非常高之飽和磁化與最高之晶體異向性。

　　目前用於 MEMS 研究的磁性材料，大部分為金屬性的 Ni 或 Fe-Ni 合金，原因是它們容易用電鍍的方式作成薄膜狀態。將磁性材料薄膜與 IC 製程積體化之技術已有人嘗試過[138,139]，以濺鍍方式所做磁性薄膜材料之結果也有人發表了，而且低導磁率的 Ni 與高導磁率的非 Ni 合金，用 LIGA 製程也可得到高深寬比的複雜結構[140]。

(2) 磁致伸縮薄膜材料

　　磁致伸縮效應為磁性材料受到磁場作用而改變形狀的現象，相反地，加應力在磁性材料上，其磁性特性變化的現象是為逆磁致伸縮效應。磁致伸縮效應與磁區方向隨磁場方向旋轉，而使得形狀改變。如圖 5.34(a) 所示，磁性體一般是由多個具自發磁化方向之磁區所組成 (磁化方向如箭頭所示，變形方向則如長方形的模式表示)；由於磁化方向不一致，整

(a)　　磁場 $H = 0$

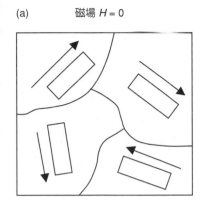

(b)　　　H ———————▶

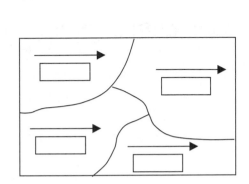

圖 5.34 磁致伸縮效應發生機構示意圖，(a) 消磁狀態及 (b) 飽和狀態[141]。

體來說是在消磁狀態[141]。此時，若加磁場的話，隨著磁區內磁化方向依磁場方向迴轉，變形的方向也隨著磁場方向迴轉，因而整個磁性體的外形就跟著變化。圖 5.34(b) 是磁化及變形方向與磁場方向完全一致的時候，此時的變形稱為飽和磁致伸縮 (λ_s)。另外，如果磁性體在磁場方向伸長的話，稱為正磁致伸縮；相反地，磁性體在磁場方向收縮的話，稱為負磁致伸縮。

利用磁致伸縮現象作為致動原理時，飽和磁致伸縮 (λ_s) 越大越好，而驅動之必要磁場越小越好。一般的磁致伸縮材料，如 Ni 或 FeAl 等之 λ_s 約為 10^{-5}，此值太小不適合產生大的位移。另一方面，具有超大 λ_s 值 (1000×10^{-6}) 之稀土類－過渡金屬 Laves 相化合物，由於具有極大之結晶磁異向性，其必要之驅動磁場又過大而不實用。而近來所開發之 $TbFe_2$ 和 $DyFe_2$ 的擬二元合金化方法，可以得到不具結晶磁異向性之非晶質構造，且具有小的驅動磁場，但有大的磁致伸縮效應，如表 5.24 所示[141]。此種材料即為著名的 Terfenol-D 磁致伸縮合金，其塊材已應用於抑制振動與高功率聲納上。Terfenol-D 磁致伸縮合金具正磁致伸縮效應，而 $SmFe_2$ 則具負磁致伸縮效應。另一特點是，此種非晶質構造很容易利用濺鍍或蒸鍍等方法作成薄膜，非常有利於作為 MEMS 微致動器之用。

表 5.24 典型的高磁致伸縮材料[141]。

組　成	狀　態	飽和磁致伸縮 λ_s ($\times 10^{-6}$)	備　註
Ni	塊材、薄膜	-30	
a-FeSiB	薄膜	$30-40$	a：非晶質構造
$(Tb_{0.27} Dy_{0.73})Fe_2$	塊材	$2000-2200$	$\langle 112 \rangle$ 方向
a-TbFe	薄膜	$250-450$	$40-50\%$ Tb
a-SmFe	薄膜	$-300--400$	$30-40\%$ Sm
a-$(TbDy)_{1-x}Fe_x$	薄膜	$300-400$	$x = 0.42-0.43$

(3) 壓電薄膜[142,143]

大部分具大出力、大位移輸出致動之材料為具有複雜晶域 (domain) 結構之鐵性 (ferroic) 陶瓷,這是因為其晶域對外加電場會有大的機械反應。壓電形變之起源,在於非中心對稱的晶體中,其極化隨電場強度變化的同時,晶格尺寸也隨之變化。若要得到大的壓電形變,必須材料全體的變形方向一致,亦即自發極化的方向需一致。因此,一般強介電陶瓷必須加以高電壓極化 (poling) 處理,讓材料中之自發極化的方向與電場一致。而非強介電性之壓電材料,如石英與 ZnO 等材料,則需為單晶或是具優選方向 (preferred orientation) 才會有壓電效應。在這些材料中,力量是與電場成正比的:

$$\varepsilon_{jk} = d_{ijk} E_i \quad (\text{張量型式}),\text{或} \tag{5.7}$$
$$\varepsilon_{j} = d_{ij} E_i \quad (\text{矩陣型式})$$

壓電性質之表示還有其他方式,其相關之詳細說明,請參考相關書籍[144]。以強介電 PZT (Pb(Zr$_{1-x}$Ti$_x$)O$_3$) 陶瓷所作成之壓電致動器,是最為廣泛使用於較大型元件之電機傳感器,如精密定位器、超音波振盪器、超音波影像、蜂鳴器、噴墨式印表頭及聲納元件等。最早用於微致動器之壓電材料為 ZnO,作為原子力顯微鏡 (atomic force microscope, AFM) 之驅動及感測機構。由於薄膜技術之進步,最近都改用 PZT 為微致動材料。因為,比起 ZnO 單晶,PZT 陶瓷的壓電係數 d_{31} 與楊氏係數較高許多 (–93 對 –5 pC/N),則元件的靈敏度也會較高。實際以溶膠－凝膠法 (sol-gel) 所得的 PZT 薄膜,用於掃描力顯微鏡 (scanning force microscope, SFM) 之力量感測及致動器,推得 PZT 薄膜的 d_{31} 為 –35 pC/N,靈敏度為使用 ZnO 時的 4.5 倍大,達 0.98 fC/nm。使用壓電材料有一好處,即同一微懸臂樑 (micro cantilever beam) 可以做為感測用,也可以做為激發 (致動) 用。與塊狀 (bulk) 材料比較起來,使用壓電薄膜時,一般是使用其 d_{31},而非 d_{33}。雖然 PZT 薄膜之 d_{31} 值 (–88 pC/N) 比起 d_{33} 值 (220 pC/N) 小許多,但是一般在平面方向之尺寸 (數百至數千微米) 要比厚度方向 (~1 μm) 大很多,因而徑向的貢獻比厚度方向的來得大。

另外,微機電系統構造的微元件,通常在 PZT 底下有 Si 基材,為了提高感測器的電壓靈敏度,壓電薄膜的最佳厚度一般為 Si 基材厚度的 1/3 到 1/2 之間 (因為靠近中心軸部分的材料對電壓靈敏度的貢獻很小)。PZT 薄膜已經可以成功地以溶膠－凝膠法或氣相沉積法製作在矽材料上,因此,以壓電薄膜與 MEMS 製程之積體化得到高出力的研究受到相當的重視。根據估算[96],壓電薄膜之出力約為靜電式出力的 6×10^5 倍。雖然壓電薄膜－電極結構之平行板構造之位移量很小 (約數奈米),但是可以犧牲部分力量,而用 PZT-Si 懸樑設計或使用在大尺寸元件常用之彎曲伸張型 (flextensional) 的彎月 (moonie) 構造來增大位移量。常用雙形 (bimorph) 構造之兩層可以都是壓電層,或一層是壓電而另一層非壓電層,如 SiO$_2$、Si$_3$N$_4$ 或 Si。如前所述,由於壓電薄膜之厚度一般小於 1 μm,平面方向多達數百微米,而

d_{33} 只比 d_{31} 大約 10 倍，因此大部分之形變貢獻應來自平面方向，而非厚度方向：

$$\Delta Z = 3d_{31}V\frac{L^2}{h^2} \tag{5.8}$$

其中，V 為所加電壓、L 與 h 分別為雙形結構之長度與厚度。上式為兩層均為壓電層時，若要讓雙形結構之頂端產生 ΔZ 的變形，則需要的力量為：

$$F = \Delta ZYb\frac{h^3}{4L^2} \tag{5.9}$$

其中，b 為懸臂樑的寬度，Y 為楊氏係數 (一般 PZT：$6-10 \times 10^{10}$ N/m^2)。表 5.25 為代表性的壓電薄膜與壓電高分子材料及其特性[141]。

(4) 電致伸縮薄膜材料

其實所有材料都具有電致伸縮 (electrostrictive) 特性，亦即加上電場時，材料之尺寸會變化，只是大部分材料的電致伸縮效應很小。電致伸縮應變量與極化量之平方成正比：

$$S_{ij} = Q_{ijkl}P_kP_l \text{ (張量型式)，或} \tag{5.10}$$
$$S_i = Q_{ij}P_j^2 \quad \text{(矩陣型式)}$$

其中 S 為應變量，Q 為電致伸縮係數，P 為極化量 (polarization)，$P = (\varepsilon_r - 1)\,\varepsilon_0 E$，$\varepsilon_r$ 為相對介電常數，ε_0 為真空介質之介電常數，E 為電場[145]。對一般材料而言，電致伸縮效應遠比壓電效應來得小，但是，如果一個材料之介電常數很高時，電致伸縮效應就與壓電效應相

表 5.25 代表性的壓電薄膜與壓電高分子材料及其特性[141]。

材　料	壓電常數 d_{31} ($\times 10^{-12}$ m/V)	備　註
PZT 塊材	$-60--400$	市售品
PZT 薄膜	-88	溶膠－凝膠法
PZT 薄膜	-49	射頻磁控濺鍍法
PbTiO$_3$ 薄膜	-4.3	射頻磁控濺鍍法
PLZT 塊材	-154	3/52/48 組成
PVDF 片	$23-30$	市售品
P(VDF-TrFE) 薄膜	12	旋鍍法
ZnO 薄膜	-5.43	濺鍍法

當。一些材料如 $Pb(Mg_{1/3}Nb_{2/3})O_3$ 與 $Pb(Zn_{1/3}Nb_{2/3})O_3$ 等，稱為弛緩型鐵電 (relaxor ferroelectrics) 材料者，其介電常數可高達 10,000 以上，因而可以有大的伸縮效應。由於弛緩型材料沒有晶域，因而不會有如壓電陶瓷般的遲滯效應，亦即當電場降至零時，弛緩型材料會回到原來的尺寸。另外，弛緩型電致伸縮材料也沒有老化 (age) 的現象。弛緩型材料有高介電常數的原因，與其具微小之無序結構有關。較小的陽離子如 Nb，在無序結構中有較大的跳動空間，對電場有較大的極化反應。圖 3.35 顯示 PLZT (7/62/38) 壓電材料與 PMN $(0.9Pb(Mg_{1/3}Nb_{2/3})O_3 -0.1PbTiO_3)$ 電致伸縮材的應變－電場曲線圖[(144)]。

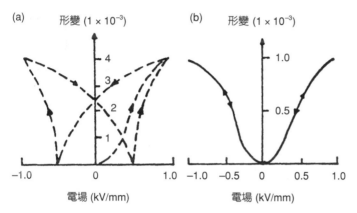

圖 5.35

(a) PLZT (7/62/38) 壓電材料與 (b) PMN $(0.9Pb(Mg_{1/3}Nb_{2/3})O_3-0.1PbTiO_3)$ 電致伸縮材料的應變－電場曲線圖[(145)]。

(5) 形狀記憶合金薄膜

某些金屬間化合物具有相當大的形狀記憶效應，此種形狀記憶效應為一變形之金屬在加熱時會恢復到其原來鐵彈性 (ferroelastic) 時之形狀。此行為是鐵彈性相變化的結果，其為由多晶域麻田散狀態 (martensitic phase) 到高溫之沃斯田相 (austenite phase) 之結構變化，如圖 3.36 所示[(141)]。形狀記憶合金從高溫之沃斯田相冷卻到 Ms 點 (麻田散變態開始溫度) 時，結晶由圖 3.36(a) 沃斯田相之體心立方晶格轉變至圖 3.36(b) 麻田散相之單斜晶格。此時，對之加以應力時，不但會與一般金屬般產生塑性變形，而且會如圖 3.36(c) 般，鄰接原子間保持平行四邊形的重疊效果連續變形。若加熱此狀態的話，就會行逆向變態，回到體心立方晶格之沃斯田相。

對 Ni/Ti (Nitinol) 及 Cu/Zn/Al 塊材而言，此效應所引起之應變可達 4.5%[(146)]。利用形狀記憶材料做致動器的優點包括：高的功對質量比 (work-to-mass ratio)、無雜訊與相當可靠等。讓形狀記憶合金變形之熱量，可由外部供給或直接供給電流讓形狀記憶合金元件發熱而得。雖然由加熱的方式驅動形狀記憶合金致動元件，在動態上可能不夠快；但是，若將其以薄膜方式製作於 MEMS 結構上，加以脈衝電流，將可大幅增加其反應速度。利用形狀記憶薄膜作致動器的額外好處包括：高的出力、大位移、小體積以及可使用與 IC 相同的電壓等。

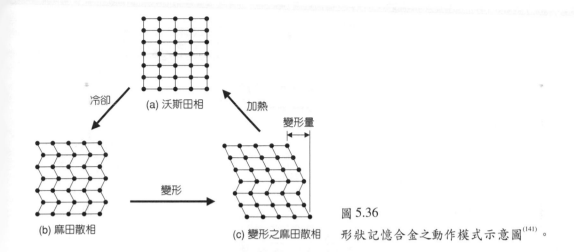

圖 5.36　形狀記憶合金之動作模式示意圖[141]。

(a) 沃斯田相　冷卻　加熱　變形量

(b) 麻田散相　變形　(c) 變形之麻田散相

以射頻磁控 (RF magnetron) 濺鍍法可以成功地製作記憶效果良好之薄膜，其回復應力可高至 600 MPa[147]。而且 Ni/Ti 合金亦適用濕式蝕刻或乾式蝕刻等半導體微細加工技術，以製作微小的構造[148]。不過，鍍膜時組成之控制與 Ti 的氧化會影響特性，必須控制正確的組成與乾淨之氣氛。

5.5.3 微致動材料之應用例

(1) 磁致伸縮微致動器

Quandt 與 Seemann 研究以 DC 磁控濺鍍法，製作 SmFe 二元系及 TbDyFe 三元系合金之非晶相磁致伸縮 (magnetostrictive) 薄膜，作為微致動器使用[148]。根據成分與濺鍍條件 (尤其是偏壓大小)，可以做出具有磁致伸縮效應之非晶相薄膜，而且可以控制容易磁化之方向 (easy axis)。對 TbDyFe 而言，在 0.1 T 磁場下，其磁致伸縮係數為 250 ppm；而在 0.5 T 磁場下，其磁致伸縮係數為 400 ppm。對 SmFe 而言，在 0.1 T 磁場下，其磁致伸縮係數可為 –220 ppm；而在 0.5 T 磁場下，其磁致伸縮係數為 –300 ppm。

將 10 μm 厚之 TbDyFe 薄膜製作於 50 μm 厚、20 mm 長之矽基懸樑上，在 0.03 T 磁場下，其變形量約可達 200 μm；在 0.05 T 磁場下，其變形量達 220 μm，如圖 5.37(a) 所示。此懸樑可在 500 Hz 下動作而仍具有相當之變形量，且經過 10^7 次變形循環，仍沒有劣化的情形發生。圖 5.37(b) 為利用兩端固定之橋式磁致伸縮微致動器，做為閥的開或關動作。

Bourouina 等人以磁致伸縮薄膜作為微致動器，而以壓阻感測器作為彎曲與扭曲偵測器，設計製作二維掃描器 (2D scanner)[149]。如圖 5.38 所示，它是由薄區與厚區組成之矽微加工懸樑，薄區是致動區，而厚區是鋁鏡之支撐區。磁致伸縮薄膜是由晶面背面方向鍍膜而成，以避免干擾正面之壓阻器與鏡面之光學性質。磁致伸縮薄膜是以磁控濺鍍法製作，

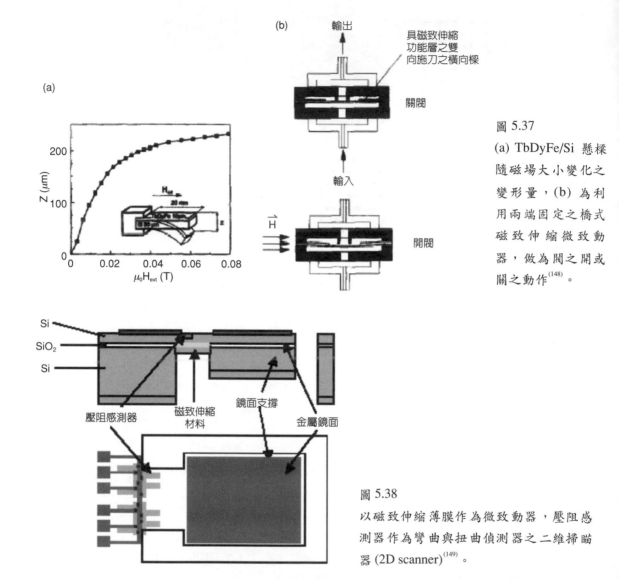

圖 5.37
(a) TbDyFe/Si 懸樑隨磁場大小變化之變形量，(b) 為利用兩端固定之橋式磁致伸縮微致動器，做為閥之開或關之動作[148]。

圖 5.38
以磁致伸縮薄膜作為微致動器，壓阻感測器作為彎曲與扭曲偵測器之二維掃瞄器 (2D scanner)[149]。

並最佳化，使微致動器可以用最低磁場激發而動作，亦即具有高的磁彈性耦合係數 (magnetoelastic coupling coefficient, b_s) 與低的飽和磁場 (H_s)。此磁致伸縮薄膜是由多層的 TbFe 與 CoFe 薄膜組成，每層厚度約 10 nm，共約 4.5 μm 厚。此多層構造材料兼具有兩種薄膜材料的優點，亦即 TbFe 大的磁致伸縮效應與 CoFe 軟磁的高磁化特性。圖 5.39 是剛鍍好及退火處理磁致伸縮薄膜的磁滯曲線[149]，顯示 250 °C 退火處理的薄膜在甚低的磁場有相當陡的斜率。250 °C 退火處理的薄膜也正好有非常低的殘餘應力。在做退火處理時，同時加上磁場，可以得到平面內 (in-plane) 容易磁化之方向 (easy axis)。

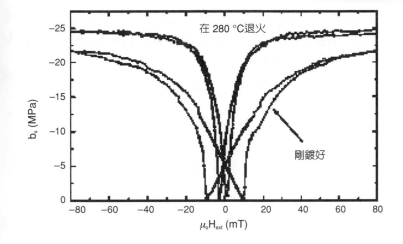

圖 5.39

剛鍍好及退火處理磁致伸縮薄膜
的磁滯曲線[149]。

(2) 壓電微致動器

壓電材料除了在微共振器 (resonator) 上做為共振之激發外,在微致動器方面的應用也一直很被看好。這些應用包括微馬達 (micromotor)、微閥 (microvalve)、微幫浦 (micropump) 及微精密定位器 (micropositioner) 等。對於元件之微小化,尤其是微機電系統元件,高能量密度之壓電材料比起以磁力或靜電力做為驅動力,更為適合。最近,利用壓電薄膜於矽懸膜上當做靜子,於其上放置轉子,經由不同電極設計產生行進波或駐波,可作成超音波微馬達。圖 5.40 為其示意圖[150]。由於壓電薄膜使矽懸膜移向彈性鰭時,鰭被壓縮而彎曲。此時,由於摩擦力的關係,鰭不滑動,而將轉子轉動。在轉子與靜子間施力 1 mN,1.1 V_{rms} 電壓下,轉速達 200 rpm,2.5 V_{rms} 下,扭力可達 35 nN。

另外一種構造可傳送固體粒子或液體的壓電微致動器,是在非常薄的懸膜 (1 μm) 上成

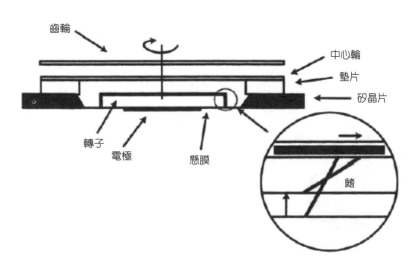

圖 5.40

微馬達之示意圖[150]。

長壓電薄膜與梳狀電極。如圖 5.41 所示[151]，其為利用 Lamb 波，即彎曲平板波 (flexual plate wave, FPW) 的原理，在超音波的頻率 (MHz) 下，將放置的物體移動，移動速度可達 20 cm/s。接上管子作為微幫浦時，可將 4 cm 距離遠的液體，以 0.25 μL/min 的流量輸送。圖 5.42 為一以壓電驅動之掃描器，基本上亦為懸臂樑之結構。使用相對大的尺寸，可在 2－4 V_{P-P} (< 1 W) 下，掃描 10－25 度。鏡子面積有 12 mm^2 及 6 mm^2 兩種，懸臂樑之尺寸為 6.8 mm 長 × 3.4 mm 寬 × 1 μm 厚，操作頻率為 100 Hz－2 kHz。另外一個較小尺寸的設計，為使用在一懸臂樑上的長方形 PZT 微致動器[153]。其微致動器的尺寸為 653 × 227 × 22 μm^3 (使用 2 μm PZT)，鏡子尺寸為 977 × 1484 × 22 μm^3，整個尺寸則為 2 × 4 × 0.4 mm^3。

　　圖 5.43 為以相對厚的 PZT 薄膜 (~4 μm) 作成的 8 × 8 陣列聲納 (sonar)，在水中測試範圍為 0.3－2 MHz 頻率[153]。結合這些微細加工傳感器與水中聲波透鏡，可以達到高解析度之聲波影像。如圖 5.43(a) 與 (b) 所示，單一傳感器為由多層之上電極層 (Ti/Pt)、介電層

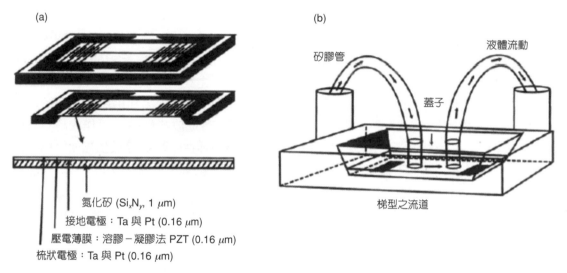

(a)

氮化矽 (Si_xN_y, 1 μm)
接地電極：Ta 與 Pt (0.16 μm)
壓電薄膜：溶膠－凝膠法 PZT (0.16 μm)
梳狀電極：Ta 與 Pt (0.16 μm)

(b)

矽膠管　　　　　　　　　液體流動

蓋子

梯型之流道

圖 5.41 (a) Lamb 波致動元件之構造，(b) 微幫浦元件原型[151]。

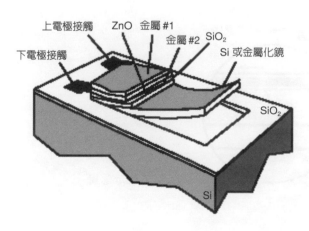

上電極接觸　ZnO　金屬 #1
下電極接觸　　　金屬 #2　SiO$_2$
　　　　　　　　　　Si 或金屬化鏡
SiO$_2$
Si

圖 5.42
壓電驅動之矽質光掃描器[152]。

(polyimide)、壓電層 (PZT)、下電極層 (Ti/Pt)、絕緣層 (SiO₂) 與體型微細加工之矽懸膜結構組成。圖 5.43(c) 為未切割前之 8 × 8 陣列晶片。所試驗結果，具 295 × 295 μm^2 懸膜大小、懸膜厚度 10 μm、PZT 膜厚 5 μm 之方形傳感器，在 0.75 MHz 下之靈敏度可達 −231 dB//1 V/μPa。高解析度之聲波傳感器可用於手提式聲納、醫用超音波影像 (3D) 及非破壞測試等。

　　超音波或音波可經「整流」或直接傳遞能量，因而可以做為一種微小致動器。體型 (bulk) 超音波已廣泛地應用在工業製程上，譬如鑽洞、清潔、電化學加工、均勻化及乳化，去除液體中的氣泡或作為霧化器等。在將其微小化後，其中一個很重要的應用領域為流體系統 (如微幫浦、閥、化學反應器、DNA 處理器等)。以下將舉數例說明之。

　　圖 5.44 為體型音波幫浦之示意圖，此種幫浦可利用不對稱的進出口大小作成無閥的幫浦，如圖 5.44(b) 所示[154]。圖 5.45(a) 為利用表面聲波 (SAW) 的線性馬達[155]。由於壓電表面粒子做橢圓狀之運動，可將與其接觸的滑板推向 SAW 傳遞的相反方向。實用上，由於 SAW 之橢圓運動位移非常小，通常需加一非常薄的液體薄膜於滑板與 SAW 之間，如此可緩和滑板與 SAW 之平坦度要求。圖 5.45(b) 與 (c) 則為 SAW 微幫浦。圖 5.45(b) 為在較低之激發振幅時，液體被反方向傳送，就如圖 5.45(a) 的滑板一樣。在較高激發振幅或液體厚度較大時，輻射流將與 SAW 同方向地傳送液體。在 127.8° Y-cut 的鈮酸鋰 (LiNbO₃) 壓電晶體上，10 MHz 的 SAW 可將水滴以 0.1 mm/s 的速度傳送 (激發電壓：80 V_{P-P})[155]。當使用的 SAW 壓電致動器為以薄膜狀態做在懸膜上時，通常可利用其柵狀電極產生的 Lamb 波來驅動物質。圖 5.46(a) 與 (b) 為對稱與非對稱的 Lamb 波[156]。如圖 5.46(c) 所示，在 2 μm 厚的

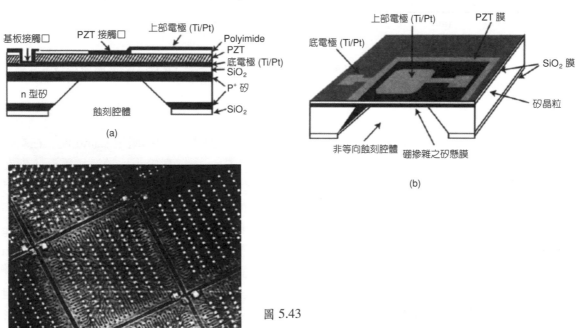

圖 5.43

以 PZT 薄膜 (~4 μm) 在矽懸膜上作成的 8 × 8 陣列聲納，(a) 截面圖，(b) 結構圖，(c) 未切割前之晶片[153]。

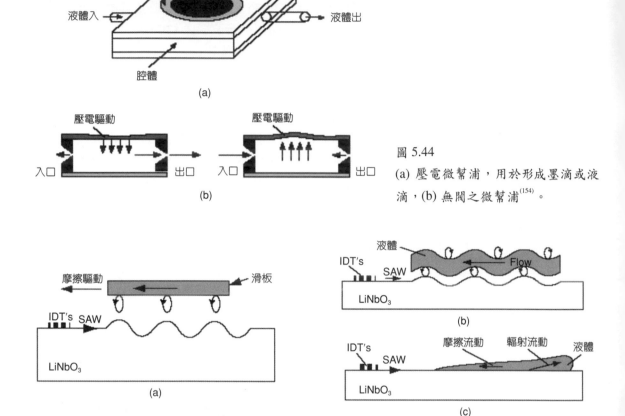

圖 5.44

(a) 壓電微幫浦，用於形成墨滴或液滴，(b) 無閥之微幫浦[154]。

圖 5.45 (a) SAW 線性馬達，(b) SAW 與液體相互作用產生摩擦流動，(c) SAW 幫浦的兩種不同驅動力[155]。

Si_3N_4 懸膜上鍍 1 μm 厚的 ZnO 壓電層與 0.4 μm Al 的柵狀電極，即可產生 Lamb 波。在空氣中，於 3.4 MHz、14 V_{P-P} 下，可達 14 Å 振幅；在水中，振幅直接正比於激發電壓，而在 2.45 MHz、16 V_{P-P} 下，達 60 Å 振幅。分散在其間之 2.3 μm 聚苯乙烯球之移動速率，在 15 V_{P-P} 下可達 10 μm/s。Mescher 等人利用 PZT 薄膜平面內 (in-plane) 驅動方式，來控制懸膜的曲率與聚焦長度，作成一種高速的可變形光學元件：雙曲聚焦鏡 (parabolic focusing mirror)[157]。如圖 5.47(a) 所示，其驅動方式是利用環狀之溶膠－凝膠法 PZT 薄膜 (2.7 μm 厚)，做在 ZrO_2/SiO_2/poly-Si 懸膜上。電極配置於平面內，亦形成環狀，如圖 5.47(b) 所示。此種配置為利用壓電薄膜的 d_{33} 而非 d_{31}，如圖 5.47(c) 所示，其好處為 d_{33} 甚大於 d_{31}，不但可調性較大，而且所形成的電容較小。不過，所使用的電壓需較高。所製作得到的可變形雙曲聚焦鏡的共振頻率可達數 MHz 範圍，焦距長度可在 1500－2000 μm 之間，光圈值約 0.10－0.05，可調範圍達數百微米。此種高速的可變形聚焦元件，提供了許多新的應用，包

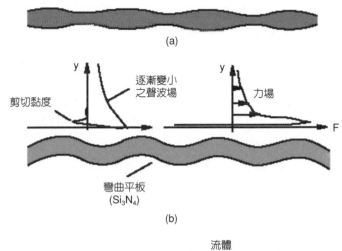

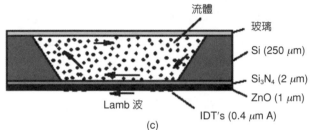

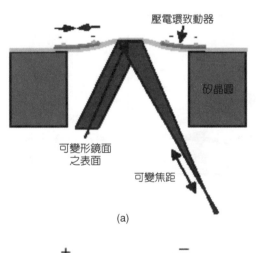

圖 5.46

(a) 對稱 Lamb 波，(b) 反對稱 Lamb 波及與懸膜接觸液體間之界面層，(c) Lamb 波微幫浦之示意圖[156]。

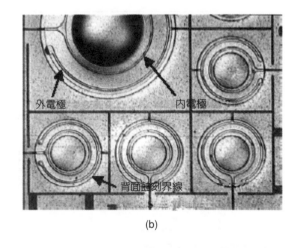

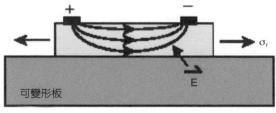

圖 5.47

(a) 可變焦鏡之截面圖，(b) 所製作兩種尺寸之可變焦鏡，鏡面為反面，(c) 利用 PZT 薄膜平面內 (in-plane) 驅動方式導致之彎曲矩截面圖。

括掃描共焦顯微鏡 (scanning confocal microscope) 中之試片高度調整、振動補償與光開關應用中有光程差變化時之瞄準 (collimation) 補正之用等。

(3) 形狀記憶合金微致動器

　　形狀記憶合金 (shape memory alloy) 具高的回復應變與致動能量密度，使其在 MEMS 的微流體應用，如微閥與微幫浦，成為特別有潛力的材料。高的回復應變可達到大的行程，而高的致動能量密度可使單位體積內有大的力量輸出。以形狀記憶合金薄膜所製作之微致動器，其性能與可回復應力、薄膜製作時所產生的應力以及溫度循環有非常密切的關係。根據濺鍍的條件不同，所鍍得薄膜會有本質性的殘餘張應力或壓應力。

　　圖 5.48 顯示[158]，由於 TiNi 與矽基板間熱膨脹係數不同，鍍膜後產生本質張應力，此張應力隨熱處理溫度之增加而減少，直到結晶產生後溫度呈緩慢增加。結晶產生時之應力緩慢增加，是因非晶形與結晶之 TiNi 間小密度差異所引起。隨後之冷卻導致之應力增加，也是因 TiNi 與矽基板間熱膨脹係數不同所致。在相轉變溫度時，應力急遽減少。此結晶之 TiNi 薄膜的沃斯田相開始溫度 (As) 約為 100 °C，而麻田散相開始溫度 (Ms) 約為 80 °C。圖 5.49 為所製作之微閥元件，在 240 kPa 操作壓力下，微閥之操作頻率可大於 4 Hz，空氣之流量為 0.17 L/min。在關閉狀態時，不會有漏氣的現象[158]。

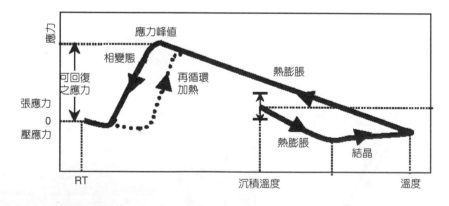

圖 5.48
形狀記憶合金薄膜之應力－溫度關係圖[158]。

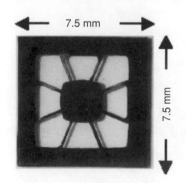

圖 5.49
以形狀記憶合金薄膜製作之微閥元件[158]。

　　另外，最近鐵磁性形狀記憶合金 (ferromagnetic shape memory alloy, FMSMA) 材料也開始被作成薄膜，嘗試應用於微機電系統[159,161]。FMSMA 材料可用熱能與磁場來引起變形：在相變態溫度範圍，外加磁場會影響相之轉變；或在麻田散狀態，磁場可同時讓磁域與彈性域重新分布。FMSMA 材料包括 FePd、FePt、NiMnGa 與 CoNiGa 等[161]。FMSMA 材料以直流磁控濺鍍法或雷射剝鍍法所製成之薄膜，顯示良好的鐵磁性與形狀記憶特性[161]。

5.5.4 結語

　　功能性的致動材料大略可分為：磁性、磁致伸縮、壓電、電致伸縮、形狀記憶合金、電流體與磁流體等種類。其中有潛力作成薄膜狀態，且可能產生相當的力量或變形量，而可作為微致動材料有：磁性、磁致伸縮、壓電、電致伸縮與形狀記憶合金材料。若能將以上這些功能性材料以薄膜之型式，與微機電之 3D 微結構，如懸樑、橋、懸膜、通道與閥門等結合，將可提供性能比塊狀或大型元件更優異的微致動器應用。對特定之設計、製程或應用，需選擇適當的致動材料，並非每一種材料，都可達到需求。

　　表 5.26 為不同致動原理之能量密度比較[162]，其中以 PZT 壓電薄膜致動器之能量密度最高，形狀記憶合金次之。表 5.27 是不同致動原理所做夾子特性的比較[163]，以位移量與夾力來說，壓電薄膜致動器與形狀記憶合金製成者差不多。如果要求速度的話，壓電薄膜致動器會比形狀記憶合金 (與熱傳有關者) 快得多。

表 5.26 不同致動原理之能量密度比較[162]。

致動原理	最大能量密度	方程式	特別驅動條件
磁性	9.5×10^5 J/m³	$1/2\ B^2/\mu_o$	1.5 T
形狀記憶效應	10.4×10^6 J/m³ (由應力－應變等溫曲線)	－	1.4 Wmm⁻³
靜電	4×10^5 J/m³	$1/2\ \varepsilon_{air}E_b^2$	3×10^8 V/m、1 μm 間距 (空氣中)
壓電	5.2×10^7 J/m³	$1/2\ \varepsilon_{PZT}E_b^2$	3×10^8 V/m、1 μm 厚度之 PZT 膜

表 5.27 不同致動原理所做夾子特性的比較[163]。

致動原理	靜電	電－熱雙形 (Bimorph)	電－熱雙形／電磁	壓電	形狀記憶效應
變形量	－	≤ 200 μm	≤ 210 μm	50－250 μm	110 μm
夾力	－	≤ 250 μN	4 nN	1－20 mN	13 mN
積體化感測器	－	✕	－	－	－
靈敏度	－	33－43 mV/V·mN	－	－	－

5.6 封裝材料

微機電封裝 (MEMS packaging) 基本上與微電子封裝非常類似，因此在其封裝種類、製程、測試及材料之選用上，幾近相仿。惟其在製程上有某些差異，如表 5.28 所列，主因乃是微機電封裝尚無一套標準規範 (standard specification) 可供依循。

微電子封裝 (IC package) 是指在電子產品製造的過程中，將各種電子元件依需要而加以組裝、連接之製程。例如將矽晶圓 (silicon wafer) 施以相關製程後，並把晶圓依所需之尺寸切割 (sawing) 而成單一個晶片 (chip)，再透過金屬線把外接訊號線連接至導線架上，並且加以包覆而成。IC 晶片必須設計與外界之電路連接，才可正常發揮應有之功能。用於封裝之材料主要可分為金屬 (metal)、高分子 (polymer) 及陶瓷 (ceramic) 等，以下將依其相關性質分別簡介[165-170]。

(1) 金屬材質

金屬封裝通常使用在微波積層模組與混合線路，因為它們能提供優異的熱消散與電磁輻射屏蔽性能。基本上，金屬封裝主要是成為封裝產品的外牆 (亦稱第三階層封裝 (3rd level packaging))，內部有陶瓷基板與晶片載台等，要注意的是金屬本身的熱傳導性、焊接性、組裝性與熱膨脹係數 (coefficient of thermal expansion, CTE) 等。高熱傳導性有助於將內部產生

表 5.28 微電子封裝與微機電封裝製程比較[166]。

項目	微電子封裝	微機電封裝
外蓋 (Capping)		●
切割 (Dicing)	●	●
黏晶 (Die bond)	●	●
焊線 (Wire bond)	●	●
預封型 (Pre-Molding)		●
後封型 (Post-Molding)	●	
密封 (Hermetic)	●	●
晶圓級接合 (Wafer bonding)		●
烘烤 (Barking)	●	●
測試 (Testing)	●	●
附著 (Stiction)		●
可靠度 (Reliability)	●	●
規範 (Standard)	●	
成本 (Cost)	低	高

第 5.6 節及第 5.7 節作者為丁志明先生及謝慶堂先生。

的熱量,藉由金屬本身傳遞出去,以保持產品系統正常運作與使用壽命。在焊接性方面,選擇使用的焊料必須注意其與產品的密封性。

金屬材質可應用的範圍有金屬基材結構、導線架 (lead-frame)、焊線 (wire)、錫球 (solder ball) 及金屬凸塊 (bumping) 等。

① 金屬基材結構

金屬基材最早的發展是在金屬電晶體 (transistor outline, TO),它具有高的控制性與可靠性。目前是使用在感測器 (sensor)、射頻微機電系統 (RF MEMS),以及微光機電系統 (optical MEMS) 之應用上,常見的金屬封裝類型如圖 5.50 所示。

② 導線架

導線架主要功用乃在於將晶粒黏在晶墊上,並藉由打線製程達到將訊號輸出到外引腳,並提供印刷電路板 (printed circit board, PCB) 工廠最後組裝之目的。換言之,它除提供訊號輸出之功用外,還保護該本體內不受外界環境之干擾。

目前有關導線架之設計與生產已非常普遍,就國內這幾年所開發的技術而言,並不會與國外相差太大。一般生產方式有兩類:衝壓式 (stamping) 及蝕刻式 (etching)。

衝壓式是採用在帶材上衝出成品再電鍍的方式,由於鑄造模具的固定成本相當高,特別是高腳數的開發成本,應用於量大而腳數 100 pins 以下的產品,因此在未來較不受「球陣排列 (ball grid array, BGA) 封裝」興起的影響。其生產方式快速、價格低廉,惟其缺點是無法製作高腳數、小尺寸之成品,且因為是冷加工成形,在封裝製程中必須考慮是否會超過該材料的再結晶溫度 (一般為 50 °C 到 600 °C),而導致產生相關物理與機械特性之變化。

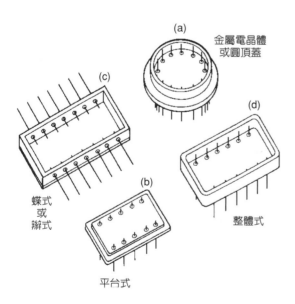

圖 5.50
常見的金屬封裝類型。

　　另一種為蝕刻方式，是利用化學品蝕刻板材後電鍍而成，不似衝壓法需要鑄模，因此固定成本較低，且能蝕刻出較細的導線架，但是單位變動成本較高，適合少量多樣、高腳數的 IC，未來 BGA 封裝興起後，可望降低成本。近來普遍應用在覆晶封裝 (flip chip, FC)、BGA 及 QFN (quad flat no-lead) 等產品。另外，常用在需要半蝕刻 (half etching) 產品的導線架上，藉以提升與高分子之結合力，其蝕刻之深度約為該導線架厚度的 1/3 到 1/2。

　　在其材質上，目前有銅基材與合金 (alloy 42) 等。在銅基材方面，表面可鍍上不同成分元素，例如一般導線架會鍍上鎳 (Ni) 與銀 (Ag) 元素，鍍鎳層主要是防止銅原子的擴散及增加表面硬度，而鍍銀層可以減緩氧化並增加導電係數等。

③ 焊線

　　焊線目前分為兩種，一為金線 (gold wire)，另一種為鋁線 (aluminum wire)。而焊線主要目的是要將晶粒 (die) 上的訊號接點 (bond pad)，以金屬線 (通常是金線或鋁線) 連接到導線架的內引腳 (inner lead)，藉此將 IC 的訊號傳輸到外界。焊線時，以晶粒上的接點為第一焊點，內引腳上的接點為第二焊點。首先將金線的端點施以電弧而燒結成一個小球，而後將此小球壓焊在第一焊點上，接著依設計好的路徑再將金線拉焊在第二焊點上，同時並拉斷第二焊點與焊線機焊針間的金線，完成一條焊線，依此步驟，可將 IC 上的所有金線焊接完畢。圖 5.51 為球形焊線接合及楔形焊線接合示意圖。

　　一般常用打線材料為金線，金 (Au) 的熔點為 1063 °C，矽 (Si) 的熔點為 1415 °C，而 Au/Si 合金之熔點為 380 °C，並且金擁有較佳的熱傳導性與導電性。但在需要較低溫度時，鋁線較金線為佳，另外在成本上鋁線亦較低，惟其黏著強度與電性傳輸較金線為差，在低階產品的使用上是非常適合的，例如智慧卡 (smart card) 等。

　　在打線構型 (configuration) 時，會發生如打焊線跨距 (wire bond span) 過長 (如大於 2.5 mm)、打線方向垂直於封膠流動方向、線徑過細，以及焊線的硬度不夠等問題，比較嚴重的是金的延展性佳但彈性差，稍微大的變形就進入塑性變形區，無法回彈，因此會造成金線偏移 (wire sweep) 的現象。因此在高腳數、高密度及小尺寸時，例如覆晶接合和捲帶式自動接合 (tape automated bonding, TAB)，一般打線方式並不適用。

④ 錫球

　　此種材料一般使用在 PCB 工廠與 BGA 產品中，在 PCB 工廠中主要功用為封裝後之產品與電路板線路之黏著物，而 BGA 產品中則為外部之輸出端。近年來由於環保意識高漲，在導線架上亦有所謂無鉛 (lead-free) 之研究與推行，主要為歐洲與日本等國，一般會再鍍上鎳 (Ni)、鈀 (Pd) 及銀 (Ag) 等元素，其製程上需考慮該種材料在打線的可靠性、封膠 (molding) 之模流問題，以及與 PCB 之組裝黏著性等問題。

　　目前無鉛產品之種類亦趨於商業化，已研究開發的新產品特性如表 5.29 所列。因此從

表 5.29 各種無鉛焊材之比較。

項目／合金	Sn-3.5Ag	Sn-Ag-Cu	Sn-Ag-Cu-Sb	Sn-0.7Cu	Sn-Bi-Ag	Sn-Zn-Bi
熔點／製程	5	3.5	3.5	6	2	1
提高阻抗	2.5	2.5	2.5	2.5	5.5	5.5
焊接能力	4	2	3	5	1	10
製程能力	3	1.5	1.5	5	4	10
可靠度	3	1.5	1.5	4	5	6
重工性	2.5	2.5	2.5	2.5	5	6
成本	4.5	4.5	4.5	1.5	4.5	1.5
合金效益	1.5	3	4	1.5	5	6
總評分數	26	21	23	28	32	46
平均分數	3.3	2.6	2.9	3.5	4.0	5.6

註：1. 1－5：Good；6－9：Poor；10： Bad
    2. 建議的範圍：3.4－4.1 %Ag + 0.45－0.9 Cu。
       典型的組成：2.5 Ag、0.8 Cu、0.5 Sb。

(a)

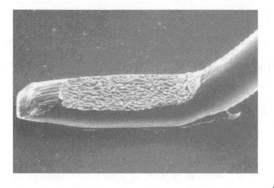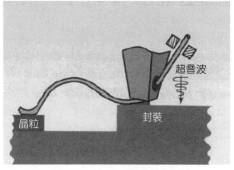

(b)

圖 5.51 (a) 球形焊線接合，(b) 楔形焊線接合。

材料的觀點可知，添加 Ag、Sb、Bi 等元素乃在於增加其強度，而添加 Sb、Bi 或 Cu 等元素旨在降低熔點、表面張力。最後，添加 In、Ga、Bi、Zn 等元素主要是為影響其熔點。

⑤ 凸塊

　　在晶圓上所長的金屬凸塊，每個凸點皆是 IC 訊號接點。金屬凸塊多用於體積較小的封裝產品上，例如錫鉛凸塊不使用傳統打線、引腳技術，適合高腳數 IC 產品封裝。凸塊種類有金凸塊 (gold bump)、共晶錫鉛凸塊 (eutectic solder bump) 及高鉛錫鉛凸塊 (high lead solder bump) 等，圖 5.52 為金凸塊與錫鉛凸塊之示意圖。另外，其製程技術尚包括 UBM (under ball metallurgy)、微影、電鍍 (plating 或 electroless plating) 及鋼版印刷 (stencil printing) 等技術。

　　金凸塊主要應用在 LCD 的驅動 IC 產品中，除了 TCP 外，還包括 COG (chip on glass) 與同屬捲帶式自動接合 (TAB) 技術的 COF (chip on film)。錫鉛凸塊則使用在覆晶技術上，應用範圍包括高頻高腳數的 FC-BGA、可攜式高腳數的 FC-CSP 或 DCA (direct chip attach)。

　　從 1964 年 IBM 的 C4 (controlled collapse chip connection) 推出後，金屬凸塊之應用亦延

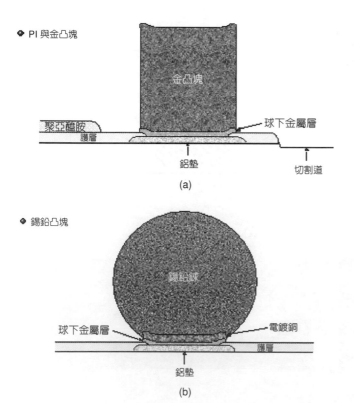

圖 5.52

(a) 金凸塊之示意圖，(b) 錫鉛凸塊之示意圖。

續不衰,一直到現在的 TAB 及 COF 等產品。而凸塊的組裝過程因基板為有機塑膠,熔點溫度低於 210 °C,所以組裝溫度需小於 250 °C (Sharp 使用)。另外 IBM 與 Motorola 則在底材上印上共晶塗料 (eutectic solder paste),俾利於晶片與基板之結合能力。

目前應用最為廣泛之金屬凸塊係金凸塊 (Au bump) 及錫鉛凸塊 (Sn-Pb bump),金凸塊 95% 使用於 LCD 驅動 IC 之封裝,其餘 5% 則使用於智慧卡 (smart card) 與國民卡等產品;錫鉛凸塊的應用範圍則相當廣泛,自極高腳數到低腳數之 IC 皆有使用,其可滿足高電性、高散熱、高可靠性及輕、薄、短、小等功能,應用之產品包括電腦產品、通訊產品、汽車工業及消費性產品等。

(2) 陶瓷材質

陶瓷封裝之發展已有三十多年歷史,亦為早期主要之封裝方式。由於陶瓷封裝成本高,組裝不易自動化,且在塑膠封裝品質及技術不斷提升之情形下,大部份業者皆已儘量避免使用陶瓷封裝。然而,陶瓷封裝具有塑膠封裝無法比擬之極佳散熱能力、可靠度及氣密性,並可提供高輸出/入接腳數,因此適合要求高功率及高可靠性的產品。

陶瓷材料,特別是使用在微電子與微機電上者,具有低質量、量產化及低成本等優點,更可以做成密封且容易做成陶瓷電路板。再者,積層陶瓷封裝也可以使系統尺寸與成本降低,以及整合微機電系統的訊號與其他相關元件連結。目前較通用的薄膜積層封裝 (thin film multi-layer packages) 有兩種製程方法。一是類似低溫共燒陶瓷法 (low temperature co-fire ceramic, LTCC) 的製程方式,使用薄片高分子一起疊壓,除了最上層需要燒結外,其他每層典型厚度約為 25 μm。另一類仍然是使用高分子,利用旋轉盤 (spin coater) 將高分子滴入載台上的基板,而每層厚度為 1－20 μm。當使用兩種高分子時,相關介電常數從 2.8 到 3.2,當膜愈薄則介電常數值愈低。

這類封裝在可靠度上有幾個問題;其一是陶瓷材料經燒結後會有微量收縮,如果該產品屬於密封封裝,將會造成產品失效。另一為陶瓷與金屬的黏著力比陶瓷與陶瓷來得弱。再者是陶瓷特性與高燒結溫度,易造成產品之金屬線有位移或擴散的現象。

目前使用在微機電封裝中,較為熟知的陶瓷材料有氮化硼 (CBN) 與氮化鋁 (AlN)。氮化鋁為六方纖維鋅礦 (wurtzite) 結構,與氧化鋁比較,它有極為優良的熱傳導率 (230 W/m°C)、較低的介電係數 (約 8.8)、與矽相近的熱膨脹係數 (3.3×10^{-6}/°C),也因為它能與各種薄/厚膜金屬化製程相容,故在電子封裝中應用相當廣泛。氮化鋁粉體通常是利用碳熱還原法 (carbonthermic reduction) 或鋁直接氮化反應所製成,粉體製成後,再以熱壓成形 (hot pressing) 或無壓力式燒結 (pressureless sintering) 製成基板材。在基板製程中,應注意控制氧與雜質元素的含量,以免氮化鋁的熱傳導性質受到損害。故可利用該材料有較高散熱率,而使用於散熱片或者是當作晶粒之底板、散熱牆等。

(3) 高分子材質

封裝材料 (encapsulant) 與一般熱塑性塑膠 (thermoplastic) 的差異，在於它是以熱固性 (thermosetting) 塑膠 (如 epoxy) 為本體，加上大量 (50% 以上) 填充劑 (filler，以 silica 為主) 所混煉而成，因此它的加工特性也受到這些成分以及組成的影響。以填充劑而言，可以提高封裝材料的機械強度及傳熱性質，但也相對提高了材料的黏度，使流動困難並增加衝線 (wire-sweep) 的可能性。以 epoxy 本體而言，它的反應特性使得封裝材料在封膠過程中逐漸發生硬化反應 (curing reaction)，促使封裝材料由單體 (moner) 狀態逐漸因反應而硬化，造成交聯 (cross-linking) 的三維結構，此乃封裝體最後呈現強硬且不易透水、耐化學腐蝕的原因。正是這種化學反應特性，使得封裝材料的加工特性，尤其是流動特性 (常用黏度作為指標)，變得十分複雜。因此評估封裝材料的加工特性要由其熱物性質、流變性質 (黏度) 以及反應動力 (reaction kinetics) 來評估，量測方法也有其特殊技巧。

塊狀封膠化合物 (bulk molding compound, BMC) 一般的原料是由未飽和的聚酯 (unsaturated polyester) 與無機填充劑如礦砂 (mineral) 或長／短纖調配而成。由於是一種不飽和酯類，屬於熱固性塑料，在加工過程中亦會逐漸發生化學反應，因此它的加工特性會與反應程度、快慢有密切關係。加入填充劑的目的是為了對產品進行補強，但也無可避免地影響加工難易以及對模座磨耗情形。隨著產品種類不同，可以採用射出成形、壓縮成形 (compression molding) 及轉移成形 (transfer molding) 等方法。

塑膠封裝因成本低廉，適合大量生產且能夠滿足表面黏著技術之需求，目前已成為最主要的 IC 封裝方式。塑膠封裝在電子工業上已廣泛應用多年，通常可分為預封型 (pre-molded) 與後封型 (post-molded) 兩種。在預封型封裝方面亦分為射出成形與轉移成形等，射出成形是使用在有凹槽且需真空密封的微機電封裝，而轉移成形之用法則如同一般微電子 IC 封裝。

使用塑膠封裝主要的原因為其製作成本低與可靠性較高，但無法使用在氣密封方面的封裝。因為使用在高溫、潮濕環境中，會有吸濕 (moisture) 問題而造成裂縫 (crack) 和分層 (de-lamination) 等。

另外，印刷電路板 (PCB) 為覆有傳導電路的高分子複合材料基板，它的功能為提供完成第一層級封裝的元件與其他必需的電子電路零件接合的基地，以組成一具特定功能的模組或成品。電子封裝常用的電路板可區分為硬式電路板 (rigid PCB，也稱為剛式電路板)、軟式電路板 (flexible PCB，也稱為可撓式電路板)、金屬夾層電路板 (coated metal boards) 與射出成形電路板 (injection molded PCB) 等四種。

以微機電氣壓式感測器 (MEMS pressure sensor) 為例，它的外部結構乃採金屬式外罩 (如 TO can) 以及輸出端引腳，其內部除晶粒 (die) 外並需作黏晶 (die bond) 與打線 (wire bond)。黏晶之黏膠 (glue) 材質為高分子聚合物，而打線之材質為金線 (Au wire) 或鋁線 (Al wire)。最後覆蓋 (cover) 或點膠 (glob top) 上一層透明高分子聚合物，藉以保護本體。

5.6.1 覆晶接合

　　覆晶接合又稱為 C4 接合 (controlled collapse chip connection)，約於 1960 年由美國 IBM 公司所開發，它屬於平列式 (area array) 的接合，不同於打線接合及捲帶式自動接合 (TAB) 連線技術僅能提供周列式 (peripheral array) 的接合。因此覆晶接合能應用於極高密度的封裝連線製程，在未來的封裝連線與接合技術中，覆晶接合的技術預期將有極高比例的應用。覆晶接合方法如圖 5.53 所示。

　　覆晶封裝是目前最新的封裝技術，是在矽晶圓上利用電鍍或印刷的方法將焊錫 (solder) 長在 IC 腳墊 (pad) 上，經迴焊 (reflow) 形成錫球 (solder ball)，然後以覆晶方式黏到電路基板上。此方法可省下大量的填膠 (underfill)、導線架與打線的費用。另外以有機基板進行覆晶接合時，矽晶片與基板間之熱膨脹係數差異甚大，會造成局部疲勞應變，進而導致焊錫連接較快速被破壞，因此需加入填膠，降低焊錫連接點之疲勞應力，以提升產品壽命至 5－10 倍。

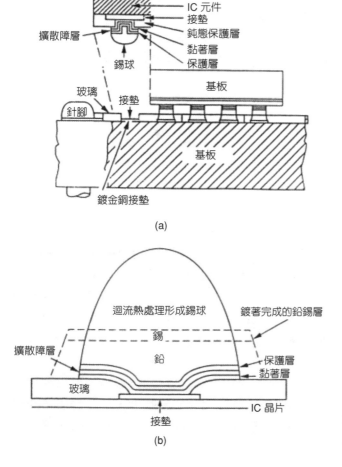

(a)

(b)

圖 5.53
覆晶接合示意圖。

　　由於覆晶接合是在晶圓尚未切割成一顆顆 IC 之前，即進行封裝與測試，不似傳統為對單一顆 IC 進行封裝，因為是對於一整片晶圓封裝，可大幅減少製造時間、人工成本，以及傳統封裝前進行切割的成本損失。對於未來 12 吋晶圓廠而言，晶片加大則成本降低越多。因此，覆晶接合技術具有高密度、連線短、低電感、易控制高頻雜訊及封裝尺寸縮小等優點。

5.6.2 捲帶式自動接合

　　捲帶式自動接合技術 (tape automated bonding, TAB) 首先於 1960 年代由通用電子公司 (GE) 所提出。TAB 技術為使用搭載有電路引腳圖形的捲帶 (reel to reel) 進行接合，捲帶的形狀與電影影片帶十分類似，其有 35 mm、48 mm 及 70 mm 等三種標準寬度，依捲帶的結構又可區分為三種：單層、雙層與三層。單層捲帶可以用銅、鋁、鎳、鋼或不鏽鋼的薄片製成，其中以銅箔蝕刻加工製成者最為常見，價格低且能應用於高溫接合為其優點，不能進行電性測試與容易發生變形則為其缺點。圖 5.54 為捲帶式自動接合示意圖。

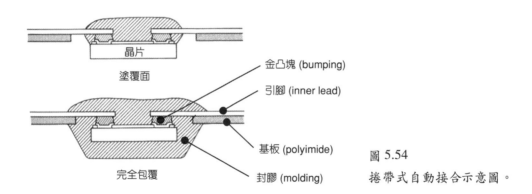

圖 5.54
捲帶式自動接合示意圖。

　　雙層捲帶係以銅箔貼附於聚亞醯胺 (polyimide) 或聚酯 (polyster) 高分子膜上組成，其可將高分子材料塗於銅箔上，再以蝕刻方法分別製成電路引腳圖形及捲帶上之傳動孔 (sprocket) 與元件孔 (device hole) 等，或以微影成像 (lithography) 與電鍍 (plating) 的方法在高分子膜上直接鍍成電路引腳圖形。雙層捲帶因為有高分子膜的支撐而有較佳的強度，也允許較複雜的電路引腳圖形設計與製程中進行電性測試，捲帶上並可製成導孔供雙面導通或平列式 TAB (area TAB) 接合之用，但雙層捲帶有引腳耐剝離強度較低、容易捲曲變形且價格昂貴的缺點。

　　三層捲帶則是先以衝模的方法製成高分子捲帶，塗上黏著劑以黏接銅箔，再以蝕刻方法製成電路引腳圖形。三層捲帶擁有更優良的機械性質與引腳的平整度，也允許複雜的電路引腳圖形設計與製程中電性的測試，但它的製程複雜、成本高，而且因為捲帶使用了黏著劑，而有不適合高溫接合製程的缺點。

此類產品之材料問題在於製程中基板 (substrate) 上之電鍍層金屬內引腳 (inner lead) 與晶粒上金凸塊 (Au bumping) 會有焊接不良現象，並且有剝離之慮。再者，在塗膠 (potting) 過程因需加溫使其固化，若溫度與加溫時間控制不當，將導致高分子聚合物膨脹係數或其他因素過當，產生電鍍層金屬內引腳與晶粒金凸塊剝離等問題。

5.7 材料分析

微機電封裝的可靠度 (reliability) 有兩個主要的問題，一個是測試存在結構的可靠性、可信度，另一個是在製程與材料發展方面。在微機電技術上仍有許多未知的失效，只能在實際應用上來加以辨別。而製程與材料的考量在於有無密封環境、磨耗的控制、材料性質及附著 (stiction) 等因素。在目前尚無標準規範之際，上述種種因素皆是微機電封裝可靠度測試之阻礙。

再者，典型的微電子與微機電封裝元件是由數種不同的材料組合而成，各材料的機械特性如降伏應力強度、彈性係數、熱導係數與熱膨脹係數等，皆具有很大的差異性。例如，不同機械特性的材料接合在一起，因其膨脹係數 (CTE) 不同，則當受到環境溫度變化時，其膨脹或收縮量將有所差異，熱應力應變於是產生。其應力與應變之大小與各組成元件所處之溫度值、材料特性、相關幾何尺寸與結構排列等有關。

因此，目前檢測微機電相關材料是使用與微電子封裝相同的方法，其方式有熱示差分析、X 光繞射分析，或以掃描式電子顯微鏡、歐傑電子光譜，以及二次離子質譜儀等分析。X 光繞射分析主要在檢測晶體結構、組織、相分析、方位及成分；掃描式電子顯微鏡主要為檢測表面形態；歐傑電子光譜則以檢測表面層缺陷、元素分析與分布以及鍵結情形為主；而二次離子質譜儀是檢測分子成分與縱深分布等。

5.7.1 熱示差分析

示差掃描熱量分析儀 (differential scanning calorimeter, DSC) 已廣泛應用於高分子材料的研究，主要是應用於聚合、硬化、玻璃轉移溫度等問題之研究。由於 DSC 可測得樣品於溫度變化時放、吸熱量等情形，進而可推算出樣品之反應狀態，如樣品之聚合、硬化、熔解，甚至裂解等物理、化學變化。DSC 應用於硬化動力的探討有兩種方式，一為動態升溫，另一為恆溫方式。

(1) 動態升溫之硬化動力

n 次速率方程式可以下式表示：

$$\frac{d\alpha(t,T)}{dt} = k(T)\left[1 - \alpha(t,T)\right]^n \tag{5.11}$$

其中，$\alpha\,(t,T)$ 為轉化率，$k(T)$ 為反應之速率常數，n 為反應級數，而 T 為絕對溫度。速率常數 $k(T)$ 與活化能 E (activation energy, kJ/mole) 及頻率因子 A (frequency factor) 之關係，可由 Arrhenius 方程式中得到：

$$k(T) = Ae^{-\frac{E}{RT}}$$

(5.12)

將 Arrhenius 方程式帶入速率方程式通式中可得：

$$\frac{d\alpha(t,T)}{dt} = Ae^{-\frac{E}{RT}}\left[1 - \alpha(t,T)\right]^{n}$$

(5.13)

當轉化率 $\alpha\,(t,T)$ 被定義為定時間及定溫下，部分反應熱 $H(t,T)$ 與總反應熱 ΔH 之比值，將此定義帶入上式中可得：

$$\ln\left\{\frac{1}{\Delta H}\left[\frac{dH(t,T)}{dt}\right]\right\} = \ln A - \frac{E}{RT} + n\left\{\ln\left[\frac{\Delta H - H(t,T)}{\Delta H}\right]\right\}$$

(5.14)

此方程式為 $Z = aX + bY + c$ 之型式，使用多次回歸 (multiple regression) 方法，即可解得反應級數 (n)、活化能 (E) 及頻率因子 (A) 等參數值。

(2) 恆溫方式之硬化動力

恆溫時，可假設 $\dfrac{d\alpha}{dt} = k(T)f(\alpha)$，帶入 Arrhenius 方程式中，則

$$\frac{d\alpha}{dt} = k(T)f(\alpha) = f(\alpha)Ae^{-\frac{E}{RT}}$$

$$令 \quad \frac{d\alpha}{dt} = \frac{1}{H_T}\frac{dH}{dt} \quad , \quad f(\alpha) = \left(\frac{H_T - H}{H_T}\right)^{n}$$

$$\therefore \frac{1}{H_T}\frac{dH}{dt} = \left(\frac{H_T - H}{H_T}\right)^{n}Ae^{-\frac{E}{RT}}$$

$$\Rightarrow \ln\left(\frac{1}{H_T}\frac{dH}{dt}\right) - n\ln\frac{H_T}{H_T} = -\frac{E}{RT} + \ln A \equiv \ln k$$

$$\Rightarrow \ln\left(\frac{dH}{dt}\right) = n\,\ln H_r + \ln\,k + (1-n)\ln H_T$$

(5.15)

其中，H_T 為總反應熱，H_r 為未反應熱，k 為反應速率常數，t 為時間，α 為轉化率。由上列公式推導可知，以 $\ln(dH/dt)$ 對 $\ln H_r$ 作圖，得斜率 n 及截距 $\ln k + (1-n)\ln H_T$，由此則可得反應級數 (n) 及反應速率常數 (k)，再把反應速率常數 (k) 帶入 Arrhenius 方程式，以 $\ln k$ 對 $1/T$ 作圖，則可得活化能 (E) 及頻率因數 (A)。

5.7.2 X 光繞射分析

　　X 光繞射儀 (X-ray diffractometer, XRD)[172-175] 的基本構造如圖 5.55 所示，由電源供應系統提供穩定之電壓及電流給 X 光管，使 X 光管產生 X 光照射在樣品上，由於樣品中有適當的結晶原子晶面，會產生繞射從另一方向出來，若在此方向上放置一 X 光偵測器，則可得到電子的脈衝訊號，將此訊號計數並對時間微分，可得到 X 光的強度，通常將此強度訊號送到記錄器輸出或電腦儲存。如果放樣品之測角器與 X 光偵測器維持著入射角等於反射角的關係，則可得到符合布拉格定律 (Bragg's law) 之繞射圖案，如圖 5.56 所示。其中每一繞射峰對應一組晶面間距 d，由布拉格定律，$2d\sin(\theta) = n\lambda$，知道波長 λ 及繞射角度 θ，則可以求出 d 值。通常 λ 為 X 光管所產生之特性光譜 (characteristic spectrum) 的線波長，因為特性光譜線的強度遠超過其他波長之 X 光。另一值得注意的是，X 光管需要有冷卻水系統，以維持 X 光管之壽命及 X 光光源之穩定。由於特性光譜線通常不只一條，必須在繞射儀上加裝單色器或濾光片，使照射的 X 光為單一波長。圖 5.57 為 X 光管內一個高原子靶標經高壓打擊後，電子遷移而產生主要 X 光特性光譜與白光光譜情形。

　　求取峰值有三種方式：(1) 將其峰值平滑化 (smoothing) 後，直接找尋最高強度位置。(2) 將峰形腰部近乎直線部分往上延伸所得之交點。(3) 取適當峰值高度比例 (例如 1/2) 之腰部的中點為峰值所在。

　　由於每一種化合物的構成原子、結晶構造與晶格常數不同，使得其原子面間距離 $d(h,k,l)$ 的數據便可以用來鑑定化合物之組成。因此，有一世界性之組織 Joint Committee on

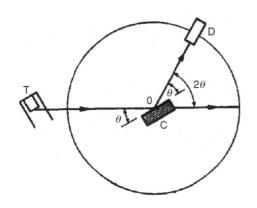

圖 5.55 X 光繞射儀示意圖。

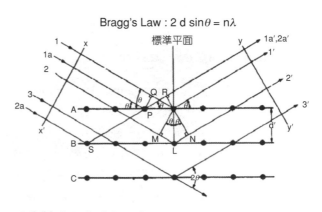

Bragg's Law : 2 d sinθ = nλ

圖 5.56 布拉格繞射示意圖。

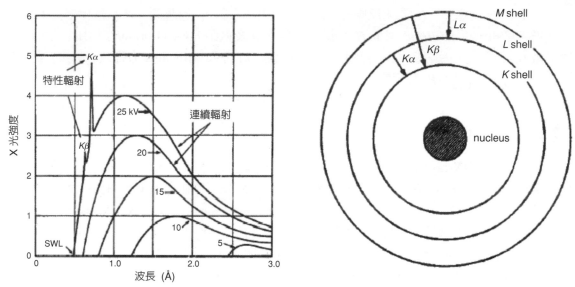

圖 5.57 光管內一個高原子靶標經高壓打擊後，電子遷移而產生主要特性 X 光光譜與白光光譜情形。

Powder Diffraction Standards (JCPDS) 收集全世界各研究單位所得的最新 X 光繞射分析結果，加以整理作成資料卡 (data card)，每一種化合物各有一張，表列化合物的化學式、結晶構造、晶格常數、原子晶面間距離 $d(h,k,l)$ 及其資料來源等。

　　至於鑑定的方法，可採用 Hanawalt method，因為 Hanawalt search manual 的編排為每一種化合物選取八條較強的繞射線，將其 d 值按繞射強度順序排列；並且前三條較強的繞射線 d 值，除了以正常的 $d1$ $d2$ $d3$ 順序出現，又以 $d2$ $d3$ $d1$ 及 $d3$ $d1$ $d2$ 的順序出現，可增加檢索的機會。因此，進行鑑定比對時，先將 d 值按照強度之大小排序，由強而弱，再挑選三個較強的繞射峰進行檢索，可依 123 124 125 126…、134 135 136…、234 235 236… 的次序挑選三個較強之繞射峰，從嘗試錯誤中尋找所有可能的答案。另外，在鑑定比對之過程中需注意 $d(i)$ 值之實驗誤差，約有 0.01 Å。

5.7.3 掃描式電子顯微鏡

　　掃描式電子顯微鏡 (scanning electron microscope, SEM) 最早是由德國人 von Ardenne 在 1930 年發明，並於 1965 年正式在英國商品化。掃描式電子顯微鏡的解像力介於光學顯微鏡與穿透式電子顯微鏡之間，其成像原理是利用一束具有約 5－30 kV 之電子束掃描試片的表面，並將表面產生之訊號 (包括二次電子、背向反射電子、吸收電子、X 射線等) 加以收集經放大處理後，輸入到同步掃描之陰極射線管 (cathode radiation tube, CRT)，以顯現試片表面形貌之影像。SEM 可與電子微探儀 (electron probe microanalyzer, EPMA) 結合，成為多功能檢測儀，圖 5.58 為 SEM-EPMA 的電子及 X 光光學構造示意圖。

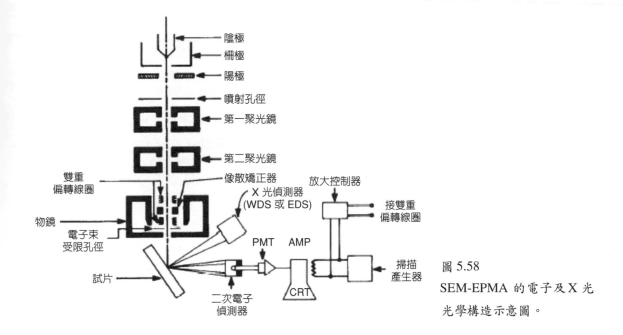

圖 5.58
SEM-EPMA 的電子及 X 光
光學構造示意圖。

　　為了避免電子束在照射到樣品表面之前與殘留的氣體分子相撞,所以掃描式電子顯微鏡必須保持在一定的高真空度環境下。一般而言,電子顯微鏡必須維持在 10^{-4} 至 10^{-6} Torr 的高真空度內,並且真空度太低會影響燈絲 (鎢絲) 的正常使用壽命。

　　由於電子顯微鏡的觀測需在高真空環境下進行,潮濕或易揮發之物質會妨礙高真空之維持,所以為了避免試片所含的水分、流質在高真空下揮發而影響觀測,必須先將樣品作固定、脫水等處理,一般採用臨界點乾燥法來作樣品的前處理。另一方面,因為非導電性樣品會因電荷累積於試片表面無法去除,而產生排斥力,使電子束受到干擾,無法進行觀測,同時為了避免樣品在電子束掃描時,因高溫而遭破壞,以及為增加二次電子的產生,以得到更清晰的影像,必須在樣品的表面上鍍上一層金屬或碳膠帶的薄膜。

　　電子顯微鏡中加裝的能量散佈分析儀 (energy dispersive spectrometer, EDS) 係採用逆偏壓 (reverse-bias) 的 *p-i-n* 的矽晶半導體偵測器,此偵測器表面為鋰 (Li) 擴散層,每當樣品的特性 X 光入射到偵測器時,由於離子化而產生電子-電洞對,利用外加電壓使得電子及電洞產生脈波,此電壓脈波以多頻道分析器 (multi-channel analyzer, MCA) 計數,電子-電洞對的數目與特性 X 光光子能量成正比。EDS 是藉由分析樣品所釋放出的特性 X 光,以得到樣品微區的定性及定量化學成分。

　　掃描式電子顯微鏡應用在電子封裝或微機電封裝上,可分析鍵結失效、龜裂、晶片與基板粗糙度、晶片表面檢測、導線成分分析及其它分析。且配合 EDS 亦可分析化學成分等,然其元素之原子序必須大於 4 方可檢測出。

5.7.4 歐傑電子光譜

　　歐傑電子光譜 (Auger electron spectroscopy, AES)[176-178] 是一種非常有力的分析工具，旨在分析導體與半導體的成分元素，利用此種分析所得之訊息可以了解試片表面外觀、潔淨度與鍵結能力等。

　　圖 5.59 為歐傑電子繞射過程與 X 光繞射過程比較示意圖。其主要原理是當激發狀態的原子愈趨穩定態時，電子會由高能階軌道轉到低能階軌道而放出 X 光，此過程也可能將其他軌道中之電子釋出，此電子稱為歐傑電子 (Auger electron)，其能量約 50 eV 到 2 keV 之間。

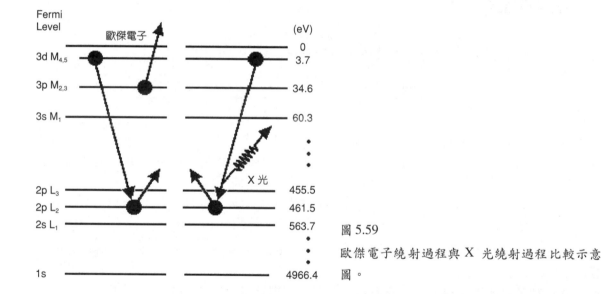

圖 5.59

歐傑電子繞射過程與 X 光繞射過程比較示意圖。

　　因此，使用歐傑電子光譜可以獲得的訊息如下：(1) 金屬、粉末及單晶等表面、裂縫，以及許多絕緣體等表面成分分析；(2) 可鑑定微粒子物質、局部摻雜物或沾污，以及實質缺陷等；(3) 研究次微米尺寸結構；(4) 晶界研究；(5) 樣品表面鍍層與薄膜分析。而歐傑電子光譜的優點為：(1) 具有高解析空間的單層表面分析靈敏度；(2) 可獲得元素的橫截面圖；(3) 可獲得相同靈敏度的元素縱深。

　　當歐傑電子放出能量到 2500 eV 時，一般可分析範圍約 1.5 到 10 個原子層 (約 0.4 到 3 nm)。歐傑電子光譜儀對大多數元素的濃度靈敏度約為 1%。而激發電子束的能量範圍從 5 keV 到 25 keV，且這些聚焦點直徑依目前的儀器是小於 12 nm。因此，歐傑電子光譜可應用在陶瓷、混合物、光纖 (塗料)、金屬、氧化物 (腐蝕) 及薄膜等。

5.7.5 二次離子質譜儀

　　二次離子質譜儀 (secondary ion mass spectroscope, SIMS) 的工作原理是以選定某一離子源，例如 Ga^+、Xe^+、O_2^+、O^-、Cs^+ 離子 (以及少量的 He^+、Ne^+ 及 Kr^+) 等，入射到待測樣品表面，打出二次離子，再用質譜儀分析二次離子的種類及數量。通常聚焦在樣品上的能量範圍在 0.5 到 30 keV 之間，獲得彈性與非彈性碰撞樣品表面粒子的原因，如圖 5.60 所示。SIMS 測量的模式大致可分為三種：(1) 質譜掃描、(2) 縱深成分分布圖及 (3) 元素分布影像圖。

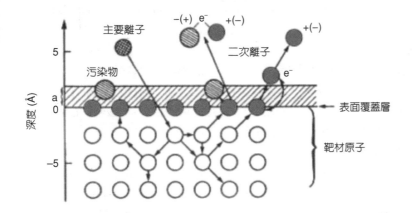

圖 5.60
主要離子束撞擊試片表面示意圖。

　　一般而言，O_2^+ 離子源是用來分析正電性的物質，而 Cs^+ 離子源是用來分析負電性的物質，Ga^+ 離子源則是用來提高空間解析度時所採用的。當作縱深分析時，打薄試片則用 Ar^+ 離子源。

　　二次離子質譜儀依質譜儀的種類，可分為三種：(1) 四極式二次離子質譜儀 (quadrupole SIMS)，如圖 5.61(a) 所示；(2) 雙磁區二次離子質譜儀 (double magnetic sector SIMS)，如圖 5.61(b) 所示；(3) 飛行時間式 (time of flight, TOF) 二次離子質譜儀。

　　其中四極式二次離子質譜儀的優點為設備最簡單、價格便宜、偵測速率快且適合縱深分析，而質量分析範圍不大、質量解析度低是其缺點。雙磁區二次離子質譜儀的優點是具有很高的質量解析度，能分辨元素以及其同位素的質量差，但因需較大的汲取電壓 (extraction voltage) 以便提升偵測訊號強度，因此不適合分析粗糙不平的表面。TOF 二次離子質譜儀的優點是偵測訊號強、可偵測非常高的質量，而且質量偵測解析度的性能也很好，但其缺點是偵測速率較慢、不適合縱深分析，以及機器價格太高。

　　與其他表面分析技術相比較，雖然二次離子質譜儀在偵測時將原子打出表面，而喪失了原子在材料的化學鍵結相關資訊，但因其具有 ppm 以上的靈敏度，可測得 Si 半導體材料內的摻雜濃度 (dopant concentration)，因此在表面分析技術中相當重要。

(a)

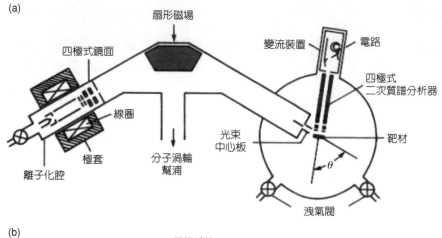

(b)

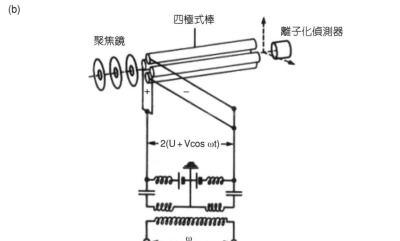

圖 5.61
(a) 四極二次離子質
譜儀，(b) 雙磁區二
次離子質譜儀。

(1) 二次離子質譜儀的質譜鑑定

在此以 Si(100) 表面的質譜為例，說明二次離子質譜儀的質譜偵測細節。若以 O_2^+ 離子束當作主要離子源，可擷取的離子質譜如圖 5.62 所示，可得到包括矽基材的矽原子所產生的二次離子 (Si_2^+、Si_3^+、Si_2^+、Si^+)，以及 O_2^+ 離子束與矽基材作用產生的離子 (SiO^+、SiO_2^+、$Si_2O_2^+$)。一般在執行縱深分析時，選用訊號最強的 Si^+ 離子訊號當作分析訊號。

(2) 二次離子質譜儀縱深分布能譜

一般使用二次離子質譜儀主要是為取得各元素在材料中的縱深分布，二次離子並無法提供該元素在材料中的鍵結資訊，因此使用二次離子質譜儀的優勢在於其對各元素的高偵測靈敏度。

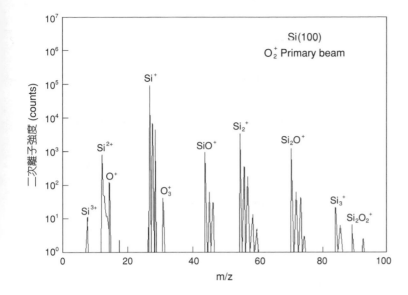

圖 5.62
O_2^+ 離子束與矽基材作用產生的
離子質譜圖。

　　與歐傑電子縱深分布能譜的定量分析相似，二次離子質譜儀縱深分布能譜的定量分析需將實驗的原始數據：二次離子訊號強度 (intensity) 對濺鍍時間 (sputtering time) 關係圖，轉換為原子濃度 (atomic concentration) 對深度 (depth) 關係圖，但因此種轉換有相當的誤差存在，應用上常以「二次離子訊號強度對濺鍍時間關係圖」此種半定量的結果為最終數據，而非「原子濃度對深度關係圖」。一般而言，如果一定要取得「原子濃度對深度關係圖」，最好的方式是準備已知濃度及厚度的標準試片，作為與實驗數據比較之用。

參考文獻

1. W. D. Callister, *Jr.*, *Fundamentals of Materials Science and Engineering*, John Wiley & Sons, Inc. (2001).
2. G. Ensell, *Sensors and Actuators A*, **53**, 345 (1996).
3. M. Vangbo and Y. Backlund, *J. Micromech. Microeng.*, **6**, 279 (1996).
4. O. Powell and H. B. Harrison, *J. Micromech. Microeng.*, **11**, 217 (2001).
5. http://www.mikroglass.com/
6. Conclusion of National Materials Advisory Board, National Research Council, Washington D.C., USA (1997).
7. F. Laermer and A. Schilp, German Patent: DE4241045.
8. J. K. Bhardwaj and H. Ashraf, *Proc. SPIE Micromachining and Microfabrication Process Technology*, **2639**, 224 (1995).
9. C. K. Chung, H. C. Lu, and T. H. Jaw, *Microsystems Technologies*, **6**, 106 (2000).
10. C. S. Smith, *Phys. Rev.*, **94**, 1 (1954).

11. X. Ding, W. H. Ko, and J. Mansour, *Sensors and Actuators A*, **21-23**, 866 (1990).

12. F. Maseeh and D. D. Senturia, *Sensors and Actuators A*, **21-22**, 861 (1990).

13. J. S. Danel, F. Michel, and G. Delapierre, *Sensors and Actuators A*, **21-23**, 971 (1990).

14. J. R. Webster's lecture, "Polymer Materials for Biochip" (2000).

15. http://www.memsrus.com/svcsrules.html

16. A. C. Adams, *Dielectric and Polysilicon Film Deposition, VLSI Technology*, 2nd ed., New York: McGraw-Hill (1988).

17. R. Iscoff, *Semicond. Int., June*, 60 (1991).

18. P. A. Krulevitch, Ph.D Thesis, UC Berkeley (1994).

19. H. Gukel, J. J. Sniegowski, T. R. Christianson, and F. Raissi, *Sensors and Actuators A*, **21-23**, 346 (1990).

20. A. C. Adams, *Dielectric and Polysilicon Film Deposition, VLSI Technology*, 2nd ed., New York: McGraw-Hill (1988).

21. A. van der Drift, *Philips Res. Repts*, **22**, 267 (1967).

22. E. A. Matson and S. A. Polysakov, *Phys. Sta. Sol. (a)*, **41**, K93 (1977).

23. T. A. Lober, J. Huang, M. A. Schmidt, and S. D. Senturia, *Technical Digest-Solid-State Sensor and Actuator Workshop*, June 4-8, Hilton Head, SC, 92 (1988) .

24. R. Drosd and J. Washburn, *J. Appl. Phys.*, **53**, 397 (1982).

25. M. Elwenspoek, U. Lindberg, H. Kok, and L. Smith, *IEEE International Workshop on Micro Electro Mechanical Systems, MEMS'94*, Oiso, Japan, 223 (1994) .

26. T. Shimizu and S. Ishihara, *J. Electrochem. Soc.*, **142**, 298 (1995).

27. T. Abe and M. L. Reed, *The Ninth Annual International Workshop on Micro Electro Mechanical Systems*, San Diego, CA, USA, 258 (1996).

28. J. G. M. Mulder, P. Eppenga, M. Hendriks, and J. E. Tong, *J. Electrochem. Soc.*, **137**, 273 (1990).

29. E. Kinsbron, M. Sternheim, and R. Knoell, *Appl. Phys. Leet.*, **42**, 835 (1983).

30. A. Lietoila, A. Wakita, T. W. Sigmon, and J. F. Gibbons, *J. Appl. Phys.* **53**, 4399 (1982).

31. B. S. Meyerson and W. Olbricht, *J. Electrochem. Soc.*, **131**, 2361 (1984).

32. G. Harbeke, L. Krausbauer, E. F. Stegmeier, and A. E. Widmer, *RCA Rev.*, **44**, 287 (1983).

33. M. Hendriks and C. Mavero, *J. Electrochem. Soc.*, **138**, 1466 (1991).

34. H. Kurkawa, *J. Electrochem. Soc.*, **129**, 2620 (1982).

35. R. T. Howe, *8th International Conference in Solid-State Sensors and Actuators (Transducers' 95)*, Stockholm, Sweden, June, 43 (1995).

36. M. Biebl and H. von Philipsborn, Ph.D Thesis, UC Berkeley (1993).

37. R. D. Compton, *Semicond. Int.*, July, 60 (1992).

38. T. Kamins, *Polycrystalline silicon for Integrated Circuits and Displays*, 2nd ed., Berlin: Kluwer Academic (1988).

39. P. Gennissen, M. Bartek, P. J. French, and P. M. Sarro, *Sensors and Actuators A*, **62**, 636 (1997).

40. P. Lange, M. Kirsten, W. Riethmuller, B. Wenk, G. Zwicker, J. R. Morante, F. Ericson, and J. A. Schweitz, *Sensors and Actuators A*, **54**, 674 (1996).

41. S. Greek, F. Ericson, S. Johansson, M. Furtsch, and A. Rump, *J. Micromech. Microeng.* **9**, 245 (1999).

42. R. Anderson, R. S. Muller, and C. W. Tobias, *J. MEMS*, **3**, 10 (1994).

43. W. Lang, P. Steiner, and H. Sandmaier, *Sensors and Actuators A*, **51**, 31 (1995).

44. T. Abe and M. L. Reed, in *Proc. 9th Int. Workshop on Microelectromechanical Systems*, February, 11-15, San Deigo, CA, 258 (1996).

45. K. Honer and G. T. A. Kovacs, in *Technical Digest-Solid-State Sensor and Actuator Workshop*, June 4-8, Hilton Head, SC, 308 (2000).

46. S. K. Ghandhi, *VLSI Fabrication Principles-Silicon and Gallium Arsenide*, New York: John Wiley & Sons (1983).

47. W. A. Pilskin, *J. Vacuum Sci. Technol.*, **21**, 1064 (1977).

48. X. Zhang, R. Ghodssi, K. S. Chen, A. A. Ayon, and S. M. Spearing, in *Technical Digest-Solid-State Sensor and Actuator Workshop*, June 4-8, Hilton Head, SC, 316 (2000).

49. G. T. A. Kovacs, *Micromachined Transducers Sourcebook*, WCB/McGraw-Hill (1998).

50. A. Yasseen, J. D. Gawley, and M. Mehregany, *J. MEMS*, **8**, 172 (1999).

51. R. Liu, M. J. Vasile, and D. J. Beebe, *J. MEMS*, **8**, 146 (1999).

52. M. Madou, *Fundamentals of Microfabrication*, CRC press (1997).

53. B. Folkmer, P. Steiner, and W. Lang, *Sensors and Actuators A*, **51**, 71 (1995).

54. M. Sekimoto, H. Yoshihara, and T. Ohkubo, *J. Vacuum Sci. Technol.* **21**, 1017 (1982).

55. D. J. Monk, D. S. Soane, and R. T. Howe, in *Technical Digest-The 7th Int. Conf. On Solid-State Sensor and Actuator Workshop*, June, Yokohama, Japan, 280 (1993).

56. P. J. French, P. M. Sarro, R. Mallee, E. J. M. Fakkeldij, and R. F. Wolffenbuttel, *Sensors and Actuators A*, **58**, 149 (1997).

57. C. A. Zorman and M. Mehregany, *Materials for Microelectromechanical Systems in The MEMS Handbook*, CRC press, pp. 15-11~14 (2002).

58. J. A. Walker, K. J. Gabriel, and M. Mehregany, *J. Electronic Mater*, **20**, 665 (1991).

59. L. Tong, M. Mehregany, and L. G. Matus, *Solid-State Sensor and Actuator Workshop 1992. 5th Technical Digest*. (IEEE 1992), 198 (1992).

60. P. M. Sarro, *Sensors and Actuators*, **82**, 210 (2000).

61. M. Mehregany and C. A. Zorman, *Thin Solid Films*, **355-356**, 518 (1999).

62. C. H. Wu, C. A. Zorman, and M. Mehregany, *Thin Solid Films*, **355-356**, 179 (1999).

63. C. A. Zorman, S. Roy, C. H. Wu, A. J. Fleishman, and M. Mehregany, *J. Mater. Res.*, **13**, 406 (1996).

64. N. Rajan, M. Mehregany, C. A. Zorman, S. Stefanescu, and T. Kicher, *J. MEMS*, **8**, 251 (1999).

65. K. Lohner, K. S. Chen, A. A. Ayon, and M. S. Spearing, *Mater. Res. Soc. Symp. Proc.*, **546**, 85 (1999).

66. A. J. Fleischman, X. Wei, C. A. Zorman, and M. Mehregany, *Microelectromechanical Systems*, 234 (1996).

67. T. Shibata, Y. Kitamoto, K. Unno, and E. Makino, *J. MEMS*, **9**, 47 (2000).

68. H. Bjorkman, P. Rangsten, P. Hollman, and K. Hjort, *Sensors and Actuators A*, **73**, 24 (1999)

69. P. Rangsten, H. Bjorkman, and K. Hjort, *Solid-State Sensors and Actuators*, 190 (1999).

70. M. Aslam and D. Schulz, *Solid-State Sensors and Actuators*, 222 (1995).

71. R. Ramesham, *Thin Solid Films*, **340**, 1 (1999).

72. Y. Yang, X. Wang, C. Ren, J. Xie, P. Lu, and W. Wang, *Diamond Related Mater.*, **8**, 1384 (1999).

73. M. A. Schmidt, R. T. Howe, S. D. Senturia, and J. H. Haritionidis, *Trans. Electron. Devices*, **ED-35**, 750 (1988).

74. R. Mahadevan, M. Mehregany, and K. J. Gabriel, *Sensors and Actuators A*, **21-23**, 219 (1990).

75. L. Y. Chen and N. MacDonld, in *Technical Digest-6th Int. Conf. On Solid-State Sensors and Actuators*, June, San Francisco, CA, 739 (1991).

76. C. L. Shih, B. K. Lai, H. Kahn, S. M. Phillips, and A. H. Heuer, *J. MEMS*, **10**, 69 (2001).

77. G. Hahm, H. Kahn, S. M. Phillips, and A. H. Heuer, in *Technical Digest- Solid-State Sensors and Actuators Workshop*, Jine 4-8, Hilton Head Island, SC, 230 (2000).

78. S. D. Leith and D. T. Schwartz, *J. MEMS*, **8**, 384 (1999).

79. N. Rajan, M. Mehregany, C. A. Zorman, S. Stefanscu, and T. Kicher, *J. MEMS*, **8**, 251 (1999).

80. C. Lee, T. Itoh, and T. Suga, *IEEE Trans. Ultrasonics, Frequency Control*, **43**, 553 (1996).

81. C. S. Smith, *Piezoresistive Effect in Germanium and Silicon, phys. Rev. 94*, 1 (1954).

82. B. Li, B. Xiong, L. Jiang, Y. Zohar, and M. Wong, *J. MEMS*, **8**, 366 (1999).

83. A. Franke, D. Bilic, D. T. Chang, R. T. Jones, T. J. King, R. T. Howe, and C. G. Johnson, *Microelectromechanical Systems*, 630 (1999).

84. S. Sedky, P. Fiorini, M. Caymax, S. Loreti, K. Baert, L. Hermans, and R. Mertens, *J. MEMS*, **7**, 365 (1998).

85. A. E. Franke, Y. Jiao, M. T. Wu, T. J. King, and R. T. Howe, *Soild-state Sensor and Actuator Workshop*, 18 (2000).

86. J. M. Heck, C. G. Keller, A. E. Franke, L. Muller, T.-J. King, and R. T. Howe, *Solid-State Sensors and Actuators*, 328 (1999).

87. K. Hjort, J. Soderkvist, and J.-A. Schweitz, *J. Micromech. Microeng.*, **4**, 1 (1994).

88. K. Hjort, *J. Micromech. Microeng.* **6**, 370 (1996) .

89. K. Fobelets, R. Vouncks, and G. Borghs, *J. Micromech. Microeng.*, **4**, 123 (1994).

90. A. Dehe, K. Fricke, K. Mutamba, H. L. Hartnagel, *J. Micromech. Microeng.* **5**, 139 (1995b).

91. A. Dehe, K. Fricke, K. Mutamba, and H. L. Hartnagel, *Sensors and Actuators A*, **46-47**, 432 (1995a).

92. A. Dehe, J. Peerlings, J. Pfeiffer, R. Riemenschneider, A. Vogt, K. Streubel, H. Kunzel, P. Meissner, and H. L. Hartnagel, *Sensors and Actuators A*, **68**, 365 (1998).

93. C. Seassal, J. L. Leclercq, and P. Viktorovitch, *J. Micromech. Microeng.*, **6**, 261 (1996).

94. J. Leclerq, R. P. Ribas, J. M. Karam, and P. Viktorovitch, *Micromech. J.*, **29**, 613 (1998).

95. M. R. Douglass, "Lifetime Estimates and Unique Failure Mechanisms of the Digital Micromirror

Device (DMD)", *IEEE Int. Reliability Physics Symp. Proc.*, 9 (1998).

96. Microelectromechanical Systems: Advanced Materials and Fabrication Methods, Committee on Advanced Materials and Fabrication Methods for Microelectromechanical Systems, National Materials Advisory Board, Commission on Engineering and Technical Systems, National Research Council, USA, NMAB-483, 23 (1997).

97. A. K. Jain and J. S. Sirkis, "Continuum Damage Mechanics in Piezoelectric Ceramics", Adaptive Structures and Composite Materials: Analysis and Application, Edited by E. Garcia, H. Cudney, and A. Dasgupta, Presented at *ASME 1994 International Mechanical Engineering Congress and Exposition*, Chicago, Illinois, Nov. 6-11, 47 (1994).

98. S. Middlelhoek, *Sensors & Actuators A*, **41-42**, 1 (1994).

99. J. F. Nye, *Physical Properties of Crystals*, Oxford University Press (1957).

100. R. E. Newnham, *Lecture Notes of Materials Science 540: Anisotropic Properties of Materials*, Pennsylvania State University, Spring (1992).

101. H. L. Tuller and R. Mlcak, *Journal of Electroceramics*, 4:2/3, 415 (2000).

102. G. Harsanyi, *Polymer Films in Sensor Applications*, Technology Pub. (1995).

103. W. H. Christensen, D. N. Sinha, and S. F. Agnew, *Sensors & Actuators B*, **10**, 149 (1993).

104. J. P. Blanc, G. Blasquez, J. P. Germain, A. Larbi, C. Maleysson, and H. Robert, *Sensors & Actuators*, **14**, 143 (1988).

105. S. A. Krutovertsev, S. I. Sorokin, A. V. Zorin, Ya. A. Letuchy, and O. Yu. Antonova, *Sensors & Actuators B*, **7**, 492 (1992).

106. G. Bidan, *Sensors & Actuators B*, **6**, 45 (1992).

107. M. Haug, K. D. Schierbaum, H. E. Endres, S. Drost, and W. Gopel, *Sensors & Actuators A*, **32**, 326 (1992).

108. E. C. M. Hermans, *Sensors & Actuators*, **5**, 181 (1984).

109. M. Haug, K. D. Schierbaum, G. Gauglitz, and W. Goepel, *Sensors & Actuators B*, **11**, 383 (1993).

110. D. Amati, D. Arn, N. Blom, M. Ehrat, J. Saunois, and H. M. Widmer, *Sensors & Actuators B*, **7**, 587 (1992).

111. S. W. Wenzel and R. M. White, *Sensors & Actuators A*, **21**, 700 (1990).

112. R. Block, G. Fickler, G. Lindner, H. Muller, and M. Wohnhas, *Sensors & Actuators B*, **7**, 596 (1992).

113. Q. Zhou, D. Kritz, L. Bonnell, and G. H. Sigel Jr., *Applied Optics*, **28** (11), 2022 (1989).

114. V. Ruddy and K. Lardner, *Int. J. Optoel., B*, **4** (5), 451 (1989).

115. V. Ruddy, S. McCabe, V. Ruddy, and S. McCabe, *Appl. Spectrosc.*, **44** (9), 1461 (1990).

116. C. Ronot, M. Archenault, H. Gagnaire, and J. P. Goure, *Sensors & Actuators B*, **11**, 375 (1993).

117. G. Gauglitz and J. Ingenhoff, *Sensors & Actuators B*, **11**, 207 (1993).

118. G. Gauglitz, A. Brecht, G. Kraus, and W. Nahm, *Sensors & Actuators B*, **11**, 21 (1993).

119. A. Pike and J. W. Gardner, *Sensors and Actuators B*, **45**, 19 (1997).

120. Q. Wu and W. II. Ko, *Sensors and Actuators B*, **1**, 183 (1990).

121. Q. Wu, K.-M Lee, and C. C. Liu, *Sensors and Actuators B*, **13-14**, 1 (1993).

122. G. Sberveglieri, *Sensors and Actuators B*, **23**, 103 (1995).

123. Fujioka *et al.*, "Electrochemical CO Sensor for Fire Alarm", in *Chemical Sensor Technology*, **5**, 65 (1994).

124. A. J. Moulson and J. M. Herbert, *Electroceramics*, Chapman and Hall, Chap. 7 (1990).

125. M. Okuyama and Y. Hamakawa, *Ferroelectrics*, **63**, 243 (1985).

126. D. L. Polla, *Microelectronic Engineering*, **29**, 51 (1995).

127. S. Koller *et al.*, "Lamb Wave Sensor with tensile ZnO for Liquid Property Sensing", *Transducer'99*, 3P2.4, Sendai, Japan (1999).

128. S.-L Cheung *et al.*, "Design and Performance of a Piezoelectric Microgyroscope", *Transducer'99*, 3D2.3, Sendai, Japan (1999).

129. C. H. Han and E. S. Kim, "Parylene-Diaphragm Piezoelectric Acoustic Transducers," *MEMS '00*, 148 (2000).

130. R. P. Ried, E. S. Kim, M. Hong, and R. S. Muller, *J. MEMS*, **2** (3), 111 (1993).

131. S. S. Lee, R. P. Ried, and R. M. White, *J. MEMS*, **5** (4), 238 (1996).

132. S. C. Ko, Y. C. Kim, S. S. Lee, S. H. Choi, and S. R. Kim, "Piezoelectric Membrane Acoustic Devices", *15th IEEE International Conference on MEMS*, Las Vegas, Nevada, USA, 296 (2002).

133. R. Schellin, G. Hess, K. Kuehnel, G. M. Sessler, and E. Fukada, *IEEE Transactions on Electrical Insulation*, **27** (5), 867 (1992).

134. R. Kresmann, G. Hess, and R. Schellin, "New Results of Micromachined Silicon Subminiature Microphones Using Piezoelectric Polymer Layers", *9th International Symposium on Electrets* (ISE9), 1044 (1996).

135. L.-S. Fan, Y.-C. Tai and R. S. Muller, *Sensors and Actuators*, **20**, 1&2, 41-48 (1989).

136. D. M. Tanner *et al.*, "The Effects of Humidity on the Reliability of a Surface Micromachined Microengine", *Proc. IEEE International Reliability Physics Symposium*, 189 (1999).

137. R. E. Newnham, *Structure-Property Relations*, Springer-Verlag (1975).

138. H. Guckel, T. R. Christenson, K. J. Skrobis, J. Klein, and M. Karnowsky, "Design and Testing of Planar Magnetic Micromotors Fabricated by Deep X-ray Lithography and Electroplaing", *Proceedings of the Solid-State Actuators*, June 7-10, Yokohama, Japan, 69 (1993).

139. J. W. Judy and R. S. Muller, "Batch Fabricated, Addressable, Magnetically Actuated Microstructures", in *Technical Digest from the Solid-State Sensor and Actuator Workshop*, June 2-6, Hilton Head Island, South Carolina, USA, 189 (1996).

140. H. Guckel, T. R. Christenson, T. Earles, and J. Klein, "Laterally Driven Electromagnetic Actuators", in *Technical Digest from the Solid-State Sensor and Actuator Workshop*, June 13-16, Hilton Head Island, South Carolina, USA, 49 (1994).

141. 五十嵐伊勢美, 江刺正喜, 藤田博之編著, *Microoptomechatronics Handbook*, 朝倉書店 (1997).

142. 彭成鑑, 工業材料, **137**, 114 (1998).

143. 彭成鑑, 工業材料, **155**, 140 (1999).

144. A. J. Moulson and J. M. Herbert, *Electroceramics*, Chapman and hall, Chap. 6, (1990).

145. R. E. Newnham, *Lecture Notes of Ceramic Science 508: Dielectric and Magnetic Properties of Ceramic Materials*, Pennsylvania State University, Spring (1991).

146. C. M. Wayman, *MRS Bulletin*, **18** (4), 49 (1993).

147. S. Miyazaki and K. Nomura, *Proc. IEEE MEMS'94 Workshop*, 176 (1994).

148. E. Quandt and K. Seemann, *Sensors and Actuators A*, **50**, 105 (1995).

149. T. Bourouina, E. Lebrasseur, G. Reyne, H. Fujita, T. Masuzawa, A. Ludwig, E. Quandt, H. Muro, T. Oki, and A. Asaoka, "A Novel Optical Scanner with Integrated Two-Dimensional Magnetostrictive Actuation and Two-Dimensional Piezoresistive Detection", *The 11th International Conference on Solid-State Sensors and Actuators*, 4A3.03, Munich, Germany, June 10-14 (2001).

150. P. Muralt, M. Kohli, T. Maeder, A. Kholkin, K. Brooks, N. Setter, and R. Luthier, *Sensors and Actuators A*, **48**, 157 (1995).

151. Ph. Luginbuhl, S. D. Collins, G.-A. Racine, M.-A. Gretillat, N. F. De Rooij, K. G. Brooks and N. Setter, *Sensors and Actuators A*, **64**, 41 (1998).

152. M. E. Motamedi *et al.*, *Opti. Eng.*, **36** (5), 1346 (1997).

153. J. J. Bernstein, S. L. Finberg, K. Houston, L. C. Niles, H. D. Chen, L. E. Cross, K. K. Li, and K. Udayakumar, *IEEE Transactions on Ultrasonics, Ferroelectrics, and Frequency Control*, **44** (5), 960 (1997).

154. M. Tabib-Azar, *Microactuators, Electrical, Magnetic, Thermal, Optical, Mechanical, Chemical and Smart Structures*, Kluwer Academic Pub. (1998).

155. M. Kurosawa *et al.*, *Sensors & Actuators A.*, **50**, 69 (1995).

156. R. M. Moroney *et al.*, *Proc. IEEE Ultrasonic Symp.*, 355 (1990).

157. M. J. Mescher, M. L. Vladimer, and J. J. Bernstein, "A Novel High-speed Piezoelectric Deformable Varifocal Mirror for Optical Applications", *15th IEEE International Conference on MEMS,* Las Vegas, Nevada, USA, 511 (2002).

158. B.-K. Lai, G. Hahm, L. You, C.-L. Shih, H. Kahn, S. M. Phillips and A. H. Heuer, "The Characterization of TiNi Shape-Memory Actuated Microvalves", *Mat. Res. Soc. Symp. Proc.*, 657, EE8.3.1 (2001).

159. M. Wuttig, C. Craciunescu, and J. Li, *J. Mat. Trans., JIM*, **41** (8), 933 (2000).

160. J. W. Dong, L. C. Chen, S. McKernan, J. Q. Xie, M. T. Figus, R. D. James, and C. L. Palmstrom, *Materials for Smart Systems Symposium, MRS Proceedings*, **604**, 297 (2000).

161. C. Craciunescu, Y. Kishi, L. Saraf, R. Ramesh, and M. Wuttig, *Mat. Res. Soc. Symp. Proc.*, **687**, 89 (2002).

162. M. Madou, *Fundamentals of Microfabrication*, CRC Press, 417 (1997).

163. T. Gessner, "Recent progress of microactuators", *Actuator 2000*, Bremen, Germany, June 19-21, 62 (2000).

164. C. T. Hsieh, J.-M. Ting, C. Yang, and C. K. Chung , *The Introduction of the MEMS Packaging Technology*, EMAP 2002. (in press)

165. K. Gilleo, *MEMS Packaging Issues and Materials*, Cookson Electronics.

166. R. Ramesham and R. Ghaffarian, *Interconnection and Packaging Issues of Microelectromechanical System (MEMs) and Cots*, JPL, California Institute of Technology, CA, USA.

167. Gerke, *MEMS Packaging*, Ch.8 , Jet Propulsion Laboratory , Pasadena , California, USA (1999).

168. T.-R. Hsu, *MEMS Demand New Package Designs*, EP and P, 3/1/2001.

169. W. D. Brown, *Advanced Electronic Packaging*, University of Arkansas, IEEE, Inc., New York (1999).

170. M. G. Pecht, L. T. Nguyen, and E. B. Hakim, *Plastic－Encapsulated Microelectronic*, John Wiley & Sons, Inc. (1995).

171. 謝慶堂, 丁志明, 楊志輝, 鍾震桂, 工業材料雜誌, **193**, 175 (2003).

172. 許樹恩, 吳泰伯, X 光繞射原理與材料結構分析, 行政院國家科學委員會精密儀器發展中心 (1992).

173. 陳立俊等著, 材料電子顯微鏡學, 行政院國家科學委員會精密儀器發展中心 (1994).

174. 黃振昌, 表面分析技術, 國立清華大學材料科學與工程系 (所) http://diamond.mse.nthu.edu.tw/~surf/ .

175. 楊嘉喜, X 光繞射實驗, http://www.cycu.edu.tw/~cheminfo/m-ex-4.html

176. Dr. Marx, *Surfaces and Contact Mechanics*, http://www.siu.edu/~cafs/surface/file6.html

177. D. Delluomo, *Auger Electron Spectroscopy*, http://www.ors-labs.com/MaterialComponentAnalysis/Auger.html

178. National Physical Laboratory, Surface and Nano-Analysis Section, http://www.npl.co.uk/npl/cmmt/sis/

第六章　微結構

微結構 (microstructure) 並非是一個感測器、致動器或儀器，而是被定義為一精密元件，如：微鏡片、微噴嘴、微探針和微流道等，需與其他元件配合而具功能性者。以下就各種微結構之製程、特性與應用加以說明。

6.1 微鏡片

微鏡片 (microlen) 依成像原理可分為折射式微鏡片 (refractive microlen) 與繞射式微鏡片 (diffractive microlen) 兩種。繞射式微鏡片在重量、體積上均比折射式微鏡片來得小，而且具有高繞射效率、材料的選擇範圍大、特殊的光學特性、設計的自由度高與易配合塑膠射出技術等特點。但折射式微鏡片也有比較容易獲得較大數值孔徑 (numerical aperture, NA)、光學效率較高與對光波長敏感度較低等優點，使得折射式微鏡片與繞射式微鏡片在微光學系統中，同時佔有十分重要的地位。

一般折射式光學元件 (refractive optics element, ROE) 可分為折射率漸進式元件 (gradient-index element, GRIN) 與表面外形元件 (surface profile element)，而繞射式光學元件 (diffractive optics element, DOE) 亦可分為閃爍式繞射光學元件 (blazed DOE) 與量子化繞射光學元件 (quantized DOE) 二大類[1]。繞射式光學元件是利用繞射原理來進行功能重建，其元件之精密度大約在 1 μm 左右。而繞射式光學元件通常為單一或雙片式透鏡，在現今超大型積體電路製程技術下，使元件能夠微小化、精密化，並可大量生產來降低成本。在其光電系統的成像元件中，被要求為焦距短、數值孔徑高的微光學元件，使其能運用在光學讀寫頭、條碼閱讀機、雷射印表機、雷射準直透鏡及微小鏡片之成像聚光掃描裝置。因此，更廣泛來說，兩者依其功能的不同，可應用於許多的光學裝置，如 CCD 偵測晶片 (detector chip)、複印機 (copier)[2]、光纖連接器 (interconnection)、多工器 (multiplexer)[3]、傳真機 (facsimile machine) 等。隨著微製造技術的發展，微鏡片的製作方法也愈來愈多樣化，以下就折射式微鏡片與繞射式微鏡片幾個重要製程加以介紹。

第 6.1 節作者為楊錫杭先生、康尚文先生及林哲平先生。

6.1.1 折射式微鏡片之製作

　　光阻熱熔法 (photoresist refractive optics by melting, PROM) 為利用半導體微影 (lithography) 技術，將圓柱光阻製作在基材 (substrate) 上，如圖 6.1(a) 及圖 6.1(b) 所示，再送入烤箱或置於熱板 (hot plate) 上，以超過光阻之玻璃溫度 (約 120－200 °C，溫度視光阻材料而定) 加熱，由於光阻材料內分子增加了動能，以及受到表面張力之作用，使得光阻表面能量趨近於最小，因而形成近似球面的形狀 (圖 6.1(c))。如果要增加微鏡片的穩定性，可利用反應離子蝕刻 (reactive ion etching, RIE) 的方法，將原形狀轉移至基材上 (圖 6.1(d))。

　　一般所使用的熱熔成形方法，具有技術簡單、成本低廉、對材料和設備要求不高、設計參數穩定且易於掌握等優勢。但在熱熔過程中因光阻與基材間表面張力的影響所呈現的臨界角 (critical angle) 現象，使面形範圍大大受到限制。如圖 6.2 所示，將厚度 3 mm 玻璃基材以 200 °C 的高溫加熱 30 分鐘烤乾，再以旋轉塗佈機在基材表面塗上一層厚度 1 μm 之 Shipley AZ 1518 薄基層 (base layer)。此層經過 160 °C 的溫度加熱 30 分鐘使內部結構被聚合化 (polymerized)，形成抗 UV 曝光層後，再塗上一層厚度 11 μm 之 Shipley AZ 4620A 正光阻層。再將試片放入烤箱以 90 °C 的溫度烤 30 分鐘，經 UV 燈曝光、顯影，最後圓柱光阻於 160 °C 的加熱板上以 6 分鐘熱熔完成直徑 150 μm－400 μm 和數值孔徑 0.1－0.3 之微

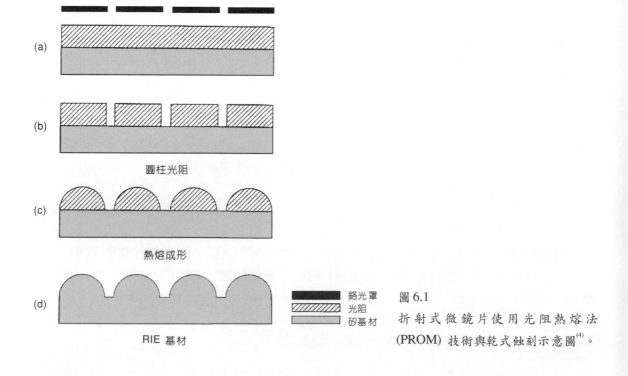

(a)

(b)

圓柱光阻

(c)

熱熔成形

(d)

RIE 基材

鋁光罩
光阻
矽基材

圖 6.1

折射式微鏡片使用光阻熱熔法 (PROM) 技術與乾式蝕刻示意圖[4]。

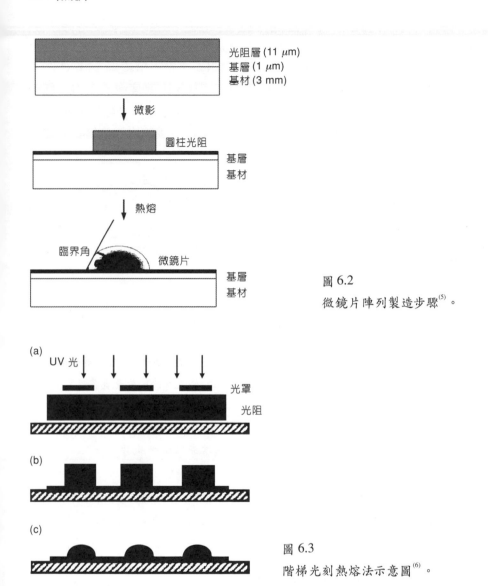

圖 6.2
微鏡片陣列製造步驟[5]。

圖 6.3
階梯光刻熱熔法示意圖[6]。

鏡片陣列。所以如果在基材和光阻間塗上一層薄基層，在熱熔過程中，可得到比原來未加薄基層之基材有較低的臨界角與數值孔徑之微鏡片[5]。

　　而利用階梯光刻熱熔法 (step heat-forming photoresist method)，如圖 6.3 所示，在基底上塗抹一定厚度之光阻，然後在紫外光下進行光刻，藉由控制紫外光曝光時間使基底仍然殘留一層未能完全曝光 (曝光不足) 的光阻，使其熱熔時能有效地減少臨界角效應對大孔徑微鏡片面形品質的影響，亦可擴展熱熔型微鏡片陣列數值孔徑範圍[6]。

　　有文獻指出，微鏡片陣列製程可結合 IC 製造技術和利用已商業化的 IC 製程材料來完成，並可在 IC 晶圓上整體地大量製造出品質良好的微鏡片陣列。其製作步驟為在石英基材上均勻塗上一層厚度 200 Å 的鋁金屬薄膜，並成形出直徑 15 μm 的孔 (圖6.4(a))，再以

Shipley 1400-27 光阻均勻塗佈在原直徑 15 μm 的孔中心上方，並曝光、顯影出直徑 30 μm 之圓柱光阻臺座 (pedestal)，施以深 UV 硬化過程，使圓柱光阻臺座在溫度超過 180 °C 時外形穩定，不會溶解 (圖 6.4(b))。然後以 Shipley TF-20 光阻在圓柱光阻臺座中心上方，經曝光、顯影出直徑 25 μm、厚度 12 μm 之圓柱光阻 (圖 6.4(c))，再將試片置入烤箱以 140 °C 加熱 15 分鐘，因熱熔而形成微鏡片陣列 (圖 6.4(d))[7]，此製程所獲得的微鏡片陣列微結構如圖 6.5 所示。

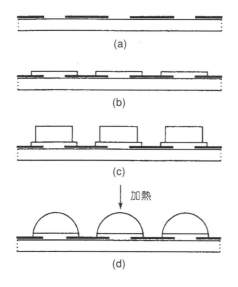

圖 6.4

微鏡片生產步驟：(a) 在石英基材上均勻塗上一層的鋁金屬薄膜，並成形出直徑 15 μm 的孔，(b) 在原直徑 15 μm 的孔上方形成直徑 30 μm 之圓柱光阻臺座，(c) 在圓柱光阻臺座上方顯影出直徑 25 μm、高 12 μm 之圓柱光阻，(d) 以 140 °C 加熱 15 分鐘，因熱熔而形成微鏡片[7]。

圖 6.5

微鏡片陣列部分 SEM 照片[7]。

　　另外，由麻省理工學院林肯實驗室所設計建造的極座標氦鎘雷射寫出機 (He-Cd laser writer)，將波長 442 nm 之氦鎘雷射對準與聚焦在以真空吸附於旋轉主軸上且表面塗有一層光阻的基材上，以空氣軸承 (air-bearing) 驅動滑軌來移動聚焦光學裝置與控制雷射束 (laser beam) 在基材上徑向位置，由電腦控制雷射束在基材橫斷面上的強度與位置。氦鎘雷射寫出機的機械與光學元件則放置在防震桌上，且坐落在溫度與溼度控制的室內，圖 6.6 顯示以此方法製造微鏡片陣列之程序。首先在氧化矽基材塗上一層 AZ 4903 的光阻以 90 ℃ 溫度烘烤 (圖 6.6(a))，使用波長為 442 nm 之雷射寫出機曝光，並以 AZ 421 顯影產生出粗糙的球形面 (圖 6.6(b))，接著置入烤箱，以超過光阻玻璃溫度之高溫熱熔成圓滑外形 (圖 6.6(c))。要得到光阻初步外形需要控制雷射束的強度，其大小與光阻之間有基本的特性對照曲線，如圖 6.7 為 AZ 4903 光阻以波長 442 nm 之雷射寫出機曝光，並在 AZ 421 顯影 1 分鐘所擬合出的圓滑對照曲線。為了確定微鏡片表面形狀，以探針測廓儀 (stylus profilemeter) 分別在雷射寫出機所預成形 (preshaping) 的微鏡片表面進行量測 (圖 6.8(a)) 與熱熔後 (圖 6.8(b)) 的表面所量的軌跡，得知此法可得高品質之微鏡片[8]。

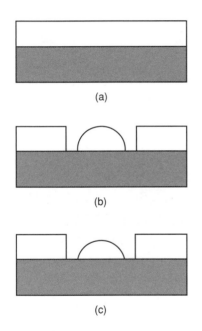

AZ 4903 光阻

SiO₂ 基材

圖 6.6 PROM 微鏡片陣列之製
造程序：(a) 基材和光
阻，(b) 以雷射寫出機
曝光和顯影之基材，
(c) 熱熔後之基材[8]。

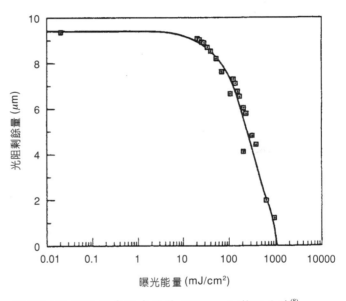

圖 6.7 AZ 4903 正光阻在波長 442 nm 之對照曲線[8]。

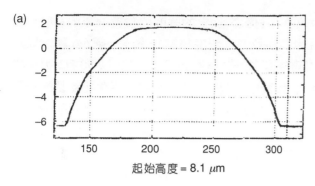

起始高度 = 8.1 μm

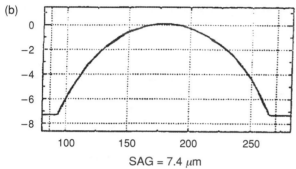

SAG = 7.4 μm

圖 6.8

雷射寫出機所預成形的微鏡片：(a) 熱熔之前，(b) 熱熔之後探針測廓儀軌跡[8]。

　　文獻中曾提及另一種新製程，其微鏡片可藉由一種紫外光固化 (UV curing) 材料自身的表面張力和附著力形成，並由 UV 短時間曝光來加以硬化。因製程非常簡單，可輕易地應用在各種光學裝置與微鏡片系統。首先先製作圓形基座，其目的有三個：(1) 防止液體材料散開和定義微鏡片位置、(2) 定義微鏡片的半徑及 (3) 決定基材與微鏡片間之高度距離。有幾個方法可製作圓形基座，如基材蝕刻 (圖 6.9(a)) 或光阻圖形轉移 (圖 6.9(b))，所產生出來的圓形基座厚度約 2 μm，可防止做下一個製程時液體材料噴出產生溢流現象。接著成形微鏡片：以微噴嘴 (micro-injector) 或推拔光纖 (tapered optical fiber)，將紫外光固化材料 (NOA77，黏度：5500 cps，折射率：1.51) 滴入圓形基座上，因為自身的表面張力和附著力使微鏡片成形。微噴嘴被用來製造直徑幾百微米的較大微鏡片，而推拔光纖則使用在尺寸為幾十微米的較小微鏡片製程中。以監視系統觀察微鏡片的形狀，並隨時控制液體材料噴出量，當使用推拔光纖時，由推拔纖管尖端尺寸來決定液體材料噴出量。之後，所滴出之微鏡片由 UV 短時間曝光 (10 W，2 秒) 來加以硬化，在此時間微鏡片體積會縮小 4%，但在 120 °C 的高溫中沒有發現變形現象。如圖 6.10 所示，以此法在 InP 基材上所製造出來的微鏡片 SEM 相片，從圖中可觀察出微鏡片表面非常圓滑且具有良好的球狀面形，微鏡片的表面以 AFM 量測後，表面粗糙度也在 20 Å 範圍內[9]。

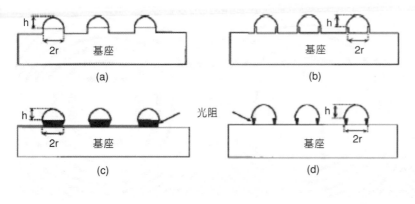

圖 6.9
微鏡片基座,(a) 以基材蝕刻成形之圓形基座,(b) 以基材蝕刻之甜甜圈形狀 (doughnut shape),(c) 以光阻成形之圓形基座,(d) 以光阻成形之甜甜圈形狀[9]。

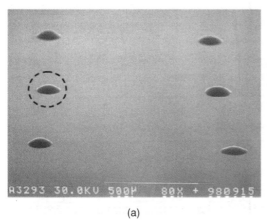

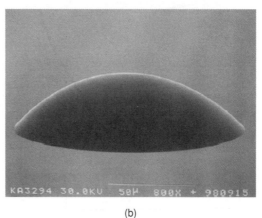

圖 6.10 (a) 微鏡片陣列和 (b) 微鏡片陣列放大之 SEM 圖片 (鏡片高度 = 40 μm,基座直徑 = 70 μm,鏡片直徑 = 81 μm)[9]。

6.1.2 繞射式微鏡片之製作

繞射式微透鏡之製作方式有 RIE 半導體製程法、雷射微影光刻法 (laser beam lithography)、雷射直寫微加工法、電子束微影光刻法 (electron-beam lithography) 與灰階光罩製程法等。

在眾多的加工方法中,使用薄膜沉積技術來製作繞射式微透鏡之製程,其方法為在石英玻璃基材上塗上一層 AZ 4210 光阻層,以標準的光學微影方法將圖案 (圖 6.11) 轉移至光阻上 (圖 6.12(a)),之後再將其移入蒸發室 (evaporation chamber) 內,讓表面沉積一層 SiO (圖 6.12(b)),為了使外形達到所想要的要求,薄膜沉積的過程與時間都要經過適當的控制。會選擇氧化矽 (monoxide) 來當薄膜沉積材料,是因為它相當容易控制,且穩定性極高。在沉積製程後,試片被放入丙酮 (acetone) 浸泡些許時間來移除光阻。值得注意的一點是,光阻層的厚度必須比沉積材料層還要厚,在此情況下丙酮會溶解,並帶走側邊與從沉積材料層下面滲出的光阻 (圖 6.12(c)),而留下一層氧化矽結構層 (圖 6.12(d)),經過幾次重複過程後,能夠產生多層外形元件 (圖 6.13)[10]。

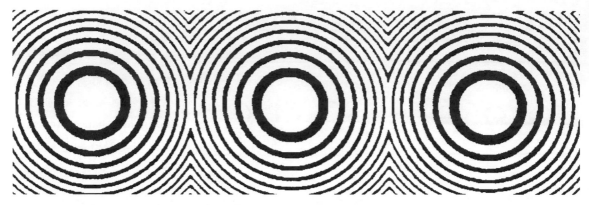

圖 6.11 製造鏡片陣列之部分光罩圖案[10]。

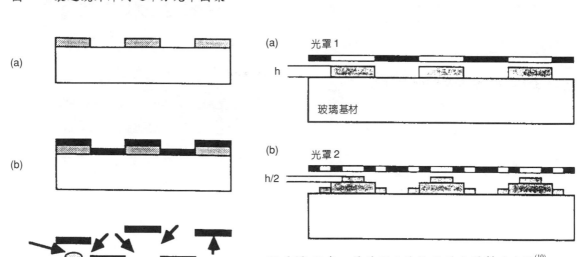

圖 6.13 具有四層外形元件的兩道光罩製造步驟[10]。

圖 6.12 使用薄膜沉積產生外形格柵
　　　　(phase grating) 之製程步驟：
　　　　(a) 光阻圖樣，(b) 薄膜沉積，
　　　　(c) 升起 (lift-off)，(d) 最終外
　　　　形結構[10]。

　　微光學元件中的二元化光學微鏡片 (binary optic microlens) 為廣泛地以繞射式光學技術為基礎，導入先進次微米製造設備和微米製程技術，並整合具有潛力的超大型積體電路 (very large scale integration, VLSI) 微電路裝置，由於極小的尺寸與嚴厲的製程控制為整合的主要二大考量，許多研究者在過去十年來皆專注在此技術。因此二元化光學微鏡片陣列典型的製造方法是以多次曝光 (multi-mask-level) 將圖形轉移至光阻，並以反應離子蝕刻法 (RIE) 來形成多階段 (multistep phase) 外形，此外形近似 Kinoform 表面如圖 6.14 顯示三次曝光 (three-mask-level) 典型的微鏡片陣列製造方法[11]。

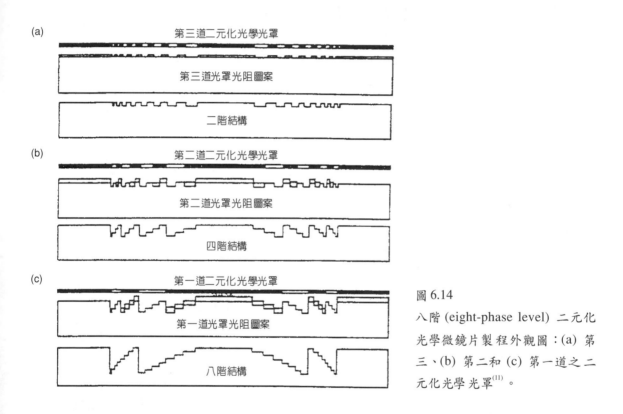

圖 6.14

八階 (eight-phase level) 二元化光學微鏡片製程外觀圖：(a) 第三、(b) 第二和 (c) 第一道之二元化光學光罩[11]。

　　另外，利用雷射直寫在光阻上 (direct laser writing in photoresist) 之微加工方法製造連續輪廓 (continuous-relief) 的平面式微光學元件製作程序，係如圖 6.15 所示先以光學理論設計並計算出表面輪廓外形後，找出曝光資料，計算出光阻曝光強度，接著以雷射直寫系統中的氦鎘雷射束對表面塗有光阻的基材進行曝光，同時控制曝光強度，將圖形轉移至光阻，經顯影即完成原型製作。顯影後之微結構由幾個因素來決定：包括光阻層的表面粗糙度、聚焦雷射點的外形特徵、曝光劑量 (exposure dose) 的精確度與光柵掃描 (raster scan) 之定位精度等。目前，大部分平面式微光學元件所塗的光阻層達到約 5 μm 的厚度，光阻通常使用 Shipley AZ 1400-37 或最近 Shipley 的產品 Microposit S1828 旋轉塗佈在玻璃基材上，轉速

3000 rpm 歷時 1 分鐘產生出 3.3 μm 的薄膜厚度，如用低轉速與較短的時間可得到較厚的厚度。光阻塗佈後送入烤箱以 100 ℃ 溫度烘烤 1 小時和加熱板 100 ℃ 溫度加熱 1 分鐘之後，放入 Shipley Microposit AZ 303 和去離子水以 1：7 或 1：10 稀釋的溶液，來進行顯影。所得的原型再透過電鑄來製作模具，於熱壓成形或射出成形機上大量複製微鏡片陣列，使產品成本降低，達到商業化的目的。圖 6.16 顯示平面式微光學元件的分類與不同的加工方法。

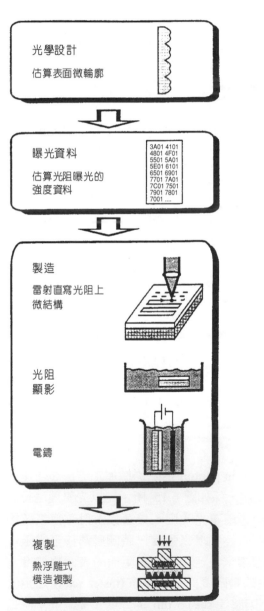

圖 6.15 連續輪廓微光學元件之製作程序[12]。

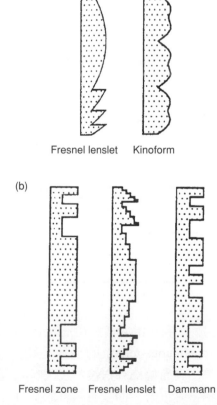

圖 6.16 平面式微光學元件：(a) 以雷射直寫在光阻上為製程之連續輪廓微光學元件範例，(b) 以二元化半導體光罩微影為製程之二元化光學元件[12]。

平面式微光學元件如 Fresnel 鏡片，設計與製造最重要的參數為側邊最小實際分割尺寸 (lateral size of the smallest realizable segment)，結合最大輪廓高度，能夠有效地設定達到鏡片最大的數值孔徑。在目前雷射直寫系統中，氦鎘雷射束很容易達到低於 0.5 μm 直徑的聚焦點，其在光阻上所產生的線寬，能夠完成單線 (single lines) 曝光與顯影至基材上。無論如何，最有效的限制並非聚焦點尺寸大小，而是掃描線準直度，也就是說即使聚焦點尺寸小於 1 μm，也不會對連續輪廓微結構帶來任何改善。對於高孔徑的 Fresnel 鏡片，如數值孔徑接近 0.5，需要小心地設計與最佳化。圖 6.17 為以原子力顯微鏡 (atomic force microscope, AFM) 量測相位匹配的 (phase-matched) Fresnel 元件 (PMFE) 之表面形狀影像圖，其為直徑 5 mm 和焦距長度 10 mm (NA = 0.24) 之的平面式微鏡片，被複製到以聚碳酸脂 (polycarbonate) 為材料的薄膜上。此微鏡片被設計使用在波長為 633 nm 之場合，且量出其波長效率為 70%。如圖 6.18 顯示焦距長度 250 μm、鏡片尺寸大小為 150 μm × 150 μm 之 PMFE 陣列 SEM 影像圖[12]。

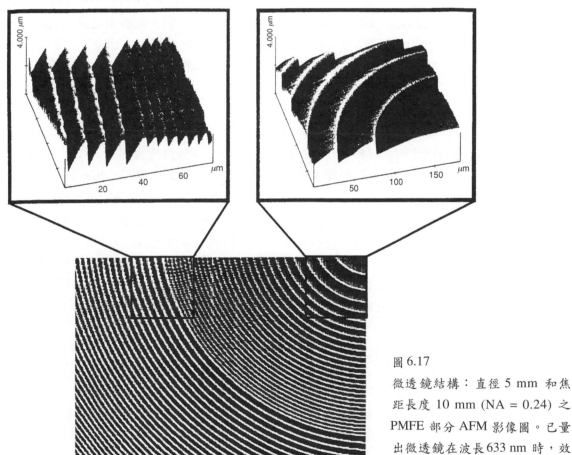

圖 6.17

微透鏡結構：直徑 5 mm 和焦距長度 10 mm (NA = 0.24) 之 PMFE 部分 AFM 影像圖。已量出微透鏡在波長 633 nm 時，效率為 70%[12]。

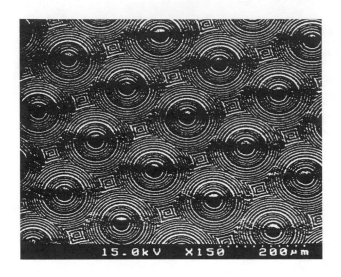

圖 6.18

PMFE (150 × 150 μm 尺寸大小，焦距長度 250 μm) 陣列之 SEM 相片[12]。

　　使用灰階光罩製程法使表面呈起伏狀之繞射式光學元件有更簡單精確的製程 (圖 6.19)。利用灰階光罩光密度 (optical density, OD) 值、蝕刻深度與光阻曝光之間參數關係，能在半導體製程中一次完成多階表面形狀之圖案。由於光罩數目增加，使光罩對準時產生的位移誤差也相對地增加，而且使用光罩的數目愈多，製程的手續也愈繁複，同時也提高了不良率和製作成本。因此可藉由灰階光罩製程法，只需一次曝光就可達到相同目的的優勢，來降低製作成本，減少失敗率[13]。

　　目前，不論是折射式微鏡片或繞射式微鏡片，其表面形狀主要之複製方法有二種：一種是將微鏡片的表面形狀拷貝成模具，再採用鑄塑方式來進行生產複製之工作，如 LIGA 製程中，將微鏡片原型透過電鑄造模後，熱壓或射出成形來複製生產[14]。另一種複製方法是將微鏡片的表面形狀轉移至基材上，以達到複製產品的目的，通常以離子蝕刻為代表，大部分應用在紅外線元件的製作。反應離子蝕刻法 (reactive ion etching, RIE) 具有高穩定度、高精度、蝕刻面積大、可長時間連續工作、進行微鏡片陣列的表面形狀轉移時蝕刻速度快和選擇性好等優點。傳統蝕刻技術是以光阻或金屬薄層為掩膜對基底材料進行蝕刻，要求掩膜的蝕刻速率低，以保證將掩膜圖形完全轉移至基底材料上，而微鏡片陣列的表面形狀轉移要求光阻與基底材料具有相同或接近的蝕刻速率，使微鏡片的球面面形無失真地轉移至基材上。文獻中找出滿足光阻材料 AZ 4620 與基底材料矽 1：1 蝕刻速率之 RIE 蝕刻參數 (束流密度 1 A/cm^2、離子能量 500 eV、總氣體流量 3.5 cm^3/min、氧氣流量 0.42 cm^3/min)，經由實驗結果得出，實際光阻與基底材料的蝕刻速率比為 1：1.03，基本上完成微鏡片面形的 1：1 複製，且較無側向蝕刻。因此，對於光阻與基底材料蝕刻狀況差異較大時，要獲得 1：1 的蝕刻速率，關鍵在於恰當地選擇好反應氣體及其流量。用這套加工方法所獲得之微鏡片陣列，不只光學特性良好，而且具有很好陣列均勻性[15]。

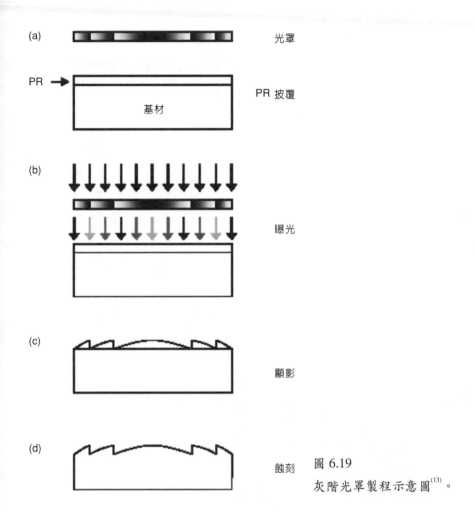

(a) 光罩

PR → PR 披覆
基材

(b) 曝光

(c) 顯影

(d) 蝕刻

圖 6.19
灰階光罩製程示意圖[13]。

6.1.3 微鏡片的其他製程

　　反射、折射是我們所熟悉的簡易光學特性，應用其特性的相關產品亦多得不勝枚舉。然而隨著科技的進步，市場上產品微小化的時代需求，也凸顯出某些在技術層面上的困難點。微鏡片的問世，正好為微小化的折射光學帶來了一線曙光。

　　有關於微鏡片的製造方式，目前有非接觸式的浮雕鑄造法[16]、光阻迴流法[17]、微射出成形法[18]、熱壓法 (hot embossing)[19]、LIGA 製造法[20,21]。其中以 LIGA 製造法與熱壓法最具精確度與量產價值。以下就此兩種微鏡片的製造方法作簡易之說明。

(1) 熱壓法

① 以聚焦離子束 (focused ion beam, FIB) 造模

　　圖 6.20(a) 是從模子上方往下看的示意圖，越靠近內圈所使用的離子劑量越高，因此在經過 FIB 後會造成模子的深淺不一。圖 6.20(b) 即為其外形。一般以鎳、低應變鋼與矽為造模的材料。

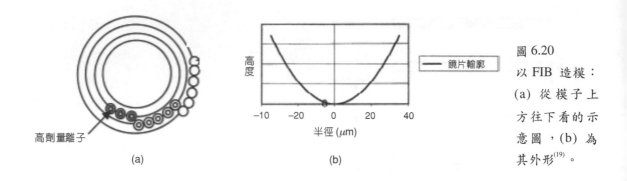

高劑量離子

(a)   (b)

圖 6.20
以 FIB 造模：
(a) 從 模 子 上
方 往 下 看 的 示
意 圖 ，(b) 為
其外形[19]。

② 熱壓

　　將多分子塑膠材料置於模子與鎳平板中間，加熱至 148 °C，並施予微力 20 分鐘後，冷卻到 26 °C，即完成微鏡片的製造程序。圖 6.21 為以熱壓法在 9 mm 厚的矽上所製造出來的微鏡片陣列。

　　圖 6.22 為每平方公分具有 400 個微鏡片的聚甲基丙烯酸酯 (polymethylmethacry, PMMA) 微鏡片陣列。

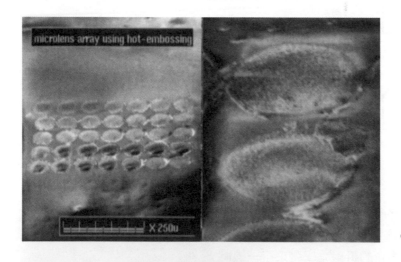

圖 6.21
以熱浮雕法所製造的微鏡片陣列
[19]。

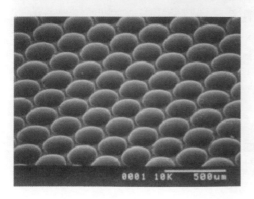

圖 6.22
每平方公分具有 400 個微鏡片的聚甲基丙烯酸酯微鏡片陣列[21]。

(2) LIGA 製造法

微結構製造上應用 LIGA 技術的地方很多。LIGA 所以被廣為運用是因為其製造出的微結構具有次微米以上的精確度、可用於製造複雜微結構以及多樣化等優點。當然，在微鏡片的製造上，LIGA 也不會缺席。

以 LIGA 製造微鏡片所選用的材料一般都是 PMMA，其製造過程有 X 光曝光與熱處理兩程序。

圖 6.23(a) 為第一步驟以 X 光進行曝光。在 PMMA 基材上鋪設 X 光光罩 (mask)，進行曝光。因為光罩的關係，使得在 PMMA 基材上於曝光後分為受 X 光曝光區域與沒受 X 光曝光區域。受 X 光曝光區域的 PMMA 會改變其物理特性，與沒受 X 光曝光區域的 PMMA 有所不同。後續的熱處理程序就是運用這樣的特性來完成微鏡片的成型。如圖 6.23(b) 所示，即為 PMMA 於烤箱中直接加熱冷卻後成型的微鏡片簡圖。

圖 6.24 即說明其差異，未曝光的 PMMA 加熱冷卻過程會延著 A-F-H-G-I 線變化，而曝光的 PMMA 則會延著 A-B-D-C-E 線變化[20]。

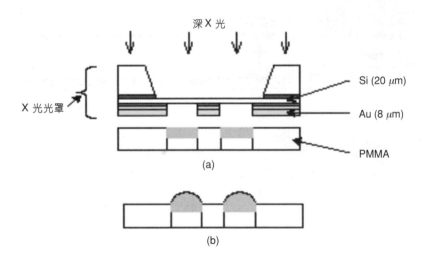

圖 6.23

(a) 為第一步驟以 X 光進行曝光，(b) 為 PMMA 於烤箱中直接加熱冷卻後成形的微鏡片簡圖。

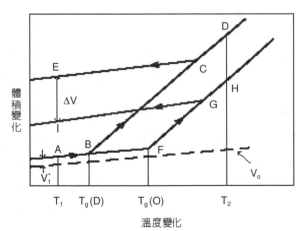

圖 6.24

未曝光的 PMMA 與曝光的 PMMA 其差異說明示意圖[20]。

　　圖 6.25 為所製造出的微鏡片或微鏡片陣列。以 LIGA 製造出的微鏡片直徑為 30 μm － 1500 μm。直徑大小決定於熱處理的溫度、時間與冷卻速度。(a) 為直徑 100 μm 的微鏡片陣列，(b) 為 500 μm 的微鏡片，(c) 為 300 μm 的微鏡片，(d) 為含有氣泡的 700 μm 微鏡片。圖中氣泡生成的原因可能是因為 PMMA 的低玻轉換溫度所造成，也就是說因為加熱過程中 PMMA 沸騰所導致。

　　以 LIGA 製造微鏡片的優點為製造方法簡易。只要將光罩改變，甚至連矩形或星形等形狀皆可以此 LIGA 製程製造出來，並非只侷限於半球形狀。所製造的微鏡片或其陣列有很好的表面粗糙度 (< 1 nm)。

　　產品上運用微鏡片的場合很廣泛，例如生物科技、高速攝影、光與光纖的訊號聯結、光學掃描器、光學感測器、影像顯示器、雷射印表機等。相信讀者如果詳加留意即可發現生活中利用微鏡片的產品將會日益增加。

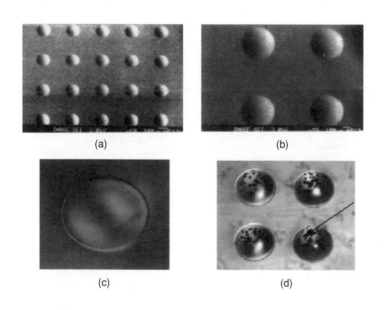

(a)　　　　　　　　　　(b)

(c)　　　　　　　　　　(d)

圖 6.25
以 LIGA 所製造出的微鏡片或微鏡片陣列[20]。

6.2 微噴嘴

　　機電控制元件於微機電工程領域及產業自動化工程之應用中極具重要性，而微噴嘴的製作方式也因其用途上的差異而有所不同，一般來說較常見的微噴嘴製作方式有準分子雷射加工、微機電製程、感應耦合電漿 (ICP) 深蝕刻技術、線放電加工法 (wire electro-discharge machining, WEDM) 等。而在本章節當中除了列舉微噴嘴的一些特殊用途之外，也介紹一些常見的製程方式與製作過程，希望以微噴嘴為主軸，達到對其他相關產品的開發與研究。

第 6.2 節作者為楊錫杭先生及康尚文先生。

6.2.1 印表機噴墨頭

　　微噴嘴 (micro-nozzle) 的一項重要用途是在於噴墨式印表機的噴墨頭上。隨著電腦的普及，印表機的行情也跟著水漲船高。一般印表機可分成撞擊式與非撞擊式兩大類，撞擊式以點矩陣印表機最為普遍，但是由於使用時產生震動、噪音以及速度慢、列印品質較差等缺點，因此，現在已經被非撞擊式的所取代。非撞擊式的印表機又以雷射印表機與噴墨印表機最常見，目前，印表機的市場主要被雷射印表機與噴墨印表機佔據著，這兩種印表機中以雷射印表機所列印的品質最好，但其缺點是價位過高，相較之下，噴墨印表機價格上就佔有較大的優勢，它能以較為經濟的方式達到高品質的彩色列印，這點不是雷射印表機所能及的。同時，噴墨印表機還有不受列印面積限制以及低耗電量的優點，因此是未來市場的主流之一。而噴墨印表機中噴墨頭為關鍵技術之一，它是由一些微小噴嘴所組成，圖 6.26 為噴墨式印表機之噴嘴片圖示，圖 6.27 為其單一噴嘴的放大圖示，其尺寸約為 30 μm，透過壓電致動器，能將一電壓脈衝經由致動器將電信號轉成機械能，拍打並壓縮墨水艙的墨水，將墨水經由微噴嘴噴出。

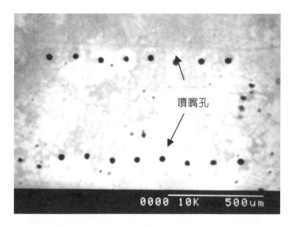

圖 6.26 噴墨式印表機之噴嘴。

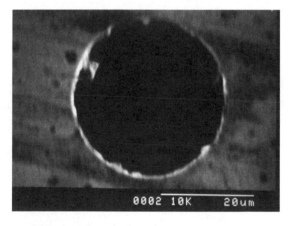

圖 6.27 噴墨式印表機之噴嘴之放大圖示。

　　微噴嘴的品質好壞影響到墨汁噴出量的多寡，例如，墨汁噴出的受力情形對其運動和幾何形狀的變化受噴墨頭的影響，另外，噴嘴的內部構造也對墨汁的流動情形有影響，可見微噴嘴對列印品質扮演了關鍵的角色。

6.2.2 紡口

　　台灣的天然資源缺乏，紡織工業卻為國家賺進大量的外匯，主要因素是因為多年來人造纖維工業的支持。由於人造纖維工業供給紡織工業價廉物美且高品質的纖維原料，使得紡織工業持續的穩定發展。再加上台灣在石化工業上的進步，所生產的乙二醇、丙烯腈以及對苯二甲酸等產品，都是纖維工業的重要原料，才能在人造纖維工業上發展成世界第三大的製造國，據估計年產值約高達 1000 億元的新台幣。

　　紡織工業為民生之必需工業，在我國的眾多工業當中，紡織業是少數具有強大國際競爭力的工業，對國家工業發展扮演了極重要的角色。過去一般都是以天然的纖維為主，在人口持續的成長之下，天然纖維有限，因此，我們對人造纖維的需求逐年增加。以 1994 年來說，台灣地區的人造纖維產量就高達 245 公噸，是世界上人造纖維的第二大產地，其中聚酯纖維的產量更是高居世界首位。纖維產量如此高，主要是建立在於上游原料充足以及進口自動化機械的基礎上，在其他國家的激烈競爭下，台灣在人造纖維的技術方面仍然必須不斷的求新與求變，並提高產品的品質，才能繼續保持領先的地位，並在未來強烈的國際競爭壓力下，繼續維持高成長與高獲利。

　　在整個人造纖維的製造過程中，紡口是最關鍵的零件技術，現在精密的紡口大多數是由國外進口，若能提升國內超細纖維紡口的製程技術，再加上台灣纖維上游充裕的聚酯原料，預期將可大大提升人造纖維的附加價值。超細纖維是指每根絲織密度在 0.5 丹尼 (丹尼是指纖維重量與長度之比，1 丹尼是 1 克的材料拉伸 9000 m 長的細絲) 以下者，具有外觀蓬鬆、自然、防風、防水、透氣、覆蓋性與柔軟性佳的特性，為高價位的人造纖維。

　　目前，0.5 丹尼的超細纖維可經由紡口直接擠出，再經過固化捲取拉伸而成形。0.1 丹尼以下的細絲則使用複合紡絲法，擠出成形後再行開絲工作。

　　一般紡口 (spinneret) 的生產技術主要是在放電加工與 X 光深刻模造 (LIGA)。放電加工的孔徑會受深寬比的限制且電極會耗損，只能個別加工，最細的實用孔徑約為 0.2 mm，適合於 0.5 丹尼的抽絲。而 X 光的深刻鑄造其深寬比可大於 100，精密度在 0.1 μm 以上，但因為光源不易取得，維修費用高等因素，因此增加了不確定的因素。而使用紫外線光源結合具有高深寬比的厚膜光阻，是近來微機械加工所衍生的另一種方法，它所使用的光源和 LIGA 不同，但卻具有電鑄、模造的特性，故稱為 UV-LIGA。使用此種方法所製造的紡口，具備有高深寬比、高均勻性，以及良好的表面粗糙度等優點。再加上電鑄合金的硬度高，可將紡口的微噴嘴的局部硬度提升，以增加對纖維中二氧化鈦的耐磨性，提高紡口的品質與壽命。

(1) 紡口的製造技術

　　在纖維的製造中，紡口決定了纖維的好壞，是關鍵的零件之一。所謂的紡口就是用來抽絲的高精度微小模具，越是精密的模具其價位越高，紡口就是利用耐酸、耐鹼以及耐摩擦的金屬所作成的 (如鉑、銥合金、不鏽鋼等)，上面具有微小孔洞，而孔洞形狀則視各種不同的纖維而定，圖 6.28 所示為微加工之紡口的微結構斷面圖，而圖 6.29 則是以射出成形複製之 W 形紡口微結構。現今的紡口製造方法有：

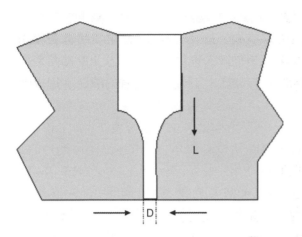

圖 6.28 微加工製造之紡口微結構斷面圖[31]。

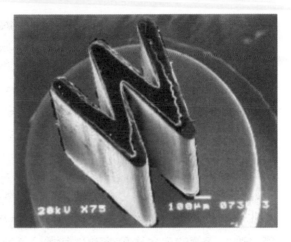

圖 6.29 以射出成形複製之 W 形紡口微結構[31]。

① 微放電加工製造：加工成形的材料範圍廣泛，其精密度也比傳統的加工方式來的好，但是其深寬比受到限制，且電極會耗損且有擴孔的現象，只能夠個別加工。

② 光深刻模造術製造：具有高深寬比、粗糙度小的優點，但是其光源取得不易、維修費用高昂以及價格不便宜。其製造於後文詳細介紹，這裡將微放電加工和 X 光深刻技術加工其圓孔特性如表 6.1 所作比較。

表 6.1 微放電加工和 X 光深刻技術加工比較。

	微放電加工	X 光深刻術
精密度	1 μm	0.1 μm
深寬比	< 10	100
粗糙度	0.2 μm	0.03 μm
厚度	受深寬比限制	2 mm
生產方式	個別加工	批次生產

　　傳統的紡口為避免在抽絲過程中阻塞，其線寬設計常大於 100 μm。因此對紡口的製造而言，提高紡口深度將比減小孔洞大小更為重要。理論上紡口結構的深寬比必須大於 6，如此一來在抽絲的過程中才能使高分子流體在抽絲噴口內達到完全發展 (fully developed)。現行以微放電加工技術製造之紡口，其深寬比僅能達到 3，但若以 X 光深刻術製造紡口，其深寬比可高達 20 以上。除此之外，利用光刻法所製造之紡口更具有均勻性佳、噴口內面粗糙度小等特性，還可以製出微放電技術所難以加工的非圓形斷面，此一重要特性可以用來製造如人造皮革、中空、人造蟬絲等功能性之人造纖維，並利用射出成形及電鑄技術進行

紡口的批量複製,其製造成本將比現行製造方法低。由這些優點看來,利用 X 光深刻術製造紡織纖維紡口,將可能成為未來紡口製造的主流技術。以 X 光深刻術製造超細纖維紡口,將對 0.5 丹尼超細纖維的製程發生巨大衝擊。直接抽絲將提供更快速以及更好的均勻性以取代傳統方法。再者,利用 X 光深刻術可以輕易的製造出不同斷面形狀的噴口,用以製造各種高產值的功能性纖維,其應用更可擴展至工業、醫療等領域。

(2) 高性能纖維之製造及運用

人造纖維具有一些天然纖維所沒有的特性,尤其是具有強度、尺寸安定性、持久耐用性和能夠抗化學藥品之優點,但是考慮到人們的穿著舒適,人造纖維仍有許多不及天然纖維之處。幸運的是,人造纖維具有可塑性,可改善其性質和附加性,這一點就成為其發展的重點之一。纖維的根數和其橫斷面決定於紡口微噴嘴的小孔數目和形狀,在紡織業上通常為圓形可獲得最大的強度,同時可得到最好的強度和纖維緻密性。可是,橫切面的改變卻可製造出不同的觸感和視覺效果。如中空的纖維能減輕重量、三角形的橫切面可增加紡織物的光澤,或是三葉形纖維可提高其覆蓋性等等。

關於超細纖維紡口的應用與生產製造技術上,目前仍然存在著許多的困難之處有待解決。在熔融紡絲的過程中變數很多,如抽絲的溫度、紡口的孔徑、冷卻方式、冷卻溫度及捲取速度等,然而為了使纖維達到較高的總延伸倍率,以增加纖維的物性和成形效果,抽絲紡口的微噴嘴處必須擁有高深寬比。隨著抽絲纖維孔徑的縮小,相對的也提高了抽絲的溫度和抽絲的壓力,所以紡口的厚度也必須增加,以避免熱應力變形,不致因紡絲過程中的速度差異而影響絲織品的品質。更重要的是,高深寬比的紡口可以讓高分子模流流經紡口時依然保持流體運動,使得各項流動性質物理量如梯度壓力、幾何形狀等不會因巨大壓力而損失,有助於維持紡口的壽命,減少紡絲過程中不必要的損失。

6.2.3 加工方式

6.2.3.1 準分子雷射加工

自從 1970 年代高功率二氧化碳雷射發展成功以來,雷射已經被廣泛地應用在汽車、國防、航空、精密工業的零件加工、醫療、量測上,雷射具有高平行、高強度、同調性、單一頻率、使材料在瞬間獲得大量熱能的優點,使用在切割、鑽孔、銲接、表面硬化等加工上,具有良好的加工效果。近年來機械業朝高速化、精密化、微細化的方向前進,非傳統加工成為機械工程領域研究主流,許多在過去難以切削加工的硬脆材質或是要求甚高的精密加工,在今天都能以雷射來達成加工目的,包括今日流行的半導體工業,在切割及微細銲接上都能達成其要求。在過去,已有許多的作者將雷射加工列為非傳統加工書籍範圍裡必備的章節,下面針對雷射加工的原理及特性加以介紹。

(1) 雷射光的特性

雷射光具有以下主要特性：高單色性、同調性、發散性及高強度。

① 高單色性

雷射光的輸出波雖然不是真正的單色性，但雷射具有比其他光源都高出甚多的狹窄帶寬，此一特性對於用來進行測量或度量衡的應用是非常重要的，因為高度的單色性會減少可見的干涉條紋而提高精確度。

② 同調性

同調性與雷射束波形的相位關係有關，波形若具有相同的頻率、相位、大小、方向時稱為同調性。一般光線的光源放射是任意、雜亂的，雷射光波是規律的、可預期的和相同的，此一特性對於像是雷射攝影的應用是非常重要的，因為可以藉由記錄兩個干涉光束的相位關係來儲存物體的波峰。

③ 發散性

雷射產生的光束非常平行，高方向性使得雷射光束能夠聚集，以高效率的方式傳遞到局部面積上，即使經過很長距離的傳送，能量也不會有太大的損失。發散度是由於傳送距離過長而使雷射束直徑增大，藉以測定雷射光束實際直徑的測量方法，通常在產品上都會標註雷射光束發散角的角度。

④ 高強度

被平行化的雷射光束，能夠聚集在一個微小的點上，低發散角度及小直徑點徑可以產生非常高的能量集中。

(2) 雷射加工的基本原理

雷射加工是利用雷射光的高強度、高同調性的特徵，以聚焦鏡將之聚集成功率密度達 $10^3 - 10^9$ W/cm^2 的光點，在工件表面產生局部的加熱熔化，甚至是氣化加熱效應，達到加工目的。當材料表面受到紅外光區的雷射光照射時，光子可以在 10^{-12} 秒內將能量傳遞給電子，電子又在 10^{-9} 秒內將能量轉換為晶格熱，光能轉換為熱能的時間非常短，雷射光束的功率密度相當高，在單位時間、單位面積內，提供極高的光能使材料表面瞬間獲得大量熱能，這就是利用雷射進行加工的基本原理。

材料表面所獲得的熱能因為時間非常短暫，不及擴散至加工件的內部，幾乎全部集中在表面薄層，工件本體仍可以維持在室溫狀態，但加工件表面溫度可以升高到千度以上，甚至使工件表面熔化、氣化，溫升速度可達每秒 $10^8 - 10^{10}$ 度，具有溫升迅速、熱影響區小的特性，對於某些只需要加工工件表層又不希望影響原有材料性質的情況，雷射是非常好的加工方法[16]。

(3) 加工所需熱量分析

　　要分析雷射加工所需要的熱量，應按照下列過程進行：① 先計算所欲移除材料的體積。② 根據材料的物理性質，計算從室溫加熱到熔點、熔點加熱到沸點、沸點再加熱到氣化總共所需的熱量總和。③ 依照雷射脈衝計算所需的能量應為多少。

　　一般常見的雷射有以下四類：

① 氣體雷射

　　常見的有二氧化碳雷射及準分子雷射 (excimer laser)。二氧化碳雷射是較早被使用的氣體雷射，在材料加工、醫療使用、軍事武器、環境量測上有廣泛的應用，依照使用的功率範圍可分為低功率 (小於 200 W)、中功率 (200－1600 W)、高功率 (大於 1600 W 以上) 等三種。準分子雷射又稱深紫外線雷射，近來常被眼科醫生使用來作開刀工具，目前工業界也使用在晶圓表面清洗、有機高分子材料的剝離上，效果很好[17]。

② 固體雷射

　　最常見的是 Nd-YAG 雷射，Nd-YAG 雷射是固體雷射中的主流，使用在許多加工上的應用，也常見於醫療用途，圖 6.30 為台灣雷技公司所生產的 Nd-YAG 雷射醫療用機。

③ 半導體雷射

　　半導體雷射具有發出的光可用光纖傳輸的優點，加工上可以應用在像是外科手術用針的局部退火鑽孔、局部淬火或銲接上[19]。

④ 染料雷射，較少使用在加工上。

圖 6.30
醫療用 Nd-YAG 雷射機[24]。

(4) 雷射鑽孔加工的原理

當材料表面受到高功率密度雷射光束照射後，會產生氣體與液體混合的「熔池」，氣體壓力達到某種程度時，氣體本身連同液體向熔池外噴射，形成一小孔。液體－氣體的比例隨功率密度的提高而減小，當功率密度更高時，轉變成「固體－氣體」混合的型態，如圖 6.31 所示[20]。

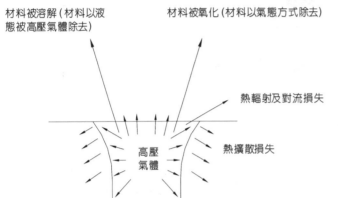

材料被溶解 (材料以液態被高壓氣體除去)

材料被氧化 (材料以氣態方式除去)

熱輻射及對流損失

熱擴散損失

高壓氣體

圖 6.31
雷射鑽孔原理。

(5) 雷射鑽孔與傳統鑽孔比較

鑽孔是雷射加工最早的應用之一，發展至今幾乎所有材質都能鑽孔，如塑膠、紙、橡膠、陶瓷、複合材料、鑽石及高硬度合金等。它是以高功率密度的光束將材料直接氣化，形成所需要的孔，與傳統機械式鑽孔比較，具有無毛邊、加工速率快、可鑽硬脆材料、可在不規則表面上鑽孔的優點，缺點則是孔容易形成推拔狀、孔深受限制及成本高。一般而言，二氧化碳雷射及 Nd-YAG 雷射均能使用在鑽孔上，Nd-YAG 雷射波長較短，可用於較微細的加工。

(6) 雷射鑽孔的應用

許多在過去傳統加工所無法進行的鑽孔，如硬脆材料－陶瓷，如圖 6.32 直接接觸式的傳統機械鑽孔容易在鑽孔時產生材料龜裂現象，雷射鑽孔因為是非接觸式，可以獲得良好的效果。印表機所使的墨水夾前端的噴嘴，因為噴嘴孔非常細微，使用雷射加工能獲得良好效果，如圖 6.33 與圖 6.34 所示。

6.2.3.2 LIGA 的製造程序

LIGA 之技術領域可分為兩方面：(1) 微影 (lithography) 與 (2) 電氣沉積 (electro deposition)、電鑄 (electroforming)、電鍍 (electroplating)。

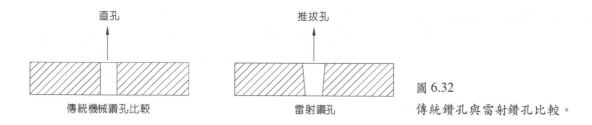

圖 6.32
傳統鑽孔與雷射鑽孔比較。

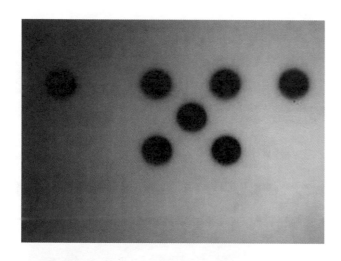

圖 6.33
在陶瓷上鑽 0.3 mm 的孔[27]。

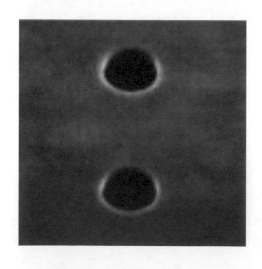

圖 6.34
使用雷射鑽孔的噴墨嘴[28]。

(1) 微影技術

　　微影之定義，就是將光罩 (photo mask) 上之圖案 (pattern) 轉移至光阻 (photo-resist) 上面，由於光阻材料之正負性質不同，經顯影 (develop) 後，光阻圖案會和原圖案完全相同或呈互補。

微影製程可說是半導體製程之關鍵製程，其主要有以下步驟：

1. 表面清洗：表面清洗是去除晶片表面氧化物、雜質、油質及水分子。

2. 塗底 (priming)：塗底是在晶片表面塗上一層 HMDS (hexamethyldisilazane) 化合物，以增加光阻與表面的附著力。

3. 光阻覆蓋：光阻是一種感光材料，由感光劑、樹脂及溶劑所混合而成。而光阻應具備以下特性，諸如高光源吸收率、高解析度、高光感度、抗蝕劑性、高附著性、低黏滯係數以及高對比等。

4. 軟烤 (soft bake)：將晶片上之光阻層溶劑從光阻底驅除，使光阻由原來之液態軟烤成固態之薄膜，使光阻層對晶片表面之附著力加強。

5. 曝光：光蝕刻微影技術是用已製成圖案之光罩或光阻，選擇性的保護工件表面後，以各種光源蝕刻除去未被光罩或光阻覆蓋的部份，而得到欲加工之幾何形狀。

6. 顯影：曝光後，為使圖案顯現，必須移去不必要之光阻。負光阻顯影液會將未曝光之部份以溶劑洗去，已曝光部份則因分子聚合而留下圖形，對正光阻而言，曝光部份將被洗去，而留下未曝光部份圖形。與負光阻相反，目前正光阻之顯影液以不含金屬離子且稀釋過 (2.38%) 的 TMAH (tetramethylammonium hydroxide) 為主。

7. 硬烤 (hard bake)：在光阻顯影成像後，最後仍會經過一道烘烤，其目的在移去剩餘之溶劑及水氣，使光阻內未溶解之感光化合物和樹脂間之結合更緊密，以增加光阻對熱之穩定性及底層物質之附著力，在將來之蝕刻或離子植入製程中，能確實發揮保護圖形之功能。

(2) 深刻技術

① 光蝕刻 (photolithography)

台灣的同步輻射 (SRRC) 電子束能量為 1.3 GeV 到 1.5 GeV，特徵波長為 0.89 nm 到 0.54 nm，屬於低能量之同步輻射光。若使用 PMMA，在恰當時間內曝光深度約為 300 μm。針對上述缺點，SRRC 發展共形光罩 (conformal mask) 及多次曝光技術，可將曝光深度推到 1 mm 之上。

X 光深刻術的橫向精度由光罩及曝光參數決定，一般而言可達 0.1 μm。深寬比和孔徑大小有關，大約多在 50 到 100 之間。深刻壁的粗糙度受 PMMA 分子量及二次電子放射之影響，約可達平均約 30 nm 面粗糙度。

② 紫外光深刻

此法使用 G-line 的紫外光源，光罩製作簡單，曝光時間在十分鐘左右，微結構深度約 100 μm 左右，採深寬比小於 10，橫向精度受底切 (undercut) 之影響，僅達 2 到 3 μm (Fraunhofer ISIT 1994 年報)。進一步的改善曝光系統，也許能改善底切現象，這個工作由柏林的弗勞夫研究所及蘇新公司共同研發中。

　　紫外線深刻術使用赫斯公司 (Hoechst) AZ 4000 系列正型厚膜光阻曝光，除了製造深刻模之外也可用於直接生產微系統元件。除此之外，美國的喬治亞技術學院也發展以 polyimide 為光阻的紫外線深刻法。

③ 雷射深刻

　　準分子雷射 (excimer laser) 的多種波長都在紫外線的範圍，剛好可以擊斷多數分子結構的鏈結，造成強烈而且局部的能量吸收。受高能量雷射照射的部分，分子鍵撕裂而飛濺出，有如切削一般。這種雷射切削技術就稱為雷射光刨法 (laser ablation)。

　　雷射深刻製模的彈性很大，深度和橫向精度可以和 X 光深刻相較。一般而言，深寬比大於 100，深度數百微米，而精度均為微米之內，但是面粗糙度及準直較 X 光深刻差。

④ 反應離子束蝕刻

　　以反應離子蝕刻在矽晶片上製造深刻結構來取代 X 光深刻的工作，反應離子蝕刻目前所達深度為 500 μm，橫向精度 1 μm，深寬比 15。必須小心控制蝕刻過程，才能製造 90 度的垂直壁面，蝕刻速度為 2 μm。

(3) 電鑄技術

　　電鑄步驟的示意圖如圖 6.35 所示。一般而言，經光刻後所形成的光阻模版為三層式結構，最底部為非導電的矽晶圓、玻璃、陶瓷或塑膠等基材，其次是作為電鑄起始層的導電金屬，最上層為光刻後的光阻結構。

　　圖 6.36 為電鑄系統架構與陰陽極作用示意圖，其中光阻模板在電鑄槽中作為陰極，而欲電鑄的純金屬材料盛於鈦籃 (titanium basket) 中作為陽極。包裹鈦籃之陽極袋最好用內面起毛之棉布或塑膠纖維布，過濾陽極金屬溶解時的不純物。在電鑄過程中，接上外部直流電源使兩極產生電壓，此時陽極金屬會溶解於鑄液中，形成金屬離子並放出電子，陰極則獲得電子使金屬離子還原並沉積於模板中。因導電起始層僅有數千埃 (Å)，故在開始沉積時宜先以低電流密度為之，等鑄層加厚再加大電流密度，否則沉積層會呈現燒焦狀態。電鑄前待鑄件必須經過適當之處理，以確保良好之電鑄品質。一般電鑄前處理步驟為：水洗、脫脂、水洗、酸洗活化、水洗、浸漬離型劑、水洗。此外，為除去顯影後電鑄起始層表面殘存的光阻，待鑄件可進行氧電漿表面潔淨處理。

　　純水沖洗目的在於去除待鑄件之微粒雜質，並清除各前處理程序之殘留藥劑，以避免污染鑄液。另外，具高深寬比的光阻模版將使陷入圖案的空氣難以排除，致使電鑄層產生缺陷。為了排除圖案內的空氣，使電鑄液能與電鑄起始層緊密的接觸，可將待鑄件在放入鑄液前，先浸入純水中並進行短暫的超音波處理。脫脂與酸洗活化的目的，分別是去除附著於電鑄起始層表面的油脂類污染物與氧化層，以保持鍍液之潔淨及金屬沉積層能密著於電鑄起始層。浸漬離型劑 (重鉻酸鉀) 的目的則是為了電鑄完成之後，電鑄層能與模版順利

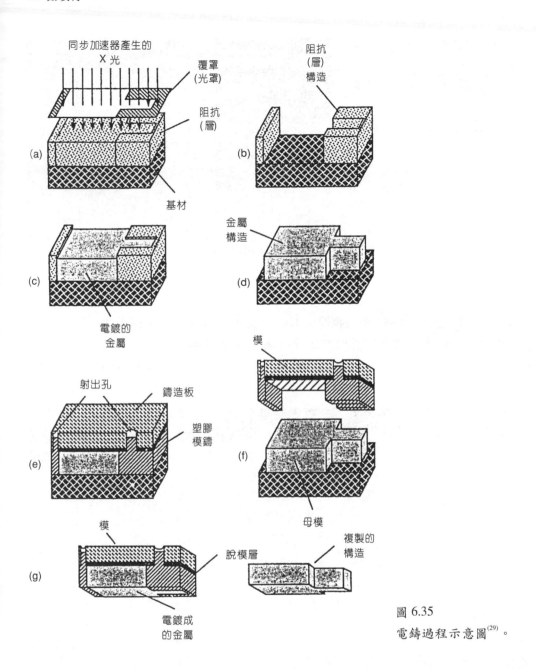

圖 6.35

電鑄過程示意圖[29]。

分離所施行的步驟。前處理完成之待鑄件應立即置於電鑄槽中,以免因與空氣接觸而產生氧化作用,並且需要在最短時間內啟動電流進行電鑄,否則會發生陰極金屬溶解的現象。

待鑄件經過前處理後露出活化的金屬起始層,電鑄金屬即由此起始層開始成長,最後形成與光阻形態互補 (complementary) 的金屬結構。當電鑄進行中應儘量避免拿出鑄件觀察,以免鑄層氧化致使後續沉積不易,或容易產生界面剝離現象。若必須在電鑄進行中觀察鑄層,則鑄件拿出鑄液面後,在鑄層表面鑄液尚未乾燥前即必須將鑄件重新置入鑄液

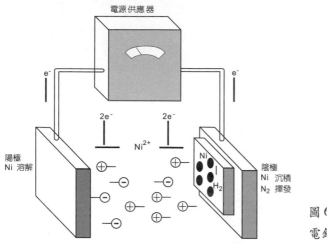

圖 6.36
電鑄系統架構[29]。

中。電鑄完成後，鑄件須進行純水沖洗並加以乾燥，以避免鑄件表面產生斑點、鏽及變色。此外，為了使電鑄後的結構高度均一或表面平滑，必須在去除光阻前經過研磨拋光，以適應結構的應用或後續的膠模造成形，最後將工件浸在化學溶液中去除光阻，完成電鑄結構。

6.2.3.3 微放電加工

(1) 微孔加工

　　提到微放電加工免不了就提到微孔加工。微孔加工在工業上應用廣泛，如噴墨印表機之噴嘴、顯示器電子鎗小孔、高速電腦之微連接器及通訊裝置之元件。但是，利用傳統之微孔鑽床來加工時受限於最小鑽頭直徑不能小於 50 μm，故僅可加工孔徑在此範圍以上之小孔。此外，雷射加工法及電子束加工法雖亦可用來加工微小孔，惟雷射加工法會有形狀及孔壁面粗度大的問題，而電子束加工法則效率低。若能改用線放電加工的方式來加工，除可製作出直徑 10 μm 之微孔、表面粗度在 0.1 μm 外，並能改進孔徑精度。但線放電加工僅能針對導電性材料，為其最大限制。線放電加工的原理與傳統放電加工方法相同，但放電能量僅為其數十或數百分之一。現今線放電加工技術中，日本開發出之超微細放電加工機具最小孔徑可達 5 μm、製造精度可達 ± 1 μm，而表面粗度達 0.1 μm 之水準。

(2) 三次元線放電加工

　　三次元線放電加工的發展與應用上，可用於微小模具與零組件的製造，例如雙層微齒輪的模具；其特點是可在導電材料上加工出三次元立體形狀，而製造出微小衝模和衝頭。在傳統放電加工的過程中，電極的耗損是不可避免的，加工時電極移動路徑需適當規劃，使電極的磨耗趨於均勻。在微放電加工中,因為電極尺寸小,電極磨耗不但影響尺寸精度,且會造成形狀的變化,電極磨耗顯得較為嚴重,因此需將電極磨耗即時補償,才能使加工形狀與精度符合高精度的要求。圖6.37為碳化鎢電極的 SEM 圖。

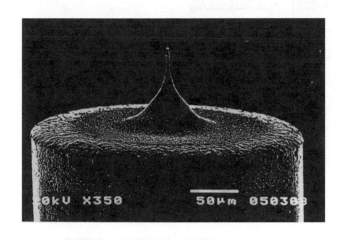

圖 6.37
碳化鎢電極SEM 圖。

(3) 電極製作

在加工技術方面,電極斷面的形狀也和加工形狀有關,例如欲獲得尖銳稜角的加工形狀,就可採用斷面形狀為方形的電極加工。當電極截面形狀為方形時,尖角和前端的磨損特別嚴重,所以設計特別的加工路徑使電極能夠均勻的磨損,就可使電極在軸向均勻磨損,而不會在側向(徑向)磨損,而改變電極形狀。另外,經由一層一層的進行加工,以微量的加工深度,就可以在微方孔加工中,使電極均勻磨耗,而獲得垂直平整側壁的微方孔。其製程是以微放電研磨法加工出方形截面的電極,並將底端修整平坦,加工時將電極以平均順序所規劃的路徑移動,就可獲得具有垂直平整側壁的微方孔。

(4) 微小噴嘴的製作

依圖 6.38 所示,使用微放電、電解及電鑄的複合加工法,可以加工出內外不同形狀的微小噴嘴,其加工步驟如下:

(a) 以線放電修整法 (wire electrodischarge grinding, WEDG) 放電加工微小電極,此時可以控制噴嘴內徑的形狀,但其表面粗度較大。

(b) 以 WEDG 電解法拋光微小電極表面,可以將表面粗度減小到 0.1 μm 以下。

(c) 電鍍加工,將微小電極移入電鍍槽進行電鍍。

(d) 以 WEDG 放電法加工電鍍層,將電鍍層不規則形狀的外形修整為所需要的尺寸。

(e) 進行微小電極和電鍍層的剝離,即可完成微小噴嘴的加工製造,如圖 6.39 與圖 6.40 所示。

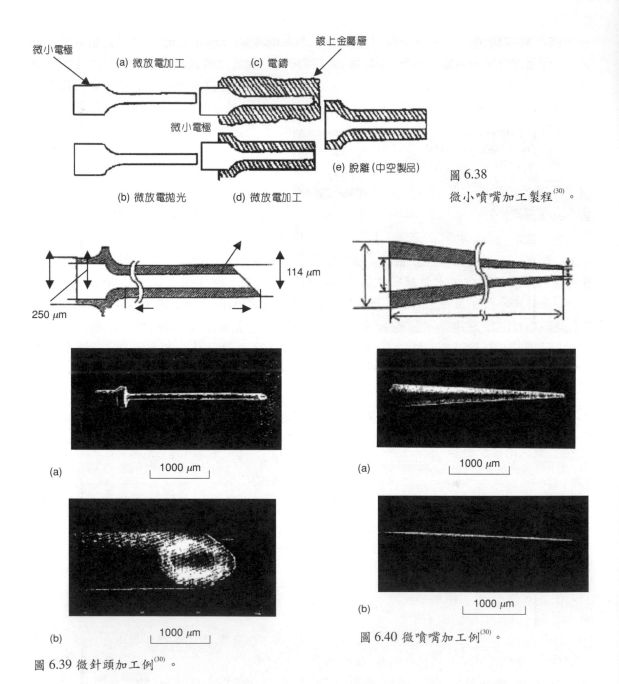

圖 6.38
微小噴嘴加工製程[30]。

圖 6.39 微針頭加工例[30]。

圖 6.40 微噴嘴加工例[30]。

6.2.4 微噴嘴應用

　　另外，利用微噴嘴製成的微火箭推進器可應用在先進的太空技術中，因為它能減少發射火箭的成本與飛行次數，並能增加任務的可靠度。此外微火箭發射器上的各式微零件都具有良好的靈活性與實用性，大大的提升其實用性[32]。

　　圖 6.41 為微火箭噴射器之噴嘴，利用矽晶片經蝕刻後形成微蒸氣室和縮孔，上方用玻璃密封，液體由下方進入經由加熱器形成蒸氣再由噴嘴噴出造成推進力，因為矽是良好導體，可使加熱達到最好的效果。

　　另有對稱型微火箭噴射器，如圖 6.42 所示，此種設計藉由兩邊加熱器更能有效率地增加能量。

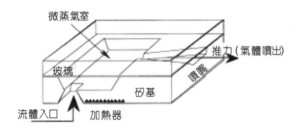

圖 6.41

側邊噴嘴之微火箭推進器[32]。

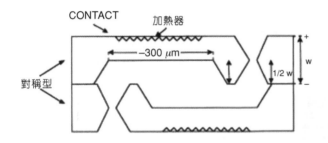

圖 6.42

對稱型火箭噴射器(噴嘴在上方)[32]。

　　微噴嘴的應用除了微火箭推進器外，還包括了「太空傘」。所謂太空傘就是一種能在太空展開，直徑在幾米和幾十米、厚度在幾微米和幾十微米之間的傘狀物體。目前這種太空傘的原形已經出現了，如俄羅斯早在幾年前就試驗過一種供地面夜間照明所用的「太陽傘」，它如月亮般可反射陽光，展開直徑可達 20 m 左右；此外它還可應用在軍事用途上，如導彈突防等，只需在基礎上稍作修改即可。太空傘平時放置在轉盤式傘包內，當傘包進入太空時則啟動微噴嘴起旋，並以相應的離心力將太空傘展開[33]。

　　除此之外，微噴嘴還可應用在快速成型法 (rapid prototyping)[34] 及微小液滴分配器[35]上。此種快速成形法是利用微噴嘴射出熔融的金屬液，透過數值控制射出時間，經過空氣的冷卻形成半熔化狀態的微小顆粒，然後堆疊冷卻成型。如圖 6.43 所示。

　　利用此種成形法可堆疊出小體積的成品 (圖 6.44)，而成品的大小和粗糙度 (圖 6.45) 取決於噴頭縮口的大小，噴頭縮口越小射出的金屬顆粒越小 (圖 6.46)，所堆疊出來的成品也就越精細。

　　微小液滴分配器 (圖 6.47) 係利用圖 6.48 之方法製作而成，此分配器可分離出兆分之一升 (約為 0.001 nL) 的微小液滴 (圖 6.49)，可應用在液體取樣。

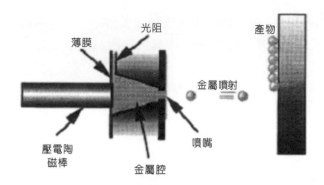

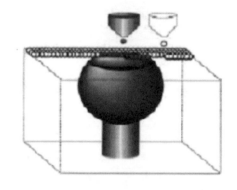

圖 6.43
快速成型法工作原理示意圖[34]。

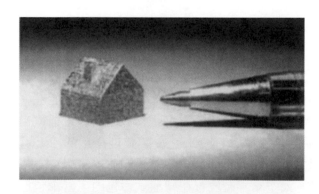

圖 6.44
利用此法所堆疊出的小體積成品[34]。

圖 6.45 不同大小的噴口堆疊出的成品[34]。

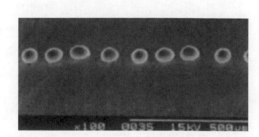

圖 6.46 直徑 50 μm 的噴嘴所射出的顆
粒[34]。

圖 6.47 液滴分配器[35]。

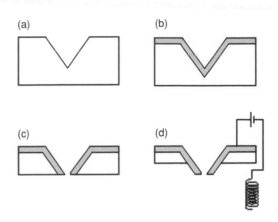

圖 6.48 (a) 在基層上利用非等向性蝕刻一錐
形凹槽，(b) 在表面形成一層結構
層，(c) 反向蝕刻，蝕刻深度視所需
噴嘴縮口大小而定，越深縮口越
大，(d) 利用 p-n 電化學停止蝕刻去
除基層留下結構層[35]。

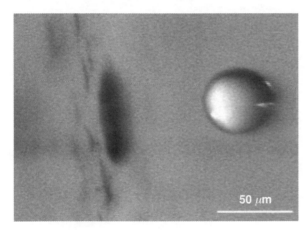

圖 6.49 0.001 nL 的微小液滴[35]。

6.3 微探針

微探針是配合最佳化設計與半導體製程製作。微探針的剛性極小 (0.1－10 N/m)，可利用原子力、電力、磁力等極微弱之物理與化學特性，達到原子或奈米 (nm) 等級之檢測解析度與加工線寬。

6.3.1 微探針之種類

一般來說，目前常用探針之種類有：掃描穿隧顯微術微探針 (microprobe of scanning tunneling microscopy)、原子力顯微術微探針 (microprobe of atomic force microscopy)、掃描

第 6.3 節至第 6.5 節作者為康尚文先生。

近場顯微術微探針 (microprobe of scanning near-field optical microscopy)、磁力顯微術微探針
(microprobe of magnetic force microscopy)。

6.3.2 微探針之製造方式

在微探針製造方法方面，因各種不同應用而有不同方法。下列將簡略敘述四種探針之
製造方式。

(1) 掃描穿隧顯微術微探針

一般是用 0.5 mm 的鎢絲，以電化學的方法在 KOH 或 NaOH 溶液中腐蝕；或將 0.25
mm 的鉑銥合金 (PtIr) 絲拉剪而成，針尖的直徑大都在幾百 Å 的範圍。

(2) 原子力顯微術微探針

利用將角錐形的尖端蝕刻形成單晶矽之微製造 (micro fabricated) 技術，然後用手工操作
接在以蝕刻玻璃基體產生的懸臂上，最後以蝕刻來除去矽和包覆折射率高的黃金薄膜。最
近 IBM 發展出以單晶矽蝕刻出的探針，具有非常銳利的尖端半徑 (一般有 5－10 nm) 和優
良的高寬比。

(3) 掃描近場顯微術微探針

目前一般常見的掃描式近場光學顯微儀所用的近場光學之光纖探針，是由 Eric Betzig
在 1992 年左右所發展出的熔拉方法製作出來的，其方法為將裸光纖以二氧化碳雷射聚焦加
熱熔拉，而形成具奈米尺度之尖銳探針，再以迴旋熱蒸鍍的方式，覆鍍上一層金屬 (通常是
鋁) 薄膜。

(4) 磁力顯微術微探針

透過電化學蝕刻鐵磁電線，或者透過塗佈有磁薄層的非磁性探針而作成。

6.3.3 應用範圍

目前應用範圍為：量測、微結構加工與生物醫學應用。

(1) 量測
① 掃描穿隧顯微術 (STM)[36,37]

掃描穿隧顯微術起源於 1980 年代初期，為 G. Binnig 及 H. Rohrer 所發明之新技術。利
用它能解析出晶體表面的原子結構及電子分布情形以進行量測，如圖 6.50 所示。

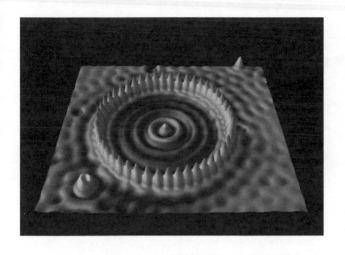

圖 6.50

為在 STM 下直接觀察銅 (111) 之局部表面影像[38]。

② 原子力顯微術 (AFM)[39,40]

　　原子力顯微術由發明人 G. Binnig、美國史丹福大學 Quate 教授及 IBM 的 Gerber 率先發展。目前已有最佳之原子解析度檢測能力，協助學術界研究薄膜特性，如鍍膜粗糙度量測等，可參見圖 6.51。

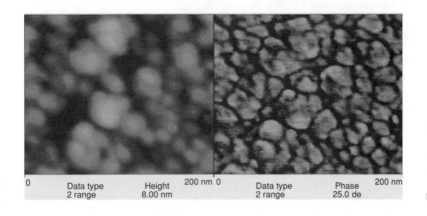

圖 6.51

為矽晶片上所鍍之鎢薄膜原子力影像，掃描區域為 200 nm × 200 nm[41]。

③ 磁力顯微術 (MFM)[42]

　　磁力顯微鏡是在 1986 年由 Binnig、Quate 與 Gerber 所發明的掃描式作用顯微鏡演變而來。最早的磁力顯微鏡影像是由 Matin 和 Wickzamasinghe 所得到的。目前已有 50 nm 解析度表面磁性檢測能力，協助學術界研究高密度磁記錄薄膜表面磁區分布，如圖 6.52 所示。

④ 掃描近場顯微術 (SNOM)[43]

　　掃描近場顯微術由英國的 Synge 及美國的 O'Keefe 分別在 1928 及 1956 年所提出，係在遠小於一個波長的距離內 (即近場中) 進行光學量測，如圖 6.53 所示。

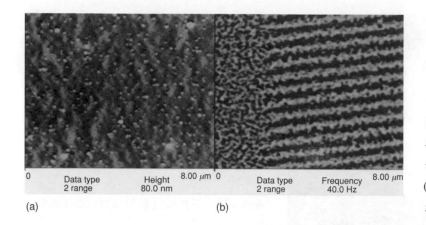

圖 6.52
數位錄影帶上磁性薄膜影
像，掃描區域為 8 × 8 μm，
(a) 為薄膜表面結構，(b) 為
磁力影像[41]。

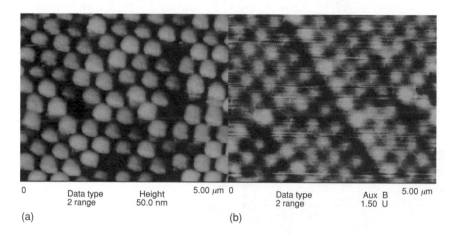

圖 6.53
(a) 直徑 500 nm 聚苯
乙烯顆粒球之表面結
構形狀，及 (b) 掃描近
場光學影像，掃描區
域為 5 × 5 μm[41]。

(2) 微結構加工

掃描探針顯微加工的原理可參見圖 6.54 所示[44]。

(3) 生物醫學應用

對生物研究而言，了解 DNA 結構是一個主要的課題，1953 年 DNA 雙螺旋結構的發現，使人們得以了解 DNA 如何轉錄成 mRNA，再轉譯成蛋白質。此發現不只使人了解遺傳訊息如何在這當中傳送，並且也將生物研究推展到分子生物的領域，即了解分子尺度的生物現象。為了解個別分子的功能，許多解析分子結構的工具被發展出來；最先是 X 光繞射方法 (DNA 結構即由此方法解出)，而後有核磁共振儀 (NMR)，再加上近年來的電子顯微鏡 (SEM、TEM)，相對於以上的量測方法，掃描探針顯微鏡 (SPM) 則提供了一個較好的方式。以原子力顯微鏡而言，其橫向解析度可至 1 nm 左右，而且它可以在水中進行生物樣品掃描，因此是一個用來量測平面上分子分布的好方法，可減少對生物樣品之破壞，如圖 6.55 所示。

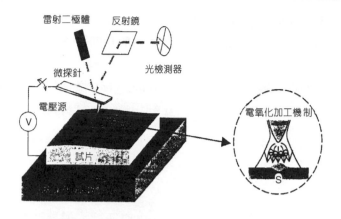

圖 6.54
掃描式探針顯微加工技術原理[44]。

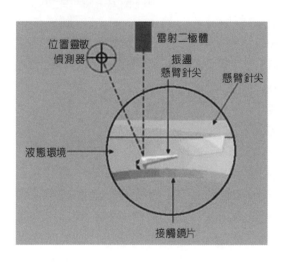

圖 6.55
原子力顯微鏡在水中進行生物樣品掃描，量測平面
上分子的分布[45]。

　　另外在 DNA 修整與結構驗證方面，國內已有研究利用微機電製程技術研製三維斜口電
鑄陣列微針頭[46]，可輕易穿刺進皮膚內進行輸送藥物及檢測功能。

6.4 微流道

　　在科技發展神速的現今資訊化社會中，產品不斷往輕薄短小發展，產品的內部晶片也
相隨之微小化，一些相關的微小化技術也隨之開發出來。其中 IC 晶片的廣泛應用，不但使
得半導體產業迅速發展，同時也躍升為我國經濟的主流。然而在講究高密度與低線寬的電
子元件設計前提之下，高密度電子元件所產生之熱，將會是限制元件性能提升的一大主
因。再加上市面上許多電子產品越來越注重攜帶方便，所以東西也變得輕薄短小，就像是
筆記型電腦的開發，除了儘量的縮小元件以外同時也大幅減少了內部的空間，造成了熱源
集中與散熱不易，因此所伴生之散熱問題日形嚴重；而新微冷卻技術的開發就是為了解決
當前日益嚴重之熱效應問題。

其中微流道熱沉 (micro-channel heat sink, MCHS) 便是用來解決熱散問題的技術之一。由於其具有高散熱效率且具微小化體積的優勢，於 80 年代至今已趨成熟的相關研究中已可證實其優點與可行性。

微流道的應用可分為：(1) 微流道熱沉、(2) 微熱管 (micro heat pipe)、(3) 微通道面板 (microchannel plate)、(4) 微型熱交換器 (micro heat exchanger) 及 (5) 利用高分子材料製造的微流道應用。

6.4.1 微流道熱沉

以微流道作為新型的熱沉與熱管之構型，時有所聞。咸認為層流流體在微流道熱沉中的熱傳效果優於大尺寸管路中的紊流態，而相變化過程所帶走的熱量更高，足可應付未來高功率電子產品所產生的廢熱。由於近年微機電的技術日趨成熟，故可製造出水力直徑 (hydraulic diameter) 數微米至數百微米之微流道，透過液體強制對流的使用，來試圖解決電子產品之過熱問題。而由於其高散熱量、成本適中、不佔空間等優點，已成為冷卻技術中極具發展性技術之一。更有資料指出，具相變化過程的強制液冷微流道熱沉其熱傳效果更佳，可以配合更低溫度及更小溫差的電子元件之散熱需求。

最早結合微機電系統與微流道熱沉的概念是 Tuckerman & Pease 在 1981 年所提出[47]，以理論的分析與實驗測試對於微流道熱沉的熱傳性能加以探討。理論分析假設流體為完全展開的層流，固定幫浦功率 (pumping power) 的情況下，熱通量可由傳統散熱器的 20 W/cm² 提升到由強制液冷微型熱交換器的 1,000 W/cm²。實驗測試方面，利用 (110) 矽晶片為基材，以光微影製程蝕刻出高深寬比 (aspect ratio) 的矩形流道，再利用靜電接合技術封裝成微流道熱沉。實驗結果發現其熱通量可達到 790 W/cm²，可應用於高密度的超大型積體電路 (VLSI) 上。

微流道熱沉的製程可以使用體型微細加工法 (bulk micromachining)[48,49]，其中包含薄膜沉積 (thin film deposition)、光蝕刻微影、濕蝕刻 (wet etching) 及微結構封裝 (packaging) 等技術，製造出許多平行的微溝槽於矽基板 (silicon substrate) 或金屬基板上，如圖 6.56 所示，再接合封裝形成封閉的流道，兩端再以歧管 (manifold) 接合，作為冷卻液體的出入口，圖 6.57 為其示意圖。矽基板的另一面與晶片接合，直接將晶片熱源傳給熱沉，並由液體帶走，減少不必要的熱阻。此外，矽基板的熱傳導係數高於一般基板材質甚多，且其熱膨脹係數與矽晶片相同，可減少因熱應力不均及殘留應力所導致晶片損毀的機率。

微流道的設計有以下理論上的探討：已知通常微流道的水力直徑 (hydraulic diameter, D_h) 約僅為一般流道的千分之一左右，在完全展開層流 (laminar fully-developed flow) 以及紐賽數 (Nusselt number, Nu = 流體熱對流係數 × 水力直徑／流體熱傳導係數) 約為常數的假設下，熱對流係數會增加千倍。此外，熱傳表面積亦會隨著流道數目的增加而提高數十倍。在系統微小化後，因熱對流係數驟增及散熱鰭片的接觸面積倍增等緣故，微型流道熱沉單位面積熱傳量將較傳統熱沉高出甚多。

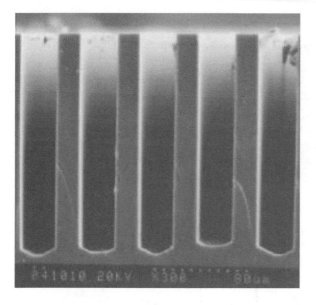

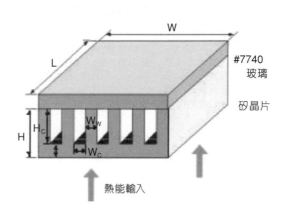

圖 6.56 微流道剖面圖。

圖 6.57 微流道熱沉示意圖。

6.4.2 微熱管

由於近幾年電子工業蓬勃發展，電子技術的精進，電子元件產生的熱量，帶來不少的問題。為了解決這些問題，微熱管的技術相繼被提出；而微熱管的概念基於相變化的原理，能高效率地將熱量傳遞，其利用半導體製程的技術，以濕蝕刻或氣相沉積在矽晶片上製作微熱管通道，將微熱管做為積體電路中的一部分，直接有效地排除熱點的產生。

一般來說，整組熱管的長度可分成三個部份：蒸發段 (evaporator section)、絕熱段 (adiabatic section) 以及凝結段 (condenser section)。工作液體在密閉容器中是處於飽和狀態，當熱管運作時，蒸發段的工作流體經管壁吸熱而汽化，此時蒸氣壓會驅動生成之蒸汽，經由絕熱段移向凝結段而釋放潛熱並凝結。冷凝生成之工作液體 (condensate)，會藉由毛細結構與表面張力所產生之毛細壓力而回流至蒸發段，如圖 6.58 所示。當毛細壓力充足時，可將工作液體持續回送至蒸發段，並使以上蒸發－凝結的過程循環不息。

最早的微熱管由 T. P. Cotter 於第五屆國際熱管會議中提出[50]，G. P. Peterson 於 (100) 矽晶片上做三角形流道熱管之製造與實驗研究[51]，如圖 6.59 所示，於 (110) 矽晶片蝕刻矩形凹槽並配合化學氣相沉積技術 (vapor-deposited) 製作三角形流道微熱管[52]，如圖 6.60 所示。

另有不同截面形狀流道之微熱管，如星形與菱形微熱管[53] 是由矽晶片配合共晶接合所組成，其剖面圖如圖 6.61 及圖 6.62 所示。

輻射狀微熱管需使用三片光罩，分別為上層氣相流道結構、中間之分隔板與下層之液相流道結構，圖 6.63 與圖 6.64 為接合示意圖與剖面圖[54]。

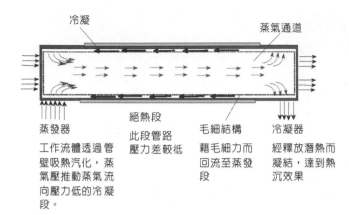

冷凝　　　　　　　　　　　　　　蒸氣通道

蒸發器　　　　　絕熱段　　　　毛細結構　　冷凝器

工作流體透過管　此段管路　　藉毛細力而　經釋放潛熱而

壁吸熱汽化，蒸　壓力差較低　　回流至蒸發　凝結，達到熱

氣壓推動蒸氣流　　　　　　　　段　　　　　沉效果

向壓力低的冷凝

段。

圖 6.58

熱管結構與作動示意圖。

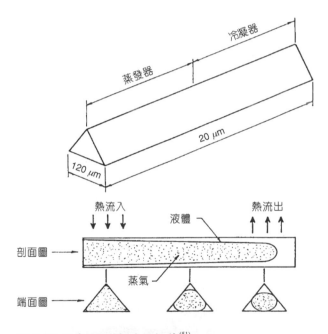

圖 6.59 三角形微流道微熱管[51]。

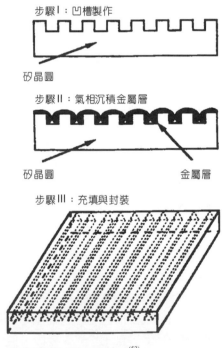

圖 6.60 氣相沉積製程[52]。

圖 6.61 共晶接合完成之星形流道微
　　　　熱管剖面圖[53]。

圖 6.62 共晶接合完成之菱形微熱管剖面[53]。

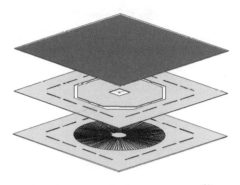

圖 6.63 輻射狀微熱管接合示意圖[54]。

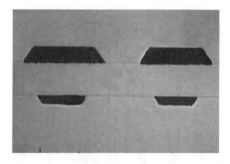

圖 6.64 共晶接合完成之流道剖面圖[54]。

6.4.3 微通道面板

微通道面板 (microchannel plate, MCP) 技術起源於 1970 年代[55]，在經過了三十年的發展後，微通道面板成為一項非常有用的產品。微通道面板被大量且廣泛的應用於許多光電儀器的核心部位，因其高深寬比的微結構特性，在結合真空與高電壓作用下，得以產生訊號增強的效果，並提高影像的解析度。許多微弱的光電訊號經由此項裝置，即能獲得清晰的訊號[56]，為具有非常高實用價值的關鍵元件。

微通道面板與電子及光學系統相結合時，可以將二維之近紅外區或是紫外區的訊號轉換成可見的影像；或是作為 X 光、離子或電子等之偵測器，因此微通道面板也應用於電子顯微鏡或是應用於量測材料的化學成分之分析等等；此外微通道面板也可應用於天文、電子束融合 (e-beam fusion) 或甚至核子方面的研究[57]。另外微通道面板也被應用於熱處理方面，對於微小的機械或電子元件而言散熱是一件非常重要的事，而微通道面板可大量增加與空氣或冷卻液體的接觸面，使散熱率大為提高，因此可做為一良好的散熱裝置。

微通道面板的構造最主要為一平面板，其中包含了數以百萬計的微通道，微通道與微通道之間互相平行，且每一個微通道的功能是獨立於周圍其他的微通道；微通道之中為高度真空，在通道的兩端必須加一偏壓，使得進入其中的光電子能被加速。微通道面板是一個面板型的電子真空倍增器，包括了數百萬個平行陣列的獨立微小通道，所有的微通道是被熔合成剛性的盤片狀結構，如圖 6.65 所示[58]。

每一微通道都是獨立運作而與鄰近的微通道無關，其運作原理的細節可藉由圖 6.66 理解得之，當其置於真空中並於電極間施加高電位差時，每一微通道都變成是獨立且具連續性的雙電極電子倍增器，微通道中的電子可被加速朝向正電極，原先的橫向能會促使電子連續撞擊壁面直到另一個電極，電子的徑向能 (transverse energy) 跟隨加速於通道中，足以從壁面激發出一次或多次的二次電子，如圖 6.66 所示。

圖 6.67 為 MCP 極高解析度照片，孔徑尺寸僅為 2 μm[59]，而圖 6.68 則是以 LIGA 技術所完成之微通道陣列 (microchannel array) 結構，尺規長度為 100 μm[59]。

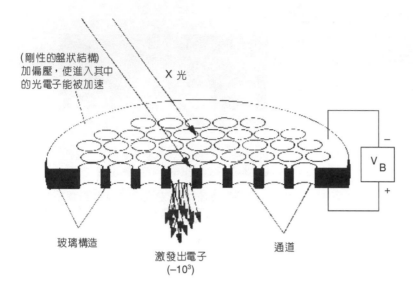

圖 6.65

微通道面板的基本架構圖。

(剛性的盤狀結構)
加偏壓，使進入其中
的光電子能被加速

X 光

V_B

玻璃構造

激發出電子
(~10³)

通道

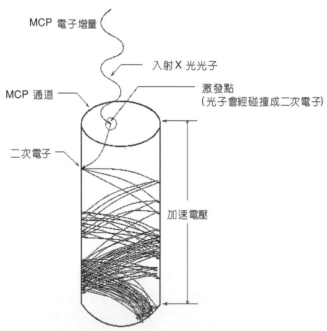

圖 6.66

單一通道之電子增量工作原理。

MCP 電子增量

入射 X 光光子

MCP 通道

激發點
(光子會經碰撞成二次電子)

二次電子

加速電壓

6.4.4 微型熱交換器

　　微型熱交換器緣起於解決高速積體電路之散熱問題，現已發展可實際應用於必須在小體積內又有高熱通量之領域上，例如：化工流程熱傳與航太工業等。微型熱交換器之製造首先利用細微鑽石刀製造技術，在金屬薄膜上加工出細微通道，通道截面形狀可作成梯形、矩形或三角形，再以擴散接合薄片成一立體交流式微型熱交換器，體積熱傳率可達 50-300

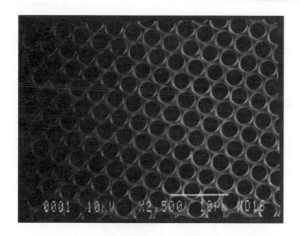

圖 6.67 極高解析度的 MCP，孔徑尺寸僅為 2 μm[59]。

圖 6.68 以 LIGA 技術所完成之微通道陣列結構，尺規長度為 100 μm[59]。

MW/m$^3 \cdot$K。另一種可用來加工細微通道的方法是體型微加工技術 (bulk micromachining)，這是最早且最熟悉的微製造技術，它利用選擇性光罩與基體材料的蝕刻，大部分的技術是以單晶矽作為材料，此乃因矽有極佳的機械特性與成熟的積體電路技術基礎。

矽質微型熱交換器的設計理念說明如下。利用 (110) 方向矽晶片作非等向性蝕刻加工，產生出高深寬比的微小通道，以及極為緊密的通道排列，來達到提高熱傳面積密度的要求。由於矽具有極佳的熱傳導係數，再加上單晶矽對一般流體，甚至是具腐蝕性的流體，都有良好的抗腐蝕特性，非常適合作為熱交換器的材料。更特殊的一點，其所採用的加工技術與半導體製程是相通的，將來可與微感測器或是微致動器作整合製造，而沒有製程配合上的問題。當微小流道蝕刻完成後，再利用擴散接合技術將多片矽質流道成交互式堆疊接合，即成為一微型熱交換器，如圖 6.69 至圖 6.72 所示。

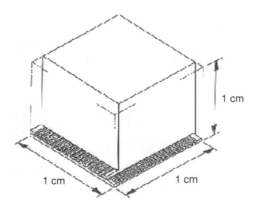

圖 6.69 微型熱交換器示意圖[60]。

圖 6.70 微型熱交換器未封裝實體圖[61]。

圖 6.71 矽質微型熱交換器之剖面[61]。

圖 6.72 封裝後之微型熱交換器[60]。

6.4.5 利用高分子材料製造的微流道應用

利用高分子材料來做微流裝置為一種新方法與低成本的方式。利用一或二步製程來置入熱浮雕式壓力計，而內部微流道可以在薄膜或薄板上做熱交換。密封的迷你流體架構用聚苯乙烯 (PS) 來製造，便於可以立即打開利用。甚至出現可以用聚苯乙烯 (PS) 做成切斷單一裝置之線圈上所使用的微流分析晶片來做應用，如圖 6.73 至圖 6.77 所示。

6.5 結語

微結構的應用非常的廣泛，不勝枚舉。微結構可說是橫跨各個領域、各個學科，不論是物理、化學、材料、光電、生物、機械等，分布之廣可說是沒有科學的界限，也可說是融合各個領域再創新的視野，微米科技也將漸漸進入我們的生活之中，越來越多。也許將改變我們的生活方式，詮釋另一項物理或非物理力學、運動，世界將因而改變、進化。下面將列舉一科學新知讓大家認識，為微結構應用所展開的一個科學新視野。

冷鎢燈泡 (Cool Tungsten Light Bulb)

傳統鎢絲燈泡除了發光之外，還會產生大量無效益的熱能，徒增電力的消耗。隨著節約能源的意識抬頭，美國能源部所屬的 Sandia 國家實驗室 (Sandia National Laboratory, SNL)[63] 2002 年五月一日發表[64] 一種內部具有結晶狀的微小鎢晶格 (tungsten lattice)，於次日被刊登於 Nature (自然) 雜誌[65]，這種細小的鎢晶格已經被證實能將多餘浪費掉的紅外線能量 (即所謂的熱能) 轉變成紫外光或可見光的頻率。

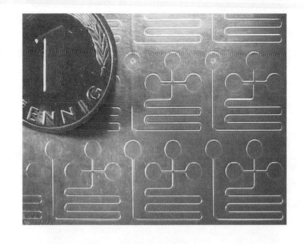

圖 6.73

在聚苯乙烯 (PS) 上所做出的微流道，利用毛細管電泳 (capillary eletrophoresis) 質流分離方式使流體流動 (硬幣直徑為 16 mm)[62]。

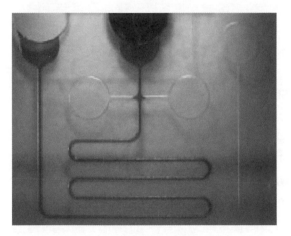

圖 6.74 流動的液體正在微流道中[62]。

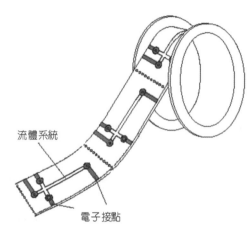

流體系統

電子接點

圖 6.75 在線圈 (coil) 上的微流裝置[62]。

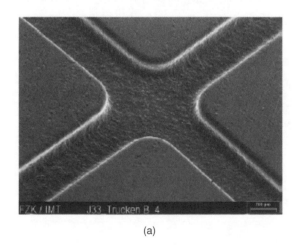

(a)

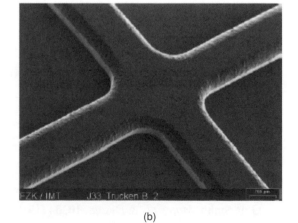

(b)

圖 6.76 聚苯乙烯上所做出的微流道，寬度為 (a) 250 μm 與 (b) 300 μm[62]。

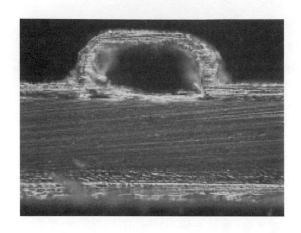

圖 6.77
聚苯乙烯上所做出的微流道橫截面 (with inner dimension of $250 \times 125 \ \mu m^2$)[62]。

　　光子晶體的用途，最普遍的想法就是以在特定頻率傳遞光束，以及彎曲路徑時不損及任何能量為基礎。該結構物最常以矽為製造原料，是由形成人造晶體之井然有序的距離與角度相互跨接的細棒所組成。細棒的間距僅允許特定的波長通過，且能藉由人造晶體中製造晶格缺陷來改變方向。所以意味著光子晶體亦有光通訊上的潛力。

　　鎢光子晶格裝置是由 Sandia 國家實驗室 Shawn Lin 及 Jim Fleming 所研發的，是由 MEMS 的延伸技術所製造。是利用化學氣相沉積法 (chemical vapor deposition, CVD) 所製造具有聚合矽結構般的鎢晶格 (這種金屬能應付相當高的溫度，且在可見光譜範圍內具有寬的光子頻帶間隙)，這項裝置的發展將會大大的消弭無效率照明所導致的超額發電容量、住戶額外電費支出，以及隨著增加發電量帶來環境破壞等問題。

　　所謂最佳的熱光伏 (thermal photovoltaic, TPV) 作用能力是來自一種特殊的熱產生器所產生的能量，而此熱產生器能夠將能量發散之波長轉換成理想頻率。而鎢光子晶格的轉換效用極高，也許能開啟對熱光伏應用效能的可能性。

　　如圖 6.78 所示的鎢光子晶格，根據模型估算顯示，使用鎢晶格作為於理想頻率的發光體，TPV 的轉換效能可達到 51%，而黑體 (可完全吸收任何投射在其上之熱或光輻射) 發光體是 12.6%。

　　Lin 和 Fleming 的亦深入研究電從光子晶格引導光的能力，以及阻止其他頻率通過的能力上，實驗結果顯示 $8-20 \ \mu m$ 寬的光子頻帶間隙，構想上適合壓制黑體輻射的紅外線寬波段，且能將熱激發的能量轉變成可見光譜。這意味著未來可能會有將熱轉換成光的冷鎢燈泡。

參考文獻

1. Stefan Sinzinger, *Microoptics*, Germany: Wiley-VCH (1999).
2. G. P. Smith, *Materials & Design*, **10**, 54 (1989).
3. S. Mihailov and S. Lazare, *Appli. Opt.*, **32**, 6211 (1993).

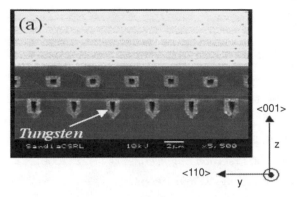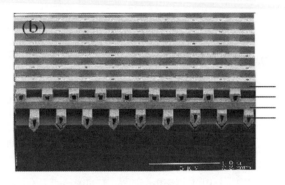

圖 6.78 鎢光子晶格的 SEM 影像[64]。

4. M. B. Sterm and T. R. Jay, *Opt. Eng.*, **33**, 3547 (1994).

5. S. Haselbeck *et al.*, *Opt. Eng.*, **32**, 1322 (1993).

6. X. Qiao, *Acta Optica Sinica*, **18**, 1128 (1997).

7. S. Mihailov and S. Lazare, *Appli. Opt.*, **32**, 6211 (1993).

8. T. R. Jay and M. B. Sterm, *Opt. Eng.*, **33**, 3552 (1994)

9. Eun-Hyun Park, *et al.*, *IEEE Photo. Techn. Lett.*, **11**, 439 (1999).

10. J. Jahns and S. J. Walker, *Appli. Opt.*, **29**, 931(1990).

11. M. E. Motamedi, *Opt. Eng.*, **33**, 3505 (1994).

12. M. T. Gale *et al.*, *Opt. Eng.*, **33**, 3556 (1994)

13. 簡伶鈺, 繞射式元件之製程及特性分析, 國立中央大學物理研究所碩士論文, 10 (2001).

14. K. H. Brenner *et al.*, *Appli. Opt.*, **32**, 6464 (1993).

15. X. Qiao, *Acta Optica Sinica*, **18**, 1523 (1997).

16. J. Schulze, W. Ehrfeld, H. Muller, and A. Picard, *Proc. of SPIB*, **3289**, 22 (1998).

17. C. R. King, L. Y. Lin, and M. C. Wu, *IEEE Photonics Technol. Lett.*, **8**, 1349 (1996).

18. D. L. McaFarlane, V. Narayan, J. A. Tatum, W. R. Cox, T. Chen, and D. J. Hayes, *IEEE Photonics Technol. Lett.*, **6** (9), 1112 (1994).

19. N. S. Ong, Y. H. Koh, and Y. Q. Fu, *Microelectronic Engineering*, **60**, 365 (2002).

20. S. K. Lee, K. C. Lee, and S. S. Lee, *J. Micromech.Microeng*, **12**, 334 (2002).

21. H. Yang, C. T. Pan, and M. C. Chou, *J. Micromech.Microeng*, **11**, 94 (2001).

22. 編輯部, 雷射加工的原理及其在工業上的應用, 機械工業雜誌, **167**, 97 (1997)。

23. 馬廣仁, 機械工業雜誌, **197**, 129 (1999).

24. 雷技公司網頁, http://www.lasermaxmed.com.tw

25. 杜可明, 光訊, **69**, 1 (1997).

26. 張瑞慶譯, 非傳統加工, 高立圖書, 161 (1995)。

27. 明泰科訊, http://www.wollemi.com.tw.

28. 雷傑公司, http://www.kjet.com.tw.

29. 楊啟榮, 強玲英, 黃奇聲, 科儀新知, **21** (6), 15 (2000).

30. 楊景棠, 機械工業雜誌, **6**, 193 (1997).

31. 楊啟榮, 科儀新知, **19** (4), 4 (1998).

32. E. V. Mukerjee, A. P. Wallace, K. Y. Yan, D. W. Howard, R. L. Smith, and S. D. Collins, *Sensors and Actuators*, **83**, 231 (2000).

33. 中國網軍事, http://big5.china.com/gate/big5/military.china.com.

34. K. Yamaguchi, K. Sakai, T. Yamanaka, and T. Hirayama, *Precision Engineering*, **24** (1), 2 (2000).

35. T. Laurell, L. Wallman and J. Nilsson, *J. Micromech Microeng*, **9**, 369 (1999).

36. 黃英碩, 科儀新知, **18** (3), 4 (1996).

37. 黃英碩, 張嘉升, 科儀新知, **21** (5), 24 (2000).

38. http://www.almaden.ibm.com/vis/stm/.

39. 簡世森, 果尚志, 科儀新知, **21** (5), 45 (2000).

40. 曾文聖, 林良平, 科儀新知, **19** (6), 4 (1998).

41. 國家精儀中心奈米實驗室網頁, http://www.pidc.gov.tw/

42. 蔡林秀, 吳德和, 科儀新知, **21** (5), 56 (2000).

43. 蔡定平, 科儀新知, **21** (5), 17 (2000).

44. 周敏傑, 潘正堂, 林坤龍, 機械工業雜誌, 148 (2002/8).

45. http://www.ssttpro.com.tw/ 半導體科技網站.

46. 林雋, 三維斜口電鑄陣列微型針頭之研製, 國立清華大學工程與系統科學系, (2002)

47. D. B. Tuckerman, and R. F. W. Pease, *IEEE Electronic Device Letters*, EDL-2 (5), No. 4, 126 (1981).

48. K. E. Petersen, *Proceedings of the IEEE*, **70** (5), 420 (1982).

49. D. B. Tuckerman, *Heat-Transfer Microstructures for Integrated Circuits*, Ph.D. Thesis, Department of Electrical Engineering, Stanford University, Also Report UCRL 53515, Lawrence Livemore National Lab (1984).

50. T. P. Cotter, *Principles and Prospects for Micro Heat Pipe*, Proc. 5th Int. Heat Pipe Conf., Tsukuba, Japan, 328 (1984).

51. G. P. Peterson, A. B. Duncan, and M .H. Weichold, *Journal of Heat Transfer*, **115**, 751 (1993).

52. A. K. Mallik, G. P. Peterson, and M. H. Weichold, *Microelectromechanical Systems*, **4** (3), 119 (1995).

53. S. W. Kang and D. Huang, *J. of Micromechanics and Microengineering*, **12** (5), 525 (2002).

54. S. W. Kang, S. H. Tsai, and H. C. Chen, *Applied Thermal Engineering*, **22**, (2002).

55. D. Wasington, V. Duchenois, R. Polaert and R. M. Beasley, *Acta Electronica*, **14** (2), 201 (1971).

56. J. L. Wiza, *Nuclear Instrument and Method*, **182**, 587 (1979).

57. http://hea-www.harvard.edu/HRC/Mmcp/mcp/html

58. G. W Tasker, S. T. Bentley, S. M. Shank, R. J. Soave, and A. M. Then, *SPIE*, **2640**, 58 (1995).

59. E. W. Becker, W. Ehrfeld, P. Hagmann, A. Maner, and D. Muenchmeyer, *Microelectronic Engineering*, **4**, 35 (1986).

60. C. R. Friedrich and S. W. Kang, *Precision Engineering*, **16** (1), 56 (1994).

61. 康尚文, 張廣祥, 中國機械工程師學會第十三屆全國學術研討會論文集 (設計), Nov., 137 (1996).

62. R Truckenmüller, Z Rummler, T. Schaller and W. K. Schomburg, *Journal of Micromechanics and Micro Engineering*, **12**, 375 (2002).

63. Sandia 國家實驗室, http://lighting.sandia.gov, Sandia Melia Relation Contact: Neal Singer, nsinger@sandia.gov, (505) 845-7078.

64. http://www.sandia.gov/media/NewsRel/NR2002/tungsten.htm

65. http://www.nature.com/.

第七章　微感測器

7.1 力感測器

7.1.1 壓阻式微壓力感測器

　　長久以來，人們利用了各種原理發明了各式壓力感測元件，包括巴登管 (Bourdon tube) 式、壓電式 (piezoelectric)、電位計式、電容式 (capacitive) 及壓阻式 (piezoresistive) 壓力感測元件等。但利用微機電技術製作之微感測器徹底改變了感測器的世界；它不但可以大幅縮小其尺寸、降低成本，更可與微電子整合以提升性能，邁向智慧型感測器世界。微感測器之定義，通常意指大小在毫米 (mm) 範圍之感測器。為了製造如此小的感測器，主要以微加工 (micromachining) 進行，尤其是矽微加工技術最受矚目，因為只有矽質才可以滿足許多新的應用所強烈要求的成本／性能比 (cost/performance ratio)，由矽微加工做成的微感測器，稱為矽質感測器 (silicon sensors)。早在 1954 年就已發現矽具有壓阻效應，但最早利用矽微加工之矽微感測器是在 1970 年 Gieler 發表之微小壓力感測器[1]，其利用蝕刻製程製作的膜片，其上之電阻在膜片彎曲時產生變化，即利用矽的壓阻效應。隨後 1980 年代是真正起飛的時期，1990 年代已開發得相當完整。

　　一般以微加工製作之各式感測器的偵測原理及優缺點可簡述如下。

① 壓阻式

　　易於以摻雜方式製作出壓阻，配合惠氏電橋靈敏度高，精確度及穩定性亦不錯，最重要的是其製作成本低，但易受外界應力影響且較耗電。

② 壓電式

　　傳統方式以塊材 (bulk material) 製作，其應用已相當成熟，目前正以薄膜方式配合微機電製程製作新一代之感測器。除了作為感測器，由於壓電材料之特性，亦可作為驅動器 (通常被稱為智慧型材料)。但作為感測器時，對直流訊號無反應，是其最大缺點。

③ 電容式

　　利用平行板電容原理製作已有悠久歷史，其主要是偵測位移量受應力之變化，故較不

第 7.1.1 節作者為邢泰剛先生。

受外界溫度之干擾。靈敏度相當高且較不耗電,但是由於響應的非線性及易受寄生電容影響,最好搭配校正電路一起設計。

④ 光學干涉式 (optical interferometry)

利用隔膜等作為光學干涉偵測處,當隔膜等因偵測量而變形會造干涉條紋變化。適合作遙測之用且靈敏度高,但是所需體積大、成本高。

⑤ 共振式 (resonant)

共振式是目前靈敏度最高的,可達壓阻式一百倍以上,因其封裝及製作要求皆高,故成本亦是最高的。

對於微壓力計而言,目前主要以壓阻式為主,其次為電容式。如圖 7.1 所示,壓阻式壓力感測器的發展歷史久遠,最早是於金屬製作之隔膜上黏貼矽材料所製之應變規,大小約 1 cm,目前此種形式仍用於高壓壓力計。隨著矽基微加工技術之進步[2-9],目前尺寸已大為縮小,且可以全部以矽基材製作。例如目前最常用的壓力感測器僅約 2 mm × 2 mm 左右,甚至可進一步縮小至 0.2 mm × 0.2 mm 左右,但是太小反而可能造成晶粒打線之問題。感測器通常有相當大的槓桿作用,使得系統產品之價值往往超過感測器本身好幾個數量級。譬如,一個 10 美元的汽車歧管絕對壓力 (manifold absolute pressure, MAP) 感測器使得生產燃油效率高、污染低的汽車變為可能。原先昂貴的矽基壓力傳感器 (transducer) 只用於特殊的太空探索、工業測試及精密儀器領域;因著矽微加工製造技術的進展,使得成本大為降低也開啟了許多新用途。例如以矽微加工製造之拋棄式 (disposable) 侵入型血壓感測器,取代傳統

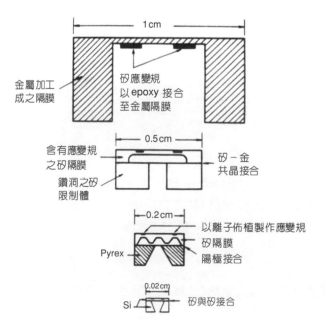

圖 7.1
隔膜壓阻式壓力感測器之發展。

重複使用／消毒之感測器，1995 年時，單美國即使用達 2000 萬組，每組成本小於 2 美元。

　　根據 Sensor Expo '96 之資料，Dr. Janusz Bryzek 估計，1995 年時微機電技術製作之壓力感測器市場已達 10 億美元，預估到 2005 年可達 25 億美元。儘管整個壓力感測器市場是以每年增加 12.5% 的比例成長，但是除了矽微加工壓力感測器以外，所有其他型態之壓力感測器都逐年下降。主因是，固態壓力感測器較其他傳統的壓力感測器能以更低的成本，提供更好的性能與量測精度所致。臺灣之壓力感測器市場，在 1992－1993 年進出口統計值約為 10 億元台幣，約占全世界市場值之 1% 左右，與整個電子業在世界市場產值的大小比例相當；而年平均成長率則遠高於世界平均，達每年 20% 左右。

(1) 壓力感測元件結構

　　在實際使用上，壓力感測元件依照壓力施加方法，又可分為絕對壓力型與相對壓力型結構，如圖 7.2 所示，其主要差別為參考壓力施加之方式不同。例如：(a) 當密閉腔室為真空時，最常用來量測大氣壓力，可用來當做高度計。而當密閉腔室為周圍大氣壓力時之構造，是用在較高壓力的壓力錶，大氣壓之變化可忽略時。(b) 之構造可量各種情況的相對壓，包括真空及差壓 (differential pressure)。

(2) 壓力感測規格

　　壓力感測元件依用途不同，所要求的規格也各異。

① 輸入規格

　　輸入規格包括操作模式，如絕對壓、錶壓 (gauge pressure) 或差壓等。

② 壓力範圍規格

　　壓力範圍規格包括操作壓力之範圍，過壓極限 (over pressure limit) 為對感測元件不會造成破壞的壓力極限，衝壓極限 (burst pressure limit) 則是會將感測元件破壞的突發壓力。對差壓感測元件而言，必須同時說明靜壓及差壓之衝壓極限，激發 (excitation) 電壓或電流，及阻抗值(一般值與最小值)。

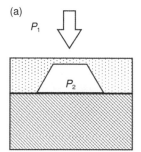

(a)

P_1

P_2

1. 當 P_2 為真空時，所量測 P_1 為絕對壓。
2. 當 P_2 為一參考壓力時，所量測 P_1 為密封錶壓。

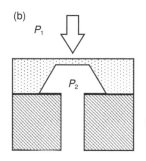

(b)

P_1

P_2

1. 當 P_2 為大氣壓力時，所量測 P_1 為錶壓。
2. 可量測 P_2 與 P_1 之間的差壓。

圖 7.2 壓力微感測器之基本應用。

③ 輸出規格

- 靈敏度 (sensitivity)：單位壓力及單位激發電壓或電流下之電壓或電流輸出，如：mV/kPa/V。動態測量時，則須註明使用頻率。
- 全量輸出 (full scale output, FSO)：最大操作壓力時之輸出。
- 輸出阻抗 (output impedance)：感測元件輸出端間之阻抗。
- 零點偏移 (zero offset)：在未施加壓力時之輸出，一般表示為 ±%FSO 或 mV。
- 線性度 (linearity)：一般以 %FSO 表示，其為校正點與一特定直線間之最大差。一般此特定直線有四種表示方法：(a) 最佳擬合 (best fit)：包含所有校正點之兩平行線間的中間線，(b) 最小平方 (least squares)：線性回歸法所得之直線，(c) 終點 (endpoint)：由零及校正終點所連之線，(d) 端點 (terminals)：由第一及第二校正點所連之線。
- 穩定性：長時間之下性能保持之能力，一般以 6 或 12 個月內變化多少 %FSO 表示。
- 遲滯性 (hysteresis)：壓力由零增加到最大，再減為零，其中同一壓力間之最大差，一般以 %FSO 表示。
- 再現性 (repeatability)：兩次校正循環中，輸出再現之能力，一般以 %FSO 表示。

④ 環境規格

- 操作溫度範圍：感測元件能有效動作的溫度範圍。
- 零點偏移溫度係數 (temperature coefficient of offset, TCO)：周圍溫度變化所致之零點偏移，以 %FSO/°C 表示。
- 靈敏度溫度係數 (temperature coefficient of sensitivity, TCS)：周圍溫度變化所致之靈敏度變化以 %/°C 表示。
- 加速、振動及衝擊靈敏度：在一定頻率下，單位加速度內之輸出變化 (%FSO)。加速度之方向亦須說明。

7.1.1.1 壓阻效應

　　於 1856 年壓阻的效應即由 Lord Kelvin 所發現，但真正的應用是在 1939 年的應變規 (strain gauge)，當時的應變規是把金屬導線貼在硬紙板上。現今無數個金屬膜應變規使用在機構、建築物、飛機及磅秤等用作物理的測量。但金屬膜應變規對壓力所產生的電阻變化很小，量規因子 (gauge factor) 只在 2 左右。在小應力的應用上，靈敏度不夠，訊雜比 (signal/noise ratio) 很低，感測上的誤差過高。Smith 在 1954 年首先使用摻雜過的單晶鍺 (Ge) 和矽 (Si) 的桿狀試樣在單軸上施加應力，然後測量垂直軸上的電阻變化[2]。這是第一個量測以 π 係數用來描述電阻率 (resistivity) 和應力 (stress) 之間的物理關係，也發現了矽半導體的壓阻效應遠大於金屬片。1957 年時 Mason 和 Thurston 提出使用壓阻感測器為應變規，並且敘述鍺和矽的壓阻現象理論。1961 年時 Pfann 等敘述了壓阻壓力傳感器 (transducer) 的製造並提出更詳細的壓阻裝置幾何形狀。Gleles 在 1969 年採用半導體積體電路的製作技術

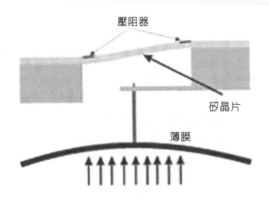

壓阻器

矽晶片

薄膜

圖 7.3
傳統壓阻式壓力感測器之構造。

[1]，成功地做出擴散型薄膜感測器 (p-type diffused silicon sensor)，這樣一來，矽感測器可以像積體電路一樣，做得很小，又能批次量產，成本為之大幅下降，應用為之而起，首先是在金屬膜應變計功能所不及的領域，如汽車工業、醫療診斷等的應用。然而一直到 1981 年，德州儀器的 Spencer 才真正使用壓阻感測器來量測封裝後 (packaged) 的積體電路的應力。目前壓阻式壓力感測器，其實是從固有之設計 (如圖 7.3 所示) 逐漸演變而來。

　　微感測器之構造一般可分解為感測結構、感測原理與轉換電路，其中感測結構為與被測量參數，如力及加速度等，互相作用的彈性體，會因交互作用而產生變形或彎曲，通常亦用作機械放大機構；感測原理則為一種物理過程，能測感測結構的反應，如：使用光、電容、壓阻及壓電式等原理，通常將機械變化等轉化為電相關訊號。轉換電路則進一步進行電路轉換及訊號放大。感測結構是利用微細加工製作三次元結構[10]，如懸臂樑 (cantilever beam)、懸膜 (diaphragm) 或橋 (bridge) 等，主要做為機械式放大機構，其深度通常與寬度相當，甚或更大，譬如：機械感測器用之懸臂樑或微流體用之微流通道 (flow-channel) 通常需 100 μm 之深度。這些微構造通常須為可動的，如：加速度計中支撐重量的懸臂樑。這些三次元構造是利用異於 VLSI 技術 (平面蝕刻) 的深蝕刻微細加工法來製造的。

　　對於壓阻式微壓力感測器而言，其感測結構、感測原理與轉換電路如圖 7.4 所示。一般電阻值 R 可以下式表示

$$R = \rho \frac{l}{A} \tag{7.1}$$

其中 ρ 表示電阻率，而 l 為電阻長度，A 為電阻面積。一般傳統應變規之設計乃是在單位面積內儘量增長長度，以增加其阻值變化 (亦即增加靈敏度)。例如：圓形應變規之電阻的變化率可以表示為

$$\frac{dR}{R} = (1 + 2\nu + \pi E)\varepsilon \tag{7.2}$$

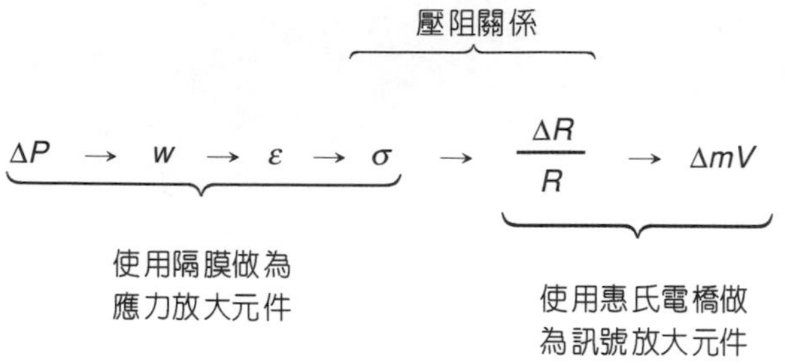

壓阻關係

$$\underbrace{\Delta P \;\rightarrow\; w \;\rightarrow\; \varepsilon \;\rightarrow\; \sigma}_{\substack{\text{使用隔膜做為}\\\text{應力放大元件}}} \;\rightarrow\; \underbrace{\dfrac{\Delta R}{R} \;\rightarrow\; \Delta mV}_{\substack{\text{使用惠氏電橋做}\\\text{為訊號放大元件}}}$$

圖 7.4
壓阻式壓力微感測器之基本原理。其中 ΔP 為壓力差，w 為位移量，ε 為應變，σ 為應力。

其中 $1 + 2\nu$ 主要由材料幾何尺寸變化引起，為主要變化因子；而 πE 主要由材料受力後電阻率發生變化引起。

事實上所有材料的電阻率均受某一程度的應力影響[4]，此種效應大部分是由於電荷的移動率或數目受材料的體積變化而來。因體積變化會影響材料價帶與傳導帶間的能隙 (energy gap) 大小。但是壓阻效應比此種機構所預測者大得多，可藉多谷模型 (many-valley model) 來解釋。而此時電阻的變化率幾乎等於電阻率的變化率，故對於具高壓阻效應之材料，可以只討論電阻率的變化率：

$$\frac{\Delta R}{R} \cong \frac{\Delta \rho}{\rho} \tag{7.3}$$

對於非等向性材料而言，電阻率會受到應力之影響，其關係如下：

$$\begin{bmatrix} E_1 \\ E_2 \\ E_3 \end{bmatrix} = \begin{bmatrix} \rho_1 & \rho_6 & \rho_5 \\ \rho_6 & \rho_2 & \rho_4 \\ \rho_5 & \rho_4 & \rho_3 \end{bmatrix} \begin{bmatrix} i_1 \\ i_2 \\ i_3 \end{bmatrix} \tag{7.4}$$

其中 E_i 表示電場向量，ρ_{ij} 表示電阻率張量 (tensor)，i_i 是電流密度向量。對於矽及鍺 (皆為立方結構) 而言，假如對準晶體之 〈100〉 軸向，那麼 ρ_1、ρ_2 和 ρ_3 將決定電場與電流之關係沿著 〈100〉 軸向，而 ρ_4、ρ_5 和 ρ_6 則為聯繫電場與垂直方向之電流的交叉電阻率 (cross-resistivities)，一般稱此為廣義之歐姆定律。對於等向性且未受應力之材料而言，可以簡化為 $\rho_1 = \rho_2 = \rho_3 = \rho$ 且 $\rho_4 = \rho_5 = \rho_6 = 0$。如果受到應力，則電阻率可以簡化為：

$$\begin{bmatrix} \rho_1 \\ \rho_2 \\ \rho_3 \\ \rho_4 \\ \rho_5 \\ \rho_6 \end{bmatrix} = \begin{bmatrix} \rho \\ \rho \\ \rho \\ 0 \\ 0 \\ 0 \end{bmatrix} + \begin{bmatrix} \Delta\rho_1 \\ \Delta\rho_2 \\ \Delta\rho_3 \\ \Delta\rho_4 \\ \Delta\rho_5 \\ \Delta\rho_6 \end{bmatrix} \tag{7.5}$$

對於矽此種立方結構之材料而言，則電阻率變化率與應力之間關係(方向性) 為：

$$\frac{1}{\rho}\begin{bmatrix}\Delta\rho_1\\\Delta\rho_2\\\Delta\rho_3\\\Delta\rho_4\\\Delta\rho_5\\\Delta\rho_6\end{bmatrix}=\begin{bmatrix}\pi_{11} & \pi_{12} & \pi_{12} & 0 & 0 & 0\\\pi_{12} & \pi_{11} & \pi_{12} & 0 & 0 & 0\\\pi_{12} & \pi_{12} & \pi_{11} & 0 & 0 & 0\\0 & 0 & 0 & \pi_{44} & 0 & 0\\0 & 0 & 0 & 0 & \pi_{44} & 0\\0 & 0 & 0 & 0 & 0 & \pi_{44}\end{bmatrix}\begin{bmatrix}\sigma_1\\\sigma_2\\\sigma_3\\\tau_1\\\tau_2\\\tau_3\end{bmatrix} \tag{7.6}$$

其中 $[\pi]$ 表示壓阻係數矩陣，此為材料特性。壓阻係數與材料之關係如表 7.1 所列。如果我們配合座標轉換，則此壓阻係數矩陣可以表示為：

$$\pi_l = \pi_{11} - 2\cdot(\pi_{11}-\pi_{12}-\pi_{44})\cdot\left[(l_1)^2\cdot(m_1)^2+(m_1)^2\cdot(n_1)^2+(l_1)^2\cdot(n_1)^2\right] \tag{7.7}$$

$$\pi_t = \pi_{12} + (\pi_{11}-\pi_{12}-\pi_{44})\cdot\left[(l_1)^2\cdot(l_2)^2+(m_1)^2\cdot(m_2)^2+(n_1)^2\cdot(n_2)^2\right] \tag{7.8}$$

其中 l_1、m_1、n_1、l_2、m_2、n_2 分別為縱向和橫向之方向餘弦。最後可以進一步簡化電阻變化率與應力之間關係為：

$$\frac{\Delta R}{R} = \pi_l\sigma_l + \pi_t\sigma_t \tag{7.9}$$

其中如圖 7.5 所示，σ_l 與 σ_t 分別代表所受縱向 (longitudinal) 及橫向 (transverse) 之應力，而 π_l 與 π_t 分別代表壓阻在縱向及橫向之壓阻係數。

表7.1 矽及鍺在室溫下之壓阻係數。

材料	$\rho\,(\Omega\cdot\text{cm})$	$\pi_{11}\,(10^{-11}\,\text{Pa}^{-1})$	$\pi_{12}\,(10^{-11}\,\text{Pa}^{-1})$	$\pi_{44}\,(10^{-11}\,\text{Pa}^{-1})$
矽 (p 型)	7.8	6.6	-1.1	138.1
矽 (n 型)	11.7	−102.2	53.4	−13.6
鍺 (p 型)	1.1	−3.7	3.2	96.7
	15	−10.6	5.0	46.5
鍺 (n 型)	1.5	−2.3	−3.2	−138.1
	5.7	−2.7	−3.9	−136.8
	9.9	−4.7	−5.0	−137.9
	16.6	−5.2	−5.5	−138.7

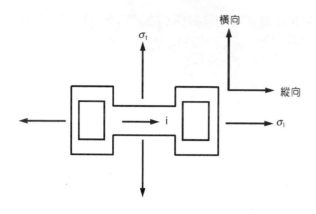

圖 7.5
電阻變化與應力關係。

　　壓阻係數 π_l 與 π_t 與晶軸方向之關係如表 7.2 所列。如果以極化座標表示可以得到如圖 7.6 所示之壓阻係數 π_l 與 π_t 在各個不同晶片沿各個方向之大小。

　　上面所提的壓阻係數並非常數，會隨摻雜濃度及使用溫度而變。一般任一壓阻係數可以表示為：

$$\pi(N,T) = \pi_0 \cdot P(N,T) \tag{7.10}$$

亦即低摻雜在室溫之壓阻係數值 π_0，乘以一隨摻雜濃度 N 及溫度 T 而變的因數 $P(N,T)$。一般而言，如圖 7.7 所示，壓阻係數隨摻雜濃度及溫度的增加而降低。顯然地，在實際應用上，摻雜濃度不應太高而降低了靈敏度。但是壓阻係數的溫度係數也隨濃度的增加而降低，所以實務上，必須在靈敏度及較低溫度係數間做一取捨。

　　上述的電阻變化僅考慮線性壓阻關係[11-12]，無法用來設計高精密度的感測器，故 K. Suzuki 等人進一步考慮在方形薄膜上壓阻所產生之非線性電阻變化，將電阻變化表示為：

$$\frac{\Delta R}{R} = \sum_{i=1}^{n} (C_{li}\sigma_{li} + C_{ti}\sigma_{ti}) \tag{7.11}$$

表 7.2 π_l 與 π_t 與晶軸方向之關係。

縱軸方向	π_l	橫軸方向	π_t
100	π_{11}	010	π_{12}
001	π_{11}	110	π_{12}
111	$1/3(\pi_{11}+2\pi_{12}+\pi_{44})$	$1\bar{1}0$	$1/3(\pi_{11}+2\pi_{12}-\pi_{44})$
$11\bar{0}$	$1/2(\pi_{11}+\pi_{12}+\pi_{44})$	111	$1/3(\pi_{11}+2\pi_{12}-\pi_{44})$
$11\bar{0}$	$1/2(\pi_{11}+\pi_{12}+\pi_{44})$	001	π_{12}
110	$1/2(\pi_{11}+\pi_{12}+\pi_{44})$	$1\bar{1}0$	$1/2(\pi_{11}+\pi_{12}-\pi_{44})$

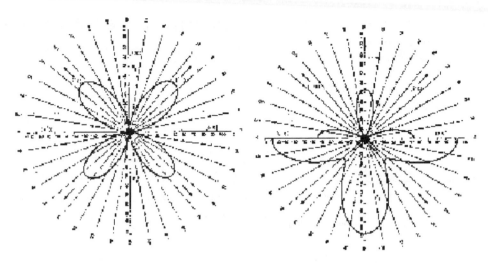

圖 7.6 π_l 與 π_t 在 (a) p 型及 (b) n 型矽晶片沿著 (100) 方向之關係。

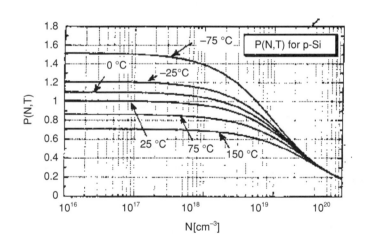

圖 7.7

p 型矽的壓阻因數 $P(N,T)$。

其中 C_{li} 和 C_{ti} 分別為第 i 個橫向和縱向壓阻係數。通常而言，三次項就是 $n = 3$，多項式近似解已足以描述整個系統。根據他們的實驗值，C_{li} 和 C_{ti} 分別如表 7.3 所列。

　　值得一提的是，此公式中的應力包含大變形所引起的薄膜張應力 (由大變形造成)，如其值不小 (亦即設計上有問題或是使用不當皆會造成)，則可能比單獨由彎曲應力 (bending stress) 造成非線性壓阻關係更大，因而造成更嚴重的非線性。

7.1.1.2 製程介紹

　　如圖 7.8 所示，壓阻式壓力感測器製作流程與一般 IC 製程類似，首先必須對感測器之機械特性及電子特性作模擬，已求得最佳化設計，接著將此設計落實到光罩之佈局及製

表 7.3 高次項的壓阻係數。

壓阻係數	數值
C_{l1} (cm^2/dyne)	5.8×10^{-11}
C_{l2} (cm^2/dyne)	1.4×10^{-21}
C_{l3} (cm^2/dyne)	-1.5×10^{-31}
C_{t1} (cm^2/dyne)	-5.6×10^{-11}
C_{t2} (cm^2/dyne)	3.2×10^{-21}
C_{t3} (cm^2/dyne)	0

程之參數條件。通常下一步就是利用一般 IC CMOS 製程完成壓阻製作及相關連接導線製程，此時主要是製作壓阻及轉換用之惠氏電橋。接著，我們就可以利用微細加工方式製作隔膜 (diaphragm)，圖中乃是採用體型微加工製作[10]，是目前製作之主流，此種方法較容易，但是卻耗費較大之面積。如果壓力計會受到封裝之影響 (例如：熱應力)，通常我們會利用接合 (bonding) 方式，將矽基感測計與另一片晶圓接合。例如與玻璃晶圓接合，作為應力隔絕之用。在一般稱為後段製程部分，先是利用鑽石刀切割機將上述接合好之晶圓切割成許多感測晶粒，再利用取放 (pick and place) 機器配合以點膠方式將晶粒黏著於封裝上，然後再以打金線 (wire bonding) 將晶粒上訊號引至外界之導線架 (leading frame) 上。此部分似乎與一般 IC 後段製程一樣，但是幾乎都必須發展特殊條件參數及治具。例如切割時由於包含矽及玻璃兩種材料且相當厚，故切割條件不同於一般 IC 僅有矽材料。而壓力感測計之外表必須有突出之連接口，故黏著與打金線治具皆不同於一般 IC。除此之外，封裝上由於必須在感測計上方保持為無限制狀態，亦即必須讓隔膜可以隨著壓力差自由變形，此時一

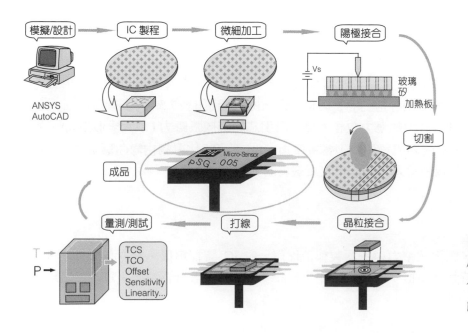

圖 7.8
壓阻式壓力感測器製作流程 (來源：工研院材料所)。

一般以 epoxy 作轉換式成模 (transfer molding) 將無法直接使用,必須修改流道或利用阻擋層保持隔膜上方淨空。或是利用射出成形的方式將導線架與塑性材料一起先射出,隨後再進行黏著與打金線。最後對所製作之感測晶粒進行量測及各項測試。對於微機電元件而言,除了傳統的電子訊號測試之外,另外必須進行各種功能測試。例如壓力感測計必須量測在無壓力時之輸出 (zero-pressure offset)、靈敏度及線性度等,以及隨著溫度變化上述值之變化情況。最後各種可靠度實驗及可能之失效機構研究必要時也都必須進行。

壓阻式壓力感測器之基本結構如圖 7.9 所示,其中壓力感測隔膜是利用電化學自動蝕刻終止的方式製作,四個形成惠氏電橋之壓阻製作乃是利用離子植入或是固態擴散方式,在 n 型矽磊晶上製作 p 型之壓阻,如此其靈敏度較高,並由一介電層覆蓋保護。鋁線為接觸區,有時也可用貴金屬或耐火金屬,而可使用在較高溫度或抗腐蝕需求上。為了隔絕外來之應力 (如封裝上導線架與塑膠結構因為熱膨脹係數差異,造成熱應力而反映在元件輸出上),可以利用接合一玻璃方式使得應力變化遠離壓阻。

矽壓阻型壓力感測器在封裝時,為避免及減小晶粒黏著 (die attach) 時所引起的應力,使得壓力感測輸出產生偏差,因而通常可用陽極接合方式,將矽－玻璃接合起來,做為壓力感測元件之一部分。矽－玻璃接合製程之目標為:經由陽極接合之方式,達到矽－玻璃全面積緊密接合,且儘量減少對壓力感測晶粒性能的影響。

壓阻式壓力感測器為最早利用微加工技術的微感測器。矽基壓阻效應的量規因子為金屬應變規的 $20-30$ 倍,其靈敏度很高。首先利用一般 IC MOS 製程,在矽基板之正面製作壓阻及導線之後,以 KOH 溶液及電化學蝕刻終止技術,由矽晶片背面進行非等向性蝕刻成懸膜 (厚度由磊晶層厚度決定)。接著晶背以 RIE 除去當做蝕刻遮罩之 nitride/oxide 後,進行陽極晶片接合,接合上玻璃片的目的在緩和封裝上可能產生熱應力,除此可以在接合時在真空環境下進行,藉此製作絕對壓力計。

7.1.1.3 設計與分析

本章節主要是討論壓力微感測器結構設計及應力影響,以期達到最佳化。一般在評量壓力微感測器時,通常以非線性度 (nonlinearity) 及輸出電壓 (或元件之靈敏度) 作為評量之

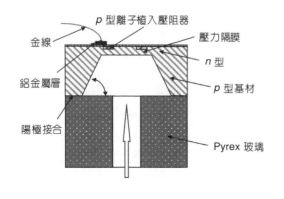

圖 7.9
壓阻式壓力感測器基本結構。

主要標準，但此二者通常為互相抵觸，亦即無法同時達到改善目標，故需要在二者間求得一平衡點。一般來說，電壓輸出範圍容忍度較大，而非線性度範圍容忍度較小，故一般皆以非線性度為首要改進對象。

通常除了隔膜本身的寬度及厚度之外，電阻本身的形狀及位置皆會影響元件的性能。故設計時多將前述之參數列為主要考慮之對象。另外當設計低壓微感測器時，中間常加上凸出物 (稱為 boss) 以改善非線性度，為另一種改進方式。

而非線性度的來源可分為三類：來自壓阻關係本身的非線性、來自晶粒結構本身的非線性 (亦即結構大變形 (large deformation) 所造成)，及惠氏電橋之非線性。另外元件輸出的誤差亦有來自矽對溫度靈敏度，及來自矽本身的再現性、遲滯性。非線性雖然亦可由外加電路作補償，但由於非線性來源相當廣泛，此外加電路的設計將極為複雜而不切實際。故一般而言，應經由元件的設計改良來減小非線性。壓阻材料的非線性已在前面章節討論過，在此將討論結構對元件輸出之影響。

(1) 薄板變形理論

因為板子 (plate) 在日常生活中廣為應用，科學家很早就對各種形狀的板子進行分析及研究[16]，而一般又將板子分為小變形的薄板 (thin plate)、大變形的薄板及厚板 (thick plate) 三種。而矽微細加工壓力微感測器的薄膜則可視為一種薄板。一般小變形乃是由彎曲力矩 (bending moment) 造成，與薄膜變形方向有關。如不考慮非線性應力，則一般小變形的薄板理論已足夠。如圖 7.10 所示，由於外來過大壓力除了造成彎曲應力之外 (圖 7.10(a))，亦會導致薄膜內部平面伸張 (elongation) 而產生大變形效應 (圖 7.10(b))，與薄膜變形方向無關，亦稱為氣球效應 (balloon effect)，此時所施加之壓力方向將會影響最終應力大小 (圖 7.10(c))。故微感測器的應用壓力範圍應儘早確立，以從設計上減小此效應。使用應變能方法，方形大變形的薄板的近似解可用交替近似 (successive approximation) 解法求得。但是此法較為困難不易使用。

首先來討論小變形的薄板變形理論：一長 $2a$、寬 $2b$、厚 h 之平板，如圖 7.11 所示，當受到壓力 q 時其變形 w 之微分方程式可寫成：

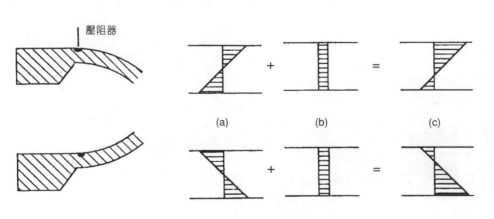

圖 7.10
結構大變形。

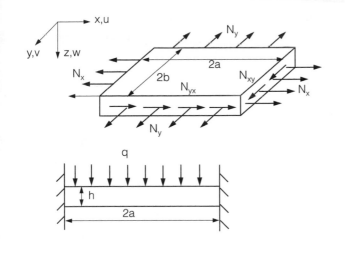

圖 7.11

均勻加壓且四周固定平板，圓心定在板子
及上下平面中心。

$$\frac{\partial^4 w}{\partial x^4} + 2\frac{\partial^4 w}{\partial x^2 \partial y^2} + \frac{\partial^4 w}{\partial y^4} = \frac{1}{D}\left(q + N_x \frac{\partial^2 w}{\partial x^2} + 2N_{xy}\frac{\partial^2 w}{\partial x \partial y} + N_y \frac{\partial^2 w}{\partial y^2}\right) \tag{7.12}$$

其中 N_x、N_y 和 N_{xy} 分別為內平面 (in-plane) 單位寬度的正向力及剪力 (shear)。D 為彎曲剛度
(flexural rigidity)，包含材料係數 E 且

$$D = \frac{Eh^3}{12(1-v^2)} \tag{7.13}$$

注意此公式假設：

1. 整體結構之最大變形需小於五分之一的薄膜厚度 h。亦即只適用於中性 (neutral) 平面存在
   的微小變形。

2. 薄膜邊緣為固定 (built-in edge)，無法考慮晶粒的邊柱 (rim) 之影響。因為使用非等向性蝕
   刻 (anisotropic etching) 會造成薄膜邊形成斜度 (taper)，此會減小應力集中現象及在邊緣外
   產生小變形，亦即預測變形的結果會較小而產生較大應力。

3. 無熱應力及殘餘應力。且只適用於有限形狀，如方形、長方形及圓形。

　　因真實解不易求得，故通常以變分方法 (variation methods) 來求近似解。再配合彎曲力
矩及彎曲應力公式：

$$M_x = -D\left(\frac{\partial^2 w}{\partial x^2} + v\frac{\partial^2 w}{\partial y^2}\right), \quad M_y = -D\left(\frac{\partial^2 w}{\partial y^2} + v\frac{\partial^2 w}{\partial x^2}\right) \tag{7.14}$$

$$(\sigma_x)_{\max} = 6\frac{M_x}{h^2}, \quad (\sigma_y)_{\max} = 6\frac{M_y}{h^2} \tag{7.15}$$

可以發現一些重要關係，如最大變形出現在薄膜中心，

$$w_{\max} = 0.02024 q \frac{a^4}{D} \tag{7.16}$$

及在薄膜中心之應力為：

$$\sigma_x = \sigma_y = -0.42028(1+v)q\frac{a^2}{h^2} \tag{7.17}$$

在邊緣中央則出現最大應力 (平板的上表面)，這也是為何壓阻器放在邊緣中央附近，藉由大應力變化以取得較大的靈敏度，

$$\sigma_{x,\max} = 1.2324 \, q \frac{a^2}{h^2} \tag{7.18}$$

而 σ_y 為：

$$\sigma_y = v\sigma_{x,\max} \tag{7.19}$$

由此可發現應力由兩邊緣中央往板中央遞減，且由正變負。

在壓力感測器的設計中，晶體的取向主要有 (100) 和 (110) 晶面兩種。由於使用非等向性侵蝕法以製作方形或矩形之矽薄膜片及配合電路製作，矽隔膜製作通常選 (100) 晶面。而當電阻取向在 ⟨110⟩ 晶向時，電阻的壓阻係數最大。故壓力感測器乃採將 ⟨110⟩ 方向 p 型半導體壓阻器置於 n 型 (100) 矽方形隔膜上。我們在以下討論除非另有說明，將繼續針對上述壓阻器討論。綜合上述結果，電阻變化可大略表示為：

$$\frac{\Delta R}{R_{pl}} = -\frac{\Delta R}{R_{pp}} \cong \frac{\pi_{44}}{2}(\sigma_l - \sigma_t) \tag{7.20}$$

其中 $(\Delta R/R)_{pl}$ 和 $(\Delta R/R)_{pp}$ 分別為平行電阻和垂直電阻所表現之電阻的變化率。我們可以發現最大電阻變化出現於邊緣中央，約為：

$$\frac{\Delta R}{R} = 0.56 \, \pi_{44} q \frac{a^2}{h^2} \tag{7.21}$$

而最小電阻變化出現於板中央，約為零。所以電阻變化基本上乃隨著 (a^2/h^2) 成正比，亦即欲增加元件靈敏度，我們需增加邊長 a、減少厚度 h。所以如何精確地控制薄膜厚度及寬

度，乃是極為重要的課題。(注意此結論只適合方形薄膜。) 由上式可知，要得到最大壓力靈敏度，a/h 要愈大愈好。但實務上，a 的上限受限於成本的考量，在一片晶片上得到愈多晶粒，成本愈低。h 的下限考慮則為生產製造的限制及厚度再現性的需求。基本上靈敏度亦隨著電阻變化率增加而增加，但是此時非線性度亦隨著增加，主要原因跟結構非線性度有關。如圖 7.12 所示，可以看出隨著所加負荷增加，非線性度 (曲線) 偏離理想線性關係 (直線) 之程度亦隨之增加。另外，製作太薄的隔膜並不容易，因而低壓晶粒的發展必須採用其他方式。解決的方法之一乃是利用凸塊 (boss) 的結構來限制懸膜的變形並線性化，如圖 7.13 所示。利用上述形狀，以 1PSI 之感測元件而言，其全量輸出可達 100 mV，而非線性度小於 0.1%。

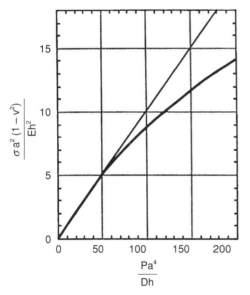

圖 7.12 無因次之負荷與位移之關係。

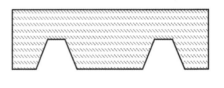

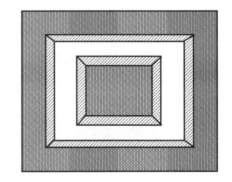

圖 7.13 低壓壓力微感測器結構。

(2) 靈敏度與非線性之計算

由以上的應力公式，可以進一步推展至壓阻所表現之應力變化。因為壓阻乃有限長度而非點狀之物體，且所處位置乃應力變化極大之區域，故上面所推展的應力公式 (乃是位置函數) 並不能直接用在壓阻上，可以利用積分法來解決以上所說之問題。

首先，我們知道壓阻因為要取得較大靈敏度常置於應力較大之處，如圖 7.14 所示 (因為對稱只有 1/4 隔膜表示出來)。而壓阻之形狀及位置明顯地將影響壓阻所表現之應力。其中較重要之參數有壓阻之長度 (L) 及寬度 (t)。外平行壓阻與隔膜 (並非晶粒) 邊緣之距離為 dx_0，與內平行壓阻之距離為 $2dx + t$，且只有一半壓阻在此 1/4 隔膜上。垂直壓阻與隔膜邊緣之距離為 dy。另外薄膜寬度為 $2a$、厚度為 h。此時外平行壓阻器所表現之應力為：

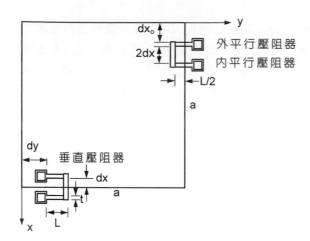

圖 7.14
壓阻器在 1/4 薄膜上之相關位置。

$$\sigma_{x,plo} = \frac{\int_{a-L/2}^{a} \int_{dx_0}^{dx_0+t} \sigma_x \, dxdy}{Lt/2} \tag{7.22}$$

$$\sigma_{y,plo} = \frac{\int_{dx_0}^{dx_0+t} \int_{a-L/2}^{a} \sigma_y \, dydx}{Lt/2} \tag{7.23}$$

其中 $\sigma_{x,plo}$ 和 $\sigma_{y,plo}$ 分別為外平行壓阻在 x 軸及 y 軸所表現之應力。一般而言，壓阻越長則表現出來的應力會越小。內平行壓阻所表現之應力 ($\sigma_{x,pli}$ 和 $\sigma_{y,pli}$)，及垂直壓阻之應力 ($\sigma_{x,pp}$ 和 $\sigma_{y,pp}$)，也可以類似方式表示之。

假設平行壓阻所表現之應力為外平行壓阻及內平行壓阻的均勻表現，則：

$$\sigma_{x,pl} = \frac{1}{2}(\sigma_{x,pli} + \sigma_{x,plo}) \tag{7.24}$$

$$\sigma_{y,pl} = \frac{1}{2}(\sigma_{y,pli} + \sigma_{y,plo}) \tag{7.25}$$

其中 $\sigma_{x,pl}$ 和 $\sigma_{y,pl}$ 分別為平行壓阻器在 x 軸及 y 軸所表現之應力。

利用上述公式可求得個別壓阻之變化率。假設對應壓阻表現完全相同，且不考慮零點偏移 (zero offset)，則由惠氏電橋 (不考慮非線性) 表現之靈敏度 (s)，為：

$$s = \frac{1}{2}\left(\frac{\Delta R}{R}\right)_{pl} - \frac{1}{2}\left(\frac{\Delta R}{R}\right)_{pp} \tag{7.26}$$

其中 $(\Delta R/R)_{pl}$ 和 $(\Delta R/R)_{pp}$ 分別為平行壓阻和垂直壓阻所表現之電阻的變化率。注意平行壓阻和垂直壓阻所表現之電阻的變化率正好相反。

換算為元件輸出 V (單位為 mV) 則為

$$V = sI_cR_c \qquad (7.27)$$

其中 I_c 為元件電流 (單位為 mA)，R_c 為元件電阻 (單位為 Ω)。

(3) 有限元素法

從上述可知當有大壓力施加而產生大變形時，上述簡單的薄板公式可能將無法給予較精準的解。K. Suzuki 等人在其著作有一圖形可大略描述此壓力與變形的線性及非線性的關係[17]。為了解決此問題，有限元素法將是一個不錯的選擇。

基本上有限元素法乃是將複雜幾何形狀之傳統微分方程求解，轉變為利用有限元素架構 (亦即將複雜幾何形狀分割為很多個不同形狀及大小之元素再結合 (assembly) 成一體) 轉換成線性幾何問題求解。此時可知難易度已大有不同，更由於電腦之進步與價格之降低，一般設計及研發人員均可很容易取得及使用。而自然地微感測器的設計也漸以此為主力。但欲求得較精準的值，常需要做極小的分割 (mesh) (已接近原先理論之假設)，而導致需要極大的資料庫及冗長的計算 (因為求解之矩陣大小與分割大小成反比關係)，同時由於計算大變形，更是需要繁複的計算及考慮收斂問題。此時可採用以時間換取空間之方法，如 ANSYS[18] 所提供之次模型法 (submodeling)，如圖 7.15 所示，以達到所需之較小的切割，卻不需太多的儲存空間。次模型法乃是基於 St. Venant 原理，是一種有限元素法技巧，可以讓使用者在感興趣之區域產生較精密的分割，以取得精確之結果，而不需要整體皆作極小的切割。

但由於處理次模型法的時候，除了需重建新的模型之外，亦需讀入與前一次之模型的切割邊緣的邊際條件，過程極為繁瑣費時。顯然某種程度之自動化以加速此重建過程極為必要。例如利用 ANSYS 所附之巨集 (macro) 功能撰寫程式將 ANSYS 模型建立，邊際條件

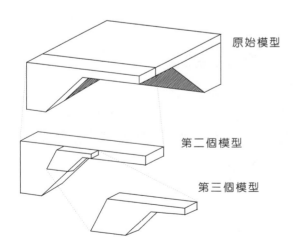

原始模型

第二個模型

第三個模型

圖 7.15
ANSYS 次模型法示意圖。

施加及次模型法的程序均能獨立於矽隔膜壓力微感測器結構參數之外，亦即，即使不同的薄膜寬度、厚度及電阻本身的形狀及位置，此程式均能很快套用，以節省不必要的系統發展時間[19]。

　　由於壓力計所採用的晶粒乃是完全對稱之方形結構，我們只需採用 1/4 晶粒模型就足以描述整個晶粒以節省儲存空間及計算時間，但在切割邊緣需加上適當邊界條件。關於詳細之規格晶粒及有關 ANSYS 之參數的訂定請參閱表 7.4 所列。

　　圖 7.16 為採用前述規格及自動化分析過程所得之部分應力結果。從圖中可以發覺應力 $(\sigma_x - \sigma_y)$ 對稱出現在薄膜邊緣，且為一正一負，可使得置於此的壓阻變化相反而導致惠氏電橋輸出增大。可以發覺應力 $(\sigma_x - \sigma_y)$ 變化更清楚呈現，如此繼續下去，將可取得壓阻附近的應力變化。從圖中我們可以發覺此處應力變化極大，所以光罩對準誤差 (misalignment error) 會造成靈敏度的變化。

表 7.4 壓力計晶粒有限元素分析模型。

項目	規格
晶粒規格	2.5 mm × 2.5 mm × 0.415 mm
隔膜規格	1.35 mm × 1.35 mm × 0.015 mm
蝕刻角度	54.7°
晶片方向	(100) 矽 (n 型)
壓阻方向	⟨110⟩ 矽 (p 型)
材質	非等向性矽
模型大小	1/4 晶粒規格
施加壓力	300 mmHg gauge
邊界條件	底部固定及切割面對稱邊界條件
元素型態	Solid 45
分割方式	Mapped mesh

(a)　　　　　　　　　　　　　　　　(b)

圖 7.16 (a) $\sigma_x - \sigma_y$ (1/4 晶粒模型)，(b) $\sigma_x - \sigma_y$ (新的部分晶粒模型)。

但光憑應力顯示並不能幫我們決定元件之表現。必須能夠計算非線性度及輸出電壓，以做為電腦輔助設計之用。此部分包含前述來自壓阻關係本身的非線性，及來自晶粒結構本身的非線性。不過欲取得壓阻應力變化，需將應力變化及位置的關係亦考慮進來，則外平行壓阻所表現之應力為：

$$\sigma_{x,plo} = \frac{\sum_{\delta y+a-L/2}^{\delta y+a} \sum_{\delta x+dx_0}^{\delta x+dx_0+t} \sigma_x \Delta x \Delta y}{Lt/2} \tag{7.28}$$

$$\sigma_{y,plo} = \frac{\sum_{\delta x+dx_0}^{\delta x+dx_0+t} \sum_{\delta y+a-L/2}^{\delta y+a} \sigma_y \Delta y \Delta x}{Lt/2} \tag{7.29}$$

其中 δx 和 δy 分別為晶粒邊緣 (新的 y 軸及新的 x 軸) 到薄膜邊緣 (原先的 y 軸及原先的 x 軸) 之距離。其他壓阻所表現之應力也可用類似方法求得。

(4) 穩健設計結果比較

上述模擬工具如果配合田口式方法 (Taguchi method)，通常可以得到最佳化設計[20]。測試組合如表 7.5 所列。在此採用薄板公式所得之解，並利用 ANSYS 考慮大變形及不考慮大變形所得之解做一比較。而比較之參數分別為薄膜寬度 (a)、壓阻器之長度 (L)。外平行壓阻器與隔膜 (並非晶粒) 邊緣之距離為 dx_o，與內平行壓阻器之距離為 $2dx + t$。垂直壓阻器與薄膜邊緣之距離為 dy。另外薄膜厚度雖然重要，但由於製程上原因在此並未考慮。

如圖 7.17(a) 所示，縱軸為非線性度之絕對值再取 log 以表現訊雜比，一般對於希望減小系統之非線性度，則取大的訊雜比。而圖上出現之凹折亦是由於非線性度正負號而造

表 7.5 田口式方法直交表 (L_9)。

	分析中所使用之直交陣列			
	a (μm)	t (μm)	dx_o (μm)	dy (μm)
1	500	8	25	5
2	500	12	50	10
3	500	16	75	25
4	600	8	50	25
5	600	12	75	5
6	600	16	25	10
7	675	8	75	10
8	675	12	25	25
9	675	16	50	5

a：隔膜尺寸，t：橋式壓阻寬度，dx_o：壓阻至隔膜距離 (x 軸)，dy：壓阻至隔膜距離 (y 軸)。

成。從圖 7.17(b) 至圖 7.17(d) 可以發覺，如不考慮大變形，則薄板公式所得之解與利用 ANSYS 不考慮大變形所得之解走向及數值皆接近。而 ANSYS 考慮大變形時所得之解與另二者有頗大之差別，且走向類似，但亦有例外。此證明大變形所引起之非線性度不容忽視，而即使簡單的薄板也仍提供我們改進的大方向。也可以發現影響系統輸出最多的是薄膜寬度 (事實上薄膜厚度亦是主要影響力之一)，其他參數則適合在製程容許的範圍作微調。我們應先選好薄膜寬度及厚度，再調其他參數以達到將非線性度減到最低，這時就需考慮大變形所引起之非線性度。

進一步可以利用有限元素分析，並且考慮大變形所得之模擬結果與實際量測結果作一比較，此結果同樣利用上述之測試組合。由於隔膜厚度量測受限於量測儀器精準度 (± 1 μm)，

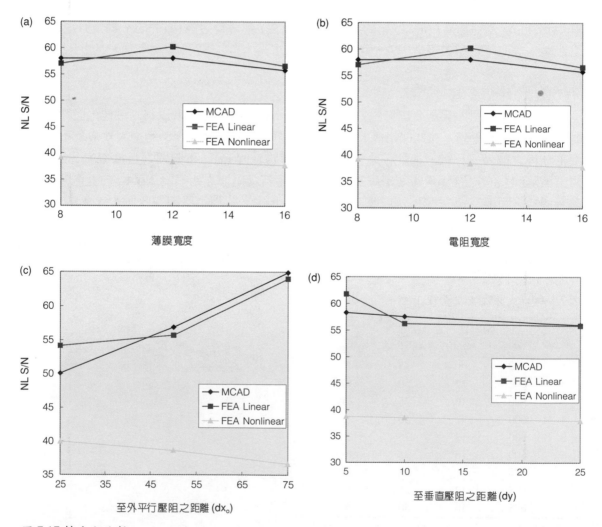

圖 7.17 輸出之比較。

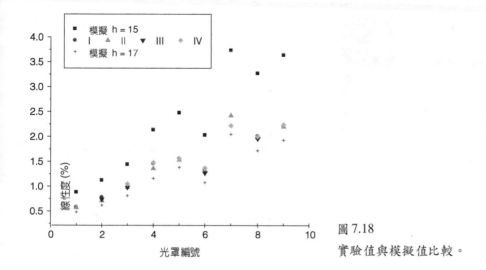

圖 7.18

實驗值與模擬值比較。

故隔膜厚度量測結果雖然約為 16 μm，但實際之厚度可能落在 15－17 μm。此厚度範圍在此用作模擬時之上下邊界，從圖 7.18 中可以發現模擬結果與實際量測結果 (分為四個象限抽測) 之趨勢相當吻合，可以作為設計改進之參考。

(5) 陽極接合影響

　　由於研究陽極接合影響必須同時處理因壓力產生之應力，以及因矽與底材之熱膨脹係數的不同而產生之熱應力 (兩種不同輸入)，且兩者應加上之邊界條件亦不相同，此時需處理之問題非常複雜[21]。為此，我們必須將此系統分解簡化。首先必須假設因壓力變形而引起應力及前述之熱應力，可用線性加成的方式求得或逼近真正應力。目前所討論之熱應力將由矽－玻璃在 400 °C 接合後降至 25 °C 室溫來模擬。當然此二種情況所應加上之邊界條件亦不相同。在此同樣採用 ANSYS 所提供之次模型法以達到所需較小的切割，卻不需太多的儲存空間。

　　但由於處理次模型法的時候，除了需重建新的模型之外，亦需讀入與前一次之模型的切割邊緣的邊際條件，再加上原本就需處理的兩種不同輸入及邊界條件，可以利用 ANSYS 所附之巨集 (macro) 功能撰寫程式將 ANSYS 模型建立，邊際條件施加及次模型法的程序均能獨立於矽薄膜壓力微感測器結構參數之外，亦即，即使不同的薄膜寬度、厚度及電阻本身的形狀及位置，此程式均能很快套用，以節省不必要的系統發展時間。

　　由圖 7.19 可以看出陽極結合對感測晶粒影響頗大。而經由上述公式計算對於感測晶粒零點偏移的影響約為 10 mV (從 –0.08 mV 升至 10.23 mV)，而實際上生產的感測晶粒在陽極結合之後也平均偏移約 10 mV (一般呈高斯分布)，可知結果相當接近。

　　接下來，我們亦可以使用田口式實驗方法來探討各參數對輸出之影響。同樣薄膜寬度對零點偏移的影響最大，很幸運地跟非線性度一樣，減小薄膜寬度也能得到相當程度的改

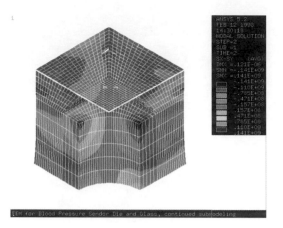

圖 7.19

陽極接合後之 $\sigma_x - \sigma_y$。

善。另外當電阻寬度 (*t*) 增加 (亦即長度減少) 亦可得到不錯的改善，而電阻的位置似乎並非主要因素。

(6) 熱應力分析

　　在以微電子及微機電的技術所製成的元件中，主要的製作方式之一是使用具有不同熱膨脹係數的薄膜材料來製成所需的結構[21]。例如在半導體積體電路製程，為了形成所想要的電路結構，廣泛使用 SiO_2、Si_3N_4、Al 等不同性質的材料。此種電路結構主要是平面的，但是為了摻雜 (doping) 或作為連線 (interconnect) 等目的，會有局部的結構變化出現 (如接觸窗 (contact window) 或連接導線)，例如在接觸窗附近很可能會有許多材料在此沉積。另在封裝 (packaging) 上亦有類似的情況出現，不過局部變化的情況較半導體元件為簡單。而對以微機電技術製成的元件而言，可能面臨比半導體元件還要複雜的問題，因為所產生的結構已不再只是平面的而是接近三維，如果沒有好的設計，可能會造成功能上的問題，亦即整個元件可能根本上無法運作，而這主要是由於熱膨脹係數不同所帶來的熱應力所導致。

　　由於局部應力量測不易，可藉由壓力感測器在不同製程及結構下零點偏移的大小可略知影響程度，最後再經由應力分析逐步驗證各製程及局部結構的影響，以作為改善感測器效能的參考，並得到不錯的結果。

① 應力來源介紹

　　對於微機電元件而言，應力產生的原因與積體電路元件中可能發生的應力來源類似，但影響卻大為不同。首先介紹積體電路元件應力來源。積體電路元件是由多層厚度不等且材質互異的薄膜所構成的。而每一層薄膜從成長開始，直到元件完成，將遇到許多不同的環境。這些過程，會使得元件裡的各層薄膜中的機械應力發生變化。為了防止這些薄膜因累積過多的應力而產生永久的機械性破壞 (如薄膜剝離或龜裂)，元件裡各層薄膜間在應力分布上的控制便非常的重要，以避免製程的良率 (yield) 受到影響。

基本上，可以用下列公式來表示積體電路薄膜所承受的總應力 (σ_s)：

$$\sigma_s = \sigma_i + \sigma_e + \sigma_{th} \tag{7.30}$$

其中 σ_i 與 σ_e 分別代表薄膜所受的內應力與外應力。其中內應力的來源計有外來的雜質及薄膜本身所具有的各種缺陷；而外應力則大都來自薄膜與其他材質間的附著情形，如不相同的晶格參數 (lattice parameter) 在附著界面所造成應力。至於 σ_{th}，則是因為熱效應所產生的熱應力，主要的來源是不同物體間的「熱膨脹係數 (thermal expansion coefficient, TEC)」的差異所致。

　　熱應力可說是積體電路薄膜最主要的應力來源，主要的成因是不同材料對受熱或冷卻後的膨脹與縮小程度不同所致。如果在一個理想的平坦底材上進行薄膜沉積，如圖 7.20(a) 所示，此時薄膜是在一定的沉積溫度下進行的。此沉積溫度通常稱為無應力 (stress-free) 溫度，因為在此溫度時，薄膜與所沉積的底材間並不產生任何附著應力。然而在沉積反應結束後，當底材與薄膜的溫度從沉積高溫降至室溫，因為薄膜與底材的熱膨脹係數並不相同，兩者間的界面將產生熱應力 σ_{th}。假如沉積薄膜的熱膨脹係數高於底材，則冷卻後的底材外觀將如同圖 7.20(b) 所示，使薄膜承受了張應力 (tensile stress)；反之，如果薄膜的熱膨脹係數低於底材，則冷卻後的整體外觀將如圖 7.20(c) 所示，而薄膜所承受的將是壓應力 (compressive stress)。其強度可以由下列公式來估計：

$$\sigma_{th} = E_y \Delta T (\alpha_{film} - \alpha_{sub}) \tag{7.31}$$

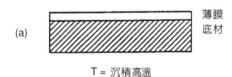

(a)

薄膜
底材

T = 沉積高溫

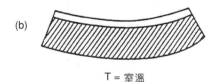

(b)

T = 室溫

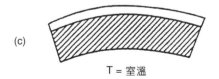

(c)

T = 室溫

圖 7.20
底材因薄膜與底材間的熱應力而發生彎曲的現象。其中 (b) 為 $\alpha_{film} > \alpha_{sub}$，而 (c) 為 $\alpha_{film} < \alpha_{sub}$ 所產生的情形。

其中 α_{film} 與 α_{sub} 分別為薄膜與底材材質的熱膨脹係數，ΔT 為沉積溫度與室溫之間的溫差，而 E_y 為薄膜的楊氏係數。

藉著薄膜與晶片的整個彎曲程度，可以計算出薄膜所承受的應力。假設底材在沉積薄膜之前是絕對的平坦，在沉積之後，底材因應力而產生彎曲的曲率半徑為 R，則薄膜所承受的應力可以表示為：

$$\sigma_s = \frac{E_{sub}}{6R} \frac{t^2_{sub}}{t_{film}} \frac{1}{(1-\nu)} \tag{7.32}$$

其中 E_{sub} 為底材的楊氏係數，t_{sub} 及 t_{film} 則分別是底材與薄膜的厚度，ν 為波松比 (Poisson's ratio)。因此，只要量得底材經薄膜沉積後的厚度及晶片的彎曲半徑，薄膜所受的應力便可以被估算出來。但是對於局部應力變化現象及多層薄膜間的熱應力交互作用現象就無法得知。

機械應力經常使薄膜累積過多的能量，而造成積體電路元件的許多問題。例如金屬鋁的薄膜，如受擠壓應力，薄膜的表面產生許多的「小凸起 (hillock)」；若受太大的拉伸，則將產生許多的空隙 (void) 或裂痕 (crack)。這些都會造成元件穩定性的問題。因此，積體電路薄膜所受的應力，都必須小心的加以控制，通常可在薄膜沉積完後，藉適當的「回火」來調整薄膜所受的應力。或當狀況許可時，調整製程參數及順序來達成低應力情況。

② 分析模擬

如前所述，熱應力是積體電路薄膜製程中的主要副作用之一。對於積體電路元件而言，熱應力主要造成長期穩定性的問題，並不會影響元件的功能 (至少短期內不會)，但對於微機電元件，熱應力的存在，卻可能造成嚴重的功能問題。例如：對於微機電元件常被使用的樑 (beam) 結構，如果此結構必須由具有不同 TEC 的材料所組成，當樑結構不夠堅硬時，可能會因存在應力造成扭曲而變形。因此在元件設計及原型建立階段，對於熱應力可能造成的影響，正確的分析模擬是絕對必要。但是以往熱應力的分析模型多是假設所分析的結構為多層 (multi-layer) 平坦結構，如印刷電路板 (PCB)，且截面積需遠大於他們的厚度。然而對微機電元件而言，就無法直接應用此種模型來分析頗為重要的局部結構及製程變化。因此可以使用有限元素分析來研究此種問題。

我們從矽壓阻式壓力感測晶粒之反應可以瞭解熱應力的影響。因為矽壓阻式壓力感測晶粒是利用壓阻原理來量測壓力，當壓力造成隔膜上應力變化時，會造成壓阻器的阻值改變。所以當熱應力變化時，其對應的阻值亦會產生變化，當然輸出也跟著變化。其對應的阻值可表示為：

$$\frac{\Delta R}{R} = \frac{1}{2} \Pi_{44} (\sigma_{tx} \sigma_{ty}) \tag{7.33}$$

　　從壓力感測晶粒的零點偏移 (zero offset) 數值，發現隨著溫度改變，零點偏移有漂移現象存在。原因可能是因為不同積體電路薄膜製程及局部結構變化，造成相當程度的熱應力，而熱應力隨著溫度變化的特性，也就反應在零點偏移上。因為當溫度變化時 (不再處於室溫)，各層積體電路薄膜間承受的熱應力反應亦不一樣，有的增加 (或減少) 量較大，有的較小，此外有的局部結構變化由於距離壓阻較近造成影響程度較大。

　　一般而言，有限元素分析在處理上述情況時會碰到二大問題。一是由於積體電路薄膜製程的厚度比起矽底材可以說是太薄了(約 1：10000 以上)，如果要用有限元素分析來建模型 (model)，則所產生的分割 (mesh) 不是太密，就是所採元素 (element) 長寬比差異過大，而造成計算值誤差過大而不能信賴 (事實上往往兩者皆發生)。另一則是如要模擬積體電路薄膜製造過程，必須累積各部分製程所產生的結果及考慮可能的交互作用，再於最後放置至各個正確的節點 (node)。不但過程繁雜易出錯，且耗時費事不易模組化。

　　為了解決上述問題，可以採取以下策略進行分析。(1) 由於應力變化情形對零點偏移的影響是最大的，當影響源 (施力處) 遠離測量處時可以忽略不計，主要是因其影響很小。故可藉此大幅縮小所模擬的區域，例如只計算壓阻附近的區域，且深度也大為縮短，僅及矽底材的表面區域。(2) 將利用 ANSYS 中所提供的元素產生／死亡 (element birth/death) 的技巧來解決前述之困擾。此技巧乃是將尚未用到的結構 (元素) 部分將其材料性質等改設為極小 (稱為殺掉 (ekill))，再依製程的進度逐一恢復各部分的材料特性，彷彿結構才剛加上 (稱為復活 (ealive))。當然亦可反向而行來模擬結構去除 (death) 的現象。妥善運用此技巧可以模擬積體電路薄膜的製程順序。藉此功能來模擬多層次，有局部變化，且具有多種不同無應力溫度的結構。在模擬中所採用的材料有 SiO_2、Si_3N_4、Al 及 Si 等，其材料特性如表 7.6 所列。

表 7.6 材料特性。

	矽 (塊材)	鋁薄膜	二氧化矽薄膜	氮化矽薄膜
TEC[1]	$2.3 \times 10^6/°C$	$23 \times 10^6/°C$	$0.4 \times 10^6/°C$	$2.11 \times 10^6/°C$
TEC[2] ($10^6/°C$)	2.5 (300 K) 3.1 (400 K) 3.5 (500 K) 3.8 (600 K) 4.1 (700 K) 4.3 (800 K)			
楊氏係數	165/170 GPa	70 GPa	$70-75$ GPa	380 GPa
密度	2330 kg/m³	2700 kg/m³	2200 kg/m³	3100 kg/m³
波松比	0.22/0.278/0.3	0.334	0.17	0.24 (0.22−0.27)

註 1：常數值，註 2：隨溫度變化數值。

　　積體電路薄膜的模擬區域及有限元素分析模擬區域分別如圖 7.21 及圖 7.22，而圖 7.23 則為模擬區域積體電路剖面示意圖。製作模型的方式則為：先長出底材部分 (只採用 5 μm 的厚度)，再依次依照製程順序及結構長出各層。全部製程共有 7 層，但在元素產生／死亡過程中只需先殺掉未用到的材料，再依製程次序復活即可，非常方便。

　　例如：為了模擬製程順序，首先可殺掉 Al 及 Si$_3$N$_4$ 兩種材料，再利用 T_{ref} = 1100 °C (代表無應力溫度) 及 T_{unif} = 25 (代表室溫或其他操作溫度，在此使用 75 °C 及 0 °C 作為量測極端值) 可得出 SiO$_2$ 對 Si 底材的影響，而後再依次復活 Si$_3$N$_4$ (設定 T_{ref} = 850 °C) 及 Al (設定 T_{ref} = 400 °C)。如此就可得到各層熱應力對元件特性的影響。

③ 結果分析

　　從圖 7.24 可以得知各製程間的熱應力表現及對溫度漂移的情況。例如鍍完鋁之後，從輸出可看見愈靠近接觸窗的地方應力增加愈快 (亦即梯度 (gradient) 頗大)，且遠比 SiO$_2$ 的影響為大，故壓阻感受到的應力將非常不均勻。接觸窗靠近壓阻可能不是好設計。

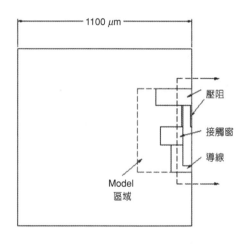

圖 7.21
模擬區域。

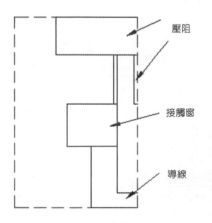

圖 7.22
FEA 模擬區域。

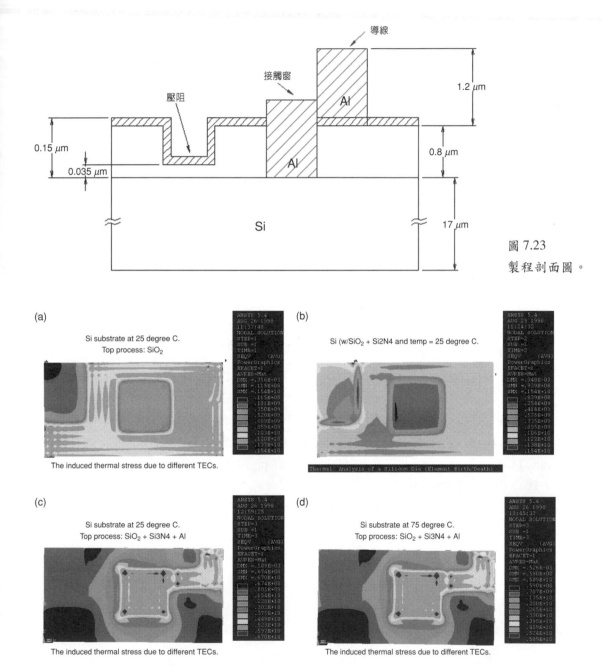

圖 7.23
製程剖面圖。

圖 7.24 (a) 矽底材在沉積完 SiO_2 後回到室溫。(b) 矽底材在沉積完 SiO_2 及 Si_3N_4 後回到室溫。(c) 矽底材在沉積完 SiO_2 及 Si_3N_4 及濺鍍 Al 後回到室溫。(d) 矽底材在沉積完 SiO_2 及 Si_3N_4 及濺鍍 Al 後到 75 °C。

7.1.1.4 校正與溫度補償

矽壓阻式壓力感測器是由四個同值電阻組成惠氏電橋，如圖 7.25 所示，其輸出電壓和輸入壓力成正比，理想狀態下當壓力輸入時，電阻值就跟著改變，但是事實上溫度的改變亦會影響其阻值輸出結果[23]。

因為電阻值 ΔR 改變，所以輸出電壓 V_o 也跟著改變。

$$V_o = V_+ - V_- \approx V_B \frac{\Delta R}{R} \tag{7.34}$$

如果再考慮壓力，則 V_o 為：

$$V_o = sPV_B \pm V_{ZO} \tag{7.35}$$

其中 s 為靈敏度，V_B 為電橋電壓，V_{ZO} 為零點偏移。在設計及理想的條件下，零點偏移應該為零，但是由於晶體和電路設計製程的誤差，加上封裝過程方面的影響，所以零點偏移不為零。除此靈敏度也同樣會因為上述原因偏離原先設定值，因此靈敏度及零點偏移皆是設計時的必須考慮項目。故必須藉由外加元件 (通常是電阻) 來個別修正零點偏移及靈敏度，以符合工程規格，此稱為校正 (calibration)。

一般壓力感測器都有溫度係數的規格，壓力感測器在溫度係數方面可分三類：(1) 靈敏度溫度係數 (TCS)、(2) 零點偏移溫度係數 (TCO)、(3) 電阻溫度係數 (temperature coefficient of resistor, TCR)。TCS 一般大都在 $-2000 - -3000$ ppm/°C，TCR 大都在 $+500 - +1000$ ppm/°C，TCO 值則正負皆有可能。

矽壓力感測器由於溫度的變化會產生誤差，而造成使用上的困擾，所產生的誤差可分為二類：溫度效應在 V_{ZO} 上 (未加壓力時) 及在靈敏度上 (加壓時) 之影響。雖然可以從設計上作總體的補償，實際上的補償是需要個別處理的。對零點偏移而言，電橋壓阻值間的不

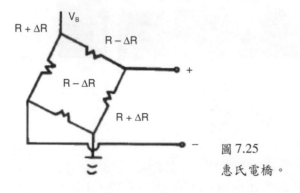

圖 7.25
惠氏電橋。

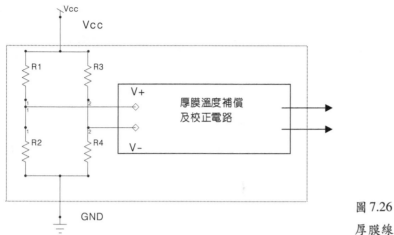

圖 7.26

厚膜線路校正及補償。

相同及封裝時所導致的應力是主因。但是對零點偏移的溫度係數 (TCO) 而言,阻值間的不相同不是主因,外來封裝應力及其受溫度變化的情形才是主要原因。因而通常感測元件在使用時,須補償上述零點偏移。針對上述缺失,利用厚膜線路或是數位校正以作為校正的方式乃應運而生,如圖 7.26 中所示。

一般補償方式可分為以定電壓及定電流作為能量來源方式。所謂定電壓,亦即電橋電壓等於電源電壓。由於電源電壓不隨溫度變化,所以

$$\dot{V}_o = PV_B\dot{s} \tag{7.36}$$

整理後可得

$$\frac{\dot{V}_o}{V_o} = \frac{\dot{s}}{s} \tag{7.37}$$

在固定電壓情況下,輸出電壓溫度係數等於 TCS。此時 TCS 為

$$\text{TCS}_v = \frac{1}{s}\frac{\partial s}{\partial T} = \frac{1}{\pi_{44}}\frac{\partial \pi_{44}}{\partial T} + \frac{1}{\sigma_l - \sigma_t}\frac{\partial \sigma_l - \sigma_t}{\partial T} \tag{7.38}$$

而在定電流 (I_b) 情況下,

$$V_o = PRI_BS \tag{7.39}$$

由於電流不隨溫度變化，所以

$$\dot{V}_o = PI_B(\dot{R}s + R\dot{s}) \tag{7.40}$$

整理後可得

$$\frac{\dot{V}_o}{V_o} = \frac{\dot{s}}{s} + \frac{\dot{R}}{R} \tag{7.41}$$

亦即壓力感測器輸出電壓溫度係數是 TCS+TCR 之和。

$$\frac{\dot{V}_o}{V_o} = \frac{1}{\pi_{44}}\frac{\partial \pi_{44}}{\partial T} + \frac{1}{R}\frac{\partial R}{\partial T} + \frac{1}{\sigma_l - \sigma_t}\frac{\partial \sigma_l - \sigma_t}{\partial T} \tag{7.42}$$

在定電壓下，因應力之溫度係數較小，故 TCS_v 主要由 π_{44} 的溫度係數來決定，一般為負值。在定電流下，可藉由調整第二項的數值 (一般為正值) 抵銷第一項 (約等於 TCS_v)，其抵銷的程度受摻雜濃度的影響。因而經由適當的選擇此兩項溫度係數，可設計一具有很低 TCS 的壓力感測元件。圖 7.27 中有兩處之 TCS = TCR，分別在 3×10^{17} cm^{-3} 及 5×10^{19} cm^{-3}，此時如果採用定電流操作，即使未對溫度效應做補償也可達到某種程度的準確度。

如前所述，一般壓阻式之壓力感測器的 TCS 是負值，如果使用定電壓時，無法產生任何的溫度補償，但是一般應用上多使用電壓電源，此時如要達到補償的結果，就必須採用外加元件方式。以串聯一電阻為例，如圖 7.28 中所示，

$$\frac{\dot{V}_o}{V_o} = \frac{\dot{s}}{s} + \frac{\dot{V}_B}{V_B} \tag{7.43}$$

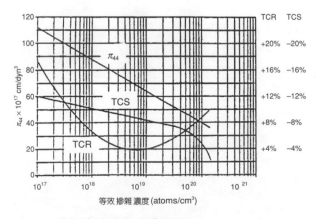

圖 7.27 壓阻特性與摻雜濃度關係。

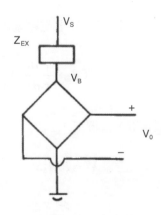

圖 7.28 外接元件之惠氏電橋。

但是

$$\frac{\dot{V}_B}{V_B} = \frac{Z_{\mathrm{EX}}}{R_B + Z_{\mathrm{EX}}}\left(\frac{\dot{R}_B}{R_B} - \frac{\dot{Z}_{\mathrm{EX}}}{Z_{\mathrm{EX}}}\right) \tag{7.44}$$

故

$$\frac{\dot{V}_o}{V_o} = \frac{\dot{s}}{s} + \frac{Z_{\mathrm{EX}}}{R_B + Z_{\mathrm{EX}}}\left(\frac{\dot{R}_B}{R_B} - \frac{\dot{Z}_{\mathrm{EX}}}{Z_{\mathrm{EX}}}\right) \tag{7.45}$$

　　此時，如果此電阻是正溫度係數或是負溫度係數 (如熱敏電阻)，表現會不一樣，藉此我們可以調整最後輸出。一般而言定電流方式較簡單，也節省成本，但是最後能達成之精密度不如定電壓方式。其結果通常如圖 7.29 中所示。

　　設計時通常校正與溫度補償是同時進行，以免互相影響，但是校正較容易達成、成本亦低。溫度補償則需進行溫度循環實際量測高溫及低溫下之輸出，耗費時間且精準度不易掌握 (例如以雷射修整方式會產生局部加溫現象而影響精準度)，故成本較高。工研院材料所製成之產品，如圖 7.30 所示。

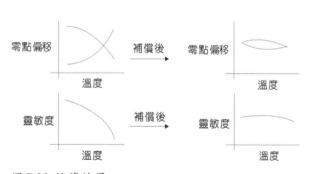

圖 7.29 補償結果。

圖 7.30 材料所經過校正與溫度補償之產品。

7.1.1.5 封裝與測試

　　目前感測器元件封裝上分別承襲自電子封裝及機械式封裝。在感測器的效能與成本上影響最大的就是封裝，如圖 7.31 所示，從圖中可以發現感測器之成本可能僅佔一至二成，但是測試及封裝卻佔了高達七成以上成本。目前電子封裝已累積龐大資源及技術，故早期感測器元件封裝為了充分發揮槓桿效用，如圖 7.32 所示，多從塑膠及陶瓷既有封裝方式稍

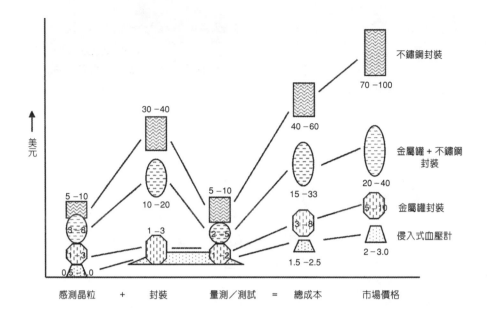

圖 7.31
壓力感測器之成本分析。

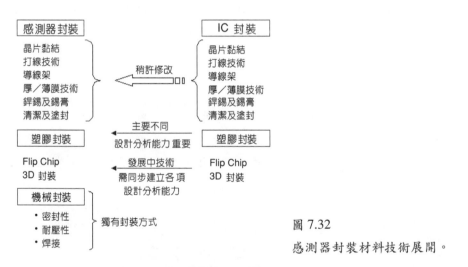

圖 7.32
感測器封裝材料技術展開。

加修改以降低成本。另外對於壓力感測器而言，氣密及耐壓能力亦是考慮重點，故在高壓及腐蝕性氣體環境時，往往採用金屬封裝。

　　但是感測器元件封裝上之考慮跟一般電子元件並不完全相同，如表 7.7 所列。例如：感測器必須與外界環境接觸，因此須考慮媒介之相容性及電路保護等問題，而電子封裝可以採氣密方式與外界完全隔絕。應力影響則如前述，感測器封裝要求比電子封裝更嚴苛。材料方面感測器由於使用環境差異，種類遠比電子封裝要多，也由於各種使用媒介差異，感測器封裝設計上必須考慮之物理量 (包含熱、電、磁、機械、光、流體等) 遠比電子封裝多，當然分析難度及複雜性更高，許多問題都還在研發階段。適當材料選用及設計與模擬分析將是決定未來元件之功能與成本的關鍵。

表 7.7 感測器封裝與 IC 封裝比較。

	感測器封裝	IC 封裝
適當機械性保護	標準較高	一般標準
媒介相容性及保護	• 可能必須在潮濕、鹽水、體液及腐蝕性環境中擷取感興趣之參數 • 需保護感測元件，消除環境帶來污染及腐蝕。	設法與外界隔絕，強調氣密性及隔絕性
機械界面	需適當機械介面與外界接觸	無
感測 IO	需要，可能包含多種媒介	不需要
應力影響	• 外界操作如加速度及震動等引入應力 • 來自封裝等之外界應力及熱應力 • 影響感測器性能	影響長期可靠度
散熱能力	較不重要	重要性能指標
訊號 IO	一般 < 20	可達數百
補償與校正	• 數位或類比式 • 整體式或混合式	較單純或不需要
材料	塑膠、陶瓷、金屬、玻璃等	塑膠為主，陶瓷為輔
模擬分析	多領域物理量(機／熱／流／電)需同時考慮	熱傳為主

　　目前測試及封裝之所以如此昂貴，主要是因為原先感測器製作是採取批次生產，可以有效降低其成本，但是到了測試及封裝階段往往又回復到個別元件分別進行。故若能有效採取晶圓級 (wafer level) 測試及封裝，將可有效大幅降低成本。例如可採用晶圓鍵合方式將隔膜一方封成真空狀態，以製作絕對壓力感測器。雖然感測器封裝需考慮媒介相容性及感測源的引入等問題，故封裝上較一般電子封裝複雜，但如果能以電子封裝累積的資源及技術，當能充分發揮槓桿效用，協助降低感測器的成本，進而提高可靠性及競爭力。故如同一般電子封裝，感測器封裝可分為鍵合 (包含晶粒及晶圓階段)、晶圓切割 (以鑽石刀切割或雷射畫線 (scribing))、晶粒拿取與定位、晶粒黏著、打金線或訊號連結、覆蓋保護 (encapsulation)、封裝製模 (over molding)、訊號修整 (trimming) 及最終測試。

　　如前所述，對於壓力感測器而言，封裝材料之氣密及耐壓能力亦是考慮重點，如圖 7.33 所示為對一固定封裝材料所計算出的水氣滲透率 (封裝材內部滲達 50% 濕度)，顯而易見的金屬材料防水氣滲透能力最佳，故在高壓及腐蝕性氣體環境時，往往採用金屬封裝。

　　如圖 7.34(a) 所示，金屬封裝之訊號連接腳(pin) 與底座部分通常以玻璃隔絕，已達到高阻抗之需求，防止訊號短路，通常稱為金屬罐 (To-CAN)，此往往用於光電等產品，使用量非常大。但對於壓力感測器而言，氣密性及耐高壓能力必須同時兼顧，金屬底座必須以不鏽鋼材料整體製作，可以承受壓力達數千公斤以上。此種封裝方式可以追溯至美國發展太空計畫所需之高壓壓力感測器封裝。此種方式造價高昂不易量產。

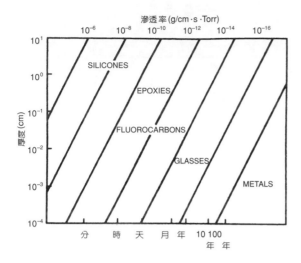

圖 7.33

對一固定結構所計算出的水氣滲透率。

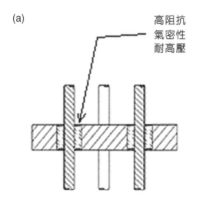

圖 7.34

(a) 金屬封裝，(b) 陶瓷封裝。

　　但是，如考慮成本，金屬封裝很少被使用，目前主要為塑膠及陶瓷兩種方式。如圖 7.34(b) 所示，陶瓷封裝以陶瓷板外加壓力金屬管方式製成，成本較塑膠為高且易碎，但是陶瓷板上可以厚膜電路製作補償線路，方便模組製作。如圖 7.35 所示為 Motorola 用於汽車壓力感測器之塑膠封裝。為了配合感測器少量多樣之特性，此塑膠封裝設計採用模組概念，先製作一基本封裝稱為鈕扣 (button)，再配合不同應用而披上不同外衣。此種方式可以縮短模具開發時間及節省成本。塑膠耐熱力較差，且氣密性及承受壓力亦不如其他材料，但是成本低廉及製作方便是其最大優勢，故成為目前封裝之主流。

　　在機械封裝方面，如前所述，為了增加氣密性及耐壓能力，往往採取不鏽鋼材料進行加工做成底座 (header)，為了能在腐蝕性流體等環境工作並且避免高壓損毀晶粒，目前通常採取間接量測方式。亦即在量測晶粒及流體間採用波狀薄板 (corrugated plate) 做為隔離結構，為了忠實傳遞壓力，波狀薄板與晶粒間往往以不可壓縮且熱膨脹係數與矽相近之矽油 (silicone oil) 作為傳遞媒介。其一般組裝方式如圖 7.36 所示，波狀薄板之設計相當重要，會影響量測之精準度。此種封裝價格高昂，多作為傳送器 (transmitter) 用於工業流程控制。其組合成品如圖 7.37 所示。

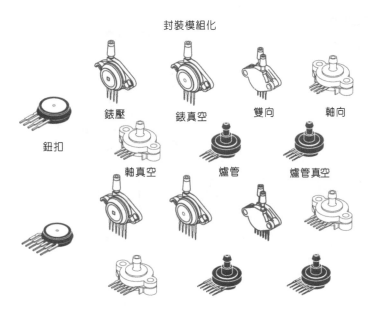

封裝模組化

鈕扣　　錶壓　　錶真空　　雙向　　軸向

軸真空　　爐管　　爐管真空

圖 7.35 Motorola 汽車用壓力感測器之塑膠封裝。

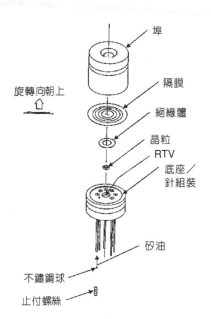

埠

隔膜

絕緣體

旋轉向朝上

晶粒
RTV

底座/
針組裝

矽油

不鏽鋼球

止付螺絲

圖 7.36 高壓用壓力感測器之不鏽
鋼封裝組裝。

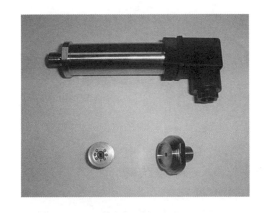

圖 7.37
材料所高壓用壓力感測器之不鏽鋼封裝。

7.1.1.6 可靠度

微機電元件中，表面張力遠比慣性力為大，與一般巨觀世界所熟悉之現象不一樣。故一般微機電元件中黏磨力 (stiction) 及黏著力之遲滯現象皆為一般元件之可靠度重要指標。對於壓力感測器則另多了不同意義。事實上，許多壓力感測器通常被限定使用於乾燥之非腐蝕性氣體中，如用於醫療產業，只能在室溫中於含鹽分之環境使用短時間 (24 −48 小時)。當然，如果能製作低成本卻具有長期媒介相容性 (數年以上) 之元件，市場潛力將不可限量，例如：目前可耐油氣之壓力感測器每年皆有數百萬個以上之需求量。而在汽車產業中，壓力感測器尚須能在 −50 °C 到 150 °C 之環境下工作。如果使用於鹽水或強酸中，可能

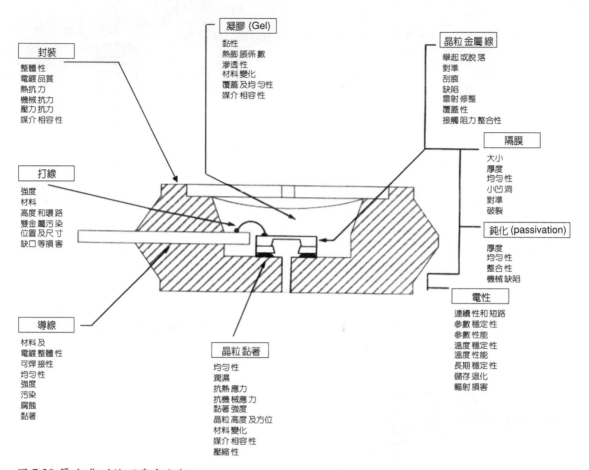

圖 7.38 壓力感測計可靠度分析。

會造成不同之失效機制而損壞。除此之外，如使用於洗衣機，則洗衣精與水會形成鹼性溶液。當然，我們可以採用前述之不鏽鋼封裝，但是成本高昂且體積大。

　　對於壓力感測器而言，可靠度工程必須連封裝及使用環境一併考慮。Motorola 研究人員曾就塑膠封裝之壓力感測器分析其可靠度方面必須注意之事項，如圖 7.38 所示。其中包含下列注意重點：

1. 導線 (lead)：材料、電鍍、整體性、可焊接性、均勻性、強度、污染、腐蝕及黏著。
2. 晶粒黏著：均勻性、潤濕 (wetting)、抗熱應力、抗機械應力、黏著 (adhesive 或 cohesive) 強度、晶粒高度及方位、材料變化、媒介相容性及壓縮性。
3. 凝膠 (gel)：黏性、熱膨脹係數、滲透性 (permeability)、材料變化、覆蓋及均勻性、通氣性 (aeration)、壓縮性及媒介相容性。
4. 封裝：整體性、電鍍品質、熱抗力、機械抗力、壓力抗力及媒介相容性。
5. 打線：強度、材料、高度和環路、雙金屬 (bimetallic) 污染、位置及尺寸及缺口 (nicking)

等損害。

6. 晶粒金屬線：舉起 (lifting) 或脫落 (peeling)、對準、刮痕 (scratch)、缺陷 (void)、雷射修整、覆蓋性、接觸阻力及整合性。

7. 隔膜：大小、厚度、均勻性、小凹洞 (pit)、對準及破裂 (fracture)。

8. 保護層 (passivation)：厚度、均勻性、整合性及機械缺陷。

9. 電性：連續性和短路、參數穩定性、參數性能、溫度穩定性、溫度性能、長期穩定性、儲存退化及輻射損害。

　　由以上敘述可以發現，工作環境對於壓力感測器之影響頗大，故可靠度工程是瞭解其可能失效機制之最佳方法，詳細內容請參考本書之第 11.10 節「可靠性檢測技術」。

7.1.1.7 應用介紹

　　壓力感測器目前主要市場仍然以汽車及醫療產業為主。對於汽車而言，感測器使用多寡是決定價格及定位的主要因素。目前從低價位汽車使用之一兩個感測器，到高價位汽車將近一百個感測器，差距頗大。而目前越來越嚴苛之安全法規及環保等要求，勢必需要使用更多之感測器。事實上，最早微機電製作之壓力感測器即是針對汽車市場所發展之歧管絕對壓力感測器，用來量測引擎進氣，大幅改善了引擎燃燒效率，降低污染和改善耗油量，已成為不可或缺之元件。由於矽質感測器不僅提供精確的引擎操作控制，更可增進駕駛者和乘客的舒適及安全。今日汽車產業界每年大約購買半數的微機電製作之感測器。幾乎早期微機電公司皆從事壓力感測器之製造。隨著汽車性能要求增加，不同規格之壓力感測器的使用也不斷增加，例如目前空調液壓、傳動液壓、煞車控制等也需要應用高壓壓力感測器。其他應用如絕對壓力感測器、排氣回流壓力感測器、蒸發油壓感測器及油路壓力感測器等。

　　目前最熱門之壓力感測器當屬無線胎壓感測器，主要因為安全考量，為避免因為車胎壓力不平衡而造成翻車事故。美國預定於 2004 年要求新車必須安裝無線胎壓監控系統架構，隨時將輪胎之壓力及溫度以無線方式傳回車上之中控系統，如圖 7.39 所示。目前每年估計有高達數千萬輛新車上市，每輛四個輪胎計算，其市場價值難以估計，故目前許多廠商皆摩拳擦掌，想要搶得先機。目前嘗試使用中之壓力感測器包括壓阻式、電容式、表面聲波濾波器式、石英振盪器式等多種壓力感測器，各有優缺點，尚待市場考驗。而目前提出之方案似乎仍過於昂貴，可能會影響市場接受度。

　　矽壓力感測器目前在醫療上最大的應用是在血壓的量測[24-26]。量血壓有兩大分類：侵入式與非侵入式；所謂侵入式是直接與血液接觸來量血壓，非侵入式則是在皮膚外進行感測。非侵入式的血壓計又因感測器的不同分為好幾種，最普遍的乃是聲音 (auscultatory method) 及壓力 (oscillometric method) 二種方法。傳統式血壓計在國內已由以往之大幅出口，節節衰退；而取代傳統式血壓計之電子式血壓計，則相對的大幅成長，現已廣為一般

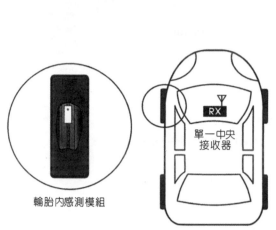

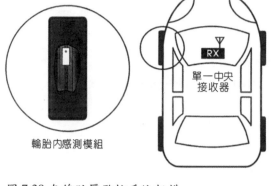

圖 7.39 無線胎壓監控系統架構。　　　　　　　圖 7.40 侵入型血壓感測計。

家庭接受，精準度亦不錯。侵入式的血壓計則有二類，一種是感測器在體外，另一種是感測器在體內。在體外的感測器是由液體作媒介與血液接觸，在體內的感測器則是與血液作直接的接觸。侵入式的血壓計，由於避免疾病的傳染，不管是體內型或體外型，在使用一次後，整套包括感測器、導管及針頭在內即丟棄，所以侵入式的血壓感測器也叫做拋棄式的血壓感測器 (disposable blood pressure transducer)。在醫療應用上，安全性及可靠性是非常的重要，體外型的感測器，如圖 7.40 所示，現今仍是侵入式血壓感測的主力。以矽微細加工製造之拋棄型侵入式血壓感測器，取代了傳統重複使用／消毒之傳感器，到 1995 年就到達 2000 萬組 (美國)，每組成本小於 2 美元。

7.1.1.8 結語

　　壓阻式壓力微感測器可說是微機電技術的里程碑，它證明了微細加工技術不只是實驗室產物，而且可以真正量產，相關技術也提供後來其他微機電元件發展時之借鏡。目前壓力微感測器仍不斷發展，首先製造技術由體型微細加工演進至面型微細加工，補償技術則由以往兩個晶粒做混成 (hybrid) 或厚膜 (thick film) 類比式補償，逐漸發展至單一晶片數位式補償。目前封裝技術也隨之日新月異，傳統之高價不鏽鋼機械封裝已可用塑膠取代，媒介相容性亦大為改善，歐洲的研究機構也嘗試建立多感測器共用之封裝技術。未來智慧型感測器 (smart sensor) 也是大家努力之目標，以提供更高之附加價值，另外則是不同功能之感測器將組合成更複雜模組或次系統。隨著上述技術之進步，可見未來壓力感測器之成本將大為下降，使用將更加廣泛。

7.1.2 微陀螺儀

7.1.2.1 陀螺儀介紹

(1) 簡介

　　物體有保持其原本運動狀態的傾向，此即所謂的慣性，而當慣性原理應用到旋轉中之物體，便可觀察到一種很有趣的行為，稱為「進動 (precession) 現象」[28]：當外力試圖去扳轉一個旋轉體的轉軸，會發現其不按要求的方向轉動，而是產生進動，也就是轉動方向與所期望的方向垂直，以試圖去維持其原本的運動狀態。硬幣的旋轉便是一個例子，外力 (地心引力) 試圖使其轉軸受力傾斜，然硬幣並不直接倒下，而仍會邊自轉邊沿著一圓形的路徑移動，直到轉速不夠才無法維持原運動狀態而傾倒。由此可知，當旋轉體之運動軸因受力產生轉動時，某特定方向上將感應到一力或力矩，使其原本運動狀態能夠維持，此亦所謂的科氏效應 (Coriolis effect)。因此科學家利用巧思，藉由量測該感應力矩來反推物體轉動狀況，便發展出本節所要討論的另一種慣性感測器，即量測空間角度的陀螺儀 (gyroscope)。

　　陀螺儀又稱角速度感測器 (rate sensor)，是一種量測物體角速度或轉動角度的元件；如果視單擺 (pendulum) 為一「時間保持者」，則陀螺儀可視為一「方向保持者」[29]。其是除了指南針外，最為常見的一種導航工具。然而因為是利用自身慣性維持之特性去偵測待測量，因此其作用並不受磁場、重力場、甚至屏蔽物干擾之影響，故其應用範圍廣泛，具有可於太空中、深海下甚至隧道內使用之優點。由於陀螺儀具有高角速度解析度、可低轉動量量測等特性，使其在運輸用途上，如導航、引導與控制 (guidance, navigation and control, GN&C) 等，有著廣大的應用。另一方面，若能利用偵測旋轉量的陀螺儀搭配量測線性運動之加速度計，將可組成一慣性量測單元 (inertial measurement unit, IMU)，以充分獲得物體在三度空間中姿態的資訊，而能有更廣泛之應用。

(2) 陀螺儀分類

　　陀螺儀可分為直接提供絕對轉角的 free gyro 與量測角速度的 rate gyro；時至今日，雖然量測原理已不侷限於慣性定律，然不管是利用何種原理，只要是量測角速度或轉角者皆泛稱為陀螺儀[30]。一般而言，常見的陀螺儀可區分為大型 (macroscopic) 與微型 (microscopic) 兩大類[31]，前者可再概分為機械式與光學式兩種，後者則專指以微機電技術製作之微陀螺儀 (micro gyroscope)。

① 機械式陀螺儀

　　如同前文所述，傳統機械式陀螺儀是利用科氏效應來量測角速度。其先使一球體或圓柱產生高速旋轉，以獲得可觀的轉動慣量，而當整個陀螺儀在垂直原旋轉軸方向上感受到一旋轉角速度或角速度分量時，與此兩轉動量正交 (即相互垂直) 之方向即會感應出一轉動力矩，試圖去維持原來的轉動慣性。接著利用適當的感測設計以檢出此力矩，便可推得角

第 7.1.2 節作者為謝哲偉先生。

速度。此型陀螺儀精準度佳，但結構設計與加工皆甚為複雜，另外其軸承有壽命及可靠度的要求，使其造價不菲。大自然中亦有類似陀螺儀功用之作品，然其並非用輪子與軸承這種人類發明之結構。遠在數百萬年前，部分飛行的昆蟲便發展出利用科氏效應的平衡器官，生物學家稱為「helteres」[28]，基本上是利用一對高速振動的音叉結構取代轉動件。此種振動式的概念便衍生出另一種形式的機械陀螺儀，即振動式陀螺儀 (vibrating gyroscope)。此種陀螺儀首先在 1953 年由英國 Sperry Gyroscope Company 發展出來，當時是利用電磁方式作驅動與感測，而此方法在 1960 年代由 General Electric 以壓電方式取代；1980 年代以後則開始有 PZT 陶瓷、單晶石英 (quartz) 材料之使用[32]，但性能或價格上並無太大突破。

② 光學式陀螺儀

　　相對而言，光學式陀螺儀則全由光路系統與訊號處理單元所構成，其中並不含任何機械動件。以光纖陀螺儀 (fiber-optic gyro) 為例，其是利用雷射光經分光鏡分離成兩束後，在光導環中以相反方向傳遞；若整個系統產生轉動，則由 Sagnac effect 可知兩光束之間會產生與角速度相關之相位偏移 (Doppler shift)，經由干涉儀偵測出此訊號，即可推得角速度值[33]。由於不含轉動件所引入之磨耗、間隙等問題，使此類陀螺儀的精準度與穩定性相當高，但由於其與光路系統之整合難度很高，導致其價位不低。基本上，大型陀螺儀多具有高精確度之優點，但卻普遍具有昂貴、體積較大 (bulky) 等問題，其在民生上之應用也因而較受限制。

③ 微陀螺儀

　　為使陀螺儀價格能更一般化、體積更微型化，將微機電系統技術應用到製造微陀螺儀之研究，近年來受到了廣泛的重視。雖然微機電系統在製造高可靠度軸承方面仍有問題，然巧合的是，微機電系統中可靠度最佳、也最符合製造原則之運動形式－單體結構振動，恰能應用於產生振動式陀螺儀所需要的諧振 (harmonic vibration) 運動。由於單體振動並沒有相對運動面，避免了軸承之摩擦與磨耗的情形，而能使壽命、精確性及可靠度等性能顯著提升，因而使微機電系統所造就之振動式微陀螺儀 (micro vibrating gyroscope, MVG) 研究，從 1990 年代起便大行其道。雖然微陀螺儀有微型化的優勢，其卻有一限制性能之關鍵問題，即是當特徵尺寸縮小的同時，攸關靈敏度 (sensitivity) 的慣性力也一起變小了，以致微量角速度所感應出之待測量便很小而不易檢出。因此相較於大型陀螺儀，其量測精準度普遍較低，多僅達速率等級 (rate grade) 左右之性能[34]，不過此等級已能滿足很多民生用品之需求。而研究者亦持續努力，試圖嘗試一些如材料更替、機構設計改良或精密感測電路等方法改善，而逐漸朝軍事 (tactical grade) 甚至慣性 (inertia grade) 等級之性能邁進。

(3) 微陀螺儀應用

　　以微機電系統技術製作微陀螺儀，能使其尺寸小至一公分見方以下等級，成本也能因批量製造方式而大幅降低，因而能克服傳統陀螺儀所具有的昂貴、體積較大等問題。雖然相較於高精度陀螺儀其性能僅能算中等，但在價廉質輕的優勢下，其使用機會與可能之應用範圍勢必將大幅增加。除了傳統之陀螺儀應用如空間導航與製造工業之機械運動控制之外，亦可預期將會產生如下很多與民生相關之應用。

最大的應用市場當在汽車工業中：在價格低廉之微陀螺儀取代現有較貴而大型之車用感測器下，即使平價之汽車車種亦可獲得高級車之舒適和安全性。舉例而言，一般之安全氣囊、防滑煞車控制等功能，皆只能針對直線運動之突發情況作判斷，然對車身轉彎或者發生旋轉、翻覆等狀況則無法偵測甚至預防。而微陀螺儀則顯然能適時補此不足，將之加裝於擴充型安全氣囊、主動懸吊系統控制、煞車控制等，除了舒適性外，將具有更全方位之安全性。此類應用的精度要求不高，約在 1 °/s 左右，量測範圍在 50−200 °/s 之間[32]。另外在定位與導航之應用上，因全球衛星定位系統 (GPS) 於隧道與大樓屏蔽時有定位空窗期，微陀螺儀本身所提供之慣性定位恰可補此不足，使人體或運輸器械具有全天候之定位能力，而提升方便性與安全性；該類導航輔助功能之精度要求約為 0.5 °/s 左右，量測範圍則在 50−100 °/s 之間[32]。基本上其精度要求不需太高，強調的是壽命、可靠度與抗振動干擾能力等表現。

除了上述應用之外，微機械陀螺儀的應用範圍亦可望推展到消費性電子產品之市場上。例如頭戴式顯示器與虛擬實境應用、望遠鏡或攝影機之平穩性控制，和電腦周邊設備如穿戴式電腦、電子筆、3D 滑鼠，以及運動器材與玩具等等。其性能要求約與車用微陀螺儀相當，但強調其尺寸、價格與低耗電等要求。除此之外，微陀螺儀在未來醫學工程上亦有其發展潛力。例如對於平衡感受損的人而言，此微小的角度感測器將能幫助其保有適當的平衡位置；至於肢體行動不便的人，若能經由穿戴式感測器判讀其微小動作，則其不需移動便能輕易對周邊設施下命令，此將提升其生活之便利與舒適性；此外手術器械、輪椅等亦可藉由微陀螺儀來輔助其操作。其有稍高之精度要求，約為 0.1 °/s 左右，而量測範圍在 50−100 °/s 之間，另外壽命、可靠度、低耗電等仍為考量重點[32]。

7.1.2.2 振動式微陀螺儀設計

(1) 操作原理

如圖 7.41 所示為一簡單的微陀螺儀之架構示意圖。在起始狀態，微陀螺儀之慣性質塊經由一內建致動器驅動，使產生沿著一參考軸 (x 軸) 上之簡諧振動，稱之為參考振動 (reference vibration)，該振動模態稱之為參考模態 (reference mode)。若以 $x(t)$ 代表參考振動量，則其運動方程式與振幅響應 X_m (即參考振幅) 分別為

$$m\ddot{x} + c_x\dot{x} + k_x x = F_0 \sin \omega_d t \tag{7.46}$$

$$X_m = \frac{F_0/k_x}{\sqrt{\left(1-r_0^2\right)^2 + \left(r_0/Q_x\right)^2}} \tag{7.47}$$

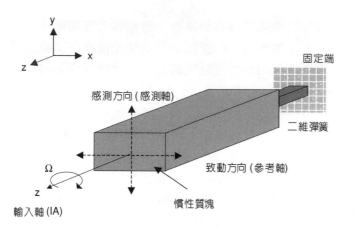

圖 7.41

微陀螺儀振動系統示意圖。

其中 m 為質量塊質量，c_x 與 k_x 分別為 x 軸方向上之阻尼與剛性，F_0 為驅動力，ω_x 為 x 方向自然頻率 ($\omega_x = \sqrt{k_x/m}$)，ω_d 為驅動頻率，$r_0 = \omega_d/\omega_x$ 為兩頻率之比值，Q_x 為 x 方向品質因子。當整個座標系沿輸入軸 (input axis, IA) 產生旋轉，此參考振動將會耦合此一旋轉，而產生一正比於其轉速與參考振動速度之科氏力 F_c，其表示式為

$$F_c(t) = 2 \cdot m \cdot V_x(t) \cdot \Omega(t) \tag{7.48}$$

其中 $\Omega(t)$ 為旋轉角速度，$V_x(t)$ 為參考振動之速度。科氏力作用的方向稱為感測軸，該軸同時垂直於原參考軸以及輸入軸 (如圖中之 y 軸)；質塊受到此耦合科氏力，將會在感測軸上產生感測振動 (sensing vibration)，該振動模態稱之為感測模態 (sensing mode)，其運動方程式為

$$m\ddot{y} + c_y\dot{y} + k_y y = F_c(t) \tag{7.49}$$

其中 c_y、k_y 則分別代表各方向阻尼與剛性。因此，感測振動量 $y(t)$ 之解為

$$y(t) = \frac{2m\Omega\omega_x X_m}{k_y} \times \frac{1}{\sqrt{\left(1-r^2\right)^2 + \left(r/Q\right)^2}} \times \sin(\omega_x t - \varphi) \tag{7.50}$$

其中 X_m 為 x 方向之參考振幅，ω_y 為感測方向自然頻率 ($\omega_y = \sqrt{k_y/m}$)，$r = \omega_d/\omega_y$ 為驅動頻率與 ω_y 之比值，Q_y 為感測方向品質因子，φ 則為參考與感測運動間之相位差。由 (7.50) 式知，經由檢出感測振動量 y，便可反推得角速度 Ω 之值。

　　由上述可知，振動式微陀螺儀在振動系統設計上必須具有兩個運動方向自由度：一個自由度提供給參考振動，如 (7.46) 式所示之 x 方向，另一個自由度則在其垂直方向，供感測振動之用，如 (7.49) 式所示之 y 方向；這種雙自由度結構是振動式微陀螺儀的一大特色。另外，由 (7.50) 式之數值計算可知，輸出的感測振幅 y 極小，甚至可為參考振幅 X_m 的百萬分之一等級，非常不易檢出，而限制了角速度之量測解析度。因此，如何提升響應與抑制雜訊、增加輸出之訊雜比 (signal-noise ratio)，便成為設計時的主要考量。

(2) 整體架構

　　根據上述原理，微陀螺儀整體架構包括了機械結構與電子電路兩部分。機械結構如前文所述，主要包含一彈簧－質塊振動系統，另外亦包含使系統產生參考振動的致動器，以及檢出感測振動量之位移感測器 (displacement sensor) 各一。致動器基本要求是使參考振幅大且穩定，感測器之基本要求則是能偵測到極小的感測振幅變化。搭配致動器與感測器之電子電路便是根據上述設計要求而設計，一典型之微陀螺儀電子電路之架構例則示於圖 7.42。以下將針對機械結構與電子電路之架構略加說明。

(3) 機械結構

　　由於微陀螺儀之振動系統包含了兩維度方向之運動自由度，使其在結構設計上產生了兩大特徵，即運動解耦 (motion decoupling) 與頻率匹配 (frequency matching) 設計。就運動解耦而言，其主要目的是抑制不希望之擾動，使操作誤差減少。最典型的擾動型式是參考模態與感測模態互相耦合而造成質塊產生二維的運動，其主要是因驅動力與科氏力方向不同，卻又同時作用於同一質塊上所造成。如此一來，參考振動將受感測訊號大小影響而致振幅不穩定；另一方面，感測訊號除待測角速度訊號外，又摻雜了參考振動引入之誤差 (稱為相差誤差，quadrature error)[35]，因此運動解耦之設計便很重要。最便捷的設計方法是從彈簧著手，使其在運動方向剛性能遠小於其他方向剛性，則能大幅抑制耦合進來的擾動而使運動單純化，以避免參考振動之不穩定，感測量亦能正確地萃取。解耦設計之細節將於下文之設計範例中再加以說明。

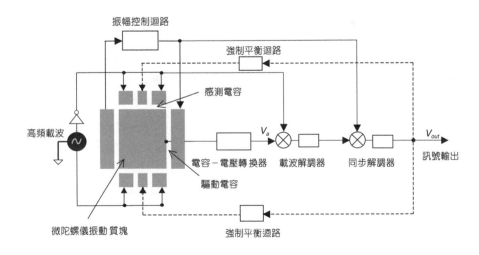

圖 7.42
微陀螺儀電子電路架構例。

頻率匹配設計則是為了同時提高參考振幅與感測振幅：參考 (7.47) 與 (7.50) 式可知，在振動系統的動態行為中，即使驅動力相同，振幅仍會因驅動頻率不同而改變，且在共振時 ($r_0 \approx 1$、$r \approx 1$)，振幅達到最大值。故設計者只要仔細調整各方向個別的質量與彈簧剛性，設計使個別自然頻率皆與操作頻率相同，便能因感測振幅與參考振幅同時產生共振放大效果，而大幅放大了原本極小的待測量；此設計便稱為頻率匹配設計。需一提的是，由 (7.47) 式與 (7.50) 式可知，振動系統在低壓狀態 (Q 值較大) 下可獲較大振幅，亦即微陀螺儀在真空環境下可有較佳響應，故微陀螺儀中亦常見達成真空封裝之密接封合 (vacuum hermetic sealing) 結構，使頻率匹配設計更具效益。

另外關於致動器之選用，微機電系統技術提供了很多選擇，例如壓電致動、磁力致動、電熱致動，以及靜電致動技術等等[36]。然為了滿足製程相容性與致動頻寬等要求，靜電致動仍是最普遍使用之方法；又為了達成大驅動振幅之目標，靜電梳狀致動器 (electrostatic comb-drive actuator) 便成為微陀螺儀中最常見之致動器。在感測器方面，其目的在檢出振動質塊於感測模態時的時變位移或振幅，由於科氏力所激起之振動量極小，在輸入角速度很小的情況下甚至可小到千分之奈米的等級。然若以電容感測方式做振幅量測，由於微機電技術能製造出氣隙極小的可變電容，因此能使電容對微小運動量之量測靈敏度提高，若能配合能量取 aF (10^{-18} F) 等級電容變化之電容感測電路，便能彌補小慣性力產生的待測位移過小之困難。除了能夠量測極小振動量外，電容感測尚有很多優點，例如不需額外的製程材料且與積體電路之製程匹配、消耗功率小、量測穩定度較高 (因輸出正比於電容率)、以及因介電常數穩定使電容本質上對溫溼度並不靈敏等等[37]。因此，在兼顧量測靈敏度、製程相容性、溫度穩定性等設計要求下，靜電式電容感測器亦成為微陀螺儀之首選。

(4) 電子電路

如前文所述，絕大部分之微陀螺儀皆採靜電致動／電容感測之模式，而其電子電路部分則依不同性能需求而為不同複雜程度之感測與控制電路，同時搭配所需之各式電極結構。感測電路目的在量測極微小之電容變化，控制電路主要目的則在提升性能，基本上微陀螺儀之性能與成本都會隨電路複雜性而提高。

在致動器方面，直接以開迴路 (open loop) 方式去驅動是最簡潔之方法，然而其振幅、共振頻率與振幅穩定程度皆無法確實掌握。若不作迴路控制，實際操作時振幅可能因驅動源不穩定或環境擾動等原因而有變異；另外共振頻率本身亦容易因環境變異 (如溫度) 而產生漂移，而尤其在低阻尼環境中，少許共振頻率漂移都會造成很大的振幅改變，此將使振幅固定之假設無法實現。若驅動振幅不固定，因感測振幅與參考振幅之正比關係，將使振幅偏移量直接反映到輸出端造成誤差，而破壞微陀螺儀輸出線性度與穩定性。因此，若欲獲得較佳性能，穩定參考振幅之控制便成為必須。因此微陀螺儀之致動器中，常包含一閉迴路 (close loop) 的振幅穩定迴路，以提升輸出線性度與正確性。較為常見之迴路控制方法包括有鎖相迴路 (phase lock loop, PLL)[37] 與自激迴路 (self-excited loop)[38] 等，因篇幅所限，其細節不在本文之討論範圍。

　　在感測器方面，最基本但又最重要的便是其電容檢出電路。如前所述，在小的角速度輸入時，輸出振幅所對應到的電容變化量實在太小，使雜訊很容易掩蓋住待測訊號而不易檢出，因此必須用一些訊號處理的技巧來克服，例如將檢測電壓放大，再利用待測訊號與雜訊之差異性 (如頻率、相位等) 單獨將待測訊號檢出。如圖 7.42 所示之例為利用振幅調變 (amplitude modulation) 的方法來檢出電容變化。基本上其先利用一高頻載波輸入待測電容，則經由電容電壓轉換器 (C-V converter) 將電容轉成電壓輸出 V_a 時，該輸出電壓已內含載波頻率並移至高頻區；而若待測電容 (與 (7.50) 式之振幅 y 相關) 因科氏力產生變化時，將使輸出電壓 V_a 產生振幅調變的效果，而由 (7.50) 式知其調變頻率即為給定之驅動頻率。因此將 V_a 進行兩次解調變 (demodulation) 的過程以去除載波頻率與驅動頻率後，便可獲得單純與角速度相關的電壓輸出 V_{out}。若進一步來看，感測電路同樣可分為開迴路偵測以及閉迴路偵測兩種量測模式。前者設定固定的參考振幅，接著直接應用上述電容檢出電路來讀取輸出電壓，最後利用此兩資訊來決定角速度值；後者同樣設定固定的參考振幅，並應用檢出電路來讀取輸出電壓，不同的是該電壓經由一強制平衡 (force-to-rebalance) 控制電路後，被回授至感測電容區產生靜電力，強迫將科氏力所導致之位移歸零，角速度值則由參考振幅與回授電壓所決定。顯然開迴路偵測在原型驗證上較簡易可行，但若要獲得較佳性能仍有其侷限；而由於閉迴路方法所偵測的是一虛擬位移，亦即感測電容不會有實際位移產生，因此具有很多優點，例如其避免了前述參考模態與感測模態互相耦合的情形，提升了輸入對輸出之線性度、動態範圍及最大角速度值增加，以及頻寬與解析度提升等等[37]。

(5) 規格需求

　　微陀螺儀之規格需求，端視其所需要的應用場合而定，然一般而言，可量測到之最小角速度值愈低，以及量測值儘量的正確與穩定等，仍是微陀螺儀在開發時一致的目標。因此而衍生之規格，本文將之概分為精度與準度兩類。

　　精度以解析度 (resolution) 來表示，代表可量測之最小角速度值，其單位為 °/s 或 °/h。如同一般之感測器，解析度之決定主要是由訊雜比所決定：當訊號量小於雜訊位準之下，或小於訊號漂移量包括範圍內，將無法判別其值，則該雜訊位準或訊號漂移量便為解析度的下限。欲提升訊號量，最直接的方法是從靈敏度 (sensitivity) 提升著手，輸出對輸入靈敏度 ($= S_m \times S_e$) 定義為單位角速度造成之輸出電壓變化，其中 $S_m = \Delta C / \Omega$ 為感測電容對角速度之機械靈敏度，$S_e = \Delta V / \Delta C$ 為輸出電壓對感測電容之電子靈敏度。靈敏度大者，代表很小的感測輸入量可被轉成較大訊號量，訊雜比因而放大，故其可解析出較小之輸入角速度值。綜上可知，欲獲得較佳解析度，量測頻寬內之電子雜訊、機械雜訊以及訊號漂移量須儘量抑制，而機械靈敏度與電子靈敏度則須儘量提升。上述相關度量，包括代表輸出對輸入靈敏度之比例因數 (scale factor, 單位為 mV/°/s)、頻寬 (bandwidth，單位為 Hz)、訊號漂移量 (angle random walk，單位為 °/$\sqrt{h}$) 等皆為精度表現之相關規格。

　　準度則指輸出之正確性與可靠度等之度量，大致可分為比例因數非線性度 (scale factor nonlinearity，單位為 %FS)，以及其輸出對環境變異的靈敏性，包括前述之訊號漂移量 (angle random walk)、溫度致漂移 (drift over temperature，單位為 °/s)、時間致漂移 (drift over time，°/s)、振動靈敏度 (G-sensitivity，單位為 °/s/G) 及抗衝擊能力 (shock survival，單位為 G) 等。比例因數線性度不佳時，則由輸出電壓反推角速度值的過程便會產生誤差，因此影響該規格者如參考振幅穩定性、材料穩定性等便需特別考量。至於上述其他關於環境之變異或擾動所導致之漂移，皆可能造成訊號誤判，因此上述規格都宜使之儘量的小，方能獲得較正確可靠的輸出。而抗衝擊能力則直接影響到微陀螺儀之壽命及可靠度，宜使之儘量大。

　　表 7.8 為針對微陀螺儀性能需求所作之分類[34]，可分成三種等級。第一級是速率等級 (rate grade)，其能提供一般的角速率資訊，較常用於汽車感測器之應用，而現今大部分的微陀螺儀性能多落於此一等級中。第二級是軍事等級 (tactical grade)，其精度 (如 angle random walk) 和準度 (如 bias drift 和 scale factor accuracy) 的要求都已明顯提高。最高級的則是慣性等級 (inertial grade)，基本上要用到導航、機器人控制等用途都需第二級以上的性能方能達成。而從文獻 34 所揭櫫之微陀螺儀性能演進趨勢可知，在精確度的性能上從 1991 年開始便以每兩年一個數量級的方式提升，可知微陀螺儀的發展仍將朝著更精準的慣性等級邁進。

(6) 設計範例

　　雖然微陀螺儀之原理與整體架構皆不脫前文所述之範疇，然為解決其個別如製造或性能提升等問題，衍生出之設計型式包羅甚廣，如 1991 年即出現之雙平衡環式 (double-gimbals type) 微陀螺儀[39,40]、懸臂樑式 (cantilever type) 微陀螺儀[41,42]、改良自懸臂樑式之音叉式 (tuning fork type) 微陀螺儀[43,44]、振動環式 (vibrating ring type) 微陀螺儀[45,46]、中心固定式 (center fixed type) 微陀螺儀[47-49]、振動板式 (vibrating plate) 微陀螺儀[35,38,50-52] 等，較詳細的說明可參考文獻 33、34、53。為扼要起見，本節中將特別針對前文提及之運動解耦與頻率匹配兩要素之設計提出範例，說明如何在結構設計上達成此目標。

① 頻率匹配之微陀螺儀設計

　　欲在設計與製造過程後仍達成頻率匹配之要求，令微陀螺儀具有本質頻率匹配 (inherently frequency matching) 之設計，亦即使其兩模態之結構形狀相同且對稱者，為最可靠的方法，而其中最典型的例子是振動環式微陀螺儀[45]。此種陀螺儀將傳統半球殼諧振陀螺儀之外形修正成微機電技術可實現之形狀，其結構上視圖如圖 7.43 所示，包含了一個圓形環、八根半圓形並連接至地基處之支撐彈簧，以及驅動、感測與控制電極；其屬於全同平面運動 (in-plane motion) 之操作類型：參考與感測模態皆位於 xy 平面上，角速度輸入軸則在 z 方向，可減少厚度加工誤差所造成之影響。雖然仍是感測科氏力的方法，然迥異於

表 7.8 微陀螺儀性能需求分類[34]。

	速率等級 (Rate grade)	軍事等級 (Tactical grade)	慣性等級 (Inertial grade)
訊號漂移量 (Angle random walk, $°/\sqrt{h}$)	> 0.5	0.5 − 0.05	< 0.001
訊號偏移量 (Bias drift, $°/h$)	10 − 1000	0.1 − 10	< 0.01
比例因數非線性度 (Scale factor nonlinearity, %FS)	0.1 − 1	0.01 − 0.1	< 0.001
最大角速度 (Full scale range, $°/s$)	50 − 1000	> 500	> 400
抗衝擊能力 (Max shock in 1 ms, g's)	10^3	$10^3 - 10^4$	10^3
頻寬 (Bandwidth, Hz)	> 70	~100	~100

他型陀螺儀的剛體運動模式,其是以結構體形變模式操作,以節點位置為感測之標的。其原理如下:在起始狀態,環形結構被驅動電極激振出一橢圓形的參考模態,其節點固定在 45 度位置,如圖 7.43(b) 中所示;當結構沿 z 軸轉動時,環上各點產生之科氏力合力則會指向 45 度方向,使節點位置發生振動,如圖 7.43(c) 中所示;而量測該處振動量,便可知科氏力大小而推得角速度值。由於此微陀螺儀結構近似極對稱,使各方向上的感測模態共振頻率皆與參考模態相同,故不需繁複的設計與製程便可達高度頻率匹配,而獲得振幅放大與較佳靈敏度的效果。此外,其屬於結構體形變之運動模式,故外界振動 (多造成剛體運動) 較不易干擾其作動,使其具有較佳的防震功能;而又因是對稱結構,溫度改變造成的兩模態共振頻率漂移是一致的,故溫度造成的靈敏度漂移將可降低。然而其八根支撐彈簧並不能真正滿足極對稱條件,使得科氏力合力並非單純指向原節點方向,而會產生些許量測誤差。另外,為改善性能並減少非完美極對稱之影響,其必須用到多輸入輸出之閉迴路控制,使驅動與感測電路變得複雜許多。

② 高度運動解耦的微陀螺儀設計

　　運動解耦的關鍵在於彈簧設計,若彈簧於某方向剛性遠小於其他方向剛性,則即使有很多外力同時作用,其仍只會在特定方向產生明顯的一維運動,其他方向之運動則受到抑制;該彈簧可稱之為一維彈簧,為運動解耦微陀螺儀之重要組成結構。以圖 7.44 所示之振動板式微陀螺儀設計為例[50],基本上仍沿襲雙平衡環型式之解耦設計,然其利用更多一維彈簧的組合,來達成高度運動解耦的目的。該微陀螺儀亦屬於全同平面運動的操作類型,亦即其參考與感測模態皆位於 xy 平面上,角速度輸入軸則在 z 方向。觀察此圖,可以發現

(a)

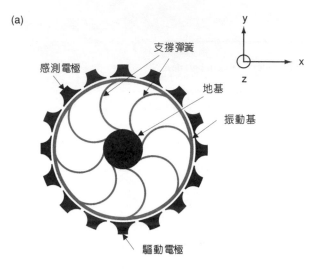

(b)　(c)

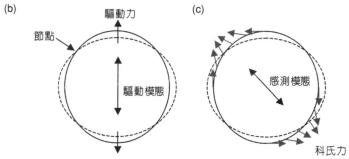

圖 7.43
振動環式微陀螺儀設計，(a) 結構示
意圖 (上視圖)，(b) 驅動模態，(c) 感
測模態。

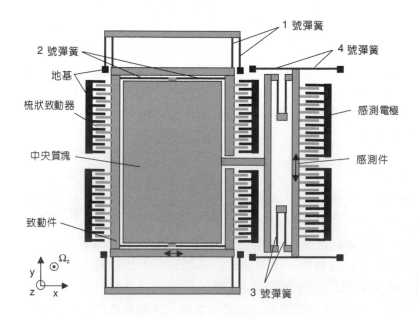

圖 7.44
高度運動解耦的微陀螺儀設
計圖。

當梳狀致動器產生 x 方向參考振動時，驅動件將與中央質塊 (proof mass) 同時作動，但感測件因受 **4** 號彈簧限制了其 x 方向自由度，使參考振動量極不易傳遞到感測電容。當角速度輸入時，參考振動與感測振動同時發生，並造成中央質塊產生二維的運動，由於 **2** 號與 **3** 號彈簧之自由度設計，造成質塊將與感測件與驅動件三者同時作動之情形。然而驅動件受 **1** 號彈簧影響仍只能作 x 方向運動，感測件則受 **4** 號彈簧影響只能作 y 方向運動，因此感測電容與驅動電容將能獨立而不互相影響，因而改善了相差誤差問題、感測誤差問題，以及非線性驅動等等問題。雖然運動解耦的設計有如上之優點，但由於其在驅動與感測方向的結構常不相同或不對稱，使其在頻率匹配的設計上較為繁複，並容易因計算與製造誤差而產生不匹配之結果；另外其也容易因喪失對稱性而增加外界擾動之敏感程度。

就一般微陀螺儀而言，由於需要設計不同方向的彈簧以達成運動解耦效果，造成其在感測與參考模態上之結構尺寸並不相同，要同時達成本質頻率匹配的設計有其困難。然而一種能突破了上述之限制，同時達成運動解耦與本質頻率匹配要求之設計被提出[51]，相似的概念示於圖 7.45 中[53]。該微陀螺儀所量測的亦為 z 方向之角速度輸入，由於其彈簧與質塊系統之尺寸在 x 與 y 方向上完全相同，因此具備了本質頻率匹配之條件。另外觀察其設計可知，當梳狀致動器產生 y 方向參考振動時，位於 x 方向之感測件因受彈簧限制了其 y 方向自由度，使感測件能在驅動時保持不動；而同樣當感測件受科氏力而運動時，y 方向致動件亦能不受影響。因此，其在本質頻率匹配之餘，又具有了運動解耦之能力。

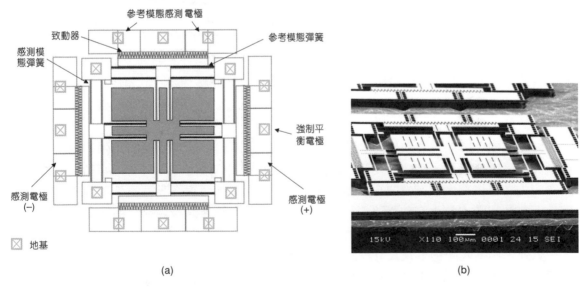

(a)   (b)

圖 7.45 可同時達成運動解耦與本質頻率匹配設計之微陀螺儀，(a) 機械結構設計圖，(b) 實體之電子顯微鏡照片。

7.1.2.3 其他設計考量

除了頻率匹配與運動解耦兩項主要考量外，一些關於微陀螺儀之結構設計仍影響到其性能，若處理得宜亦可減少後處理電路的複雜性。因此，本節將針對微陀螺儀之結構設計，特別在提升精度以及準度，亦即提升量測靈敏度以及降低雜訊與誤訊號等要求作說明，以作為讀者設計上之參考。

(1) 精度提升

欲提升精度，亦即解析度之提高，有賴角速度量測靈敏度之提升，與電子電路雜訊之抑制。本小節將探討其在結構設計時須考慮的要素，包括尺寸設計、運動方式選擇及操作環境等，茲說明如下。

① 尺寸設計

微陀螺儀為一慣性感測器，因此可動件之質量大小便為尺寸設計時考量重點之一。由 (7.48) 式可知，若提高其慣性質量 m、亦即增加質塊之厚度或有效面積，便可提升科氏力及增加輸出響應。若設計較大結構厚度，除了可在不增加元件面積下提升質量，亦預期可有增加剛性對比的效果，而能有容許同平面位移並抑制出平面上之擾動的效果；另外亦可提高側壁電容之有效面積，以增加感測電容量而提升機械靈敏度等。然而從另一方面看，增加結構厚度亦不可避免影響到靈敏度，如空氣阻尼增加以及彈簧運動方向剛性仍會增大等。就空氣阻尼而言，厚度 (即側壁電容重疊深度) 對其之影響，隨著真空度愈高將愈弱，而可忽略[53]。至於厚度增加對整體輸出之影響，仍需視個別的解析式計算結果，方能判斷適當的厚度值，不過若直接將各參數 (包括致動振幅、彈簧剛性、阻尼大小、慣性質量、感測電容值等) 受厚度之影響作因次分析，可發現仍是以較厚結構之設計為佳。而由於傳統表面微加工所產出的薄膜結構無法滿足此一要求，因而能製造出高深寬比結構之微加工製程便成為較佳之選擇。

另一方面，增大質塊面積的設計並不會影響到彈簧剛性，很直接便能因提升整體慣性質量而使靈敏度增加。因此只要設法在容許的元件空間內盡量地增大有效面積，亦即增加該空間內之結構寬度或減少開孔，便能達成所需效果。然而很多高深寬比製程因不同之原因，而無法製造出較大有效面積的動件[53]，因此具較大有效面積結構製造能力之製程，如 SOI 製程[55] 與 BELST 製程[56]，對陀螺儀之製造更形重要。

另外，頻率匹配仍是在尺寸設計時須考慮的重點。而為達成頻率匹配之要求，除計算上須準確外，加工能否準確亦是製程選擇時之必要條件。前節所述之本質頻率匹配設計能大幅減少這些問題，然而很多設計中其外形尺寸實無法滿足本質匹配之條件，而實際製造過程更不可避免會產生尺寸變異與結構瑕疵，而造成微陀螺儀開發過程之困擾。因而共振頻率之後調變 (post-tuning) 便成為微陀螺儀操作之必要程序。後調變的方法有機械式的，如文獻 43 利用雷射加工以調整質塊質量而改變共振頻率；亦有用電子式的偏壓調變方法 (DC-tuning method)[37]，即利用直流偏壓 V_b 產生一等效負彈簧，以調變振動系統的等效剛性 k_{eq}，進而改變系統自然頻率。偏壓調變方法可調整的共振頻率範圍可達 5% 以上，而廣為被採用，不過其微陀螺儀須使用電容感測方式偵測位移量，同時須為具氣隙閉合力性質 (即靜電力隨位置而改變) 之電容感測方式方可。

② 運動模式選擇

若從運動模式之選擇來著手，亦有機會提升量測感度。參考圖 7.46 所示，若運動型式屬於線性振動 (linear vibration) 之微陀螺儀，其參考模態為直線方向的振動，將造成直線方向振動的感測模態；相對於此的微陀螺儀則是角度振動 (angular vibration, or quasirotation)，其參考模態與感測模態則會是角度方向的振動。一般而言，線性振動屬於較容易實現、也較常見的類型，除了線性振動致動器發展較久之外，也因為驅動與感測模態疊加之後的運動為同一平面上之橢圓運動，使其在以電容量測位移時訊號較為單純；反之，角度振動模式中，其驅動與感測模態疊加之後會是軸心軌跡為圓錐形的擺動運動 (wobble motion)，使得電容量測時變得較為複雜。若能克服操作上的問題，角度振動具有如下之優點：1. 由於外來的擾動加速度或振動的模式都是直線方向，這些外來力對於對稱結構並不易產生轉矩，亦即不易干擾角度振動，故相較於線性振動其對環境振動將較不敏感；2. 由於電容量測是屬於位移量測之機制，因此即使實質角度響應相同，若經由適當增長電極長度，便可得到位移放大的效果，而獲得大的電容改變與較佳的響應；3. 由擠壓空氣膜效應 (squeeze

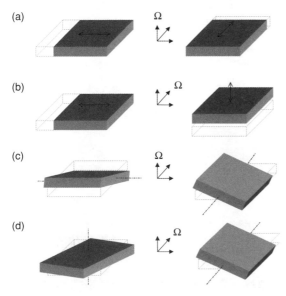

(左為參考模態，右為感測模態，Ω 指角速度方向)

圖 7.46

微陀螺儀之質塊運動型式，(a)、(b) 線性振動，(c)、(d) 角度振動。

film effect) 的產生原理可知，空氣分子之阻尼在較大排出環境下將可降低，故空氣膜效應對角度運動模式的阻尼影響將較小。綜上可知，若選擇角度振動之運動型式，則設計上將較線性振動複雜些，但其能進一步提升量測感度。

③ 操作環境

　　雖然真空封裝在成本與技術上皆有其難度，但欲達較佳性能，微陀螺儀仍宜操作在低壓，亦即高 Q 值操作環境中 (Q 為品質因子，quality factor)，方能使振幅響應更有效的放大。在振動系統中，Q 值定義為 $1/2\xi$，ξ 為阻尼比；當 Q 值大於 10 以上時，動態振幅可概估為靜態位移的 Q 倍[57]。高 Q 值代表的是能量耗損少，亦即空氣阻尼或結構阻尼產生之阻力都很小。對於微機電系統元件，尤其是使用靜電方式操作者，空氣阻尼成為主要的能量耗損來源，原因是其空氣間隙極小，在大氣操作下便會產生極大的空氣阻尼，因而真空環境下操作便成為一般提升 Q 值之方法。根據文獻 52 可知，當環境壓力約為 5 mTorr 以下時，Q 值大都可提高至 1000 以上的等級並達到一穩定的範圍，而這也是封裝或測試時的目標。一般為加速微陀螺儀之研發時程，利用真空腔暫時取代真空封裝來提供低空氣阻尼環境，以便先期測試整個微陀螺儀設計與製造之正確性是常見之做法。不過要注意的是，一般振動系統開迴路頻寬BW 為

$$BW = \frac{\omega_n}{Q} \tag{7.51}$$

其中 ω_n 為共振頻率。由此式可知，在開迴路操作下，高 Q 值會造成頻寬大幅減少之反效果。因此，欲同時達成大頻寬與響應振幅之規格要求，必須使用閉迴路操作方能實現。

(2) 準度提升

　　欲提升準度，包括了提高訊號正確性與可靠度，並降低雜訊與誤訊號，本小節將討論其於結構設計上須考慮的要素，包括有外形設計與材料選擇等，茲說明如下。

① 外形設計

　　結構對稱性是微陀螺儀外形設計上很重要的要求。不對稱結構其質心不在對稱中心上，很容易因外界線性運動或擾動而引發角度振動，例如驅動慣性質塊時，其感測軸方向便會因此引發一微小之運動分量，更容易產生相差誤差 (quadrature error) 或零速率輸出 (ZRO) 等軸間感度 (cross-axis sensitivity) 問題[35]，而影響量測準確性。若能在結構設計上有效利用對稱性，則不但能減少軸間感度，亦較容易利用差分方式將感測方向之擾動及許多共模雜訊濾掉，同時能減少溫度改變造成的輸出漂移。除對稱性外，藉由外形設計設計出前節所述之運動解耦彈簧以提升彈簧剛性對比，則除了減低軸間感度之影響外，亦能降低

對於抑制非運動方向之擾動運動，包括不對稱電場所造成的飄浮 (levitation) 效應[58]、外界施予之衝擊等。另外，由於增加結構厚度能大幅提升彈簧出平面方向的剛性 (三次方關係)，且對同平面剛性影響不大，故能有效抑制出平面方向之擾動，因而厚結構便再度成為較佳之選擇。

② 材料選擇

最後是關於材料之選擇。欲使陀螺儀之輸出準確且可靠，材料的機械特性與穩定性是必要之考量。常用之微陀螺儀材料為多晶矽 (poly-silicon)、電鑄鎳 (electroplated nickel) 以及單晶矽 (SCS)。而其中在機械性質上，單晶矽除了因製造穩定、使材料性質一致性優於複晶矽和金屬外，其尚有下列優點：1. 材料常數優於大部分金屬與合金，且無薄膜應力及其衍生之問題；2. 熱膨脹係數較小且材料常數與溫度之相依性較低，使其對溫度變異所引入的誤差，例如電容間隙改變而導致的訊號誤差，以及共振頻率漂移導致之響應線性度劣化等問題，能有效地抑制；3. 為高 Q 值之理想彈性材料，亦不易產生疲勞破壞，故極適合應用於如微陀螺儀之共振元件中。另外，如文獻 59 所述，(111) 單晶矽晶片之楊式係數、波松比、剪力係數等材料常數，在平行與垂直晶片上之各方向皆為相等，整體而言能進一步降低設計與製造上之方位與對準問題所衍生的機械性質誤差，因此近年來亦有使用此材料於微陀螺儀的相關研究[46,56]。

7.1.2.4 結語

以微機電技術開發之微陀螺儀，具有微小化、低成本之優勢，其性能又能滿足民生相關之應用，如提升汽車之舒適與安全性、消費性電子產品與電腦周邊設備、輔助醫療與手術器械等，實為值得開發之領域。然由於須量測非常小之運動量，又須克服操作過程引入的內部與外部雜訊，使得微陀螺儀之研究工作相當具挑戰性。本節針對此，經由對微陀螺儀之原理與設計探討，列舉了一些於研發時須考量的要素，包括結構設計要求、製造方式與材料選擇以及電子迴路之需求等。由文中所述，運動解耦與頻率匹配為多數微陀螺儀設計時之基本要求；另外關於合適的尺寸設計、運動模式選擇、真空操作環境，以及外形設計、材料選擇等，亦有助於性能上之提升。

雖然目前微陀螺儀精準度多僅能達中上性能，但可預見地其將會因需求增加而提升。例如具高精準度需求之飛彈防衛系統、無人駕駛飛機等，由於其在測試期間就會耗損掉大量之陀螺儀，在所費不貲之動力驅使下，必然微陀螺儀在價廉之餘，能更快有精準度提升的表現，以適於空間導航之應用。因此，在微加工技術日益進步，配合研發人員之合作與設計巧思下，高性能又價廉質輕之微陀螺儀將是指日可期的。

7.2 熱感測器

　　熱感測與我們的日常生活是密不可分的，因為人體皮膚隨時會感受到外在環境的冷熱變化。為了量化此種感覺，科學家遂提出了溫度的觀念。隨著時代的進步，溫度量測的精確度、便利性與多樣性也日新月異。由於測量的變數只要與冷熱的變化具有某種關係，即可用來感測溫度，因此感測器的種類相當眾多，表 7.9 即綜整了目前常見的感測器與其使用的原理。基本上，根據使用方式，我們可以將之概分成兩類：接觸型與非接觸型。前者必須直接與待測物接觸，透過傳導或對流，達成熱平衡後而量得所對應的溫度；後者則是利用熱輻射，可以遙測方式為之。在表 7.9 中，可具有熱輻射感測能力者以星號 (∗) 表示，愈靈敏者，星號愈多。一般而言，後者的量測方式較前者方便且快速，尤以近代半導體科技的進步，此類型感測器的發展一日千里，本節即針對其中數種使用微機電製程技術製作的元件，闡述其工作原理，並以熱輻射計 (bolometer) 為例，說明其設計與製作方法。

表 7.9 各種熱感測器與其感測原理。

感測器種類	感測原理								備註
	熱電	電阻	電容	載子遷移	熱膨脹	共振頻率	顏色比對	偏極	
熱電偶	√								
熱電堆	√								∗
熱阻 (RTD)		√							∗
熱敏電阻		√		√					∗∗
熱輻射計		√							∗∗∗
焦電元件			√						∗∗∗
量子元件				√					∗∗∗∗∗
氣體					√				
液體					√				
雙金屬					√				
表面聲波元件						√			∗∗∗∗
光學高溫計							√		
液晶								√	

備註：∗ 表示熱輻射的感測能力。

7.2.1 熱輻射簡介

　　任何感測器的設計皆以待測目標的特徵分析為依據，因此，我們先概要說明物體的熱輻射特性。當物體受熱時，內部的原子或分子將產生擾動，導致電子的加速而激發出電磁輻射能量，此即稱為熱輻射。所有的物體都釋放此種能量於外界而變冷，也同時自外界吸

第 7.2 節作者為李宗昇先生。

收此種能量而升溫。所謂的輻射熱平衡,即是物體的吸收率與放射率相同時的狀態。在此種能量傳遞轉換的過程中,一般物體對輻射並不會完全的吸收,而會產生部分反射與部分穿透。Kirchhoff 觀察到良吸收體即為良放射體,並用「黑體 (blackbody)」一詞來描述一個能吸收所有入射輻射的物體,從而訂定了其他輻射源的比較標準。此種黑體的輻射為連續光譜,且具有一共通性,不論組成物質為何,所有黑體在相同溫度下,所放射出來的輻射皆具有相同的光譜。

若物體表面為理想的漫輻射面,則其每單位波長、單位面積的光譜輻射功率 W_λ (稱光譜輻射出射度,spectral radiant emittance) 可表示為

$$W_\lambda = \frac{2\pi hc^2}{\lambda^5} \frac{1}{e^{hc/\lambda k_b T} - 1} \tag{7.52}$$

此處 λ 為此電磁波的波長,c 為光速,Planck 常數 $h = 6.63 \times 10^{-34}$ J·s,Boltzmann 常數 $k_b = 1.38 \times 10^{-23}$ J/K,T 則為物體的絕對溫度。

(7.52) 式即為計算物體熱輻射的 Planck 公式。由此公式知,任何物體只要溫度高於絕對零度,理論上都會發出電磁輻射,只是其強度會隨物體溫度的高低而不同。最大輻射出射度所在的波長,可由上式對波長微分後令其為零而獲得,結果即為 Wien's 位移定律:

$$\lambda_m T = 2898 \ (\text{單位} : \mu\text{m} \cdot \text{K}) \tag{7.53}$$

圖 7.47 所示為溫度 290 K、500 K 與 1000 K 物體的輻射出射度光譜分布曲線,其最大值 (圖中之虛線) 即遵循 (7.53) 式。很明顯的,一般自然界物體所發出的熱輻射大都集中於紅外線區域,這也是感測熱輻射的元件通常被稱為紅外線感測器的原因。此外,對於室溫 (290 K) 附近的物體,最大輻射出射度所在的波長約為 10 μm。因此,若單以目標輻射量的多寡來衡量,欲偵測室溫左右的地表物體,如人體、車輛或一般景物等,感測器的光譜響應範圍最好選擇在遠紅外區域 (6 - 15 μm,far infrared (FIR),或 long wavelength IR (LWIR),其比近紅外 (0.75 - 3 μm,near IR (NIR)) 或中紅外 (3 - 6 μm,middle IR (MIR)) 的貢獻來得大。

7.2.2 感測器性能參數

當感測器檢知物體的熱輻射後,必須轉換成可讀取訊號進行後續處理,處理的難易或快慢端賴此轉換訊號的好壞。因此,訊號的轉換特性是感測器性能的評估準則,我們通常使用四個參數[60]:響應度 (responsivity)、雜訊等效功率 (noise equivalent power, NEP)、感測度 (detectivity, D) 及歸一化感測度 (normalized detectivity, D^*)

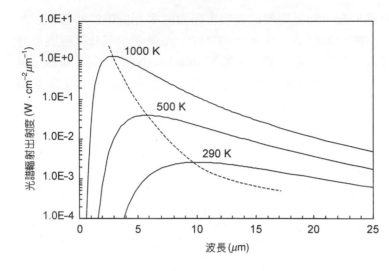

圖 7.47
不同溫度下，黑體輻射出射度
的光譜分布。

(1) 響應度

響應度定義為感測器接收到每單位輻射功率 P_d 所產生的訊號電壓 V_s 或電流 i_s，且不計雜訊的大小。電壓響應度 R_v 與電流響應度 R_i 分別表示如下

$$R_v = \frac{V_s}{P_d} = \frac{V_s}{H_d A_d} \text{（單位：V / W）} \tag{7.54}$$

$$R_i = \frac{i_s}{P_d} \qquad \text{（單位：A / W）}$$

此處 H_d 為落在感測器面積 A_d 上的輻射照度 (irradiance)。R_v 一般為波長之函數，當考慮波長因素時，稱其為光譜響應度 (spectral responsivity)。又 R_v 代表感測器的能量轉換效率，其值愈高則輸出愈高，但是它並無法表現出感測器產生的雜訊，必須再引進下一個參數。

(2) 雜訊等效功率

此參數的物理意義為感測器所能檢知的最小輻射功率。亦即當感測器的輸出訊號等於其電壓雜訊 V_n 或電流雜訊 i_n (訊雜比等於 1) 時所接收到的輻射功率，即

$$\text{NEP} \equiv P_d\,(\text{SNR} \equiv 1) = \frac{V_n}{R_v} \tag{7.55}$$

$$= \frac{i_n}{R_i}$$

感測器之雜訊有許多來源，包括物理本質的、材料的與製程產生的等等，皆與頻率有關，故通常以雜訊的功率頻譜 (power spectrum) 表示。

(3) 感測度

定義感測度 D 為雜訊等效功率 NEP 的倒數，使其與感測器的性能成正比關係，以符合一般習慣。

(4) 歸一化感測度

由於大多數感測器的雜訊電壓正比於感測器面積 A_d 與電路頻寬 Δf 的平方根，因此，我們可再定義一元件參數如下式

$$D^* = \frac{\sqrt{A_d \Delta f}}{NEP} \left(\text{單位：} cm \cdot \sqrt{Hz} / W \right) \tag{7.56}$$

使得感測度無關於感測器面積與測試時的電路頻寬，可用來比較不同元件材料於製作時之優值。

上述僅為感測器單一元件（檢知器）的基本性能參數，對於紅外線系統而言，其性能模式的建立與描述則複雜多了。R_v 與感測器的讀取電路有關，藉其型式可整體了解此種感測器的原理、設計與使用方法，而不同感測器間的性能比較，則須以 D^* 為準。

7.2.3 紅外線熱型感測器

紅外線感測技術已有兩百年的歷史，整個技術的發展重心是在感測器的研製上，主要可分為量子型 (quantum) 與熱型 (thermal) 兩大類。前者是利用感測材料吸收紅外輻射（或稱光子）後，經由光電轉換產生傳導電子或電洞，或同時產生電子－電洞對，而引起電性的改變。由於材料的能隙可決定光電效率，因此其響應對波長有選擇性。後者則藉由吸收熱輻射，產生元件的溫升，因而引發感測材料物性改變，並得以由儀器測量出訊號。其響應與表面材料吸收輻射之效率有關，與波長關係僅由此材料之特性決定。若為黑體薄膜，如金黑、碳黑或石墨等，則反應波長範圍十分廣且平坦，與波長幾無關係。基本上，量子型的元件靈敏度較熱型為高，但是目前隨著微機電技術的進步，熱型的性能大為提升而與量子型差距漸小，在民生用途上，已超過需求許多。

就感測原理而言，熱型感測器又可分成熱阻、熱電與焦電等主要三種，圖 7.48 為其典型的空間結構。中間的懸浮薄板吸收紅外輻射而升溫，其兩支撐腳細且長，可減少熱流經由支撐腳的固體熱傳散失。假設紅外輻射具有一峰值 P_0 與一調制頻率 ω，且造成的溫升為 ΔT，則由能量守恆原理，吸收的能量等於內能的增加與熱散失量之和，因此熱流方程式可

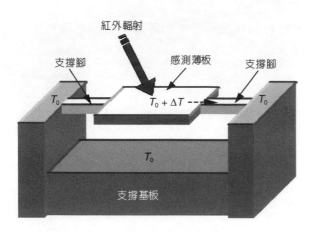

圖 7.48

紅外線熱型感測器原理與結構示意。

寫為[61]

$$H\frac{d(\Delta T)}{dt} + G(\Delta T) = \varepsilon P_0 e^{j\omega t} \tag{7.57}$$

此處 H、G 與 ε 各代表檢知器的熱容、熱導以及放射率 (emissivity)。可解得 ΔT 的均方根

$$\Delta T = \frac{\varepsilon P_0}{G(1+\omega^2\tau^2)^{1/2}} \tag{7.58}$$

式中 $\tau = H/G$，為檢知器的熱響應時間 (thermal response time)，或稱為熱時間常數 (thermal time constant)。

(1) 熱阻 (Thermoresistive) 元件

　　熱阻型微輻射感測器 (microbolometer) 的典型單一元件結構如圖 7.49 所示。原溫度為 T_0 的元件吸收紅外輻射後升溫，造成原電阻 R_0 有一小變化 dR，電阻溫度係數 (temperature

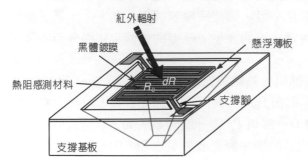

圖 7.49

典型的單一熱阻型元件結構。

coefficient of resistance, TCR) α 可表示為，

$$\alpha = \frac{1}{R}\frac{dR}{dT}\bigg|_{T=T_0} \tag{7.59}$$

對於金屬物質，由於溫度升高時，電子與晶格間的碰撞機率增加，降低了導電率，導致電阻的增加，α 為一正值，簡稱 PTCR。但是對於半導體材料，則由於溫度升高時，電子電洞對增加，使得電阻反而降低，α 為一負值，簡稱 NTCR。

此種元件必須給一固定偏流 i_b，輸出電壓可寫成 $V_s = i_b \alpha R \Delta T$，因此響應度可表示為

$$R_v = \frac{\varepsilon \alpha R i_b}{G(1+\omega^2\tau^2)^{1/2}} \tag{7.60}$$

(2) 焦電 (Pyroelectric) 元件

焦電材料因晶體結構的不對稱性，正離子與單位晶格中有一位移，使得元件存在一電偶極矩 (electric dipole moment)，在居禮溫度 (Curie temperature) 以下，即具有一自發性極化強度 (spontaneous polarization, P_s)[62]。如圖 7.50(a) 所示，元件處於熱平衡狀態時，此極化效應將不斷產生電荷於晶體表面，引發一內在電場，但此電場將會被空氣中漂浮在表面周圍的電荷所中和而消失。然而任何的溫度變化 ΔT 皆能引起上述正離子的擾動，而改變整體的極化強度，此改變非常快速，使得原先與其抵銷的表面電荷不及反應而重新出現一電場。

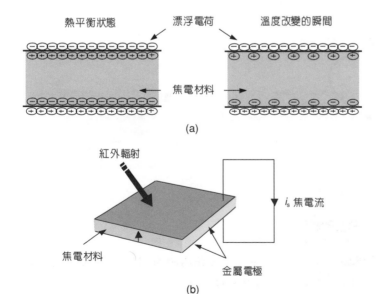

圖 7.50

(a) 焦電型元件感測原理，(b) 焦電型元件吸收一紅外輻射變化時，於外部電路會存在一暫態電流。

整體極化強度的變化可表示為

$$\Delta \mathbf{P}_s = \mathbf{p} \Delta T \tag{7.61}$$

此處 $\mathbf{p}$ 為材料的焦電係數,為一向量形式,其方向與大小皆因材料種類而變。將此元件作成薄板,上下加一電極,且令元件的極化方向與電極面積的法線方向平行,如圖 7.50(b),在表面電荷又被中和之前,於外部電路會存在一暫態電流 i_s,可表示為

$$i_s = pA_d \frac{d(\Delta T)}{dt} \tag{7.62}$$

此處 A_d 為元件面積。其電流響應度為

$$R_i = \frac{\varepsilon p \omega A_d}{G(1 + \omega^2 \tau^2)^{1/2}} \tag{7.63}$$

由上式知,焦電元件於 AC 下工作才有響應,因此必須使用一斬波器 (chopper) 進行入射訊號頻率的調制。

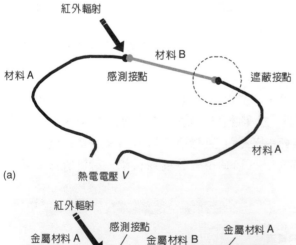

(a)

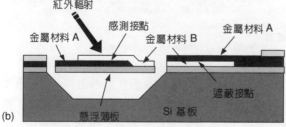

(b)

圖 7.51
(a) 熱電型元件感測原理。(b) 熱電型元件的半導體製程結構。

(3) 熱電 (Thermoelectric) 元件

熱電元件主要是利用熱電效應，連結兩種熱電功率不同的金屬材料，在兩端點會產生電壓，電壓大小正比於接點處溫度的高低，且其值與材料有關。如圖 7.51(a) 所示，為了做室溫補償，接點有兩個，一個進行感測，另一個遮蔽並製作於基板上。圖 7.51(b) 為其使用半導體製程的結構。當串連 n 個此種元件即構成熱電堆 (thermopile)，其輸出電壓將加倍，即

$$V_s = n(s_1 - s_2) \, \Delta T \tag{7.64}$$

此處 s_1 與 s_2 為兩材料的熱電係數。將 (7.58) 代入上式，其響應度可表示為

$$R_v = \frac{\varepsilon n(s_1 - s_2)}{G(1 + \omega^2 \tau^2)^{1/2}} \tag{7.65}$$

上述三種熱型感測器中，欲製作成面陣列元件，以熱阻型最具低成本優勢[4]，因其可相容於目前 IC 代工廠的標準 CMOS 製程；焦電型由於使用非標準材料而可能會造成製程污染；熱電型則較難布局面陣列的幾何結構，只能做低解析度或線型陣列，且其響應度較低。

7.2.4 熱阻型元件設計

由熱阻型元件響應度公式 (7.60)，可以歸納出下面幾個元件設計重點：(1) 低熱導與低熱容；(2) 高 TCR 的材料；(3) 高吸收率的表面鍍膜；(4) 高固定偏流下操作；(5) 高電阻值等。這五項其實都併隨著系統的考慮因素，關係錯綜複雜，如太高的阻值會造成電路的 RC 時間常數增加，高偏流或偏壓的操作將影響元件設計準則或增加消耗功率，以及高 TCR 材料的雜訊可能亦高等。在實際製作的可行性考慮下，整體設計的理念應該是：經由元件的熱感測分析，選擇適當的結構與材料，設計低雜訊的讀取電路，以達到所需的響應度與感測度，而在製程方面，則須充分考慮高良率與標準CMOS IC 的相容性。

在上述的設計重點中，熱導無疑是最重要的參數，它直接影響元件結構、材料、封裝與微加工製程的考量。欲降低元件的熱導，首先必須分析其熱流可能的散失途徑：固體、氣體傳導、對流與輻射等。對於一個截面積 A_{lead} 的薄板元件，其固體熱傳將經由支撐腳流向邊緣，可表示為

$$G_s = n_l k_t \frac{A_{\text{lead}}}{l_{\text{lead}}} \tag{7.66}$$

此處 n_l 為元件支撐腳數目，k_l 為其組成材料的熱導係數 (thermal conductivity)，l_{lead} 則為支撐腳的長度。因此，除了材料的熱導係數須小外，元件的支撐腳數亦須愈少愈好，且具有長腳與窄截面的外觀。氣體熱傳則主要是靠氣體分子與物體的碰撞來傳遞熱能，因此，必須減少氣體分子或縮小元件面積來降低熱導。但是縮小元件面積反而會減少紅外輻射的吸收量，較可行的辦法為降低氣壓，亦即將元件置於真空封裝中，同時避免氣體熱傳與對流。至於輻射的熱流散失，由於吸收輻射所造成的升溫，仍會以輻射傳遞出去，此為所有熱導中無法避免者。對於僅存輻射熱導的感測器，我們通常稱其為輻射極限 (radiation-limited) 元件。

　　熱阻型元件常用的半導體製程材料，其熱導係數、比熱與密度如表 7.10 所示，代入元件每一層的結構尺寸，加總後即可計算出支撐腳的總固體熱導與元件熱容。表 7.11 則以白金熱阻元件為例，每一層的材料如最左欄，由表 7.10 的數據，可計算出支撐腳的總熱導達

表 7.10 熱阻型元件常用的半導體製程材料。

材料	熱導係數 (W/m·K)	比熱 (J/kg·K)	密度 (g/cm³)
SiN	18.5	700	3.44
Poly-Si	30	320	2.33
SiO₂ /BPSG	1.4	400	2.5
NiCr (Ni:80%)	13.4	444	8.4
Ti	21.9	523	4.5
Al	237	900	2.7
Pt	71.4	132	21.45

表 7.11 白金感測元件的熱導與熱容計算。

各層材料	支撐腳			感測面			
	厚度 (μm)	寬度 (μm)	熱導 ×10⁻⁷ (W/K)	厚度 (μm)	寬度 (μm)	長度 (μm)	熱容 ×10⁻¹⁰ (J/K)
SiO₂	0.09	3	0.159	0.09	25.3	42.3	0.963
SiN	0.15	3	3.51	0.15	25.3	42.3	3.87
Pt	0.02	1.2	0.72	0.02	23.5	40.5	0.54
BPSG	0.89	4.2	2.20	0.89	29.3	43.5	11.3
SiO₂	0.15	4.2	0.371	0.15	29.3	43.5	1.91
SiN	0.5	4.2	16.4	0.5	29.3	43.5	15.3
NiCr	–	–	–	0.05	29.3	36.5	1.33
總計	2.16	–	23.36	2.21	–	–	35.2

23.36×10^{-7} W/K。若白金的 TCR = 0.25%/°C，表面鍍膜的吸收率為 0.6，元件電阻 1 kΩ，當定電流源為 4 mA，利用 (7.60) 式，可算出於直流下操作的響應度僅為 2568 V/W。此響應度是否足夠，要視目標的偵測需求與系統的其他規格而定，系統所收集的目標輻射功率必須大於檢知器的 NEP，並且根據既定的訊雜比 (S/N) 來估算所需的輸出電壓。

7.2.5 熱阻型元件製作

熱阻型元件製作的重點在於形成一具有低熱導的感測懸浮薄板，主要是利用矽微細加工中的非等向性蝕刻 (anisotropic etching) 或犧牲層 (sacrificial layer) 表面蝕刻等技術，分別製作如圖 7.52(a) 的 V 形槽或圖 7.52(b) 的懸浮橋，兩者各有其優缺點。當單一元件面積小至 $60 \times 60 \ \mu m^2$，為了提高填充比 (fill factor)，大都使用後者，將多工掃描器的 MOS 開關製作於感測元薄板下方。不過，此種雙層結構較複雜，必須耗時於製程的調整。以下以 V 形槽結構的元件為例，說明其製作流程。

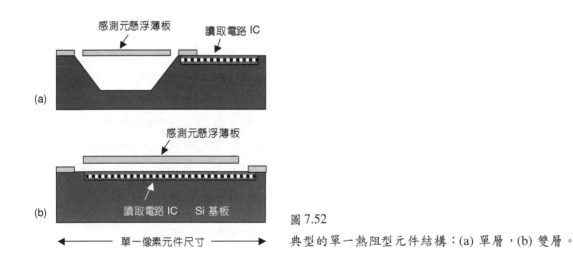

圖 7.52
典型的單一熱阻型元件結構：(a) 單層，(b) 雙層。

(1) 單一感測元製程

以白金為感測材料的單一元件製程與剖面如圖 7.53 所示，在 (100) 矽晶圓上先長氧化層，利用第一道光罩圖樣去除蝕刻窗處的氧化層。第二道光罩以剝離法 (lift-off) 將電子槍 (亦可用濺鍍機) 鍍上的白金電阻形成蛇狀圖樣，白金厚度可依所需阻值而改變。然後沉積低溫氧化層 (LTO) 以保護白金。第三道光罩則用來去除鋁金屬引線接觸區與蝕刻窗的 LTO。第四道光罩作鋁金屬線的連接圖樣。若為了增加紅外輻射能量的吸收率，可再增加一道光罩，用來鍍一黑體薄膜，材料可選 NiCr。最後進行矽非等向性蝕刻，製作出一 V 形槽，以形成一懸空的感測薄板。

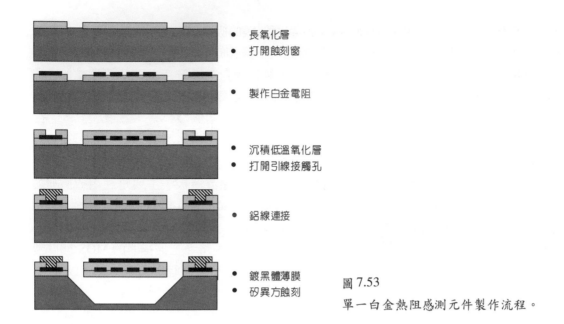

* 長氧化層
* 打開蝕刻窗

* 製作白金電阻

* 沉積低溫氧化層
* 打開引線接觸孔

* 鋁線連接

* 鍍黑體薄膜
* 矽異方蝕刻

圖 7.53
單一白金熱阻感測元件製作流程。

(2) 感測元 IC 整合製程

對於紅外線面陣列感測元件 (infrared focal plane array, IRFPA)，若將感測元與讀取電路 IC 整合製作於同一晶片上，不僅可減少雜訊，亦省去接合與封裝的繁複程序，性能與成本皆具優勢。元件的製程可分成前後兩段：前段 (front end) 使用一般 IC 製造技術，後段 (rear end) 則為矽晶片的面型微加工。此種整合型製程設計必須考慮與 IC 代工廠標準製程的相容性，後段製程不能破壞前段已完成的 IC。圖 7.54 為整合標準 SPDM (single poly double metal) CMOS IC 與白金電阻薄膜，以及矽非等向性蝕刻的製作流程，主要可分成下列步驟：

1. 長 CMOS 標準製程的 LOCOS (local oxidation of silicon) 與做為浮板用的氮化矽。
2. 形成氮化矽浮板圖樣；長 MOS 所需的薄氧化層。
3. 製作多晶矽閘，並以離子佈植完成源極與汲極，然後以 BPSG 保護。
4. 打開接觸區、連接金屬線，再以氮化矽保護金屬。

以上為 IC 代工廠的標準 CMOS 製程，完成晶圓接收測試後，拿回繼續進行下列後段製程。

1. 去除蝕刻窗處的氧化層與氮化矽，進行白金電阻薄膜濺鍍。
2. 長氧化層保護白金電阻薄膜。
3. 鍍上黑體薄膜。
4. 打開蝕刻窗，進行矽非等向性蝕刻。

圖 7.55 為此面陣列元件中單一像素的布局與實際製作完成的晶片，多工器之 MOS 開關設計於感測元旁，單一像素尺寸為 $60 \times 60 \ \mu m^2$。

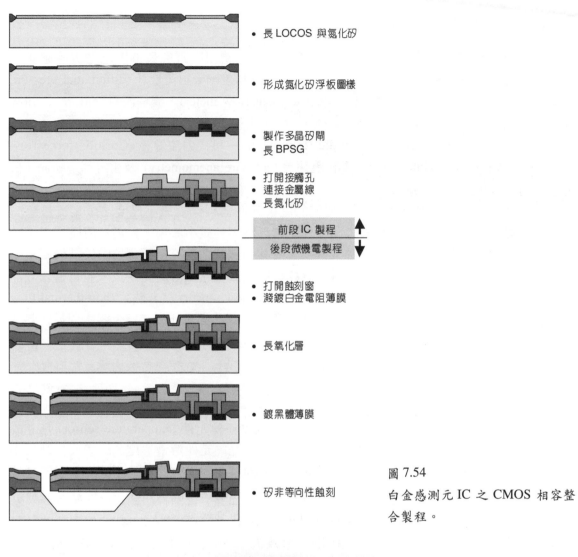

- 長 LOCOS 與氮化矽

- 形成氮化矽浮板圖樣

- 製作多晶矽閘
- 長 BPSG

- 打開接觸孔
- 連接金屬線
- 長氮化矽

前段 IC 製程
後段微機電製程

- 打開蝕刻窗
- 濺鍍白金電阻薄膜

- 長氧化層

- 鍍黑體薄膜

- 矽非等向性蝕刻

圖 7.54
白金感測元 IC 之 CMOS 相容整合製程。

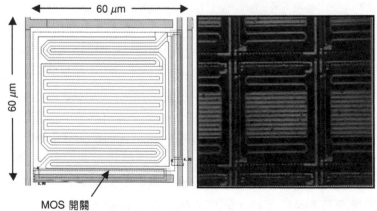

60 μm

60 μm

MOS 開關

圖 7.55
白金感測元 IC 面陣列元件之單一像素布局與實際製作完成的晶片。

7.3 流量感測器

除壓力量測外，流量感測器為流體特性量測中，應用與研究最為廣泛之流體感測元件。常見大尺度的流量感測器依照其應用原理，可分為差壓檢出流量計 (differential pressure flow meter)、置換氣量流量計 (positive displacement flow meter)、渦輪流量計 (turbine flow meter)、超音波流量計 (ultrasonic flow meter)、熱式流量計 (thermal flow meter)、渦流流量計 (vortex flow meter)、射流流量計 (fluidic flow meter)、科氏力流量計 (Coriolis force flow meter)、皮托管流速計 (Pitot tube)、熱線流速儀 (hot wire anemometry) 及雷射都卜勒測速儀 (laser Doppler anemometry) 等。

利用微機電加工技術，可將上述傳統的流量感測器製作成微小尺度之微型流量感測器，除了可應用於大尺度的流場特性量測外，亦可應用於微小流場。目前利用微機電系統技術所開發出來的微型流量感測器種類繁多，而其中熱式微型流量感測器由於結構簡單，且製程、驅動與訊號檢出電路設計容易，已成為微型流量感測器研究主流，並有實際商品產出。故本文將微型流量感測器區分為熱式 (thermal flow sensor) 與非熱式 (non-thermal flow sensor) 兩類來探討，著重於熱式流量感測器之種類、原理與設計作詳細說明；對於非熱式微型流量感測器，則由於設計種類繁多，本節僅舉部分範例作簡介。

7.3.1 熱式流量感測器

熱式流量感測器主要是由加熱元件 (heater) 及溫度感測元件 (temperature sensor) 所組成之感測器，利用流體流動帶走加熱元件的熱量，造成加熱元件週遭溫度的改變或加熱功率的變化，而可測量流體的流速或流量之感測器。依照感測器操作原理的不同，熱式流量感測器可歸納有熱線／熱膜型流速計 (hot wire / hot film anemometer)、熱量計型流量計 (calorimetric flow sensor) 及熱脈衝型流量計 (time of flight flow sensor)。

(1) 熱線／熱膜型流速計

圖 7.56 為傳統熱線型流速計 (hot wire anemometer)，主要量測結構為一熱阻式加熱絲，一般為白金熱阻絲，尺寸約為直徑 10 μm、長 1 mm。熱阻式溫度感測元件之溫度與電阻值的關係可表示如下式，加熱絲之電阻值會隨溫度變化而改變。

$$R_s = R_0 \left[1 + \alpha (T_s - T_0) \right] \tag{7.67}$$

當熱線型流速計置入流場中，加熱絲的熱量將被流體以強制熱對流 (force convection) 的方式帶走。假若加熱絲供給的熱量控制為固定時，隨著流體流速與被帶走熱量的增加，

第 7.3 節作者為陳建安先生。

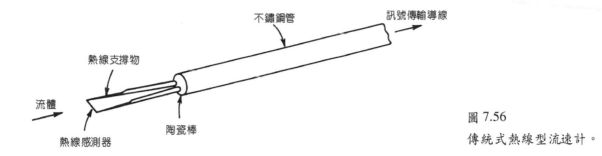

圖 7.56
傳統式熱線型流速計。

加熱絲的溫度將隨之下降；再利用熱敏電阻的特性，經由簡單的定電源電路的設計，則可將流速轉換成電訊號輸出。另一種操作模式則是控制加熱絲的供給熱量，固定加熱絲與氣流之溫度差，則隨著流體流速的增加，加熱功率也隨之提升，再經由定溫電路的設計，則可將流速轉換成電訊號輸出。簡而言之，熱線型流速計就是利用熱線的熱量消逝速率 (thermal energy dissipation rate) 與流體的流速成正相關而設計之流速感測器。

依據 King 針對熱線型流速計所推導出來的半經驗公式－King's law[64]，熱線的熱量消逝速率和流體速度的關係如下式：

$$Q = I^2 R = IV = (A + B \cdot U^n)(T_s - T_0) \tag{7.68}$$

Q 為外部電源提供給熱線的電功率 ($I^2 R$)，相等於熱線的熱產率，U 為流體的速度，T_s 為熱線的溫度，T_0 為流體的入口溫度。A、B 為常數，隨熱線流速計幾何結構與材質不同而有所不同。A 常數項代表著流速為零時，熱經由熱線支撐物熱傳導傳出、流體自然對流及熱線熱輻射所帶走的熱量係數；B 常數項則代表強制熱對流的係數，會受到流體的種類與熱線幾何形狀而影響。n 為流速 U 與熱量 Q 之相關係數，和熱線的幾何形狀有關，經由實驗值歸納，n 的數值約落於 0.5 上下 ($0.45 \leq n \leq 0.52$)。

由 King's law 可知，當熱線與氣流的溫度差固定時，量測電功率的變化，即可得知流體的流速，此種量測方式稱為定溫控制模式；圖 7.57 為一般常用的定溫式感測電路。另一種量測方式則是控制電源功率的提供，經由量測溫度的改變，將可測得流體的速度，此種量測方式稱為定電源控制模式。

利用微機電系統技術，可直接將熱線或熱膜製作於矽晶圓基材上，而製作成熱線／熱膜型流速計。圖 7.58 為一般微機電技術所開發的微熱線型流速計之示意圖，如同傳統的熱線型流速計，加熱元件可同時做為溫度或熱功率量測之元件，一般常用白金作為加熱絲與熱敏電阻。當然如前一節熱感測器的介紹，溫度量測有多種方法，如熱阻式 (thermo resistive)、熱電偶式 (thermocouple)、熱電堆式 (thermopiles)、熱電力式 (thermalelectric)、熱電子式 (thermalclectronic) 及焦電式 (pyroelectric) 等，皆可應於熱式微型流量計的溫度感測。一般常見的熱式微型流量感測器，其溫度量測之元件因和加熱電極整合之故，以熱阻

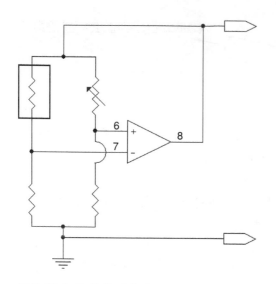

圖 7.57 定溫式感測電路。

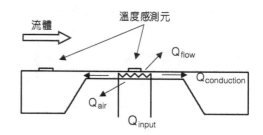

圖 7.58 微型熱線流速計示意圖。

式溫度量測居多，早期的設計多為白金電極，近年來多晶矽 (polysilicon) 材料因高阻值與低耗電功率的特性，已逐漸被採用為熱式微型流量感測器之溫度感測單元。

　　相同於傳統的熱線型流速計，微型熱線流速計加熱電極所產出的熱不完全由流體所帶走。如同 King's law 所敘述，加熱電極所產出的熱部分將藉由電極的支撐基材，經熱傳導而流失。基材的熱容與熱傳導係數都將影響熱平衡達成的時間，進而影響流速量測的反應時間 (response time) 及量測的靈敏度，因此設計微型熱線流速計必須注意到熱傳問題。一般常見的解決方式有三種，第一種方式如圖 7.59 Stemme 所設計的微型流速計，加熱電極和支撐的基座之間，設計絕熱層減少熱傳導發生[65]。Dominguez 等人則將多孔矽 (porous silicon) 氧化成 30 μm 厚度的 SiO_2，形成圍繞於加熱電極外的熱絕熱層，如圖 7.60 所示[66]。

　　第二種方式則是將加熱電極製作於懸浮薄膜上，如圖 7.58 所示。由於支撐的薄膜甚

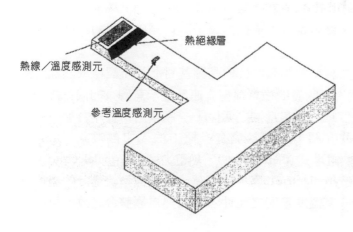

圖 7.59
Stemme 所設計的微型流速計[65]。

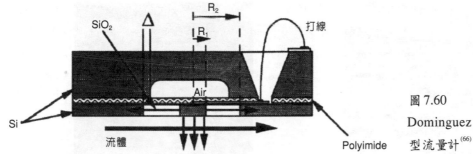

圖 7.60
Dominguez 等人所設計的微
型流量計[66]。

薄，因此熱容 (heat capacity) 與熱傳導都大為減少，熱平衡時間縮短，反應也隨之加快。一般懸浮薄膜的材料多為 Si_3N_4，為避免熱傳導的損失，製程上必須儘量製作薄 (通常為 1 μm 以下的厚度) 且面積大的懸浮薄膜，以減少熱傳導的通道面積及增加熱阻。然而如此的設計常伴隨著懸浮薄膜製作不易且易遭破壞的特性，不適合惡劣操作環境的使用。另外由圖 7.58 的熱傳導示意圖可知，熱除了沿著薄膜熱傳導到支撐基材外，亦會經由大面積的膜片熱傳導與自然對流而將熱傳送 (Q_{air}) 至非流體量測的一面，因此減緩了響應速度。Liu 等人則是將膜片下方的空間密封起來，並於製程過程中抽真空並配合犧牲層技術，製作一個真空度小於 30 mTorr 的真空腔，如圖 7.61 所示[67]。研究結果發現真空腔提供了非常良好的熱絕緣，進而大幅提升頻率響應速度與量測靈敏度。

第三種常見的設計，則是將加熱電極製作於微橋 (micro bridge) 上面，如圖 7.62 所示，由於熱經由微橋傳導到支撐基材的通道非常小，且如果整合微流道作流速量測時，則電極產生的熱將絕大部分傳導到量測流體內，因此有很好的響應頻率與感測靈敏度 (sensitivity)。此種微橋的設計相似於傳統的熱線型流速計；而 Jiang 等人則更進一步利用微機電製程技術，製作出名符其實的微型熱線流速計[68]，如圖 7.63 所示，加熱電極為懸浮之多晶矽熱阻式電熱絲。

利用微機電加工技術開發出來的單線式熱線型微流量計，其熱散逸速率和流速的關係

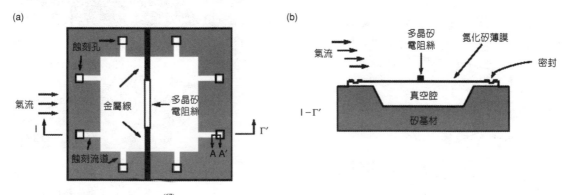

圖 7.61 流體剪應力感測器[67]。

圖 7.62 單線式熱線型流速計。

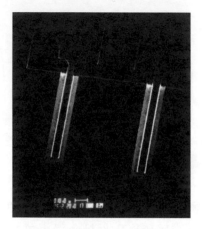

圖 7.63 微型熱線流速計。

一般也都符合 King's law 的半經驗公式。而由 King's law 方程式可知，欲量測流體的速度必須隨時監控流體的入口溫度，因此如圖 7.61 至圖 7.63 的設計，由於並無參考溫度感測單元 (reference temperature sensor) 的設計，因此在電路處理的設備中必須再加入溫度補償的設計，造成使用上的不便。且當外界溫度變化時，將造成量測誤差。

　　另外，單線式的微型熱線流速計並無法量測流體的方向。為了解決參考溫度量測與速度方向判定兩個問題，因此發展出兩線式熱線型流速計 (two wire anemometer)，即將兩條獨立的加熱電極製作於懸浮的薄膜或微橋上。圖 7.64 為兩線式熱線型流速計量測原理示意圖，假設兩加熱電極產生的熱互不影響，如圖中熱邊界層之示意，則每一個加熱電極所產生的熱散逸速率和流速都將遵守 King's law，且依據層流邊界層理論 $\delta(x) \approx 1/\sqrt{Re_x}$，則可推導出，固定相同輸入功率時，兩加熱電極的溫度差將成為速度函數而與流體的入口溫度無關，相關的關係式推導請參考 Elwenspoek 等人之研究[69]。

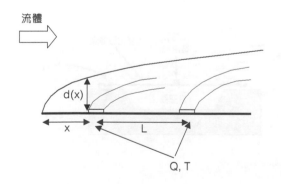

圖 7.64
兩線式熱線型流速計量測原理示意圖。

(2) 熱量計型微流量計

圖 7.65 為熱量計感測器 (calorimetric sensor)，其主要元件為兩個溫度感測單元，而其中一個溫度感測單元上方鍍有可以與欲測物質反應的觸媒 (catalyst)。當欲測物質接觸感測器時，由於觸媒的催化作用而有燃燒生成熱產出，造成其中一個溫度單元溫度升高，經由兩個溫度感測單元所量得的溫度差即可量得熱量的產出，此即為熱量計感測器。

利用熱量計的觀念設計流量量測之感測器，則稱為熱量計型流量計。圖 7.66(a) 為傳統熱量計型流量計設計示意圖，微管道外圍纏繞有兩組熱阻式溫度感測電阻絲及一組加熱電阻絲，加熱電阻絲提供熱量給予微管道內的流體。當流體靜止時，加熱電組絲兩側的溫度成對稱分布，如圖 7.66(b)；當流體流動時，則溫度分布將隨流速的不同而改變。因此經由加熱電阻絲兩側溫度的比較，則可以得到一溫度差與流量關係圖，而構成一流量感測器。圖 7.67 為定電源操作模式下之電路設計，而圖 7.68 則為微機電技術所設計之熱量計型微流量計，中間為加熱電極，兩旁則為溫度感測電極。

圖 7.69 為另一種常見的熱量計型微流量計，兩組加熱電阻絲同時做為溫度感測之用。圖 7.70 則為微機電技術所設計之對應元件，其結構設計上有點類似於兩線式熱線型流速計。

熱量計型微流量計和熱線型流速計在設計上非常相似，都一樣具有加熱元件與溫度感測元件，加熱元件和感測元件也都可以整合成一元件，而操作模式也都可以使用定溫控制

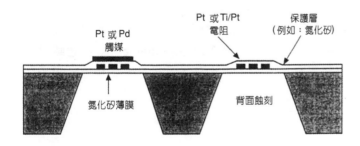

圖 7.65
熱量計感測器。

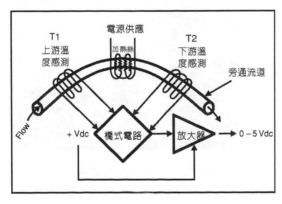

圖 7.66 傳統質流量計設計。

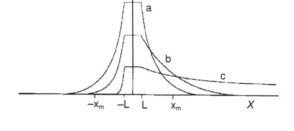

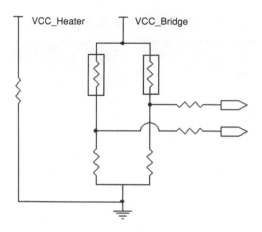

圖 7.67 定電源感測電路。

圖 7.68 微型質流量感測器。

或定電源控制技術。然而不同於熱線型流速計之量測原理，熱量計型微流量計主要的量測原理，是利用熱擴散至流體後，隨著流體的流動而被帶走形成溫度分布，再藉由溫度分布的量測，則可得到流體的速度。而熱經由熱擴散至流體，其擴散能力又和流體的熱容 (heat capacity, $m \cdot C_p$) 及熱擴散係數成一正相關。其中熱容又與流體的質量相關，因此熱量計型流量計又可稱為質量流量計 (mass flow meter)。

　　由原理分析可知，熱量計型流量計量測原理和流體的質量與熱擴散速度相關，因此，當流速大於臨界速度時，加熱絲提供的熱量將來不及擴散至微管道中，以致溫度差或供給熱量差與質流量 (mass flow rate) 之正相關將不再存在。圖 7.71 為 Lammerink 的實驗結果 [70]，可發現隨著流速的增加，輸出電壓 (相當於加熱絲上下游溫度差) 一開始和流速呈現正相關的關係；到了一臨界速度點後，流速的增加反而降低了輸出電壓。因此，一般使用熱量計型微流量計或質量流量計時，皆操作於微管道內且低流量的使用環境。不同於熱線型

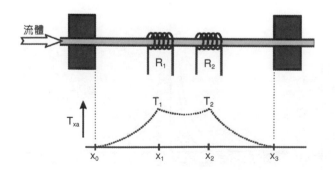

圖 7.69 傳統兩線式熱量計型流量計之設計。

圖 7.70 兩線式熱量計型流量感測器。

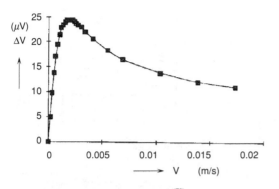

圖 7.71 Lammerink 實驗結果[70]。

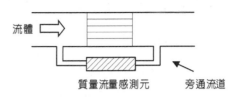

圖 7.72 質量流量計使用示意圖。

流速感測器可直接應用於外流場與高速流場,熱量計型微流量感測器常需要搭配旁通管路 (bypass) 的設計,以放大速度量測範圍,圖 7.72 即為一般質量流量計之設計示意圖。

　　接下來比較兩線式熱線型流速感測器與質量流量感測器原理的差異,與元件設計之差異。熱線型流速感測器的量測原理是假設兩加熱電極產生的熱互不影響,量測熱散逸速率和邊界層厚度之關係,因此在設計加熱電極間距 (L) 時,必須符合邊界層厚度 (δ) 甚小於加熱電極間距 (L) 的設計準則。相反地,質量流量感測器的量測原理則是希望上游的加熱電極所產出的熱經由熱擴散影響下游加熱電極的熱量或溫度分布,因此在設計質量流量感測器時,加熱電極間距 (L) 會設計成甚小於邊界層厚度 (δ)。可以預期,當一質量流量感測器的加熱電極間距 (以兩線式質量流量感測器為例) 逐漸增大時,則量測特性會逐漸趨近熱線型流速感測器,因此流量量測範圍也會逐漸提升。

　　自 1970 年代微型流量感測器開始研究以來,已有非常多的研究報告產出[71-73],針對不同的目的,常有不同的設計。圖 7.73 為 Honeywell 公司所開發的質量流量感測器,其設計原理相當於圖 7.66 傳統質量流量感測器之設計,中間為一加熱電極,加熱電極的上下游不遠處($L \ll \delta$) 則有溫度感測電阻。

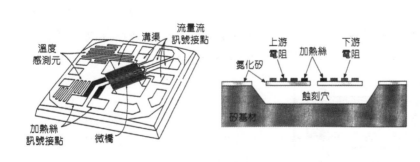

圖 7.73 Honeywell 公司開發之微型流量計。

(3) 熱脈衝型流量計

　　前面所提到的熱式流量感測器都是屬於類比訊號式元件 (analog device)，類比式元件的輸出訊號常會有背景雜訊與訊號漂移的困擾，因此在實際商品應用上，電路常需要製作補償或過濾的電路。另一方面，無論是熱線式流速計或質量流量計，使用時會因操作流體的不同，其黏滯係數 (viscosity)、熱傳係數與熱容皆不同，因而造成流量計必須重新校準，因此有其不便之處。相對於類比式元件，熱脈衝型流量計則屬於數位式感測元件，因此可以完全避開上述的缺點。

　　熱脈衝型流量計量測原理如圖 7.74 所示，是利用熱脈衝 (heat pulse) 隨流體的傳遞，量測熱脈衝行進的速度 ($L/\Delta t$)，則可計算流體的速度。此種流體感測器的設計必須確定熱脈衝行進的速度是取決於流體的行進速度而不是熱擴散速度，因此量測距離與熱擴散速率的不同將影響速度量測範圍。一般而言，速度越高越容易設計。圖 7.75 顯示熱脈衝溫度分布因熱擴散而隨時間變化之示意圖，隨著時間的增加，溫度分布將逐漸趨於平緩。因此如果溫度感測器與加熱器的距離太長、流速太慢或熱擴散速度太大時，將造成感測不到訊號 (如圖 7.75 中 t_3 之訊號)。為了解決此一問題，因此多數的熱脈衝型流量計，會於加熱器下游不同距離處，設計多個溫度感測器，如圖 7.76 所示。

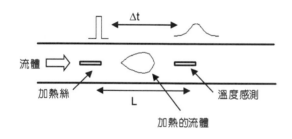

圖 7.74

熱脈衝型流量計量測原理示意圖。

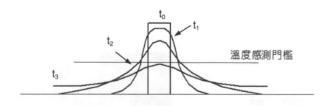

圖 7.75

熱脈衝溫度分布與時間關係圖。

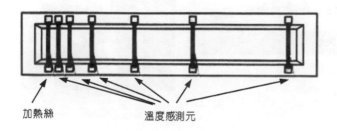

圖 7.76

多線式熱脈衝型流量計。

熱脈衝型流量計雖然有數位式感測器的優點，但也由於多個訊號的同時監控或輪流監控，造成時序控制邏輯電路的設計不易。另外，靜止流場與流場方向的判定都是熱脈衝型流量計設計的困難。

綜合以上各種熱式流量計的原理與設計分析可知，熱式流量計種類繁多，針對不同的使用需求，可採用不同類型量測原理或集合各種原理於同一設計內。而至於類比式熱式流量計的電路設計方面，一般設計經驗發現，定溫式操作模式相較於定電源式的操作模式擁有較佳的頻率響應。

7.3.2 非熱式流量感測器

熱式微型流量感測器雖然已有很成熟的商品產出，然而在某些特殊流場，熱式流量計並不適用。尤其與生物相關之流體，由於熱的產生會破壞生物流體的生化特性，因此熱式微型流量感測器並不適用。針對不同的需求，有多種非熱式流量感測器已被發展出來。相同於熱式微型流量計，多數的非熱式微型流量感測器的設計也都是源自傳統大尺度流量計之感測原理，以下僅就具代表性的設計做簡略介紹。

(1) 流阻式微型流量計

圖 7.77 為 Gass 等人所設計的流阻式微型液體流量計[74]，利用流體對懸臂樑 (cantilever) 的阻力 (drag force) 造成懸臂樑彎曲，再經由壓阻式應變計 (piezo resistor strain gauge) 的量測，可得到對應的流量值。

圖 7.78 則是 Ozaki 等人所設計的昆蟲毛髮風速計，量測原理近似於昆蟲的毛髮，利用人造毛髮因氣體流過而施力於毛髮的支撐基座，同樣經由應變計的量測，可以測出風的速度與方向[75]。

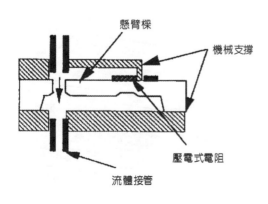

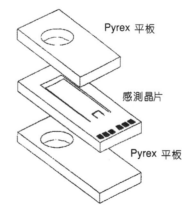

圖 7.77
流阻式微型液體
流量計[74]。

(2) 壓力式微型流量計

流場的壓力分布和流速有著對應的關係,因此利用壓力的量測而反推流速或流量的研究與設備也非常多。圖 7.79 為 Nishinoto 等人所設計的孔口板式 (orifice) 微型流量計[76],當流體流過孔口板時,流體因突張而有一極劇的壓力下降,孔口板的膜片 (diaphragm) 因上下游的壓力差而變形。最後再經由壓阻式應變計量測膜片的形變,可量出對應的流量。

皮托管 (Pitot tube) 為大尺度流場常用的簡易型流速計,利用全壓 (total pressure) 和靜壓 (static pressure) 的量測,可推算出流體的流速。圖 7.80 為 Berberig 等人所設計的皮托管式微型流量計。流體由晶片的側方流入,形成全壓推動晶片下方的膜片[77]。晶片的外側則受到流體靜壓的推擠,膜片最後會因流體動壓 ($\rho V^2/2$) 與膜片形變阻力的平衡而達到一個力平衡點。最後經由電容式感測電極量測膜片位移量,則電容值與流速可得到一關係式,因此可做為流速量測。

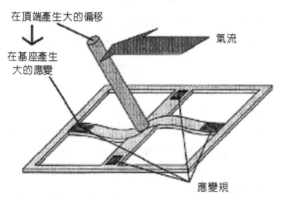

圖 7.78 昆蟲毛髮風速計[75]。

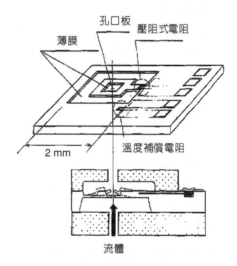

圖 7.79 孔口板式微型流量計[76]。

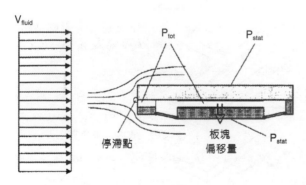

圖 7.80 皮托管式微型流量計[77]。

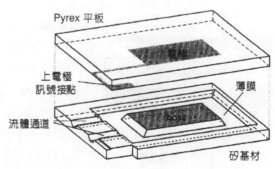

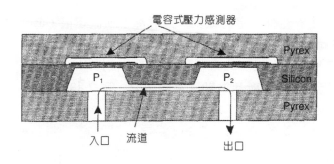

圖 7.81
壓差式微型流量感測器[78]。

　　另外，流體的流動必定伴隨著壓力梯度的發生，因此經由流道中壓力差的量測，則可量出流量。圖 7.81 為 Oosterbroek 等人所設計的壓差式微型流量感測器，而其壓力的量測則是採用電容式壓力計[78]。

(3) 流體振盪式微型流量計

　　渦流流量計 (vortex flow meter) 與射流流量計 (fluidic flow meter) 都是大尺度流場常見的流量計，利用流道結構的設計，造成渦流 (vortex) 或振動流場 (oscillating flow)。而渦流散逸 (vortex shedding) 或射流振動 (fluidic oscillation) 的頻率又正比於流體的速度，因此只要能夠設計高頻率響應的感測單元與適當的流道，則可設計流體振盪式微型流量計，圖 7.82 為 Lee 等人設計的微型射流流量計[79]。

(4) 微型雷射都卜勒流速儀

　　一般流速計或流量計都是屬於侵入型的量測方式，雖然感測元件可經由微機電技術微

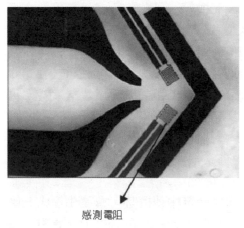

圖 7.82 微型射流流量計[79]。

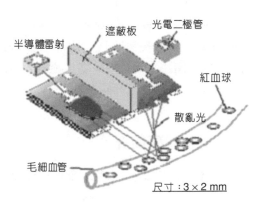

圖 7.83 NTT 公司所開發的微型都卜勒血流計。

小化，減少對流場的影響，然而對流場特性依然有一定的改變。雷射都卜勒流速儀 (laser Doppler velocimeter) 為一種光學式量測系統，利用都卜勒頻移 (Doppler shift) 的原理量測流場中局部點的流速，為一種非侵入型的量測，在大尺度的流場量測中經常被採用。隨著光學微機電 (optical MEMS) 技術的成熟，已有微型雷射都卜勒流速儀產出，圖 7.83 為日本 NTT 所開發出來的微型雷射都卜勒血流流速儀。

7.4 聲音傳感器

本節將介紹以微機電技術製作之聲音傳感器，包含麥克風及揚聲器。其中麥克風主要是作為將聲音轉變為電子訊號之轉換器，而揚聲器則是將電子訊號轉變成聲音之轉換器。如果紀錄之聲音在播放時要接近原音，麥克風之頻寬及動態響應範圍必須接近人耳。一般而言，麥克風主要可分為電動式、碳粉式、壓電式 (piezoelectric) 及電容式 (靜電式) 四種，其中又以電容式 (capacitive) 為大宗。主要原因為電容式有較高的靈敏度、較低的自生雜訊 (self-noise) 及較低的失真 (distortion)。而電容式麥克風依其極化電壓 (polarization voltage) 方式又可分為二類，一類稱為凝縮式 (condenser) 麥克風，需要外加電源；另一類則稱為駐極體式 (electret) 麥克風，內部具有駐極體物質 (特殊高分子材料，無法耐高溫) 可提供永久的極化電壓。

目前麥克風的市場需求非常大，據估計單是電話手機中所使用的麥克風，每年就有至少 4000 萬個以上的需求。但是以傳統方式所製造的麥克風，一般而言，體積較大，忍受惡劣環境能力較差，無法忍受較大音壓，且產品品質控制不易，故雖然具有價格低廉、發展歷史悠久、技術層次較低等優點，但對於較特殊的工作環境及系統整合要求度較高時皆無法使用。而一般較高級的麥克風，則由於製造程序繁雜、成本過於昂貴，亦無法滿足業界的要求。

目前國內麥克風製作廠商頗多，但多屬傳統產業，主要以製造駐極體式麥克風為主，主要應用對象為一般消費性電子產品，如電話手機、錄音機等。價格方面亦以價廉為主要訴求，品質穩定性也不錯。國外的麥克風大廠則多以製造高價麥克風為主，單價可至新台幣萬元以上，主要用在錄音室、儀器等要求高品質的輸入場合。另外，由於助聽器等市場商機潛力大，歐美麥克風大廠亦多兼作助聽器。由於助聽器系統整合要求度高，且在市場趨勢 (輕薄短小) 要求下，各部零件亦相對地希望能微小化及提升品質。理論上，麥克風亦是越小越好，可避免高頻失真。

7.4.1 相關聲學簡介

聲音是一種波，其運動方程式與電磁波類似，在彈性介質中傳播時，會產生壓力、應力、粒子位移及速度的改變。在無任何擾動的情形下，介質維持一定的靜壓力，當有一聲

第 7.4 節作者為邢泰剛先生。

源產生聲音時,振動透過介質粒子開始傳播,介質粒子在空間中會形成疏密不同的現象,此時空間中的每一點,不再維持原來的壓力,而產生微小的壓力變化。此種改變除了可經由動物的器官(如耳朵),亦可經由人造的感測器(如麥克風)探知。人耳所能感知的音波其頻率約在 20 Hz 至 20 kHz 之間,即所謂的聲音,頻率超過此範圍的音波稱為超音波。在非黏性流體中(如空氣)傳播時,聲波通常以縱波 (longitudinal wave) 方式傳播,即音波行進的方向與空氣粒子的振動方向平行,若在固體中傳播則會出現橫波 (transverse wave)。聲壓 (acoustic pressure) 事實上代表著是在一大氣壓上相當小的動態壓力變化,一般從 $10^{-5}-200$ Pa,而一大氣壓靜態壓力為 10^5 Pa。與一大氣壓相比,聲壓大小可能相差到 10 個數量級,故麥克風可以視作一非常低壓之壓力感測器。

　　如欲製造聲音傳播,在氣體中可藉由一振動表面(如揚聲器之隔膜)產生聲音的傳播,此時在振動表面附近的空氣分子將以同一頻率振動,此也導致空氣的壓縮舒張而產生疏密波,而此聲音的傳播在數學上可以波動方程式 (wave equation) 表示。事實上,振動表面的運動方式也是同樣的方式,一般在聲音中波動方程式為

$$\nabla^2 P - \frac{1}{c}\frac{\partial^2 P}{\partial t^2} = 0 \qquad\qquad (7.69)$$

其中 c 表示聲速,在 20 °C 約為 330 m/s,當有干擾存在時,其作用可表示為

$$P = P_0 + P_N \qquad\qquad (7.70)$$
$$\rho = \rho_0 + \rho_N$$
$$v = v_0 + v_N$$

其中 P_0、ρ_0、v_0 為周遭狀態的壓力、密度及速度,而 P_N、ρ_N 及 v_N 分別代表干擾對整體的壓力、密度及速度所造成變異,通常周遭狀態的值遠大於上述干擾值。

7.4.2 量測規格簡介

　　為了解決大小差異過大問題及配合人類耳朵感受特性,一般將聲壓以相對的物理量音壓位準 (sound pressure level, SPL) 定義。其定義為

$$\text{SPL} = L_p = 20\log\frac{P_{\text{rms}}}{P_{\text{ref}}} \ (\text{單位:dB}) \qquad\qquad (7.71)$$

其中 P_{rms} 為微小的壓力變化的均方根值,在空氣傳播的參考值為 $P_{\text{ref}} = 2 \times 10^{-5}$ Pa (此值為人聽力極限)。因為聲音通常包括不同頻率的波,而非一完美的正弦波形,故使用均方根值來

表 7.12 一般常見聲音來源的音壓位準大小。

SPL (dB)	聲音來源
140	距離二公尺外的噴射引擎 (jet engine at 2 m distance)
130	苦痛極限 (threshold of pain)
100	氣動錘產生之超音波 (pneumatic hammer or ultrasonic emission of a bat)
90	工廠噪音 (noise factory)
80	吸塵器 (vacuum cleaner)
70	繁忙交通 (busy traffic)
60	兩人對談 (two-person conversation)
40	夜間住宅區 (residential area at night)
20	葉子沙沙飄動聲 (rustling leaves)
0	患有嚴重聽力問題人員之聽力門檻 (hearing threshold of person with acute hearing)

描述其振幅。一般常見聲音來源的音壓位準大小如表 7.12 所列。

　　一般而言，靈敏度、頻率響應範圍、自生雜訊、訊雜比 (signal to noise ratio, S/N)、操作最大音壓和方向性是評鑑麥克風性能的幾個重要指標。

(1) 靈敏度

　　靈敏度 (M) 為感測器對所要感測的物理量敏感的程度，對麥克風而言，靈敏度單位為 mV/Pa，表示在受到 1 Pa 音壓時所能產生之電壓訊號輸出。

$$M = \frac{U}{P} \tag{7.72}$$

其中 U 表示輸出電壓，P 為輸入聲壓。

(2) 線性響應頻率

　　在某一頻率範圍內，理想麥克風的頻率響應為線性，線性響應的低頻限與高頻限間為麥克風適合操作的頻域，超出此頻域後，麥克風的輸出會有失真 (distortion) 的現象。對麥克風而言，其響應範圍低頻限通常由電路特性所主導，而高頻限則通常由機械特性所控制。一般高頻上限通常定義為當音壓位準產生超過 3% 的諧波失真 (harmonic distortion)。諧波失真係機械或電機上的非線性，通常是弦波輸入及相互調變 (intermodulation) 所造成。

(3) 自生雜訊及等效雜訊位準

即使在絕對安靜的環境中，聲音感測器也會產生輸出，此即自生雜訊 (self-noise)。此雜訊來自電阻等熱振動及前級放大器等內部干擾。一般而言，前級放大器雜訊為主要自生雜訊來源。如果要偵測一聲音源，則其能量必須大於背景的自生雜訊能量，此時通常以等效雜訊位準 (equivalent noise level, ENL) 來表示此種能量。

$$\text{ENL} = 20\log\left(\frac{U_{\text{noise}}}{MP_{\text{ref}}}\right) \tag{7.73}$$

其中 U_{noise} 是麥克風及前級放大器之雜訊輸出，M 是麥克風靈敏度，而 $P_{\text{ref}} = 20\ \mu\text{Pa}$。一般低頻下限通常由等效雜訊位準來決定，上限則決定於非線性失真。

(4) 訊雜比

由於整合 IC 製程麥克風 (如壓電或電容式) 都是高輸出阻抗，需要一匹配的前級放大器，才能得到低阻抗的輸出。但是前級放大器也會產生雜訊，若是訊雜比太小則雜訊亦隨著放大器而放大，即使得到很大的訊號輸出亦無價值，故感測器設計應儘量使其能有高訊雜比。一般雜訊來自熱擾動 (thermal agitation) 及前級放大器，其中放大器的雜訊通常較大，尤其在 1 kHz 頻率以下時。只有當聲音的訊號大於等效雜訊位準時才能被偵測到，訊雜比則定義為

$$\text{S/N} = 20\log\left[\frac{U(1\,\text{kHz}, 94\,\text{dB})}{U_{\text{noise}}}\right] \tag{7.74}$$

單位為 dB，其中 U (1 kHz、94 dB) 是麥克風在頻率 f =1 kHz、音壓位準 L_p = 94 dB 之平面諧波 (harmonic plane wave) 作用下所產生之輸出電壓。

(5) 操作最大音壓

麥克風的薄膜受到太大音壓之後，會使材料的應力與應變關係進入非線性範圍，因此會發生非線性響應。超出最大壓力後，甚至會破壞麥克風薄膜，使麥克風失效。

(6) 方向性

因聲波有反射和繞射等現象，麥克風對不同入射角度的聲波響應程度有所不同，此特性不僅與麥克風的型式有關，麥克風封裝的外形也會對方向性有影響。理想中的麥克風封裝大小必須小於聲波波長 (最好小於波長的十分之一)，如圖 7.84 所示，則麥克風的輸出較不受音源方向的影響。

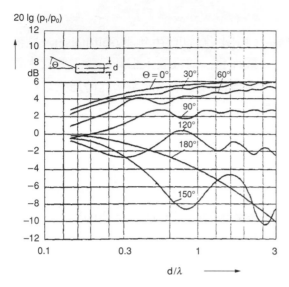

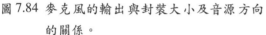

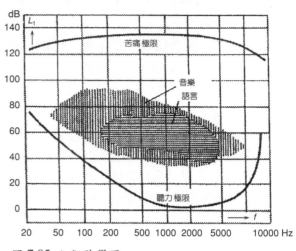

圖 7.84 麥克風的輸出與封裝大小及音源方向
　　　的關係。

圖 7.85 人類聽覺區。

　　根據上述的評鑑指標，一般助聽器的規格為：大於 10−15 mV/Pa 的靈敏度，最大可量
測之聲壓在 105 dB，同時可容許之失真為 0.5%，線性響應範圍為 100 Hz−10 kHz，必須維
持在 3 dB 變異範圍內，等效雜訊位準不可超過 22 dB(A)。

7.4.3 人類聽覺的生理特性

　　人類聽覺依聲源的頻率及大小會有不同的反應，一項根據實地量測的結果發現，人類
可聽到的聲壓程度可描述如圖 7.85 所示，其中下曲線為人類聽力的極限值 (threshold of
audibility)，亦即人類無法聽見在此之下的聲壓。由圖中可知，此極限值依頻率不同會有極
大不同，人的聽力範圍可從 20 Hz 到 20 kHz。當聲音是幾 kHz 時，人耳是最敏感的，而聲
音在此範圍之外時，靈敏度逐漸下降。除此之外，聲壓太大亦會造成人體生理上不舒服，
通常造成此種不舒服聲壓的最小值稱為「苦痛極限 (threshold of pain)」。而通常我們說話及
音樂的範圍便是落在此一極限值之內，另外可從圖上發現音樂的頻率及大小範圍皆比言語
的範圍要大。

7.4.4 微機電麥克風優勢與問題

　　以微機電技術來製造麥克風此種廉價且成熟的產品，其主要誘因可歸納如下：

(1) 體積比傳統麥克風更小，符合麥克風體積越小效能越佳的特性，且製造過程中的材料及所需能源甚至廢料皆可大為減少。

(2) 由於採用微細加工批次 (batch) 生產，製程上差異不大，卻能改善產品之精度及可重複性。

(3) 可提供較佳之成本／性能比，尤其在高價產品(如助聽器) 最為明顯。

(4) 由於產品體積較小，操作時所消耗之能源也相對減少。

(5) 矽具有幾乎完美的機械性質，且由於採用與 IC 製程類似之微機電製程，麥克風將可與放大電路等整合，此亦是其最吸引人的好處之一。此整合預期將可減少寄生效應，因而減少雜訊、改善性能，進而降低成本。

(6) 另一項由微細加工批次生產帶來的好處是很容易做成陣列 (array) 型式，除了可以提供備份 (redundancy) 之用，未來可提供作為改善空間解析度(spatial resolution) 之用。

(7) 由於微機電技術可以同時製作許多不同感測器與致動器，有利於未來整合成模組。

(8) 由於微機電技術新穎性及日新月異，預期未來新型式的聲音感測器將不斷出現 (後面章節將介紹美國 DARPA 支持的相關研究進展)。

　　微機電麥克風的特性及可能應用如表 7.13 所列，由此表可知微機電製作的麥克風應是未來麥克風發展的主流。故以微機電技術製作的整合式麥克風，已成為歐美各大廠努力的目標[82-85]。

表 7.13 微機電麥克風特性及可能應用。

特性	微聲頻元件
可微小化	做成耳內型收發元件(如免持聽筒收發話器) 及助聽器
可陣列化	平面陣列化、用於虛擬實境(VR) 多媒體、電腦聽覺及免持聽筒
相位控制較佳	聲音辨識 (voice recognition)、主動雜訊控制 (active noise control)
可整合放大控制電路	低雜訊且訊號輸出較大，低阻抗(low impedance)，可直接與微控制器或 DSP 聯繫

　　如圖 7.86 所示，當物品依比例縮小時，所感受的主要影響外力將跟著改變。例如將人類依比例縮小至毫米等級，則原先主要感受的慣性力 (即為圖上所示之體積力) 將不再重要，此時面積力 (如表面張力) 將主導一切，這也是有些昆蟲為何可在水上行走之原因。所以一般我們在巨觀世界所熟習之經驗，在微觀世界並不見得適用。除此之外，感測器與致動器縮小過程帶來的問題包括了：(1) 如何與巨觀世界的實物系統連接；(2) 因為體積縮小相對輸出也跟著縮小 (但是雜訊卻一樣)，如何提高微小後之感測器靈敏度，將成為設計時的重要挑戰；(3) 以往忽略之分子力 (如布朗運動) 及光子皆可能造成影響。

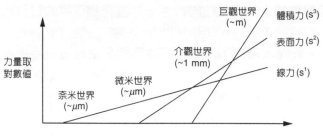

圖 7.86 比例縮小與主要影響外力。

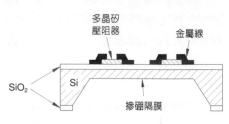

圖 7.87 壓阻式麥克風。

7.4.5 微機電麥克風

目前微機電麥克風多是根據傳統麥克風製造原理加以改良縮小，但是也有嶄新構想出現。如以偵測原理區分，其中主要有電容式、壓電式、壓阻式及光學式等。如以製作方式區分，電容式麥克風可區分為單一晶片或兩個晶片接合方式，而光學式麥克風則採用兩個晶片接合[86]，至於壓電式及壓阻式則採用單一晶片製作。

7.4.5.1 壓阻式麥克風

早期電話中多採用石墨填充之麥克風，當隔膜受到聲壓影響時，石墨密度隨之改變 (阻抗改變) 而使得輸出隨之改變，這是最早的壓阻式產品。此種方式雖然易於製造，但是呈現高度非線性，且等效雜訊位準相當大，已逐漸被淘汰。

依原理而言，麥克風亦可以視作極低壓壓力感測器。而微機電技術第一個成功量產的商品就是壓阻式微壓力感測器，故亦有人嘗試將此經驗用來製造麥克風[87-89]。如圖 7.87 所示，係由 Schellin 等人於 1992 年利用多晶矽及體型微加工方式所完成。其大小為 1×1 mm^2 $\times 1$ mm，靈敏度為 25 μV/Pa，可操作頻率於 100 Hz $-$ 5 kHz，等效雜訊位準為 60 dB[87]。其最大優點為製作簡單且輸出為低阻抗，但輸出低、雜訊大，如要提高輸出則需耗費相當能源。因其效能距離實用還有一大段距離，故目前較少人採用此方式研發。

7.4.5.2 壓電式麥克風

壓電式麥克風的歷史也相當悠久，其原理是使用傳導機構將隔膜上之振動傳導至壓電板上，如圖 7.88 所示，另外也可以利用壓電高分子材料同時作為隔膜及壓電轉換材料。所謂壓電性是利用某些材料在受到應力情況下，會產生電極化 (polarization) 現象而提供電荷。此現象反之亦然，故壓電材料一般亦稱作智慧型材料，因其可同時作為感測器及致動器使用。壓電式麥克風最大缺點為等效雜訊位準相當高 (比電容式麥克風)，且通常必須搭配前級放大器，以減少等效雜訊位準及輸出阻抗。

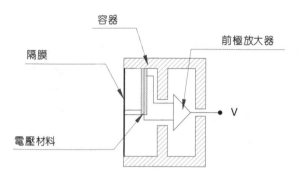

圖 7.88 傳統典型之壓電式麥克風。

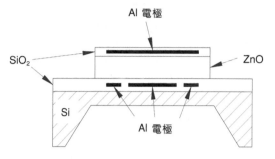

圖 7.89 氧化鋅麥克風。

　　最早期的微機電麥克風即是使用壓電材料製成。如圖 7.89 所示，1983 年 Royer 等人利用 3 μm 厚氧化鋅 (ZnO) 在直徑 3 mm、厚 30 μm 的隔膜上製出第一個微機電麥克風，其零敏度為 0.25 mV/Pa，操作頻率可達 10 kHz，但是等效雜訊位準高達 66 dB[90]。一般微機電壓電式麥克風只需單一晶片即可，製作較簡單。壓電式與電容式麥克風之比較如表 7.14 所列[90-95]。

　　目前由於壓電材料的優良特性，有研究人員嘗試用結構方式來提高靈敏度，同時製作麥克風及揚聲器。Kim 等人首先利用懸臂樑方式大幅提高麥克風靈敏度，隨後其改用壓電高分子材料 parylene 來製作，可以大幅降低隔膜應力而增加靈敏度，如圖 7.90 所示。表 7.15 所列為各式微機電製作之壓電式麥克風比較表。當然此種方式亦可用來製作揚聲器，如圖 7.91(a) 所示，其頻率響應則如圖 7.91(b) 所示。

7.4.5.3 電容式麥克風

　　電容式麥克風乃是利用平行電容板作為感測本體，其中一平行板即為感測隔膜，而另一隔膜 (通常稱為背板 (backplate)) 通常固定住，當聲壓影響隔膜時，其輸出電容隨之改變。在背板及其支撐物上所留之孔洞將提供一洩氣道，以避免隔膜兩面形成靜態壓力，造成隔膜承受過大壓力而破掉，此孔洞也決定了麥克風高頻響應之衰減型態。除此，在背板下方通常預留背室 (backchamber)，以形成 Helmholtz 共振腔，此共振腔可以用來調整聲音

表 7.14 壓電式與電容式麥克風比較表。

	壓電式麥克風	電容式麥克風
靈敏度 (Sensitivity)	較低	佳
極化電壓 (Polarization voltage)	不需要	需要
動態範圍 (Dynamic range)	寬	較窄
製作方式 (Fabrication)	簡單	較複雜

表 7.15 矽壓電式聲音傳感器。

壓電材料 厚度 (μm)	ZnO 0.3	ZnO 0.3	ZnO 0.5	ZnO 0.5	ZnO 0.4	ZnO 0.3	AlN 0.18	Polymer 2.5
隔膜厚度 (μm)	Si_3N_4 2	Si_3N_4 1.4	Si_3N_4 2	Si_3N_4 1.7	Si_3N_4 0.8	Si_3N_4 1	Si 1	Si_3N_4 0.2
靈敏度 (mV/Pa)	0.5	0.8	1	0.92	1	30	0.025	0.15
EQNL (dB(A) SPL)			50	57		$75-100$		60
訊雜比	5：1		15 at 0.1 Pa					
設計者	Kim 1987	Kim 1989	Kim 1991	Ried & Kim 1993	Yan&Kim 1996	Lee&Ried 1996	Kuhmel 1991	Schellin 1995

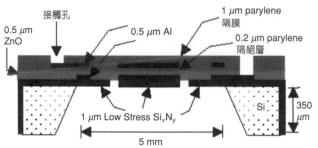

圖 7.90 Parylene 麥克風。

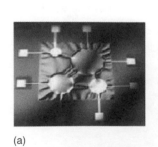
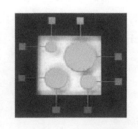

(a)

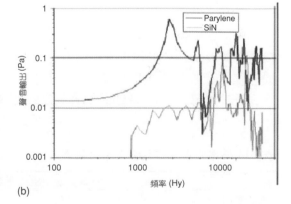

(b)

圖 7.91 (a) parylene 揚聲器。(b) parylene 揚聲器輸出。

阻抗及頻率響應。此種方式可以提供相當高的靈敏度、較低的雜訊、相當平的頻率響應、低失真，且對於環境影響較不敏感。

　　為了求取其電容值 C，我們必須提供其電荷量 Q_0，然後量測所導致的電壓 $U = Q_0/C$。依照電荷提供的方式，電容式麥克風又可分為凝縮式 (condenser) 及駐極體式 (electret) 兩種。凝縮式麥克風的極化電壓是利用外接之電壓源加上一電阻提供，此電阻通常不會太小，以提供較大的時間常數。駐極體式麥克風的極化電壓則是由內部具有永久性電荷之材料層所提供，此種材料稱為駐極體材料。目前電容式麥克風可說是微細加工之麥克風中最成功的產品。

(1) 凝縮式麥克風

　　傳統式之凝縮式麥克風利用平行電容板原理，一般電容值約為 3－300 pF，而其搭配之電路則可以如圖 7.92 所示，其中為了增加量測之相對電容差異 (以增加靈敏度)，必須減少寄生電容。故通常必須將麥克風及前級放大器之寄生電容儘量減小，最好方式就是將麥克風與前級放大器製作於單一晶片上。另外由於麥克風屬於高阻抗輸出，通常利用前級放大器作為阻抗轉換器。

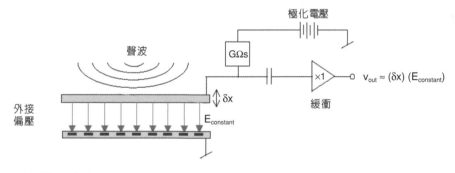

圖 7.92 凝縮式麥克風及其搭配電路。

　　電容式麥克風通常以經由一大電阻外接電壓源提供電荷，此大電阻對於量測訊號頻率而言，可以提供大時間常數。理論上，電容式麥克風中間空隙 (為空氣) 越小，則電容及因聲壓產生之電容改變量越大。但是這不表示越小的間隙會產生越大的靈敏度，中間空隙的空氣以及背板上通往背室的開孔決定了黏滯阻尼 (viscous damping)，而黏滯阻尼決定麥克風的動態反應，尤其是高頻響應。可以先選定中間空隙厚度以決定最佳靈敏度，接著開孔密度及大小可用來控制阻尼及共振的頻率響應。傳統作為助聽器之麥克風通常僅開五個孔，但以微加工製作麥克風可以輕易製作出數千個開孔，此有助於調控阻尼。

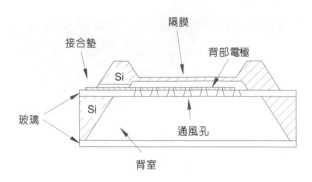

圖 7.93
微細加工凝縮式麥克風。

　　大部分以微機電技術製作之麥克風採用凝縮式原理，因其靈敏度較高、雜訊低，且不需如駐極體式使用特殊材料[96-111]。早期使用微細加工方式製作之凝縮式麥克風皆使用兩片晶片，其中一片用來製作隔膜，另一片則用來製作背板，再以鍵合方式接合起來。由於中間空隙大為縮小，其流體流動抗力將遠比傳統式為大，可藉著開孔密度及大小來調整其抗力。圖 7.93 所示為 Bergqvist 等人於 1990 年發表的凝縮式麥克風，其大小為 2×2 mm$^2 \times 5$ -8 μm，靈敏度可達 1.4 mV/Pa、操作頻率可達 16 kHz、等效雜訊位準只有 31.5 dB，其電容約為 3.5 pF[96]。

　　由於微細加工可以提供非常小之間隙，所以比起傳統式麥克風電容值會較高，因此也造成搭配之前級放大器雜訊非常低，相對寄生電容效應亦較低，但是此小間隙也使其易受灰塵等影響。

　　已宣布進行量產的商業化產品當中首推 Emkay (Knowles)[109]，他們已研發超過十年，主要針對助聽器市場，助聽器之電池可以在 1.3 V 下操作。目前發表的商品資訊並不多，其外表如圖 7.94(a) 所示，而其頻率響應如圖 7.94(b) 所示。Emkay 表示其大小比傳統式小 75% (麥克風大小 2×2 mm，其中隔膜直徑為 0.8 mm)，其結構為波狀圓形隔膜，其中心被固定

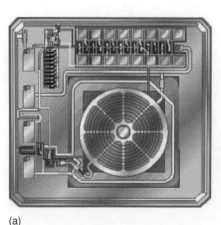

(a)

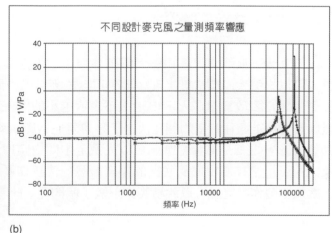

(b)

圖 7.94 (a) Emkay 凝縮式麥克風，(b) 其頻率響應。

靠著外圍變形，藉此可提供高靈敏度。採用面型微加工製作中間間隙，從 1 μm 到 4 μm。其製程方面與 IME (新加坡研究機構) 合作，製程整合包含標準低電壓 CMOS 製程，犧牲層材料為鋁，最後再以體型微加工製作背室。目前性能方面 1 kHz 的靈敏度可達 10 mV/Pa，操作頻率從 100 Hz 到 50 kHz，等雜訊位準 35 dB。

另一個值得一提的是 Infineon[110,111] 所發展的麥克風，雖然還未進行量產，但是他們所進行發展的目標乃是針對一般通信市場如手機，而非其他廠商所研發的助聽器用麥克風，故價格是重要考慮因素。他們採用 CMOS 製程製作出單晶片型式之麥克風及放大電路，此種方式可以保證厚度變化小且品質高，隨後再以體型微加工方式製作出背室結構，如圖 7.95(a) 所示，此麥克風之聲音係從感測器背後進入，整體上配合封裝 (SMD 方式)，此種方式應可達到低成本之要求。圖 7.95(b) 所示為其量測結果，已可滿足一般手機需求。在 300 Hz 及 1 kHz 之間，頻率響應最大的差別為 ± 2.5 dB。

(2) 駐極體式麥克風

駐極體材料是指一種可以永久維持電極化的介電材料，其具有永久性電偶極 (dipole) 排列。目前駐極體材料除了使用於聲音轉換器，亦使用於影印機等用途。傳統麥克風之永久儲存電荷可以提供相當於數百伏特之電壓，遠大於一般電容式麥克風所需之 10－20 V 電壓。當在一面平行板加上電極後，介電材料中所捕捉之電荷將可提供靜電場，如圖 7.96 所示。傳統上使用的駐極體材料為稱為鐵氟龍 (Teflon) 的 PTFE 或 FEP，屬於聚合物薄膜，鐵氟龍具有良好長期穩定性，但對溫度之抵抗力相當差。然而此種有機駐極體式材料仍為駐

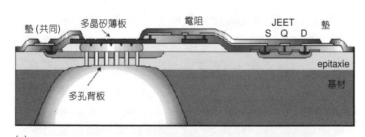

(a)

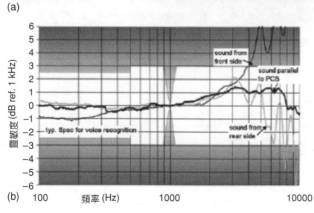

(b)

圖 7.95

(a) Infineon 凝縮式麥克風。(b) 其頻率響應。

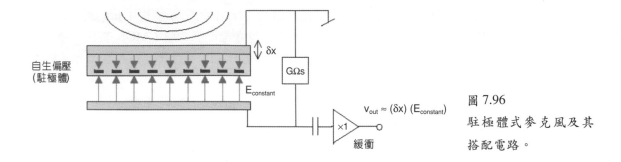

圖 7.96
駐極體式麥克風及其
搭配電路。

極體式麥克風主流，主要因為無機材料無法提供良好長期穩定性。在一般使用環境中，電荷衰減時間常數約在 100 年左右，但如在 99% 的濕度和 70 °C 溫度環境中，時間常數迅速降至 1 年左右。一般傳統商業駐極體式麥克風之開路靈敏度 ($S_{o.c.}$) 約為 5－20 mV/Pa。

　　對以矽基材製作之微加工駐極體式麥克風而言，亦有無機及有機駐極體材料兩種研發路線[112-117]。無機材料通常使用 SiO_2 或 Si_3N_4 等薄膜材料，此種方式最大好處為與一般 IC 製程相容，可忍受高溫，具有良好之電機及機械特性，但長期穩定性尚待驗證，目前尚未有可商業化的產品。有機材料中最常用的當屬鐵氟龍，但是在矽基材上普遍表現出低附著性，不容易達到小於 1 μm 的厚度，且不容易以標準微影製程完成所需圖案，但卻具有良好的電荷儲存特性；此外如同傳統製作之鐵氟龍材料，不能忍受高溫。如前所述，由於等效之高電壓，使得其間隙不用太小 (通常靜電吸引力決定其下限而電荷容量決定其上限)，此也使得駐極體式麥克風較不受灰塵等影響。目前報導微機電製作之駐極體式麥克風平均之開路靈敏度 ($S_{o.c.}$) 約為 0.2－25 mV/Pa。

　　目前最值得一提的當屬加州理工學院戴聿昌教授所研發之微加工駐極體式麥克風[113-115]，如圖 7.97 所示。目前大小為 8×8 mm^2，性能方面靈敏度可達 45 mV/Pa，操作頻率從 100 Hz 到 10 kHz，動態範圍為 30－110 dB。其製程如圖 7.98 所示，相當簡單，主要難度在掌握鐵氟龍植入電荷之能力及隔膜應力之控制。

　　對於上述電容式或駐極體式麥克風而言，如果採用鍵合方式來接合兩個晶圓成為單一元件，鍵合時所需之高溫及高電壓，可能會影響所整合之 IC 電路 (如造成植入原子進一步

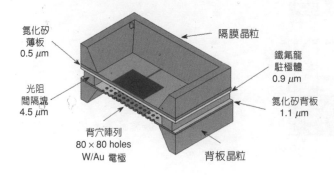

氮化矽
薄板
0.5 μm

光阻
間隔塊
4.5 μm

背穴陣列
80 × 80 holes
W/Au 電極

隔膜晶粒

鐵氟龍
駐極體
0.9 μm

氮化矽背板
1.1 μm

背板晶粒

圖 7.97
加州理工學院駐極體式麥克風。

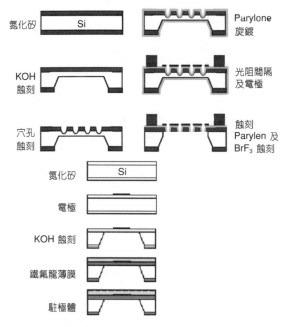

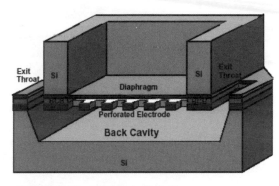

圖 7.99 BCB 低溫鍵合麥克風。

圖 7.98 加州理工學院駐極體式麥克風製程。

擴散) 及駐極體材料 (如將原先捕捉的電荷去除)。為此亦有密西根大學研究人員嘗試以非傳統鍵合材料 (bisbenzocyclobutene, BCB) 進行低溫鍵合[118]，如圖 7.99 所示。表 7.16 所列為微機電製作之電容式麥克風的比較。

7.4.5.4 光學式麥克風

以光學偵測方式來製作麥克風，除了可以提供不錯之靈敏度及低雜訊外，也可具有遙測能力。其組成包括光源、光偵測器、振動隔膜及所需之電路，原理乃是偵測因隔膜振動使得光反射所造成之干涉改變。缺點為整合不易、體積較大且消耗較多能源。目前亦有以微加工方式來微小化此種麥克風之研究。

除此之外亦可使用光波導 (waveguide) 來製作麥克風，其係偵測壓力改變所造成之折射率改變，此種方式非常強固。

7.4.6 麥克風設計考量

(1) 靈敏度

麥克風設計上首先應考慮的就是靈敏度，而電容式麥克風通常需配合前級放大器等一起設計及製作，故會造成比較上的差異[119]。因此通常以開路 (open circuit) 時所測得之靈敏度作為比較之標準，而開路靈敏度 ($S_{o.c.}$) 事實上代表了機械 (S_m) 及電路 (S_e) 上的靈敏度總

表 7.16 矽電容式傳聲器比較表。

隔膜／背板	空氣間隙 (μm)	靈敏度 (mV/Pa)	開路靈敏度 (mV/Pa)	EQNL (dB(A) SPL)	頻寬 (kHz)	電容 (pF)	偏壓 (V)	設計者
Si₃N₄/Si	2		4.3	54	2	1.4	28	Hohm 86
		3		<25	20	1.1	28	Kuhnel & Hess 92
		5.4	14.2	39	9		10	Zou 96
Si₃N₄	3		7.8	30	14	8.6	5	Scheeper 93
Mylar/Si 駐極體	30	3			5			Hohm 84
	20	19	25		15			Sprenheels 88
Polyester/Si 駐極體		4−8		30	15	2		Murphy 89
Si/glass	4	1.1−10	1.4	31.5	16	3.5	16	Berquist 90
	5−7.5	2.4		38	10		20	Bourouina 92
Si	2	1.6		40	20		5	Berquist 91
Si/Au-Ni			20		7		40	Berquist 92
Si/Cu	3	1.4		43	14		28	Berquist 94
Si/Al		.075			3		2	Horwith 95
Poly Si		.065		58	20		5	Kouars 95
Mylar/steel 駐極體		12		23	8			Knowles EK3024
Polyimide	1.5		10	26	15			Twente Univ.

和，可表示為

$$S_{o.c.} = S_m S_e \tag{7.75}$$

而麥克風響應範圍通常低頻限由電路特性所主導，而高頻限則由機械特性所控制。其中機械靈敏度 S_m 乃是定義為當隔膜上之壓力差造成之隔膜撓曲，亦即 $S_m = dw/dP$。但是背電極 (或背板) 應夠堅硬，不會對聲壓產生反應，對於以多晶矽製作之背板而言，厚度必須超過 3 μm。

假如麥克風採用圓形隔膜 (半徑為 R) 且具有大的張應力，則隔膜機械靈敏度 S_m 如下式所示：

$$S_m = \frac{R^2}{8\sigma_d h} \tag{7.76}$$

其中 σ_d 為隔膜張應力，h 為隔膜厚度。此公式假設，背室內之空氣壓縮不會影響隔膜之動作。實際量測結果如圖 7.100(a) 所示。如欲得到高機械靈敏度 S_m，必須採用低應力之隔膜

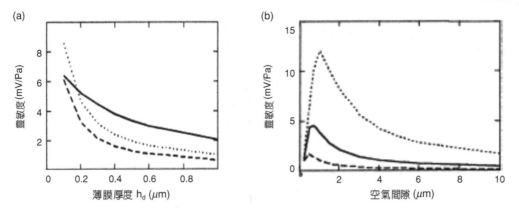

圖 7.100 (a) 靈敏度與厚度的關係圖 (1 mm^2 不同間隙之方形隔膜，____：0.5 μm、......：1.3 μm、－－－－：2 μm，V_b = 5 V，σ_d = 130 MPa)，(b) 靈敏度與間隙的關係圖。

材料，儘量使得隔膜薄且面積大，除此之外，隔膜與背板之間隙亦儘量減小，但如圖 7.100(b) 所示並非等比增加，最大值出現在約 1.3 μm。總之如欲得到高靈敏度，可使用較薄低應力或低彈性係數之材料來製作隔膜。

　　但是小間隙會造成流動損失，而使得麥克風響應在高頻時會因此而變小，亦即間隙變小造成機械阻尼上升而影響高頻響應。此問題可以藉由在背板上製作聲孔 (acoustic hole) 來解決，傳統上助聽器麥克風亦使用聲孔來減少阻尼，但是使用微加工技術可以大幅增加聲孔數目，以降低大幅減小間隙造成之影響。間隙造成之空氣流動阻力 (R_a) 可以下式表示 (圓形面積，半徑為 R)：

$$R_a = \frac{12\eta_a}{\pi^2 R^2 n t_a^3}\left(\frac{1}{4}\ln\frac{1}{A} - \frac{3}{8} + \frac{1}{2}A - \frac{1}{8}A^2\right) \tag{7.77}$$

其中 η_a 是空氣之黏性 (17.1 × 10^{-6} Pa·s)，t_a 為間隙大小，n 為單位面積之聲孔數目 (聲孔密度)，而 A 是聲孔面積對背板面積之比例 (0 < A < 1)。

　　假如所加之電場近似一常數，電容式麥克風的電路靈敏度 $S_e = dV/dt_a$ 通常可以簡化為 $S_e = V_b/t_a$，其中 dt_a 是間隙的改變，V_b 是所加直流偏壓 (或是來自儲存電荷)。假如 V_b 很大而 t_a 很小，S_e 將變得很大。但實際上，上述變數皆有極限，無法增加太大。例如直流偏壓過大會造成隔膜與背板之間因為靜電吸引而造成塌陷 (collapse)，此塌陷電壓與機械靈敏度通常成反比關係；亦即如果增加機械靈敏度，可容許之塌陷電壓將減小，設計時必須小心。除此之外，一般假設背板必須相當堅硬，不然可容許之塌陷電壓將更小。完整電容式麥克風本體的等效電路圖可以如圖 7.101(a) 所示。不過一般電容式麥克風加上放大電路之後，簡化電路則如圖 7.101(b) 所示。

　　如果將麥克風隔膜模擬成一薄板 (plate)，其響應主要將由彎曲剛度 (flexural rigidity, D) 及張力所決定。其中曲性剛度主要由材料特性及結構決定：

(a)

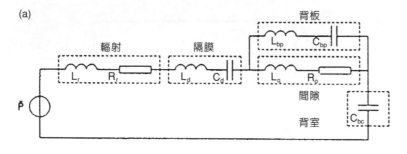

(b)

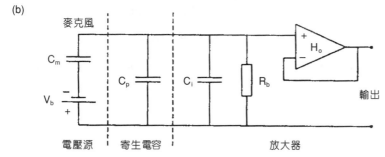

圖 7.101
(a) 電容式麥克風本體的等效
電路圖，(b) 加上放大電路的
等效電路圖。

$$D = \frac{Et^3}{12(1-v^2)} \tag{7.78}$$

張力 (T) 則主要由薄板材料之殘餘應力決定。此應力主要決定於沉積方式、溫度等條件，可表示為 $T = \sigma_r t$。而一邊緣夾緊之方形(邊長 a、厚度 t 而密度 ρ) 薄板之撓曲可以下列公式表示之：

$$-D\nabla^4 w + T\nabla^2 w = \rho \frac{\partial^2 w}{\partial \tau^2} \tag{7.79}$$

而此邊緣夾緊之方形薄板的自然共振頻率 (f_{res}) 如下式表示：

$$f_{res} = \sqrt{\frac{1}{\rho}\left(\frac{D\pi^2}{a^4} + \frac{T}{2a^2}\right)} \tag{7.80}$$

　　一般使用低應力材料製作之隔膜，將會對外來之應力非常敏感，例如封裝引入之應力可能造成隔膜挫曲 (buckling)，而使得麥克風損壞。同時此挫曲現象亦會造成電容輸出隨著溫度而改變，如圖 7.102 所示。故封裝是在一開始開發產品時就必須考慮的。

　　如果以圓形薄板作為隔膜，一直保持平整且位移很小，則塌陷電壓可以以下列公式計算：

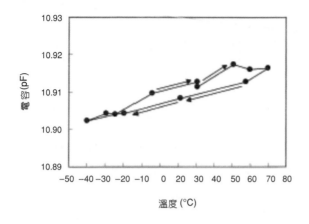

圖 7.102
電容輸出因為挫曲而隨著溫度改變。

$$V_p = \sqrt{\frac{8}{27}\frac{kt_a^3}{\varepsilon A_e}} \tag{7.81}$$

其中 k 為隔膜之等效彈性係數，ε 為空氣介電常數，而 A_e 為隔膜之等效面積。k 值可以從隔膜應力中計算出：

$$k = 8\,\pi\sigma h \tag{7.82}$$

其中 σ 為隔膜之張應力，h 為隔膜厚度。

　　對於小位移、具有大應力之氮化矽方形隔膜，駐極體式麥克風之開路靈敏度可以下式估計：

$$S_{\text{o.c.}} = \left[\frac{t_e\sigma_e}{\varepsilon_0(t_e + \varepsilon_e t_a)}\right]\left[\frac{a^2}{2Ct\sigma_n}\right]R \tag{7.83}$$

其中 t_e 為駐極體厚度，σ_e 為駐極體表面電荷，t 為氮化矽隔膜厚度，σ_n 為氮化矽隔膜之應力，真空下 $\varepsilon_0 = 8.85 \times 10^{-12}$ F/m，一般 Teflon 之 $\varepsilon_e = 1.9$，氮化矽之 $C = 3.04$，R 為電極對隔膜之比例。

　　阻尼太大 (例如由小間隙造成) 會改變頻率響應，可藉由聲孔比例調整，但是太小亦會造成薄膜振動過大而破裂，必須小心。通常微機電電容式麥克風得到最大靈敏度的設計步驟如下：

1. 由製程決定最佳之間隙距離。
2. 使用低應力材料或其他方式 (如摻雜或三明治結構) 來減小張力。
3. 依照工程規格決定最小之隔膜大小。
4. 增加背板上聲孔之比例以增加切斷頻率 (cutoff frequency) 及減少小間隙帶來之阻尼問題。

(2) 雜訊

　　電容式麥克風的另一重要特性為雜訊性能，其來自機械及電子兩方面[121,122]。機械雜訊主要來自隔膜材料本身熱擾動，此熱擾動之等效壓力為

$$P = \sqrt{kTc} \tag{7.84}$$

其中 k 為波茲曼常數，T 是絕對溫度，c 是麥克風聲音阻抗。此聲音阻抗隨著背室體積縮小而增加，此對微加工之麥克風不利。據估計，一個 1 mm^3 之背室其熱擾動雜訊約為 30 dB SPL。主要的雜訊來自偏壓上的電阻、前級放大器及麥克風與前級放大器的封裝之阻抗，如一部分來自場效電晶體 (field effect transistor, FET) 的通道 (channel) 雜訊，一部分來自偏壓元件及封裝漏電流的電阻造成之熱雜訊。這些不同來源之雜訊有些可以設法減少，有些則無法減少。除此之外，還得注意打孔後背板必須相當堅硬 (相對上)，而背室亦必須有相對較大之體積以使得靈敏度增加、等效雜訊位準下降，而較大開孔率亦可減少雜訊。

　　另外，對於電磁干擾雜訊，麥克風應該「GSM 免疫」，亦即對於從 DC 到幾個 GHz (手機發出干擾) 不可太敏感。

(3) 材料

　　材料應力來源有內應力、外應力及熱應力，對於麥克風隔膜而言，內應力可能是最重要的。目前已採用之低應力材料有低應力 Si$_x$N$_y$、單晶矽、三明治結構及多晶矽等。最常被採用的為低應力 Si$_x$N$_y$，而非一般習用之高應力 PECVD Si$_3$N$_4$，如果採用其他製程如 LPCVD 多晶矽，則需要藉由不同摻雜磷及高溫退火等方式，以調整其內部應力且可以得到相當薄之厚度。除此，藉由適當摻雜可使得多晶矽亦具有導電性，如此就不需額外之電極。目前亦有嘗試以多晶矽鍺 (poly SiGe) 來製作麥克風，因為此材料不但內應力低且可以均勻沉積 (conformally deposited)，另外摻雜溫度小於 500 °C。多晶矽鍺如果鍺的含量較高，則可以用 NH$_4$OH 和 H$_2$O$_2$ 來蝕刻而不會影響同晶片上之 CMOS 元件。此外，多晶矽鍺製作之結構層及犧牲層可以在同一反應室中製作，僅需改變其鍺比例即可。單晶矽是眾所周知的低應力材料，但不易得到非常薄之薄膜，SOI 晶圓有可能提供非常薄之薄膜，但太昂貴。

　　低應力隔膜必須注意外來應力之影響，包含封裝上之影響。三明治結構是另一選擇，但製程掌握非常重要。例如總和之應力 (σ_{total}) 可以下式表示 (假設各層薄膜之波松比 (Poisson's ratio) 相同)：

$$\sigma_{total} = \frac{\sigma_1 t_1 + \sigma_2 t_2}{t_1 + t_2} \tag{7.85}$$

其中 σ_i 及 t_i 分別代表各層薄膜之應力及厚度，可以藉由厚度調整及使用壓應力及張應力等不同性質來互補。除了尋找製作低應力材料之外，另一種解決方案就是使用彈性係數非常

小之材料，例如高分子聚合物是最常被考慮的材料，但是其不能忍受高溫製程是最大缺點。

(4) 改善結構

　　除了從材料著手，另一種方式則是從機械結構設計著手。例如隔膜之邊緣懸掛部分對其機械靈敏度有相當之影響，如果減低邊緣懸掛剛性，如圖 7.103 所示，將可增加機械靈敏度。

　　另外波狀結構 (corrugated) 隔膜可有效降低初始之應力影響 (已廣泛用於實際產品，如浪板等) 及增加靈敏度，通常可用來減少殘餘應力之影響及減少隔膜大變形時之堅硬 (stiffening) 現象，但也會造成隔膜之靜態位移 (由於應力及製作上之不對稱造成)。根據研究報告，在初始應力為 50 – 100 MPa 範圍時，使用波狀結構隔膜，如圖 7.104 所示，將可比一般平版結構之隔膜增加五倍以上之靈敏度，並且溫度及封裝之影響亦會減少。

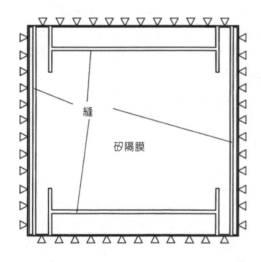

圖 7.103
邊緣懸掛剛性減低之隔膜。

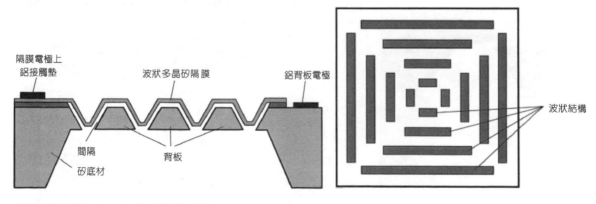

圖 7.104 微細加工之波狀結構隔膜。

除此之外，夏威夷大學首先採用懸臂式隔膜，將一般隔膜之邊緣夾緊處移除其中三處，可以大幅增加其位移量，他們亦使用此方式配合壓電驅動來製作揚聲器。

(5) 封裝

封裝除了前述影響應力及輸出之外，通常亦是產品的主要成本項目 (可佔七成以上)[122]。最重要的是，必須考慮某種程度之氣密性，以防止灰塵等進入間隙部分而破壞了麥克風，以及提供對抗外力的保護，而濕度及其他的污染源亦是必須注意的事項。對於微加工製作之麥克風而言，間隙及聲孔等遠比傳統製作麥克風更小，亦即更易受到各種外在環境干擾。如果要避免麥克風不受上述因素之影響，必須採用不同方式提供適當阻尼，或是封裝時必須提供保護，氣密方式乃是一般採用對策。

目前丹麥的 Microtronic A/S 公司則嘗試使用晶圓級封裝 (wafer-level packaging) 方式，包括晶圓接合 (bonding) 與堆疊 (stacking) 以及覆晶 (flip chip)，來解決上述問題。他們正努力以一種不需助焊劑 (fluxless) 覆晶封裝來達到氣密圈以降低成本，如圖 7.105 所示。除此，必須提供對電磁波之遮蔽 (尤其是電容式麥克風具有高阻抗易受輻射雜訊之影響)，傳統麥克風以金屬外殼來提供遮蔽，對於微加工方式製作之麥克風可以考慮在外表鍍上金屬膜或導電性高分子材料來提供遮蔽。氣密在麥克風並不容易完成，因為聲壓必須到達麥克風之隔膜，亦即聲音進口及平衡之通風孔 (ventilation hole) 必須外露。有研究人員嘗試以微加工之結構保護上述兩開口，或是使用高分子材料來達到氣密效果。堆疊通常使用至少三片以上之晶圓：一片作為背室，一片作為前室提供感應隔膜，另一片則為前級放大器晶圓。此種方式電路通道 (feedthrough) 會造成製作上問題，必須審慎考量，除此如果不需全部以晶圓級封裝製作，反而可以提供製作上的自由度。例如前級放大器可以單獨製作，最後再以個別晶粒組合，也許可以節省使用面積及不同來源之前級放大器。

如前所述，封裝導致之應力會造成麥克風性能上之改變，尤其是以低應力材料製作之隔膜。此應力可能來自不同之麥克風晶粒與底部封裝材料具有不同之熱膨脹係數且在高溫

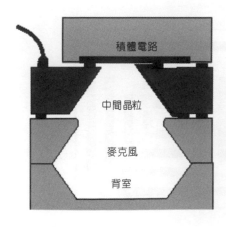

圖 7.105
晶圓級及覆晶封裝之麥克風。

進行接合，此在室溫下可能造成隔膜過度變形，會在溫度循環下造成類似磁滯現象，甚至可靠度發生問題。

7.4.7 DARPA 相關研究

美國國防先進研究計畫局 (Defense Advanced Research Project Agency, DARPA) 基於國防需求及對於未來聲音感測器發展的重視，特別設立基金鼓勵研發聲音微感測器 (http://www.darpa.mil/MTO/sono/)。其中有不少佳作，在此僅舉數例供參考。

(1) 貝爾實驗室

貝爾實驗室 (Bell Lab) 採用仿生 (biomimic) 的觀念，利用面型微加工方式製作金字塔式立體結構，以模擬蒼蠅的收音構造，如圖 7.106(a) 所示。一般面型微加工方式製作麥克風有易與 IC 製程整合之好處，但是由於犧牲層製作之極限，造成間隙過小而阻尼變大之缺點，而具有此種結構將可克服上述缺點。此麥克風大小為 $300 \times 300 \ \mu m^2$，可以忍受超過 1000 g 的力量。其頻率響應亦相當不錯，如圖 7.106(b) 所示，可以達到 50 mV/Pa 以上，表現非常突出。

(2) JPL 實驗室

美國 JPL 國家實驗室 (Jet Propulsion Laboratory) 亦提出一個嶄新的聲音偵測概念，也是採用仿生的方式，模擬前述之側線器 (lateral line organ)，稱之為立體纖毛 (stereocilia)，如圖

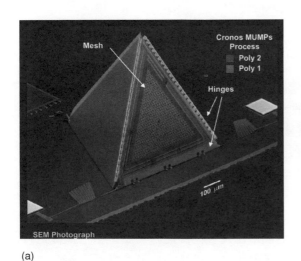

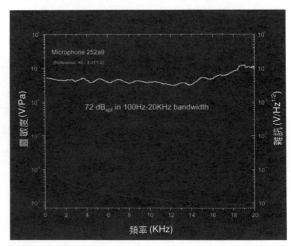

(a)　　　　　　　　　　　　　　(b)

圖 7.106 (a) 貝爾實驗室金字塔式麥克風，(b) 其頻率響應。

圖 7.107

JPL 立體纖毛聲音偵測器。

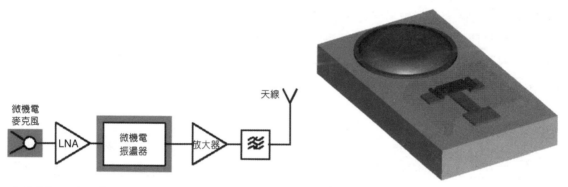

圖 7.108 加州大學洛杉磯分校無線麥克風示意圖。

7.107 所示。利用微加工技術在隔膜上製作出立體纖毛，隔膜上則利用壓阻應變感測器來量測因微流量 (來自流體) 所造成立體纖毛之位移。

　　利用奈米碳管 (carbon nanotube) 製作出立體纖毛，直徑可從 10 nm 到數百 nm，而長度可達 100 μm。在此立體纖毛可視為機械應力放大機構，如果再進一步整合立體纖毛陣列，不但所需面積仍然不大、具方向性辨認、非常靈敏，且訊雜比大為改善。預期未來可進一步製作聲音的影像偵測器，甚至可能如蝙蝠一般作為致動器發出超音波。

7.4.8 無線麥克風

　　無線麥克風已是一相當成熟之產品，但是所需面積過大且耗費能源。如果結合微機電技術在無線通訊領域之發展，則整合型之無線麥克風不但可以提供微小化及高性能，耐久性亦將大為提高。如圖 7.108 所示，為美國加州大學洛杉磯分校所製作之無線麥克風的示意圖[123]。

7.4.9 微加工之麥克風陣列

　　如果以微加工製作單一麥克風，由於可能之繁複加工程序及封裝成本仍佔主要部分，雖然有上述諸項優點，但是目前似乎只有在助聽器等需要高度整合之高附加價值產品上引起重視，在其他民生低價高量產品上仍待突破。但是如果能善加發揮其在整合及微小化上之優勢，將可另外開創未來電聲產品之新應用及境界。以下介紹一個 2002 年仍在進行之研究，其中即發揮了微細加工麥克風的優點來製作以往傳統式麥克風所無法達成之新境界。

　　加拿大研究人員提出了使用微加工麥克風製作成陣列 (3 × 3) 型式，以達成動態可變方向靈敏性 (dynamic variable directional sensitivity)[124]。據研究測試結果顯示，此微小化陣列在聲束操引 (beam steering) 時仍可以產生不錯之固定聲束寬 (beamwidth)。他們採用 3 × 3 電容式麥克風來製作此陣列，每個相距 250 μm，全部尺寸為 4 × 4 mm²。其中麥克風採多晶矽鍺製作之方形隔膜，而背板是以 SiN 製作，靈敏度可達 13.5 mV/Pa。此聲音偵測陣列乃是為了作為聽覺儀器而設計，設計規格特性如表 7.17 所列，以聲樑操縱方式可以減小背景雜訊及從偵測環境而來之反響，可以有效地增強聽覺儀器的效果，其外形示意如圖 7.109 所示。

　　一般麥克風之方向性靈敏度可以如圖 7.110 所示，基本上麥克風對於各個方向皆有相同靈敏度，此也造成許多背景雜訊被收錄進來，造成未來訊號處理 (假如必須) 的困擾。但如果使用麥克風陣列 (線性或矩型) 則可以改變收錄聲音之方向性型態，藉由訊號處理可以增強或減少某個方向訊號，造成聲束成形 (beam forming) 如圖 7.111(a) 所示，此即為空間過濾 (spatial filtering)。另一種方式即是更進一步藉由訊號處理動態性調整聲束，其中每一個麥克風藉由訊號處理決定接收訊號延遲的程度，如圖 7.111(b) 所示，稱為聲束操引。

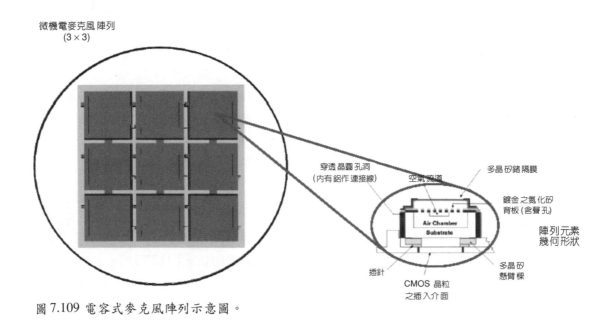

圖 7.109 電容式麥克風陣列示意圖。

表 7.17 電容式麥克風陣列特性。

設計參數	值
陣列尺寸	4×4 mm
麥克風之間距	250 μm
麥克風陣列之數目 (M×N)	3×3
隔膜面積	1×1 mm
隔膜厚度, t	0.8 μm
空氣間隙厚度, d	2 μm
背板厚度, h	1 μm
隔膜材料	Poly-SiGe
偏壓, V_b	12 V
靈敏度 @ 1 kHz, S	13.5 mV/Pa
切換頻率 (Cut-off frequency), f_c	18 kHz
麥克風電容, C	4.42 pF
空氣出口剖面	125×250 μm

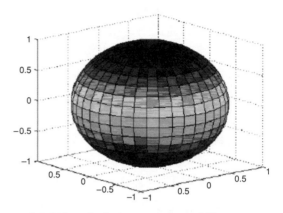

圖 7.110 一般麥克風之方向性型態。

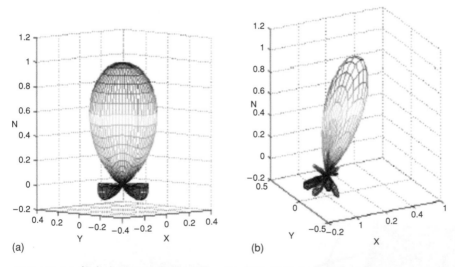

(a) 　　　　　　　　　　(b)

圖 7.111 (a) 聲束成形之方向性型態，(b) 聲束操引之方向性型態。

　　早期製作聲束操引所需之麥克風陣列，往往以空間距離來提供所需之訊號延遲，此對於微加工之麥克風相當不利，因為所需之距離相當大 (聲波波長的二分之一，約在釐米等級)。但是如果藉由電子訊號處理 (微機電技術可以與 IC 製程整合成系統晶片)，將可以提供電子延遲，如此微加工之麥克風陣列將可以順利製作，其結果如圖 7.112 所示。

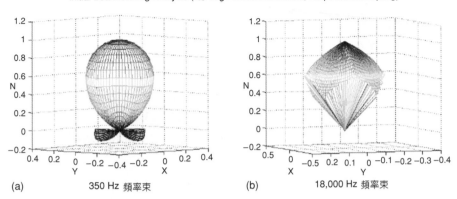

圖 7.112 微細加工之麥克風陣列聲樑操縱之方向性型態。

7.4.10 微機電揚聲器

　　一般而言，如果揚聲器越大表示隔膜可以振動幅度越大，其所能提供聲壓將越大。從此觀點來看，以微機電技術來製作揚聲器無法提供所需之聲壓，除非此揚聲器置於耳內，因為置於耳內，所需之振幅並不需太大即可「聽到」[125,126]。故目前助聽器製造商正積極研發微機電技術來製作揚聲器，以真正整合成單一助聽器，其需求參見表 7.18 所示。設計時必須考慮揚聲器及耳道的體積，但是計算耳內容積及所需推動之隔膜振幅，目前可能仍以電磁式驅動方式較佳。但是如果採取外加電磁，勢必體積將無法縮小，且無法有效利用批次生產方式來降低成本。目前所發表的研究論文相當少，主要原因包含有：傳統電磁感應結構不易用平面微加工方式製作，且許多電磁薄膜新材料及特性都在研究中，離實際應用尚有段距離。目前最積極研究的當屬丹麥的 Microtronic A/S 公司，其嘗試採取軟磁性材料 FeSi (鐵磁材料，ferromagnetic) 作為晶圓基材，如圖 7.113 所示，在其上製作出所需之驅動結構、多層感應平面線圈及隔離塊等。

表 7.18 助聽器揚聲器之需求。

需求	值	註解
供應電壓	1.2 V	電池
音壓位準 (SPL) 輸出	106 dB @1 kHz in 2 cm³	對等於在 2 cm³ 測量管之 0.081 mm³ 之體積撓曲 或等效 4 Pa 壓力
耗損功率	0.5 mW@ 1 kHz	由於電池壽命
每次隔膜來回可得能量 (@1 kHz)	125 nJ	電機訊號在 1 kHz 及 0.5 mVA 下的四分之一週期
每次隔膜來回之機械能量	E_{mech} = 23 nJ	在 2 cm³ 體積相對於 5.6 Pa 尖峰壓力之能量

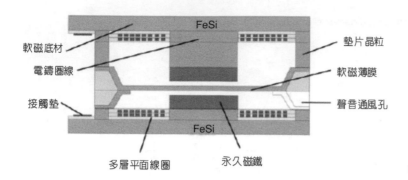

圖 7.113
鐵磁材料製作之揚聲器。

7.4.11 結語

　　過去麥克風製作多由機械出身的人員從事，因此需要聲學背景的人員，後來由於需放大器及與電子系統整合等需求，電子相關人員逐漸進入，形成所謂電聲產品。但是展望未來，藉由微機電技術之引入，勢必有另一波之革命，未來的聲音傳感器將是什麼型態及其帶來之影響，皆有待觀察，但是其研發與製造所需人才及背景，勢必將越來越多樣化。除了傳統機械、電機人員，以後勢必要有 IC 設計、微機電設計與製程、無線通訊甚至生物背景人員參與，未來研發與製造將由以往傳統科技跳躍至高科技。

7.5 其他感測器

7.5.1 光感測器

　　隨著通訊、電腦與網路科技的蓬勃發展，各種資料必須在通路上高速傳輸，而光通訊系統由於寬頻且傳輸速度快，因此在傳輸系統中扮演非常重要的角色。光感測器是光通訊系統中相當重要的一個元件，負責光訊號的接收。

　　微機電系統可廣泛應用於生化分析、汽車感應系統及監測設備等，因此光感測器也是多種微機電系統中必備的元件。

　　光感測器在光通訊系統及微機電系統中主要的功能是將接收到的光訊號轉換成電訊號，方便後續的訊號處理。其主要原理是利用光對元件的照射會改變元件本身的導電性質，藉由這項性質的改變來偵測是否接收到光訊號。

　　在光通訊系統方面，長距離光通訊系統中主要使用的光源波段為 1.3 或 1.55 μm，因為這些波段的光經長距離光纖傳輸後光的損耗較低[127,128]。而短距離的光通訊系統則以 0.83 μm 波段為主。因此，0.83、1.3 及 1.55 μm 等各種光感測器曾被廣泛地製作和研究[129-136]。

7.5.1.1 光感測器的特性

第 7.5.1 節作者為洪志旺先生與林哲歆先生。

　　光感測器有幾個主要特性，包含響應度 (responsivity, R)、量子效率 (quantum efficiency)、響應頻寬 (response bandwidth) 及靈敏度 (sensitivity) 等。當波段合適的光照射到元件的半導體材料時，由於半導體吸收光的能量，因此在內部會產生許多的光生 (photo-generated) 電子與電洞兩種載子，這些電子與電洞藉由施加於元件的偏壓所產生的電場之作用便會分別往正負電極移動，如此便可量測到照光時元件的光電流。簡言之，即元件照光後其等效電阻值會降低。而所謂響應度是指元件照光時所得到的光電流對入射光功率的比值，其公式定義如下：

$$R = \frac{光電流}{入射光功率} \quad (單位：A/W) \tag{7.86}$$

　　量子效率的意義則為每個入射光子所能產生的光生載子數，因而響應度和量子效率呈現正相關，響應度愈大的光感測器其量子效率也愈高。

　　一般來說，要推算元件的響應頻寬須知道該元件受光零寬脈衝 (light impulse) 照射時暫態響應 (transient response) 的半高寬 (full-width at half-maximum, FWHM)、上升時間 (rise time) 及下降時間 (fall time) 等。有了元件暫態響應的波形，亦可藉由傅利葉轉換 (Fourier transform) 得知元件的可操作頻寬。理想的暫態響應情況是當入射光脈衝開始 (停止) 照射元件時，元件光電流能即時產生 (消失)，如此才不會造成光偵測上的錯誤，進而降低位元錯誤率 (bit error rate, BER)。然而，受限於元件的 RC 時間常數、載子的通過時間 (transit time)、載子生命期 (lifetime) 等因素的影響，一般光感測器在操作時無法達成如此完美的表現，尤其是在下降時間方面。因為當光脈衝過後，那些還來不及被電極收集而即時貢獻光電流的光載子仍然在元件內部藉由擴散 (diffusion) 或漂移 (drift) 持續流向電極而產生元件的尾部 (tail) 光電流，此現象容易造成光偵測上的錯誤，進而降低元件的響應頻寬。因當下一個光脈衝已到來而前一個光脈衝產生的光生載子還沒完全被電極收集，如此將難以判斷下一個光脈衝到底在何時入射至光感測器。如果在光脈衝照射期間，光生載子能即時迅速地被電極收集產生光電流，而且在光脈衝過後，那些未被電極收集到的光生載子能迅速在元件內部復合 (recombination) 而消失，即時降低尾部光電流，則元件的響應頻寬可大幅提升。因此有許多研究人員嘗試在元件中利用一些高缺陷 (defect) 的材料，有效縮短光生載子的生命期，提高光生載子的復合速率，進而提升元件的可操作頻寬或速度[137-139]。但此舉亦會降低元件的響應度，在此節的範例中將有更詳細的說明。

　　事實上，元件響應度和響應頻寬通常呈現負相關，亦即兩者之間常需妥協。就響應度而言，要增加元件的響應度，需增加元件吸光層的體積，如此在照光後才能產生較多的光生載子，但較厚的吸光層會使部分光生載子到電極之間的距離變長，載子通過時間較長，因此在光脈衝過後，這些光生載子藉由擴散或漂移還需要一段時間才能到達電極，無法即時收集到的光生載子數目將會增加，如此會使元件的可操作頻寬變小。因此，通常在元件響應度和操作頻寬之間必須有某種程度的妥協。有一些研究人員將元件效率和可操作頻寬

的乘積 (efficiency-bandwidth product) 作為另一個元件特性的指標參數，若元件的此參數值愈高即表示該元件的特性愈好[136]。

上述這些光感測器的特性會隨入射光的波長而變，尤其是元件的可操作頻寬受入射光波長的影響最為明顯。由於半導體材料通常對短波長的光有較大的吸收係數 (absorption coefficient)[140]，因此，短波長的光入射到半導體內的入射深度通常較淺，如此則光生載子將會產生在靠近元件表面的區域。而通常元件的電極是做在入射面，因此主要的光生載子到電極之間的距離較短而可被電極迅速收集，所以當光感測器所偵測的入射光波長較短時，元件的可操作頻寬變高。但對較長波長的入射光而言，由於半導體材料對長波長的光有較小的吸收係數，因此，長波長的光入射到半導體內的入射深度較深，相較於短波長入射光的入射深度可高數十甚至數百倍。因此，如果入射光波長較長，電極將不易即時收集到所有的光生載子，因有些光生載子產生在遠離電極的地方，所以元件的可操作頻寬將不易提升。光通訊系統所使用的光波段相對而言均為較長波長的波段，因此在提升光感測器的可操作頻寬上更具挑戰性。

元件靈敏度 (sensitivity)，或稱為感測度 (detectivity)，是描述光感測器所能辨別之最低入射光功率的重要指標。元件靈敏度除了受吸光半導體材料本身性質的影響外，還有許多其他的參數會影響元件靈敏度，例如元件內部的接面及串聯電阻 (junction and series resistances)、外接的負載電阻 (load resistance)、元件本身在沒照光時既有的暗電流 (dark current)、背景輻射所造成的光電流等都會影響光感測器的靈敏度，因為這些參數都會使元件在操作時的雜訊增加。例如，接面電阻、串聯電阻或外接的負載電阻都會產生額外的熱雜訊 (thermal noise)，而元件本身在沒照光時的暗電流及背景輻射所造成的光電流也會貢獻發射雜訊 (shot noise) 或產生－復合雜訊 (generation-recombination noise)，因為當背景輻射熱能在元件內產生電子電洞對的過程中，載子的產生及復合都會產生雜訊，而上述這些雜訊均會大幅影響光感測器所能辨別的最低光入射功率。光感測器的靈敏度和雜訊等效功率 (noise-equivalent power, NEP) 呈現倒數的關係。雜訊等效功率是指在 1 Hz 的頻寬下元件產生訊雜比 (signal-to-noise ratio) 等於 1 時所需的入射光均方根 (rms) 功率。雜訊等效功率參數愈小表示元件的雜訊越低，因此靈敏度可顯著提升。

7.5.1.2 製作光感測器的材料

光感測器元件的材料一般以矽 (矽化鍺) 或三－五族化合物等半導體 (如砷化鎵、砷化銦鎵等) 為吸光材料較為常見，砷化鎵、砷化銦鎵等化合物半導體由於具有直接能隙，且其內部的電子或電洞具有較高的移動度 (mobility)，因此利用這類材料製作的光感測器通常具有較高的響應度及操作速度。但是也有一些缺點，如製作費用相對於矽質材料較為昂貴，且其不易與現有相當成熟的矽製程技術整合，因此，即使矽為非直接能隙材料，但矽或其化合物仍然常被採用作為光感測器的材料。

7.5.1.3 光感測器的種類及結構

　　光感測器元件的結構一般言之主要有光導體 (photoconductor)、崩潰型光二極體 (avalanche photodiode)、光電晶體 (phototransistor)、*p-i-n* 光二極體 (*p-i-n* photodiode) 及金屬－半導體－金屬 (metal-semiconductor-metal, MSM) 光偵測器等結構。上述部分元件種類，如光導體、崩潰型光二極體及光電晶體等可產生光增益 (gain)，而其餘的則無法獲得光增益。

(1) 光導體

　　光導體是以半導體本身為吸光材料，且將此吸光層兩側以歐姆接觸 (ohmic contact) 的電極接出，其結構如圖 7.114 所示。此元件被照光時，光子激發半導體內價帶 (valence band) 或在能隙中能階的電子到傳導帶 (conduction band)，因此，照光時，由於元件內可自由移動的載子數目大幅增加，光導體的導電度亦隨之大幅增加，如此便可將光訊號轉換成電訊號。

(2) 崩潰型光二極體

　　崩潰型光二極體的基本元件結構為一個 *p-n* 二極體，當二極體操作在相當大的反向偏壓之下，在 *p-n* 接面的空乏區內將產生相當大的電場，光生載子產生後經過空乏區時便會獲得相當高的能量，可藉碰撞游離 (impact ionization) 的方式在元件內產生更多的載子，因此光訊號可有效地被放大為電訊號。由於這種元件是操作在相當大的反向偏壓下，所以元

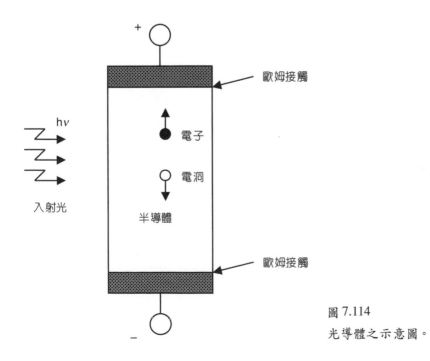

圖 7.114

光導體之示意圖。

件內部結構的設計需特別留意，例如在 *p-n* 接面處或電極和半導體接面處都應避免較尖銳 (sharp) 的結構，因為當元件操作在相當大的反向偏壓時，由於這些較尖銳的地方具有較大的電場，容易造成元件從這些地方崩潰。在雜訊抑制的考量下，電子和電洞的游離係數 (ionization coefficient, α_n, α_p) 相差愈大的材料較適合用來製作崩潰型光二極體。當 α_n 與 α_p 相差愈大時，元件的雜訊因子 (noise factor) 將可明顯降低。有些崩潰型光二極體將吸光區和崩潰型增益產生區分開，稱為 SAM-APD (separate absorption and multiplication avalanche photodiode)，在吸光區可使用 α_n 與 α_p 相差較小的材料，而在崩潰型 (增益產生) 區則使用 α_n 與 α_p 相差較大的材料，以降低在增益產生過程中產生的雜訊。

(3) 光電晶體

　　光電晶體其結構示意圖如圖 7.115，其基極 (base) 為主吸光層，因此不與外面的線路連接，此結構射極 (emitter) 端的電流為：

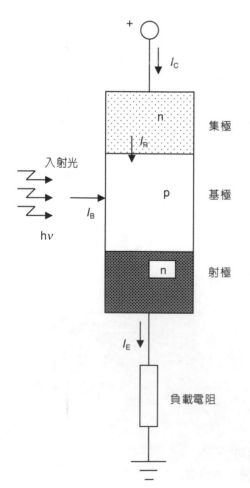

圖 7.115
光電晶體之示意圖。

$$I_E = (I_R + I_B)(h_{FE} + 1) \tag{7.87}$$

其中 I_R 為集極 (collector) 和基極 (base) 接面之反偏飽和電流；I_B 為照光時產生的基極電流，在沒照光時其值為零；h_{FE} 為共射極電流增益 (common emitter current gain)，因此當光電晶體沒照光時，射極端的電流為：

$$I_E = I_R(h_{FE} + 1) \tag{7.88}$$

此值遠小於上述照光時射極端的電流，因此可將光訊號放大。

(4) *p-i-n* 光二極體

    p-i-n 光二極體是以 *i* 層作為主吸光層，因此通常 *i* 層厚度較厚。一般 *p-i-n* 結構的光感測器均為垂直型元件，光由 *p* 或 *n* 層正面入射，因此位於最上層的 *p* 或 *n* 層的厚度需適度地降低，以免光被其大量吸收而無法到達正下方的 *i* 吸光層。*p-i-n* 結構的光感測器其操作方式是加反向偏壓於該元件上，*i* 吸光層會受到 *p-i* 及 *n-i* 界面空乏區電場的作用而在內部形成高電場空乏區，因此當入射的光子在 *i* 吸光層內產生光生載子後，這些光生載子 (電子與電洞) 便會藉漂移而分別往兩邊的電極移動，因此元件在照光時會產生較高的電流。*p-i-n* 結構的元件面積大小及吸光層的厚度必須小心設計，因面積太大的元件會導致 *p-i* 或 *n-i* 接面電容值增加，而太厚的吸光層會導致較高的元件串聯電阻，如此會增加 RC 充放電的時間而使元件的可操作速度降低。有些 *p-i-n* 結構的光感測器會引入分布式布拉格反射鏡 (distributed Bragg reflector, DBR)，用以增加元件的響應度及提高元件的可操作速度[141,142]。分布式布拉格反射鏡是利用折射係數相差較大的兩種材料交互疊加而成，可對某一波段的光產生極佳的反射效果。分布式布拉格反射鏡常用於雷射二極體元件結構，如面射型雷射二極體等。如將光感測器內的分布式布拉格反射鏡設計為針對入射光波段做反射時，入射到元件吸光區而尚未被吸光層吸收的入射光便會持續被上下兩層分布式布拉格反射鏡反射，而持續在元件內的吸光層被吸收，因此可大幅增加入射光被元件吸收的效率，如此則元件的吸光層厚度可適度地降低，進而提升元件的可操作速度。

(5) 金屬－半導體－金屬光感測器

    金屬－半導體－金屬結構的光感測器為平面式元件。一般言之，金屬－半導體－金屬光感測器是以交指式 (interdigitated) 的兩個電極直接和半導體材料接觸，形成蕭特基接面 (Schottky junction)，半導體和金屬間的蕭特基位障 (Schottky barrier) 可有效抑制元件在沒有照光時的暗電流，而光生載子由於具有較高的能量，較容易克服半導體和金屬間的蕭特基位障而被電極收集形成光電流。金屬－半導體－金屬光感測器的交指式電極設計主要是要增加吸光區內的電場，使光生載子能迅速被電極收集。當交指式的電極間距 (spacing) 縮小時，吸光區內的電場增強，光生載子漂移速度變高，可進而提升元件的操作速度。然而，交指式的電極間距並不能無限制往下縮小，因間距縮小會使元件有效受光面積縮小而降低元件的響應度。

7.5.1.4 範例

(1) 範例一

　　圖 7.116 (a) 及 (b) 分別為一個以晶質矽為吸光材料的平面交指式金屬－半導體－金屬光感測器的俯視及側視結構圖[137-139]。本元件製作時利用濕式 (氫氧化鉀水溶液) 蝕刻的方式將 (100) 晶質矽基板蝕刻成溝槽狀，然後再分別鍍上非晶矽層及電極材料。使用氫氧化鉀水溶液濕式蝕刻的方式會在所蝕刻的溝槽底部形成五十四度左右的角度，如圖 7.117 所示。有別於利用乾式蝕刻會造成幾乎垂直的側邊，這種斜坡式側邊可有效防止後續鍍上的金屬電極斷裂。溝槽式電極可增加吸光區內的側向電場，因此可大幅增加被電極收集到的光生載子數量，進而提升元件的響應度。非晶矽由於具有較高的光能隙 (~1.7 eV)，因此可用以增加電極和晶質矽之間的蕭特基位障，從而明顯地降低元件的暗電流。同時由於非晶矽內含有許多的缺陷，可降低照光停止後還沒被電極收集到的光生載子的生命期，因此可大幅增加元件的可操作頻寬。圖 7.118 為此元件之光電流圖，從圖中可看出當蝕刻深度 (d) 增加時，

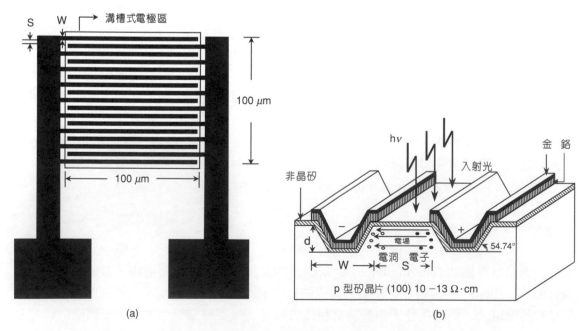

圖 7.116 (a) 平面交指式金屬－半導體－金屬光感測器之俯視結構圖[137-139]，(b) 平面交指式金屬－半導體－金屬光感測器之側視結構圖[137-139]。

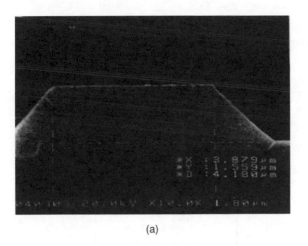

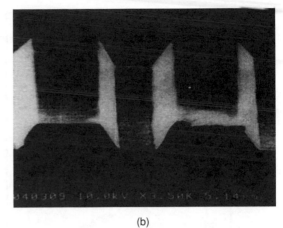

(a)   (b)

圖 7.117 溝槽狀電極之 SEM 圖：(a) 側視圖，(b) 俯視圖[137-139]。

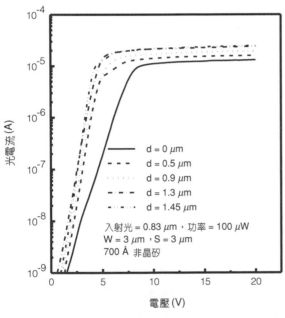

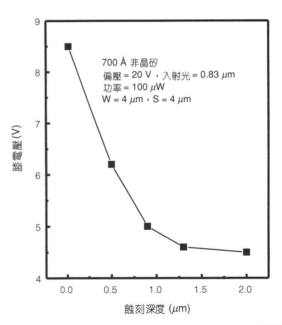

圖 7.118 各種不同蝕刻深度元件之光電流圖[137-139]。   圖 7.119 各種不同蝕刻深度元件之膝電壓圖[137-139]。

元件的光電流明顯增加，此現象的原因為較深的吸光區內仍有側向電場收集光生載子。由於入射光波長 (830 nm) 較長，光可穿透到吸光材料內較深的地方，光生載子也會在較深的吸光區內產生，因此適度增加溝槽深度可顯著提升元件的光電流。圖 7.119 為元件膝電壓 (knee voltage) 和蝕刻深度的關係圖，元件膝電壓定義為元件光電流剛進入飽和區時所對應的轉折處電壓。從此圖可看出蝕刻深度越深膝電壓會明顯降低，此現象顯示增加溝槽式電

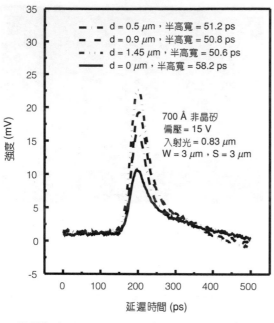

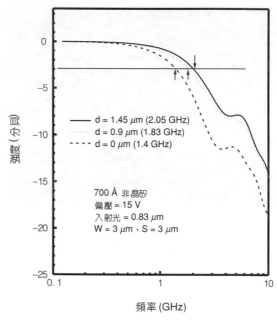

圖 7.120 各種不同蝕刻深度元件之暫態響應圖 [137-139] 。

圖 7.121 各種不同蝕刻深度元件之 3 dB 頻寬 [137-139] 。

極深度可更有效收集吸光區內的光生載子。圖 7.120 為元件之暫態響應圖，由此圖可知當蝕刻深度增加時，由於光生載子更有效地被收集，因此元件的暫態響應半高寬會縮短。例如，當蝕刻深度由 0 增加到 1.45 μm 時，元件之暫態響應半高寬由 58.2 ps 降至 50.6 ps，而使元件可操作頻寬大幅增加，如圖 7.121 所示，其 3 dB 頻寬可由 1.4 GHz 顯著提升至 2.05 GHz。

(2) 範例二

圖 7.122 為一具有分布式布拉格反射鏡之共振腔強化 (resonant-cavity-enhanced, RCE) 光感測器 [129] 。其吸光層為矽和矽化鍺之量子井堆疊，這些吸光區材料具有非直接能隙且吸收係數較低，因此本元件採用矽與二氧化矽疊堆層作為分布式布拉格反射鏡，以提高某一波段的光在吸光層內的吸收量。此光感測器的基本架構為一個 $p\text{-}i\text{-}n$ 光二極體，在反向偏壓下操作時，吸光區 i 層內有較高的電場，因此由光照射所產生的光生載子可被 p 和 n 兩處的電極收集而產生光電流。本元件未照光時之順反偏電流電壓特性顯示此元件在反偏下操作時有相當平穩的暗電流，其崩潰電壓約為 –30 V，崩潰電壓愈大元件可操作的電壓範圍愈廣，而施加較大的反向偏壓可得到較好的元件響應度，因吸光區內的電場會加大。同時由於此元件採用分布式布拉格反射鏡，元件對 1.3 μm 的入射光有相當高的響應度，約為 18.9 mA/W。

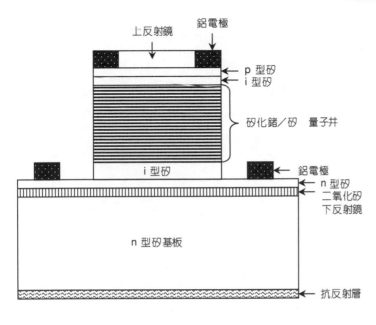

圖 7.122
含 DBR 之 *p-i-n* 結構光感測器[129]。

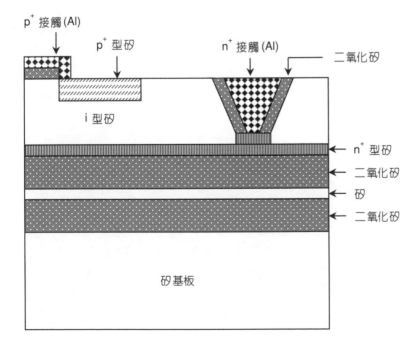

圖 7.123
含 DBR 之 *p-i-n* 結構光感測
器[133]。

(3) 範例三

　　圖 7.123 為一具有下層分布式布拉格反射鏡之 *p-i-n* 結構光感測器[133]，其下半部的矽與二氧化矽反射鏡是利用晶圓接合 (wafer bonding) 的技術製作。此元件的分布式布拉格反射鏡在 800 到 900 nm 光波段具有相當高的反射率 (> 90%)，因此可提高元件吸光層對入射光的吸收量，而此波段光源可應用於短距離光纖通訊系統。此元件在半高寬為 1.6 ps 的入射光照射下所得到的暫態響應之半高寬為 29 ps (以直徑 30 μm 之圓形元件為例)，因此適用於 10 Gbit/s 的傳輸系統。

7.5.2 粒子感測器

　　粒子感測器的主要功能是檢測粒子的數量、位置甚至於動量與運動軌跡等等。現今粒子偵測器的應用可大致分為兩類，第一類是應用於瞭解空氣中除了基本成分之外的懸浮粒狀物質 (particulate matters) 之組成，粒狀物質是由燃料燃燒及工業生產過程所產生之微粒物的通稱，例如懸浮微粒、落塵、金屬燻煙及其化合物、黑煙、酸霧、油煙等等，此類的粒子感測器大部分應用於空氣污染檢測或火警偵測儀器。另一類則廣泛應用於天體學之研究及偵測環境中所存在之輻射，例如閃爍計數器 (scintillation counter) 或蓋格－彌勒計數器 (Geiger-Muller counter) 等放射能的測定器，可用來探勘放射性礦物的礦床。

　　來自天體的輻射主要有高能粒子流、微中子流與電磁輻射等，每一種輻射都攜帶有關天體的一些訊息，所以偵測研究這些輻射，能獲得天體狀態的資訊，其相關的各種感測器也應運而生。

(1) 高能粒子流

　　天體所發出的高能粒子流主要包含電子、質子、α 粒子 (氦原子核) 等，這些粒子帶有電荷且運動速度很快。

(2) 微中子流

　　多數天體會產生大量的微中子流，微中子另稱微子或中微子，是一種以光速 (或近光速) 行進的中性基本粒子。微中子是不帶電且靜止質量為零或很小的基本粒子。它和一般物質的相互作用非常弱，除特殊情況外，在恆星內部產生的微中子能夠不受阻礙地跑出恆星表面，因此探測來自恆星內部的微中子可以獲得有關恆星內部的信息。早期的研究集中在太陽，太陽的能源主要來自內部質子之間的反應，因而會產生大量的微中子。超新星爆發時和宇宙中其他的物理過程也會產生大量的微中子。它很少與物質互相作用，穿透力極強，可以很輕易地由天體的核心跑出來。天文學家已建構微中子感測器，來萃取這部分的訊息。

第7.5.2 節作者為洪志旺先生及葉榮輝先生。

(3) 電磁輻射

數千年來，人類主要靠肉眼可見的星光來觀測遙不可及的天體與天象。可見光僅是電磁輻射 (或稱電磁波) 波段一個極小的部份，現代的天文學家為了窮究天象，早已使用全部電磁輻射的波段。由天體發出的電磁輻射，可視為廣義的「星光」。

7.5.2.1 一般粒子感測器

最常見的粒子感測器有光電式感測器 (photoelectric detector) 與游離式感測器 (ionization detector) 兩種。

(1) 光電式粒子感測器[143]

其原理乃利用感測器內部一端發出光束，另一端則有光感測器偵測此光束的光量。當空氣中的漂浮粒子或煙霧過多時，會遮斷光束，光感測器所偵測到的光量會下降。由光感測器所測得之光量的大小，可判定火災的發生與否，或空氣污染的程度。

(2) 游離式粒子感測器[144]

其內部有一小空腔，此空腔內含有放射性元素 (一般為約五毫克的鋂-241) 可輻射 α 粒子，將空腔內空氣中的氧及氮原子游離成帶電離子，這些帶電離子與游離出的電子受正負金屬電極板靜電力吸引，分別向正負極移動，產生微弱的電流；當微小粒子進入空腔時，會使空腔中空氣的電阻變大，電流減小，藉由偵測電流減小的程度可換算出微小粒子的多寡。

7.5.2.2 高能粒子感測器

高能粒子包含帶電的質子、電子、α 粒子及不帶電的微中子等，目前運用於偵測環境中或天體輻射之高能粒子感測器包含蓋格計數器 (Geiger counter)、雲霧室 (cloud chamber)、閃爍計數器、氣泡室 (bubble chamber) 及固態粒子感測器 (solid-state particle detector) 等。

(1) 蓋格計數器[145]

或稱蓋格－彌勒計數器 (Geiger-Muller counter)，俗稱 G-M 計數器，簡稱蓋格管 (Geiger tube)。在 1928 年由蓋格和彌勒所提出，其基本結構包含兩個電極，中空的金屬圓柱為外電極 (負極)，位於圓柱中心軸的細金屬導線為內電極 (正極)，兩電極相互絕緣。兩電極間充滿不易形成負離子的氣體，一般為鈍氣 (noble gases)，如氦氣 (helium) 或氬氣 (argon)。在正負電極間加適量之電位差，使金屬導線之電位高於金屬圓柱，但仍不足以使氣體離子化。當高能粒子進入圓柱內，會使氣體游離，游離所產生之電子會被帶正電之導線所吸引，並且對著導線方向加速前進，此電子會與其他氣體原子碰撞，並且撞擊出更多的電子。如此依序產生更多之電子，進而發生崩潰 (avalanche) 現象，此時正極之金屬導線可收到一極短的脈衝電流，經由外接至適當的放大裝置，推動計數器而精確推算出高能粒子之數目。蓋格管可偵測多種放線性粒子，包括 α、β 等粒子及間接游離出的 γ 與 X 射線。因輸出訊號較大，所以只需一極放大器的配合即足夠，且構造簡單，故價格較為低廉。

(2) 雲霧室[146]

1912 年由威爾森 (Wilson) 所發明，主要由一中空之玻璃圓柱體所構成，內含有水或酒精蒸氣，頂端覆蓋玻璃視窗，下有一活塞，可調節圓柱內氣體之氣壓。當高能粒子貫穿圓柱體時，沿著軌跡可使蒸氣游離化。若將活塞下拉，圓柱內溫度急遽下降，使感測器內部蒸氣變成過飽和，此時，微小液滴會沿著離子軌跡形成雲霧狀的徑跡，這情形就像噴射機在天空中留下的冰晶軌跡一樣。1932 年時，安得森 (Anderson) 利用威爾森雲霧室從宇宙射線中找到正電子(第一個被找到的反粒子)。

(3) 閃爍計數器[147]

主要是由閃爍器與光電倍增管 (photomultiplier tube, PMT) 所構成。閃爍器通常使用硫化鋅 (ZnS) 晶體、碘化鈉 (NaI) 晶體或有機磷光分子溶液，作為磷光體。當輻射高能粒子傳遞能量給磷光體時，磷光體受激後會釋出螢光，再藉由鄰近之光陰極捕獲後，經光電倍增管轉為電訊號並放大成為計數輻射高能粒子之依據。由於閃爍計數器可感測穿透力極弱的 β 粒子，因此廣泛應用於生物、醫學及環境科學等方面的研究。

(4) 氣泡室[148]

氣泡室在 1952 年由葛萊瑟 (Glaser) 發明，其原理是於容器中盛以液體，當高速粒子在液體中行進時，液體會沸騰而產生一連串的氣泡，所使用的液體一般為液態氫。氣泡室得到的訊號會比雲霧室強，因液體遠比氣體濃稠，可以發生較多的原子碰撞，此外，氣泡室可使帶電粒子偏轉，可用來進一步瞭解這些高速粒子的性質。

7.5.2.3 固態粒子感測器

在早期 80 年代高能物理實驗主要以氣體粒子感測器為主，但隨者半導體工業技術的蓬勃發展，固態粒子感測器已經成為高能粒子感測器的主流。其原因主要有二：
① 在固態粒子感測器中，高能粒子只需損失約 3 eV 的能量即可碰撞產生一對電子－電洞對 (electron-hole pair)，但在氣體粒子感測器卻需要約 30 eV 的能量才能產生一對電子－電洞對，因此利用固態粒子感測器可以獲得較大且較多的統計數據。
② 由於固態粒子感測器所使用的半導體材料的密度遠比氣體粒子感測器中的氣體密度高出

許多,對高能粒子的停止能力 (stopping power) 比氣體高出約 10^3 倍,因此高能粒子在半導體材料中經由與原子核的反應而轉移能量,可以產生大量的電子－電洞對,造成較高的能量解析度 (energy resolution)。一個 1 MeV 的質子在固態粒子感測器中因碰撞而停止可產生 300,000 對電子－電洞對。然而,相同的質子經過同樣大小比例的氣體粒子感測器則僅可產生約 30 對電子－電洞對。

固態粒子感測器主要是跟隨著半導體技術而發展的,其主要材料是以矽和鍺為主。矽較鍺更適合作為粒子感測器的材料,原因主要是矽的能隙 (1.2 eV) 比鍺 (0.7 eV) 高,在偵測高能粒子時,受到溫度擾動之影響較小。目前,固態粒子感測器中具有較高解析度的結構主要有三類:矽漂移腔感測器 (silicon drift chamber, SDC)、電荷耦合元件 (charge-coupled device, CCD)、矽微條感測器 (silicon microstrip detector, SMD 或 silicon strip detector, SSD)[149-155]。

(1) 矽漂移腔感測器

矽漂移腔感測器主要結構如圖 7.124 所示[149,150],以 n 型矽晶片為基材,上下兩面製作相互平行且作為整流用途之長條形 p^+-n 接面,在上面一側,則製作塊狀 n^+ 型區域作為正極接點,並外接至訊號放大器。當操作電壓為反偏時,上下 p^+-n 接面的空乏區會變寬,若電壓持續增加,則空乏區深度隨之增加,直到上下空乏區相遇為止。此時,若有高能粒子射入,則會在整個基材中產生大量的電子－電洞對,電子會由 n^+ 型區塊收集,再經由放大器放大訊號後讀出,讀出訊號之大小可對應到入射粒子所帶的能量,且利用讀出訊號和時間的對應關係可推論出入射粒子在 y 軸方向的位置,再者根據 S_1、S_2、S_3 及 S_4 訊號的大小,則可判定入射粒子在 z 軸方向的位置。但由於載子移動度 (carrier mobility)[156]:

$$\mu = \left(\frac{1}{\mu_L} + \frac{1}{\mu_I} \right)^{-1} \tag{7.89}$$

其中 μ_L 是受聲子散射 (phonon scattering) 影響的載子移動度:

$$\mu_L = \frac{(8\pi)^{1/2} q\hbar^4 C_{11}}{3E_{ds}(m^*)^{5/2}(kT)^{3/2}} \propto (m^*)^{-5/2}(T)^{-3/2} \tag{7.90}$$

μ_I 則是受摻雜離子散射 (scattering of ionized impurities) 影響的載子移動度:

$$\mu_I = \frac{64(\pi)^{1/2}\varepsilon_s^2 (2kT)^{3/2}}{N_I q^3 (m^*)^{1/2}} \left\{ \ln\left[1 + \left(\frac{12\pi\varepsilon_s kT}{q^2 N_I^{1/3}} \right)^2 \right] \right\}^{-1} \propto (m^*)^{-1/2} N_I^{-1} T^{3/2} \tag{7.91}$$

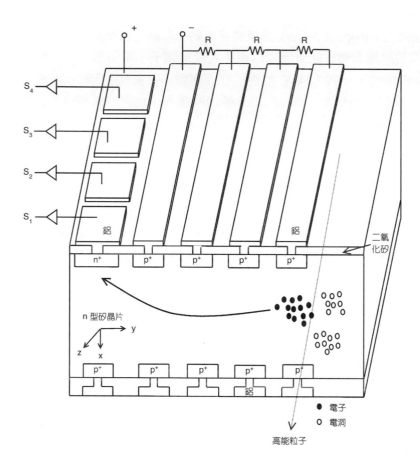

S_4

S_3

S_2

S_1

鋁

n⁺ p⁺ p⁺ p⁺ p⁺

二氧化矽

n型矽晶片

y

z

x

鋁

鋁

p⁺ p⁺ p⁺ p⁺ p⁺

● 電子

○ 電洞

高能粒子

圖 7.124

矽漂移腔感測器之示意圖
(149,150) 。

C_{11} 為半導體中縱向的平均彈性係數，E_{ds} 是在晶格中每單位鍵結長度之位移，m^* 是導電率中的有效質量，N_l 是游離的摻雜濃度 (dopant concentration)，ε_s 為介電常數。

根據上述式子，可以得到載子的移動度和溫度及摻雜濃度有相當大的關係。因此，矽漂移腔感測器必須使用摻雜濃度非常均勻的基材且在穩定的溫度環境下方可適用。

(2) 電荷耦合元件

自從 1969 年，Boyle 和 Smith 兩人在貝爾實驗室提出以 MOS 電容的陣列所做的電荷耦合元件結構，電荷耦合元件已被廣泛的研究與應用。其應用範圍包含了記憶體 (memory)、各種邏輯函數 (logic functions)、訊號處理 (signal processing) 和成像 (imaging)。

電荷耦合元件應用於粒子感測器時最常用的元件結構如圖 7.125 所示，此結構又稱為完全空乏接面電荷耦合元件 (fully-depleted junction charge-coupled devices, FDJ CCDs)[151]。它和矽漂移腔的結構非常相似，其相異處在於電子位能最低處 (potential minimum, PM) 可由平行的 p^+ 型長條區域提供不同電壓而加以控制。適當地控制時序訊號電壓 V_1、V_2 及 V_3，可使訊號載子逐漸平移至訊號讀出端。

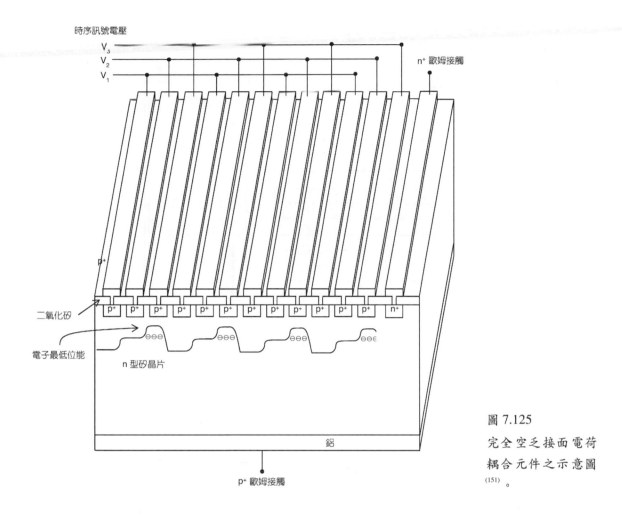

時序訊號電壓

V_3
V_2
V_1

n⁺ 歐姆接觸

p⁺

二氧化矽

電子最低位能

n 型矽晶片

鋁

p⁺ 歐姆接觸

圖 7.125
完全空乏接面電荷耦合元件之示意圖[151]。

如果將電荷耦合元件製成矩陣形式,如圖 7.126 所示[152],則只要適當地控制縱向及橫向的時序訊號電壓,就可從讀出的訊號中將入射粒子的位置和能量完全解析出來,因此電荷耦合元件最大的優點為其精密度和二維的解析度最高,但此感測器有一嚴重缺點,就是需要很長的訊號判讀時間。所以在快速事件發生率的實驗中,此感測器就不適用。一般而言,所需的讀取時間(或是反應時間),電荷耦合元件約為 40 ms,矽漂移腔約為 2 μs,而接下來要介紹的矽微條感測器則僅需 10 ns;因此就反應速度而言,矽微條感測器是最好的選擇。

(3) 矽微條感測器

矽微條感測器的結構如圖 7.127 所示[153,154],主要是由 p-i-n 結構所組成的感測器。利用 $i(n^-)$ 型基材,在上面製作 p^+ 型之長條,且在其上面氧化層蝕刻出接觸窗後,接著鍍上金屬。基材另一面則製作 n^+ 型層。它的操作原理是利用足夠的反偏電壓將基材完全空乏,當

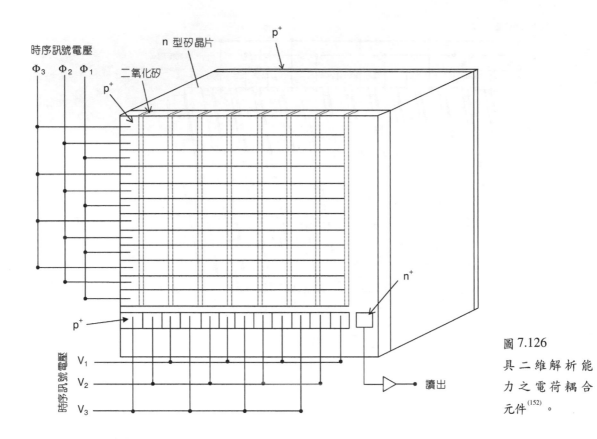

圖 7.126
具 二 維 解 析 能
力 之 電 荷 耦 合
元 件[152]。

高能粒子入射至感測器時，會因碰撞而產生許多電子－電洞對，電子會由加正電壓的 n^+ 型
層收集，電洞則由加負電壓的 p^+ 型長條接收。這種矽微條感測器在一維空間具有約 5 微米
的解析度。且由於可另加一個電容器於訊號輸出端 (p^+ 型長條) 形成 AC 耦合，因此可以將
一些來自基材的 DC 漏電流隔離，使感測器的訊雜比 (SNR) 增加。

如果將感測器製作成如圖 7.128 所示[155]，把 p^+ 與 n^+ 型區皆製作成長條形，且 p^+ 與 n^+
型之長條互相垂直，如此便可得到二維空間的粒子感測器。只是在製作上，由於晶片兩面
都有製程，所以製作成本將會提高許多，且由於製作其中一面時另一面容易被刮傷，所以
感測器的良率會明顯下降。

欲提升此感測器的訊雜比，可致力於降低元件的漏電流[153,154,157-159]。首先是去疵
(gettering) 方法的研究。在比較九種去疵製程後，發現採用本質去疵 (intrinsic gettering) 技
術，結合在晶片背面利用化學氣相沉積複晶矽及氮化矽層的外質去疵 (extrinsic gettering) 技
術，可以獲得最低的元件漏電流。從量測不同的 pn 接面測試結構 (pn-junction test
structure)，我們也發現元件漏電流主要是來自接面側邊的漏電流，因此，可嘗試使用傳統
積體電路製程中的 LOCOS 隔離技術來避免側邊的漏電流，但是由於所用的氮化矽層的應力
太高，因此效果並不顯著。利用缺陷蝕刻 (defect etch) 分析，發現這些漏電流是離子植入時

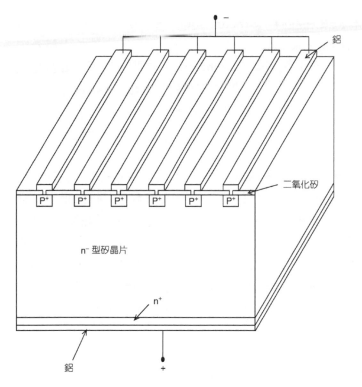

圖 7.127
矽微條感測器之示意圖[153,154]。

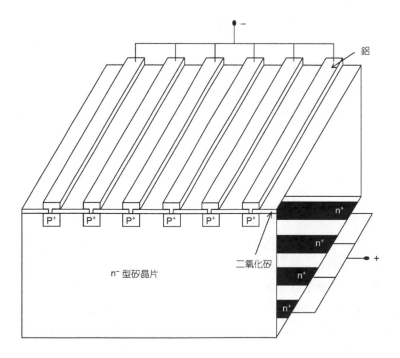

圖 7.128
兩面結構之矽微條感測器[155]。

所造成的缺陷引起的；所以，我們曾提出以硼固態源 (boron solid-source) 來取代 p^+ 型矽微條離子植入 (p^+-strip implantation)，可得到明顯的改善。然而，為了避免硼固態源中鐵離子的污染，回到離子植入的方法，成功地開發出高溫回火 (annealing) 的技術及採用高質量高劑量的離子植入來降低感測器的漏電流。

7.5.3 磁場感測器

霍爾 (Hall) 磁場感測元件已廣泛應用於諸如磁碟機、影碟機、空調機、電腦終端機、鍵盤及汽車等日常用品中，其對於人類生活之影響日益重要。因此在本文中將對霍爾感測器，由其基本原理出發到近十年來的發展，做一梗概性的介紹，以期一些對霍爾感測器不熟悉的讀者能在最短的時間內一窺全貌，並掌握其設計理念。首先我們介紹霍爾效應 (Hall effect) 的現象，找出影響感測靈敏度的因素，並進而提出改善感測靈敏度的方法。除了一維霍爾感測器外，也將介紹二維及三維霍爾感測器，並討論如何利用微機電 (MEMS) 的技術及半導體積體電路製程中的溝槽 (trench) 技術，來提升二維及三維霍爾感測器的性能。

7.5.3.1 導論

自從霍爾發現霍爾效應 (Hall effect) 現象以來，人類研究霍爾元件已約有二百多年的歷史。因此霍爾元件也從純學理探討的象牙塔中走出來，而步入人們的日常生活中，例如磁碟機、影碟機、空調機、電腦終端機、鍵盤及汽車內，均可見其蹤跡。圖 7.129 列出霍爾元件的主要應用領域及其產品[160]。隨著積體電路 (integrated circuit, IC) 的發展及興盛，將感測元件與電路一併整合製作於半導體基板上之積體化感測器 (integrated sensor) 的想法亦成為主流概念。這種積體化感測器由於與計算功能強大之積體電路結合，常展現出一般感測器所達不到的性能，故有時亦稱為智慧型感測器 (smart sensor)。將霍爾感測元件及其讀出電路整合於單一晶片上而製出的商品，通常叫霍爾積體電路 (Hall IC)。事實上美日各大公司，如 Honeywell、Siemens、Sprague Electric、TI、東芝、松下、三洋、Sharp、旭化成及 Pioneer 都已有霍爾感測元件及 IC 在出售。本文將只把焦點集中於霍爾感測元件之介紹。但由於 Hall IC 之成功，故在討論霍爾感測元件時，仍須注意其與 IC 製程之相容性。

一般用來製作霍爾感測元件的材料有矽、砷化鎵及銻化銦，其性能之比較可用一些指標來評價，例如靈敏度、溫度係數及線性度。一般用矽做成的霍爾感測元件，其靈敏度約為幾十 V/AT (volt/ampere tesla) 左右，用砷化鎵做成的霍爾感測元件可達幾百 V/AT 左右，而銻化銦的靈敏度則約為砷化鎵的幾倍左右。但最近亦有利用砷化鋁鎵／砷化鎵異質結構所產生的二維電子氣來製作霍爾感測元件，而達成了靈敏度約為上千 V/AT 左右的成果 [161,162]。在溫度係數及線性度這些方面的表現，矽質霍爾感測元件亦劣於砷化鎵霍爾感測元件。然而矽質霍爾感測元件並未被市場所淘汰，這是因為其有與感測元件整合在一起且功

第 7.5.3 節作者為呂學士先生。

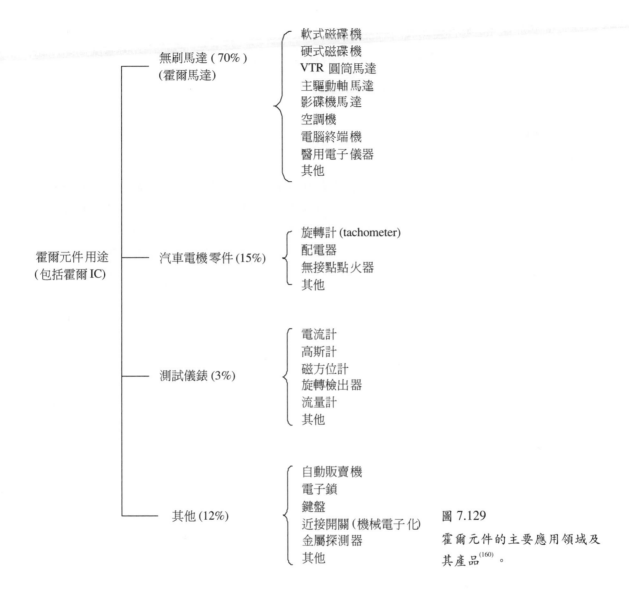

圖 7.129
霍爾元件的主要應用領域及其產品[160]。

能強大的積體電路來彌補其先天之不足。銻化銦雖在靈敏度方面比砷化鎵略勝一籌，但在溫度係數及線性度方面則均不如。因此三種材料之霍爾感測元件均有所長。在性能要求不高的應用方面，低價的矽霍爾元件及 IC 最適宜。需要高靈敏度但不太計較溫度係數及線性度時，則使用銻化銦最佳。若在乎溫度係數、耐高溫性及線性度，並要求相當之靈敏度，此時砷化鎵則為不二之選擇。砷化鎵之低溫度係數肇因於其高能隙 (band gap, 1.42 eV，相較於矽之 1.1 eV 及銻化銦之 0.3 eV)，而銻化銦之高靈敏度則源自於其高電子移動度 (mobility)。關於後者以及哪些因素影響靈敏度，將於後文中再解釋。

圖 7.129 所列多為一維之應用。但在有些應用方面，需知磁場之指向，因此單一方位的量測已不能滿足需求，從而二維及三維霍爾感測器也就應運而生[164,165]。然而二維及三維霍

爾感測器若欲與 IC 整合製作在同一晶片上，則其靈敏度通常變得很差。因而提升二維及三維霍爾感測器之技術—如微機電 (MEMS) 的技術及半導體積體電路製程中的溝槽技術—也相繼被提出來[168]。

7.5.3.2 霍爾感測原理

(1) 霍爾效應

　　半導體磁感測器的原理，來自於羅倫茲力 (Lorentz force) 對半導體內部的帶電載子所造成的電磁效應，此效應稱之為霍爾效應，即由羅倫茲力產生同時與磁場方向和原電流方向垂直的電場，此電場所造成的電位差稱之為霍爾電壓 (Hall voltage)。

　　考慮一個 n 型半導體物質，寬度為 w，高度為 t，如圖 7.130 所示，我們在 z 軸方向外加一個均勻的磁場 $\mathbf{B}$，

$$\mathbf{B} = \mathbf{a}_z B_0 \tag{7.92}$$

此半導體本身在 y 軸方向有均勻的電流流過，電流密度為

$$\mathbf{J} = \mathbf{a}_y J_0 = nq\mathbf{u} \tag{7.93}$$

n 為半導體中每單位體積的載子數，$\mathbf{u} = -\mathbf{a}_y u_0$ 為電荷在 y 方向移動的速度，q 為每個載子所帶有的電荷量。由羅倫茲磁力公式

$$\mathbf{F} = q\mathbf{u} \times \mathbf{B} \tag{7.94}$$

可知，載子會受到一個同時垂直於磁場 ($\mathbf{B}$) 和速度 ($\mathbf{u}$) 方向的磁力 ($\mathbf{F}$)。

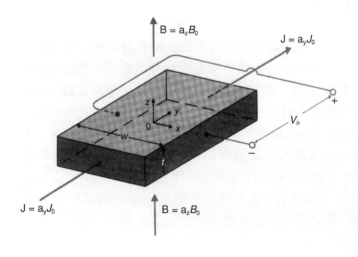

圖 7.130

霍爾原理圖。

因為此材料為 n 型半導體，那麼載子就是電子，$q = -e$ 為負，其中 e 為一個電子所帶電量，即 1.6×10^{-19} 庫倫。磁力會使電子往 x 軸 (見圖 7.130) 的正方向移動，產生一個抑制電子移轉的電場 (E_h)，方向也指向 x 軸的正方向，這個現象持續下去，使得 x 軸方向的電場繼續增強，增強到一定的程度之後，會使得電子停止向 x 軸正方向漂移，此時電子在 x 軸方向所受的合力 $(\mathbf{F}_t)$ 為零即

$$\mathbf{F}_t = 0 \tag{7.95}$$
$$\Rightarrow q\mathbf{E}_H + q\mathbf{u} \times \mathbf{B} = 0$$
$$\Rightarrow \mathbf{E}_H = -\mathbf{u} \times \mathbf{B}$$

這就是所謂霍爾效應，$\mathbf{E}_H$ 則被稱為霍爾電場 (Hall field)。對一般導體和 n 型半導體而言：

$$\mathbf{E}_H = -(-\mathbf{a}_y u_0) \times \mathbf{a}_z B_0 \tag{7.96}$$
$$= \mathbf{a}_x u_0 B_0$$

所以我們可以得到半導體在 x 軸方向的電位差為

$$V_H = \int_0^w E_H dx = \mathbf{E}_H \cdot w\mathbf{a}_x \tag{7.97}$$

V_H 即為前述的霍爾電壓。另外霍爾電場亦可寫成

$$E_H = u_0 \cdot B_0 \tag{7.98}$$
$$= \frac{1}{ne} \cdot J_0 \cdot B_0$$

若考慮電子散射效應，則公式 (7.98) 應改為下式

$$E_H = \frac{r_H}{ne} \cdot J \cdot B = R_H \cdot J \cdot B \tag{7.99}$$

其中 r_H 為考慮電子散射所增添之因子，稱為霍爾散射係數，與電子移動度有關，一般而言，電子移動度越大其值越大。R_H 稱為霍爾係數 (Hall coefficient)，其定義為

$$R_H \equiv \frac{r_H}{ne} \tag{7.100}$$

而由公式 (7.99) 知霍爾係數與溫度、摻雜的濃度及電子移動度有關。載子濃度愈小則霍爾係數 R_H 愈大，相對的 E_H 也會愈大，霍爾電壓也會愈明顯，這就是為什麼磁感測器多用半導體做為材料，而不用導體做為材料。

　　設 E 為電流方向的電場，則 $J_0 = neu_0 = ne\mu E$，其中 μ 為半導體中電子的移動度。我們可定義一常用之物理量－霍爾角 (Hall angle, θ_H)：

$$\tan\theta_H = \frac{E_H}{E} = r_H\mu \cdot B = \sigma R_H B \tag{7.101}$$

其中 $\sigma = ne\mu$ 稱為導電度。由公式 (7.101) 中我們也可發現載子的移動度 (mobility) 愈高，霍爾角 (θ_H) 就愈大。

(2) 靈敏度

　　公式 (7.97) 若考慮霍爾元件幾何尺寸的影響，並代入公式 (7.99)，霍爾電壓可重新整理為下式：

$$V_H = G \cdot R_H \cdot J \cdot B \cdot w \tag{7.102}$$
$$= G \cdot \frac{R_H}{t} \cdot I \cdot B$$

其中 G 為幾何因子，與霍爾感測器之幾何形狀有關，將於下文中討論。由方程式 (7.102) 可以知道，電流或磁場越大霍爾電壓也就越大。為了公平的比較個別霍爾感測器之性能，我們必須把霍爾電壓除以電流及磁場後來比較，這就是所謂的靈敏度。根據上述的定義，霍爾靈敏度 (Hall sensitivity, S) 為

$$S = G\frac{R_H}{t} = \frac{r_H \cdot G}{net} \tag{7.103}$$

　　因為 R_H 與移動度成正比 (由於 r_H 之關係)，故由公式 (7.103) 知半導體移動度 (mobility) 愈高，就會使靈敏度愈大。這就解釋了我們在導論中所提及為什麼銻化銦之霍爾靈敏度大於砷化鎵而砷化鎵又大於矽，也解釋了為什麼使用高電子移動度結構之霍爾元件會得到最高的靈敏度[162]。

　　由公式 (7.103) 亦可知，我們若要有高的靈敏度，就要使載子濃度下降以及材料厚度變

薄。換句話說，載子濃度和材料厚度的乘積要小，亦即片電阻 (sheet resistance, R_s) 要大，因為

$$S = \frac{V_H}{IB} = G\frac{r_H}{net} = r_H G\frac{\rho}{t}\mu \qquad (7.104)$$

其中 $\rho = 1/(ne\mu)$，為電阻率 (resistivity)，而我們知道電阻 R

$$R = R_s\frac{L}{w} \qquad (7.105)$$

$$R_s = \frac{\rho}{t} = \frac{1}{ne\mu t}$$

其中 L 為霍爾元件之長度。故

$$S = G \cdot R_s \cdot r_H \cdot \mu \qquad (7.15)$$

由公式 (7.106) 中發現，靈敏度與片電阻成正比。我們曾嘗試不同離子能量及劑量而得出靈敏度與片電阻關係之實驗結果如圖 7.131。由圖知果然靈敏度與片電阻成正比，此意謂著相同電流下片電阻愈大則靈敏度愈大。但片電阻不能無限制地變大，因為此舉將使霍爾元件輸入電阻太大而導致操作電壓大得不切實際。另外若在相同電流、相同片電阻及相同幾何形狀下 (即相同電壓下)，移動度愈大，則靈敏度愈大。

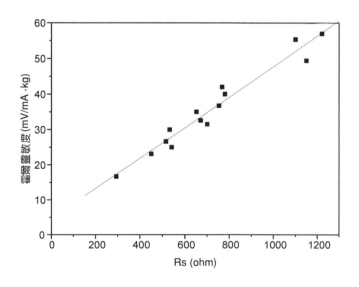

圖 7.131

霍爾靈敏度與片電阻關係的實驗結果。

　　從公式 (7.103) 知道電子濃度越低靈敏度就越高，因此可以利用 MOS 閘極電壓來控制電子的濃度使其相當低[167,168]。我們曾經設計一個利用 MOS 製程完成的霍爾感測器 (其結構如圖 7.132 所示)，其靈敏度可以高達 3850 V/AT。

(3) 幾何因子

　　除了載子濃度、材料厚度及移動度外，霍爾感測器之幾何圖案亦影響其靈敏度。通常這項因素由所謂的幾何修正因子 G 來決定。G 不僅與霍爾板 (Hall plate) 之長度及寬度有關，而且也與接點尺寸 s、接點位置及霍爾角 θ_H 相關。關於 G 之計算可以用保角變換 (conformal mapping) 或數值方法來達成，但在此我們先採用數值方法來計算。考慮如圖 7.133 之霍爾板，令中心點為 $x = 0$，電流在 x 方向流動，根據(7.98) 及 (7.99) 式，

$$E_H = R_H JB \tag{7.107}$$

但由於現在之霍爾板的尺寸是有限的，所以霍爾電場並非到處均勻且相等的。因此針對此問題我們必須解它的拉普拉斯方程式 (Laplace equation)，即

$$\nabla^2 V(x, y) = 0 \tag{7.108}$$

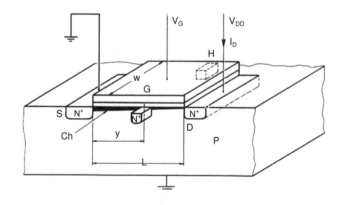

圖 7.132
MOS 霍爾感測器結構圖[167]。

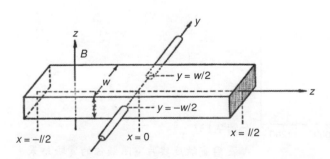

圖 7.133
矩形霍爾板。

令 y 方向的電場為 E_y，則 $E_y(x, y)$ 必須滿足以下的邊界條件：

$$E_y\left(\pm\frac{l}{2}, y\right) = 0 \tag{7.109}$$

$$E_y\left(x, \pm\frac{w}{2}\right) = E_H$$

　　利用分離變數法及上述的邊界條件，我們可以求解得如圖 7.134 的電位分布圖、圖 7.135 電場分布圖及圖 7.136 的等電位線圖之結果。由圖 7.134 可知霍爾板非電極兩側邊，由於磁場的作用，一邊電位提高而另一邊電位下降，其電壓差即為霍爾電壓。

　　在圖 7.136 中可看到傾斜的等電位線，這是由於實際的電位是電源電壓(x 方向) 和霍爾電壓(y 方向) 的和所造成的。等電位線和 y 軸正向的夾角即為霍爾角。圖 7.136 的霍爾角為 30 度，長寬比 (l/w) 為 2，靠近電流源接點的部分，等位線幾乎平行於金屬接點，這代表著此時霍爾電場很小。圖 7.135 把霍爾電場 E_y 的空間分布畫出來，在圖中當靠近 x 方向兩端

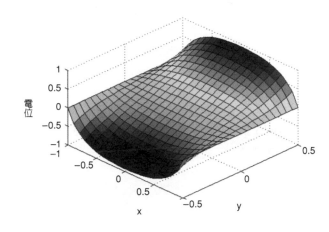

圖 7.134
霍爾板中的電位分布圖。

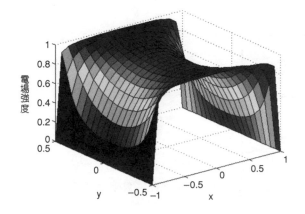

圖 7.135
霍爾板中的電場分布圖。

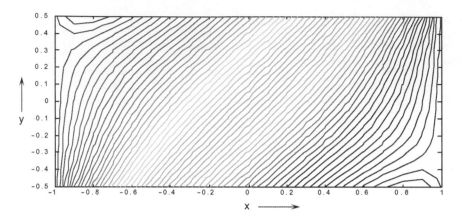

圖 7.136
霍爾板中的等位線圖。

的電流源接點時霍爾電場急速衰減。由此可推知，當長寬比 (l/w) 變小時，兩側電極的影響力就會增大，使霍爾電壓變小。所以若把長寬比縮小，電流源接點會使得電流源接點鄰近區域的霍爾電場發生「短路現象」，因此所量測到的霍爾電壓就變小。這種因幾何尺寸及形狀而影響霍爾電壓的因素，即為幾何因子 (geometrical factor)。其定量上可由下式決定

$$G\left(\frac{l}{w}\right) = -\sum_{-w/2}^{w/2} \frac{E_y(x,y)}{E_H w} dy \tag{7.110}$$

由上式所得之幾何因子對長寬比作圖，結果畫在圖 7.137。由圖知當長寬比大於 3 時，幾何因子逼近於 1。另外圖 7.137 中還顯示出 $G(l/w) - (w/l)$ 的曲線。此曲線是適合定電壓操作模式使用的，因為可以證明，當霍爾感測器操作於定電壓 V 模式時，霍爾電壓為

$$V_H = \mu(Gw/l)BV \tag{7.111}$$

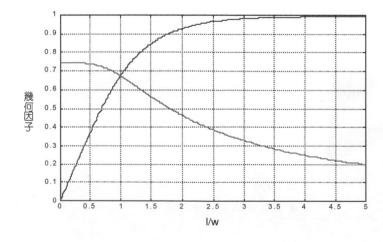

圖 7.137
幾何因子與霍爾板之長寬比 (l/w) 的關係。

由上面的討論我們得出以下結論：

① 固定電流下，應使用長的霍爾板，$l/w > 3$，$G \sim 1$。

② 固定電壓下，應使用短的霍爾板，$l/w < 1$，$G > 0.7$。

③ 固定功率下，使用 $l/w = 0.75$ 的霍爾板，$G \sim 0.7$。

事實上，有些形狀比這種矩形形狀來得好。例如，為了避免前述之短路效應，矩形板霍爾感測器必須很長或者霍爾電壓之接點尺寸必須很小。前者會使感測器之輸入電阻變得太大，令人無法接受，而後者使得製程變得困難或不可靠。例如接點稍有不對稱，馬上會造成偏移電壓的產生 (詳見後一節偏移電壓)。為了避免上述之困擾，有人提出了希臘十字形 (Greek cross) 霍爾感測器。其基本觀念是為了避免霍爾電壓接點受電源接點之影響，故將霍爾電壓接點向兩旁往外拉出，所以矩形板自然就成了十字形板，如圖 7.138 所示。保角變換理論指明矩形霍爾板和十字形霍爾板有一定的轉換關係，如圖 7.139 所示。

由圖 7.139 知十字形霍爾板最大的好處是，就算實際十字形霍爾板之霍爾電壓接點尺寸大，但換算成矩形板時其所得之等效接點很小。例如具 $a'/b' \sim 1$ 時，對應於 $s/a = 0.013$，$a/b = 2.72$。十字板之 a'/b' 會影響其幾何修正因子，其值愈大對應於矩形板的 l/w 愈大，G 也愈大。但 a'/b' 輸入電阻也就愈大，故有一定限制。

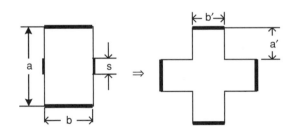

圖 7.138

矩形霍爾板及十字形霍爾板。

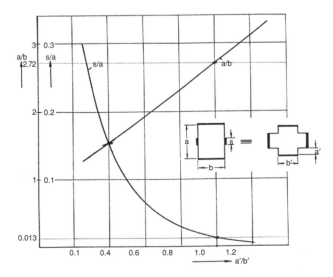

圖 7.139

矩形霍爾板與十字形霍爾板間的轉換曲線。

(4) 偏移電壓

　　所謂的偏移電壓是指在沒有的磁場的情況下，霍爾感測器輸出端所量到的電壓。理論上此值應當為零，然而事實上並不然。一般而言，其原因為製程之缺陷，例如沒有對準好，特別是感測器之輸出端接點部分，另外還有材料電阻及厚度的不均一性等。有時由於機械性應變所產生之壓阻效應，也會造成偏移電壓。簡單來說偏移電壓就是由不對稱性所造成的，因此矩形之感測器其偏移電壓就比十字形來得大。我們的實驗顯示鑽石形的圖形，其偏移電壓也比十字形來得大，因此十字形應是最佳的選擇。

7.5.3.3 窄十字形霍爾感測器

　　既然要提高幾何因子必須要減低電源電極所帶來的短路效應影響，於是我們有了一個新的想法，就是讓希臘十字形霍爾感測器的輸出臂變窄，如同圖 7.140 所示。如此一來，一方面輸出接點變小，一方面輸出接點距電源電極較遠，就可減低電源電極所帶來的短路效應影響而提升幾何因子。我們用 TSMC 0.6 μm 的製程設計了三組共 12 個不同尺寸的霍爾感測器。霍爾感測器是利用 CMOS 製程中 n 井 (n-well) 來當做霍爾板。經過量測之後我們得到了十二組磁場對霍爾電壓的變化，以固定磁場 0.1 T 為準，取出了十二個點，畫出 a/b ($a1 = a2 = a$) 對霍爾電壓的變化，其中將相同長度 (L) 的點連在一起，這因為相同長度 (L) 的這幾組元件的輸入電阻也相同，在等電壓操作之下會有等電流發生。結果如圖 7.141 所示，在相同長度 (L) 的曲線上，發現 a/b 越大，霍爾電壓還是持續增加，不過會越來越緩慢上升，這是因為 G 已經趨近於 1 了，a/b 再大也不能使 G 大於 1。這樣的結果的確驗證了，窄輸出十字形的霍爾感測器比傳統希臘十字形有要好的性能。另外再觀察不同曲線的關

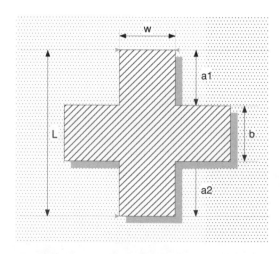

圖 7.140 窄十字形的尺寸定義。

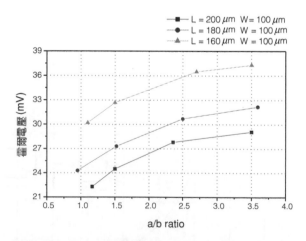

圖 7.141 窄十字形霍爾感測器的量測結果，a/b 越大表示輸出臂越窄。

係，發現 L 越大的感測器，霍爾電壓會比較小。這是由於定電壓操作，使得較大 L 的感測器產生較小的電流，所以會使得霍爾電壓較小。

7.5.3.4 二維式霍爾感測器

如導論中所言，有些應用希望能量出磁場的方位，因此就有二維式及三維式之霍爾感測器之提出。由於二維式霍爾感測器須要有兩個霍爾板互相垂直，以量測出磁場的兩個分量，而且又希望感測器能與積體電路製做在同一晶片上，因此就必須使用垂直式的霍爾板，而不是前述的水平式霍爾板。垂直式霍爾板的結構可由水平式霍爾板經過保角變換而得到，請參考圖 7.142。首先把一個水平式的霍爾板豎立起來 (圖 7.29(b))，如此一來就可以量測水平的磁場。但是此時霍爾電源電極會在兩個側邊，而一個霍爾感測電極會在底部，這樣的結構是沒有辦法用 IC 來實現的。將下面的接點從中剪開並與側面的接點一同拉到同一個平面，於是就可以得到如圖 7.142(c) 所示的結構。圖 7.142(a) 到 7.142(c) 的霍爾板均可用保角變換證明它們都是等價的。一個用 CMOS 實現的垂直式霍爾板，如圖 7.143 所示。其中 C0、C2、C4 為電源電極，電子從 C0 出發向右及向左行走而回到 C2 及 C4。若有一磁場存在將使電子受到勞倫茲力，向左及向右行走之電子所受之勞倫茲力的方向剛好相反，因此造成 H2 及 H4 感測電極間有一電壓差存在，此即霍爾電壓。實驗結果發現此種二維霍爾感測器靈敏度很差，原因之一是電子從 C0 電極出發後可能往各方向前進，並非都回到 C2 及 C4 電極 (或 C1 及 C3 電極)。為了限制電子行進的方向，有人提出利用微機電的技術蝕刻出電子的通道，如圖 7.144 所示。圖 7.145 則為實際做出的二維霍爾感測器之電子顯微鏡圖。實驗結果證明，經過微機電蝕刻後的霍爾感測器之靈敏度果然會提升，見圖 7.146。

另外一個影響二維霍爾感測器靈敏度的因素為垂直霍爾板之深度對厚度比。若能獲致較大的深度對厚度比則靈敏度可大幅提昇。IC 製程中的溝槽技術正好可以滿足這樣的要求。

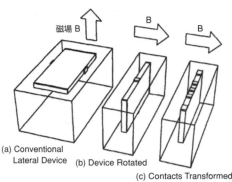

(a) Conventional Lateral Device
(b) Device Rotated
(c) Contacts Transformed to the Chip Surface

圖 7.142
由水平式轉換到垂直式霍爾感測器之示意圖[9]。

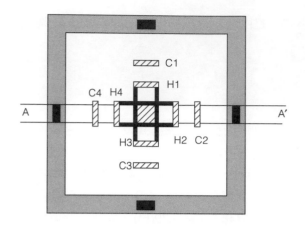

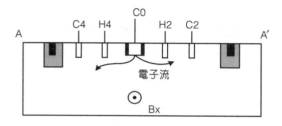

圖 7.143
CMOS 的垂直霍爾感測器。

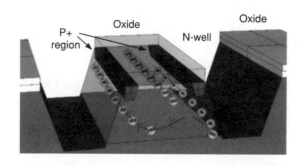

圖 7.144
微機電式 CMOS 的垂直霍爾感測器。

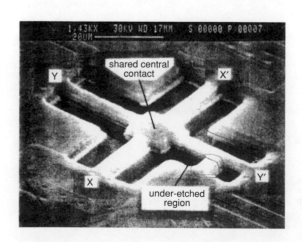

圖 7.145
微機電式 CMOS 垂直霍爾感測器的電子顯微鏡
圖。

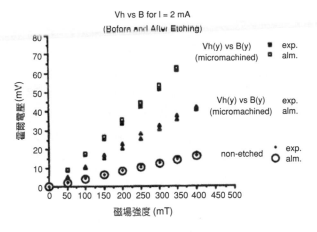

圖 7.146

微機電式 CMOS 垂直霍爾感測器的霍爾量測。

已經有人利用 DRAM 製程中所發展出來的溝槽式結構,做出一個高深寬比的垂直式霍爾感測器[169],其結構如圖 7.147 所示。它的靈敏度高達 250 V/AT (見圖 7.148),大於前述用微機電蝕刻技術做出來的垂直式感測器 (約 100 V/AT)[169],而且已經非常接近平面式霍爾感測器的表現了。

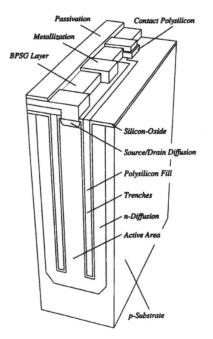

圖 7.147 溝槽式的霍爾感測器結構圖。

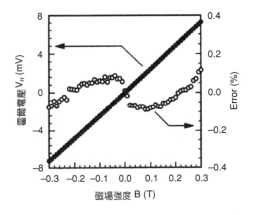

圖 7.148 溝槽式 CMOS 垂直霍爾感測器
的霍爾量測。

7.5.3.5 三維式霍爾感測器

　　三維式霍爾感測器的的原理很簡單，它只將垂直式二維霍爾感測器和水平式一維霍爾感測器結合在一起。把一維及二維的霍爾感測器結合有很多種擺設法，而圖 7.149 是現在最流行的擺設方法，就是在兩互相垂直的垂直式霍爾感測器的四個角落，再放下四個水平式的一維霍爾感測器，此四個感測器是以並聯的方式將感測器的感測接點各自接在一起。如此一來，這四個並聯式一維感測器的所得到的值，就應該會是這四個感測器的幾何中心的值，這樣才能使方位上之量測估算更加的精確。瑞士的 Popovic 做過一個三維的矽質霍爾感測器，x 軸及 y 軸靈敏度達到 413.5 V/AT，z 軸的靈敏度也有 39 V/AT。

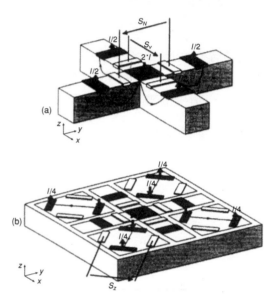

圖 7.149
三維式霍爾感測器的示意圖。

7.5.3.6 結論

　　我們已經介紹了霍爾感測器的原理，並找出影響靈敏度的因素。要提升靈敏度的方法有：使用電子移動度較大的材料、減低電子濃度、使用較薄的霍爾板，並儘量增加感測電極與電源電極之間的距離。不過在上述最佳化的過程中也必須注意到，不能使霍感測器的輸入電阻過大。不僅一維的霍爾感測器已大量應用於生活中，二維及三維霍爾感測器由於能偵測出磁場方位，也慢慢嶄露頭角。

參考文獻

1. A. C. M. Gieles, "Submmiature Silicon Pressure Transducers", *Digest IEEE ISSCC*, Philadelphia, PA, USA. 108 (1969).

2. C. S. Smith, *Physical Review*, **94**, 42 (1954).

3. S. Sze, *Semiconductor Sensors*, John Wiley Sons, Inc. (1994).

4. B. Kloeck, *Mechanical Sensors*, VCH Weinleim, FRG (1994).

5. 彭成鑑, 電子月刊, **9**, 42 (1996).

6. 邢泰剛, 電子月刊, **24**, 126 (1997).

7. 邱稔歡, 陳旭輝, 工業材料, **126**, 134 (1997).

8. 彭成鑑, 林澤勝, 工業材料, **121**, 104 (1997).

9. J. Brysek, K. Petersen, J. R. Mallori, L. Christel, and F. Pourahmadi, *Silicon Sensors and Microstructures*, Novasensor, CA (1988).

10. M. Madoa, *Fundamentals of Microfabrication*, 2nd ed., CRC Press (2002).

11. K. Yamada, M. Nishihara, S. Shimada, M. Tanabe, M. Shimazoe, and Y. Matsuoka, *IEEE Trans. Electron Devices*, **ED-29** (1), 71 (1982).

12. K. Suzuki, T. Ishihara, M. Hirata, and H. Tanigawa, *IEEE Trans. Electron Devices Meeting*, 137 (1985).

13. G. Wallis and D. I. Pomerantz, *J. Appl. Phys.*, **40**, 39 (1969).

14. S. Johansson, K. Gustafsson, and J. A. Schweitz, *Sens. Mater.*, **3**, 143 (1988).

15. K. B. Albaugh and D. H. Rasmussen, *J. Am. Ceram. Sec.*, **75** (16), 2644 (1992).

16. S. Timoshenko and S. Woinowsky-Krieger, *Theory of Plates and Shells*, 2nd ed., McGraw-Hill (1959).

17. F. Pourahmadi and J. Twerdok, *Machine Design*, 44, July (1990).

18. Swanson Analysis Systems Inc., *ANSYS User's Manual*, Revision 5.2, Houston, PA (1995).

19. 邢泰剛, 矽微細加工壓力微感測器元件設計, 工研院材料所技術報告 (1997).

20. T.-K. Shing, "Robust Design of Silicon Piezoresistive Pressure Sensor", *MSM98*, Santa Clara (1998).

21. T.-K. Shing, "Analysis of Anodic Bonding and Packaging Effects in Micro Sensors", *MSM 2000*, Santa Clara (2000).

22. 邢泰剛, 林澤勝, 戚貴發, 微感測器結構熱應力分析, 第三屆奈米研討會, **3**, 109 (1999).

23. 林阜生, 工業材料, **126**, 147 (1997).

24. 曹貴有, 曹思宜, 工業材料, **121**, 113 (1997).

25. D. A. Gee, K. E. Peterson, and G. T. A. Kovacs, "MEMS in the Medical Industry", *Sensor Expo Proceeding*, Spring, l61 (1996).

26. C. Ajluni, *Electronic Design,* May 28, 75 (1996).

27. 邢泰剛, 吳國靜, 工業材料, **126**, 139 (1997).

28. H. Walton, *The HOW and WHY of Mechanical Movements*, New York, NY: Popular Science Publishing Company (1968).

29. J. Fraden, *AIP Handbook of Modern Sensors*, New York, NY: American Institute of Physics (1993).

30. 徐玉紋, 周元昉, 微系統科技協會季刊, **2**, 35 (1990).

31. G. T. A. Kovacs, *Micromacnined Tansducers Sourcebook*, WCB/McGraw-Hill (1998).

32. J. Soderkvist, *Sensors and Actuators A*, **43**, 65 (1994).

33. Lawrence, *Modern Inertial Technology: Navigation, Guidance, and Control*, 2nd ed., New York, Springer-Verlag (1998).

34. N. Yazdi, F. Ayazi, and K. Najafi, *Proceedings of The IEEE*, **86**, 1640 (1998).

35. W. A. Clark, R. T. Howe, and R. Horowitz, "Surface Micromachined Z-axis Vibratory Rate Gyroscope," *Solid-State Sensors and Actuators Workshop 1996*, Hilton Head, SC, 283 (1996).

36. T. -A. Massood, *Micro Actuators*, Kluwer Academic Publishers (1998).

37. E. Boser, "Electronics for Micromachined Inertial Sensors," *Transducers' 97*, Chicago IL, 1169 (1997).

38. S. S. Back, Y. S. Oh, B. J. Ha, S. D. An, B. H. An, H. Song, and C. M. Song, "A Symmetric Z-axis Gyroscope with a High Aspect Ratio Using Simple and New Process," *MEMS '99*, San Diego, CA, 612 (1999).

39. P. Greiff, B. Boxenhorn, T. King, and L. Niles, "Silicon Monolithic Micromachanical Gyroscope," *Transducers'91*, San Francisco, CA, 966 (1991).

40. W. Geiger, B. Folkmer, U. Sobe, H. Sandmaier, and W. Lang, *Sensors and Actuators A*, **66**, 118 (1998).

41. K. Maenaka, T. Fujita, Y. Konishi, and M. Maeda, *Sensors and Actuators A*, **54**, 568 (1996).

42. K. Tanaka, Y. Mochida, M. Sugimoto, K. Moriya, T. Hasegawa, K. Atsuxhi, and H. Ohwada, *Sensors and Actuators A*, **50**, 111(1995).

43. R. Voss, K. Bauer, W. Ficker, T. Gleissner, W. Kupke, M. Rose, S. Sassen, J. Schalk, H. Seidel, and E. Stenzel, "Silicon Angular Rate Sensor for Automotive Applications with Piezoelectric Drive and Piezoresistive Read-out," *Tranducers'97*, Chicago, IL, 879 (1997).

44. M. Abe, E. Shinohara, K. Hasegawa, S. Murata, and M. Esashi, " Trident-type Tuning Fork Silicon Gyroscope by the Phase Difference Detection," *MEMS'2000*, Miyazaki, Japan, 508 (2000).

45. M. W. Putty and K. Najafi, "A Micromachined Vibrating Ring Gyroscope," *Solid-State Sensors and Actuators Workshop,* Hilton head, SC, 213 (1994).

46. G. He and K. Najafi, "A Single-Crystal Silicon Vibrating Ring Gyroscope," *MEMS'02*, Las Vegas, NV, 718 (2002).

47. K. Funk, H. Emmerich, A. Schilp, M. Offenberg, R. Neul, and F. Larmer, "A Surface Micromachined Silicon Using a Thick Polysilicon Layer," *MEMS'99*, San Diego, CA, 57 (1999).

48. T. Juneau, A. P. Pisano, and J. H. Smith, "Dual Axis Operation of a Micromachined Rate Gyroscope," *Transducers'97*, Chicago IL, 883 (1997).

49. T. K. Tang, R.C. Gutierrez, J. Z. Wilcox, C. Stell, V. Vorperian, R. Calvet, W. J. Li, I. Chakraborty, and R. Bartman, "Silicon Bulk Micromachined Vibratory Gyroscope," *Solid-State Sensors and Actuators Workshop 1996*, Hilton Head, SC, June, 288 (1996).

50. W. Geiger, W. U. Butt, A. GaiBer, J. Frech, M. Braxmaier, T. Link, A. Kohne, P. Nommensen, H. Sandmaier, and W. Lang, "Decoupled Microgyros and the Design Principle DAVED," *MEMS'01*, Interlaken, Switzerland, Jan., 170 (2001).

51. S. E. Alper and T. Akin, "A Symmetric Surface Micromachined Gyroscope with Decoupled Oscillation

Modes," *Transducers'01*, Munich, Germany, 456 (2001).

52. K. Tanaka, Y. Mochida, M. Sugimoto, K. Moriya, T. Hasegawa, K. Atsuchi, and K. Ohwada, *Sensors and Actuators A*, **50**, 111 (1995).

53. 謝哲偉, BELST 高深寬比製程平台及其應用, 國立清華大學動力機械工程學系博士論文 (2002).

54. Z. Kadar, W. Kindt, A. Bossche, and J. Mollinger, *Sensors and Actuators A*, **53**, 299 (1996).

55. V. Milanovic, M. Last, and K. S. J. Pister, "Torsional Micromirrors with Lateral Actuators," *Transducers'01*, Munich, Germany, 298 (2001).

56. J. Hsieh and W. Fang, *Journal of Micromechanics and Microengineering*, **12**, 574 (2002).

57. S. Rao, *Mechanical Vibrations*, 3rd ed., Addison-Wesley (1995).

58. W. C. Tang, M. G. Lim, and R. T. Howe, *J. Microelectromech. Syst.*, **1**, 170 (1992).

59. J. Kim, D. Cho, and R. S. Muller, "Why Is (111) Si a Better Mechanical Material for MEMS?" *Transducers'01*, Munich, Germany, **1**, 662 (2001).

60. Military Standard, *Thermal Imaging Devices, Performance Parameters,* MIL-STD-1859, Department of Defense, WA, DC (1986)

61. P. W. Kruse and D. D. Skatrud, *Uncooled Infrared Imaging Arrays and Systems*, Ch.2-3, New York : Academic Press (1997).

62. R. W. Whatmore, *Rep. Prog. Phys.*, **49**, 1335 (1986).

63. R. A. Wood, "Uncooled Thermal Imaging with Monolithic Silicon Focal Planes", in *Infrared Technology XIX, Proc. SPIE*, **2020**, 322 (1993).

64. L.V. King, "On the Convection of Heat from Small Cylinders in a Stream of Fluid: Determination of the Convection Constants of Small Platinum Wires with Aapplication to Hot Wire Anemometry," *Proc. Roy. Soc. London A*, **90**, 563 (1914).

65. G. Stemme, *IEEE Trans. Electron Devices*, **ED-33**, 1470 (1986).

66. D. Dominguez, B. Bonvalot, M. T. Chau, and J. Suski, *J. of Micromechanics and Microengineering*, **3**, 247 (1993).

67. C. Liu, J.-B. Huang, Z. Zhu, F. Jiang, S. Tung, Y.-C. Tai, and C.-M. Ho, *J. of MEMS*, **8** (1), 90 (1999).

68. F. Jiang, Y.-C. Tai, C.-M. Ho, and W. J. Li, "A Mmcromachined Polysilicon Hot-wire Anemometer," *IEEE Solid State Sensor and Actuator Workshop*, 264 (1994).

69. M. Elwenspoek, "Thermal Flow Micro Sensors," *Semiconductor Conference, CAS '99 Proceedings*, **2**, 423 (1999).

70. T. S. J. Lammerink, N. R. Tas, M. Elwenspoek, and J. H. J. Fluitman, *Sensors and Actuators A*, **37**, 45 (1993).

71. P. Gravesen, J. Branebjerg, and O. S. Jensen, *J. Micromech. Microeng.*, **3**, 168 (1993).

72. S. Shoji and M. Esashi, *J. Micromech. Microeng.*, **4**, 157 (1994).

73. N. T. Nguyen, *Flow Meas. Instrum.*, **8**, 7 (1997).

74. V. Gass, B. H. ver der Schoot, and N. F. de Rooij, "Nanofluid Handling by Micro-flow-sensor Based on Drag Force Measurements," *Proc. MEMS'93*, 167 (1993).

75. Y. Ozaki, T. Ohyama, T. Yasuda, and I. Shimoyama, "An Air Flow Sensor Modeled on Wind Receptor Hairs of Insects," *Proc. MEMS'00*, 531 (2000).

76. T. Nishimoto, S. Shoji, and M. Esahi, "Buried Piezoresistive Sensors by Means of MeV Ion Implantation," *Proc. Transducers'93*, 796 (1993).

77. O. Berberig, K. Nottmeyer, J. Mizuno, Y. Kanai, and T. Kobayashi, "The Prandtl Micro Flow Sensor (PMFS): A Novel Silicon Diaphragm Capacitive Sensor for Flow Velocity Measurements," *Proc. Transducers'97*, 155 (1997).

78. R. E. Oosterbroek, T. S. J. Lammerink, J. W. Berenschot, A. van der Berg, and M. C. Elwenspoek, "Designing, Realization and Characterization of a Novel Capacitive Pressure/Flow Sensor," *Proc. Transducers'97*, 151 (1997).

79. G. B. Lee, T. Y. Kuo, and W. Y. Wu, *Experimental Thermal and Fluid Science*, **26**, 435 (2002).

80. 田康雄, 現代音響科學, 復漢出版社, 梁東源譯 (1986)。

81. H. Bau, N. F. deRooij, and B. Kloeck, *Sensors: A Comprehensive Survey*, **7**, VCH (1994).

82. L. Kinsler, A. Frey, A. Coppens, and J. Sanders, *Fundamentals of Acoustics*, New York: John Wiley & Sons, Inc. (1980).

83. P. Scheeper, A. van der Donk, W. Olthuis, and P. Bergveld, *Sensors and Actuators*, **A44**, 1 (1994).

84. G. Sessler, *Sensors and Actuators A*, **25-27**, 323 (1991).

85. 邢泰剛, 傳聲器技術與趨勢, 工業材料, **149**, 80 (1999).

86. D. S. Greywall, *Sensors and Actuators A*, **75**, 257 (1999).

87. R. Schellin and G. Hess, *Sensors and Actuators A*, **32**, 555 (1992).

88. R. Schellin *et al.*, *Sensors and Actuators A*, **46-47**, 156 (1995).

89. M. Sheplak *et al.*, "A Wafer-Bonded, Silicon-Nitride Membrane Microphone With Dielectrically-Isolated, Single-Crystal Silicon Piezoresistors", *Solid-State Sensor and Actuator Workshop*, Hilton Head Island, South Carolina, I, 23 (1998)

90. M. Royer, J. O. Holmen, M. A. Wurm, O. S. Aadland, and M. Glenn, *Sensors & Actuators*, **4** (3), 357 (1990).

91. E. S. Kim and R. S. Muller, *IEEE Electron Device Letters*, **EDL-8** (10), 467 (1987).

92. E. S. Kim, *et al.*, "Improved IC-Compatible Piezoelectric Microphone and CMOS Process," *Proc. 6th In. Conf. Solid State Sensor and Actuators (Transducers '91)*, San Francisco, CA, USA, 270 (1991).

93. S. S. Lee, *et al.*, *Journal of Microelectromechanical Systems*, **5** (4), 238 (1996).

94. C. H. Han and E. S. Kim, "Fabrication Of Piezoelectric Acoustic Transducers Built on Cantilever-Like Diaphragm," *IEEE International MEMS Conference*, Interlaken, Switerland, MP17 (2001).

95. C. H. Han and E. S. Kim, "Micromachined Piezoelectric Ultrasonic Transducers Based on Parylene Diaphragm in Silicon Substrate," *2000 IEEE International Ultrasonic Symposium*, San Juan, Puerto Rico (2000).

96. J. Berqvist, F. Rudolf. J. Maisano. F. Parodi, and M. Rossi, *Transducers '91*, San Francisco, 266 (1991).

97. A. Torkkeli *et al., Sensors and Actuators*, **85**, 116 (2000).

98. W. Krpnust *et al., Sensors and Actuators A*, **87**, 188 (2001).

99. A. E. Kabir, *et al., Sensors and Actuators A*, **78** (2-3), 138, 17th Dec. (1999). (Draper)

100. I. Ladabaum, *et al., IEEE Transactions on Ultrasonics, Ferroelectrics, and Frequency Control*, **45** (3), May (1998).

101. P. Rombach, M. Mullenborn, U. Klein, and K. Rasmussen, *Sensors and Actuators A*, **95**, 196 (2002). (Mircotronic A/S)

102. P.-C. Hsu, C. H. Mastrangelo, and K. D. Wise, "A High Sensitivity Polysilicon Diaphragm Condenser Microphone", *1998 MEMS Conference*, Heidelberg, Germany, Jan. 25-29 (1998).

103. M. Pedersen, *et al., Sensors and Actuators A*, **54**, 499 (1996).

104. M. Pedersen, *et al., J. of MEMS*, **7** (4), 387 (1998).

105. J. Bay, *et al., Sensors and Actuators A*, **53**, 232 (1996). (Mircotronic A/S)

106. X. Li, *et al., Sensors and Actuators A*, **92**, 257 (2001).

107. D. Schafer, *et al.,* "Micromachined Condenser Microphone For Hearing Aid Use", *Solid-State Sensor and Actuator Workshop Hilton Head Island*, South Carolina, 27 (1998). (Knowles)

108. P. R. Scheeper, *et al., Sens. Actuators A*, **40**, 179 (1994).

109. Q. Zou, Z. Li, and L. Liu, *IEEE J. Microelectromech. Syst.*, **5**, 197 (1996).

110. M. Brauer, *et al., J. Micromech. Microeng.*, **11**, 319 (2001).

111. A. Dehe, *et al., Silicon Micromachined Microphone Chip at Siemens*.

112. A. J. Sprenkels, *et al., Sensors & Actuators*, **17** (3-4), 509 (1989).

113. T. Hsu, *et al.,* "A Thin-Film Teflon Electret Technology for Microphone Applications," Hilton Head, 235 (1996).

114. W. H. Hsieh, T. Y. Hsu, and Y. C. Tai, "A Micromachined Thin-film Teflon Electret Microphone," *Transducers '97*, 425 (1997).

115. W. H. Hsieh, T.-J. Yao, and Y.-C. Tai, "A High Performance MEMS Thin-Film Teflon Electret Microphone," *Transducers '99* (1999).

116. C. Thielemann, *et al., Sensors and Actuator*, **A61**, 352 (1997).

117. D. Hohm and R. Gerhard-Multhaupt, *Journal of the Acoustical Society of America*, **75** (4), 1297 (1984).

118. T. K. A. Chou and K. Najafi, "3D MEMS Fabrication Using Low-temperature Wafer Bonding with Benzocyclobutene (BCB)," The 11th International Conference on Sensors and Actuators, Munich, Germany, June 10-14 (2001).

119. J. Miao, *et al., Microelectronics Journal*, **33**, 21 (2002).

120. T. Gabrielson, *IEEE Trans. Elect. Devices*, **40**, 903 (1993).

121. M. P. Norton, *Fundamentals of Noise and Vibration Analysis for Engineer*, 197-200, New York: Cambridge University Press (1969).

122. M. Mullenborn, *et al., Sensors and Actuators A*, **92**, 23 (2001). (Mircotronic A/S)

123. M. Manteghi, *et al.*, "A Novel MEMS Wireless Microphone," UCLA.

124. S. Chowdhury, *et al.*, "A Surface Mountable MEMS Beamforming Microphones Array and an Associated MEMS Socket Structure," *Symposium On Microelectronics Research & Development*, Canada, Ottawa, June 7 (2001).

125. J. Rehder, *et al., J. Micromech. Microeng.*, **11**, 334 (2001).

126. S. Chowdhury, *et al.*, "MEMS Acousto-Magnetic Components for Use in a Hearing Instrument," *SPIE Symposium on Design, Test, Integration, and Packaging of MEMS/MOEMS*, May 9-11, Paris, France (2000).

127. J. B. Heroux, X. Yang, and W. I. Wang, *Appl. Phys. Lett.*, **75**, 2716 (1999).

128. J. C. Campbell, D. L. Huffaker, H. Deng, and D. G. Deppe, *Electron. Lett.*, **33**, 1337 (1997).

129. C. Li, Q. Yang, H. Wang, J. Yu, Q. Wang, Y. Li, J. Zhou, H. Huang, and X. Ren, *IEEE Photonics Technology Journal*, **12**, 1373 (2000).

130. J. J. Ho, Y. K. Fang, K. H. Wu, W. T. Hsieh, S. C. Huang, G. S. Chen, M. S. Ju, and J. J. Lin, *IEEE Trans. On Electron Devices*, **45**, 2085 (1998).

131. H. H. Wehmann, G. P. Tang, R. Klockenbrink, and A. Schlachetzki, *IEEE Trans. On Electron Devices*, **43**, 1505 (1996).

132. J. W. Shi, Y. H. Chen, K. G. Gan, Y. J. Chiu, C. K. Sun, and J. E. Bowers, *IEEE Photonics Technology Letters*, **14**, 363 (2002).

133. M. K. Emsley, O. Dosunmu, and M. S. Unlu, *IEEE Photonics Technology Letters*, **14**, 519 (2002).

134. D. Fehly, A. Schlachetzki, A. S. Bakin, A. Guttzeit, and H. H. Wehmann, *IEEE Journal of Quantum Electronics*, **37**, 1246 (2001).

135. B. C. Hsu, C. W. Liu, W. T. Liu, and C. H. Lin, *IEEE Trans. On Electron Devices*, **48**, 1747 (2001).

136. I. Kimukin, N. Biyikli, B. Butun, O. Aytur, S. M. Unlu, and E. Ozbay, *IEEE Photonics Technology Letters*, **14**, 366 (2002).

137. L. H. Laih, T. C. Chang, Y. A. Chen, W. C. Tsay, and J. W. Hong, *IEEE Trans. On Electron Devices*, **45**, 2018 (1998).

138. L. H. Laih, T. C. Chang, Y. A. Chen, W. C. Tsay, and J. W. Hong, *IEEE Photonics Technology Letters*, **10**, 579 (1998).

139. L. H. Laih, J. C. Wang, Y. A. Chen, T. S. Jen, W. C. Tsay, and J. W. Hong, *Solid-State Electronics*, **41**, 1693 (1997).

140. S. M. Sze, *Physics of Semiconductor Devices*, 2nd ed., 750, New York: Wiley (1981).

141. J. C. Campbell, *Proc. IEEE Int. Electron Device Meeting*, Washington DC, 575 (1995).

142. D. C. Diaz, C. L. Schow, J. Qi, and J. C. Campbell, *Appl. Phys. Lett.*, **69**, 2798 (1996).

143. B. Jouni, B. Djebar, L. Risto, T. Maarit, and K. Matti, *Fire Safety Journal*, **37**, 395 (2002).

144. K. Toshiro and Y. Atsushi, *Nucl. Instr. and Meth. A*, **481**, 317 (2002).

145. B. Ingo, G. Heinz, and K. Uwe, *Nucl. Instr. and Meth. A*, **481**, 330 (2002).

146. G. J. Sem, *Atmo. Res.*, **62**, 267 (2002).

147. P. C. P. S. Simoes, D. S. Covita, C. M. B. Monterio, D. Santo, and R. F. Morgado, *IEEE Nucl. Sci. Sym. Conference Record*, **1**, 289 (2001).

148. F. d'Errico, R. Nath, S. K. Holland, M. Lamba, S. Patz, and M. J. Rivard, *Nucl. Instr. and Meth. A*, **476**, 113 (2002).

149. G. Gramegna, F. Corsi, D. de Venuto, C. Marzocca, A. Vacchi, V. Manzari, F. Navach, S. Beole, G. Casse, P. Giubellino, L. Riccati, and P. Burger, *IEEE Trans. on Nucl. Sci.*, **42**, 1497 (1995).

150. C. Fiorini, A. Longoni, and P. Lechner, *IEEE Trans. on Nucl. Sci.*, **47**, 1691 (2000).

151. L. Struder, P. Holl, G. Lutz, and J. Kemmer, *Nucl. Instr. and Meth. A*, **288**, 277 (1990).

152. J. Kemmer and G. Lutz, *Nucl. Instr. and Meth. A*, **273**, 588 (1988).

153. W. C. Tsay, J. W. Hong, A. E. Chen, W. T. Lin, C. Y. Hsu, S. M. Jan, and C. L. Kuo, *Nucl. Instr. and Meth. A*, **351**, 463 (1994).

154. W. C. Tsay, Y. A. Chen, L. H. Laih, J. W. Hong, A. E. Chen, W. T. Lin, Y. H. Chang, S. R. Hou, C. R. Li, H. J. Ting, W. C. Liang, J. D. Tang, C. C. P. Cheng, and S. T. Chiang, *IEEE Trans. on Nucl. Sci.*, **45**, 186 (1998).

155. H, Becker, T. Boulos, P. Cattaneo, H. Dietl, P. Holl, and E. Lange, *IEEE Trans. on Nucl. Sci.*, **2**, 101 (1990).

156. S. M. Sze, *Physics of Semiconductor Devices*, 2nd ed., New York: Wiley (1981).

157. W. C. Tsay, J. W. Hong, Y. H. Chang, A. E. Chen, S. R. Hou, S. L. Hsu, C. H. Lin, W. T. Lin, H. J. Ting, S. T. Chiang, E. Chuang, and S. W. Hwang, *IEEE Trans. on Nucl. Sci.*, **42**, 437 (1995).

158. W. C. Tsay, Y. A. Chen, L. H. Laih, J. W. Hong, A. C. Chen, W. T. Lin, Y. H. Chang, S. R. Hou, S. L. Hsu, C. R. Li, H. J. Tin, and S. T. Chiang, *Japanese J. Appl. Phys.*, **35**, 1077 (1996).

159. W. C. Tsay, Y. A. Chen, L. H. Laih, J. W. Hong, A. E. Chen, W. T. Lin, Y. H. Chang, S. R. Hou, C. R. Li, H. J. Tin, W. C. Liang, J. D. Tang, C. C. P. Cheng, and S. T. Chiang, *Nucl. Instr. and Meth. A*, **405**, 13 (1998).

160. 游金湖編譯, 磁性感測器及使用技術, 建興出版社.

161. T. Hara, M. Mihara, N. Toyoda, and M. Zama, *IEEE Trans. Electron Devices*, **29** (1), 78 (1982).

162. Y. Sugiyama, T. Taguchi, and M. Tacano, "Highly Sensitive Magnetic Sensor Made of AlGaAs/GaAs Heterojuction Semiconductor," *Proc. 6th Sensor Symp.*, 55, IEE Japan, Tokyo (1986).

163. T. Nakamura and K. Maenaka, *Sensors and Actuators*, **A21-A23**, 762 (1990).

164. K. Maenaka , M. Tsukahara, and T. Nakamura, *Sensors and Actuators*, **A21-A23**, 747 (1990).

165. H. Jasherg, *Sensors and Actuators*, **A21-A23**, 737 (1990).

166. A. Hilger, *Hall Effect Devices*, RS Popovic (1991).

167. H. M Yang, Y. C. Huang, T. F. Lei, C. L. Lee, and S. C. Chao, *Sensors and Actuators A*, **57**, 9 (1996).

168. R. Steiner, F. Kroener, Thl. Olbrich, R. Baresch, and H. Baltes, *In-plane Sensitive Vertical Trench-Hall Device*, IEDM 98.

169. M. Paranjape, L. M. Landsberg, and M. Kahrizi, *Sensors and Actuators A*, **53**, 273 (1996).

微機電系統技術與應用（上）
Micro Electro Mechanical Systems Technology & Application (I)

發　行　人／陳建人

發　行　所／財團法人國家實驗研究院儀器科技研究中心

新竹市科學工業園區研發六路20號

電話：03-5779911 轉 303、304

傳真：03-5789343

網址：http://www.itrc.org.tw

編　　輯／伍秀菁・汪若文・林美吟

美術編輯／吳振勇

初　　版／中華民國九十二年七月

二版三刷／中華民國九十七年三月

行政院新聞局出版事業登記證局版臺業字第 2661 號

定　　價／精裝本　上冊新台幣 750 元、下冊新台幣 750 元 (不分冊銷售)

平裝本　上冊新台幣 600 元、下冊新台幣 600 元 (不分冊銷售)

郵撥戶號／00173431 財團法人國家實驗研究院儀器科技研究中心

打字／文豪照相製版社 03-5265561

印刷／友旺彩印股份有限公司　037-580926

精裝　ISBN 978-957-017-465-6 (上冊)　ISBN 978-957-017-467-0 (下冊)

平裝　ISBN 978-957-017-466-3 (上冊)　ISBN 978-957-017-468-7 (下冊)

國家圖書館出版品預行編目資料

微機電系統技術與應用 ＝ Micro electro
mechanical systems technology &
application ／ 伍秀菁，汪若文，林美吟編輯
. -- 二版. -- 新竹市：國研究儀科中心，
民 93
　　冊 ；　　　公分
含參考書目及索引
ISBN 957-01-7465-X (上冊：精裝). -- ISBN
957-01-7466-8 (上冊：平裝). -- ISBN 957-01
-7467-6 (下冊：精裝). -- ISBN 957-01-7468-
4 (下冊：平裝)

　1.　電機工程

448　　　　　　　　　　　　　　93009773